ISBN 975 - 22 - 0127 - X
2006.06.Y.0105.2917

1 - 3. Basım Nisan 2005
4 - 6. Basım Mayıs 2005
7 - 15. Basım Haziran 2005
16 - 29. Basım Temmuz 2005
30 - 52. Basım Ağustos 2005
53 - 118. Basım Eylül 2005
119 - 186. Basım Ekim 2005
187 - 262. Basım Kasım 2005
263 - 274. Basım Aralık 2005
275 - 276. Basım Şubat 2006

277. Basım
Şubat 2006

BİLGİ YAYINEVİ
Meşrutiyet Caddesi, No: 46/A, Yenişehir 06420 / Ankara
Tlf   : (0-312) 434 49 98 - 434 49 99 - 431 81 22
Faks : (0-312) 431 77 58

İstanbul Temsilciliği
İstiklâl Cad., Beyoğlu İş Mrk. No: 365, A Blok,
Kat: 1/133 Beyoğlu 80070 / İstanbul
Tlf   : (0-212) 244 16 51 - 244 16 53
Faks : (0-212) 244 16 49

BİLGİ KİTABEVİ
Sakarya Caddesi, No:8/A, Kızılay 06420 / Ankara
Tlf   : (0-312) 434 41 06 - 434 41 07
Faks : (0-312) 433 19 36

BİLGİ DAĞITIM
Narlıbahçe Sokak, No: 17/1, Cağaloğlu 34360 / İstanbul
Tlf   : (0-212) 522 52 01 - 520 02 59
Faks : (0-212) 527 41 19

www.bilgiyayinevi.com.tr ● info@bilgiyayinevi.com.tr

Turgut Özakman

Şu Çılgın Türkler

roman

BİLGİ YAYINEVİ

kapak: bilgi yayınevi

baskı: özgün matbaacılık a.ş.
(0-312) 6451910

Şu Çılgın Türkler

Önsöz

1948 yılında on arkadaş, Nezih Bayman adlı bir arkadaşımızın başkan olduğu Anadolu Oymağı adlı bir derneğin düzenlediği uzun yürüyüşe katıldık. Polatlı'dan Dumlupınar-Zafer Tepe'ye kadar yürüyecek, Sakarya siperlerinden aldığımız toprağı Zafer Tepe'deki anıtın toprağına katacaktık.

19 Ağustos 1948 günü Ankara'dan Polatlı'ya trenle gittik. Polatlı'dan Zafer Tepe 'ye kadar on gün yayan yürüdük.

Yol çizgimiz şöyleydi: Polatlı, Beylikköprü, Acıkır, Mülk köyü, Sivrihisar, Çifteler, Seyitgazi, Türkmen ormanı, Alayunt, Kütahya, Altıntaş, Çal köyü, Zafer Tepe-Zafer abidesi.

Zafer Tepe'ye 29 Ağustos gecesi vardık, toprakta uyuduk. Sabahleyin on binlerce insan şehirden ve köylerden trenle, otobüsle ve yaya olarak tören alanına aktılar. Burada 30 Ağustos geçit törenine katıldık. Ertesi yıl da yapıldı bu yürüyüş. Ben, Kütahya-Zafer Tepe bölümüne bir daha katıldım. Bu kez Altıntaş üzerinden değil, Olucak'tan geçerek Dumlupınar'a geldik.

Geçtiğimiz yerler, savaşların olduğu, Yunan işgali görmüş, işgal ve zafer günlerini yaşamış yerlerdi. Savaşa katılmış, tanık olmuş insanlarımız sağdı. Onları dinleye dinleye yürüdük.

Yol boyunca not aldım.

Milli Mücadele ile ilgili anıları toplamam böyle başladı. Zaman içinde, kitap, dergi ve gazetelerde çıkmış yazılı anıları derledim. Bu dönemi yaşamış, görmüş asker ve sivillerle konuştum. Derleme sınırımı genişletip Milli Mücadele ve Cumhuriyet dönemiyle ilgili özgün ya da çeviri, bütün belge, araştırma, inceleme kitaplarını da toplamaya başladım. Alamadıklarımı –o zamanlar fotokopi yoktu– el yazımla çoğalttım. 1. ve 2. Dönem TBMM tutanaklarını sağladım. Harp Tarihi Dairesi'nin kitaplığındaki Yunancadan çevrilmiş kitapları okudum, fotokopisini alamadığım için el yazımla kopya ettim. Bu konudaki yeni yazıya çevrilmemiş eski yazı kitapları rahmetli kayınpederim İlhami Gökçekoğlu ya da annem okudu.

Haritalar ve fotoğraflar topladım. Sakarya ve Büyük Taarruz bölgelerini birkaç kez gezdim.

Milli Mücadele ile ilgili bilgi ve belge toplama tutkum elli küsur yıldır sürüyor. Hemen hiç ara vermedim diyebilirim. Bu derleme ve okumayı hâlâ da sürdürüyorum.

Bu kaynakları o kadar çok okuyup inceledim ki insanları yakından tanımış, bazı olaylara sanki tanık olmuş gibiyim. Bazı olayları yaşadığım vehmine kapıldığım zamanlar oluyor.

Yaklaştıkça büyüyen, bir macera romanından daha heyecan verici olan Milli Mücadele'yi, gençler için roman olarak yazmayı, bu uzun ve yoğun emeği böyle değerlendirmeyi düşündüm. Birkaç roman kişisinin çevresinde dönerek değil, bütünüyle, her cephesiyle anlatmak istedim. Bunu yapabilmek için bu tür anlatımlarda kullanılan zincirleme ve paralel kurgu modelinden yararlandım.

Okurlar bu büyük konuyu, sade ve meraklı bir roman gibi yorulmadan okusunlar istedim.

Bunu başarmış olmayı çok isterim.

Gençlerimize uzun zamandır Milli Mücadele'yi gerektiği gibi anlatmıyoruz. Bu yüzden şimdiki birçok orta yaşlılar da Milli Mücadele'yi iyi bilmiyor. Bilmemek oranı gittikçe artıyor. O görkemli olayı eski, soluk fotoğraflara benzettik. Oysa cumhuriyetimiz o mücadelenin ürünü ve kaçınılmaz sonucudur. Yeni devletin kuruluş felsefesini o mücadele belirlemiştir. Anadolu aydınlanması, birliği ve yurttaşlık bilinci o büyük mücadeleyle başlamıştır. O dönem bilinmeden bugünü okuyamayız, yarını göremeyiz.

Milli Mücadele'nin emperyalizme karşı verilmiş ve kazanılmış ilk kurtuluş savaşı olduğu anlatılmadığı için gençlerimiz başkalarının kurtuluş mücadelelerine imrendiler. Kendi tarihlerine, kendi kahramanlarına yabancılaştılar.

Milli Mücadele'nin bir yazarın hayal zenginliğine ihtiyacı yok. Şaşırtıcı bir yakın zaman destanı. Gerçek olaylar hayali çok aşıyor.

Bu gurur ve ibret verici gerçekleri, roman biçimi içinde yansıtmak istedim.

Şu Çılgın Türkler, belgelere dayalı, gerçek olgu ve olayların romanıdır. Belgeler, mektuplar, anılar, makaleler, bilgiler, raporlar, haberler, gerçeğe bağlı kalınarak öyküleştirilmiştir.

Genel olarak bütün kişiler gerçektir. O zamanlar soyadı yoktu. Ben bu önemli insanların bilinmesi için soyadlarını da kullandım.

Havayı yansıtmak, ayrıntıları belirtmek ve konuyu yürütmek için Nesrin, Yzb. Faruk, Dr. Hasan, Gazi Çavuş, saatçi Ali Efendi, Panayot gibi birkaç hayali kişiye yer verdim.

Olaylar tarih sırasıyla anlatılmış, gün içindeki olaylar da sabahtan geceye doğru sıralanmıştır.

Şu Çılgın Türkler, elbette bir tarih kitabı değildir. Bununla birlikte o dönemi ve özellikle de insanlarımızı anlatan belli başlı tarihi ve askeri olayları ihmal etmedim. Savaşlar, teknik açıklamalardan ve ayrıntılardan ayıklanmış olarak, ana çizgileri, özellikle de ruhu korunarak hikâye edilmiştir. Deniz olaylarının ancak bir kısmına yer verebildim. Örnek olarak Rüsumat'ın hikâyesini anlatmakla yetindim.

Yunanlılar için Yunan kaynaklarını, İngilizler için İngiliz kaynaklarını kullandım. Aleyhlerindeki bilgiler kendi kaynaklarında, uluslararası kurulların raporlarında ve yabancı gazete ve araştırma kitaplarında yer almaktadır.

Hiçbir şeyi abartmadım, küçültmedim de.

Aktarılan olayların gerçek olduğunu belirtmek için geçerli kaynakları gösterdim. Dipnotlar sonda toplanmıştır.

İlk kez okurken dipnotlara hiç bakmamanızı dilerim.

Romanın başında, Mondros Mütarekesi'nden İkinci İnönü Savaşı'nın son gününe kadar geçen sürecin bir özeti var. Bu süreci biliyorsanız, bu özeti okumasanız da olur. Ama isterseniz roman bitince bir göz atın, belki dikkatinizden kaçmış birkaç gerçek bulursunuz. İyi bilmiyorsanız, romanı daha sıcak izlemeniz için okumanızı tavsiye ederim.

Anıları, gazete, dergi ve kitapları toplarken, birçok insandan yardım ve destek gördüm. Hepsinin adını ansam sayfalar alır. Yarısına yakını da rahmetli oldu. Hepsine yürekten teşekkür ediyorum, sonsuzluğa göçmüş olanlara rahmet diliyorum.

Bir küçük açıklama:

Bu çalışmamı bilen Televizyon Daire Başkanı Serpil Akıllıoğlu Kurtuluş Savaşı'nı TRT'ye dizi olarak yazmamı istemişti (1992). Malzemeyi roman olarak kurgulamıştım. Ama heyecanlandım. Kurtuluş Savaşı ile ilgili filmlerde halk ıska geçilir, sosyal ve siyasi yan yok sayılırdı. Olay genellikle bir Türk-Yunan savaşına indirgenirdi. Milli Mücadele'nin emperyalizme karşı bir istiklal ve kurtuluş savaşı, saltanat düzenine ve anlayışına karşı da bir ihtilal olduğu yansıtılmazdı. Savaş bölümlerinde askerler ütü izi belli üniformalar giyer, subaylar pek şık gezerlerdi. Yunan, İngiliz, Fransız, Sovyet cephelerine hiç değinilmezdi.

Bu dönemin halkımıza doğru yansıtılmasının yararlı olacağını düşündüm, 'peki' dedim. Bir yıl süre istedim. Uygun görüldü. Yirmi bölüm halinde yazdım, verdim. TRT Yönetim Kurulu bütçe sorunlarını ileri sürerek, önce 90 dakikalık bir film olarak çekilmesini istedi, sonra üç bölüme çıktılar. Sonunda Genel Müdür Kerim A. Erdem, Yönetim Kurulu Üyesi Gültekin Samancı ve Yönetmen Ziya Öztan'ın çabalarıyla altı bölüm olmasına rıza gösterdiler.

Yazılan senaryonun üçte birinden yararlanılabilmiş, birçok ayrıntıya yer verilememiştir.

Dizinin yönetmenliğini Ziya Öztan yaptı. Müziği Muammer Sun üstlendi. Başta Rutkay Aziz olmak üzere filme emeği geçen herkes büyük özveriyle çalıştı. Temiz bir film oldu. Çok ilgi gördü. Genç izleyicilerin ilgisi beni mutlu etti.

Bu açıklamayı şunun için yaptım: *Şu Çılgın Türkler, Kurtuluş* adlı dizinin romanı değildir. *Kurtuluş*'tan daha kıdemli ve geniş bir çalışmadır. Şu denilebilir: *Kurtuluş, Şu Çılgın Türkler*'den oldukça yararlanılarak yazılmış bir dizidir.

Sevgi ve saygıyla.

Turgut Özakman
Mart 2005, Ankara
tozakman@bilgiyayinevi.com.tr

Başlangıç

28 Haziran 1914 - 1 Nisan 1921

SULTAN REŞAT, İstanbul'u ziyaret eden İngiltere'nin Akdeniz Filosu Komutanı Amiral Poe onuruna, 28 Haziran 1914 akşamı Dolmabahçe Sarayı'nın şölen salonunda 120 kişilik bir yemek veriyordu. Konukların tören giysileriyle katıldığı görkemli yemeğin ortasında, salonun büyük kapılarından biri yavaşça aralandı, bir saray görevlisi eşikte durup bekledi. Teşrifat Memuru Ercüment Ekrem Talu, sessizce kapıya yaklaştı. Bir olağanüstülük olduğunu anlayan Teşrifat Nazırı da hızla yanlarına geldi.

Yaşlı Padişah, dikkatini dağıtan bu davranışlardan rahatsız olmuştu. Yorgun gözlerini Teşrifat Nazırına çevirdi. Nazır büyük bir saygıyla yaklaştı, eğildi, olayı bildirdi: Bir Sırplı, Avusturya Veliahtı Arşidük Ferdinand'ı, Saraybosna'da öldürmüştü.

Haber hızla sofrayı dolaştı. Saray orkestrası sustu. İki teşrifatçı ağır koltuğu usulca geri çektiler. Sultan Reşat, zorlukla ayağa kalkarak, başsağlığı dilemek için Avusturya-Macaristan Büyükelçisine doğru yürüdü.

Yemek sona erdi.

Osmanlı İmparatorluğu'nun üst yöneticileri, ertesi gün, amirallik gemisinde verilecek yemeğe çağrılıydılar. Ama İngiliz Akdeniz Filosu, sabah haber verme gereğini duymadan İstanbul'dan ayrılmıştı.

Bir ay süren diplomatik kargaşadan sonra su, kaynama noktasına ulaştı. 28 Temmuz 1914 günü, Avusturya-Macaristan İmparatorluğu'nun Tuna filosu, Sırbistan'ın başkenti Belgrad'ı bombaladı. Dünyayı bölüşmekte anlaşamayan büyük devletler, hesaplaşmak için böyle bir fırsat bekliyorlardı. Savaş bir salgın hastalık gibi dört bir yana yayıldı. Almanya ardarda Rusya, Fransa ve Belçika'ya savaş açtı. Bunu, 4 Ağustosta İngiltere'nin Almanya'ya karşı savaşa girmesi izledi. Sonunda, savaşa katılacak ülkelerin sayısı otuzu bulacak, on milyon insan ölecek, on beş milyon insan sakat kalacak, dört imparatorluk yıkılacak, yeryüzünün siyasi haritası değişecektir.

Osmanlı İmparatorluğu Almanya ve Avusturya-Macaristan'ın yanında savaşa girer.

Bunun üzerine İngiltere Savaş Bakanı Lord Kitchener bir açıklama yapar:

Lord Kitchener

"Türkiye'yi yok edinceye kadar savaşacağız!"

Türkiye önemliydi. Çünkü İngiltere'nin egemenliği altında, bir Türk zaferinin cesaretlendirmesinden korkulan 300 milyona yakın Müslüman bulunuyordu. Osmanlı İmparatorluğu'nu hızla dize getirerek, Müslümanların bağımsızlık heveslerini bastırmak, İngiltere açısından şarttı.[1]

Emperyalistler arasında Osmanlı İmparatorluğu'nun paylaşılması, 6 gizli anlaşma ile karara bağlanır.

1917 yılında ABD, İngiltere ve yandaşlarının yanında yer alırken, Çarlığı deviren Bolşevikler, kendi iç kavgalarını sonuçlandırmak için savaştan çekildiler.

Zavallı Anadolu, beş cepheye, durup dinlenmeden kan ve can pompalıyordu. O kadar ki dört yıl süren savaşın sonuna doğru, yaşı kaç olursa olsun, kilosu 45'i geçen her genç cepheye sürülecektir.[2]

Bulgaristan Eylül sonunda, teslim bayrağını çeker. Almanya ile bağlantı kesilir. İttihat ve Terakki iktidarı yenilgiyi kabullenerek mütareke ister.

Osmanlı İmparatorluğu, 17. yüzyıldan beri hızla gerileyerek sonunda bir yarı sömürge olmuş, süslü bir operet imparatorluğuna dönmüştür. Savaştan iyice tükenmiş olarak çıkar. Süsü de dökülmüştür. Pantürkizm Hazar kıyılarında, Panislamizm Arabistan çöllerinde ölmüş, elde yalnız bitkin ve yoksul Anadolu kalmıştır.

30 Ekim 1918'de İngiliz deniz üssü Mondros'ta mütareke anlaşması imzalanır.

İttihat ve Terakki'nin başlıca yöneticileri, başta Enver, Talat ve Cemal Paşalar olmak üzere yurtdışına kaçar.

Osmanlı Devleti'ne ve Türklere karşı, ortaçağın haçlı anlayışıyla yeniçağın ürünü emperyalizmi kaynaştıran acımasız bir politika uygulanacaktır.[3]

İlk adımda Osmanlı orduları dağıtılır, silahlar toplanmaya başlar, donanma gözaltına alınıp ulaştırma ve haberleşme kurumlarına el konulur. 337.000 asker terhis edilir. Gizli anlaşmalara uygun olarak, İtalyanlar Güneybatı Anadolu'yu, Fransızlar –Ermenilerle birlikte– Çukurova'yı, İngilizler Musul ve Güneydoğu Anadolu'yu işgal ederler. Çanakkale, Mudanya, Samsun ve Merzifon'a İngiliz, Zonguldak ve Doğu Trakya'ya Fransız, Konya'ya İtalyan birlikleri yerleşir.

Ermenilerin yakıp yıktığı Kuzeydoğu Anadolu, yeniden Ermenilere açılacaktır. Doğu Karadeniz'de Pontus devletini kurmak için silahlanmış Rum çeteleri faaliyete geçerler.

İstanbul ortaklaşa işgal edilir.[4]

İtalya, İngiltere, Fransa başbakanları ve ABD başkanı Türkiye'nin işgal edilmesini ve parçalanmasını kararlaştırdılar. (Orlando, Lloyd George, Clemenceau ve Başkan Wilson)

İşgal!..

Ermeni kıyımı yaptıkları veya İngiliz esirlerine kötü davrandıkları ileri sürülerek, asker ve sivil birçok yönetici İngilizlerce tutuklanır ve Malta'ya sürülür.

Gerici Hürriyet ve İtilaf Partisi'nin yurtdışına sürülmüş ya da kaçmış üst kadrosu, kin ve iktidar özlemiyle tutuşmuş bir halde, İstanbul'a geri döner. [5]

Türlü ayrılıkçı dernekler kurulur. Bazı aydınlar birdenbire Kürt, Çerkez ya da Arap olduklarını anımsarlar. Bazı ümitsiz aydınlar da, İngiliz, Fransız veya Amerikan mandasını ya da himayesini arayan akımlar arasında bocalamaktadır.

Bir çöküş ve çözülüş dönemine girilmiştir. [6]

1918 yazında, Sultan Reşat'ın ölümü üzerine VI. Mehmet sanıyla 36. padişah olarak tahta çıkan Vahidettin, devletin ve tahtının geleceğini, dönemin süper devleti İngiltere'nin lütfuna bağlamıştır.

İngiltere Karadeniz Ordusu Komutanı General Milne, Londra'ya şu mesajı yollar. "VI. Mehmet, İngilizlerin Türkiye'de idareyi mümkün olduğu kadar süratle ellerine almasını istiyor." [7]

Amiral Web'in mektubu: "Padişah bizi buraya yerleştirmek istiyor." [8]

Damat Ferit, Amiral Calthorpe'a şöyle diyecektir: "Padişahın ve benim yegâne ümidimiz, Allah'tan sonra İngiltere'dir." [9]

Vahidettin, 30 Mart 1919'da, Damat Ferit aracılığıyla, 'kendi eli ile yazdığı bir tasarıyı' İngiliz Yüksek Komiseri Amiral Calthorpe'a ulaştıracaktır. Özeti şudur: "Osmanlı İmparatorluğu'nun 15 yıl müddetle İngiliz sömürgesi olması." [10]

Osmanlı hükümdarının kurtuluş reçetesi budur. Vahidettin İngiliz sömürgesi olabilmek ümidiyle her türlü yola başvurur. Aklına onurlu, başı dik, bağımsız bir Türkiye gelmez. Kimseye güvenemediği için ablasının kocası Damad Ferit'i, ardarda sadrazamlığa getirir.[11]

Halk uzun yıllardan beri cephede ölümle, cephe gerisinde yoksullukla boğuşa boğuşa tükenmiş, içine kapanmıştır. [12]

Bu sırada fırsatçı Yunanlılara gün doğar. Bu küçük, tecrübesiz devletin hırslı yöneticilerinde, ölçüsüz bir genişleme tutkusu vardır. Genişlemek için tarihi kurcalayıp dururlar. Yunan büyük ülküsü (megali idea), 'bütün Yunanlıları ve eski Helen topraklarını bir bayrak altında toplamak' diye özetlenebilir. Yunan büyük ülküsü en ateşli temsilcisini Giritli Elefteryos Venizelos'ta bulmuştur.

Yunan Başbakanı Venizelos ve İngiltere Başbakanı Lloyd George

Ülkesini savaş dışında tutmaya çalışan Kral Konstantin'in tersine Başbakan Venizelos, İngilizlerin yanında yer almak için sabırsızlanmaktadır. Birçok Yunan subayı, Alman İmparatoru Wilhelm'in kız kardeşi ile evli olan Konstantin'in Alman casusu olduğuna inanmaktadır. Krala bağlı askerler ile Venizelos'a bağlı 'Milli Savunma' (Ethniki Amyna) adlı örgütün yandaşları savaşırlar. Sonunda Kral Konstantin, oğlu Aleksandros lehine tahttan çekilmek zorunda kalır. Yunanistan'dan ayrılır. Venizelos Atina'ya gelir. Yunanistan, artık görünen zaferden pay istemek için, on ikiye beş kala, savaşa katılacaktır.

Venizelos, gözlerini Batı Anadolu'ya çevirir. Etkili üslubu ve verdiği yanıltıcı bilgiler ile kendilerine göre yeni bir dünya kurmağa çalışan bilgisiz politikacılarla atgözlüklü diplomatları etkiler. İngiltere'nin, Yakındoğu petrollerinin ve pazarlarının paylaşılması sırasında bir ajan-devlete, olası bir Türk kıpırdanmasını bastıracak jandarmaya ihtiyacı vardır. İngiltere Başbakanı Lloyd George, Yunanlıları gözüne kestirir, kanlı ve uzun bir savaşa yol açacak olan düşüncesini açıklar:

"Osmanlı İmparatorluğu'nun mirasçısı, Yunanistan'dır." [13]

Yunan ordusu İzmir'de

Mağrur Evzon askerleri

Daha önce İtalyanlara vaadedilmiş olan İzmir ve çevresi, Lloyd George'un önerisi, Başkan Wilson'un onayı ile avans olarak Yunanlılara verilir.

14 Mayıs akşamı İzmir Metropoliti Hrisostomos, Efes kilisesinde Rumlara müjdeyi yetiştirir:

"Kardeşlerim! Mükâfat zamanı gelmiştir."

Panhelenist siyasetin galiplerce donatılmış silahlı birlikleri, 15 Mayıs 1919'da İngiliz donanmasının koruması altında, İzmir'e çıkarlar, kıyıma ve Batı Anadolu'yu işgale başlarlar. [14] Yunan ordusunun gelmesi Ege Rumlarını şımartmıştır. Bin yıllık barışı bozarlar. Ege'de acı ve kanlı bir dönem başlar. [15]

İlk kurşunu atan Hasan Tahsin

Türkler silaha sarılırlar.

İlk Yunan tümeninin İzmir'e çıkmasından dört gün sonra, ünü Çanakkale Savaşları sırasında parlamış olan Mustafa Kemal Paşa, 9. Ordu Müfettişi olarak 19 Mayıs 1919'da Samsun'a çıkar. Kendisine verilen görev, bu bölgede asayişi sağlamaktır. Ama Padişahı, İstanbul hükümetini ve galip devletleri şaşırtan bir şey yapar: Bütün milleti, işgale tepki göstermeye çağırır. [16]

İngiliz baskısıyla ordu müfettişliğinden alınınca, askerlikten istifa eder. Gerçekçilikten uzaklaşmadan, hayale kapılmadan, büyük bir sabırla, bütün Anadolu'yu yurtseverlik ve bağımsızlık bayrağı altında toplamaya koyulur.

Erzurum Kongresi'ni, daha kapsamlı Sivas Kongresi izleyecektir. Kurulmuş olan Redd-i İlhak ve Müdafaa-yı Hukuk dernekleri, 'Anadolu ve Rumeli Müdafaa-yı Hukuk Derneği' adıyla tüm yurdu kucaklayan tek bir dernek olarak örgütlenir. M. Kemal Temsil Heyeti (Yönetim Kurulu) Başkanlığına seçilir.

Heyet 27 Aralık 1919'da Ankara'ya gelir ve halkın büyük gösterileriyle karşılanır. [17]

Times gazetesi Türk kıpırdanışını şöyle karşılar: *"Bütün cihanın kuvvetine karşı milli bir hareket yaratmak... Ne çocukça bir hayal!"* [18]

Yazar Refik Halit Karay, Milli Mücadele'nin başlamasını alayla karşılar:

"..Bir patırtı, bir gürültü. Beyannameler, telgraflar... Sanki bir şeyler oluyor, bir şeyler olacak... Ayol şuracıkta her işimiz, her kuvvetimiz meydanda. Dört tarafımız açık. Dünya vaziyetimizi biliyor. Hülyanın, blöfün sırası mı? Hangi teşkilat, hangi kuvvet, hangi kahraman? Hülyanın bu derecesine, uydurmasyonun bu şekline ben de dayanamayacağım. Bari kavuklu gibi ben de sorayım:

– Kuzum Mustafa, sen deli misin?"

Elde avuçta hiçbir şey yokken, emperyalizme, galip devletlere, Yunan ordusuna, Ermenilere, Pontus çetelerine karşı silahlı mücadeleye girişmeyi çılgınlık sayanlar çoktur. Silahsızlandırılmış Türk ordusunun bu tarihteki gücü, o da kâğıt üzerinde, 35-40 bin kişidir. Oysa Türkiye'deki silahlı işgalcilerin sayısı giderek 400.000 kişiyi bulacaktır. Yoksul, bitik Anadolu, 400.000 işgalciyi ve on binlerce silahlı-silahsız haini yenmeyi başaracaktır.

Milli Mücadele işte bu mucizenin, bu onurlu, güzel çılgınlığın adıdır.

Ankara'nın ısrarı üzerine İstanbul hükümeti, İngilizlerin izniyle, seçim yapılmasını kabul eder. 12 Ocak 1920'de Osmanlı Meclisi, İstanbul'da toplanır. Esasları Erzurum ve Sivas Kongreleri ile Ankara'da oluşturulup belirlenmiş olan Milli Ant'ı (Misak-ı Milli'yi) kabul ve ilan eder. Milli Ant'ın özü şudur:

"Bölünmez, bağımsız, hür ve çağdaş bir Türkiye!"

Bu karar, işgalcileri olağanüstü rahatsız etmiştir. İşgalci güçler, Ankara'ya halka gözdağı vermek üzere, İstanbul'da yönetime resmen el koyarlar. Birçok milliyetçiyi tutuklarlar. Anadolu'ya yardım edenlerin idam edileceklerini gazeteler ve duvar ilanlarıyla duyururlar. Meclis'i sarıp Rauf Orbay ve Kara Vasıf'ı götürürler. Bazı milletvekillerini, askerleri ve yazarları da tutuklar, hepsini yaka paça Malta'ya sürerler. [19]

Mustafa Kemal Paşa işgale misilleme olarak, başta Albay Rawlinson olmak üzere, o sırada Anadolu'da bulunan bütün İngiliz subay ve erlerini tutuklatmış ve Meclis'i Ankara'da toplanmaya çağırmıştır.

Milli kuvvetler de harekete geçerek, İngiliz birliklerini Eskişehir'i boşaltmak zorunda bırakır, demiryollarına el koyarlar. İngiliz birlikleri İstanbul ile Anadolu arasındaki tek geçidi, Geyve Boğazı'nı Türklere bırakarak İzmit'e çekilirler.

Vahidettin ise Türk tarihinin en hain adamı olan Damat Ferit'i yeniden sadrazamlığa getirir, görevlendirme yazısında, Ankara'yı kastederek, *"..isyan halinin devamı, daha korkunç hallere sebep olabileceğinden, bu kargaşalıkların bilinen tertipçileri ve teşvikçileri hakkında kanun hükümlerinin*

Damat Ferit

Türkiye Büyük Millet Meclisi

uygulanmasını ve (...) bütün memlekette asayiş ve düzeni sağlayacak önlemlerin hızla ve kesinlikle alınmasını" emreder. [20]

Bu emir üzerine Damat Ferit, yapılabilecek en kötü, en alçakça şeyi yapar: Milli namusu korumak ve istilayı durdurmak için kanını döken Kuva-yı Milliyecilere ve askerlere karşı, dinsel nitelikli bir savaş açar. Şeyhülislam Dürrizade Abdullah'ın verdiği fetvalar, İngiliz ve Yunan uçaklarıyla Anadolu'ya atılır, işbirlikçi gazetelerde yayımlanır, Rumlar, Ermeniler, Hürriyet ve İtilaf Partisi'nin adamları ve ajanlar tarafından dağıtılır.

Özü şudur: *"Padişahın izni olmadan işgalcilere karşı duranları, asker ve para toplayanları tek tek veya topluca öldürmek, din gereği ve görevidir! Milliyetçileri öldürenler gazi sayılır, bu yolda ölenler şehit."* [21]

Damat Ferit'in hainlikleri saymakla bitmez. [22]

Milletvekilleri ve subaylar İstanbul'dan kaçarak Ankara yoluna düşerler. Aralarında Yunus Nadi, Dr. Adnan Adıvar, eşini yalnız bırakmayan H. Edip Adıvar, Albay İsmet Bey de vardır. Birkaç gün sonra da İstanbul'dan kaçan Harbiye Nazırı Fevzi Çakmak Paşa da Ankara'ya katılacaktır.

23 Nisan 1920'de Türkiye Büyük Millet Meclisi, yeni seçilen milletvekilleri ve Ankara'ya ulaşan son Osmanlı Meclisinin milletvekillerinin de katılmasıyla açılır ve Milli Ant'ta belirtilen amaçları gerçekleştirmek azmiyle çalışmaya başlar. [23]

M. Kemal TBMM Başkanlığına seçilir.

İstanbul Harp Divanı, M. Kemal'i ve kadrosunu idama mahkûm eder. Vahidettin, idam kararlarını bekletmeden onaylar. Bununla yetinmez, M. Kemal'in rütbesini de yarbaylığa indirir. [24]

Müttefikler halkın direnme gücünü kırmak için Yunan ordusunu, Batı Anadolu'yu ve Trakya'yı bütünüyle işgal etmesi için yeniden harekete geçirirler. İstanbul yönetimi de Yunanlıları destekler.

Damat Ferit hükümetinin medrese çıkışlı Adliye Nazırı Ali Rüştü Efendi, *"Yunan ordusunun başarısı için dua edilmesini"* ister. Trakya, Balıkesir, Bursa ve Uşak'ın, Yunanlılarca işgal edilmesi üzerine de, *"Yunan ordusunun ilerlemesi hükümetimizin programına uygundur"* diyecek ve Yunanlıların işgal etmediği illeri, 'kurtarılmamış iller' olarak tanımlayacaktır. [25]

İstanbul yönetimi Sevr Antlaşması'nı da kabul ve imza eder.

Sevr Antlaşması tarihte örneği olmayan trajik bir antlaşmadır. Yalnız kabul edenler için değil, böyle bir antlaşmayı hazırlayan Batılılar için de bir utanç belgesidir.

Bu antlaşma ile Osmanlı Devleti, İngiltere'nin isteği doğrultusunda, 'bir daha Batıya kafa tutamayacak kadar küçük ve güçsüz bir devlet' haline getirilmekte, Çatalya'ya kadar Doğu Trakya Yunanlılara verilmekte, Anadolu Türkler, Yunanlılar, Ermeniler, Kürtler ve Fransız mandası altındaki Suriye arasında bölüştürülmekte, kapitülasyonlar daha ağırlaştırılıp genişletilmekte, devletin her etkinliği denetim altına alınmakta, Marmara denizi ile Boğazların idaresi ayrı bayrağı olan milletlerarası bir kurula bırakılmaktadır. Ayrıca, Üçlü Anlaşma'yla Anadolu, iyice sömürülmek üzere, İngiliz, Fransız ve İtalyan çıkar bölgelerine ayrılmaktadır. Başbakan Lloyd George Avam Kamarası'nda şöyle diyecektir:
"Türkiye sahneden siliniyor diye üzülecek değiliz." (*The Times*, 25.5.1920)

Sevr Antlaşması'nı ve tabii Üçlü Anlaşma'yı milliyetçilere silah zoruyla kabul ettirmek görevi, İngilizlerin aracılığıyla Yunan ordusuna önerilir, o da kabul eder. Yunan hükümeti, bu hizmetine karşılık, İzmir ve Doğu Trakya'dan başka, İstanbul'un da Yunanistan'a verileceği ümidine kapılır.

Fakat beklenilmeyen bir olay Yunanistan'ı karıştıracaktır. Kral Aleksandros ölür. Venizelos, Konstantin'in tahta geri dönmesini engellemek için seçimleri yenilemeye karar verir ve seçime "ya Konstantin, ya ben!" sloganıyla girer. Halk Konstantin'i ve onu destekleyen partiyi seçer. Venizelos yurtdışına kaçar. Vaktiyle Konstantin'in devrilmesine yardım etmiş olan Fransız hükümeti, Konstantin'e ve muhalefete oy veren Yunan halkına kızar ve yeni iktidara karşı tavır alır.

İngilizler de tedirgin olurlar ama tavır almak için beklemeyi tercih ederler.

Venizelos'un sürgüne yolladığı, hapse attırdığı siviller ve askerler, tıpkı Hürriyet ve İtilaf Partililer gibi, iktidar özlemi ve kinle tutuşmuş bir halde yeniden sahnede boy gösterirler. Kralcı General Papulas, Anadolu'daki Yunan ordusunun komutanlığa atanır. İktidar, Anadolu'yu boşalttığı takdirde, Yunanistan'ın Fransa ve İtalya'dan sonra, İngiltere'nin de desteğini kaybedip yalnız kalacağını anlar; azdırdıkları Anadolu Rumlarını yazgılarıyla baş başa bırakmayı da göze alamaz. Sonunda Venizelos'un yayılmacı politikasını ve İngilizlerin askeri olmayı kabul eder. Bu sebeple Anadolu olaylarını iyi bilen bazı Venizeloscu komutanlara dokunmaz.

O günlere ait bir anı kartı

Savaş tamtamları yeniden çalmaya başlar.

Doğu Cephesi Komutanı Kâzım Karabekir Paşa, TBMM'nin kararı üzerine harekete geçmiş, Ermenileri kolayca yenerek Sarıkamış ve Kars'ı geri, Doğu sınırını güven altına almıştır. Barışçı yolla Artvin de Gürcistan'dan geri alınacaktır. Böylece bir cephe kapanır ve Sovyetler'le bağlantı kurulur.

Fakat bu kez de Batı cephesinde beklenilmez bir sorun patlak verecektir: Disiplinsiz çetelerin ordu çatısı altına alınması için çalışılırken, Kuva-yı Seyyare adı verilen en kalabalık çetenin komutanı Ethem ve kardeşleri orduya bağlanmak istemez ve isyan ederler.

Bu sırada Yunan ordusu, üç tümene yakın bir kuvvet ile yeni Türk ordusunun durumunu keşfetmek için Bursa'dan Eskişehir'e doğru taarruza geçecektir. O güne kadar çoğu disiplinsiz çetelerle çatışmış ve kolayca ilerlemiş olan Yunan ordusu, yeniden kurulmakta olan Türk ordusu ile ilk kez karşı karşıya gelir.

Yoksul ve zayıf Türk ordusunun, isyan ile savaş arasında ezileceğini sananlar ya da ümit edenler az değildir.

Fidan halindeki ordu, canını dişine takarak, Yunanlıları püskürtür (6-11 Ocak 1921, Birinci İnönü Savaşı), sonra da orduyla çatışmaya yeltenen asi Ethem'in kuvvetini ezip dağıtır. Ethem, iki kardeşi ve bine yakın adamı Ege'yi yakıp yıkan Yunanlılara sığınacak, bundan sonra Yunanlılar için çalışacaklardır. Yoktan var edilmiş ordunun 'hıyanete ve düşmana karşı' kazandığı bu ikiz başarının iç ve dış etkisi çok büyük olur. İsyanlar son bulur. Halkın orduya ve Meclis'e desteği artar. Milli iktidar daha da güçlenir. Ankara'da aylardır açık kapalı devam eden tartışmalar son bulur ve Meclis, anayasa tasarısını kabul eder. Tasarıdaki bir hüküm, doğrudan rejimle ilgilidir, saltanatçıları ve halifecileri telaşlandırır ama her vakti gelmiş düşünce gibi onu da durdurmak artık mümkün değildir, anayasada yerini alır:

"Egemenlik, kayıtsız ve şartsız milletindir!" [26]

Bu hüküm milleti, Allah'ın gölgesi olarak nitelenen padişahın kulu olmaktan çıkarıp devletin sahibi ve yurttaş yapıyor, laikliğin temelini atıyordu. [27]

Halkın büyük çoğunluğu yüzünü, meclisi, anayasası, hükümeti, ordusu olan ve işgalcilerle savaşan Ankara'ya dönecek, istiklal ordusunu gittikçe artan bir azimle destekleyecektir. [28]

Vahidettin Tevfik Paşa Ali Kemal

Uygulanmasının zor olacağı anlaşılan Sevr Antlaşması'nın biraz yumuşatılması için Londra'da toplanacak konferansa, silahını konuşturmaya başlayan Ankara'nın temsilcileri de çağrılır.

Son dönem Osmanlı aydınlarının kişiliksizliğinin, teslimiyetçiliğinin ve Batı karşısında duyduğu aşağılık duygusunun mükemmel bir örneği olan Ali Kemal Londra Konferansı öncesinde şöyle yazacaktır:

"Avrupa ile başa çıkmayı, yüzyıllardan beri Asya'nın hangi kavmi başarabildi ki biz başarabilelim?"

Ayrıca gazetesinde, Yunanlılara sığınarak onlar adına propaganda yapmayı kabul eden Ethem'in İzmir'de verdiği bir demeci de yayımlar. Ethem şöyle demektedir: *"M. Kemal, Yunan ordusunun hızlı bir taarruzuna bir dakika bile dayanamaz!"*

Ethem bu cümleyle, yalnız kendi beklentisini değil, hanedanın, çıkarı hanedana ve bu çürümüş düzene bağlı olanların, işbirlikçilerin, gafillerin, hainlerin ve elbette işgalcilerin hayalini de dile getirmiş oluyordu.

Konferansın ilk oturumunda Tevfik Paşa kısa bir konuşma yaparak İstanbul'un görüşlerini açıklar. Ankara sözcüsünün parlak konuşması çok takdir toplar. Ama konferans, İngiliz entrikasının şaheser bir örneği olarak devam edecektir. [29]

Türklerin Sovyetler'le görüşmelere başlamasından huzursuzlanan Lloyd George, yeni Yunan hükümetinin savaşı sürdürmeye çok hevesli olduğunu görünce, Yunan ordusuna yeşil ışık yakar.

Atina ve Ankara temsilcilerine, hükümetleriyle yeniden temas etmeleri için 25 gün süre tanınarak konferansa ara verilir.

Taşhan ve bugünkü Ulus meydanı

Londra'da bulunan Dışişleri Bakanı Bekir Sami Bey, Fransızlarla barışı sağlayacağını sandığı gizli bir anlaşma imzalar ve anlaşmayı Ankara'ya yollar.

Bunu öğrenen Yunan hükümeti, Türk-Fransız anlaşması kesinleşirse, Türklerin, Çukurova'daki iki tümenli İkinci Kolordu'yu Batı Cephesine kaydırmasından korkacaktır. Erken davranmak için General Papulas'a hemen harekete geçmesi için emir verir. Oysa Büyük Millet Meclisi, Fransızlarla yapılan anlaşmayı, Milli Ant'a ve tam istiklal anlayışına aykırı bulacak ve askeri yararını bir yana bırakarak reddedecektir.

Bu günlerde Türk-Sovyet görüşmeleri sonuçlanır ve Moskova'da dostluk antlaşması imzalanır. Bu antlaşmayla Sovyetler, güney sınırlarını güven altına alırlar. İstanbul ve Çanakkale boğazlarının İngilizlerin elinde kalmaması için de yeni Türk ordusuna silah ve cephane yardımı yapmayı ve yılda 10 milyon ruble vermeyi kabul ederler. [30]

General Papulas 22 Mart 1921 günü orduya bir mesaj yayımlar:
"Asker!
Düşman, Yunan İyonyasına ayak bastığınızdan beri yenip kovaladığınız düşmandır! Hızınız karşısında kaçıyor! Bu barbar zulmün son kalıntılarını yok edip Yunan uygarlığının kurucuları olunuz!
Sizi yeni bir zafere çağırıyorum!"

Yunan ordusu, temsilciler dönüş yolundayken, 23 Mart sabahı, saat 07.00'de, Eskişehir ve Afyon'a doğru, iki koldan taarruza geçer.

İstanbul'da üslenen Yunan donanması da, İstanbul'dan ve Rusya'dan Anadolu'ya silah ve malzeme kaçırılmasını ve yollanmasını önlemek için, Karadeniz kıyılarını abluka altına almak amacıyla Karadeniz'e açılır.

Böylece Londra Konferansı, sonuçlanmadan tarihe gömülür.

Genel bir taarruzla düşmanı yok edebilecek gücü kazanıncaya kadar stratejik savunmada kalmayı kararlaştırmış olan Ankara, bu savaşta şu çok sade ve cüretli planı uygulayacaktır: Düşmanın güney koluna karşı oyalama savaşı verilerek ordunun büyük kısmını, kuzeydeki kol karşısında (İnönü'de) toplayıp düşmanı yenmek, daha sonra katılması mümkün olan bütün kuvvetlerle düşmanın güney koluna (Dumlupınar-Afyon) dönmek.

Uşak'tan yola çıkan **General Kondulis** komutasındaki Birinci Yunan Kolordusu, Dumlupınar mevziindeki Türk Tümenini geri atarak ilerler, 26 Martta Afyon'a girer.

Türk komuta kurulu, bu kesimdeki yenilgiye bakmaksızın, bu cepheden iki piyade tümenini kuzeye kaydırır. Meclis Muhafız Taburu'nu ve Ankara'ya ulaşmış olan 5. Kafkas Tümeni'ni de demiryoluyla İnönü'ye yollar.

Bursa'dan ilerleyen **General Vlahopulos** komutasındaki Üçüncü Yunan Kolordusu, İnönü mevzileri önünde, çok sert ve büyük bir direnişle karşılaşır. Eskişehir'deki demiryolu tamirhanesinde, Anadolu'ya geçip işbaşı etmiş imalat-ı harbiye subay ve ustalarının çalışır hale getirdikleri 150 mm.lik sekiz ağır top, Yunanlıları dehşete düşürür. Türk askeri bu kez daha kararlıdır. Süngüsü olmayanlar tüfeğinin dipçiği, küreği, çıplak yumruğu ile dövüşürler. Mesela 3. Alay'ın 3. Tabur'unun bütün bölük komutanları şehit düşer. Tümen komutanları bile ileri hatlara kadar gelirler; Albay (Deli) Halit Karsıalan yaralanır.

Kızgın savaş ileri-geri dalgalanmalarla sürmektedir.

Batı Cephesi Komutanı İsmet Paşa, heyecan içinde savaşı izleyen Ankara'ya, sağ kanat birliklerini karşı taarruza kaldıracağını bildirir.

Birinci Kitap
Yunan Büyük Taarruzu

Birinci Bölüm

Kütahya-Eskişehir Savaşına Hazırlık

1 Nisan 1921 - 9 Temmuz 1921

1 NİSAN 1921 Cuma günü, Keçiören'de, şimdi Meteoroloji Genel Müdürlüğü olan eski Ziraat Okulu binasına yerleşmiş Genelkurmay karargâhının ikinci katındaki genişçe odada, harita serili bir masanın başında, M. Kemal ve Fevzi Çakmak Paşalar, konuşmadan oturuyorlardı. Yalnız M. Kemal Paşa'nın iri taneli kehribar tespihinin tekdüze şaklaması duyulmaktaydı.

Saat 17.00'ydi.

Sağ kanadını taarruza kaldıracağını bildirmiş olan İsmet Paşa ile öğleden beri bağlantı kurulamıyordu. [1]

ANADOLU AJANSI, camilere, kahvelere her gün tek sayfalık bültenler asarak olup bitenleri halka duyurmaktaydı. O gün hiçbir bülten asılmayınca, meraklanan Ankaralı esnaf ve zanaatkârlar, dükkânlarını, küçük atölyelerini erkenden kapatıp bugünkü Ulus meydanındaki küçük Meclis binasının önünde toplandılar. Gittikçe çoğalıyor ve sessizce cepheden haber bekliyorlardı. Adana Milletvekili Zamir [Damar] Arıkoğlu, kalabalığı telaş içinde yararak Meclis'e girdi.

KOMİSYON odaları ve koridor, kalpaklı, fesli, sarıklı milletvekilleri ile doluydu. Zamir Bey ilk rastladığına sordu:

"Hâlâ bir haber yok mu?"

"Yok."

Antalya Milletvekili Rasih Kaplan Hoca, "Konferans sona ermemişti ki birader, ara verilmişti.." diye söyleniyordu, "..bu Yunan taarruzunun anlamı neydi?"

Siyah kalpaklı, avcı ceketli, iri kıyım bir genç, Manisa Milletvekili Mustafa Necati Bey, "Ne olacak.." dedi, "..bizi konferansla uyutup gafil avlamak istediler."

"Ama buna diplomasi değil, sahtekârlık derler!"

Konya Milletvekili Musa Kâzım Efendi, beyaz sakalını sıvazladı: "Ordumuz direnebiliyorsa, mesele yok. Batının bu oyununu da boşa çıkarırız."

BU SIRADA görevden dönen çift kanatlı bir keşif uçağı, Eskişehir/ Muttalip havaalanına yaklaşmaktaydı. Alan, uçak hangarları, pilot okulu ve geniş tamirhanesiyle birinci sınıf bir havaalanıydı. [2]

Uçak Bölüğü Komutanı Yüzbaşı Fazıl, makinist Eşref Koşman ve görevliler, yaklaşan uçağı içleri giderek izliyorlardı. Çünkü ellerindeki son işe yarar uçak buydu. Eşref inledi:

"Eyvah, bu da arızalanmış."

Uçak arkasında siyah bir duman bırakarak toprak piste indi, sıçrayarak ilerleyip durdu. Koştular. Pilot Vecihi Hürkuş ve gözlemci Basri, yıldırım gibi uçaktan aşağı atladılar. İkisi de savaş heyecanı içindeydi. Vecihi, "Uçağı çabuk hazırlayın." diye haykırdı, "..bomba yükleyin, tüfeğe şerit takın! Çabuk, çabuk, çabuk.."

Fazıl'a döndü:

"..Hava kararmadan bir çıkış daha yapsak iyi olacak."

"Durum nasıl?"

Vecihi tam savaşın gidişi hakkında bilgi verecekti ki uçağı kontrol eden makinist acıyla, "Vecihi Bey." diye seslendi, baktılar, makinistin eli yağ içindeydi, "..bunun yağ deposu delinmiş."

"Değiştirin! Ama çok çabuk olun!"

"Yedek depo yok ki." [3]

"Öyleyse bunu tamir edin! Bir şey yapın! Haydi!"

Makinist kıvrandı:

"Sökmesi, tamiri, yerine takması saatler alır."

Vecihi, gözlerinden yaş fışkırarak, başlığını ve rüzgâr gözlüğünü yere çarptı:

"Lanet olsun yoksulluğa!"

BİR YUNAN avcı uçağı ilerleyen Türk birliklerinin üzerine makineli tüfeğiyle ateş yağdırmaya başlamıştı. Hücuma kalkmış bir takımın önünde koşan teğmen, birden sendeleyip düştü. Teğmenin düştüğünü gören erler hemen yere yattılar. Takım çavuşu sürünerek sokuldu:

"Komutanım?"

Teğmen boynundan vurulmuştu. Zorlukla, "Durma.." diye fısıldadı, "takımı hücuma kaldır. Hemen! Haydi!"

Her kelimede yarasından yeni bir kan dalgası boşanıyordu. Çavuş, gözlerinden yaş akarak ayağa fırladı. Olanca sesiyle haykırarak, takımı yeniden hücuma kaldırdı. Erler doğruldular ve koşarak savaş sisine karıştılar. Taşlı arazi çarıklarının altını erittiği için çoğu yalınayaktı.

Bir top mermisi patladı. Fışkıran gevrek bahar toprağı, sönen Teğmen'in üzerini örttü.

ANKARA'da, Genelkurmay'ın telgraf odasındaki tıraşı uzamış subaylar, kan oturmuş gözlerini Batı Cephesi karargâhına bağlı manipleye dikmiş bekliyorlardı. Derin sessizlik içinde birinin ayak sesleri duyuldu, kapı yavaşça aralandı. İsteksizce başlarını çevirdiler. Gelen Meclis Başkanlığı Yaveri Yüzbaşı Salih Bozok'tu.

"Paşalar merakta. Hâlâ bağlantı yok mu?"

Maniple başındaki astsubay başını ümitsizce iki yana salladı. Salih Bey kapıyı yavaşça kapatıp çekildi.

Genelkurmay Başkanlığı

MECLİS'te de bazılarına ümitsizlik çökmüştü. Bir milletvekili, "Bu iş çetelerle yürümez dedik, hepsini dağıttık.." dedi kaygıyla, "..ordu başarılı olmazsa, korkarım bu iş burada biter."

Gümüşhane Milletvekili Hasan Fehmi Ataç içerledi:

"Ne münasebet! Bir muharebe kaybedilmekle harp biter mi?"

Erzurum Milletvekili Celalettin Arif Bey, çevresindekilere, "Bence, Londra Konferansı'nda, biraz esnek davranmalıydık.." diyordu, "..eğer yenilirsek, yeni önerleri de geri alır bu adamlar."

Mustafa Necati çok sinirlendi:

"Onlar öneri değildi ki beyefendi, sadakaydı. Geri alsınlar!"

Celalettin Arif Bey son Osmanlı Meclisinin Başkanıydı. Millet Meclisi'nin de kendisini başkan seçmesini beklemiş, yerine M. Kemal seçilince sinirli ve alıngan olmuştu. Mustafa Necati'yi, "Ödün vermeden, uzlaşma olmaz delikanlı" diye tersledi.

"İstiklalden ödün verilir mi beyefendi? Siz bugün Artin Kemal gibi konuşuyorsunuz!"

Celalettin Arif, gazeteci Artin Kemal'e benzetilmesine çok içerledi. Morardı. Bir olay çıkacağını sezenler araya girdiler. Öbekten uzaklaştırılırken, dayanamayıp geri döndü, M. Necati'ye, "Seni affetmeyeceğim!" diye bağırdı.

Balıkesir Milletvekili Albay Kâzım Özalp'ın sabrı tükenmişti, Genelkurmay'a telefon etmek için Başkanlık odasına daldı. Arkasından bazı milletvekilleri de odaya doluştular. Telefona sarıldı:

"Hâlâ haber yok mu?.. Peki. Öyle mi? Yapma!.. Anladım, geliyorum."

Kâzım Bey telefonu kapadı.

"Ne olmuş? Ne diyorlar?"

Zamir (Damar) Arıkoğlu   Mustafa Necati Bey   Kâzım Özalp

"İsmet Paşa ile bağlantı kurulamıyormuş. Onlar da haber bekliyorlar."

Yüzü asılmıştı. Kalabalığı yarıp dışarı çıktı. Arkasından Gaziantep Milletvekili Yasin Kutluğ da seğirtti. Kapının önünde kolundan yakaladı:

"Dur hele. Sen bizden bir şey sakladın. Neydi o?"

Kâzım Özalp, alçak sesle, "Bir tümen komutanımız daha yaralanmış" dedi.

"Kim?"

"Albay Kemalettin Sami Bey."

"Bu ikinci. Ne arıyor bu komutanlar ateş hattında yahu? Demek savaş pek kıyasıya oluyor Kâzım Bey!"

Öyle olmalıydı.

Cephe Komutanlığı'nın sessiz kalması Kâzım Özalp'ın içine kurt düşürmüştü. Meclis'ten fırladı. Az ilerde faytonlar bekliyordu. İki atlı bir faytona atladı.

"Haydi, çabuk! Keçiören'e, Genelkurmay'a! Çok çabuk ama!"

"Başüstüne beyim."

Kâzım Bey'in heyecanı arabacıya da bulaştı. Kırbacını telaşla şaklattı:

"Haydi çocuklar!"

Atlar ileri atıldılar.

TÜRK KUVVETLERİNİN Kars'ı Ermenilerden geri almasını eleştiren yazısından beri halkın bir Ermeni adı olan Artin adını ekleyerek Artin Kemal diye andığı yazar Ali Kemal İstanbul'da, Peyam-ı Sabah gazetesindeki geniş odasında, ortağı Ermeni Mihran ve misafirleriyle çene çalıyordu. Sarışın, gürbüz, yarı alafranga, yarı alaturka, kendine özgü bir insandı. O günkü başyazısını öven tombul misafirine neşeyle, "Ankara'dakiler yine köpürecekler.." dedi, ünlü kahkahasını attı, sonra da ekledi: "..Haydutların işi gücü savaş. Siyasetten zerre kadar anladıkları yok. Ellerinde derme çatma bir ordu, birkaç tane de düzme kahraman, dövüşüp duruyorlar. Hükümet ölçmüş biçmiş, uygun görmüş, Sevr Antlaşması'nı imzalamış. Size ne oluyor a zırzoplar? Beyhude yere kan dökmenin âlemi var mı? Öğrendiğime göre, Londra'da da, çocuk gibi, 'İzmir'i isteriz, Edirne'yi isteriz, Adana'yı isteriz', hatta 'tam istiklal isteriz' diye tutturmuşlar."

Misafirleri şaşakaldılar:

"Yok canım?"

Mihran, "Bunlar çılgın" diye söylendi. Ali Kemal, bu nitelemeyi pek sevdi:

"Tabii canım! Çılgın olmasalar, sanki cihan savaşını biz kazanmışız gibi koskoca Lloyd George'a barış şartlarını dikte etmeye yeltenirler miydi? Ne demiş Arap, 'elhükmü limen galebe', galibin dediği olur! İşte bu kadar. Bu kavrayışta, bu bilgide, bu çapta adamlar, değil devleti, ufak bir aşireti bile idare edemezler! Edebilseler, Yunan ordusu şimdi Eskişehir yolunda olur muydu?" [4]

Birer kahve daha söyledi.

ATİNA'da çıkan Katimerini gazetesi yazarlarından Hristos Nicolopulos da tıpkı Ali Kemal gibi, Yunan ordusunun, Türk direnişini kırarak Eskişehir'e yürüdüğünü sanmaktaydı. Daktilo makinesini çatırdatarak yazısına devam etti:

"..Güney kesiminde, Afyon'u daha ilk gün ele geçirmiştik. Ordu karargâhından alınan haberlere göre, kuzeyde de Eskişehir'e doğru ilerliyoruz. İngiliz Başbakanı Lloyd George, 'Yunan ordusu, M. Kemal kuvvetlerini yenecektir' demişti. Ordumuz bu zaferle yalnız Lloyd George'u doğrulamakla kalmıyor..."

Gittikçe yaklaşan bir uğultu duyuluyordu. Birkaç kişi pencerelere koştu. Dikkati dağılan Nicolopulos yazmayı kesip sesledi:

"Ne var, ne oluyor?"

"Lloyd George lehine gösteri yapıyorlar."

Nikolopulos da yerinden kalkıp pencereden baktı. Binlerce Atinalı, sevinç içinde Omonia meydanına akıyor ve Yunanlıların koruyucu meleği Lloyd George'u yüceltiyordu:

"Zito Georgis! Zito Georgis!" (Yaşasın George!)

O SAATTE Londra'da iç karartan bir hava vardı ama uyarılara rağmen siyasi kudretini Yunanlılar yararına kullanan İngiltere Başbakanı Lloyd George'un yüzü parlıyordu. Anadolu'dan iyi haberler almıştı. Çay getiren sekreteri ve gizli sevgilisi Miss Frances Stevenson'a, "Öyle sanıyorum ki.." dedi neşeyle, "..birkaç gün sonra, şu asi Mustafa Kemal ile birlikte Türkiye sorunu da tarihe gömülecek."

İmparatorluk Genelkurmay Başkanı Mareşal Wilson'un nasıl mahcup olacağını düşünerek gülümsedi. Bu dik kafalı ve kalın kabuklu asker, Yunan ordusunun Türkleri yenemeyeceğini ileri sürmekteydi.

Pöh!

Yeniyordu işte!

OYSA DURUM, Ali Kemal'in, Nicolopulos'un ve Lloyd George'un tahminlerinin ve ümitlerinin tam tersine gelişmekteydi.

61. Tümen savaş idare yerine gelmiş olan Batı Cephesi Komutanı İsmet Paşa, sağ kanat birliklerinin, düşmanı tutunduğu son mevzilerden de söküp atan taarruzunun sonunu izlemekteydi. Akşam pusu içinde geri çekilen düşman kollarının kaldırdığı kalın toz bulutları, batı güneşinin ışığında kaynaşarak göğe yükseliyor, savaş uğultusu ağır ağır uzaklaşıyordu.

Savaşın İnönü kesimindeki bölümü Türklerin üstünlüğüyle sona ermişti.

Kendisinden başka hiç kimsenin duyamayacağı derin bir mutluluk içinde bir taşın üstüne oturdu, Genelkurmay'a yollayacağı telgrafı yazmaya koyuldu.

AĞIZLARINDAN köpükler dökülen atlar Genelkurmay binasının önünde durdular. Meraklanan nöbetçi subay dışarı çıktı. Faytondan atlayan Kâzım Özalp'ı tanıyınca selam durdu.

"Bir haber geldi mi?"

"Hayır efendim."

"İnşallah bir aksilik yoktur."

İçeri girdi. Alt kattaki büyük salon, derme çatma tahta duvarlarla küçücük odalara bölünmüştü. Sadece bütün hareketlerin haritaya işlendiği ve savaşın izlendiği harekât odası büyüktü. Türkiye Büyük Millet Meclisi'nin Genelkurmay örgütü bu kadardı.

Harekât Şubesi Müdürü Yarbay Salih Omurtak'ın küçük odasının kapısı açıktı.

"Salih Bey!"

Yarbay Salih, Kâzım Özalp'ı görünce ayağa zıpladı:

"Hoş geldiniz."

"Ne haber?"

"Bekliyoruz."

Oturdular. İkisinin canı da konuşmak istemiyordu. İyi bir haber için sağ kollarını vermeye hazır, sustular. Bir zaman sonra telgraf odasındaki astsubayın haykırışı duyuldu:

"Cephe arıyor!"

Herkes deli gibi odaya koştu. Ama maniple birkaç kez tıkırdayıp susmuştu. Astsubay yalvarıyordu:

"Durma aslanım, ne olur durma!"

Maniple yeniden tıkırdamaya başladı. Herkes soluğunu tuttu. Cephe Karargâhının telgrafçısı, manipleyi santur çalar gibi keyifle tıkırdatarak Batı Cephesi Komutanı İsmet Paşa'nın telgrafını geçmeye başladı:

"Saat 18.30'da Metristepe'den gördüğüm vaziyet: Gündüzbey kuzeyinde, sabahtan beri direnen ve artçı olması muhtemel bulunan bir düşman birliği, sağ kanat grubunun taarruzuyla düzensiz olarak geri çekiliyor. Yakından takip ediliyor. Bozüyük yanıyor. Düşman, binlerce ölüsüyle dolu savaş alanını, silahlarımıza terk etmiştir. Batı Cephesi Komutanı İsmet."

"Heeeey!!!"

Genelkurmay'da ne rütbe farkı kaldı, ne resmiyet. Herkes sarmaş dolaş oldu.

Albay Kâzım telefona koştu.

KÂZIM ÖZALP'ın verdiği haber üzerine, Meclis'te de yer yerinden oynadı. Sevinçten kimi ağlıyor, kimi kahkaha atıyordu. Bu kargaşalık içinde Celalettin Arif ile Mustafa Necati Beyler göz göze geldiler, bir an kararsız kaldılar, sonra koştular ve kucaklaştılar. Yasin Kutluğ dışarı fırladı. Pencerelerden yansıyan gaz lambalarının ışığının altında bekleyen Ankaralılar dalgalandılar. Kapının önüne çıkan çelimsiz milletvekilinin gür sesi yankılandı:

"Zafer biziiiiiiiiim! Kazandıııııık! Yunanlılar çekiliyor!.."

Aşka gelen biri silahını ateşledi. Bunu, uzaktaki bir başka silah sesi izledi. Biraz sonra Meclis'in önü sevinçten deliye dönmüş meşaleli, fenerli insanlarla dolacak, karanlık meydan gündüz gibi aydınlanacaktı.

İŞGAL GÜÇLERİNİN bir türlü yerini bulamadığı İstanbul gizli telgraf merkezi, Büyük Postane'nin bodrumundan, daha güvenli olduğu için Telgraf Şefi İhsan Pere'nin Zeyrek'teki eski, ahşap evinin çatı katına alınmıştı. [5] Telgrafçılar aileleri ile birlikte alt katlardaki odalarda kalıyor ve dikkati çekmeden yaşamaya çalışıyorlardı. Gündüzleri İngiliz denetimi altındaki telgrafhaneye gidip resmi işlerini yapıyor, gece olunca nöbetleşe çatı katına çıkıp sabaha kadar İstanbul ile Ankara arasındaki gizli haberleşmeyi sağlıyorlardı. Sabah olur olmaz, haberleşme kesiliyor ve içlerinden biri, erkenden işe gider gibi evden çıkıp mesajları yerlerine ulaştırıyordu. Yakalanırlarsa, işgal kuvvetlerinin emirlerini çiğnedikleri için idam edileceklerini bilmekteydiler. [6]

Ankara, zafer haberini geçmeye başlayınca, nöbetçi telgrafçı yeri tekmeleyerek arkadaşlarını yukarı çağırdı. Ezik telgrafçılar, maniplenin her vuruşunda, biraz daha silkindiler, doğruldular, sonunda gururla dikildiler.

Bu haber sabaha kadar bekletilemezdi. İçlerinden biri, müjdeyi ilgili yerlere ve gazetelere duyurmak için sokağa fırladı.

İSTANBUL'un ünlü oteli Pera Palas'ın yemek salonu, o gece de tıklım tıklımdı. Rum müşteriler, Yunanlı şarkıcının söylediği güzel şarkıya eşlik ediyorlardı. Duvar kenarındaki bir masada, işgalcilerin şiddetli baskılarına rağmen harıl harıl milli orduya hizmet eden iki de Türk oturuyordu. Bunlar Muharip adlı gizli örgütün başkanı Kurmay Binbaşı Ekrem Baydar ile haber alma kolu başkanı Kurmay Yüzbaşı Seyfi Akkoç'tu. İkisi de sivil giyinmişti. Başları açıktı. Gözleri kapıdaydı. Anadolu'ya silah ve mühimmat satmak isteyen Fransız bankacı Mösyö Marcel Savoie ile buluşacaklardı. Kapıdan Marcel Savoie yerine, otelin mareşal kılıklı, palabıyıklı Rum kapıcısı girdi, ilk masaya eğildi ve bir şey söyledi. Masadakiler darbe yemiş gibi sarsıldılar. Haber masadan masaya yayıldıkça, şarkıya katılanlar susmaya başladılar. Sonunda güzel şarkıcı da bir felaket olduğunu sezerek şarkıyı kesti. Bir İngiliz subayı telefona koştu. Ekrem ile Seyfi dikkat kesilmişlerdi.

Haberi duyup da sokağa dökülmüş heyecanlı Türklerin söylediği bir marş, yavaş yavaş sessizliği dağıtmaya başladı:

İzmir'in dağlarında çiçekler açar
Altın güneş orda sırmalar saçar
Bozulmuş düşmanlar yel gibi kaçar..

Heyecanla otelin holüne çıkıp, camdan caddeye baktılar.

Yüzlerce Türk, ellerinde bayraklar ve tutuşturulmuş bükülü kâğıtlar, Pera Palas'ın önünden geçerek Tepebaşı'ndaki İngiliz Elçiliğine doğru yürüyordu.

Kader böyle imiş ey şanlı paşa
Yaşa Mustafa Kemal Paşa yaşa...

İşgal kuvvetlerinin devriye kolları, kalabalığı susturmak ve dağıtmak için harekete geçti. Türklerin birdenbire neden coştuklarını öğrenince, hepsinin neşesi kaçacaktı.

Bu güzel şehirde görev yapmak, keyifli bir tatil olmaktan çıkıyordu galiba.

Akşam gazetesine telefon ederek haberi öğrenen Ekrem Bey, Yüzbaşı Seyfi'ye, "Yarın.." diye fısıldadı, "..Lloyd George'un yüzünü görmek isterdim."

HABER Londra'ya sabah ulaştı ve Lloyd George öfkeden deliye döndü. Bu talihsiz anda ziyaretine gelen eski gazeteci ve konsolos, şimdi İyonya Bankası'nın Başkanı Yunan asıllı Sir John Stavridis'e ağzına geleni söyledi. "Artık bir Yunanlının fotoğrafını bile görmek istemiyorum.." diye bağırıyordu, "..Temsilcileriniz bana zafer için güvence vermişti. Kendi askeri danışmanlarıma değil, sizin hayalci subaylarınıza inandım. Ama az önce öğrendim ki ó kadar güvendiğim Yunan ordusu üç ay içinde ikinci kez yenilmiş. Bu başarısızlığın beni nasıl bir çıkmaza soktuğunu anlayabilirsiniz. Hâkimiyetimiz altında her ülkedekinden çok Müslüman var. Bir Türk zaferi hepsinde bağımsızlık hevesi uyandırabilir. Dağılmamak için M. Kemal'i mutlaka ezmek zorundayız. Bunun için Yunan ordusuna güveniyordum. Hükümetim o orduyu donatmış, ayrıca da 16 milyon sterlin yardım yapmıştı." [7]

Yunan burjuvazisini İngiliz burjuvazisine bağlayan zarif köprülerden biri olan Sir John Stavridis'in yenilgiden haberi yoktu.

Donup kaldı.

YENİLGİYE Ordu Komutanı Korgeneral Papulas da inanmakta zorluk çekiyordu. Üçüncü Yunan Kolordusu'nun karargâh olarak kullandığı Bursa Anadolu Oteli'nde, ordu kurmay kurulu ile yaptığı toplantının sonunda, Türkleri ezebilmek için, daha fazla güçlenmelerine fırsat vermeden, takviye alıp hemen ve yeniden taarruza geçmek gerektiğine karar verdi.

Kurmaylarını, düzensiz çekilişin yarattığı karmaşık sorunlarla baş başa bırakarak, hükümete yollayacağı raporu yazmak için odasına kapandı.

Yunan ordusu yakarak yıkarak geri çekilmekteydi. [8]

METRİS TEPE apaydınlıktı. Sabahleyin şehitlerini toprağa veren 4. Tümen, gece de zaferi kutlamak için toplanmıştı.

Flamalar, öbek öbek yanan büyük ateşlerin oynak ışığında çırpınıyor, pilav ve fasulye kazanları kaynıyordu. Yoksul tümen, çember halinde dizilmişti. Erlerin üstünde mintanlar, yelekler, biri ötekine benzemeyen askeri ceketler, altlarında ise rengârenk şalvarlar, poturlar vardı. Pek çoğunun çorabı, matarası, kütüklüğü, süngüsü, hatta çarığı yoktu. [9] Subayların da bir bölümü çarıklıydı, bazılarının üniforması çadır bezindendi. Ama erler de, subaylar da, bütün donanımları tamammış gibi vakar içinde, tümen komutanının konuşmasını beklemekteydiler.

Yarbay Nâzım Bey, kısa bir konuşma yaparak, Cephe Komutanının, gösterdiği olağanüstü kahramanlık sebebiyle tümene takdirname yolladığını bildirdi, subay ve erlere teşekkür etti ve şenliği başlattı. Davul ve zurna sesleri yükseldi. İki gün önce cehennemi andıran Metris Tepe, bütün Anadolu gibi bayram yerine döndü.[10]

ZAFER HABERİ İstanbul'a gökten bir müjde gibi inmiş, gazetelerin ilk sayfaları büyük resimler ve zafer edebiyatı ile kaplanıp bezenmişti.

Laternalar ve 'zito zito Venizelos' şarkıları susmuştu.[10a]

Beyoğlu caddesindeki bazı Türk mağazaları vitrinlerini M. Kemal ve İsmet Paşaların resimleriyle süslediler.

İstanbul yeniden Türkleşti.

MİLLETVEKİLLERİ ertesi gün, Meclis'in önünde toplanan Ankaralıların alkışları arasında Meclis'e girdiler. Milli Savunma Bakanlığı'nın 1921 bütçesinin görüşülmesi, zafer neşesi içinde fazla uzun sürmedi ve yaklaşık 45 milyon lira olarak kabul edildi.[11] Verilen kısa bir aradan sonra Başkan Vekili Dr. Adnan Adıvar, Bursa'nın düştüğü günden beri siyah bir örtü ile kaplı başkanlık kürsüsünde yerini aldı, zile vurdu:

"Celse açılmıştır. Söz, Milli Savunma Bakanı Fevzi Paşa Hazretlerinindir."

Uğultu kesildi.

Fevzi Paşa ön sıraya sıkışmış Bakanların arasından kalkıp, İkinci İnönü Savaşı hakkında bilgi vermek üzere konuşma kürsüsüne geldi. İsmet Paşa cephede olduğu için, Genelkurmay Başkanlığı'na da vekâlet ediyordu. Ankara'ya geldiğinden beri M. Kemal Paşa'ya büyük bağlılık göstermekteydi. Bu yüzden adı muhalifler arasında 'kuzu paşa'ya çıkmıştı. Ama hiçbir siyasi grup ya da akım, bu kuzu paşayı kendi yanına çekmeyi başaramıyordu.

Fevzi Paşa sık sık alkışlarla kesilen uzun konuşmasını şöyle bitirecekti:

"..Yunan ordusu Başkomutanı Papulas, İzmir'den Bursa'ya geldi, Sevr Antlaşması'nı Türklere zorla kabul ettirmek amacıyla, alaylarını birbiri ardından taarruza kaldırdı. Kesin savaş İnönü mevzilerinde oldu. Yunanlılar, Başkomutanlarının gözü önünde, fedakârlıklarını ispat ettiler. Çarpışmalar yedi gün, yedi gece devam etti. Fakat bütün gayretleri, yılmaz Türk safları önünde tamamiyle kırılmıştır. Düşman çekiliyor ve kahraman süvarilerimiz düşmanı takip ediyor."[12]

→ İNÖNÜ ile Eskişehir arasındaki Çukurhisar Köyü'nde, küçük bir evin odasında, İsmet Paşa da bu saatte kurmayları ile toplantı halindeydi. İlk raporlara göre, Yunan ordusu ciddi kayıp vermiş ve çok ganimet bırakmıştı.

Mezit vadisi-İnegöl yoluyla parça parça Bursa'ya çekilmeye çalışan Yunan birlikleri, 'üzengisi ipten, kılıcı tahtadan' ama gözü kara Türk süvarilerinin takibi altındaydılar. Birinci İnönü Savaşı sonunda düşmanı takip edemeyen ordu şimdi o çaresizliğin acısını çıkarıyor, süvariler yakaladıklarını tepeliyorlardı.

Hiç yoktan yola çıkarak bu noktaya gelmişlerdi. Bunun tadını çıkarırken, Binbaşı Cemil Taner, "Ama haberleşme çok aksadı.." diyerek keyif kaçırdı, "..acele olarak telsize ihtiyacımız var efendim."

İsmet Paşa acıyla güldü:

"Acele ihtiyacımız olmayan ne var ki Cemil Bey?"

Bütün telsiz cihazlarının, İngilizlerin sıkı denetimi altında bulunan İstanbul'daki Selimiye Kışlası'nda toplandığını bilmekteydi. Hiç ümidi olmadığı halde, Binbaşı Cemil'in ısrarı üzerine, İstanbul'daki *Muharip* adlı gizli örgüte, telsiz cihazlarına da ihtiyaç duyulduğunun bildirilmesine razı oldu.

BU SIRADA İstanbul'da İkdam gazetesindeki odasında, Yakup Kadri Karaosmanoğlu başmakalesini yazmaktaydı:

"..Bir yükselişin başlangıcındayız. Bir yücelme, bir yeniden doğuş, bir şafak! İsmet Paşa adındaki bir serdarın kılıcı tarihi ikiye böldü. Dört beş günden beri bütün Doğu âlemi ve bütün Asya için yeni bir devir açılmıştır."

İdare Memuru Mahmut odaya daldı:

"Yakup Kadri Bey!"

"Evet?"

"Kızılay İkinci Başkanı Hamit Hasancan'dan bir duyuru geldi efendim."

Dikkati dağıldığı için canı sıkılan Yakup Kadri söylendi:

"İyi. Gerekeni yapınız."

"İstanbulluları, Anadolu mücahitlerine para yardımı yapmaya çağırıyor."

Yakup Kadri toparlandı:

"Yok canım!"

"Bağışların Kızılay'a ya da gazetelere verilmesini istiyor."

Gözleri büyüdü:

"Oo.. İşgal kuvvetlerine bir çeşit meydan okuma bu. Öyleyse duyuruyu birinci sayfada yayımlayalım. İstanbul'da doğru dürüst çalışan tek kurum Kızılay."

Kaleme yeni bir şevkle sarıldı:

"Geçen gün şehrimizde çıkan Rumca gazetelerden biri, 'Eskişehir önündeki bu kan deryasında, 'Doğu meselesi' denilen ayıp artık tamamiyle boğulacaktır' diyordu. Bu gazete ne doğru söylemiş. Evet, dediği çıktı, Eskişehir önündeki kan deryasında Doğu meselesi denilen ayıp tamamiyle boğuldu. Bu kutsal kıta, yüzyıllarca süren bir uykudan sonra, ta göbeğinden sarsılıyor. Bütün mazlum milletler, demirden ve çelikten zincirlerini kırıyor ve karanlık zindanlarından dışarıya boşanıyor." [13]

YAKUP KADRİ yazısını bitirirken, Londra'da, Hindistan İşleri Bakanı Mr. Montagu, yardımcılarını toplantıya çağırdı. Çünkü son Yunan taarruzu, İngiliz sömürgesi Hindistan'da öfkeyi doruğa çıkarmış, Türk zaferi yeni kıpırdanmalara yol açmıştı.

1920 yılının son haftası içinde, Nagpur'da toplanan Hindistan Ulusal Kongresi'nde, Gandi'nin, sömürgeci İngilizlerle her türlü işbirliğinden kaçınma önerisi görüşülmüş ve kabul edilmişti. Gandi'nin boykot önerisinin gerekçeleri arasında, İngilizlerin Türkiye'ye adaletsiz davranması da yer almaktaydı:

"Sevr (Sevres) Antlaşması'nın başyazarı olan Lloyd George hükümetiyle işbirliğine devam etmek, Hindistanlılar için haksız ve ahlaksızca bir davranıştır. Ne pahasına olursa olsun, bu şeytandan uzak durmalıyız!"

Ayrıca, 70 milyon Hindistan Müslümanının lideri ve ilerde Pakistan devletini kuracak olan Muhammet Ali Cinnah da, boykotu desteklediğini açıklayarak İngilizlerin durumunu daha zorlaştırmıştı.

Uzun süren toplantı sonunda, Sevr Antlaşması'nın Türkler lehine yumuşatılması için Dışişleri Bakanlığı'na bir muhtıra verilmesini kararlaştırdılar.[14]

Hindistan İngiltere'nin yumuşak karnıydı.

İSTANBUL'da iki saat önce akşam olmuştu. İngiliz Yüksek Komiseri Sir Harold Rumbold, Tepebaşı'ndaki elçilik binasının ikinci katındaki şık döşenmiş odasında, Bekir Sami Bey yurtdışında olduğu için Ankara'da Dışişleri Bakanlığı'na vekâlet eden Ahmet Muhtar Mollaoğlu'nun yolladığı sert notayı okumaktaydı:

"..Barış ümidi vererek Londra'da görüşmeye çağırdığınız halde, Konstantin'e de hücum emrini verdiniz ve bizi en yalancı vaatlerle uyutmaya çalıştınız. Türk milleti ve kalben kendisiyle birlikte olan bütün Müslümanlar, Londra hükümetinin bu hareketini asla unutmayacaklar; İngiltere hükümetinin, ücretli köleleri olan Yunanlılar aracılığı ile yaptırdığı kıyım ve yıkımı, her zaman hatırlayacaklardır. Siz kadınlarımızı, çocuklarımızı önce Venizelos'un, şimdi de Konstantin'in sürülerine öldürterek, bize Batı emperyalizminin boyunduruğunu kabul ettirmeyi başaramayacaksınız vesselam!" [15]

Rumbold, geçerli yazışma üslubuna tümden aykırı olan notanın yarattığı diplomatik dehşet içindeyken, deneyli baş tercüman ve siyasi danışman Andrew Ryan sessizce içeri girdi:

"Efendim, lütfen dışarı bakar mısınız?"

Elçiliğin pencerelerinden, Sarayburnu'ndan Eyüp'e kadar asıl İstanbul görünüyordu. Her gün bu saatlerde, karanlığa gömülmeye başlayan bezgin şehir, bugün ışıl ışıldı. Bütün minareler kandillerle donanmıştı.

İşgal altındaki İstanbul, sessiz ama çok çarpıcı bir biçimde zaferi kutlamaktaydı.

Sir Rumbold sevinçten titreyen binlerce kandile bakarak içini çekti. Türkler, toprakları üzerinde güneş batmayan İngiliz İmparatorluğu'nun saygınlığına ve savaş sonrası siyasetine Yunanlıları yine yenerek bir darbe daha indirmişlerdi. İngiltere durumu düzeltecek bir hamle yapmak zorundaydı.

ERTESİ SABAH, savaşın güneydeki ikinci bölümü başladı. Güneydeki savaşı Refet Bele Paşa yönetecekti. Birinci Yunan Kolordusu'nu, iki hafta önce ele geçirdiği Dumlupınar mevziinden geri atmak gerekiyordu. Doğuya karşı savunulması kolay bir doğal mevzi olan Dumlupınar'ın Yunanlıların elinde kalması, Türkler açısından çok sakıncalıydı.

Birinci Yunan Kolordusu Komutanı General Kondulis de, bir kazaya uğramadan, hızla Dumlupınar'a çekilerek bu doğal mevziyi elde tutmak istiyordu. Bu amaçla, Afyon'un doğusuna kadar ilerlemiş olan 2. Yunan Tümeni'ne, geri çekilmesi için emir verdi. Çekilme başlayınca, Afyon'un doğusunda, tetikte bekleyen Albay Fahrettin Altay'ın iki tümenli kolordusu, 7/8 Nisan akşamı, kolayca Afyon'a girdi.

Batı Cephesinden hızla güneye kaydırılan üç tümen,[16] Dumlupınar'ın 12 km. kuzeyindeki Altıntaş'ta toplanmış, iki süvari tümeni de İnönü'den Kütahya'ya ulaşmıştı. Refet Paşa, bu durumdan yararlanarak, Birinci Yunan Kolordusu'nu, ertesi sabah, bir meydan savaşına zorlamaya karar verdi.

O AKŞAM Yunan Kralı, sarayın Alman zevkiyle döşenmiş çalışma odasında, yenilginin daha da çökerttiği yaşlı Başbakanı kabul etti.

Kalogeropulos, General Papulas'ın, 52.000 yeni asker ve en geç iki hafta içinde yeniden taarruza geçmek için izin istediğini bildirerek söze başladı ve İnönü'de Üçüncü Kolordu'nun uğradığı kaybı açıkladı:

"İlk saptamalara göre, 5.000 subay ve er, bir hayli de ganimet.[17] Ordumuz güneyde de geri çekiliyor efendim."

Kral sarsıldığını belli etmemeye çalışarak, sordu:

"Başlangıçta her şey iyi gidiyordu. Sizce nerede yanlış yaptık?" Başbakan üzüntüyle, "Ankara'nın, yeni ordusunu, iki ay içinde bu kadar güçlendirebileceğini tahmin edemedik.." dedi, başını kaldırdı, "..bu yenilginin sorumluluğunu taşıyan hükümetim, yerini daha enerjik bir hükümete bırakmak istiyor efendim."

Hükümet daha iki ay önce kurulmuştu. Kral uzun bir sessizlikten sonra, "Kimi tavsiye edersiniz?" diye sordu.

"Dimitrios Gunaris'i. Hırslı, zafere susamış ve size çok bağlı biridir."

SABAH İstanbullular, Kızılay'ın çağrısına uyarak para yardımı yapmak üzere gazetelerde sıraya girdi. İleri gazetesinin dar idarehanesine sığmayanların büyük kısmı, dışarıda kalmıştı.

Kaldırımın sonunda bir işgal devriyesi göründü. Düzenli adımlarla yaklaşmaya başladı. İşgal askerlerine, her zaman kenara çekilerek yol veren İstanbullular, bu sefer kıllarını bile kıpırdatmadılar. Devriye kolu, kalabalığın arasından geçmeyi göze alamadı, yola inerek geçip gitti.

İçerde, daha afyonu patlamamış olan huysuz idare memuru, bir deftere, söylene söylene, bağış yapanın adını ve bağış miktarını yazıyordu.

"Kahveci Ali, 100 kuruş."

"Eskici Yusuf, 50 kuruş."

"Hallaç Asım, 75 kuruş."

"Bakkal Ahmet, 100 kuruş."

"Terlikçi Adem, 200 kuruş."

Sırada, küçük, cılız bir oğlan vardı. Bir önceki bağışçının çocuğu sanan memur, öfkeyle, yürüyüp yol vermesi için işaret etti. Ama çocuk yürümedi, büyük bir ciddiyetle, bütün servetini çıplak masanın üzerine bıraktı:

"Hasan, 5 kuruş."

Suratsız idare memurunun birdenbire gözleri doldu. Ağladığını göstermemek için yüzünü, kocaman mendilinin arkasına saklayarak gürültü ile burnunu sildi.[18]

Kral Konstantin   Başbakan Gunaris   General Papulas

GUNARİS, Venizelos'un partisini hezimete uğratarak çoğunluğu kazanan Halkçı Parti'nin lideriydi. Son hükümette Savaş Bakanı olarak bulunmuş, Londra Konferansı'na da katılmıştı.

Kraldan hükümet kurma teklifini alır almaz, 1920 yılının sonunda emekliliğini isteyerek ordudan ayrılan tecrübeli General Metaksas'la temas aradı. Maliye Bakanlığına getirilecek olan Protopapadakis'in evinde buluştular. Gunaris, hemen konuya girdi ve Metaksas'tan Başkomutanlığı üzerine almasını istedi.

Silahlı politikası yüzünden Venizelos'la da anlaşmazlığa düşmüş ve bu yüzden sürgüne bile gönderilmiş olan Metaksas, Yunan ordusunun başarı kazanacağına inanmayan belki de tek Yunanlıydı. Teklifi ağırbaşlılıkla reddetti:

"Başarısızlık olasılığını halktan gizleyerek Başkomutanlığı kabul edersem onlara, benim hiç de inanmadığım bir ümit vermiş olurum. Halkı aldatamam."

Protopapadakis, "Yüzde altmış başarı olasılığı da yok mu?" diye sordu.

"Olsa, Başkomutanlığı kabul ederdim."

"Hiç olmazsa, ne kurtarabilirseniz onu kurtarmayı kabul edin."

Metaksas parladı:

"Siz benden zafer değil, başkalarının sorumluluğunu örtbas etmem için kendimi feda etmemi istiyorsunuz. Bunu yapamam!"

Toplantı gece yarısı, bir sonuç vermeden dağıldı.[19]

REFET PAŞA, sabah erkenden, birliklerini harekete geçirmişti. İki süvari tümenini, Dumlupınar mevziinin, dolayısıyla Birinci Yunan Kolordusu'nun arkasına düşmeleri için, Murat Dağı geçitlerinden Banaz'a inmek üzere yola çıkardı.

Bir piyade tümeni, Dumlupınar mevziinin sol kanadını tutan düşman alayına; bir başka piyade tümeni ise, Yunan çekilişini korumakla görevli alaya hücum edecekti. 5. Kafkas Tümeni yedekte bekliyordu. Takviye olarak yollanan iki tümen de yoldaydı.

Fahrettin Altay'ın kolordusu da Afyon'dan batıya doğru ilerlemeye başladı.

Birinci Yunan Kolordusu, kıskaca girmek üzereydi.

Halide Edip Adıvar   Zehra Müfit Hanım   Cazibe Hanım

ÇEVİRME HAREKETİNİN geliştiği saatlerde, Ankara Öğretmen Okulu'nun konferans salonu kadınlarla dolmaktaydı. Önde sıkma başlı, uzun mantolu, iskarpinli İstanbullular, onların arkasında rengârenk çarşaflı, potinli, mest lastik giymiş, yüzleri açık Ankaralılar oturuyordu. En arkada ise, köylü kadınlar. Ankaralı hanımlar, ilk defa böyle bir toplantıya katıldıkları için çok tedirgindiler. Ama Halide Edip'e duydukları merak, çekingenliklerini bastırmıştı. Gözleri kapıda, hâlâ Halide Edip'i bekliyordu.

O ise, sahnedeki masada yer alan Kızılay Kadınlar Kolunun Başkanı Zehra Müfit Hanım ile Belediye Başkanı Kütükçüzade Ali Bey'in eşi Cazibe Hanım'ın arasında oturuyordu. Başkan Zehra Müfit Hanım, toplantıyı kısa bir konuşma ile açarak sözü Halide Edip'e bıraktı.

Halide Edip, kimseyi umursamadan, erkeklerle çekişen, tartışan, yarış eden bu ufak tefek, iri gözlü, beyaz tenli genç kadındı ha? Anaaaav!

Halide Edip, "Hanımefendiler!" dedi, sesinde hafif bir heyecan titriyordu. Çok tutumlu olduklarını duyduğu Ankaralı hanımları yardıma çağıracaktı.

"Tarih Türkü ateşle imtihan ediyor. Bu imtihandan, yalnız erkeklerimizin cesareti ile başarılı çıkamayız. Artık biz kadınlar da bu ateşe yüzümüzü çevirmek, ellerimizi uzatmak zorundayız. Ordumuzun hepimize ihtiyacı var.."

Kadınların, büyük bir dikkatle dinlediğini fark edince, heyecanı azaldı, daha sakin bir sesle devam etti:

"..Bir hafta önce Eskişehir'deydim. Gördüklerimden birini sizlere de anlatmak istiyorum. Uçakların gövdesi ve kanatları, özel bir keten kumaşla kaplanırmış. Bulunamadığı için bizimkiler, kaput beziyle kaplıyorlar. Özel yapıştırıcısı olmadığı için, kaput bezini uçakların gövdelerine, kanatlarına nal mıhı ya da zamkla tutturuyorlar. Bezin gerginliği ve kayganlığı emayit denilen özel bir sıvı ile sağlanırmış. Getirtemedikleri için beze, kaynatılmış patates kabuğu ve paça suyuna tutkal, kola karıştırarak yaptıkları bir pelteyi sürüyorlar. Sonra da gözlerini bile kırpmadan bu uçaklara binip uçuyorlar.[19a]

Kardeşlerim!

Sizleri, milletinin şerefini ve namusunu canından aziz bilen bu genç ve yoksul orduya yardıma çağırıyorum!"

Kısa bir sessizlikten sonra, kadınlar ağır ağır ayağa kalkmaya başladılar ve hiç konuşmadan ilerlediler, masanın önünde sıraya girdiler. Masanın üstü parayla dolmaya başladı. Yanında para olmayanlar, yüzüklerini, bileziklerini bırakıyordu. Gözleri görmeyen, beyaz başörtülü, yaşlı bir kadın çevresinden yardım istedi:

"Bana ne olur Halide Hanım'ı bulun!"

Halide Edip bu yakaran sesi duymuştu, yaklaştı, "Benim, burdayım!" dedi. Kadın eliyle okşayarak, Halide Edip'in yüzünü içine sindirdi:

"Çamaşırcılık yaparak geçiniyorum, kızım. Bunu, zor günüm için saklamıştım. Ama sözlerinden anladım ki ordumuz benden daha zordaymış."

Göğsüne bastırdığı sol elini açtı, uzattı, yüzü gururla aydınlandı: "Al bunu."

Derisi çatlamış avucunda bir lira vardı.

Halide Edip, gözlerinden yaş fışkırarak kadına sarıldı, "Ah anam.." dedi içi titreyerek, "..bir kere daha iman ettim. Kurtulacağız!"[20]

DIŞİŞLERİ BAKANI Lord Curzon, Montagu'nun muhtırasını küçümseyici bir gülüşle karşıladı. Gereksiz bir telaştı bu. Dışişleri Bakanlığı gelişmeleri dikkate alarak yeni bir politika geliştirmişti bile. İngiltere'nin, Türk-Yunan savaşında tarafsız kalacağı ilan edilerek, kamuoyunun Anadolu'daki savaşı bir Türk-Yunan savaşı olarak görmesi sağlanacaktı. Böylece İngiltere Yunan yenilgilerinden dolayı yara almayacak, Hindistan Müslümanlarının hedefi olmaktan çıkacak, olaya bir hakem gibi yaklaşıyor görünecekti. Bu konum İngiltere'yi daha da etkili yapardı.

Curzon, Bakanlık Müsteşarı William Tyrell'a, "Bu tavır Fransızları ve İtalyanları da memnun edecektir sanıyorum.." dedi, "..ama Sevr Antlaşması'nın esasları, 20 yıldan önce değiştirilemez.[21] Sevr'in mimarı Mr. Lloyd George ise, onun ilham perisi de benim. Bu muhtırayı reddedeceğiz."

Bu açıklama Bakanlık Müsteşarını memnun etti. Sevr Antlaşması'nın kabulüyle Doğu sorunu çözülmüşken, M. Kemal hareketi bu büyük projeyi baltalamıştı. Bu yüzden birçok Dışişleri mensubu gibi o da Ankara'yı affetmiyordu. Yüzünü buruşturarak, "Ankara temsilcisi Bekir Sami, İtalyanlarla da gizli görüşmeler yapmış" dedi.

Curzon belkemiğindeki arızadan dolayı giydiği çelik korse içinde neşeyle doğruldu:

"Oo! Demek onlara da yanaştı. Ben dik kafalı bir milliyetçi bekliyordum, uysal bir Ankara kedisi çıktı.."

Güldü:

"..Mustafa Kemal de verdiğimizle yetinmeyi öğrenecektir."

Tunalı Hilmi Bey   Süreyya Yiğit   Bekir Sami Kunduk

ANKARA'da, vakit geçirecek bir-iki kahveden başka yer olmadığı için yatılı milletvekilleri, Öğretmen Okulu binasındaki Meclis yatakhanesinde erkenden toplanmışlardı. Kimi söküğünü dikip çorabını yamıyor, kimi çay içip laflıyordu. Birkaçı mektup yazmaktaydı. 20 lirası da milli savunmaya kesilen 100 lira aylıkla geçinebilmek için yemeklerini de aynı binadaki yemekhanede yiyorlardı. Tabldot ucuzdu. Topal yatakhane hademesi, fazla gaz harcanmasın diye sadece iki lambayı yakmıştı.

Kapı gürültüyle açıldı, Kütahya Milletvekili Besim Atalay içeri girdi, loş yatakhanenin ortasına kadar yürüdü, dik sesiyle bağırdı: "Beyler.."

Takunyalılar, terlikliler, takkeliler, başı açıklar, sakallılar, sakalsızlar, bütün milletvekilleri durdular.

"..Dışişleri Bakanlığı'ndan geliyorum.."

Oturanlar, önemli bir haber olduğunu anlayarak ayağa kalktılar.

"..Bekir Sami Bey, İngilizlerle de, esir değişimi için bir sözleşme imzalamış."

Bir sevinç uğultusu yükseldi. Besim Atalay'ın çevresine üşüştüler. Manisa Milletvekili Süreyya Yiğit, neşeyle "Bravo Bekir Sami'ye.." diye haykırdı, "..öyleyse Malta'daki bütün Türkler serbest bırakılacak!"

Besim Bey soğuk bir sesle, "Hayır!" dedi.

"Ya?"

"Biz elimizdeki bütün İngiliz esirlerini geri veriyoruz.."

"İngilizler?"

"..Onlar, yalnız uygun gördükleri Türkleri serbest bırakacaklar."

Süreyya Yiğit, "Böyle şey olmaz.." diye isyan etti, "..eşitliğe de aykırı bu, haysiyetimize de. Bekir Sami iyice şaşırmış!"

Malta'daki kafa dengi arkadaşlarına bir an önce kavuşmak isteyen birkaç koyu İttihatçı, bu tepkiyi iyi karşılamamıştı. İçlerinden biri, "Canım, ne koparsak kârdır" diye söylendi. Tunalı Hilmi Bey yatakhaneye gelmeden önce, içki yasağına rağmen harıl harıl çalışan Dayko'nun dükkânına uğrayıp iki kadeh parlatmıştı, köpürdü:

"Sen ne diyorsun efendi? İstiklal mücadelesi bu, ticaret değil!"

Beyaz sakallı, babacan bir milletvekili öne çıktı, "Çocuklar, Allah aşkına sakin olun!" diye yalvardı, ortalık durulunca, düşüncesini açıkladı:

"Bana da öyle geliyor ki aşırı gidersek, bu işi sonuna vardıramayız. Bugün öğrendim, ordunun elinde pek az ağrı kesici kalmış. Ancak büyük ameliyatlarda kullanıyor, öteki ameliyatları hissi iptal etmeden yapıyorlarmış."[21a]

Koyu bir sessizlik oldu.

MALTA VALİSİ Lord Plumer, 24 Martta Edirne Milletvekilleri Faik Kaltakkıran ve Şeref Aykut ile birlikte İttihat ve Terakki Partisi'nin Bolu Teşkilatı Başkanını serbest bırakmış, öbür Malta sürgünleri, sıranın kendilerine geleceği ümidi içinde üçünü de neşeyle uğurlamışlardı.

Tel örgü ile çevrili Polverista kışlasında 115 Türk sürgünü kalmıştı. Dört savaş yılı boyunca Osmanlı İmparatorluğu'nu yönetmiş ve yönlendirmiş olan Sadrazam Sait Halim Paşa, nazırlar, bazı milletvekilleri, belediye başkanları, valiler, mutasarrıflar, paşalar, subaylar, bürokratlar ile birkaç yazar, iki yıla yakın bir süredir Malta'da, hapis hayatı yaşıyordu. Çoğu kaba kuvvetle evinden alınmış, yolculuk sırasında horlanmış, Malta'da aşağılanarak karşılanmış ama Gaziantep Milletvekili Ali Cenani ile eski İzmir Valisi Rahmi dışında, hepsi onurunu korumuş, hiçbiri İngilizlere yaltaklanmamıştı.[22]

Bekir Sami Bey'in görüşme masasına, bu gibi durumlarda geçerli olan genel kurala uyarak 'tüm Türklere karşılık tüm İngilizler' diye oturacağını sanıyorlardı. Gerçi Bekir Sami Bey de masaya bu niyetle oturmuştu ama sonunda, 29 İngiliz esirine karşılık, 64 Türk sürgünün serbest bırakılmasına razı olmuştu.

İngiliz hükümeti, geri kalan 51 Türkü ise, kurulacak özel bir 'müttefikler arası siyasi mahkeme'de yargılamayı düşünüyordu. Oysa Ermeni Patrikhanesi, İngiliz ajanları, Damat Ferit Paşa hükümetleri ile Hürriyet ve İtilaf Partisi yöneticilerinin iki yılı aşkın ortak ve hummalı çabalarına rağmen, Ermeni kırımı iddiasını doğrulayacak bir tek ciddi kanıt bile bulunamamıştı.[23]

Sadece 64 kişinin serbest bırakılacağı haberi Malta'ya bomba gibi düştü.

Diyarbakır Milletvekili Feyzi Pirinçcioğlu, "Ya hep, ya hiç!" diye bağırıyor, Ermeni kırımı yaptıkları iddiasıyla Malta'ya getirilmiş olan 51 Türkün, yabancı bir mahkeme tarafından yargılanmasını kabul ederek devletin egemenliğini yaralayan Bekir Sami'ye ağız dolusu sövüyordu.

Sabaha kadar hiçbiri uyumadı.

Nöbetçi onbaşı her yarım saatte bir, demir bir boruyu taş bir sütuna vuruyor, tel örgüler dışında dolaşan nöbetçiler, bedbaht sürgünlerle alay eder gibi ardarda tekmil veriyorlardı:

"Numara bir, her şey yolunda... Numara iki, her şey yolunda... Numara üç..."[24]

9 NİSAN 1921 sabahı savaş kızıştı. Refet Paşa, ihtiyatta tuttuğu 5. Kafkas Tümeni'ni de, ileri kaydırarak Dumlupınar önündeki Yunan alayını makasa aldı.

Birinci Yunan Kolordusu'nun akıbeti tehlikeye girmişti.

On İkinci Türk Kolordusu'nun ağır hareket ettiğini gören 2. Tümen'in usta komutanı Albay Valettas, On İkinci Kolordu'ya karşı bir alay bıraktı, iki alayını hızla yürüttü ve Dumlupınar'a yaklaşan Türk tümenine taarruza geçti.

Bu beklenmedik cesur taarruz, Türk cephesini dalgalandırdı, taarruz ettiği Türk tümeni geri çekildi. Bu sayede zaman kazanan Birinci Yunan Kolordusu, Dumlupınar'a çekilmeyi sürdürdü. Türk birlikleri çekilen düşmanı izlediler. Refet Paşa Ankara'ya, "Aslıhanlar'da son darbeyi vuran ordunun, düşmanı izlediğini" bildirdi ve hararetle kutlandı. Milliyetçi basın, bu yeni başarıyı bildiren başlıklarla dolup taştı. Oysa bu sırada, Birinci Yunan Kolordusu amacına ulaşmış, Dumlupınar'a yerleşmekteydi. Refet Paşa, süvari tümenlerini asıl sonuç yerinde kullanacağına, çok uzak bir hedefe yürüterek, 5. Kafkas Tümeni'ni ise savaşa bir gün geç sokarak, büyük bir fırsatı harcamıştı.[25] Düşmana kaptırdığı Dumlupınar mevziine, altı tümenle taarruza geçip üç gün kıyasıya mücadele edecek, fakat savunmaya çok elverişli bu mevzi geri alınamayacaktı. Ankara kurcaladıkça, başarının parlaklığı solmaya başladı. Fevzi ve İsmet Paşalar, durumu yerinde incelemek için Güney Cephesine hareket ettiler. Savaşın iyi yönetilmediği izlenimi ile geri döndüler. M. Kemal'in, ilk fırsatta, büyük kuvvetleri yönetmekte zayıf kalan Refet Paşa sorununu çözmesi gerekiyordu.

BAŞBAKAN GUNARİS, parlamentonun gizli oturumunda yaptığı konuşmayı, "Son hareket bazı teknik sebepler yüzünden başarıya ulaşamadı ama herkes bilsin ki Yunan silahları yakında bir daha ve son kez konuşacaktır!" diye bitirmişti.

Yunan siyasetçileri için son yüzyılın en büyük olayı, Osmanlı İmparatorluğu'nun tasfiye edilmesi ve Sevr Antlaşması'nın Türkleri bir daha geri dönmemek üzere Avrupa'dan uzaklaştırmasıydı. Ankara'da kurulan zayıf bir yönetimin bu karara silahla karşı çıkmasını, başlangıçta pek ciddiye almamış ama ardarda iki yenilgiye uğrayınca paniklemişlerdi. Yeni hükümetin de antlaşmanın zorla uygulanmasından yana olduğunu öğrenmek hepsinin içini rahatlattı.

Yeni Başbakanı, muhalefet lideri Stratos izledi. Londra Konferansı sırasında, İstanbul ve Ankara temsilcilerinin ortak hareket ettikleri söylentisi yayılmıştı. Stratos gerçeği yansıtmayan bu söylentiye dayanarak parlamentoyu coşturdu:

"Londra Konferansı sırasında, İstanbul'daki meşru hükümet ile Ankara'daki asi hükümetin bize karşı birleştiği anlaşılıyor. Öyleyse Yunan hükümeti de serbesttir. Ordumuz yalnız Ankara'ya değil, artık İstanbul'a da yürüyebilir."

Bütün milletvekilleri ayağa fırladılar. Parlamento çığlıklarla sarsılıyordu:

"İstanbul'a!.. İstanbul'a!.. İstanbul'a!.."[26]

HÜKÜMETİ KURAN Gunaris, o gece General Metaksas'la bir kere daha buluştu. Toplantıya bu sefer, Maliye Bakanı Protopapadakis'den başka, eski diplomat, yeni Savaş Bakanı Teotokis de katılmaktaydı. Gunaris, Metaksas'a bu defa Genelkurmay Başkanlığı'nı teklif etti. Metaksas bunu da reddetti. Teotokis kızdı:

"Politikamızı ancak savaş yoluyla gerçekleştirebileceğimizi neden kabul etmiyorsunuz?"

Metaksas sabırla açıkladı:

"Türkler bizim istilacı olduğumuzu biliyorlar. Önce çeteler çıktı karşımıza. Şimdi ordu ile dövüşüyoruz. Yarın bütün Türklerle karşı karşıya kalacağız. Çünkü yalnız dini değil, milli duyguları olduğunu da gösterdiler. Bütün Türklerle hiçbir zaman başa çıkamayız."

Gunaris, "Ne yapabilirim.." diye sızlandı, "..bu savaş bize Venizelos'tan miras kaldı."

"Devam ettirmek zorunda mısınız?"

"Evet! Çünkü Venizelos'tan daha azına razı olursak, halk bizi alaşağı eder! Ayrıca Londra'da İngiliz Başbakanına da zafer sözü verdik. Sözüne güvenilir bir millet olduğumuzu kanıtlamak zorundayız." [26a]

Metaksas ayağa kalktı:

"İngiliz Başbakanının güvenini sağlamak için mahvolmak zorunda mıyız?"

Çileden çıkan Gunaris bağırmağa başladı:

"Mahvolmamak için bir tek çaremiz var, anlamıyor musunuz, o da kazanmak!"

Gergin bir sessizlik çöktü odaya. Metaksas Gunaris'e acımıştı, "Bir hal çaresi var" dedi isteksizce.

Hepsinin gözleri ümitle inatçı generale çevrildi.

"Türkleri savaşarak yenemeyiz ama belki bir oldubitti ile manen çökerterek sonuç alabiliriz."

"Nasıl?"

"Trakya'daki birliklerimizle İstanbul'u işgal ederek. Bu manevi darbe sonunda, ya Türkler Sevr Antlaşması'na razı olurlar ya da İstanbul'u elimizde tutar, İzmir'le ilgimizi keseriz. Yunan halkı bu çözümü büyük bir heyecanla kabul edecektir."[27]

Gunaris, "Londra'da bu konu da görüşülmüştü.." diye homurdandı, "..teklif ettik ama galip devletler, İstanbul'u işgal etmemize izin vermediler. Özellikle İngiltere Boğazları elinde tutmak istiyor."[28]

Teotokis söze karıştı:

"Türkler de, İngilizleri kabullenmiş görünüyorlar."

Metaksas, "İstanbul hükümetine bakıp da aldanmayın.." dedi, "..Türk milliyetçileri İngiliz yönetimini kabullenmezler."

İSTANBUL HÜKÜMETİNİN Harbiye Nazırı Ziya Paşa [29] her zamanki yumuşaklığı ile, "Beyler.." dedi, "..İngilizlere kafa tutamayız. Adamların hiç şakası yok. Daha geçen gün, bir bahane icat ederek İzmit'i tekrar işgal ediverdiler." [30]

Sarı atlas döşeli büyük oda, nezaretin ileri gelen subayları ile doluydu. Hürriyet ve İtilaf Partisi yanlısı olan birkaç gerici subay dışında hepsi, Anadolu'ya geçmeye çoktan hazır, Ankara'nın İstanbul'da kalmalarını gerekli gördüğü namuslu askerlerdi. Kapı açıldı, kapının boşluğu içinde yaver göründü:

"Emrettiğiniz yüzbaşı geldi efendim."

"İçeri al."

Nazır subaylara bilgi verdi:

"Az önce sözünü ettiğim talihsiz olayın faili."

Yüzbaşı bekletmeden içeri girdi, kaygılı bakışlarla kendisini izleyen subayların arasından hızla ilerleyerek nazırın masası önünde durdu, selam verdi:

"Yüzbaşı Faruk, İstanbul. Beni emretmişsiniz."

Uzun boylu, kumral, yakışıklı, biraz bıçkın havalı bir subaydı. Nazır önündeki bir yazıya bakarak, yumuşak bir sesle, "Oğlum.." dedi, "..dün akşam Beyoğlu'nda, İngiliz İnzibat Subayı Teğmen Miller'i, emre rağmen selamlamamışsın. Doğru mu?"[31]

"Evet efendim, doğru."

Nazır, dürüst subaya babacanca yol gösterdi:

"Herhalde görmediğin için selamlamadın, değil mi çocuğum?"

"Hayır efendim, gördüm."

Nazırın canı sıkıldı:

"Niye selamlamadın öyleyse? Selamlamanız için emir verilmişti."

"Rütbesi benden küçük olduğu için selamlamadım Paşam. Askerlik töresince, önce onun beni selamlaması gerekmez miydi?"

Ziya Paşa derin bir kederle ellerini açtı:

"Askerlik töresi mi kaldı a yavrum? Adamlar galibiyet haklarını kullanıyorlar. İngiliz Komutanlığı bu sabah olayı protesto etti. Mesele çıkarılacak zaman değil. Hemen şu müzevir teğmeni bul da özür dile. Olayı kapatalım."

Başıyla çıkması için izin verdi. Ama yüzbaşı yerinden kıpırdamadı:

"Paşam, bir de beni dinlemenizi rica ediyorum."

Nazır bıkkınlıkla, "Söyle bakalım" dedi.

"Balkan Savaşı'nda teğmendim, Çanakkale'de üsteğmen, Suriye cephesinde yüzbaşı oldum. Ben bu rütbeleri tek başıma savaşarak almadım. Her rütbemde binlerce şehidin ve gazinin hakkı var. Onların hakkını korumak namus borcumdur. Beni affedin, özür dileyemem."

Harbiye Nazırı bozuldu:

"Anlamadın galiba. Harbiye Nazırı olarak emrediyorum."

Yüzbaşı sükûnetle, "Anladım efendim" dedi, apoletlerini bir hamlede söküp nazırın masasına bıraktı:

"Artık emrinizi dinlemek zorunda değilim!"[32]

Selam vermeden dönüp kapıya yürüdü. Oturan subayların, İstanbul'u tutan birkaçı dışında, hepsi saygıyla ayağa fırladı. Hepsinin rütbesi yüzbaşıdan daha büyüktü.

Gözleri dolarak, yüzbaşıya selam durdular.

YÜZBAŞI FARUK Harbiye Nezareti'nden çıkarken, İngiliz ajanı Rahip Frew'un adamı, İngiliz Muhipleri Derneği'nin kurucusu Sait Molla da, beyaz cüppesinin eteklerini savurarak Ali Kemal'in gazetedeki odasına giriyordu. Elindeki bir tomar gazeteyi, masanın üstüne attı. Yüzü kıpkırmızıydı:

"Bu ne iştir beyefendi? Bütün İstanbul gazeteleri Ankara paşalarının fotoğraflarıyla dolu![33] İşgal sansürü neden göz yumuyor bu hale, anlamıyorum. Böyle giderse bu haydutlar, yakında İstanbul'a da gelirler."

Kendini bir koltuğa bırakarak, "Ah Ali Kemal Bey ah.." diye inledi, "..hükümette iken İngilizlerle sağlam bir anlaşma yapacaktınız. Şimdi bizi onlar idare ediyor olacaktı."

Ali Kemal kızdı:

"Rica ederim Molla Bey, haksızlık etmeyin! Biliyorsunuz, Damat Paşa da, ben de bunun için yırtındık [34] ama Ankara elinde silah ortaya fırlayınca, işler karıştı. Safdil İngilizler bunları bir kuvvet sandı, tereddüde düştü. Hiç üzülmeyin, bu çılgınların iki atımlık barutları vardı, ikisini de kullandılar, bitti.." Molla "İnşallah" diye dua etti.

"..Yakında pes ederler. İş siyasete dökülür. O zaman sorun, İstanbul'da halledilecek demektir. Çünkü hükümdarı ile hükümeti ile meşru devlet burada, İstanbul'da. Korkmaya gerek yok."[35]

HORCH marka siyah, büyük bir otomobil, köprüyü geçerek Karaköy'e saptı. Ali Kemal'in güvendiği meşru devletin Sadrazamı Tevfik Paşa, Londra'dan dönmüş, konferans hakkında Padişah'a bilgi sunmak için saraya gidiyordu. Birdenbire bir İngiliz trafik askeri, düdük çalarak önlerine atıldı. Şoför arabayı zorlukla durdurdu. Sarsılan Tevfik Paşa sızlandı:

"Ne oluyor?"

Şoförün yanında oturan parlak kordonlu yaver, "Şimdi anlarım efendim" dedi, arabadan fırladı.

İngiliz askeri öfke içindeydi.

Yaver sert bir şekilde, hemen yolu açmasını istedi. İngiliz, bir Türk subayının kendisiyle böyle yukardan konuşmasına şaşmıştı, o yüzden duraksadı. Askerin kabalığından pişman olduğunu sanan yaver, arabada Sadrazam'ın bulunduğunu açıkladı, yolu açmasını istedi. İngiliz kendini toparlamıştı, bir şey söylemeden düdüğüne asıldı.

İhtiyar Tevfik Paşa "Ne istiyor bu adam.." diye yakındı arabada, "..geç kalıyoruz."

Düdük sesine koşan bir devriye kolu arabayı sarıyordu. Yaver altüst olmuş bir suratla arabaya döndü. "Çabuk gidelim" emrini veren Sadrazam'a, "İmkânsız efendim.." dedi, "..bizi tutukladı."

Kütahya - Eskişehir Savaşına Hazırlık 59

Tevfik Paşa'nın yüzü soldu:

"Kim olduğumu söylemediniz mi?"

"Söyledim efendim ama bir faydası olmadı. Karakola götürüyor."

"Neden?"

"Arabanın plakası olmadığı için."

İngiliz trafik askeri, motosikleti ile arabanın önüne geçmişti. Rüzgâr gözlüğünü gözlerine indirdi. Motosiklet gümbürdeyerek hareket etti. Sadrazam Tevfik Paşa'nın makam arabası, motosikleti takip etti.[36] Çevre meraklılarla dolmuştu. Gözleri hayretten büyümüş bir Türk yanındakilere, "Şu hale bakın yahu.." diye fısıldadı, "..bir İngiliz askeri, koca Osmanlı Sadrazamını tutukladı, götürüyor, o da kuzu kuzu gidiyor. Ölmüş bu devlet." Yere tükürdü.

O GÜNKÜ görüşmeler çok sakin geçmişti. Oturum kapanırken, Bekir Sami kurulunun İtalyanlarla imzaladığı sözleşmenin içeriği kulaktan kulağa yayıldı. Söylenenlere inanmayan biri Dışişleri Bakanlığı'na telefon etti, afallamış bir halde telefonu kapadı. Haber doğruydu. İtalyanlara da Güneybatı Anadolu'da ekonomik öncelikler tanınmış, ilk barış konferansında Türk haklarını korumaları için Ereğli madenlerini işletme hakkı verilmişti.[37] Salondan koridora çıkan milletvekilleri, söylentinin doğru olduğunu öğrenince şaşkına döndüler. Bekir Sami Bey'i aşağılıyorlardı, geç gelen bir milletvekili, "Yapmayın beyler, bu kadar katılık iyi değil!" dedi.

Der demez de Zamir Bey, yakasına yapıştı:

"Bu imtiyazlara razı olacak idiysek, niye silaha sarıldık? Niçin dünyaya isyan ettik?"

Milletvekili, yakasını zorlukla kurtardı:

"Her sözleşmeyi reddederek, galip devletleri yine karşımıza mı alacağız?"

"Zaten karşımızdalar!"

"Değiller! Anadolu Ajansı'na uğradım. İngiltere, Fransa ve İtalya, Türk-Yunan savaşında tarafsız kalacaklarını açıklamışlar."[38]

"Neeeeee?"

Birçoğu haberi sevinçle karşıladı. Bazıları kuşkuluydu. Eskişehir Milletvekili Veli Bayraktar, "Hemen sevinmeyelim.." dedi, "..belki bu da bir İngiliz oyunudur." Ciddi bir devletin bu kadar oynak olabileceğini düşünemeyenler itiraz ettiler: "Sen de amma şüphecisin haaa!" Oysa Veli Bey haklıydı. Bunun oyun olduğunu kısa bir süre sonra hepsi anlayacaktı.

ATİNA'daki İngiliz Elçisi Lord Granville, yeni Dışişleri Bakanı Baltacis'i ziyarete gelmişti. Bakan İngiliz elçisini sapsarı bir yüzle karşıladı. Klasik nezaket sözlerinden sonra, "Türk-Yunan savaşında tarafsız kalacağınızı öğrenmek bizim için çok acı bir sürpriz oldu.." diye yakındı, "..oysa bu savaş sizin de savaşınızdır. Anadolu'ya sizin onay ve desteğinizle çıktık. Sizin teşvikinizle ilerledik. Sizin düşüncelerinizi temsil ediyoruz. Hükümetim bu olumsuz gelişmenin sebebini anlamakta zorluk çekiyor, Lord Hazretleri."

Elçi sevgiyle, "Sayın Bakan.." dedi, "..ben de bu konuda bilgi vermek için gelmiştim. İtalyanlar İzmir daha önce kendilerine vaat edilmişken size verilmesini hiçbir zaman affetmediler."

Bakanın alnı kırıştı:

"Evet, bunu çok iyi biliyoruz."

"Fransa ise Kral'ın geri dönmesinden dolayı Yunan halkına ve hükümetine kırgın. Tarafsızlık kararı, özellikle bu iki hükümeti yatıştırmak için verilmiştir."

"İngiltere'den farklı bir muamele görmenin hakkımız olduğunu sanıyorduk."

Lord Granville öne eğildi, "Takdir edersiniz ki.." dedi, "..galip devletler arasında çıkacak bir anlaşmazlık, kurmak istediğimiz ebedi barışı tehlikeye düşürebilir. Bu karar birçok anlaşmazlığı engelledi. Ayrıca bizim de İngiliz ve Müslüman kamuoyu ile başımız dertte. Onları da dikkate almak gerekti. Ama hükümetimin, Yunanistan'a duyduğu dostluk duygularında hiçbir değişiklik olmamıştır."

Baltacis kuşkuyla sordu:

"Buna nasıl inanabilirim?"

"Silah satışı yasak ama diğer her türlü savaş araç ve gereci satılması serbest bırakılacak. Bundan yararlanabilirsiniz."[39]

"Oo! Bu yeni bir haber!"

"Mütareke ilan edildiği sırada, biliyorsunuz birçok Türk birliği Anadolu dışındaydı. Deniz yoluyla İstanbul'a dönen bu birliklerin subaylarının Anadolu'ya geçmelerini başından beri engellemeye çalışıyoruz. Şimdi kontrol daha da şiddetlendirilecek.[40] Donanmanız İstanbul'u üs olarak kullanmayı sürdürebilecek. Ayrıca İzmit de Yunan ordusuna devredilecek."[41]

İzmit İstanbul'un kapısıydı!

Bakan yaşından umulmaz bir çeviklikle ayağa fırladı:

"Aah, İngiltere'nin bizi terk etmeyeceğini biliyorduk."

Gözleri sevinçle parlıyordu. İngilizlerin, bir süre sonra Yunanistan'a silah ve mühimmat satışını da serbest bırakacağını bilse, sevinci göğe çıkardı.

YILDIZ SARAYI'nın Küçük Mabeyn dairesindeki genişçe odada, Vahidettin gözlerini kapatmış, Tevfik Paşa'yı dinliyordu. Tevfik Paşa saraya ancak hava karardıktan sonra gelebilmişti.

"..Karakoldaki İngiliz subayı, üstleriyle konuşmadan bizi serbest bırakmadı. Bu yüzden geciktim efendimiz, affınızı dilerim."

Vahidettin bir süre sessiz kaldı, neden sonra gözlerini araladı, durgun bir sesle, "Bu tatsız olayı, diplomatik bir kaza olarak değerlendirelim" dedi.

"Hakk-ı âliniz var. Londra'da bendenize çok nazik davranmışlardı zaten. Bugünkü olay, ancak bir kaza olabilir."

Tevfik Paşa konferansa ara verildikten sonra Lloyd George ve Lord Curzon'la yaptığı görüşmeleri aktardı ve tutanakları sehpanın üzerine bırakarak sözünü bitirdi:

"Her ikisine de ısrarla, isteğimizin tamamen İngiltere'ye bağlanmak olduğunu belirttim."[42]

Vahidettin canlandı, "Elbette.." dedi, "bizi ancak İngiltere'nin lütfu kurtarabilir."[43]

"Ermenilere de toprak vermeye razı olduğumuzu hatırlattığım halde, yazık ki olumlu bir sonuç almam mümkün olmadı.[44] İstediğimiz gibi bir anlaşma yapmaya yanaşmıyorlar."

Vahidettin hırçınlaştı:

"Daha ne istiyorlar?"

"Sevr Antlaşması'nı Ankara'ya da kabul ettirmemizi."

Padişah, "Bu mümkün değil ki." dedi kırık bir sesle, "..Ankara bize bu antlaşma yüzünden isyan halinde."

Sadrazam, "Efendimiz" dedi, "..bendeniz Bekir Sami Bey'den ümitliyim."

"Nasıl olur? Ankara'ya ilk katılanlardan biri de o değil miydi?"

"Ama şimdi o da, tıpkı bizim gibi İngiliz dostluğuna çok değer veriyor.[45] Ne pahasına olursa olsun, bir an önce barış yapılması için çabalıyor.[46] Ankara'da yalnız olmadığını sanıyorum."

Vahidettin ümitle gözlerini iyice açtı:

"Emin misiniz?"

"Evet efendimiz."

Başını koltuğun arkalığına dayadı:

"..İngilizlere güvenimizi koruyarak, Ankara'daki olayların gelişmesini bekleyelim."

Gözlerini yeniden kapadı.

ERTESİ GÜN 23 Nisandı, Türkiye Büyük Millet Meclisi'nin açıldığı, milli iradenin egemen olduğu gündü. İlk milli bayramdı.

İşgal altında olmayan her yerde törenler ve toplantılarla kutlandı. Halk bu güne 'milletin saltanat günü' adını takmıştı.

Bekir Sami Bey kurulunun öbür gün, dekoville Yahşıhan'dan Ankara'ya geleceği duyulunca, Mustafa Necati Bey, "Ben karşılamaya gitmem." dedi, "..hiçbirinin yüzünü görmek istemiyorum!"

Bazı milletvekilleri sabahtan Meclis'e gelmişler, komisyon odalarından birinde oturmuş tartışıyorlardı. Pencereden Mustafa Kemal'in Benz arabasını gören Yozgat Milletvekili Süleyman Sırrı İçöz saygıyla, "Reis Paşa geldi" diye haber verdi. Mustafa Necati Bey bozuldu:

"Bırak Allah aşkına, ona da kızgınım."

"Niye?"

"Milli Mücadele'nin anlamını bu kadar kavramamış bir kurulun seçilmesine razı olduğu için!"

Odadakiler sustular.

O kadar ümit ve güvenle uğurladıkları kurulun, niye böyle davrandığını kavrayamıyorlardı.

BİRİNCİ DÜNYA SAVAŞI yenilgiyle bitince, Ankara-Sivas demiryolu yapımı durmuş, geride sadece Ankara ile Yahşıhan arasında 70 km.lik bir dekovil hattı, birkaç küçük lokomotif ile yolcu ve yük vagonları kalmıştı. Bu dar hattan, İç Anadolu'daki depolarda bulunan ve kağnılarla Yahşıhan'a getirilen silah ve cephaneyi Ankara'ya taşımak için yararlanılıyordu.

Türk ordusunun ana ikmal merkezi Ankara'ydı.

İki küçük vagondan kurulu katar, Ankara istasyonunun tahta dikmeli sundurmasının önünde durdu. M. Kemal Paşa, bakanlar, birçok milletvekili, sundurmanın altında bekliyorlardı. Aralarında o sabah Malta'dan Ankara'ya ulaşmış olan Edirne Milletvekilleri Faik ve Şeref Beyler de vardı.

İstanbul'dan deniz yoluyla Samsun'a, oradan da arabalarla beş günde Yahşıhan'a gelen kurul üyeleri, bu kısacık yolu dekoville 4 saatte alarak, yorgun ama güleç yüzlerle oyuncak vagonlardan inmeye başladılar.[47]

Kurul üyelerinden Adana Milletvekili Zekai Apaydın istasyondan çıkarken, aynı evi paylaştıkları Zamir Bey'e, "Ne oluyor? Bir şey mi var.." diye sordu, "..Paşa, neden bu kadar soğuktu? Sen niye suratlısın? Ne oldu?"

"Sus şimdi. Evde hesaplaşacağız."

İki arkadaş daha eve varmadan, Bekir Sami Bey'in, son anlaşmaları, kurul üyelerinden gizli imzaladığı duyuldu.

BUGÜNKÜ Ulus meydanından yukarı doğru uzanan taş döşeli Karaoğlan caddesinin sağ yanındaki Merkez Kıraathanesi yükünü almıştı. Karşı sırada da daha çok tutucuların gittiği Kuyulu Kahve vardı.

Her akşamüstü Merkez Kıraathanesi'nde buluşmayı âdet edinen milletvekilleri ile Enver Behnan Şapolyo, Münir Müeyyet Bekman, Sadri Ertem gibi genç gazeteciler, şair Kemalettin Kami (Kamu), Milli Eğitim Bakanlığı Özel Kalem Müdürü Vasıf Çınar gelmişlerdi. Çevre masalarda ise, böyle kritik günlerde kıraathaneyi doldurup bir şeyler öğrenmeye çalışan esnaflar oturuyordu.

Hakkari Milletvekili Mazhar Müfit Kansu, duyduklarını aktardıktan sonra, "Yahu.." dedi, "..tam silkinip de kendimize gelmek, yüzyıllardır Avrupa'nın karşısında duyduğumuz ezikliği üstümüzden atmak üzereydik, bu sefer de bir Bekir Sami çıktı ortaya, gitti yine kurbanlık koyun gibi boynunu uzattı."

Kapıdan çizmeli, pantolonlu, çapraz fişeklikli, kalpaklı bir kadın girdi:

"Selamünaleyküm beyler!"

Sesler yükseldi:

"Aleykümselam Ayşe bacı!"

Köy köy dolaşarak gönüllü toplayıp Yunanlılarla dövüşen, kısa boylu, esmer bir çeteciydi. Büyük oğlu Demirci'de, küçük oğlu İkinci İnönü Savaşı'nda şehit düşmüştü.[48] Bir haftadır Ankara'da misafir ediliyordu. Dükkânına kadın ayağı basmamış softa esnaf bile, erkek rahatlığı ile her yere girip çıkan Ayşe Hanım'ı birkaç gün yadırgadıktan sonra, ister istemez kabullenmişti. Zorunluk alışkanlıkları ezip geçiyor, birçok şey ağır ağır değişiyordu.

Yürüdü, erkeklerin arasına oturdu. Kıraathane sahibi hemen çay koşturdu.

Mazhar Müfit Bey devam etti:

"Biz, ya hakkından, ya toprağından, ya onurundan bir şeyler feda edemeden yaşayamaz bir millet miyiz? İlle üste vermeye mi mahkûmuz? Bu İngiliz kumaşından yapılmış kefeni, şimdi yırtamazsak bir daha hiç yırtamayız."

Trabzon Milletvekili Hamdi Ülkümen ümitsiz, sordu:

"Ne yapabiliriz?"

Kimseden ses çıkmadı. Ayşe Hanım konuyu anlamamıştı ama Hamdi Bey'e seslendi:

"Üzülme kardeş! Bir çare bulunur elbet."

Cahil çetecinin iyimserliğine imrendiler.

KARAOĞLAN caddesi üzerinde bulunan Bektaşi Hüseyin'in dükkânında da Enver Paşa'ya hâlâ sadık koyu İttihatçılar ile bazı saltanatçı milletvekilleri toplanmıştı. Aralarında birçok konuda görüş ayrılığı vardı ama Mustafa Kemal Paşa'ya muhalefet etmekte birleşiyorlardı.[49]

Hava iyice kararmıştı.

Ardahan Milletvekili Hilmi Bey kirli vitrin camından sokağı seyrediyordu, birdenbire "Bekir Sami Bey!" diye bağırdı. Hepsi dışarı baktılar. M. Kemal ve arkadaşlarını, Samsun'dan Erzurum'a, oradan da Ankara'ya taşımış üç döküntü otomobilden biri olan ve mucize halinde hâlâ yürüyebilen eski bir Mercedes, karpitle çalışan farlarıyla yolu aydınlatarak, homurdana homurdana önlerinden geçip istasyona doğru uzaklaştı. Rize Milletvekili Ziya Hurşit, "Paşa'ya gidiyor." dedi, "..ne dersiniz? Direnebilir mi?"

Trabzon Milletvekili Hafız Mehmet Bey, "Evet." dedi, "..ayak üstü konuştuk, direnmeye kesin kararlı. Eğer M. Kemal anlaşmalara karşı çıkarsa, konuyu Meclis'e getirecek. Meclis'te kulis yapar, ağır basar, barışı sağlarız. Savaş sürdükçe M. Kemal'den kurtulamayacağız."

Sustular.

DIŞİŞLERİ BAKANLIĞI Siyasi İşler Müdürü Hikmet Bayur, bu sırada güncesine şu notu düşüyordu:

"Ankara'yı Sevr Antlaşması'na razı etmek için Bilecik'e gelen ve M. Kemal tarafından zorla Ankara'ya getirilen Ahmet İzzet ve Salih Paşalar heyeti, İstanbul'daki karamsarlık ve ümitsizlik havasını Ankara üzerine bol bol saçtılar. Yarı giyinmiş, yarı silahlı askerlerimizi göstererek, 'bunlarla mı zafer kazanılacağını' soruyorlardı. Birçok şüpheli kişi de Ankara'ya dolmuştu. Bunlar, zayıf yürekli karamsarlara veya mücadeleden bıkmış olanlara katılınca, Milli Ant'ın bir yana bırakılması ve Bekir Sami Bey anlaşmalarının onaylanması lehinde kuvvetli bir akım belirdi.

Ahmet İzzet ve Salih Paşaların, bir daha siyaset yapmayacaklarına söz vermeleri üzerine İstanbul'a geri dönmelerine izin verildi ama olumsuz etkileri hâlâ sürüyor." [50]

ESKİ MERCEDES, istasyondaki, bugün müze olan, kesme taştan yapılmış iki katlı binanın önüne yanaştı. Yaver Salih Bozok, Dışişleri Bakanını, iki serdengeçti Giresunlu muhafızın koruduğu kapıda

Ankara
İstasyonundaki
Direksiyon
Binası

bekliyordu, hemen Mustafa Kemal'in istasyona bakan çalışma odasına çıkardı.

Alman demiryolu şirketinin eski yönetim binası, M. Kemal'in hem çalışma yeri, hem eviydi. 'Direksiyon Binası' diye anılıyordu. Alt katta Salih Bozok ile yaver Muzaffer Kılıç'ın odaları bulunuyordu. Salih Bozok yanına aldırdığı 12 yaşındaki oğlu Cemil ile birlikte kalmaktaydı.

Meclis Muhafız Taburu Komutanı Yüzbaşı İsmail Hakkı Tekçe, Salih'e, "Bizimkinin havası nasıl?" diye sordu.

"Fazla sakin. Galiba fırtına kopacak."

BİNBAŞI EKREM ile Yüzbaşı Faruk, Sirkeci'deki Meserret Kıraathanesi'nde buluşmuşlardı. Güvenlik gereği alçak sesle konuşuyorlardı. İkisi de sivildi.

"Nazır Paşa apoletlerini söküp önüne atmana çok üzülmüş."

"Emri dinlememek için başka çare bulamadım."

Binbaşı Ekrem, Faruk'un omzunu okşadı.

"Paşanın emrini dinleyeceksin diye bütün arkadaşların yüreği ağzına gelmiş. Hepimizin şerefini kurtardın. Sağ ol. Şimdi ne yapmayı düşünüyorsun?"

Yüzbaşı Faruk hiç duraksamadı:

"Hemen Anadolu'ya geçmek istiyorum. Bunu sağlarsanız sevinirim."

İnebolu'dan Anadolu'ya geçebilmek için gizli Muharip örgütünden 'temiz kâğıdı' almak gerekiyordu. Ankara yeni orduda yalnız güvenilir, bilinçli ve dürüst subaylara yer vermekteydi.

"O kolay. Ama İstanbul'da da önemli işler var! Mesela M.M Teşkilatı, gerektiğinde İstanbul için çarpışmak üzere semt semt örgütleniyor.." [51]

Faruk başını salladı:

"Siz beni Anadolu'ya yollayın."

"Sen bilirsin."

Sarışın, çelimsiz, genç bir sivil saygıyla yaklaştı:

"İyi akşamlar!"

Ekrem tanıttı:

"Muhabere Teğmeni İhsan. Görünüşüne bakma ha, yaman delikanlıdır."

İstanbul'daki subaylar, Mütareke'den sonra, Anadolu'ya yardım için kendiliklerinden çeşitli gizli örgütler kurmuşlardı. Teğmen İhsan da, savaş bitip Libya'daki görevinden İstanbul'a dönünce, daha kuruluş aşamasındayken Yüzbaşı Neşet Bora'nın kurduğu örgüte katılmış, bu küçük örgüt İmalat-i Harbiye ve Yavuz grupları ile birleşerek genişlemiş, güçlenmiş ve Muharip adını almıştı.[52] Daha başka örgütler de vardı.[53]

Ama Ankara'nın en güvendiği kuruluş Muharip örgütü idi. Anadolu'ya geçecek subaylar hakkında inceleme yapmak ve temiz belgesi vermek yetkisi bu örgüte aitti.[54]

Faruk gülümsedi. Mühendis teğmenin yamanlıkla en ufak bir ilgisi bile yoktu. Pembe yanaklı, anasının kuzusu bir İstanbulluydu. Ekrem Bey sesini daha da alçaltarak, "Bir şey düşünebildin mi?" diye sordu. İhsan "Evet efendim" dedi ve Selimiye Kışlası'nda bulunan telsiz cihazlarını kaçırmak için tasarladığı planı bir solukta anlattı. Faruk dayanamadı, gürültüyle güldü. Bacaksız teğmen sahiden yamandı galiba. O da heveslendi:

"Nalıncı yokuşundaki türbenin sandukası altına iki tane ağır makineli tüfek saklamıştık. Bu tüfekleri İngilizlere selamlata selamlata caddelerden geçirip de öcümü almazsam, yazıklar olsun bana!"

M. KEMAL PAŞA'nın sözünü hiç kesmeden dinlediği Bekir Sami Kunduk, açıklamasının sonuna gelmişti. "Paşa Hazretleri.." dedi, "..arz ettiğim sebeplerle bütün sorumluluğu üzerime alarak, anlaşmaları, arkadaşlara haber vermeden, ben yaptım ve imzaladım. Hiçbiri, memleketin yüksek çıkarlarına aykırı değildir. Fransızlarla yaptığım anlaşma yüzünden Meclis'te ağır eleştiriler yapıldığını öğrendim ve çok üzüldüm. Aleyhte konuşan arkadaşların duygusal davrandıklarını sanıyorum. Yaptığım anlaşmaları Meclis'te savunmaya ve yararlı olduklarını ispat etmeye hazırım. Çünkü üçü de uygar memleketlerle yeniden ilişki kurmamızı amaçlıyor."

İstasyona gümbürtüyle giren bir tren, Bekir Sami Bey'in konuşmasını ikiye böldü. Bekir Sami Bey, bakışlarını halının karışık desenlerinde dolaştırarak konuşmasını tamamladı:

"Girişimde bulunmadan önce çok düşündüm, Paşam. Bu savaşı sürdürürsek, bir gün mutlaka bir felakete uğrayacağız. Çok feci durumlara düşeceğiz. Esir ve zelil olacağız. Bunun için bir an önce barış yapmak zorundayız. Bu sözleşmelerle barış yolunu açtığımı sanıyorum. Eğer reddedilirse, hepimiz, tarih ve millet önünde sorumlu oluruz!"[55]

Sustu.

"Bitti mi?"

"Evet efendim."

"Sizi sükûnetle dinledim."

"Teşekkür ederim."

"Şimdi de siz beni sükûnetle dinleyeceksiniz."

"Emredersiniz."

M. Kemal Paşa sigarasını bastıra bastıra söndürdü:

"Bu dava benim kişisel davam değil. Geçen yıl, Meclis'in açılışından önce, hatırlarsınız, siz yakın arkadaşlarımı toplamış, 'Milli Mücadele'yi engellemek isteyenler, benim maceracı olduğumu iddia ediyorlar; bu kutsal davaya zarar vermemek için görevimi bir arkadaşa devretmek, bir kenara çekilerek unutulmak istiyorum' demiştim.[56] Doğru mu Bekir Sami Beyefendi?"

"Evet efendim."

"Ama sizler itiraz ettiniz, isyan ettiniz, görevde kalmam için ısrar ettiniz. Doğru mu beyefendi?"

"Evet Paşam."

"Ben de bunun üzerine göreve devam ettim. Bin zorlukla Meclis'i toplamayı başardık. Meclis büyüklüğüne yakışır bir azimle davaya sahip çıktı ve uygar dünyadan çok basit bir şey istedi: Hür ve bağımsız yaşamak. Doğru mu?"

"Doğru."

M. Kemal Paşa, "Ben askerim." dedi, "..savaşın ne olduğunu hepinizden iyi bilirim. Zorunlu değilse savaş cinayettir.[57] Ben de elbette barıştan yanayım. Çünkü yüzlerce yıllık yaralarımızı ancak barışta sarabiliriz. Ama galip devletler, hür ve bağımsız yaşama hakkımızı kabul etmiyorlar. Kabul edeceklerini gösteren en ufak bir belirti de yok."

Ayağa kalktı, sesi iyice acılaşmıştı:

"Geliniz!"

Hızla pencereye yürüdü, perdeyi yırtar gibi açtı:

"Lütfen bakınız! Bu tren, az önce Eskişehir'den geldi, vatanına kan borcunu ödeyen gazileri getirdi.."

Bekir Sami Bey pencereden dışarı göz attı. Acemi askerler, kaba tahta sedyelerde yatan ağır yaralıları, hiç konuşmadan, yük vagonlarından alıp Cebeci Hastanesi'ne götürmek için istasyon önünde bekleyen araba ve kağnılara taşıyorlardı.

"..Biraz sonra da, şimdi yaralı arkadaşlarını taşıyan şu gencecik askerleri alıp cepheye götürecek. Bu insafsız ve vahşi savaşı, kendi vatanında garip dolaşan bu mazlum millet mi başlattı beyefendi?"

Bekir Sami Bey, "Hayır efendim" diye mırıldandı.

"..Üzerine kinle, entrikayla, ateşle gelen dış düşmanlara ve içerdeki hainlere ve gafillere karşı, namusunu ve vatanını savunmaktan başka ne yapıyor? Biz bu zavallı milletin maddi ve manevi haklarını, sırf lütuflarını kazanmak için yabancılara nasıl bağışlayabiliriz? Asıl o zaman tarih ve millet önünde sorumlu olmaz mıyız? Kendimizi kurtarmak için geleceklerini satarsak, bu insanlar, ilerde hepimizi lanetle anmazlar mı?"

Bekir Sami Bey pencereden istasyona bakıyordu hâlâ. Bir asker, kucağında küçük bir çocukla vagondan aşağı atladı. Çocuğu yerde bekleyen askerin kollarına bıraktı, bir başka yaralıyı getirmek için tekrar vagona girdi. Bekir Sami Bey, birden gözlerinin dolmasına engel olamadı. Çocuk sandığı şeyin, iki bacağı da kökünden kesilmiş genç bir subay olduğunu fark etmişti.

"..İmzaladığınız anlaşmaları, Misak-ı Milli'ye aykırı oldukları için reddetmesi tavsiyesiyle hükümete götüreceğim. Kişisel dostluğumuz elbette sürecektir. Ama hükümette arkadaşlık etmemize artık imkân kalmadığını sizin de teslim edeceğinizi sanıyorum."

Bekir Sami Bey, M. Kemal Paşa'nın eleştirmekle yetinerek, genel eğilime boyun eğeceğini ümit etmekteydi. Bu keskin tepki karşısında çıplak kalmış gibi titredi. Lloyd George ile 4 Mart günü yaptığı özel görüşmenin tutanağını göstermekten caydı. Çünkü o gün Lloyd George'a —Moskova'daki Türk kurulu İngiliz emperyalizmine karşı direnebilmek amacıyla Sovyetler'le anlaşabilmek için çırpınırken— Sovyetler'e karşı bir Kafkas birliği kurulması için işbirliği teklif etmiş ve İngiliz Başbakanının takdirini kazanmıştı.[58] Lloyd George'un, bu görüşmeyi gizli tutacağını sanıyordu.[59]

Oysa İngiliz Başbakanı bu teklifi, Türk-Sovyet yakınlaşmasını bozmak için el altından ve hiç vakit kaybetmeden Sovyetler'e duyurmuştu bile.[60]

İHSAN, telsiz deposunun komutanı Yüzbaşı Hikmet ve yardımcısı Üsteğmen Hakkı Petek ile akşamüstü Üsküdar'da bir muhallebicide buluştu.

İhsan'ın tahmini doğru çıkmıştı. Depodaki malzemeler arasında, savaşın bitmesine yakın Almanya'dan gönderilmiş ve hiç kullanılmamış 10 vatlık 6 Telefunken dağ telsizi ile kamyonlara monte edilmiş sahra telsizleri vardı. İhsan, "Hepsini kaçırmayı düşünüyorum" dedi. Hikmet toy teğmene ters ters baktı. Anlaşılan gizli örgütü gözünde boşuna büyütmüştü.

Üsteğmen Hakkı niyeti olmadığı halde lafa karıştı:

"Yahu, siz bizim boş durduğumuzu mu sanıyorsunuz yoksa? Bunun için biz de çok kafa patlattık ama hiçbir çare bulamadık. Her yan İngiliz denetimi altında. Kuş uçurtmuyor adamlar. Depoların ve telsiz arabalarının kapıları da mühürlü."

Teğmen yalnız toy değil, inatçıydı da, "Zarar yok.." dedi, "..Selimiye'de bir Sıhhiye Birliği olacaktı. Hâlâ duruyor mu o?"

"Evet. Niye sordun?"

"Çünkü iş, o birliğin doktor komutanına bağlı."

Hakkı'nın yüzü iyice karardı:

"Öyleyse hiç ümit yok. Suratsız, laf anlamaz doktorun biridir."

"Olsun! Yarın Selimiye'ye gelsem, beni tanıştırır mısınız?"

Üsteğmen Hakkı boynunu büktü. Bu çocukla tartışmayı sürdürmenin bir anlamı yoktu:

"Gel."

Yüzbaşı Hikmet, bu konuşmadan sıkılmıştı, İhsan'a azarlar gibi, "Haydi ye de kalkalım" dedi. İhsan daha dokunmadığı keşkülden bir kaşık aldı, ağzına götürdü, vitrinden içeri imrenerek bakan iki çocukla göz göze gelince utandı, kaşığı tabağın kenarına bıraktı.

Kalktılar.

ONLAR KALKARKEN, Embros gazetesinin savaş muhabiri İlia Vutieridu ile 3. Yunan Tümeni Komutanı General Trikupis de, Bursa'da, Anadolu Oteli'nin yemek salonunda, sofraya oturuyorlardı.

Trikupis siyaset dışında kalabilen ender komutanlardan biriydi. Uçları yukarı kıvrık siyah bıyıklı, ciddi yüzlü, uzunca boylu, güven veren bir askerdi. Zafer için yetiştirilmiş her asker gibi yenilgiden çok rahatsız olmuştu.

Yemek boyunca havadan sudan konuşmaya özendi ama sonunda söz yine savaşa geldi. Vutieridu, ordunun Anadolu'dan geri çekileceğinden korkuyordu. Trikupis, "Hayır İlia.." dedi, "..asıl savaş şimdi başlıyor. Bu savaş için bütün gücümüzü ortaya koymak zorundayız. Zira sonunda iki yandan biri mahvolacak."[61]

TEĞMEN İHSAN AKSOLEY, ertesi sabah Haydarpaşa Hastanesi'ne uğradıktan sonra Selimiye'ye geldi.

Nizamiye kapısı İngilizlerin denetimi altındaydı. Zorlukla izin alabildi. Nöbetçi subay yanına bir de İngiliz eri kattı. Dev Selimiye Kışlası'nın Haydarpaşa'ya bakan kısmında, iskelet halindeki birkaç küçük Türk birliği ile esir kamplarından parça parça İstanbul'a taşınan askerler kalıyorlardı. Kışlanın karşı kısmı ise iç savaşta Sovyet birliklerine yenilerek Rusya'dan kaçan General Vrangel ordusunun döküntülerine ayrılmıştı. Namlu ağızlarına meşin kılıflar geçirilmiş pırıl pırıl İngiliz toplarının ve kamyonlarının düzenle sıralandığı geniş avludan geçip binaya girdiler. Koridorlarda İngilizce uyarı levhaları vardı.

Yüzbaşı Hikmet, Üsteğmen Hakkı ve kısa boylu, suratsız doktor, İhsan'ı bekliyorlardı. Hikmet atıldı:

"Ziyaret için kaç dakika verdiler?"

"15 dakika."

"Öyleyse acele edelim."

Tanıştırdı:

"Binbaşım, bu delikanlı Teğmen İhsan.."

Doktor Hasan azarladı:

"Merasimi bırak."

İhsan'a döndü:

"Ne istiyorsun?"

"Buradaki askerlerimizden biri hastalanırsa, hastaneye siz sevk ediyorsunuz değil mi?"

"Evet ama sana ne?"

"Nasıl sevk ediyorsunuz?"

Doktorun yüzü morarmaya başladı:

"Allah Allah! Adam beni sorguya çekiyor. Yazıyorum, gidiyor."

"İngiliz Komutan onaylamadan mı?"

"O onaylamadan, burada yaprak bile kımıldamaz."

Yüzbaşıya, "Bu ne şaşkoloz adam" diye homurdandı. İhsan duymazlıktan geldi:

"Binbaşım, siz her gün, birkaç askeri, veba veya kolera şüphesi ile hastaneye sevk etseniz, ne olur?"

"Ne olacak, kıyamet kopar!"

Birden ayıldı:

"Yoksa senin niyetin, bulaşıcı hastalık korkusuyla İngilizleri Selimiye'den kaçırtmak mı?"

"Evet. Buraya gelmeden başhekimle konuştum, Haydarpaşa Hastanesi, istediğimiz gibi rapor verecek."

Doktor gözlerini kıstı:

"Sonra da depolarda ne var ne yok, toparlayıp Anadolu'ya mı yollayacaksınız?"

Hikmet'le Hakkı korkuyla bakıştılar. Haydarpaşa Başhekimi Ziya Bey'den, doktor hakkında bilgi almış olduğu için İhsan sükûnetle, "Evet efendim.." dedi, "..yardımcı olmak istemez misiniz?"

Doktor infilak etti:

"Bir de soruyor sersem! Elbette isterim."

Elini alnına vurdu:

"Allah kahretsin! Bu kadar basit bir hile neden daha önce benim aklıma gelmedi? Bir hafta sonra, burada bir tek İngiliz kalırsa, yuh olsun bana. Hazırlığınızı yapın!"

Odadan kapıyı gümleterek çıktı. Hikmet'le Hakkı, sevinç içinde teğmene sarıldılar.

"Oldu! Daha 10 dakikamız var. Otur da çay içelim!"

ANKARA'ya gelmesi için Kızılay aracılığı ile M. Kemal'den çağrı alan Yakup Kadri, heyecan içindeydi. Ciğerlerinden rahatsız olduğundan, büyük savaş sırasında üç yıl İsviçre'de tedavi görmüş, iki yıl önce İstanbul'a gelmişti. Daha o zaman İstanbul'un onur ve ümit kırıcı havasına dayanamayarak hemen Anadolu'ya geçmek istemişti ama M. Kemal, yazılarıyla milli mücadeleyi desteklemesinin daha yararlı olacağını bildirdiği için İstanbul'da kalmıştı.

Yazar Abidin Daver, çetin yolculuğun ve Ankara'daki ilkel şartların, sağlığını sarsacağını düşünerek şefkatle, "Gidecek misin?" diye sordu.

Yakup Kadri coştu:

"Elbette! Ankara'da ne Yunan takkesi var, ne İngiliz kepi, ne Fransız kasketi, ne İtalyan şapkası, ne sansür, ne de zindan!⁶² Ciğerlerimi temiz hava ile doldurmak istiyorum."

İdare Memuru Mahmut, "Kızılay'dan istediğimiz bilgi geldi.." diye sevinçle içeri girdi, "..İstanbul halkından kuruş kuruş 155.000 lira toplanmış!"[63] Odadakiler doğruldular: "İnanılmaz bir sonuç bu!" "Evet efendim. Bu hesaba göre İstanbul halkının büyük çoğunluğu, Ankara'yı destekliyor." Yemeğe çıkmadan önce, İkdam gazetesinde biraraya gelmiş olan gazeteciler, derin bir huzur içinde sustular. Çünkü bu güzel sonuçta, hükümet ve işgal sansürü ile boğuşa boğuşa görevini sürdüren yurtsever basının payı büyüktü.

İSTANBULLU TÜRKLERİN bir bölümü işgalcilerle iyi geçiniyor, hiçbir şeyi umursamadan zevk ve sefa içinde yaşıyordu. Bir bölümü işbirlikçilerin ve yobazların telkinleri yüzünden Milli Mücadele'ye karşıydı. Küçük bir bölüm de para için işgalcilere hizmet ediyordu.

Ama çoğunluk Ankara'yı desteklemekteydi.

İşgal olayı, galiplerin saygısızlığı, Yunan ordusunun vahşeti, Rumların gösterileri İstanbulluları çok çabuk uyandırmış, uyanış hızla her kesime yayılmıştı. Anadolu için olduğu anlaşılan her işe ve işleme destek vermeye başladılar. Bu hareketin bir lideri yoktu. Bu çok yönlü, büyük, karmaşık hareketin içinde yalnız aydınlar ve bürokratlar değil, her düzeyden, birçok meslek ve milletten, kadın ve erkek İstanbullular vardı.

Anadolu'yu desteklemek, Milli Mücadele'nin devam edebilmesi için İstanbul depolarındaki silah, cephane, askeri araç-gereci Anadolu'ya kaçırmak, Anadolu için haber toplamak, Anadolu'ya geçmek isteyenlere yardımcı olmak ve gerektiğinde İstanbul için dövüşmek üzere gizli örgütler, gruplar, dayanışma birlikleri, hücreler kurulmuş, var olan dernekler, loncalar, topluluklar da bu harekete katılmışlardı.[63a]

Buna karşılık, İngiliz üniformasıyla dolaşan bir kısım Rumlar ve Ermeniler, Hürriyet ve İtilaf Partisi'nin üyeleri ve ücret karşılığı av köpekliği yapan her milletten hayli Osmanlı da Anadolu'ya yardım edenleri keşfetmek, izleyip ihbar etmek, yakalatmak için durmadan çabalıyorlardı.[63b] Yakalanacak olanları zindan, işkence ve idam beklemekteydi. Ama görevli olan ya da payına bir görev düşen namuslu İstanbullular, bu tehlikeleri göze alarak çalışıyorlardı.[63c] İstanbul yönetimi ile İngilizler, bu buzdağının ancak su üstüne yansıyan bazı bölümlerinden haberliydiler.

GECE Muharip örgütünün yöneticileri, Süleymaniye'deki güvenli evde buluştular. Binbaşı Ekrem çok sıkıntılı görünüyordu, hemen içini döktü:

"Şimdiye kadar kim Ankara'dan çağrı aldıysa, derhal Anadolu'ya hareket etti. Bugün Harbiye Nezareti İstihbarat Müdürü ve M. Kemal Paşa'nın sınıf arkadaşı Albay Asım Gündüz'e, Ankara'ya çağrıldığını bildirdim ama gitmek için hiç beklemediğim bazı şartlar ileri sürdü."

Şaşırdılar:

"Ne gibi şartlar?"

Binbaşı Ekrem cebinden not aldığı kâğıtları çıkardı:

"Hanedandan bir şehzade ile birlikte Anadolu'ya geçmek.. Şehzadenin bir cepheye komutan yapılması.. Kendisinin de şehzadenin kurmay başkanlığına atanması."[64]

Yüzbaşı Aziz Hüdai'nin yüzü, cehennem taşı yalamış gibi buruşuverdi. "Yahu.." diye bağırdı, "..bizim albay, demek ki daha uyanmamış. Elbet bir gün o da uyanır. Durumu Ankara'ya bildirelim."

M. Kemal'in cevabı iki gün sonra ellerine geçecekti:

"Çağrı iptal edilmiştir!"[65]

NALINCILAR YOKUŞUNDAKİ türbenin arkasındaki avluda, geniş omuzlu, koca elli, palabıyıklı bir adam, yerde duran iki açık tabuta, ağır makineli tüfeklerin parçalarını özenle yerleştiriyordu. Yüzbaşı Faruk, "Tüfeklerin durumu iyi mi Haydar Çavuş?" diye sordu. Irak'ta silah arkadaşlığı yapmışlardı.

"İkisi de zehir gibi yüzbaşım. Daha çok iş görür bunlar."

"Sen ne zaman Anadolu'ya geçeceksin?"

Haydar Çavuş kırgın önüne baktı:

"Soruşturdum beyim, bizi çağırmıyorlar."

Haklıydı. Ankara hükümeti, yıllardan beri cepheden cepheye koşturulan bu yorgun kuşakları, silah altına çağırmıyordu. Çünkü elde yeni birlikleri donatacak kadar silah da yoktu, cephane de. Çoğu da sakattı. Belki yetkililer, savaşa doymuş bu eski askerlerin çağrıya uymayacaklarından da çekinmekteydiler. Küçük caminin ak sakallı imamı avluya girdi, "İstediklerini hazır ettik oğlum" diye seslendi. Arkasında güvenilir mahalleliler vardı. Haydar Çavuş aceleyle tabut kapaklarını kapatıp sıkıca çiviledi. Biri tabutların üzerine, kaç zamandır sandık dibinde saklandıkları için kırışmış bayrakları serdi.

BİNBAŞI EKREM ile İhsan, Faruk'tan gelen haber üzerine Divan Yolu'nun ağzında bekliyorlardı. İkisi de gözlerine inanamadı.

Faruk, bayrağa sarılı iki tabutu taşıyan küçük cemaatin önüne geçmiş, sırtında imamın cüppesi, başında beyaz sarık, ağır ağır yürüyerek yaklaşıyordu. Bir işgal devriye kolu, komutanının emri üzerine durup cenazeleri ve Yüzbaşı Faruk'u saygıyla selamladı. Faruk'un ağzı, belli belirsiz bir gülümseme ile kıvrıldı. Cenaze alayı, Ayasofya'ya doğru, rast geldiği İngiliz subaylarının selamları arasında uzaklaştı.

Makineli tüfekler biraz sonra, Ayasofya'nın arkasındaki yanmış bir konağın enkazında oturan alaylı Teğmen Ahmet Ağa'ya teslim edilecek, onun sandıkladığı silahlar, iş makinesi, hurda demir, değirmen taşı diye, kapalı adı Zafer Ticarethanesi olan İnebolu Menzil Komutanlığına sevk edilecekti.

Ekrem keyifle, "Vay delifişek.." dedi, "..dediğini yaptı. Üstelik yüksek rütbeli İngiliz subaylarına bayrağı da, kendini de selamlattı."

İhsan sözünü fazlasıyla yerine getiren Faruk'u gıpta ile izliyordu. Olacakları düşününce heyecandan midesi kasıldı. Dr. Hasan, önüne geleni veba şüphesiyle hastaneye sevk etmişti. Haydarpaşa Hastanesi'nin, tahlil sonuçlarını anlaştıkları şekilde, bugün Selimiye Komutanlığı'na bildirmesi gerekiyordu.

POLVARİSTA'dakiler bir kere daha sarsıldılar. Yunan taarruzu başlayınca, Türk sürgünlerin bırakılmasını erteleyen İngilizler, 64 kişilik grubu da ikiye böldüklerini bildirdiler. Önce 37 sürgün serbest bırakılacaktı, belirsiz bir süre sonra da kalan 27 kişi.

Kısacası Türklerle oynuyorlardı.

Çoğu bezginlik içinde rutubetli ve haşaratla dolu odalara kapandı. Bazı sürgünler kışlanın arka bahçesinde bir tenis kortu yaparak oyalanmaya karar verdiler. İşbölümüne göre Bitlis Valisi Abdülhalik Renda, Mülkiye Müfettişi Şükrü Kaya, İttihat ve Terakki Partisi Genel Sekreteri Mithat Şükrü Bleda toprak kazacak, Dahiliye Nazırı Fethi Okyar, Diyarbakır Milletvekili Fevzi Pirinççioğlu, gazeteci Ahmet Emin Yalman taş kıracak, Maarif Nazırı Sarhoş Şükrü ile İstanbul Milletvekili Numan Usta da arabayla moloz taşıyacaktı.[66] Çökmemek için daha o gün hırsla işe koyuldular.

HASTANEYE sevk edilmiş yirmi sekiz erin kolera olduğunu bildiren yazı, Sultan Selim'in odasına yerleşmiş olan kibirli İngiliz Komutanın önüne öğleden sonra geldi.

Panikleyen İngilizler hiç vakit geçirmeden Selimiye'yi boşalttılar.

Meydan Türklere kalmıştı.

Dağ telsizlerinin yerleştirildiği açılmamış sandıklar, hemen o gece bina dışına, talimhanenin duvarı dibine taşındı. Sabahleyin de Bursalı Osman Çavuş, telsiz kamyonlarının kapaklarını menteşelerinden sökerek mühürleri bozmadan içlerini boşalttı. Becerikli çavuş bir yandan çalışıyor, bir yandan da Libya'da silah arkadaşlığı yaptığı İhsan'a takılıyordu:

"Teğmenim, maşallah hiç değişmemişsin. Hâlâ yakışıklı bir delisin."

Depolarda işe yarar ne varsa yıldırım hızıyla sandıklandı. Talimhane duvarı dibinde 20 büyük, 75 küçük sandık birikmişti. İhsan Haydarpaşa Hastanesi'nden bir sıhhiye arabası istedi. Hava kararır kararmaz erler, büyük sandıkları arabayla, küçük sandıkları sırtta iskeleye taşıdılar. Rastladıkları iki İngiliz nöbetçiyi susturup bağladılar.

Eski bir deniz subayı olan Korsan Murat Reis'in ışıkları söndürülmüş büyük motoru, iskeleye yanaşmış bekliyordu.[66a] Başına iş açılacağından korkarak direnmeye yeltenen gümrükçü Halil'i, silahla ikna etmek gerekti. Sandıklar motora yüklendi. Yüzbaşı Hikmet,

Üsteğmen Hakkı ve o sabah nikâhlandığı eşi Fahriye Hanım motora atladılar. Oynanan oyun birkaç gün içinde anlaşılacağı için artık İstanbul'da kalmaları mümkün değildi. Dr. Hasan da ilk fırsatta Anadolu'ya geçmek için Selimiye'yi terk etmişti.

Hakkı'yla Fahriye Hanım'ın durumunu öğrenen deryadil Reis neşelendi:

"Biz de düğünü bu gece deniz üstünde yaparız. Kamaramı gelinle güveye veririm."

Motor sessizce iskeleden ayrılarak burnunu Boğaz'a çevirdi. Dikkati çekmeden düşman zırhlılarının arasından geçip Karadeniz'e çıkmaya çalışacak, devriye gezen Yunan savaş gemilerine yakalanmazsa, ertesi gün İnebolu'da olacaktı.[67]

O SAATTE İzmir Pasaport iskelesine de bir Yunan savaş gemisinin motoru yanaşıyordu. Yunanistan'ın İzmir Yüksek Komiseri Stergiadis, yardımcısı eski Drama Valisi Giritli Müslüman Naipzade Ali, Yunanlıları desteklediği için yerini koruyan İzmir Belediye Başkanı Hacı Hasan Paşa, General Papulas ve karargâh mensupları, İzmir'in ileri gelen Rumları ve işbirlikçi bazı Türkler, iskelede Yunan Başbakanı Gunaris'i bekliyorlardı.

Gunaris, ordu yöneticileri ile yüz yüze konuşmak için İzmir'e gelmeyi uygun bulmuştu. Beraberinde Savaş Bakanı Teotokis ile yeni Genelkurmay Başkanı Korgeneral Dusmanis ve hükümetin askeri danışmanı Tuğgeneral Stratigos vardı.

Karşılama töreni kısa sürdü. Gunaris ve beraberindekiler, sivillerden ayrılarak, hemen ordu karargâhına hareket ettiler. Konak meydanındaki eski 17. Türk Kolordusu'nun tarihi karargâh binasını, şimdi Yunanlılar ordu karargâhı olarak kullanıyorlardı.

Uzun masanın çevresinde herkes yerini alır almaz, Gunaris konuya girdi:

"General Papulas, Türk ordusu daha da güçlenmeden taarruza geçilmesini isteyen raporunuzu Bakanlar Kurulu'nda uzun uzun görüştük. Önerinizi ilke olarak kabul ediyoruz. Fakat bu kez, çok esaslı bir hazırlık yapıldıktan sonra taarruza geçilmesini uygun bulmaktayız."

Papulas'ın ve kurmaylarının yüzleri asıldı. Gunaris gülümsedi:

"Açıklamalarımdan sonra, gecikmeden korkmayacağınızı sanıyorum. Çünkü orduyu en mükemmel şekilde donatacağız."

Papulas'ın sağında Ordu Kurmay Başkanı Albay Konstantin Pallis, solunda da Kurmay Başkan Yardımcısı Albay Sariyanis oturuyordu. İkisinin de gözleri açıldı. "Emrinize 1.000 kamyon ve 250 ambulans daha vereceğiz. İzmir depolarında bulunan 37 ağır Türk topunu da kullanabileceksiniz. İngilizlerle görüştük, topları almanıza göz yumacaklar.⁶⁸ Son yedi kuşağı silah altına alarak genel seferberliğimizi tamamlıyoruz. Ayrıca Anadolu'ya anavatandan iki tümen daha yollayacağız. Gerekirse Anadolu'daki soydaşlarımızdan da yararlanacağız. Küçük Asya Ordusu'nun mevcudunu 225 bin kişiye çıkarmaya karar verdik. Yunan tarihinin en büyük ordusunu kurmak istiyoruz."⁶⁹

Açıklamasını etkili bir cümle ile bitirdi:

"General! Millet bu fedakârlığa karşı sizden bir tek şey istiyor: Kesin zafer!"

Hepsinin kaygısı uçup gitmişti. Böyle bir savaş makinesinin kurulması için aylarca beklemeye değerdi.

General Papulas heyecandan iyice boğuklaşmış bir sesle, "Sayın Başbakan.." dedi, "..ben de millete ve hükümete kesin zafer vaat ediyorum."

AKDENİZ GÜNEŞİNDE yıkanan Sakız Adası'nın kuzeyindeki Kardamilla Köyü, sabahleyin telaşlı çan sesleriyle çalkalanıyordu.

Evinin taş duvarı dibine çömelmiş, kemiklerini ısıtan Dimitri Baba irkildi. Vakitsiz çan çaldığına göre mutlaka biri ölmüş olmalıydı. Doğrulmak istedi ama bacakları öyle tatlı uyuşmuştu ki caydı, "Ben iyi ki yaşıyorum" diye geçirdi içinden. Bu yıl toprak erken uyanmış, ağaçlar çok çabuk donanmıştı. Ayaklarının dibinden yavru bir kertenkele aktı. Hava reyhan kokuyordu. Birinin geçtiğini görünce seslendi:

"Kim ölmüş?"

"Hiç kimse. Bütün gençleri askere alıyorlar."

Kuru ceviz kabuğu gibi buruşuk yüzünü uğuşturdu, "Doğru bilmişim.." dedi kendi kendine, "..işin ucunda yine pis ölüm var."

Birçok genç gibi Dimitri Baba'nın torunu Panayot da asker olacaktı.

İnebolu, çekçek yeri

İNEBOLU MEVKİ KOMUTANI Yarbay Nidai yerinden fırladı: "Ne diyorsun?.."

Limanın sığlığı yüzünden İnebolu'nun açığında demirleyen Remo adlı İtalyan gemisine çıkan denetim subaylarından biri, telaşla geri dönmüş, gemide Veliaht Abdülmecit'in oğlu, Vahidettin'in damadı Şehzade Ömer Faruk'un bulunduğunu bildirmişti.

"Ankara'ya gidecekmiş."

"Ankara mı çağırmış?"

"Hayır!"

"Yalnız başına mı gelmiş?"

"Albay Kel Asım Bey'le birlikte."

Yarbay Nidai Ömer Faruk'u, göğsü dekoratif nişanlarla dolu fiyakalı fotoğraflarından tanır ve can pazarından gelmiş bütün subaylar gibi gülünç bulurdu. Her şey az çok yoluna girdikten sonra, bu delikanlının çıkıp gelmesi midesini bulandırdı.[70] Bilmediği yeni bir durum olduğunu düşünerek, Şehzade'nin karaya inmesine izin verdi ve durumu Ankara'ya telledi.

Belediye Başkanı Hüseyin Kâşif Bey, Şehzade ile Albay Asım Gündüz'ü eve yemeğe davet etti. Subayların katılmadığı yemek soğuk geçti. Ankara'nın cevabını beklemek için yemekten sonra bahçeye indiler. Kahvelerini içtikleri sırada bir inzibat eri göründü. Elinde bir telgraf vardı. Selam verip Ömer Faruk'a uzattı. Telgraf M. Kemal Paşa'dan geliyordu ve şöyle bitiyordu:

"İstanbul'a dönmeniz ve hanedanın bütün üyelerinin hizmetlerinden yararlanılacağı güne kadar orada kalmanız rica olunur."

Şehzade ve Albay Asım, akşam İnebolu'ya uğrayan bir gemiyle İstanbul'a yolcu edildiler.[71] Şehzadenin geri gönderilmesine, İnebolu'da, birkaç yaşlı Hürriyet ve İtilaf Partiliden başka kimse aldırmadı.[72]

MALTA SÜRGÜNLERİ, geceli gündüzlü bir çalışmadan sonra yapımı bitince, derme çatma tenis kortunun tantanalı bir törenle açılmasına karar vermişlerdi. Aralarında böyle gösterilerin ustası ve hasretlisi bir hayli nazır bulunuyordu. Ama Polvarista Komutanının verdiği haber, açılış hazırlığını baltaladı. 37 kişinin vizeleri gelmişti. Ertesi gün İtalya'ya hareket etmeleri gerekiyordu.

Son geceyi burada kalacak sürgünleri incitmemek için sessiz geçirdiler.

37 kişiden yalnız Ziya Gökalp, Ahmet Ağaoğlu, Medine Muhafızı Fahrettin Türkkan Paşa ve Fethi Okyar Ankara'ya geçecek, ötekiler yurtdışında ya da İstanbul'da kalacaklardı.

Öteki sürgünlerin de bir-iki gün sonra serbest bırakılması bekleniyordu.

KAÇAK SUBAY ve silah denetimi yapan işgal subaylarının titizliği yüzünden Triestino adlı İtalyan gemisi, İstanbul'dan iki saat gecikmeyle ayrıldı. Gün batmak üzereydi. Çoğu köylü olan yolcular, arka güvertenin küpeştesine dayanmış, sessizce, bu büyülü saatte İstanbul'u seyrediyorlardı. Aralarında bir Fransız çift de vardı. Gemi Anadolu Hisarı hizasına geldiği zaman Madam Amiel, suluboya bir rüyadan uyanmış gibi mahmur, "Ama Jean.." dedi, "..Mösyö Konstantinidis haksız! Ne yana baksan, burası bir Türk şehri. Yunanlılıkla hiç ilgisi yok."

Jean Amiel, yolculuğun asıl sebebini bilmeyen karısına cevap vermedi. 35 yıl önce, birçok becerikli Rum gibi Marsilya'ya yerleşmiş olan Trabzonlu zengin Konstantin Konstantinidis'in yanında çalışıyordu. Konstantinidis, Avrupa ve Amerika'da bulunan Karadeniz Rumlarını, 1918'de Marsilya'da düzenlediği Pontus Kongresi'nde biraraya getirmişti. 500 yıl önce tarihe karışmış olan Pontus devletini diriltmek istiyordu.

İstanbul'un bir Yunan şehri olduğunu iddia ediyor, Batum'a kadar Karadeniz kıyılarının da, Rumların nüfusun ancak yüzde onunu oluşturduğuna bakmaksızın, Pontus devletine verilmesini istiyordu. Bütün servetini bu işe ayırmıştı. Venizelos da, Karadeniz kıyılarındaki Rumların örgütlenmeleri için Albay Katenyotis'i görevlendirmiş,[73] Pontus çetelerinde dövüşen Rumların sayısı hızla 25.000'e yükselmişti.[74]

Buna karşılık Karadeniz Türkleri de silahlanmışlardı. Ankara da merkezi Amasya'da olan bir ordu kurmuştu. Merkez Ordusu gibi gösterişli bir ad taşıyan bu kuruluşun toplam tüfek sayısı 6.700'dü. Kuzeyde Pontus çeteleriyle, güneyde de, bu tehlikeli dönemde Koçgiri'de isyan etmiş olan Kürt aşiretleriyle çatışıyordu.

Rumların Pontus rüyası bütün sıcaklığı ile sürmekteydi.

Jean Amiel'in görevi, Sumela Manastırı'nı incelemek bahanesiyle Pontus hareketinin Anadolu'daki liderlerinden Trabzon Metropoliti Hrisantos'la buluşmaktı. Konstantinidis'den talimat ve para götürüyordu. Eşiyle geldiği için kuşku çekmeyecek, Türklerle Fransızlar arasındaki yumuşamanın da yardımıyla Trabzon'a çıkması zor olmayacaktı.

Yemek salonu da köylüler ve taşralı, kılıksız tüccarlarla doldu. Yolcular durgun, yemekler baştansavmaydı. Müzik de yoktu. Madam Amiel'in canı sıkıldı. Oysa Marsilya'dan İstanbul'a, savaştan sonra bütün Avrupa'yı sarmış olan o çılgınca hava içinde eğlenerek, türlü gösteriler seyrederek gelmişlerdi. Erkenden kamaralarına çekildiler. Sabah geç uyandılar. Kahvaltılarını yapıp güverteye çıkmaları öğleyi buldu.

Sıralara, yerlere, tahta çantalara, küçük denklere oturmuş, küpeşteye yaslanmış yolcular, hiç konuşmadan soluk kıyıyı seyrediyorlardı. Madam Amiel, sağında duran buruşuk fesli, kirli gocuklar giymiş, gözleri uykusuzluktan kanlı adamlara bakarak yüzünü buruşturdu, "Ne kadar çok köylü var bu gemide.." diye yakındı, Fransızca anlamayacakları için de sesini alçaltmadan ekledi: "..ne kadar da çirkin insanlar."

Dr. Hasan, "Madam bizi beğenmedi" diye homurdandı. Yüzbaşı Faruk güldü:

"Haklı. Hepimiz manda leşi gibiyiz."

Uğurlamaya gelen İhsan tanıştırmıştı ikisini. Az sayıdaki kamaralar dolu olduğu için Faruk'la doktor, geceyi birçok son dakika yolcusuyla birlikte, pireli ve küf kokan başaltının tahta döşemesi üzerinde geçirmişler, sabaha kadar gözlerini kırpmamışlardı.

Madam Amiel başını öbür yana çevirdi, makine dairesinde geceledikleri için kömür tozuna ve yağa bulanmış delikanlıları gördü; utanacakları yerde bu hallerinden pek hoşlanmış gibiydiler, iğrenerek döndü:

"Çok da pisler Jean. Güzelim İstanbul'u gerçekten bu ilkel insanların elinde bırakmamalı."

Yan güvertenin sonunda, Yakup Kadri, tel gözlüklü, eski elbiseli bir memur ve tek başına Ankara'ya gitmeyi göze almış, sıkmabaşlı, iskarpinli, adının Nesrin olduğunu öğrendiği bir genç kızla sohbet ediyorlardı. Nesrin heyecanını belli etmemeye çalışarak, "Yunan savaş gemileri yolumuzu kesemez, değil mi?" diye sordu.

Tel gözlüklü memur kızı yatıştırdı:

"İtalyan gemisi bu küçük hanım, cesaret edemezler."

Bir delikanlı heyecanla haykırdı:

"İnebolu!"

Kerempe Burnu'nu dönmüşlerdi. Ufukta İnebolu kıyısı bir çizgi halinde görünüyordu. Herkes canlandı. Kömürcü çırağına benzeyenlerden biri, "Haydi toparlanalım. İnebolu'da inip biraz gezeriz" dedi. Gençler hiç itiraz etmeden kalkıp güverteden ayrıldılar.

Madam Amiel "Pisler gidiyor.." diye müjde verdi, sağına göz attı, "..Oo! Çirkin adamlar da gidiyor."

Dr. Hasan bir an önce kılığını değiştirmek için acele eden Faruk'u durdurdu, Madam Amiel'e döndü, Fransızca, "Aziz Madam.." dedi, "..size ve eşinize iyi yolculuklar diliyoruz."

Yürüyüp gittiler.

Madam Amiel sersemlemişti, "İşittin mi.." diye feryadı bastı, "..çirkin köylü Fransızca konuştu. Aman Tanrım! Bunlar gerçekten acayip adamlar."

İtalyan kamarot ve tayfaların dostça davranışları Yakup Kadri'nin ilgisini çekmişti. Tel gözlüklü memur, "Ee.." dedi, "..bu hatta kaçak silah, cephane ve subay taşıya taşıya, Türklerle içli dışlı olmuşlar."

"Acaba bu gemide de kaçak silah var mıdır?"

"Az da olsa, mutlaka vardır."

"Ama bu defa subay yok galiba."

Memur gülümsedi:

"Olmaz olur mu?"

"O kadar dikkatle baktım ama ayırdedemedim."

"İşgal denetimi çok sıkılaştı. Biz de denetimden geçebilmek için geçici kimliğimize uygun şekilde giyinmek ve davranmak için günlerce önce hazırlığa başlıyoruz."

Yakup Kadri ile kız şaşırdılar:

"Yoksa siz de mi subaysınız?"

"Evet efendim. Talimat uyarınca İnebolu'ya kadar kimseye gerçeği açıklamamamız gerekiyordu. Askeri doktorum."

Yakup Kadri "Çok iyi." dedi sevinçle, "..tek doktor da şu sıra Anadolu için büyük kazançtır."

Doktor güldü:

"Biz 40 doktor, 10 eczacıyız."[75]

Yakup Kadri'nin ağzı açık kaldı.

İnebolu sularına girmişlerdi. Neşeli bir uğultu yükselmişti. O yana döndüler. Temizlenip üniformalarını ve başlıklarını giymiş kırk kadar genç, martı sürüsü gibi bembeyaz, güverteye çıkmışlardı.

"Bunlar kim?"

"Heybeli Deniz Okulu'nun kaçak öğrencileri. Onlar da damla damla oluşan deniz kuvvetlerimize katılmak için Samsun'a gidiyorlar. Biz İnebolu'da ineceğiz. İzninizle."

Askerce selam verip ayrıldı.[76]

Madam Amiel bu sürprize bayılmıştı. Az sonra güvertelere, üniformalarını giymiş subaylar, askeri doktor ve eczacılar da çıkınca, kendini tutamadı, el çırpmaya başladı. Bugüne kadar hiç böyle çarpıcı bir gösteri görmemişti. Yakup Kadri de heyecan içindeydi. Genç kıza, "Bir romanda yaşıyor gibiyim" diye fısıldadı.

Birkaç heyecanlı delikanlı şarkıya başlamıştı:
Karadeniz, Karadeniz
Gelen düşman değil, biziz..

Şarkıya katılanlar gittikçe arttı. Şişman kaptanın her zamanki işareti üzerine tayfalardan biri, dostluk jesti olarak, isten kararmış, buruşuk bir Türk bayrağını direğe çekmeye koyuldu. Yükseldikçe bayrağın buruşukları düzeliyor, rengi açılıyordu. Nesrin'in gözleri doldu.

İnebolu'nun Yarbaşı'na doğru set set yükselen beyaz evleri, denize açılmaya hazırlanan büyük kayıklar, yalıda toplanan halk görünüyordu artık. Gemideki bütün Türklerin katıldığı şarkı Anadolu'nun en hareketli deniz kapısı İnebolu'ya yansımaktaydı:
Onun sana selamı var,
Diyor ki düşmanın ne canı var?
Kovsun onu sularından
Orada Türk sancağı var!

ANKARA iyice ısınmış, Meclis'in karşısındaki set üstünde bulunan Millet Bahçesi yine açılmıştı. Birkaç söğüt ve kavak ağacının gölgesine örtüsüz masalar, tahta iskemleler serpiştirilmişti. Bahçeye, şimdi yerinde geniş Bankalar Caddesi'nin bulunduğu toprak yoldan giriliyordu. Birçok milletvekili hava almak için bahçede toplanmıştı. Sohbet ediyorlardı.

İzmir Milletvekili Enver Bey, "Meclis açılalı, hükümet kurulalı, bakanlıklar çalışmaya başlayalı bir yılı geçti.." dedi, "..binlerce yeni insan geldi Ankara'ya. Ama hâlâ iyi bir lokantası, temiz bir oteli, bir pastanesi, bir kitabevi yok. Kimsenin aklına uygarlığın gereği olan böyle yerler açmak gelmiyor. İlkelliği yazgı gibi benimsemişiz. İzmir'in de Müslüman mahalleleri tıpkı böyledir. Rum mahalleleriyse tam tersi. Biz yaşamaktan korkuyoruz. Bu anlayış değişmedikçe.."

Milli Eğitim Bakanı Hamdullah Suphi Tanrıöver, uzun süren Bakanlar Kurulu toplantısından çıkmıştı. Gümüş rengi saçları ve her zamanki özenli giyimiyle geldiğini görünce doğruldular. Zamir Bey seslendi:

"Böyle buyrun."

Hamdullah Suphi Bey eliyle yüzünü yelpazeleyerek oturdu ve merakla bakanlara haberi verdi:

"Bekir Sami Bey Dışişleri Bakanlığı'ndan istifa etti."

Yunus Nadi Abalıoğlu ile Mahmut Esat Bozkurt, Bekir Sami Bey kurulunun üyeleri olarak Londra'ya gitmişlerdi. Bekir Sami Bey tarafından aldatılmış olmayı affetmiyorlardı. Milli Mücadele'nin ve Milli Ant'ın anlamını kavramadığını kanıtlamış olan Bekir Sami Bey'in hükümetten çekilmesine memnun oldular. Bir milletvekili sordu:

"Anlaşmalar?"

"İtalya ile imzalanan anlaşma da kabul edilmedi."

Ardahan Milletvekili Hilmi Bey'in huzuru kaçmıştı:

"İngiltere'yle yaptığı sürgün ve esir değişimi sözleşmesini reddetmezsiniz değil mi?"

"Bu gece yeniden toplanıp görüşeceğiz. Eşitliğe aykırı olduğu için onun da kabul edileceğini sanmıyorum."

Bu sırada Bakanlar Kurulu toplantısından çıkan M. Kemal'in dolgu tekerlekli döküntü otomobili, bir toz bulutu içinde Meclis'in önünden geçiyordu. İki yanı bataklık, toprak yoldan Ankara istasyonuna doğru uzaklaştı. Hilmi Bey çenesiyle arabayı işaret etti:

"Yahu, şu zavallılığımızla koca İngiliz İmparatorluğu'na kafa tutmaya kalkışırsak, gülünç olmaz mıyız?"

MİLLETVEKİLLERİ Millet Bahçesi'nde tartışırlarken, Lord Curzon da, Dışişlerine çağırdığı İstanbul hükümetinin Londra Büyükelçisi Reşit Paşa'yı diplomatik bir dille azarlamaktaydı.

İmzaladığı sözleşmeyi hiçe sayarak Türkleri bir buçuk ay oyalayan ve taahhüdüne rağmen sürgünlerin 24'ünü hâlâ Malta'da tutan İngiliz Hükümeti, İngiliz esirlerinin hemen serbest bırakılmasını istemiş ama Ankara, sözleşmeye aykırı olan bu isteği reddetmişti.

Lord Curzon, Ankara'daki 'kardeşlerinin' İngiliz esirlerini hâlâ bırakmamalarından, İstanbul hükümetinin de sorumlu olabileceğini söyledi. İngiliz siyasetçilerinin en çok kullandıkları yöntem buydu: Tehdit.

H. Suphi Tanrıöver   Yunus Nadi Abalıoğlu   Mahmut Esat Bozkurt

Osmanlılar, Batı karşısında, yüz elli yıldan beri hep azarlanmaya, boynu bükük durmaya ve alttan almaya alışmışlardı. Reşit Paşa, durumu telaş içinde İstanbul'a şöyle bildirecektir: "Ankara'nın tutumu, bize karşı iyi niyet gösteren İngilizler üzerinde pek kötü etki yapıyor."[77]

TRİESTİNO'nun çevresini kayıklar almıştı. 'Temiz' kâğıdı olanlar kayıklara binerken, buharlı vinçler de ambarlardaki yükleri, üç çifte kürekli denk kayıklarına yüklüyorlardı. Yükler arasında yüz sandık top mermisi ile Yüzbaşı Faruk'un İngilizlere selamlata selamlata İstanbul sokaklarından geçirdiği iki ağır makineli tüfek de vardı.

Gelen malları teslim almak ve Ankara'ya ulaştırmakla görevli (Menzil Komutanı) Binbaşı Zafer Kemal, Yahya Paşa camisinin kayyımına haber yollatarak, imece için halka çağrıda bulunmasını istedi. İkindi namazı başlamıştı. Namaz biter bitmez, kayyım seslendi: "Ey cemaat! Cephane geldii! Haydi imeceyeee!"

Bu çağrılara alışmış olan cemaat çıkışa koştu. Yalıya indikleri zaman, gemiden dönen kayıklar da çekçek yeri denilen kumsala baştankara etmekteydiler. Cephane ve silah sandıkları hızla karaya alındı. Devriye gezen Yunan savaş gemileri gelmeden, sandıkları 200 basamak merdivenli yoldan Yarbaşı'na çıkarmak, sonra da daha içeriye, İkiçay vadisindeki güvenli cephaneliğe taşımak gerekiyordu. Ama artık bu zor işin ustası olmuşlardı. İki kişinin zorlukla kaldırdığı sandığın altına giren İnebolulu, dengesini ayarlar ayarlamaz, yola koyuluyordu.

Yakup Kadri, Mevki Komutanı Yarbay Nidai ile taş merdivenin yakınında durmuş, kaynaşan kalabalığı izliyordu. İnebolu'ya iner inmez herkes gibi o da fesi atıp kuzu derisi bir güzel kalpak almıştı.

"İnebolu her gün böyle mi?"

"Aşağı yukarı böyle. Her gemiden biraz yük çıkıyor. Bazen motorlar da geliyor. İstanbul'daki örgütlerimiz, haritadan küreğe, tüfek yağından el bombasına kadar, bir orduya ne gerekiyorsa, ambarlardan binbir oyunla çalıp çalıp yolluyorlar. Kendi malımızın hırsızı olduk. Bütün askeri depolar, fabrikalar İstanbul'da toplanmış, bunun tehlikesi hiç hesaba katılmamış. Bu gibi kuruluşlar Anadolu'ya serpilmiş olsaydı şimdi bu acıları çekmezdik.."

"Osmanlı, Anadolu'nun anavatan olduğunu hiç düşünmemiş ki."

Nidai yere tükürdü:

"Düşünmüş olsa bu kepaze hali yaşamazdık. Neyse. Bazı işbilirler, işgalcilerin kiloyla sattığı hurdaya çıkmış, düğmeleri koparılmış üniformaları alıp getiriyorlar. Asker mintanla, şalvarla dövüşeceğine, bari bunları giysin diye biz de birkaç kuruş kâr verip satın alıyoruz. Ama on binlerce kişiyi giydirmek kolay mı? Bu yüzden ordu altı kaval, üstü şişhane bir halde. Görünce sakın şaşırmayın.."

Kendi üniforması da kurallara uygun değildi zaten.

"..Ne gelirse, kağnı ve araba kollarıyla Ankara'ya sevk ediyoruz. Ayda ancak bir sefer yapabiliyor, sefer başına 25 lira alıyor, yoksul evlerini geçindiriyorlar. Giderken göreceksiniz, İnebolu-Ankara yolu böyle karınca dizileri ile dolu."

İnebolular önlerinden sırtlarındaki sandıklarla koşar adım geçiyor, basamakları soluk soluğa tırmanıyorlardı. İçlerinde ak sakallı erkekler de vardı.

"Bu akşam misafirimizsiniz. Sizleri yarın sabah yolcu edeceğiz."

NESRİN, subay aileleriyle birlikte Şeref Oteli'ne yerleşmişti. İnebolu Tetkik Heyeti Amirliği'nden bir görevli vakit geçirmeden otelde ziyaretine geldi:

"Ankara'ya niçin ve kime gidiyorsunuz küçük hanım?"

"Merkez Komutan Yardımcısı Yüzbaşı Vedat dayımdır. O çağırdı beni."

Görevli otelden çıkar çıkmaz Ankara'ya şifreli telgraf çekti. Yüzbaşı, söylediğini doğrulamazsa kızı ilk gemiyle İstanbul'a geri gönderecekti. Askeri Polis örgütünün yerine kurulan Tetkik Heyeti Amirliklerinin görevi, özellikle İngiliz ve Yunan ajanları ile bozguncuların Anadolu'ya girmelerini önlemek, etkinliklerini engellemekti. İstanbul'da, saray ile İngiliz ve Yunanlıların desteklediği, çoğu din postuna bürünmüş işbirlikçi dernek ve örgütler vardı. Bunların halkı isyana, askerleri kaçmaya teşvik etmekle görevli adamları, türlü yollardan Anadolu'ya sızıyor ve zehirlerini bırakıyorlardı.[78]

Tetkik Heyeti Amirliklerinin çok uyanık olmaları gerekliydi. Ama yetişmiş insan az, ödenek yetersizdi. Örgütün başarılı olduğunu söylemek zordu.

Bu yetersizlik felakete sebep olacaktı.

YÜZBAŞI VEDAT, şaşkınlık içindeydi. Nesrin, Büyükdere'deki o bahçeli, güzel evi, rahatı, zengin sözlüsünü ve canım İstanbul'u neden bırakıp da bu tozlu ve karanlık kasabaya geliyordu? Ankara'ya katıldığı için kendisiyle selamı sabahı kesmiş olan paşa eniştesi, Nesrin'in yalnız başına bu yolculuğa çıkmasına nasıl, neden izin vermişti?

Telgrafa hemen cevap verdi:

"Yeğenimdir. İlk kafile ile yola çıkarmanızı rica ederim."

Karısı yeğeninin okul arkadaşıydı, onun aracılığıyla tanışıp evlenmişlerdi zaten. Akşam eve gelip de haberi verince Vedia, sevinç içinde, "Ah ne iyi.." diye çığlık attı, "..yalnızlıktan bunalmıştım!"

Hamamönü'nde, Tacettin camisine yakın, tek katlı bir Ankara evinin avluya açılan beş odasından birinde kalıyorlardı. Öbür dört odada da subay aileleri oturmaktaydı. Hela ortaktı; su çeşmeden taşınıyor, yemek avluda pişiriliyordu. Emirgân'da doğup büyümüş, oldukça varlıklı bir ailenin kızı olan karısı, geldiğinden beri bu durumdan bir kere bile yakınmamıştı. Bunaldığını ilk kez ağzından kaçırıyordu.

"Ah, inşallah çikolata getiriyordur."

Çikolata, biraz da İstanbul demekti.

İNEBOLULULAR çarşı içindeki büyük aşevinde iftar sofrası hazırlatmış, Yakup Kadri ile doktor, eczacı ve subayları ağırlıyorlardı. Masalar birleştirilip muşamba örtüler örtülmüş, özenle teneke tabak ve sürahiler dizilmişti. Binbaşı Zafer Kemal meraklı misafirlere övünçle müftüyü gösterdi:

"Burada imeceyi Ahmet Hamdi Efendi başlattı."[79]

İftar duasını yaptığından beri hiç konuşmamış olan müftünün yüzü kızardı, koca binbaşıyı çocuğuymuş gibi, "Sus.." diye payladı, "..vatan sevgisi imandandır, vatana hizmet de ibadettir, ibadetlerin de en makbulüdür. Çünkü mutad ibadet, kendi kurtuluşumuz içindir, vatan hizmeti ise herkesin kurtuluşu içindir, bence daha makbuldür. Her ibadet gibi o da gösterişe, övünmeye, övülmeye gelmez. Bu konuyu kapatalım."

İnebolu'ya ayak bastığından beri iyimserlik içinde yüzen Yakup Kadri, beyaz sarıklı, kır sakallı, küçük adama hayranlıkla baktı. Nidai, "100 sandık mermi nedir ki?" demese, iyimserliği sürüp gidecekti. Nidai gürledi:

"Mermi sandıkları yalıya dağ gibi yığılmadı mı, bu iş zor yürür!"

Yakup Kadri yanında oturan Yüzbaşı Faruk'a kaygıyla, "Doğru mu?" diye sordu. Faruk, "Doğru ama merak etmeyin.." dedi, "..arkadaşlar çalışıyorlar." Oysa kendi Yakup Kadri'den daha da kaygılıydı. Çünkü binlerce top mermisini, İngiliz denetimini ve Yunan ablukasını atlatıp da İnebolu'ya yığmanın bir hayal olduğunu biliyordu. İçini çekti.

ERTESİ GÜN İngiliz Yüksek Komiseri Sir Rumbold, Müsteşarı Rattigan'a, az önce General Harington'un telefonla bildirdiği şaşırtıcı haberi verdi:

"Ankara hükümeti esir değişimi sözleşmesini de reddetmiş."

Rattigan sapsarı kesildi:

"Bir yanlışlık olmasın?"

"Haber Ankara'daki ajanımızdan geliyor."

"29 İngilize karşı 64 Türkü serbest bırakıyoruz. Daha ne istiyor Ankara?"

Rumbold sükûnetle, "Malta'daki bütün Türkleri" dedi.

Rattigan ayaklandı:

"Bunu asla kabul edemeyiz! Geri kalanların çoğu Ermeni kıyımından sorumlu. Bunları yargılamak zorundayız."

Rumbold, "Heyecanınızı anlıyorum.." dedi bezgin bir sesle, "..çünkü bu konuda çok iddialı konuştuk. Ama gerçeği birbirimize itiraf edebiliriz, değil mi? İki yıldır bütün imkânlar elimizde. Buna rağmen Ermeni kıyımı hakkında bir tek ciddi kanıt bulamadık."[80] Müsteşar terini silerek, "Yine de Mustafa Kemal'in iradesi önünde geri çekilmemiz doğru olmaz!" dedi. Rumbold hak verdi. İngiliz İmparatorluğu'nun, askerlerine giydirecek üniforma bulamayan bir asi generalin inadına boyun eğmesi düşünülemezdi bile.

Haber Londra'ya tellendi.

BİNBAŞI ZAFER KEMAL, eşkıyaya karşı önlem olarak kafileye iki de atlı jandarma katmıştı. Kafile yirmi at arabası ile her biri ancak iki mermi sandığı taşıyabilen elli kağnıdan kuruluydu. Zayıf atları yormamak için her yokuşun başında erkekler ve genç kadınlar iniyor, arabalarda yalnız yaşlılar ve çocuklar kalıyordu.

Yeşilin türlüsüne boğulmuş Ilgaz Dağı'na tırmanmaktaydılar. Nesrin, öteki genç subay hanımları gibi, ökçeli ayakkabıları elinde, çorapla, Y. Kadri ve Yüzbaşı Faruk'la konuşa konuşa yürüyordu. Niye Ankara'ya gittiğini merak eden Y. Kadri'yi kısaca cevapladı:

"Bu vatan yalnız erkeklerin değil ki efendim. Mutlaka benim de payıma düşen bir görev vardır. Kağnı süremem ama hastabakıcılık yapabilirim, asker için dikiş dikebilirim, kimsesiz çocuklara bakabilirim.."

Y. Kadri heyecanlandı. Bu yepyeni bir sesti. Sessizce kağnıları yeden kavruk köylülere, konuşa konuşa yürüyen doktorlara, eczacılara, subaylara, kocalarını yalnız bırakmamak için göç yoluna düşmüş şehirli kadınlara baktı, deniz okulu öğrencilerini, İneboluluları düşündü, içi dolup taştı:

"Bir romanda yaşadığımı düşünüyordum. Yanılmışım. Böyle roman olur mu? Bağımsızlığı ve özgürlüğü için mücadele eden bir halkın destanı bu."

LONDRA yakınlarındaki Churt'ta bulunan sayfiye evinin geniş bahçesinde, Lloyd George ile Lord Curzon da ağır ağır yürüyerek konuşuyorlardı. Lloyd George bu vesileden yararlanarak sevgili köpeği Tasso'yu da gezdiriyordu.

Lord Curzon kalın bastonuna yaslanarak durdu:

"..Bunun üzerine Washington elçiliğimize talimat vererek, Amerikan hükümetinin elinde, Türklerin Ermeni kıyımı yaptığına dair belge olup olmadığını öğrenmesini istedim. Amerikalılar, ellerindeki bütün dosyaları incelememize açtılar."

"Güzel."

"Ama Büyükelçiden gelen cevap beni hayal kırıklığına uğrattı. 'Dosyalarda, Türkler aleyhinde kanıt olarak kullanılabilecek hiçbir belge olmadığını' bildiriyor." [81]

"Şu halde, Malta'da bulunan hiçbir Türkü yargılamamız mümkün değil."

"Evet. Başsavcılık da bu kanıda."

"Öyleyse tümünü serbest bırakmamız gerekecek."

"Hukuk açısından, evet. Ama prestijimiz bakımından bunun doğru olmadığını düşünüyorum."

Lloyd George, bir şey söylemeden yürümeye başladı. Lord Curzon haklıydı. Bir çıkış yolu bulmak zorundaydılar. Birden durup Lord Curzon'u bekledi:

"Kanıt bulamadığımızı açıklamadan, bu olayı dünya kamuoyuna şöyle takdim edemez miyiz: Ankara, İngiliz esirlerini serbest bırakmadı, biz de haklı olarak, geri kalan Türklerin serbest bırakılmasını erteledik. Ne dersiniz?"[82]

Kuşkuyla baktı. Curzon memnunlukla Başbakanı destekledi:

"O zaman olay, hukuki olmaktan çıkar, siyasi nitelik kazanır."

Lloyd George'un yüzü gevşedi:

"Böylece biz de oyunu, kendi alanımızda ve kendi kurallarımızla oynarız."

Olayı sürüncemede bırakmayı kararlaştırdılar.

BU YAKLAŞIM, Ermeni kıyımından sorumlu tutulan 51 sürgünle birlikte, her an serbest bırakılmayı bekleyen 27 sürgünün de daha uzun süre Malta'da kalmasına yol açacak, İngiliz baskısına boyun eğmeyen Ankara da belli başlı İngiliz esirlerini elinde tutmayı sürdürecektir.

Yola çıkmaya hazırlanan 27'ler, erteleme kararını öğrenince bir kez daha yıkıldılar:

"Ama bu zulüm!"

Bu karar sürgünleri ikiye böldü. Ankara'nın ilkeli davranarak 'ya hep ya hiç' demesini doğru bulanlar, "işte hükümet böyle olur!" diye Ankara'yı alkışlıyor, bir kısmı ise Malta'da kalacakları için İngiltere'yle birlikte Ankara'ya da ateş püskürüyordu. Bunlar için kişisel esenlik, bağımsızlıktan ve devlet onurundan daha önemliydi. Osmanlı Devleti'ni kemirip çürüten etkenlerden biri de bu anlayıştı.

Sürgünlerin tepkisi durmuyordu. Kışla Komutanı, her olasılığa karşı, sürgünlere şu mesajı yollamayı gerekli gördü:

"Kimse buradan kaçabileceğini hayal etmesin. Malta'dan kuş uçmaz!"[82a]

TRABZON'a zorluk çekmeden çıkan Jean Amiel, Metropolit Hrisantos'a Konstantin Konstantinidis'in yolladığı mühürlü zarf ile Fransız frankı ve Osmanlı altını dolu deri çantayı teslim etti. Hrisantos, 'Pontus davasına verdiği destekten dolayı' Jean Amiel'i kutsadı, 'haklı davalarının cömert öncüsü Mösyö Konstantinidis'i' dinsel bir saygıyla andı, kalın ve hoş sesiyle, "Bize güvenini sürdürsün.." dedi, "..Tanrı'nın izniyle davamızı kazanacağız. Karadeniz kıyısında şanlı Pontus devleti yeniden dirilecek!"

Fındık ihracatçısı zengin bir Rum aile Amielleri misafir etti. Trabzon'da gece kulübü, gazino, hatta kadınlarla gidilebilecek bir lokanta bile olmadığını öğrenen Madam Amiel suratını astı. Bu geziye doğu masalları yaşayacakları ümidiyle gelmişti. Yemeği evde yediler. Ev güzel ve büyük, sofra zengin ama neşesizdi. Ev sahibi Metropolit gibi iyimser değildi:

"Anadolu paylaşılıyordu. Biz de, Pontus devletini kolayca hayata geçirebileceğimiz hevesine kapıldık. Çünkü Türklerin bittiğini, yeni bir savaşı göze alamayacağını, büyük devletlere boyun eğeceğini sanıyorduk. Kilisenin öncülüğünde örgütlendik. Yunanistan'ın ve İngiltere'nin yardımıyla silahlandık. Birçok çete kurduk.[82b] Ama bu Türkler şaşırtıcı bir millet. O ağır yenilgiye rağmen canlandılar, onlar da çeteler kurup silaha sarıldılar. Ankara da, o kadar sıkışık olduğu halde bize karşı asker ayırdı. Doğrusu şu, her gün biraz daha erimekteyiz.

Kısacası Mösyö Amiel, amacımıza silahla ulaşabilmemiz çok zorlaştı. Davamızı siyasallaştırıp Avrupa'nın desteği ile masada kazanmaya bakalım. Nasıl olsa Avrupa, Müslüman Türklere karşı Hıristiyan Pontusluları tutacaktır. Mösyö Konstantinidis gerçek durumumuzu bilsin. Yoksa tarihe gömülmemiz çok sürmeyecek."

İÇ ANADOLU'ya yaklaştıkça, kurt hücumuna uğramış koyunlar gibi birbirine sokulmuş kerpiç evlerden kurulu yoksul, neredeyse erkeksiz köylerden, kel dağların eteklerinden, kıraç topraklardan geçerek, karanlık, bakımsız kasaba ve şehirlerde konaklayarak ilerleyen kafile, altı gece ve yedi gün süren yorucu bir yolculuktan sonra akşama doğru Ankara'ya ulaştı.

Altı yüzyıllık devletin anavatanı Anadolu, bütün imparatorlukların anavatanlarının tersine, utanılacak kadar yoksul ve bakımsızdı. Nesrin'in neşesi sönmüştü.

Onun hayal kırıklığını fark eden tel gözlüklü doktor Kâmil Bey, "Bak kızım.." demişti, "..bir tekerleme vardır, bilir misin: Çalıydı, çırpıydı ama evimdi. Anadolu da yoksuldur, çıplaktır, bakımsızdır ama vatanımızdır. Osmanlı Devleti Anadolu'yu sürgün idarecilerin, mültezimlerin, mütegallibelerin, ağaların, cahil hocaların, şeyhlerin insaf ve iz'anına terk etmiş. Halk uyanamamış, hayatı zar-zor sürüklemekle yetinmiş. Onun için şehirlerimiz, topraklarımız böyle. Hele şu vartayı atlatalım, el birliği ile Anadolu'yu şenlendirir, halkımızı da uyandırırız. Buraları 40 yıl sonra tanıyamazsın. Vatan artık padişahın mülkü değil ki, herkesin. Bunu anladığı gün halk sabana, kazmaya, çekice, kaleme, başka bir hevesle sarılacaktır."

Nesrin o kadar sevdiği İstanbul'u düşündü. O da Anadolu gibiydi aslında. Halkta yaşama sevinci yoktu, galiba hiç olmamıştı. Halk nasıl canlandırılabilirdi acaba?

Şimdi Mevki Hastanesi'nin bulunduğu, Çankırı Kapısı denilen yerde, kimlik denetimi yapılan bir karakolun önünde durdular. Nesrin, karşılayıcıların arasında dayısını görünce, arabadan atladı, deli gibi koşup sarıldı. Dr. Kâmil Bey'e, Y. Kadri'ye, Dr. Hasan'a, Yüzbaşı Faruk'a, öteki subay ve eşlerine tek tek veda etti.

Kağnı kolu da atlı jandarmalarla birlikte ilerleyip sağa saparak, Sarı Kışla'ya yol aldı. Kışlada bekleyen subaylar, yüz sandık mermiyi, iki ağır makineli tüfeği ve az da olsa öteki gereçleri görünce, bayram ettiler. Ordu, bir tek fişeğe bile sevinecek kadar yoksuldu ve acımasız savaş adım adım yaklaşıyordu.

KISA bir eğitimden geçirilmiş Yunan gençlerini de, bu saatte gemiye bindiriyorlardı. Ertesi sabah İzmir'de olacaklardı. Oyuna gider gibi neşe içindeydiler. Hepsinin yepyeni üniformaları, İngiliz botları, palaskaları, alüminyum mataraları, branda bezinden yapılmış sırt çantaları, ekmek torbaları vardı. Eğitimlerini Anadolu'daki birliklerde tamamlayacaklardı.

Güverteye yayılan gençler, yarım yamalak Türkçe bilenlerin uydurduğu oynak bir şarkıya başladılar:

Mustafa more Kemali
Bre inatçi kafali..[82c]

KIZILAY Genel Merkezi adına Y. Kadri'yi karşılayan şişman adam, faytonu, Hacı Bayram camisine çıkan dar yolda, camlı bir kapının önünde durdurdu.

"Geldik efendim."

Kapıyı açtı ve yazarı içeri buyur etti. Kızılay Genel Merkezi cılasız bir masa ile tahta bir dolaptan ve birkaç iskemleden başka eşya bulunmayan küçük bir dükkândı. Tek fiyakası, masanın üzerinde duran manyetolu telefondu.

Adam Dr. Adnan Adıvar'a telefon edip bilgi verdi. Az sonra, Meclis İkinci Başkanı Dr. Adnan Adıvar, Kızılay Başkanı İsmail Besim Paşa ve Ruşen Eşref Bey koşarak geldiler. Kucaklaştılar. Yandaki kahveden çaylar getirtildi. Y. Kadri'yi, İstanbul ve yolculuk hakkında soru yağmuruna tuttular. Ancak bütün soruları yanıtladıktan sonra, Dr. Adnan'a, "Halide Hanım nasıl?" diye sorabildi. "Her zor işin gönüllüsü. Çok şevkli. Bu akşam göreceksin. Odan hazır, bizimle kalıyorsun."

Y. Kadri nazikçe itiraz etti:

"Yoo, rahatsız etmeyeyim. Otelde kalırım."

Kahkahayı bastılar.

"Ne oldu?"

Yakup Kadri
Karaosmanoğlu

Ruşen Eşref Ünaydın

Dr. Adnan Adıvar

"Ankara'da otel ne gezer? Taşhan denilen pireli bir hanımız var. O da her zaman doludur. Bir tek lokanta bile yok."

"Ankara'ya birtakım önemli yabancıların gelip gittiğini okuyoruz, onları nerede misafir ediyorsunuz?"

"Ya istasyonda, kör hatta çekilmiş eski bir yataklı vagonda, ya da yine istasyonda bulunan küçük misafirhanede."

Y. Kadri, Ankara hakkında bir şeyler duymuştu ama artık dünyaca ünlü bu şehrin bu kadar geri olduğunu tahmin etmiyordu.[83] İrkildi.

Ruşen Eşref Ankara'yı özetledi:

"Vilayet konağının odaları, Bakanlıklar arasında bölüşülmüş durumda. Her Bakanlığa bir veya iki oda düşüyor. Milli Savunma Bakanlığı, Taş Mektep diye anılan erkek lisesinin; Eğitim Bakanlığı ise, Basın Genel Müdürlüğü ile birlikte Öğretmen Okulu'nun binasına sığınmış durumda. Aynı binada, bazı milletvekillerinin kaldığı Meclis yatakhanesi ile yemekhanesi de var. Velhasıl burada yanaşık düzen yaşıyoruz."

Sözü Dr. Adnan Bey kaptı:

"Hiç kimsenin redingotu ya da ona benzer resmi bir elbisesi yok. Allahtan Hamdullah Suphi İstanbul'dan kaçarken, 'jaketatay'ını yanına almış. Bir yabancı misafiri, elçiyi kabul ederken, hepimiz sırayla o tek protokol elbisesini giyerek, makamımızın vakarını koruyor ve dünyaya meydan okuyoruz."

"Uzakça oturan Bakanların makam atı var. Fevzi Paşa'ya iltimas geçildi, ona tek atlı bir makam faytonu verildi."

Yine kahkahayı bastılar.

"M. Kemal Paşa nerede oturuyor?"

"İstasyonda bir binada. Ankaralılar, şehrin dışında, Çankaya denilen bir yerdeki büyükçe bir eski bağ köşkünü satın alıp Paşa'ya hediye ettiler. Yakında oraya taşınacak."

"Kendisini ne zaman görebilirim acaba?"

"Yarın sabah Fevzi Paşa'yla birlikte Eskişehir'e gidecek. Oradan da Kütahya'ya geçecekler. Ne zaman dönerler, belli değil. Sanırım Refet Paşa görevden alınacak."

İsmail Besim Paşa meraklandı:

"Refet Paşa'ya ne görev verecekler? Malum ya, pek nazlıdır, her görevi beğenmez."

Dr. Adnan Y. Kadri'ye döndü:

"Ankara'da tek lüksümüz bu işte. M. Kemal Paşa'ya kapris yapmak."

NESRİN ile Vedia evin avlusunda çığlık çığlığa kucaklaştılar. Komşular avluya döküldü. Nesrin'i ayak üstü sorguya çektiler. Meraklı kadınların ellerinden zorlukla kurtulup odaya girebildikleri zaman hava kararmaya yüz tutmuştu.

Vedat gaz lambasını yaktı. Vedia pompalı gaz ocağına acele çay suyu koydu. Börek de yapmıştı. "Beş çayımızı içelim.." diye güldü, "..odalardan biri boşalacak. Eskişehir'e tayin oldular. Birkaç gün içinde odana geçer, rahat edersin. Şimdilik, kusura bakma, bu odada bizimle kalacaksın."

Vedat, ortamın yoksulluğundan utanmıştı. "Ev yok.." diye açıklama yapma gereğini duydu, "..bulunabilenler de böyle. Gidebileceğiniz hiçbir yer yok. Kadınların çarşıya çıkması bile yadırganıyor. Porselen tabak, ince cam bardak bulmak büyük sorun."

Vedia örtülü bir hüzünle gülümsedi:

"Ortaçağa geldin sen."

Vedat bu fırsattan yararlanıp kaçınılmaz soruyu sordu:

"Anlat bakalım, niye geldin?"

Nesrin'in gözleri kısıldı:

"Babamın Hürriyet ve İtilafçılarla düşüp kalkmasından, Ali Kemal'in yazılarını beğenmesinden, sözlümün ve ailesinin İngilizlere yaltaklanmasından, çevremizdeki ailelerin onursuzluğundan sıkıldım, bunaldım, utandım, iğrendim. Sonunda buraya attım canımı."

"Baban nasıl izin verdi?"

"Vermedi ki."

"Eee?"

"Kaçtım."

"Anlamadım!"

"Aman dayı, anlamayacak ne var? Bir gün çok sıkıldım, bavulumu, takılarımı, biraz param vardı, paramı aldım ve evden çıktım. İki gün bir arkadaşımda kaldım. Sonra da gemiye bindim.."

Vedat da, Vedia da bakakaldılar.

"..İnebolu'dan mektup attım. Artık nerde olduğumu biliyorlar."

Konuşmaktan rahatsız olduğu bu konuyu kapatmak için hızla yerinden kalkıp kocaman bavulunu açtı:

"Bakın, size ne ciciler getirdim."

Getirdiği hediyeleri sedirin üstüne sıralamaya başladı. Neler getirmemişti ki? Vedia Haylayf'tan alınmış süslü çikolata kutusunu görünce ağlamaya başladı.

DR. ADNAN ve Halide Edip, Kalaba'da Genelkurmay Başkanlığı'na yakın bahçe içindeki bir evde oturuyorlardı. Evin çatı katındaki odayı Y. Kadri'ye vermişlerdi. Y. Kadri bavulunu açıp yerleşti, tıraş olup biraz dinlendikten sonra, yemeğe indi.

Yemekte Ruşen Eşref Ünaydın ile eşi Saliha Hanım da vardı.

Ruşen Eşref, M. Kemal Paşa'yı Çanakkale Savaşı hakkındaki uzun röportajı yaparken tanımış, hayran olmuş, Paşa Anadolu'ya geçince, ardından gelip emrine girmişti. Yazgısını M. Kemal'e bağlamış ilk sivillerdendi.

Yemek neşe içinde başladı, savaşı mavaşı unutup edebiyatın gizemli dünyasına daldılar. Yemeğin sonuna doğru söz döndü dolaştı, Ankara yönetiminin aşmak zorunda olduğu zor ve karışık sorunlara dayandı.

Düze çıkmak için bir dizi mucize gerekiyordu.

SABAH M. Kemal ile Fevzi Paşalar trenle yola çıktılar. Vagon eski, sıralar tahtaydı. Odunla çalışan tren saatte 30 km. hız yapabiliyordu. Yolda odun biterse, görevliler trenden inip istasyon bahçesindeki, yol kıyısındaki ağaçları kesip parçalıyor, onları yakarak yola devam ediyorlardı.

Eskişehir'e akşam varacaklardı.

Demiryolunun yanındaki toprak yoldan bir kağnı kolu geçiyordu. Son kağnının üstündeki kirli yüzlü çocuk ayağa kalkıp trene askerce selam durdu.

M. Kemal Paşa güldü, elini Fevzi Paşa'nın elinin üstüne koydu: "Paşam, İsmet Paşa eşini, annesini Malatya'ya aldırdı. Siz de çocukları İstanbul'dan Ankara'ya getirtecektiniz. Ne oldu? Bir terslik mi çıktı?"

"Evet. Küçük kızım hastalanmış."

"Nedir?"

"Menenjit."[83a]

Fevzi Paşa'nın, özel dertlerini hiç yansıtmayan esmer yüzüne şefkatle baktı:

"Şimdi nasıl?"

"Tehlikeyi atlatmış."

"Sevindim. Kim ilgileniyor?"

"Doktor Tevfik Sağlam."

"İyi. Ben de onu tavsiye edecektim. Anneme de o bakıyor."

M. Kemal'in sesindeki titreyiş de Fevzi Paşa'nın içine dokundu. "..Hakkımdaki idam kararını annemden saklamayı becerememişler. Duyması sağlığını bozdu. Bir türlü toparlanamıyor. Yolculuk yapabilecek hale gelirse, ben de annemi Ankara'ya aldıracağım."

Susup düşünceye daldılar.

TALİME on beş dakika ara verilmişti. Sakız Adası'ndan Anadolu'ya gelmiş olan Panayot, başını, büktüğü dizlerine dayamış, düşünüyordu.

Kısa bir eğitimden sonra Anadolu'ya getirilip çeşitli birliklere dağıtılan neşeli gençlerden biri de oydu. Cephe gerisine ilişkin renkli serüvenler hayal etmiş, kısmetine Aydın'daki 18. Bağımsız Alay düşmüş, neşesi çok çabuk yok olmuştu.

Issız, karanlık, ölü bir şehirdi Aydın. Bir yıl önce Yunanlılarca yarısı yakılmıştı. 60.000'den fazla Türk işgal altında olmayan yerlere kaçmıştı.[83b] Orada burada sürünüyor olmalıydılar. Kaçmamış olan yaşlı Türklerse pek az sokağa çıkıyorlardı. Aydın'ın güneyinde bulunan küçük ama atak Türk birlikleri zaman zaman Menderes ırmağını aşarak alaya baskın veriyorlardı. Yüreğine can korkusu düşmüştü. Sıcaklar bastırmış, yeni silahlar gelmiş, talimler ağırlaşmış, subaylar sertleşmişti. Teğmen, bu sabah talim başlamadan önce şöyle demişti:
"Bu seferki savaş, çok zorlu olacak."
Çok zorlu ha!
Bu söz aklına geldikçe ağzı kuruyordu.

M. KEMAL PAŞA ile Fevzi Paşa, gece Eskişehir'de kaldılar, sabah İsmet Paşa'yı da alarak, Kütahya'ya, Güney Cephesi karargâhına geldiler. Bütün gün mevzileri gezdiler. Akşam toplandılar.

M. Kemal kısa bir görüşmeden sonra, kararını açıkladı: Güney ve Batı Cepheleri birleştirilecek, İsmet Paşa Batı Cephesi komutanlığını üstlenecekti. Açıkta kalan Refet Paşa'ya Milli Savunma Bakanlığını önerdi. Paşa'nın askerliğine değil, kıvrak zekâsına ve pratikliğine güvenirdi. Ama Refet Paşa, Genelkurmay Başkanlığını istediğini sezdirdi. Daha bir ay önce, sekiz tümeni birarada yönetmeyi becerememiş olan Refet Paşa'nın bu isteği, M. Kemal Paşa'nın canını sıktı:
"Genelkurmay Başkanlığı, bizim teşkilatımıza göre, bugün fiilen Başkomutanlık makamıdır. Siz henüz Türk ordusuna Başkomutan olacak nitelikleri kazanmış değilsiniz. Bunu aklınızdan çıkarınız!"

Bunun üzerine Refet Paşa da Milli Savunma Bakanlığını kabul edemeyeceğini mırıldandı. M. Kemal, "O sizin bileceğiniz iş.." dedi, İsmet Paşa'ya döndü, "..Paşam, komutayı hemen devralın. Dönmemiz gerekiyor."[84]

"Başüstüne!"

Geç vakit Kütahya'dan ayrıldılar.

Vagonun loş ışığında konuşarak yemek yediler. Sofraları pek sadeydi: Zeytin, peynir ve ekmek. M. Kemal'in hizmet çavuşu Ali Metin çayları getirip bıraktı. Sessizce çıktı.

Batı Cephesi, Söğüt'ten Söke'ye kadar genişlemişti. Cepheye bağlı bütün tümenleri artık bir elden idare etmek mümkün değildi. Kolordu düzenine geçmek ise zordu. Kalabalık bir karargâh örgütüne gerek vardı. Geçici bir zaman için, kalabalık bir karargâha gerek göstermeyen 'grup' düzenine geçmek doğru olacaktı.

Bir süreden beri tartışılan bu konuyu bir sonuca bağlayarak, ilk adımda üçer tümenli dört grup kurulmasına karar verdiler. M. Kemal, "Grup komutanlıkları için kimleri düşünürsün?" diye sordu.

"Albay İzzettin, Kemalettin Sami, Halit ve Arif Beyler."[85]

M. Kemal ve Fevzi Paşalar başlarını sallayarak isimleri onayladılar.

"Asıl sorun asker ve silah sayımızın çok düşük olması. Buna karşılık Yunanlılar seferberlik ilan etti."

Ankara seferberlik ilan edemiyordu. Çünkü seferberliğin gerektirdiği ne para vardı, ne malzeme, ne de silah.[86] Fevzi Paşa homurdandı:

"Dostluk Antlaşması imzalanalı hayli oldu. Rus yardımı hâlâ ciddi olarak başlamış değil."

M. Kemal sigara yaktı:

"Ne yapalım, biz de kendi kaynaklarımızı kazımaya devam ederiz."

Sıkıntı içinde sustular.

Trenin gürültüsü sessizliği hışım gibi ezdi.

BİNLERCE KİLOMETRE kuzeyde, Meşenski caddesindeki Türk Büyükelçiliği'nin ikinci katındaki çalışma odasında, Ankara'nın Moskova Büyükelçisi Ali Fuat Paşa ile Elçilik Başkâtibi Aziz Meker, listeleri inceliyorlardı. Elçilik görevlileri, Moskova Antlaşması'nın imzalanmasından sonra, Anadolu'ya gönderilen bütün askeri malzemenin dökümünü çıkarmışlardı. Bugüne kadar Anadolu'ya pek az silah ve cephane yollandığı anlaşılıyordu. Yardım artacağına azalmış, son günlerde ise bütünüyle durmuştu. Oysa imkânsızlık içinde kıvranan ordu, hasta can bekler gibi silah ve cephane beklemekteydi.

Ali Fuat Paşa patladı:

"Hemen şimdi Dışişleri Komiserliği ile temasa geç, Komiser Çiçerin'le en kısa zamanda özel bir konuşma yapmak istiyorum."

"Peki efendim."

Çiçerin geç gelip sabaha kadar çalışırdı. Birçok görevli de onunla birlikte sabahlıyordu. Aziz Bey telefon ederken Ataşemiliter Binbaşı Saffet Arıkan içeri girdi. Yüzü allak bullaktı.

"Ne oldu?"

"Hayreti Bey'le konuştum. Enver Paşa'nın her faaliyetini gizlice bize bildirmeye razı oldu."

"Ee, daha ne istiyorsun? Bu ne surat?"

Ankara, son günlerdeki bazı faaliyetleri kuşku uyandırdığı için eski başkomutanın izlenmesini istemişti. Talat Paşa'nın yeğeni olan Hayreti Bey, Moskova'da Enver Paşa'nın kâtipliğini yapıyordu. Saffet koltuğa ilişti:

"O da kaygı içindeymiş. Bu yüzden kolay anlaştık. Paşa'nın birkaç mektubunun suretini verdi."

Mektup suretlerini Paşa'nın önüne bıraktı. Mektuplara göz atar atmaz Ali Fuat Paşa'nın da yüzü, Saffet'inki gibi allak bullak oldu. Enver Paşa'nın, Anadolu'daki arkadaşlarına silahlı bir parti kurulması için emir verdiği, ilkbaharda, Müslüman bir Bolşevik birliği ile doğu sınırından Anadolu'ya girmeyi tasarladığı anlaşılıyordu.[87]

İlkbahar gelmişti.

Ali Fuat Paşa, boğuk bir sesle, "Bu adam yine silahlı macera peşinde.." dedi, "..halbuki daha geçen günkü görüşmemizde, memlekette ikilik çıkarmayacağına söz vermişti."

"Doğu sınırımızı güven altına aldık, tam bütün gücümüzle batıya döneceğimiz sırada, bu ne büyük bir talihsizlik."

"Durumu hemen Ankara'ya bildirelim."

Telgraf Moskova'dan Ankara'ya ancak on beş günde ulaşıyordu. Aziz Bey telefonu kapattı. Şaşırmış bir hali vardı.

"Ne o? Yoldaş Çiçerin yine mi çok meşgulmüş?"

"Hayır efendim. Sizi hemen bekliyor."

Y. KADRİ bu akşam da yemeğini aşağıda yemişti. Ne yemek yenecek başka yer vardı zaten, ne de Halide Hanım'ın ısrarına karşı koymak mümkündü. Yemek bitmiş, kahve içiyorlardı. Dr. Adnan, Meclis'in durumunu soran Y. Kadri'ye bilgi vermekteydi:

"Başlangıçta yakınımıza kadar yayılan isyanlar yüzünden çok güç günler geçirdik. Bir baskına karşı Halide bile silah kullanmasını öğrenmek zorunda kalmıştı. Durumu anla. O günler geride kaldı çok şükür. Meclis kurtuluş için kesin kararlı ve tam bir birlik halinde. Ama tabii çeşitli eğilimler var. Başlıcaları, ilericiler, muhafazakârlar, solcular ve fanatik İttihatçılar. Tartışma eksik değil. Belki de dünyanın en özgür meclisiyiz. Paşa, dağınıklığı gidermek ve muhalefete karşı dayanışma içinde olmak için ilericilerle bir grup kurmayı düşünüyor."[87a]

Y. Kadri inanmakta zorluk çekti:

"Demek muhalefet zorlu."

Dr. Adnan gülerek, "Hatta bazı kez çok zorlu.." dedi, "..tutucular saltanatı kaldırıp cumhuriyete gideceğinden kuşkulanıyor. Solcular Bolşevikliği benimsemediği için karşılar. İlericilerin içinde de bakan olamadığı için küskünler, kaprisliler var. İttihatçıların çoğu Paşa'nın yanında ama en sert muhalefeti fanatik İttihatçılar yapıyor."

"Dertleri ne?"

"Bunlar Enver Paşa'dan başka lider kabul etmiyorlar."[87b]

"Nerde Enver şimdi? Almanya'da mı?"

"Hayır. Moskova'da."

MOSKOVA'da çarlık zamanından kalma büyük binanın zengin döşeli, geniş odasının bir köşesinde, örtüsü halı desenli bir masanın başında çay içiyorlardı. Masanın üstünde fokurdayan, büyükçe bir Rus semaveri vardı. Ali Fuat Paşa konuşmasını sürdürdü:

"..İşgal kuvvetleri silahlarımızın büyük kısmını İstanbul'da topladılar. El koydukları toplarımızın sayısı iki bine yakındır.."[88]

Çiçerin uzun bir 'oooo!' çekti.

"..Ayrıca birçok topumuzu da kamalarını alarak kullanılmaz hale getirdiler. Damat Ferit, İngilizlere yaranmak için 90 bin sandık cephaneyi Marmara denizine döktürdü.."[89]

"Ne diyorsunuz?"

"Evet, örneğine az rastlanılır türden bir haindi. İngiltere Türkiye'ye silah satılmasını yasakladı. Elimizde yalnız Doğu ve İç Anadolu'daki depolar var. Mesafeler uzak, yol yok, taşıt az, silahlar eski. Buna rağmen Sayın Komiser, zoru başardık, bugüne kadar bu sınırlı kaynaklarımıza dayanarak savaştık. Ama ne zamana kadar böyle sürdürebiliriz?"[90]

Çiçerin alıngan bir sesle, "Size hayli silah ve cephane yardımı yaptık" dedi.

"Teşekkür ederiz ama şunu söylememe izin veriniz: Biz emperyalizmin donattığı bir ordu ile savaşıyoruz. Bugüne kadar yaptığınız yardımlar ise bir tümeni bile donatmaya yetmez."

"Yanlışınız var!"

"Sadece 8 top, 20 hafif makineli tüfek ve 4.076 piyade tüfeği." [91]

"Emin misiniz?"

"Kesinlikle. İşte liste.."

Listeyi Çiçerin'in önüne bırakarak, "..Ama sorun bu değil" dedi.

"Nedir?"

"İki ay kadar önce sizinle çıkarlarımızı dengeleyen bir antlaşma yaptık. Bu antlaşma ile siz, en hassas yeriniz olan güney sınırınızı güven altına aldınız. Boğazlar yeniden bizim olunca, Akdeniz yolunuz da açılmış olacak, dünya ile bağlantınızı sağlayacaksınız. Siz de buna karşılık bize silah ve para yardımında bulunmayı taahhüt etmiştiniz."

Dışişleri Komiseri sesini yükseltti:

"Biz taahhütlerimize sadığız."

"Öyleyse Anadolu'ya silah sevkıyatını niye durdurduğunuzu sorabilir miyim?" [92]

Çiçerin hırçınca reddetti:

"Böyle bir olay yok!"

Ali Fuat Paşa'nın sesi de yükseldi:

"Var! Sorun da bu işte."

"Yardım devam ediyor!"

"Hayır! Durdurdunuz Sayın Komiser.."

Çiçerin'in gözlerinin içine bakarak konuştu:

"..Çünkü bize yardım ederek İngilizleri kızdırmaktan çekiniyorsunuz." [92a]

Çiçerin sertleşti:

"Biz mi İngilizlerden çekiniyoruz?"

"Evet siz! Çünkü siz de bizim gibi abluka altındasınız. Batıda İngiliz ve Fransız, doğuda Japon ablukası sürüyor. Nefes alamıyorsunuz.[93] Bu çemberi kırabilmek için kısa bir süre önce İngilizlerle bir ticaret sözleşmesi imzaladınız.[94] Ama daha bu sözleşmeyi çalışır hale getiremediniz. Gelin, açık konuşalım. Halden anlarız. Emperyalizmin ne olduğunu sizden daha iyi biliyoruz. Çünkü onun kurbanıyız."

Ayağa kalktı.

"..Bunun içindir ki savaşı sürdürüyoruz. Bunun içindir ki Bekir Sami Bey'in yaptığı bütün anlaşmaları reddettik. Yoldaş Çiçerin! Eğer uzlaşamazsak emperyalizm ikimizi birden avlayacak.."

Sesini düşürdü:

"..İstiyorsanız, silah sevkıyatını İngilizlerden gizli yapalım."[95]

Bu öneri Çiçerin'i derinden sarstı.

Abluka, isyanlar ve kıtlık içinde tutunup yaşayabilmek için çırpınan yeni rejim, herkesten ve her şeyden kuşkulanmaktaydı. Bekir Sami'nin Lloyd George'a yaptığı öneriyi öğrenmişler, bundan çok rahatsız olmuşlardı. İngilizleri yumuşatmak için azaltılan silah sevkıyatı, bunun üzerine gerçekten durdurulmuştu. Galiba durumu yeniden değerlendirmek doğru olacaktı. Başını kaldırdı, "Oturun dostum.." dedi, "..çayımız ve vaktimiz var. Konuşalım."

İNGİLİZLERİN, özellikle Albay Rawlinson'u Ankara'nın elinden alamadıkları için İstanbul'da yeni bir milliyetçi avına çıkacakları duyulmuştu.[96] Ankara sürekli, sicili temiz subay, usta, silah, cephane ve askeri gereç isterken, Muharip örgütünün bu söylentiyi dikkate alıp çalışmaları durdurması söz konusu olamazdı. Gizliliğe daha çok dikkat ederek çalışmayı sürdürdüler.

Haliç'teki depolardan birinin komutanı, deposunun sıkı denetim altında olmadığını söylemişti. Parça parça kaçakçılık yapıp tehlike olasılığını artıracaklarına, bu kez büyük kaçakçılık yapmaya karar verdiler. Bunun için İngilizleri uyandırmayacak bir yol bulmak gerekiyordu. Haberalma kolu harekete geçti. Üç gün sonra akşamüstü Binbaşı Ekrem, Yüzbaşı Aziz Hüdai ve örgütün haberalma kolunun başı Kurmay Yüzbaşı Seyfi Akkoç, gerektikçe kullandıkları Aksaray'daki güvenli evde biraraya geldiler. Örgütün bunun gibi birkaç güvenli evi daha vardı.

Yüzbaşı Seyfi gelir gelmez, daha oturmadan, "Galiba aradığımız gibi birini bulduk" dedi.

"Yaşayın!"

Perdeleri kapalı küçük odaya geçtiler.

"İngiliz Haberalma Teşkilatı'nın deniz bölümü Galata'da İstavropulos hanında çalışıyor. Şefi Yüzbaşı Gordon. Emrinde birçok ajan bulunuyor. Çoğu Ermeni ve Rum. Birkaç da Türk var."[97]

Aziz Hüdai sunturlu bir küfür savurdu. Ekrem yüzünü buruşturarak, "Yoksa bu satılık Türklerden birinin yardımını mı isteyeceğiz?" diye sordu.

"Hayır. Yüzbaşı Gordon'un çok güvendiği şeflerden birine çengel atacağız."

"Kim bu?"

"Babası, vaktiyle önemli devlet hizmetlerinde bulunmuş bir Osmanlı Ermenisi. Yüzbaşı Gordon'un en önemli adamı. Birçok haberalma ajanı adama bağlı. Bize yanaşabilirmiş. Çünkü İngilizlerden beklediğini bulamamış."

"Ne bekliyormuş İngilizlerden?"

"İnsanca, uygarca muamele."

Güldüler.

"Adı ne bu safdilin?"

"Pandikyan."[98]

PANDİKYAN EFENDİ, geç saatte çalıştığı handan çıktı. Galata'daki Cenyo lokantasına doğru yürümeye başladı. Üç günden beri kendisini izleyen gizli örgütün fessiz, pardösülü iki adamı da peşine takıldı. İşten çıkınca bu lokantaya uğrayıp yemek yediğini saptamışlardı. Adamlar, Pandikyan Cenyo'ya yaklaşırken, hızla iki yanına geçtiler. Soldaki, pardösüsünün cebindeki tabancanın namlusunu Pandikyan'a dayadı. Yırtıcı bir sesle fısıldadı:

"Sakın bağırayım, kaçmaya yelteneyim deme. Kalbura dönersin. Ne söylenirse onu yap."

Böğrüne dayanan namlu Pandikyan için çok açıklayıcıydı.

"Peki."

"Sakin yürü."

Sağdaki ilk sokağa döndüler. Az ilerde bir otomobil bekliyordu. Sivil giyinmiş bir subay olan şoför kapıyı açtı. Bindiler. Şoför telaş etmeden, çevreye göz atarak yerine geçti. Araba hareket etti. Adamlardan biri siyah bir torba uzattı:

"Başına geçir Pandikyan Efendi."

Pandikyan söylenileni yaptı.[99]

Otomobil örgütün Aksaray'daki gizli evinin önünde durdu. Hava iyice kararmıştı. Pandikyan ve iki adam indiler. Otomobil beklemeden uzaklaştı. Evin kapısı çalınmadan açıldı. İçeri girdiler. Pandikyan'ı kollarından tutarak biraz yürüttüler, bir iskemleye oturttular.

Aziz Hüdai, "Gözlerini açabilirsin" dedi.

Ter içindeki Ermeni torbayı başından çekip aldı. Küçük gaz lambasının soluk ışığı altında, tam karşısındaki masasın başında üç üniformalı subayın oturduğunu gördü. Gölge gibi görünüyorlardı. Ortada oturan Aziz Hüdai, "Pandikyan Efendi." dedi, "..Türk milli kuvvetlerinin misafirisin.."

Pandikyan titredi.

"..Sen de bizim gibi bu toprakta doğdun, büyüdün, okudun. Ne Ermenisin diye aşağılandın, ne Hıristiyansın diye eziyet gördün. Yüzyıllarca birlikte çaldık, oynadık, yedik, içtik, ağladık, güldük. Çünkü yurt kardeşiydik. Sonra aramıza birtakım entrikacılar, dünyayı yalnız kendilerinin sanan güçler ve satılık, kiralık, hayalci adamlar girdi. Acı olaylar oldu. Bugüne geldik. Bu yurdun hepimizin üstünde hakkı var. Bu hak, bu yurdun insanlarına zerre kadar saygısı ve acıması olmayanlara hizmet edilerek mi ödenir? Vicdanını yokla ve cevap ver!"

Pandikyan'ın gözleri nemlenmişti.

"Konuşabilir miyim?"

"Lütfen."

Pandikyan Efendi konuşmaya başladı.[100]

M. KEMAL PAŞA gece geç saate kadar Genelkurmay'da çalışmış, gece de orada kalmıştı. Görüşmek için çağırdığı Albay Kâzım Özalp'ı bekliyor, karargâhın bir odasında kalan Dr. Refik Saydam'ın Kadife Hanım adlı güzel kedisiyle oynuyordu. Yaver Salih, Kâzım Özalp'ın geldiğini bildirdi.

"Buyursun."

Kedinin gıdısını okşayıp yere bıraktı, ayağa kalkıp Kâzım Bey'i karşıladı. En güvendiği komutanlardan biriydi. Oturdular. Paşa hemen konuya girdi:

"Batı Cephesi birlikleri grup düzenine geçti. Yunan işgali altındaki İzmit bölgesi çevresindeki dağınık kuvvetlerimizi de bir komuta altında toplamak istiyoruz. Orada zayıf bir tümen ile bir süvari tugayı, birkaç da milli müfreze yani disiplinli çete var. Bu birliği grup olarak değil, düşmanın güçlü sanması için Mürettep Kolordu diye adlandıracağız.."

Baktı:

"..Komutanlığını kabul etmenizi istiyorum."

Albay Kâzım doğuda-batıda birçok birlikte görev almış, ateşten geçmiş, iyi örgütçü, her an göreve hazır bir subaydı. Duraksamadan cevap verdi:

"Emredersiniz." [100a]

"Ne zaman hareket edebilirsiniz?"

"Ne zaman hareket etmeliyim?"

"Bir an önce."

"Öyleyse yarın sabah yola çıkabilirim."

SABAH Yüzbaşı Aziz Hüdai Sirkeci'de, köprü yakınında, Reşadiye caddesinin başındaki Türkiye Nakliyat Ambarı'nın kapısından içeri girdi. Sivil giyinmişti. Üst üste yığılmış sandıkların ve çuvalların arasından geçerek ilerledi. Depo bekçisi Mahmut Ağa önüne çıktı. Aziz Hüdayi Bey'i tanıyınca yol verdi:

"Hüsnü Bey yerinde."

Küçük odada, üstü dosyalarla dolu eski, tahta bir masanın başında, uzun yüzlü, tel gözlüklü, badem bıyıklı, kollarına gömleği eskimesin diye siyah kolluklar takmış, küçük memur havalı biri oturu-

Hüsnü Himmetoğlu   İhsan Aksoley

yordu. Hüsnü Himmetoğlu, terhis olduktan sonra serbest hayata atılarak emanetçilik ve komisyonculuk yapmaya başlamış, Yavuz grubundan bir subayın önerisi üzerine Anadolu'ya küçük çapta silah ve malzeme kaçırmak için başarılı bir kaçakçılık teşkilatı kurmuştu.[101] Kazancını ticari nakliyattan sağlıyor, kaçak askeri malzemenin Anadolu'ya gizlice ulaştırılması işinden ücret almıyordu. Çeşitli gruplar ve örgütler, hemen her gün ambara beş-on sandık kaçak askeri eşya getirirlerdi. Muharip örgütüyle de çok iş yapmıştı.

El sıkıştılar. Hüsnü Bey kapıyı kapadı. Oturdular.

"Hemen konuya gireyim. Bu kez iş büyük."

"Ne kadar?"

"Yaklaşık 300 ton."

Hüsnü Bey umutsuzca başını kaşıdı:

"Ooo! Yüzlerce sandık tutar. Bu kadar malı depodan nasıl çıkarırız? Gemiye nasıl taşıtırız? Gümrükten nasıl geçiririz? Askeri denetimi nasıl atlatırız? Çok zor, hatta imkânsız."

"Depodan çıkarma konusunu biz çözeriz. Ötesini konuşalım. Pandikyan Efendi'yle görüşüp anlaştık."

Hüsnü Bey'in gözleri açıldı:

"Nasıl anlaştınız?"

"Yine İngilizlerle çalışmaya devam edecek ama yaptıklarımızı görmezden, duymazdan gelecek. Yardımcı olacak. Bir aksilik olursa önceden haber verecek."

Hüsnü Bey gevşedi:

"Bu çok iyi. Eğer Pandikyan bir açığımızı yakalamak için peşimizde dolaşan adamlarını bizden uzak tutarsa, gümrükten kolay geçeriz. İhracat Müdürü Pertev Bey ve gümrükçülerin çoğu Anadolu'yu destekliyor. Gümrük Müfettişi Murat Davutyan da, Rıhtım Şirketi Müdürü Yahudi Bohor Efendi de adamımdır.[101a] En zor kısım, askeri denetimi aşabilmek. Onu ne yapacağız?"

"Birlikte bir çare düşünelim."

"Peki. Hazırlık yapayım mı?"

"Evet."

Ayağa kalktılar. Elleri sımsıkı buluştu.

YÜZBAŞI AZİZ HÜDAİ Hüsnü Bey'in yanından ayrılırken, İstanbul'daki İngiliz Kuvvetleri Komutanı General Harington da, Harbiye'deki karargâhında, bir büro subayına, Genelkurmay Başkanı Mareşal Wilson'a göndereceği raporun ana çizgilerini dikte ediyordu:

"Yunan ordusu iyi yönetilmiyor. Türk ordusu ise günden güne güçleniyor ve akıllıca yönetiliyor. Türklerin İzmit'in çevresinde bir kolordu kuracaklarını öğrendik. Yunanlılara devrettiğimiz İzmit[102] Türklerin eline geçerse, İngiliz ve Türk birlikleri, tarafsız bölgenin doğu sınırında, Gebze-Şile arasında karşı karşıya gelecekler. İstanbul'a yürümeleri halinde çok zor durumda kalırız. Çünkü emrimdeki birlikler, Kemalist kuvvetlere karşı koyabilecek sayıda değil.."

Sıra, Majestelerinin hükümetini ayağa kaldıracak olan önerisine gelmişti:

"..Yenilip ayrılmak zorunda kalmadan, İstanbul'dan ve Çanakkale Boğazı'ndan kendimiz çekilmeliyiz. Hükümete bu önerimin gerekçelerini ayrıntılı ve sözlü olarak da arz etmeye hazırım." [103]

Subay şaşkın bakıyordu.

"Kurmay Başkanına verin bu notu. Genişçe bir rapor olarak yazıp getirsin. Bugün Londra'ya yollamak istiyorum."

Ertesi günü kıyamet kopacak, Harington acele Londra'ya çağrılacaktı.

LONDRA kaynarken, Hüsnü Bey, elinde çantası, Hovagim-yan işhanının dönerek yükselen mermer merdivenlerini tırmanıyor-du. İkinci katta, kapısında Fransız Denizcilik Şirketi yazan açık ka-pının önünde durdu. Şirketin direktörü Mösyö Şarl Kalçi'yi tanırdı. İngilizlerden nefret eden, şakacı, kültürlü, özgürlükçü, güvenilir bir insandı.[103a] Onunla birçok küçük iş yapmıştı. Ama bu seferki ötekile-re benzemiyordu. Besmele çekerek içeri girdi.

İçerisi denizciler, nakliyeciler, bir odadan öbür odaya koşuşan görevlilerle doluydu. Sivri sakallı Rum memur, gözü Anadolu'ya ara sıra silah kaçırdığını duyduğu Hüsnü Bey'e ilişince, huylandı. Kal-çi'nin sekreteri ise dostça güldü:

"Buyrun, bekliyor."

Hüsnü Bey, kapıyı kapadı, oturdu, alçak sesle, "Kaptanı ve tayfa-ları güvenilir bir gemi istiyorum" dedi.

"Sen işi iyice büyüttün ha! Gemiyi ne yapacaksın?"

"Elimde birikmiş çok yük var."

"Nereye taşıyacak? Patagonya'ya mı?"

"İnebolu'ya."

Kalçi muzip muzip güldü:

"Anlaşıldı. Başka bir şey sormayacağım. Benim için hava hoş. Yakalanırsanız, sahtekâr Hüsnü beni kandırmış der, atlatırım. Yükü-nüz zıpzıp mıdır, fişek midir, nedir, ben nereden bileceğim? Benim işim aracılık."

Ciddileşti:

"Çok dikkatli olun. Bugünlerde Pandikyan'ın adamları.."

Hüsnü Bey sözünü kesti:

"Pandikyan tamam."

"Ooo! İşte bu iyi. Ama çıkışta askeri denetim var."

Evet. Bu büyük sorundu. Hüsnü Bey uzun uzun kafa yormuş, bir çözüm bulmuştu. Utana utana, "Bana şu kızı olan Rus kaptanın gemi-sini verebilir misin?" diye sordu.

Mösyö Kalçi'nin ağzı açık kaldı. Hüsnü Bey söze ve işe kadın ka-rıştırılmasından hiç hoşlanmayan katı bir adamdı. Dikkatle yüzüne baktı. Hüsnü Bey kıpkırmızı kesilerek, "Başka çare bulamadım" diye mırıldandı.

Kalçi uzun bir kahkaha attı:

"Sonunda sen de yola geldin ha! Merak etme, gerekeni yapacağım. Şimdi ödeme nasıl olacak, ondan haber ver."

Fazla çekişmeden uyuştular.

Hüsnü Bey kapora olarak kendi cebinden 500 lira verdi. Çünkü Ankara, bu tarz toplu, büyük kaçakçılığı uygun görmüyordu. Başarılabileceğine güvenmiyor, yakalanırlarsa, kaçırılan malzemenin imha edileceğini, bunun da bir felaket olacağını düşünüyordu. Az ve güvenli kaçakçılık yeğlenmekteydi. Bu yüzden para yollamamışlardı.[104]

"Gemiyi ne zaman istiyorsun?"

"En çabuk zamanda."

BELÇİKA'nın İstanbul Elçisi De Well, Türk gazetelerinde çıkan ilginç yazıları çevirtir, ajans haberlerini izler, diplomatik çevrelerden edindiği bilgileri birleştirip yorumlar, Brüksel'e düzenli olarak rapor ederdi. Başka yapacak ciddi bir işi yoktu.

Bugünkü raporunu yazıyordu:

"Kemalist hareket, Ankara'dan, Kafkasya, İran, Arabistan, Suriye ve Mısır'a aksetmekle kalmadı, etki alanını Balkanlar, Rumeli ve Arnavutluk'a kadar genişletti..." [104a]

Büyük tehlikeydi bu. Sömürüye dayalı Avrupa ekonomisinin ve siyasetinin geleceği için Kemalistler'in yenilmeleri şarttı. Ama yenilecek gibi görünmüyorlardı.

Sıkıntı içinde bir puro yaktı.

ODESA adlı gemi, iki gün sonra, bakım bahanesi ile Haliç'e girdi ve deponun yakınında demirledi. Rus soylularını ve Bolşevik karşıtlarını İstanbul'a kaçırıp sonra Rusya'ya dönemeyen küçükçe gemilerden biriydi. Kuşku çekmemek için gemi üç gün sessizce bekleyecekti. Bu arada Aziz Hüdai ve Hüsnü Bey son hazırlıkları tamamlayacaklardı. Hüsnü Bey Mavnacılar Derneğinin Başkanı Mehmet Kahraman ve kalabalık bir hamal grubunun başı Kürt Abuzer Ağa ile bağlantı kurdu. Bunlar ağızları sıkı, yurtsever insanlardı.[104b]

Çözülmesi gerekli ilk çetin sorun şuydu: Depodaki İngiliz nöbetçileri olay yaratmadan nasıl atlatacaklar ya da adamları ne yapacaklardı? Çünkü daha soyulacak pek çok depo vardı. İngilizlerin uyanıp sıkı önlemler almasına yol açmamak gerekiyordu. Depo komutanı, "Biraz paramız var mı?" diye sordu.

Bir yıldır buradaydı. Nöbetçileri iyi tanıyordu. Düşündüğü çözümü anlattı. Yüzbaşı Seyfi, "Ohooo.." dedi neşeyle, "..o kadarcık parayı, Yeni Cami önünde dilenir yine buluruz."

RUŞEN EŞREF, Y. Kadri'ye, "Yarın M. Kemal Paşa seni öğle yemeğine bekliyor" dedi. Y. Kadri'nin kalbi ağzına geldi. İki yıldır tanımak için can attığı insanı sonunda görebilecekti.

Y. Kadri'yi Çankaya'ya faytonuyla Halide Hanım götürdü. M. Kemal Paşa Çankaya'daki eve yeni taşınmıştı. Bakımsız bir toprak yolu izleyerek bağlar ve bahçeler arasından geçip Çankaya'ya çıktılar. Yolda Halide Hanım, "Fikriye Hanım'ı görürsen, selamımı söyle" dedi. "O kim?"

"Paşanın üvey babasının yeğeniymiş. Paşa'ya hayran olduğu anlaşılıyor. Kış başında İstanbul'dan çıkageldi. Böylece Paşa da zarif bir hanım elinin bakım ve özenine kavuştu.."

Sesindeki kadınsı titreşimler Y. Kadri'nin dikkatinden kaçmadı. "..Olağanüstü güzel gözleri olan bir genç hanım. Piyano çalmasını da biliyormuş. Gelişi dedikodulara neden olmuştu ama zamanla alışıldı, konuşulmaz oldu. Bilgi düzeyi Paşa'yı tatmin eder mi, bilemem. Malum, Paşa böyle şeylere çok önem veriyor."

Yerel giysileri içinde birkaç Giresunlunun beklediği bir nöbetçi noktasından geçerek iki katlı bir bağ köşkünün önünde durdular. Halide Hanım geri dönerken Yaver Muzaffer Kılıç Y. Kadri'yi karşıladı, misafir salonuna aldı. Bir dakika sonra M. Kemal Paşa geldi. Üzerinde iyi dikilmiş lacivert bir elbise vardı.[104c]

Y. Kadri M. Kemal'i, İkdam gazetesinde yayımlanacak olan yazısında şöyle anlatacaktı:

M. Kemal Paşa, sivil giyinmiş, ortadan biraz daha boylu, zayıf ve sarışın bir zattı. Gazetelerde gördüğümüz resimlerinden hiçbirine benzemiyordu. Kendisi bu resimlerin hepsinden daha sevimli, daha canlı, daha müstesna bir simaydı. Yüzü renk ve çizgi itibariyle bir tunç parçası üzerine oyulmuş bir eski madalyonu andırır. Elmacık kemikleri çıkık, ağız kemikleri kuvvetli ve alnı sertti. Ve bu yüzün bütününde, çok zahmet görmüş, çok uğraşmış, çok düşünmüş kimsele-

rin çehresindeki ifade vardır, fakat hiçbir yorgunluk emaresi göstermemek şartıyla. Kısık ve sıcak bir sesle konuşuyor, mavi gözleri muammalı nazarlarla bakıyor. Vücudunun kımıldanışları genç bir parsın kımıldanışları gibi sevimli, munis bir tarzda haşin ve çevik. Elleri mütemadiyen iri taneli bir kehribar tespihle oynuyor." [104d]

Yemeği giriş katındaki mermer döşeli, küçük havuzlu sofada yediler. Yemeğe Hamdullah Suphi, Ruşen Eşref ve Ferit Tek de katıldılar. Hamdullah Suphi Bey, Paşa'yı 'fırtına kuşu' gibi benzetmelerle övmeye kalkışınca M. Kemal Paşa hemen sözü değiştirdi. Bu sade haliyle, bir ihtilalin ve emperyalizme karşı verilen çok cepheli, büyük bir savaşın kararlı liderinden, mazlum milletleri etkileyen bir öncüden çok, nazik, sakin bir aydına benziyordu. Onca işi arasında, yeni çıkan kitapları okuduğu, İstanbul gazete ve dergilerini dikkatle izlediği anlaşılıyordu. Etkileyici bir üslubu vardı.

Çankaya'dan o da bir M. Kemal hayranı olarak ayrılacak, sonuna kadar öyle kalacaktı.

BAZI BAKANLAR, Mareşal Wilson ve General Harington, Başbakan Lloyd George'un başkanlığında, Başbakanlık'ta toplanmışlardı. Lloyd George, Lord Curzon ve Churchill çok gergindiler.

Kurul, önce General Harington'un ayrıntılı açıklamasını, sonra da Savaş Bakanı Sir L.W. Evans ve Mareşal Wilson'u dinlemişti.

Lord Curzon, "Anlaşılmaz bir şey." dedi, "..Savaş Bakanlığı da, Genelkurmay Başkanlığı da, General Harington'un önerisini askeri gerekçelerle benimseyerek, İstanbul'un ve Çanakkale Boğazı'nın boşaltılmasını destekliyorlar. Bakanlığım bu önerinin kesinlikle karşısındadır. Geri çekilmemizin geniş ve felaketli yankıları olur. İngiltere'nin prestiji çok ağır bir darbe alır. Bize çok pahalıya mal olmuş zaferin bütün meyvelerini kaybederiz. Sevr Antlaşması'nı Ankara'ya kabul ettirene kadar Boğazları elimizde tutmak zorundayız. Askerlerimizin, İstanbul'u ve Çanakkale'yi bırakmak için gerekçe aramak yerine, onları nasıl elimizde tutacağımızı düşünmeleri daha doğru olurdu."

Sömürgeler Bakanı Churchill elini kaldırdı.

"Evet Mister Churchill."

Lloyd George   Winston Churchill   General Harington

Churchill uzun bir konuşma yaparak, Lord Curzon'un görüşüne katıldığını, İstanbul'u boşaltırlarsa, Irak'ta, Filistin'de, Mısır'da durumlarının çok ciddi şekilde sarsılacağını belirtti. Sözünü şöyle bitirdi:

"Bu öneriyi şiddetle reddediyorum. Gerekiyorsa İstanbul ve Çanakkale'deki birliklerimizi takviye eder ve dövüşüz."

Boğazlar onun duyarlı noktasıydı. Çanakkale Boğazı'nın 1915'te donanma ile zorlanması planını da, kara birliklerinin Gelibolu'ya çıkarılarak Boğaz'ın düşürülüp İstanbul'un ele geçirilmesi düşüncesini de, bütün gücüyle desteklemişti. Donanma yenilip geri çekilmiş, kara ordusu ise 7 ay süren bir savaştan sonra başarısızlığı kabul ederek Gelibolu'yu boşaltmıştı. Türklerin emsalsiz savunması Britanya'ya yüz binden fazla kayba mal olmuş, Rus Çarlığı'nın da yıkılmasına yol açmıştı. Şimdi iki Boğaz da ellerindeydi ve dövüşmekten kaçınan bir komutan buralardan yine çekilmeyi öneriyordu!

Bu asla kabul edilemezdi.

Hindistan İşleri Bakanı Mr. Montagu ikisinden farklı düşünmekteydi:

"Bence İstanbul'dan çekilmek, Hindistan'daki durumumuz bakımından son derece yararlı olacaktır. Özellikle Hindistan Müslümanları üzerinde çok olumlu bir etki yapacağını düşünüyorum."

Sabırsız Lord Curzon, elini masaya vurarak, "Bu düşünceye katılmıyorum!" dedi. Churchill de büyük bir kararlılıkla Curzon'u onay-

ladı. Başbakan Yardımcısı Chamberlain'ın da Curzon ve Churchill gibi düşündüğü belli oluyordu. Lloyd George bıyıklarını çekiştirip durmaktaydı: "Görüş farklılıkları çok keskin. Bir karara varmak zor. Toplantıyı sürdürmekte bir yarar görmüyorum. Savaş Bakanlığı'nın, konuyu, yalnız askeri açıdan değil, genel siyasetimiz ve çıkarlarımız bakımından da, bir daha incelemesini istiyorum. Dışişleri Bakanlığı'nın da bir rapor hazırlamasını rica ederim. Yeniden görüşelim." [105]

Savaş Bakanı başını eğdi. Lord Curzon ile Churchill bakıştılar ve belli belirsiz gülümsediler. Mareşal Wilson Harington'un kulağına eğildi:

"Şu siyasetçilere bak. Öyle bir barış yapmışlar ki, uygulamak için de savaş gerekiyor."

YUNANLILAR dışında, savaşı göze alanlar yalnız bazı İngiliz siyasetçileri ile diplomatlarıydı.

İkinci İnönü zaferi ve Yunan ordusunun Afyon'u boşaltıp güçlükle Dumlupınar'a çekilmesi, İtalyanların cesaretini kırmıştı. Toparlanıp 25 Mayısta Marmaris'ten, 1 Haziranda Antalya dolaylarından çekildiler. Çekilişleri sürüyordu. Ganimetten pay almak umuduyla İstanbul'da bekleyeceklerdi.

Güney cephesinde dövüşen Fransızlar da Çukurova'yı elde edemeyeceklerini anlamışlardı. Çukurova ve çevresindeki Türkler dişe diş dövüşmekte, dirençleri gün geçtikçe artmaktaydı. 40 kişilik bir Türk çetesi, 400 kişilik bir Fransız birliğini Toros geçitlerinden birinde, esir etmeyi başarmıştı. Antep gibi küçük bir şehri bile ancak on ayda düşürebilmişlerdi. Fransız birlikleri gittikçe eriyordu. Bakanlar Kurulu'nu ikna eden Başbakan Briand, İngiltere'yi çıldırtacak bir şey yaptı: Parlamento Dışişleri Komisyonu Başkanı Franklin Bouillon'u ve iyi Türkçe bilen Albay Sarou'yu Ankara'ya yolladı. Anlaşamazlarsa, Türkiye'yi örnek alan Suriye'de de tutunamayacaklarını kavramıştı.

F. Bouillon ve Sarou 2 Haziran günü İnebolu'ya indiler. Yusuf Kemal Bey misafirleri İnebolu'da bekliyordu.

İnebolulular sabahleyin iki güzel faytonla üçünü Kastamonu'ya uğurladılar.

ALBAY KÂZIM ÖZALP, Mürettep Kolordu karargâhının bulunduğu Geyve'ye gelmiş, sade bir törenle karşılanmıştı. Küçük tören birliği yeni komutanı düşündürdü. Seçkin olması gereken bu birlik bile görünümü bakımından içler acısı bir haldeydi.

Yalnız kaldıkları zaman, adı şatafatlı, içyüzü acıklı birliğin Kurmay Başkanı Yarbay Hayrullah Fişek harita başında durumu açıkladı:

"Bütün Kocaeli yarımadası, Sakarya'nın batı kıyısından Gebze'ye kadar, 11. Yunan Tümeni'nin işgali altında. Bu da öteki Yunan tümenleri gibi dolgun, 13.000 kişi. Çok gaddar ve pis bir tümen. Ayrıca bu kesimde çapulcu, yağmacı Rum, Ermeni, Çerkez ve Abaza çeteleri var. Onlar da 1.500 kişi kadar." [105a]

"Biz?"

"Milli müfrezelerle birlikte bütün mevcudumuz 3.200 kişi."[105b]

"Yani feci durumdayız."

"Evet."

"Çevreden asker toplamamız mümkün değil mi?"

Yarbay başını salladı:

"Mümkün fakat elimizde ne fazla subay var, ne de silah. Doğu Cephesinden bir tümen geldi, onu Batı Cephesine verdiler. Yeni bir tümen gelir de bize verirlerse.."

"Almak için çalışırım. Şimdi şöyle yapalım. Çevreye, gizli bilgiymiş gibi, burada bir kolordu kurulduğunu, emrinde önemli kuvvetlerin toplanmaya başladığını yayalım. Benim at üstünde çekilmiş fiyakalı bir fotoğrafımı, yeni Kolordu Komutanı diye İstanbul basınına ulaştırarak.."

Nal sesleri yaklaştı. Keskin bir kadın sesi duyuldu:

"Dur!"

Albay Kâzım konuşmasına ara verdi:

"Kim bu?"

"Fatma Seher Hanım. Kara Fatma diye ünlü bir çete reisimiz. Kadınlardan kurulu çetesiyle son İnönü savaşına katıldı, hayli şehit de verdi."[105c]

Albay pencereden baktı. Çapraz silahlı kadın süvariler düzenli bir biçimde sıralanmışlardı. Kırk üç kişiydiler.

Yeni komutan ilk kez güldü:

"Bu güzel birliği selamlayalım."

Dışarı çıktılar.

İKİ İNGİLİZ NÖBETÇİ, büyük ambarın yanındaki binada, depo komutanının odasında hazırlanmış olan zengince sofrada yiyip içiyordu. Komutan ziyafetin başında nöbetçilere, dostluk anısı olarak İstanbul işi telkari zarflı, yaldızlı altışar çay bardağı ile birer kutu da fındıklı lokum ve badem ezmesi hediye etmişti. Evlerinden uzak askerlerin mutlu olmadıklarını ve çok az para aldıklarını bilmekteydi. Orucunu yeni açmıştı. Allahın bağışlayacağını ümit ederek nöbetçilerle birlikte o da içki içiyor, Mısır'daki esir kampında öğrenebildiği çat pat İngilizcesiyle sohbet ediyordu.

Nöbetçiler, bu beklenilmez cömertliğin ve ilk kez tattıkları rakının etkisiyle mest olmuşlardı.

Bu sırada Hüsnü Bey'in kalabalık adamları ambarı sessizce ve şaşırtıcı bir hızla boşaltıp irili ufaklı sandıkları deponun rıhtımına yığıyor, bir başka ekip de yandaki hurda ambarından alınan içi boş sandıkları, boşaldığı anlaşılmayacak biçimde depoya yerleştiriyorlardı. Depo komutanının bir adamı da, içleri doluymuş gibi, hepsini etiketlemekteydi.

Üçüncü ekip ise, soluk bile almadan sandıkları, rıhtıma yanaştırılmış 60 tonluk mavnaya taşıyordu.

Hepsi çıplak ayak ve kan-ter içindeydi. Mermi ve fişeklerin patlamaması için çok dikkatli hareket ediyorlardı. Her ekibin başında, tabancasının emniyeti açık, sivil giyimli bir subay bulunmaktaydı.

İlk mavna dolar dolmaz, küçük bir römorkör tarafından çekilerek ışıkları karartılmış gemiye yanaştırıldı. Yerini hızla, ikinci bir römorkun çektiği yeni mavna aldı.

Vinçleri çalıştırmak çok gürültü yapıp dikkati çekeceği için Hüsnü Bey'in buluşu olarak, geminin kıç tarafından denize, halat ve kalaslardan yapılmış iskeleler sarkıtılmıştı. Mermi, fişek ve el bombası sandıkları, çuvallara sarılı silahlar, ayaklı topçu dürbünleri, fişek doldurma aygıtları, silah yağları vb., gemideki dördüncü ekip tarafından, hiç konuşmadan, mavnadan alınıp iskelelerin yardımıyla güverteye taşınmaya başlandı. Mermi, fişek ve bomba sandıkları, tahtadan yapılmış oluklar yardımıyla yavaş yavaş ambarlara kaydırılıp denetimi zorlaştıracak biçimde yerleştirilecekti.

İşi bu gece bitirmek zorundaydılar. Aynı oyun iki kez oynanamazdı.

Gün ağarırken beş mavna dolusu malzeme Odesa'ya taşınmıştı. Hüsnü Bey ve Aziz Hüdai, komutana, boşaltılan malzemenin cinsini, sayısını ve teslim alındığını gösterir bir belge imzalayıp verdiler. Savaş sona erince Ankara tek fişeğin bile hesabını sorardı.

Komutan, yeni nöbetçiler gelmeden, çoktan sızmış olan iki İngilizi uyandırdı. Çay ve taze simit ikram etti. Nöbetçiler teşekkür ederek ayrıldılar. Bu güzel geceyi hiç unutmayacaklardı. Heyecandan kaskatı kesilmiş komutan da unutmayacaktı.

Gemi gündüz hareketsiz bekledi, gece yarısı Haliç'ten çıkıp Galata açığında demirledi. Hüsnü Bey sabahleyin gümrük işlemlerini başlattı. Yük, manifatura, dikiş makinesi, hurda demir, sac levhalar, tarım, demirci ve marangoz araçları, hırdavat, ahşap eşya gibi sakıncasız şeyler olarak gösterilmişti. Gümrük ve liman işletmesindeki namuslu Türklerin yardımıyla işlemler bir terslik olmadan sonuçlandı.[106] Pandikyan sözünü tutarak adamlarının yaklaşmasını engellemişti.

Köylü, memur, esnaf ve tüccar kılığındaki yüz kadar subay ile son 'imalat-ı harbiye' usta ve işçileri, yolcu olarak, öğleden sonra sandallarla gemiye alındılar. Bazılarının eşleri ve çocukları da birlikteydi. Yolcular arasında Teğmen İhsan ile Bursalı Osman Çavuş da vardı. Yük sahibi olarak Hüsnü Bey de gemiye geldi. Mösyö Kalçi kulaklarını bükmüştü, kaptan ve kızı Sonya, denetçileri ağırlamak için hazırlıklıydılar. Hüsnü Bey övgüsünü çok duyduğu kızı ilk kez gördü.

Sahiden çok güzel ve pek cana yakındı.

Akşama doğru denetçi subayları taşıyan motor, Hüsnü Bey'in ardarda okuduğu dualar arasında, gemiye yanaştı. İşin son ve en tehlikeli bölümü başlamıştı. Bu kadar çok cephane ve gerecin yakalanması sahiden felaket olurdu.

Galata'daki bir meyhanenin üst katında, Ekrem, Aziz Hüdai ve Seyfi de, yürekleri ağızlarında, gözlerini gemiye dikmişler, ateş üstünde bekliyorlardı.

İngiliz, Fransız ve İtalyan subaylarından oluşan üç kişilik kurul, yolcu ve yük denetimi yapmak üzere ağır ağır gemiye çıktı. Kurulu, merdivenin başında kaptan, Sonya, ikinci kaptan ve Hüsnü Bey karşıladı. İngiliz fena halde İngilizdi. Hüsnü Bey'in morali bozuldu. Sonya tüm şuhluğu ve zarifliğiyle subayları bir kadeh içki içmeye davet etti, su gibi akan bir Fransızcayla, "Yorgun olmalısınız.." diye şakıdı, "..biraz dinlenirsiniz. Haydi gelin!" Cevap beklemeden, yol göstermek için önden yürüdü. Dar elbisesinin içinde kalçaları kazaska oynuyordu. Zavallı Hüsnü Bey bakışlarını telaş içinde başka yere kaçırdı. Önce ip bıyıklı İtalyan subayı Sonya'nın rüzgârına kapıldı, sonra da Fransız. Ciddi İngiliz surat içinde meslektaşlarını izledi. Küçük içki salonuna girdiler. Hüsnü Bey yavaşça geride kaldı. Kapı kapandı. Küpeşteye yaslanıp beklemeye koyuldu. Bir süre sonra dışarı kahkahalar yansımaya başladı. Sonra da kızın iç gıcıklayan sesi duyuldu. Balalayka çalarak Rusça bir şarkı söylüyordu.

Güneş Boğaziçi'ni yangına vererek ağır ağır battı.

İkinci Kaptan kapıyı aralayıp Hüsnü Bey'i çağırdı. Hüsnü Bey evrak çantasını alıp içeri girdi:

"Bismillah."

Sonya, kucağında balalayka, içki tezgâhının üstüne oturmuş, gülüyordu. Gülüşü de şarkı gibiydi. Subaylar öyle sarhoş ve o kadar mutluydular ki ambarları denetlemeden eşya belgelerini imzaladılar. Yolcuları görmeden yolcu listesini onayladılar.[106a]

Birer bardak votka daha içtikten sonra, yıkılarak dışarı çıktılar. Aynı dostlukla uğurlandılar. Motor hareket etti. Sonya'ya el sallayan İngiliz subayı motorun içine yuvarlanınca ip bıyıklı İtalyan yağlı bir kahkaha salıverdi.

Hüsnü Bey sevinçten uçuyordu. Kendini tutamadı, bakmaya çekindiği Sonya'yı kucaklayıp şapur şupur öptü. Geminin düdüğü üç kez öttü. Bu, işler yolunda demekti. Ekrem, Aziz Hüdai ve Seyfi Beyler, ayağa fırlayıp birbirlerine sarıldılar.

MÖSYÖ KALÇİ'nin memurlarından sivri sakallı Rum herkesin gitmesini bekliyordu. Son görevli de çıkınca, Ladil'le ilgili bütün belgeleri toplayıp çantasına koydu, şapkasını kaptı ve Beyoğlu'ndaki Yunan Yüksek Komiserliği'ne koştu. Nöbetçi görevliye kuşkusunu anlattı.

Yunan Yüksek Komiserliği alarma geçti. Rus yardımını engellemek için bu sırada Batum açığında devriye gezmekte olan 13.000 tonluk Kılkış zırhlısı, üç saat sonra İstanbul'daki donanma irtibat subaylığından bir telsiz mesajı aldı. Mesajda, Fransız bandıralı bir geminin yarın sabah İnebolu'da olacağı, çok miktarda silah ve cephane taşıdığı bildiriliyor, silah ve cephanelerin teslim alınması veya imha edilmesi için gerekenin yapılması emrediliyordu.

Geminin rotası İnebolu'ya çevrildi. Kılkış'la birlikte devriye gezen Panter torpidobotuna ışıldakla Kılkış'ı izlemesi talimatı verildi. Seyir subayı öbür gün sabah İnebolu'da olacaklarını hesap etmişti.

ODESA sabah İnebolu'ya ulaştı. Durum bildirildiği için İnebolu hazırdı.

Gemi uzun uzun düdük çalarak İnebolu'yu selamladı, yavaşladı, deniz sığ olduğu için açıkta durdu, gürültüyle demir attı. Yarbay Nidai, Binbaşı Kemal, Liman Başkanı Neyyir Bey ve yolcuları denetleyecek subaylar bir kayıkla gelip gemiye çıktılar.

Üniformalarını giymiş kaçak subaylar, babacan kaptan, güzel Sonya ve deryadil gemicilerle vedalaşmış, bekliyorlardı. Yolcuları taşıyacak kayıklar gemiye yanaştılar. Örgüt hepsi hakkında temiz kâğıdı verdiği için işlem uzun sürmedi, kayıklara binmeye başladılar.

Yarbay Nidai, yükün çabuk boşaltılması için sabırsızlanan Hüsnü Bey'i yatıştırdı:

"Merak etmeyin. Kayıkçılarımız yamandır. Gemiyi çabuk boşaltırız. Akşama kalmaz, geri dönersiniz."

"Öyleyse malzemeyi yarın sabah Ankara'ya sevk etmeye başlarsınız, değil mi?"

Nidai Hüsnü Bey'in sırtını okşadı.

"Nasıl sevk edelim? Telaştan unutmuş olacaksınız. Yarın Ramazan bayramı."

"Aaah, sahi."

Birlikte ambarlara baktılar. İrili ufaklı pek çok sandığı gören Nidai, "Benim bayramım başladı bile.." dedi neşeyle, "..bu gece deliksiz bir uyku çekeceğim."

Kendi yaşındaki Hüsnü Bey'in elini kapıp öptü:

"Sağ olun."

Büyük kayıklar gemiyi sarmışlardı. Boşaltma işine yardım edecek taşıyıcılar gemiye çıktılar. Bu işin ustası olmuştu hepsi. İki vinç gürül gürül çalışmaya başladı. Deniz öğleden sonra dalga yaptığı için boşaltma uzun sürdü. Son sandık da yalıya çıkarıldığı sırada, vakit gece yarısına yaklaşıyordu. Ancak beşte biri Yarbaşı'na, çadır bezlerine ve çuvallara sarılı silahlar ve gereçler ise yakındaki İkmal Komutanlığı binasına taşınmıştı. Kalan sandıklar, yalıyı doldurmuş, iç sokaklara taşmıştı. Halktan arife günü daha fazla çalışmalarını istemeye utanmışlardı. Herkes bayrama hazırlanıyordu. Zafer Kemal "Sabah ola hayır ola" dedi.

Bir kaza olmasın diye mermi ve fişek sandıklarının başına nöbetçiler bıraktılar. Hüsnü Bey'i ellerinden, yanaklarından öperek gemiye uğurladılar.

Ertesi gün bayramı büyük bir mutluluk içinde kutlayacaklarını sanıyorlardı.

9 HAZİRAN 1921 Perşembe sabahı, Yarbay Nidai gün doğarken, uzun bir düdük sesiyle derin uykudan uyandı. Yataktan fırlayıp pencereye koştu. Odesa İnebolu'yu selamlıyordu. Tüm ışıklarını yakmıştı. Az sonra İstanbul'a dönmek üzere sabah pusu içinde gözden kaybolacaktı. Esenlikle varmasını dileyerek tıraş oldu, eşi yıpranmış üniformasını gece silip ütülemişti. Namazdan sonra bayramlaşmak üzere giyinip evden çıktı. Önce yalıya inip duruma göz attı. Bir vukuat yoktu. Deniz sakin, hava güzeldi. Bayram namazına katılmak için Yahyapaşa camisine yürüdü.

Cami az zamanda doldu.

YUNAN ve İngiliz savaş gemilerini izlemek amacıyla Karadeniz kıyısı boyunca gözetleme noktaları kurulmuştu. Biri ötekini gören tepelerde bulunan noktalar, elde telefon ağı kuracak malzeme olmadığından, renkli bayraklarla haberleşiyorlardı.[107] Böylece, limanı olan şehirler ve limandaki gemiler önceden uyarılıyordu. Yunan savaş gemileri daha önce Samsun, Sinop ve Ereğli'yi bombalamışlardı.[107a]

İnebolu'nun 100 km. doğusundaki gözcü, sabah erkenden bir zırhlı ile bir torpidobotun batıya doğru seyrettiğini fark etmişti. İşaret bayrağını sallayarak bir sonraki gözcüye durumu bildirdi. Noktadan noktaya işaretleşilerek haber Abana ve İnebolu'ya iletildi. İnebolu noktasındaki nöbetçi gözcü haberi alır almaz, tepeden aşağıya, şehre koşmaya başladı.

YAHYA PAŞA CAMİİNDE bayram namazının sonuna gelinmişti. Gözcünün haykırışı duyuldu:

"Düşman gemileri geliyoooooooooo!"

Son selamı verip ayaklandılar. Müftü, "Ey cemaat.." dedi, "..tehlike savuşunca bayramlaşırız. Şimdi yalıya koşalım!"

Cemaat yalıya aktı.

Kayyım İnebolu sokaklarına daldı:

"Ey ahaliiii, düşman gemisi bastırmadan yalı boşaltılacaaak! Allahını, vatanını seven imeceyeeee!!!"

Bayram unutuldu.

Pratik subaylar çabucak bir düzen kurdular. Birkaç yükleme yeri belirlendi. Taşıma başladı. Bütün İnebolu yalıya toplanmış, evlerde yalnız çok yaşlılar, hastalar, hamileler ve bebekler kalmıştı. Bayramlık giysilerini giymiş herkes sıraya girdi: Kaymakam, Belediye Başkanı, müftü, öğretmenler, memurlar, zanaatkârlar, esnaflar, kayıkçılar, subaylar, erler, yaşlılar, kadınlar, gençler.. Bir gün önce İnebolu'ya inmiş olan subaylar, usta ve işçiler de koşup yardıma geldiler.

Yüzünden ter fışkıran bir subay, tek kişinin taşıyamayacağı ağır sandıkların kapaklarını zorlayıp açıyor, mermileri tek tek yeni yetme kızlarla oğlanlara uzatıyordu:

"Dikkatli olun, düşürmeyin ha!"

Hiç düşürürler miydi? Hepsi bir merminin ne kadar değerli ve tehlikeli olduğunu çoktan öğrenmişti. Yaşlı kadınlara makineli tüfek şeridi, tüfek gibi hafif şeyler veriliyordu. Onlar da bunları kollarında, torunları gibi sakınarak taşımaktaydılar. Zafer Kemal, jandarma çavuşuna, "Köylere haber sal.." dedi, "Ne kadar araba, kağnı varsa, Yarbaşı'na gelsin. Sandıklarla açık mermileri birikmeden İkiçay'a atalım!"

Az sonra üç atlı köylere uçacaktı.

Genç erkeklerin bir kısmını da Yarbaşı'na gönderdi. Bunların görevi sandıkları taşıyanların sırtından dikkatle yere indirmek, sonra da arabayla İkiçay'daki cephaneliğe taşınmasını sağlamaktı. Merdivenli yolun yarısından, sandık ve çıplak mermi taşıyanlar dikkatle tırmanıyor, öbür yarısından, yükünü bırakanlar koşar adım iniyordu. İnebolu soluk soluğaydı. Arada bir çığlığa benzer yakarılar duyuluyordu:

"Hızlı! Allah aşkına daha hızlı!"

Yakın köylerden arabalar gelmeye başlamıştı. Yarbaşı karınca yuvasına döndü.

Sonunda korkulan oldu. İki savaş gemisi, homurdanarak İnebolu önünde belirdi. Fazla yaklaşmadan, açıkta durdular. Yalı boyuna dağ gibi yığılmış mermi sandıklarını görebilecek uzaklıktaydılar.

Lanet olsun!

Kılkış'tan denize indirilen beyaz bayraklı üç çifte bir kayık yaklaşmaya başladı. İskeleye yanaşacağı anlaşılıyordu. Yarbay Nidai ve Kaymakam iskelenin ortasına kadar ilerlediler. Bir Yunan deniz subayı iskeleye çıktı. Birbirlerine doğru birkaç adım atıp durdular. Askerce selamlaştılar. Subay mermi sandıklarından yana bir göz attı, bir şey demeden bir zarf uzattı.

Döndü.

Kayık uzaklaştı.

Kaymakam, Belediye Başkanı, Nidai, Zafer Kemal, Askerlik Şubesi Başkanı Binbaşı Hasan Fehmi Bey, Neyyir Bey, Müftü, Kayıkçılar Kâhyası İlyas Kaptan, bazı kaymakamlık ve belediye ileri gelenleri iskelenin başında biraraya geldiler. Zarfın içinde Fransızca yazılmış kısacık bir ültimatom vardı. Kaymakam kaygıyla okudu ve açıkladı:

"Komutan bütün silah ve cephaneyi teslim etmemizi istiyor. İki saat mühlet vermiş. Cevabımızı almak için kayık yeniden gelecekmiş. Teslim etmezsek şehri bombalayacaklar."

Bir sessizlik oldu. Zafer Kemal öfkeden titreyerek, "Teslim edecek miyiz beyler?" diye sordu.

Hepsi birden silkinip isyan ettiler:

"Hayır!"

"Öyleyse ne duruyoruz? Yaşlıları, hastaları, çocukları hemen İkiçay'a yollayalım. Sandıkları taşımaya devam edelim."

"Haydiiii!"

Ortalık karıştı, her şey dehşetli hızlandı. Evler boşaltıldı. Sessizliğin yerini emirler, haykırışlar, çocuk ağlamaları, beddualar aldı. Zaman insafsızca akmaya başladı. İki saatin dolmasına az kalmıştı. Yalıda iki yüzden fazla sandık vardı daha. Nidai, Zafer Kemal'e, "Ben tepeye çıkıyorum.." dedi, "..kalan sandıkları yukarı göndermeye zaman yetmezse, taş binalara, mahzenlere taşıt. Kadınları da artık uzaklaştır. Ateş açılmadan siz de yukarı gelin."

Yarbaşı'na çıktı, ilerdeki fundalıklı tepeye geldi. Burada eski model toplardan kurulu bir batarya bulunuyordu.

"Topları atışa hazırlayın.." dedi, "..sahte topları da çıkarıp yerleştirin. Belki gemilerin yaklaşmasını önleriz."

Sahte toplar çıkarıldı. Bunlar, ziftle boyanmış üç uzunca soba borusu ile yine zifte bulanmış uzun ve yuvarlak bir çam gövdesiydi. Fundalıkların arasından, çapraz ayaklara yerleştirilerek top namluları gibi uzatıldılar.

Süre dolmuş, kayık Kılkış'tan ayrılmış, yaklaşıyordu.

"Şunun önüne bir mermi savurun bakalım. Cevabımızı öğrensin."

İlk mermi motorun hayli uzağına düştü. Ama ikinci mermi geliş yoluna rastladı. Havaya başı köpüklü bir su sütunu yükseldi. Kayık hızla geri döndü. Subay emekli topu okşadı:

"Aferin güzelim."

Nidai dürbünle baktı. Karadaki topların atış mesafesi dışında kalmaya dikkat eden Kılkış'ın ön direğine kırmızı bir flama çekiliyordu.

"Ateş flaması çektiler. Bombardımana başlayacaklar."

Geminin uzun menzilli iki topu gürledi. İlk mermiler denize düştü. Beşinci mermi yalıya isabet etti. Birkaç büyük sandal parçalandı.

Ateş giderek yoğunlaştı.[108]

İNGİLİZ HÜKÜMETİNİN, Çanakkale ve İstanbul'un Türklere karşı kesin olarak savunulmasını kararlaştırdığı haberi General Harington'u şaşırtmadı. Yüzünü buruşturarak, "Tahmin ediyordum" dedi.

Sir Rumbold'un bir de sürpriz haberi vardı:

"Bunun için de İngiliz, Fransız ve İtalyan birliklerinin, bir komuta altında birleştirilmesi öngörülüyor. Lord Curzon, önümüzdeki hafta Paris'te yapılacak toplantıda, Müttefik Kuvvetlerin Başkomutanlığı için sizi önerecekmiş." [109]

Geleceğin başkomutanı yerinden fırladı:

"İşte bu olamaz! Çekilip gitmeyi öneren bir adama bu görev verilir mi? İngiliz mizahı bu olsa gerek."

KILKIŞ bir süre sonra ateşi kesmişti.

Nidai terini silerek, "Şehirde ciddi bir hasar olduğunu sanmıyorum.." dedi, "..ama galiba çok kayık kaybettik."

Sahte toplardan birini tekmeleyerek devirdi:

"Allah kahretsin!"

Erlerden biri, "Gidiyorlar" dedi.

Gemiler batı yönünde uzaklaşmaktaydı.

"Cehenneme kadar yolları var."

Koşar adım Yarbaşı'na geldi. Erkeklerin bir kısmı burada kalmıştı. Yüksek sesle, "Daha tehlike geçmedi.." dedi, "..şehri boşalttığımızı anladılar, şaşırtmaca veriyorlar. Her an geri gelebilirler. Akşama kadar hiçbiriniz şehre dönmeyin!"

Genç bir subayı Yarbaşı'na dikti:

"Ben izin vermedikçe kimseyi aşağıya salma!"

"Başüstüne."

Zafer Kemal'le koşarak yalıya indiler. İkisinin de gözleri yaşardı. Kayıkların yarıdan çoğu kullanılmaz hale gelmiş, iskele çökmüş, birkaç ev isabet almıştı. Zafer Kemal, "Yeni cephane gelse, çok zorda kalırız.." diye inledi, "..en uygun liman burasıydı."

Nidai, "İşgalci devletler, ilan ettikleri gibi sahiden tarafsız olsalardı.." dedi, "..Yunan donanmasının İstanbul'u üs olarak kullanmasına izin verirler miydi? [110] Bu insanlar kendilerine uygar, başkalarına vahşi."

"Hakkın var. Beyaz yamyam bunlar!"

Sağlam kayıkların bir kısmını içerilere, sokak aralarına çektirdiler. Sonra yürüyerek hayli içerdeki İkiçay'a geldiler. Halk İkiçay'ın kıvrımlarına sığınmıştı. Oyun oynayan çocukların sesleri çınlıyordu. Yakın köylerden kağnılar gelmiş beklemekteydi. Vakit kaybetmeden sandıkları kağnılara yüklediler. Bir kağnıyla ancak orta büyüklükte bir sandık ya da küçük iki sandık taşınabiliyordu. Taşıma gücü bu kadardı. Orduda çalışır durumda birkaç kamyon vardı ama hepsi cephedeydi.

"Haydi selametle anam, selametle bacılar!"

Kolbaşı yaşlıca, yanık yüzlü bir kadındı, "Haydi!" dedi. Kağnı kolu iki atlı jandarma eşliğinde yola çıktı.

Yarbaşı'nda bekleyenler, başlarında Müftü, ikindi namazını kılmak için şehre inmek istediler. Subay yollarını kesti.

"Biliyorsunuz, Komutan şehre girmeyi yasak etti."

Müftü, "Hele beni bir dinle oğul." dedi, "..ev yıkılsa yapılır. Ama cephane elden çıksaydı ne yapardık? Bir mermi bile ziyan olmadı, hepsi kurtuldu. Şimdi izin ver de, Allah'a şükür borcumuzu ödeyelim."

Bakıştılar.

Genç subay saygıyla çekilip yol verdi.

Cemaat Yahya Paşa camiine girerken Kılkış ve Panter birdenbire geri döndüler. Uyarı çığlıkları yükseldi. Subay cemaati geri çevirmek için koştu ama yetişemeden ilk mermi düştü. Şiddetli bir patlama duyuldu. Camiye girdiği zaman namaz başlamıştı. Tekbir getirerek secdeye kapanmaktaydılar. Bir an duraksadıktan sonra o da sessizce en arkadaki safa katıldı.

Ara vermeden, mermi ıslıkları ve boğuk patlama sesleri içinde, cami titredikçe dökülen sıva parçaları altında, sükûnetle namaza devam ettiler.[111]

İNEBOLU bombalanırken, Yunan Başbakanı Gunaris, çevik ve geniş adımlarla parlamento kürsüsüne yürüyordu. Uğultu kesildi.

"Sayın milletvekilleri, önemli bir konuda bilgi sunmak için huzurunuzdayım.."

Sesini vereceği habere ayarladı:

"..Kral Hazretleri, Anadolu'daki ordumuzla birlikte olmaya karar vermiştir. Yarın, Bizans geleneğine uyularak, Atina Katedrali'nde bir ayin yapılacak, sonra da Kral Hazretleri ordumuzun yanına, İzmir'e hareket edecektir."

Herkes ayağa kalktı.

Alkışlara "Yaşasın Kral!" sesleri karıştı. Biri "Ankara'ya!" diye haykırınca, bütün parlamento coştu; hep birden avaz avaz bağırmaya başladılar:

"Ankara'ya! Ankara'ya!! Ankara'ya!!!" [112]

ANKARA'da silahların ve cephanenin İnebolu'ya ulaştığı haberi büyük sevinçle karşılanmış, geminin ücreti hemen İstanbul'a havale edilmişti.

Ama sevinç uzun sürmedi. Öğleden sonra Moskova Büyükelçiliği'nin şifresi Dışişlerine bomba gibi düştü. Ali Fuat Paşa, Enver Paşa'nın niyetini bildiriyordu. Türkiye'ye yolladığı mektupların metinlerini de geçmişti.

Enver Paşa'nın yeniden tarih sahnesine dönmek istemesi Ankara'yı büyük kaygıya düşürdü. Anadolu'nun artık maceraya tahammülü yoktu. Genelkurmay, Doğu Cephesi Komutanı Kâzım Karabekir Paşa'ya durumu bildirdi ve şu emri verdi: "Anadolu'ya girmek istemesi halinde Enver'i ve arkadaşlarını tutuklayınız!" [113]

ALİ FUAT PAŞA ile Binbaşı Saffet neşe içinde kahve içmekteydiler. Az önce Binbaşı ateş topu gibi gelmiş, müjdeyi vermişti:

"Rus yardımı yeniden başladı. Batum'da bekleyen bir gemimize, silah ve cephane yükleniyor. Birkaç gün içinde İnebolu'ya hareket edecek."

Paşa kahvesinden höpürdeterek kocaman bir yudum aldı:

"Çifte bayram yaşıyoruz."

OYSA İnebolu'da sadece sokak aralarına çekilmiş birkaç kayık sağlam kalmıştı.

Beş bin nüfuslu şehir boşaltılmış olduğu için ölü yoktu, birkaç yaralı vardı. Bazı taş ev ve dükkânlar yıkılmış, birkaç atölye, depo, ahşap bina yanmış, kaymakamlık ve kayıkhane yara almış, Osmanlı Bankası'nın yarısı çökmüştü. Başta gümrük sokağındakiler olmak üzere pek çok evin camları kırılmış, bazılarının duvarları çatlamış, yollarda, bahçelerde mermi çukurları açılmıştı. Yarbaşı'na çıkan taş merdiven de hasar görmüştü. Halk İkiçay'dan geri dönerken şehrin üstüne kül ve moloz tozu yağmaya devam ediyordu.

Evleri yanmış, yıkılmış kadınların çığlıkları, akşama özgü o görkemli sakinliği parça parça etti.

İZMİR'de ise evlerden yollara kahkahalar ve şarkılar dökülmekteydi. Kral'ın geleceğini öğrenen Rumlar sevinç içinde yüzüyorlardı. Balkonlar, pencereler defne dallarıyla, dükkânların vitrinleri Kral'ın fotoğraflarıyla süslenmişti. Kral'ı karşılayacak genç kızlar için beyaz giysiler dikilmiş, başlarına takmaları için çiçekten taçlar yapılmıştı. Karşıyaka'da bulunan yan yana iki güzel, beyaz ev, Kral ve maiyeti için düzenlenip döşenmişti.[114]

İzmir coşku içinde Kral'ı bekliyordu.

Ali Fuat Cebesoy   Enver Paşa   Kâzım Karabekir Paşa

ÇALIŞKAN İNEBOLU sızlanmadı, yakınmadı, kimseden yardım da istemedi. Sabahleyin yaralarını sarmaya koyuldu. Evleri yıkılmış, yanmış ailelere daha geceden komşular sahip çıkmışlardı.

Kastamonu Bölge Komutanı Muhittin Akyüz Paşa'nın sabah erkenden İnebolu'ya gelmesi halkı sevindirdi. Paşa, her iyi ve kötü günde aralarında olmuştu. Paşa'nın gelmesi azimlerini biledi. Yıkıntıları hızla kaldırmaya, kırık ve çatlakları onarmaya, çukurları doldurmaya başladılar. En öncelikli sorun kayıklardı. Kayıkçılar, kalafat ustaları ve Menzil Komutanlığı erleri, denize ve kumsala yayılmış kayık parçalarını topluyorlardı. Bu artıklardan belki acele birkaç kayık yapılabilirdi. Çünkü hemen her gün bir gemi uğruyor, karaya yolcu ya da eşya çıkarmak gerekiyordu.

Yeter sayıda sandal yapılıncaya kadar büyük parti kaçak mal ve yardım malzemesi başka Karadeniz limanlarına indirilecek, bu da zaman kaybına sebep olacaktı.

KARABEKİR PAŞA, savaşın kimsesiz bıraktığı çocukları toplamış, kolordusunun koruması altına almıştı. Görevlendirdiği subaylar bu talihsiz çocukları izci-asker karışımı bir düzen içinde özenle eğitip yetiştiriyorlardı.[114a] Paşa da bu çocuklara ara sıra ders verirdi. Bugün de koroya kendi yazıp bestelediği bir marşı öğretmeye çalışıyordu:

Türk yılmaz
Türk yılmaz
Cihan yıkılsa Türk yılmaz...

Koro yine iyi söyleyemeyince, Paşa kızmış gibi yaparak, "Olmadı çocuklar.." dedi, "..baştan alacağız. Daha canlı. Haydi!"

Sevimli koro avaz avaz yeniden başladı:

Çelik gibi kollu
Tunçtan ayaklı
Türk hiç yılar mı
Türk hiç yılar mı
Türk yılmaz
Türk yılmaz...

Emir subayı korkarak yaklaşıp "Paşam" diye fısıldadı. Çocuklar sustular. Karabekir Paşa bu kez sahiden kızdı:

"Bizi rahatsız etmeyin demiştim."

Emir Subayı "Özür dilerim.." dedi, "..Genelkurmay'dan 'geciktirilmesi idamı mucciptir' kayıtlı bir şifre geldi efendim."

Karabekir çocukları bugünlük terhis edip odasına çıktı. Şifre Enver Paşa hakkındaydı. Trabzon'daki Enverciler yüzünden zaten huzursuzdu. Enver Paşa'nın Bolşevik bir birlikle sınıra dayanması olasılığı huzursuzluğunu iyice artırdı. Emir Subayına çeşitli emirler yazdırdı.

Genelkurmay Doğu Cephesinde bir tehlike kalmadığı için iki tümenini Batı Cephesine yollamasını istemiş, o da bir tümenini yollamıştı.[114b] İlk önlem olarak, yola çıkmaya hazırlanan ikinci tümenin hareketini durdurdu.
Bu tümen Mürettep Kolordu'nun yana yakıla beklediği tümendi.

Kütahya-Eskişehir Savaşı'ndan sonra yeniden yola çıkarılacaktı ama Erzurum-Ankara arasında demiryolu olmadığı için yayan gelecek, Sakarya Savaşı'na yetişemeyecekti.

BİR ZAFER kazanarak Venizelos efsanesini silmek isteyen Yunan Kralı Konstantin Atina'dan ayrılmadan önce bir bildiri yayımladı. Bildiri şöyle başlıyordu:
"Ordumun başına geçmek üzere yola çıkıyorum!"

İzmir Rumları kralı karşılıyor

İzmir I. Kordon

Oysa hükümet hevesli Kral'ın ordunun fiilen başına geçmesini doğru bulmamıştı.[115] Başbakan, hükümetin bu görüşünü söyleyebilmek için uygun bir zaman kollamaktaydı.

12 Haziran 1921 Pazar günü Kral Konstantin, Limnos savaş gemisiyle, beraberinde oğulları, Başbakan Gunaris, Dışişleri Bakanı Baltacis, Savaş Bakanı Teotokis, Denizcilik Bakanı Mavromihalis, Genelkurmay Başkanı General Dusmanis, yardımcısı General Stratigos olduğu halde saat 16.15'te İzmir'e geldi. Üzerinde beyaz feldmareşal üniforması vardı. Top atışları ve törenle karşılandı. Beyaz elbiseli güzel kızlar güvercinler uçurdular, çiçekler serptiler. Kral'ın ayaklarına kapananlar oldu. On binlerce Rum Kordonboyu'nu doldurmuş, bütün Rum evleri bayraklarla donatılmıştı. Bando durmaksızın Yunan marşları çalıyordu.

Türkler evlerine çekilmişlerdi.

Kral ordu karargâhını ziyaret ettikten sonra, mızraklı süvarilerin eşlik ettiği otomobil kafilesiyle Kordonboyu'ndan geçerek Karşıyaka'ya yol aldı. Açık bir otomobile binmişti. Halk çılgınca alkışlıyor, balkonlardan, pencerelerden çiçekler atılıyor, haykırışlar yükseliyordu. Karşıyakalı Rumlar da Kral'ı aynı taşkınlıkla karşıladılar. Kafile Kral için hazırlanmış beyaz evin önünde durdu. Genel Vali Steryadis saygıyla yol gösterdi. Önde Kral, arkada Başbakan ve öteki ileri gelenler, bahçe yolundan eve doğru yürüdüler. Geniş ve gösterişli kapı açıktı. Kapının önünde görevliler Kral'ı karşılamak için bekliyorlardı. Evin mermer girişine büyük bir Türk bayrağı serilmişti. Kral, Rumların gurur haykırışları içinde, bayrağı çiğneyerek eve girdi.[116]

YETMİŞ BEŞ kağnılık bir kağnı kolu İnebolu-İkiçay'dan yola çıkmak üzereydi. Zafer Kemal "Uğurlar olsun anam!" diye seslendi.

Kolbaşı, "Sağ ol oğul" dedi, elindeki sopayla öküzünü dürttü. Kağnılar tekerleri inleyerek kımıldayıp yürüdüler. Kağnıcıların hepsi kadındı. Yalnız üçüncü kağnıyı 12 yaşında bir erkek çocuk yediyordu. Kadınlardan biri hamileydi. Yedinci kağnının yanında yürüyen sırım gibi genç kadının ayakları çıplaktı. Bazı kadınlar bebeklerini torbalayıp sırtlarına bağlamışlardı.

Genç subaylardan biri içi ürpererek, "Ne mübarek kadınlar bunlar" dedi. Öyleydiler. Yavrularına yiyecek taşıyan anaç kuşlar gibi orduyu besliyorlardı.

Kağnı kolu gacırdıya gacırdaya uzaklaşıp gitti.

FRANKLIN BOUILLON, Ankara'ya gelirken yol boyunca kağnı kollarını görmüştü. Kağnıcıların çoğunun kadın olmasının Fransız diplomatı çok etkilediği anlaşılıyordu.[117] Yemekte sürekli bu konudan söz etti. Övgü ve heyecanı Türk tarafına ümit verdi.

Anlaşma sağlanırsa emperyalist cephe ikiye bölünecek, ayrıca güneyde de savaş sona ererse, Ankara oradaki İkinci Kolordu'yu Batı Cephesine kaydırabilecekti.

Yemekten sonra görüşmelere geçildi. Ankara'yı M. Kemal, Fevzi Paşa ve Dışişleri Bakanı Yusuf Kemal Tengirşenk temsil ediyordu; Fransa'yı Franklin Bouillon ve Albay Sarou.

Görüşme neşeyle başladı. M. Bouillon'un Fransız askerlerinin Karadeniz Ereğlisi'nden çekileceklerini bildirmesi neşeyi artırdı. Fa-

Bir kağnıcı kadın ve çocuğu

kat yeni anlaşma için Sevr Antlaşması ile Bekir Sami'nin imzaladığı anlaşmanın temel alınmasını istemesi havayı gerginleştirecekti. M. Kemal Ankara'nın ilkelerini belirtti:

"Sevr Antlaşması'nı kafasından silmeyen hükümetlerle anlaşmamız mümkün değildir. Türkiye Büyük Millet Meclisi milli yeminimize (Misak-ı Milli'ye) aykırı bir anlaşmayı kabul etmez."

M. Bouillon şaşırdı:

"Böyle bir yeminin varlığını ilk defa duyuyorum. Bekir Sami Bey bir milli yemininiz olduğundan hiç söz etmemişti."

"Bu ihmali yüzünden de görevinden çekilmek zorunda kaldı. Görüşmeye başlamadan milli yeminin metnini incelemenizde yarar var. Yusuf Kemal Bey size yardımcı olur. İncelemeniz bitince yeniden biraraya geliriz."

Ayağa kalktı. Ötekiler de.

"Mösyö Bouillon, milli yeminimizin özü tam bağımsızlıktır. Yani siyasi, mali, iktisadi, adli, askeri, kısacası her hususta bağımsızlık! Türk milleti kanını tam bağımsızlığı sağlamak için akıtıyor." [118] Başıyla hafif bir selam verip Fevzi Paşa'yla birlikte çıktı. Odada M. Bouillon, Albay Sarou ve Yusuf Kemal Bey kalmışlardı. M. Bouillon merakla Yusuf Kemal Bey'e yaklaştı:

"Yoksa siz aklınızdan kapitülasyonları kaldırmayı mı geçiriyorsunuz?"

Yusuf Kemal Bey, duraksamadan, "Evet Mösyö Bouillon.." dedi, "..Milli Mücadele toprak için yapılmıyor. Osmanlı topraklarının dörtte üçünü oralardaki halkın iradesine bıraktık. Biz istiklal için mücadele ediyoruz. Büyük Millet Meclisi kapitülasyonların kalktığını görmeden kılıcını kınına koymaz." [119]

Fransız diplomat gülümsedi:

"Ah dostum, azminizi ve sabrınızı temsil eden kağnı kollarını büyük bir hayranlıkla izledim. Ama gerçekçi olun ve bizimle uzlaşmaya bakın. Çünkü kağnı, kamyonu yenemez!" [120]

Kamyon dediği emperyalizmdi.

NESRİN akşam dayısından, laf arasında, hayranı olduğu Halide Edip Hanım'ın Eskişehir hastanesine gönüllü hastabakıcı olarak gideceğini öğrenince, kararını vermiş, ertesi günü Sağlık Bakanlığı'na başvurmuştu.

İlgili müdür tel gözlüklü Dr. Kâmil Bey'di. Nesrin'i dinleyen Kâmil Bey şefkatle, "Bu savaş, bugüne kadar yaptığımız hiçbir savaşa benzemiyor.." dedi, "..milletçe savaşıyoruz ve uyanıyoruz. Kalemi, silahı, kağnısı, yüreği ile hayata karışan kadını bir daha kimse eve hapsedemez. Senin gibi öncüler sayesinde bambaşka, yepyeni bir Türkiye kuruluyor. Ortaçağdan çıkıyoruz. Verdiğin karar için seni kutlarım. Ama kızcağızım, hastabakıcılık çetin iş. Bu ayın sonunda burada

Çocuk Esirgeme Kurumu faaliyete geçecek. Kimsesiz çocuklarımıza sahip çıkacağız. Hazırlıklar bitti. Senden orada yararlanalım."

Nesrin doktorun gözlerinin içine baktı:

"Beni lütfen Halide Hanım'la birlikte Eskişehir'e yollayın efendim."

Kâmil Bey bu kararlı bakışa teslim oldu:

"Peki kızım."

KRAL'IN MESAJI, İkinci İnönü yenilgisinin ezikliğini üzerinden atmış olan orduyu daha da canlandırdı. Mesajı askerlere, bütün birliklerde olduğu gibi Aydın'da da bir subay okudu:

"Askerler!

Vatanın sesi, beni yeniden sizin komutanınız olmaya çağırdı. Kralınızdan size yürekten selam!

Milletin kurtuluş savaşındaki azimli çarpışmalarınızdan gurur duyuyorum. Şampiyonluğunu yaptığınız asil ülküleri unutmuş değilsiniz. Bu kutsal toprak üzerinde, dünyanın hayran olageldiği eşsiz uygarlığı işte tam bu noktada yaratmış olan Yunan ülküsü için çarpışıyorsunuz. Sizin değeriniz savaşın başarısını sağlayacaktır. Sizin erdeminiz fedakârlığınızı garanti edecektir ve zaferleriniz yeniden yaratıcılığına layık olduğunuz eşsiz uygarlığı çiçeklendirecektir. Çocuklarımıza miras olarak, atalarımıza ve bize layık bir görev bırakacağız.

Askerler!

Hepiniz bu görevle beraber, tek ve bölünmez Yunanistan aşkıyla dolu, büyük ve ölmez ülküye kendinizi adamış oldunuz.

İleri!

Kralınız sizinle beraberdir. Sizi, vatanın emrettiği yere götürmektedir.

Tanrı haklı savaşımızı kutsasın!" [121]

Mesaj ürkek Panayot'un da kanını kaynatmıştı. O da, birçok asker gibi ciğerlerinin tüm gücüyle, "Yaşasın Kral!" diye haykırdı.

Savaş canavarı olanca iştahı ile uyanmıştı.

PUNTA (ALSANCAK) limanına yanaşmış bir İngiliz şilebinden, yeni alınan son kamyonlar ve ambulanslar, vinç gümbürtüleri ve haykırışlar arasında, rıhtıma indirilmekteydi. Liman alanını yoldan ayıran tel örgülerin arkasında toplanmış olan meraklı Rumlar, Tillor ve Fiat marka gıcır gıcır araçları hayranlık ve gururla izliyorlardı. Ordu yalnız büyümüyor, büyük bir hızla silah, taşıt ve gereç bakımından da çok güçleniyordu. Bu sefer Türkleri ezeceklerdi.

BATI CEPHESİ Kurmay Başkanı Yarbay Naci Tınaz odaya girdi. İsmet Paşa, Binbaşı Tevfik, Muharrem ve Kemal Beylerle harita başında çalışmaktaydı. Başını kaldırdı:
"Sen kötü bir haber vereceksin."
"Evet efendim."
"Söyle bakalım."
"Franklin Bouillon ile yapılan görüşmelere ara verilmiş. Bugün Ankara'dan ayrılıyormuş. İkinci Kolordu'yu batıya kaydıramayacağız."

İsmet Paşa'nın yüzünden bir an için mor bir bulut akıp geçti. Binbaşı Kemal, "Düşman en azından iki katımız" diye yakındı. İsmet Paşa, duygularını saklayan demir maskeyi yeniden yüzüne geçirdi:
"Ne zaman kuvvetçe denk olabildik ki Kemal Bey." dedi, "..kendi yağımızla kavrulacağız."

Oradan buradan Batı Cephesine küçük büyük birlikler ve bazı silahlar yollanmıştı. Ama bu çaba Yunan güçlenmesine oranla çok yetersizdi.

Orduda 12 cins tüfek, 8 cins ağır makineli tüfek, 4 cins hafif makineli tüfek, 24 cins top vardı. Silah ve cephane ikmali zaten büyük bir sorundu; bu kadar çeşitlilik ikmal sorununu bazı kez içinden çıkılmaz hale getiriyordu. [121a]

YUNANLILAR taarruz hazırlıklarını hızlandırmışlardı. İzmit'teki 11. Yunan Tümeni'ne 'birliklerini hızla İzmit'te toplamaya başlaması, toplanma biter bitmez deniz ve kara yoluyla Bursa doğusuna çekilmesi' emredildi. Ordu bu uzak birliğini Bursa yakınına çekerek, yürüyüşe geçecek olan ordunun sol gerisini güven altına almak istiyordu.

Emir 11. Tümen Komutanı Albay Kladas'ı ürküttü. Karadeniz'e kadar yarımadaya yayılmış birliklerini toplamak kolay değildi. Karşılarında yeni kurulmuş bir kolordu vardı. Türklerin yaydığı söylenti yüzünden bu kolordunun güçlü olduğunu sanıyordu. [121b] Onun takibi altında çekilebilmek büyük sorundu, ayrıca bu kesimdeki Rumlar ne olacaktı? Kurmay Başkanı, "Artık burada kalabileceklerini hiç sanmıyorum" dedi.

Doğru söylüyordu. Tümene mensup askerler ile çevredeki çeteler köylerde askerlik ve insanlık dışı birçok suç işlemiş, yerli Rumların bir kısmı da bu tümene güvenerek Türklere çok eziyet etmişti.[121c]

Çekilirken, köylerin, değirmenlerin, köprülerin yakılıp yıkılması kararlaştırıldı. Çekiliş Rumlara gizlice duyurulacaktı. Süratle bir çekiliş planı yapıldı. Türklerin elindeki bütün arabalar toplanacak, İzmit çevresindeki ve doğusundaki iki alay güçlü artçıların koruması altında İzmit'te toplanıp deniz yoluyla Bandırma'ya taşınacaktı. İzmit'in güneyinde bulunan alay ise Karamürsel-Yalova yoluyla Gemlik'e çekilmeye çalışacaktı.

ANKARA İSTASYONU kalabalık, katar harekete hazırdı. Vagonların çoğu yük vagonuydu. Vagonlara mermi sandıkları, erzak çuvalları ve küfeleri yükleniyordu. Sundurmanın altında Halide Hanım ile onu geçirmeye gelen Dr. Adnan Bey, Hamdullah Suphi Tanrıöver, Yakup Kadri ile Nesrin, Vedia ve Yüzbaşı Vedat bir öbek oluşturmuşlardı. Y. Kadri ile Nesrin'in samimi konuşması Halide Hanım'ın dikkatini çekti:

"Siz tanışıyor muydunuz?"

"Tabii. Nesrin Hanım'la İstanbul'dan Ankara'ya birlikte gelmiştik. Silah arkadaşı sayılırız."

Gülüştüler. Bir görevli yaklaşıp selam verdi:

"Hareket ediyoruz efendim."

Halide Hanım ile Nesrin, uğurlamaya gelenlerle vedalaştılar. Lokomotif kazanının zonklaması artmıştı. Düdükler ötüyordu. Asker ve subay dolu üç yolcu vagonundan ilkine bindiler. Askerlerin çoğu üniformasızdı. Üzerlerinde köylü giyisi vardı. Halide Hanım ile Nesrin kendileri için ayrılmış olan karşılıklı iki boş sıraya oturdular.

Tren istasyondan çıkar çıkmaz ağaçsız ve kirli sarı bozkır başladı. Halide Hanım, Ruşen Eşref'in eşinin de haftaya Eskişehir hastanesine gönüllü hemşire olarak katılacağını söylerken, bir subay yaklaşıp selam verdi, "Rahatsız edebilir miyim?" diye sordu, Halide Hanım'a kendini tanıttı:

"Yüzbaşı Faruk. İstiklal yolunu Nesrin Hanım'la birlikte yürümüştük. Selamlamadan geçmek istemedim."

Nesrin'e eğildi:

"Nasılsınız?"

"Teşekkür ederim. Siz de mi Eskişehir'e gidiyorsunuz?"

"Hayır, ben daha ileriye, Kütahya'ya gidiyorum. 4. Tümen'e tayin edildim."

Halide Hanım, "Yarbay Nâzım'ın tümenine öyleyse.." dedi, "..çok talihlisiniz yüzbaşı. Oturmaz mısınız?"

Faruk çekinerek oturdu.

"Eşim ve ben Nâzım Bey'i çok severiz. Subaylarının ve askerlerinin Nâzım Bey'e ne kadar bağlı olduklarını göreceksiniz. Gözünün içine bakarlar. Bu genç komutanda insanları kendine bağlayan bir büyü var. Meclis'in açıldığı dönemdeki bunalım günlerini birlikte yaşadık. Ne acı, ne ümitsiz günlerdi o günler. Belki güleceksiniz ama o günleri düşündükçe şimdi bana, çok zenginmişiz gibi geliyor.."

Faruk'un eliyle dizindeki yamayı örtmeye çalıştığını fark edince, "Lütfen örtmeyin." dedi, "..utanmayın da. O yama bizim için İngilizlerin dizbağı nişanından çok daha değerli. Ordumuz heybetini yoksulluğundan alıyor."

Geri kaçan telgraf direklerine ve akan bozkıra baktı:

"Hepimize bu mağrur üslubu M. Kemal Paşa kazandırdı."

ATİNA'daki İngiliz Ataşemiliteri Albay Nairne, Anadolu'ya geçerek Yunan ordusunun son durumunu incelemiş, bir rapor hazırlamıştı. Raporunda Yunan ordusunu 'pek etkili bir savaş makinesi' olarak niteliyor, 'moral, disiplin ve eğitimin olağanüstü olduğunu' bildiriyordu. Sadece uçaklardan çekilen fotoğraflar net olmuyordu, iyi okunamıyordu. General Harington raporu iyimser buldu.

Bir de General Marden'den rapor istedi. General Marden hızla tüm Yunan ordusunu denetledi.

Ziyaret ettikleri her birlikte İngiliz Milli Marşı ile karşılandı, İngiltere ve Lloyd George için sevgi gösterileri yapıldı.[122]

General Marden, İngiliz hayranı Yunan ordusunu iyi, subaylarını yetersiz bulmuştu. Harington da böyle düşünüyordu. Genelkurmay Başkanı Mareşal Wilson, Yunan ordusunun ancak bazı mevzii başarılar elde edebileceğini ileri sürdü: "Türk ordusunun arkasında, çekilebileceği bin kilometrelik bir derinlik var. Yunan ordusu bu derinlikte kaybolur gider." [122a]

Olumsuz değerlendirmeler, politikasını Yunan zaferine bağlamış olan Lloyd George'u öfkelendirdi. Bakanlar Kurulu toplantısında kendini tutamayıp bağırmaya başladı:

"Yeter! Bizim generallerin Yunan ordusu hakkındaki kuşkuları bana artık gülünç gelmeye başladı. Bu defa çok iyi hazırlandıklarını herkes biliyor. Türkleri yenerlerse, bu bizim için paha biçilmez bir kazanç olacak. Büyük ve güçlü bir Yunanistan, uzakdoğuya giden su yollarımızın Akdeniz'deki bekçiliğini yapabilir. [123] Bırakalım savaşsınlar."

Savaş Bakanı gerilemedi:

"Genelkurmay olaya askerlik ölçüleriyle bakıyor ve Yunan ordusunun bir kazaya uğrayabileceği görüşünde ısrar ediyor."

Dışişleri Bakanı Lord Curzon da yeni bir Yunan yenilgisinin, İngiltere'nin yakındoğu, hatta doğu politikasını çökertebileceğinden kaygılanmaktaydı. Paris ile Ankara arasında görüşmeler yapıldığı hakkındaki söylenti kaygısını daha da artırmıştı. Anlaşma olursa Türkler bütün güçleriyle batıya döneceklerdi.

"Ben bu kritik aşamada izlenecek en doğru yolun, Atina ve Ankara'ya barış için arabuluculuk önermek, böylece bu sonu belirsiz savaşı erteletmeye çalışmak olduğunu düşünüyorum." [124]

Lord Curzon'un, sanki bu savaşı yaratan ve uzamasına yol açan İngiltere değilmiş gibi konuşması Savaş Bakanını içinden güldürdü. İngiliz politikasındaki mantıksızlık, kaypaklık ve bencillik, iktidarda ve muhalefette Türklere sempati duyanların, hiç olmazsa haksız davranıldığını düşünenlerin sayısını artırıyordu. Ama politikanın dizgini ve kamçısı Yunan bağımlısı Lloyd George'un elindeydi.

Uzun tartışmalardan sonra Lloyd George, arabuluculuk önerisinin Paris'te yapılacak müttefikler arası toplantıda görüşülmesine razı oldu.

TREN gece yarısı Eskişehir'e ulaştı. Yüzbaşı Faruk hanımların bavullarını indirdi. Kızılay Hastanesi Başhekimi Dr. Şemsettin Bey'in ve cephe karargâhından bir subayın hanımları beklediğini görünce, içi rahat etti. Kimse beklemiyorsa kalacakları pansiyona kadar götürecekti. Tren burada en az bir saat bekliyordu. Buna gerek kalmadığı için çabucak vedalaştılar. Halide Hanım faytona yürürken, Nesrin'e abla şefkatiyle, "İnşallah sağ salim döner ve yeniden karşılaşırsınız" dedi. Gençleri birbirlerine yakıştırmıştı. Madam Tadia'nın pansiyonuna yerleştiler.

İLERİ BİRLİKLERDEN Mürettep Kolordu karargâhına, düşmanda çekilme belirtileri görüldüğü bildirilmekteydi. Yunan ve Türk keşif kolları arasında sürekli küçük çatışmalar oluyordu.

Önce götürebilecekleri eşyaları arabalara yükleyen Rumlar İzmit'e doğru göç yoluna düştüler. Sonra da Yunan askerleri, bazı köprüleri atmaya, bırakılan köyleri yakmaya başladılar.

Çekiliş kesinleşmişti.

Gerekli emirler telgraf ve atlı habercilerle birliklere ulaştırıldı. İlk adımda Adapazarı'nı yakılmadan kurtarmak gerekiyordu. Baskın kolları gece yarısı harekete geçecek, 17. Tümen de sabah Sapanca Gölü'nün güneyinden taarruza kalkacaktı. [125]

Başarılı olurlarsa, Yunan tümenini, İzmit çevresinde iki ucundan kıskaca alabilirlerdi.

İNGİLİZ, Fransız ve İtalyan yetkililer Paris'te toplandılar. Lord Curzon öncelikle, Ankara'ya karşı ortak hareket edilmesi gerektiği üzerinde durarak, müttefiklerden hiçbirinin Ankara ile tek başına, açık ya da gizli görüşmelerde bulunmamasını istedi, F. Bouillon'un Ankara ziyareti dolayısıyla Fransız Başbakanı Briand'ı sıkıştırdı. Briand, 'Mösyö Bouillon'un Ankara'ya gazeteci olarak gittiğini' söyleyerek öfkeli lordu atlattı. [125a]

Toplantıdan iki karar çıktı: Barış için önce Yunanistan'a arabuluculuk önerilecek, Yunanistan kabul ederse aynı öneri Ankara'ya da yapılacaktı. General Harington da Çanakkale ve İstanbul'da bulunan müttefik birliklerinin Başkomutanlığına getirildi.

Barış için arabuluculuk önerisi gece Atina'ya bildirilecekti.

ARABULUCULUK önerisi Atina'ya geçilirken, iyi hazırlanmış üç baskın kolu da, sallarla gizlice Sakarya'yı geçti, sessizce ilerledi ve 04.00'te Adapazarı'na rüzgâr gibi girdi. Arkadan gelen birlikler de yetişti. Yunanlılar şehri yakmaya fırsat bulamadılar. Kısa bir çatışmadan sonra şehrin batısına çekilip mevzilendiler. Adapazarlılar sevinçle sokaklara döküldüler. 17. Tümen de gün atarken Sapanca Gölü'nün güneyinden taarruza geçmişti. 07.30'da Sapanca'yı geri aldı, Yunan artçılarıyla vuruşarak batıya doğru ilerlemeye başladı.

BARIŞ ÖNERİSİ Yunan hükümetini bocalatmıştı. İngilizleri gücendirmek istemiyorlardı. Ama Yunanistan böyle büyük bir ordunun yükünü uzun süre taşıyamazdı. Bir an önce taarruza geçmek, her imkânı kullanarak Türk ordusunu ezmek, halkı yıldırmak ve Sevr Antlaşması'nı kabul ettirmek zorundaydılar. Bu amaçla Kürtleri ayaklandırmak ve Kemalistler'i arkadan vurmaları için Bedirhan ailesinin reisi Emin Ali ve oğlu Celalettin'le de ilişki kurmuşlardı. [125b]

Notayı reddetmeden önce, düşüncelerini bir muhtıra ile patronları İngilizlere bildirmeyi yararlı buldular:

"Yunan hükümeti hayati Elen çıkarlarına ve Elenizm'in tarihi amaçlarına uygun bir politika izlemektedir... Elenizm'in, Ege Denizi'nin iki yakasına ve denizdeki adalara ihtiyacı vardır. Ancak o topraklara yerleştikten sonradır ki Elenizm kendine düşen görevi yerine getirebilir. Bu görev Asya tehlikesine karşı Avrupa'yı korumak görevidir. Başka bir deyimle uygarlığın bekçiliği görevidir. Ege Denizi'nin Avrupa ve Asya yakası, affedilmez Türk yönetiminden kurtulmadıkça, doğuda gerçek ve ömürlü bir barış yapılamaz. Bu toprakların kurtarılmasından sonra yapılacak barış ise, İngiltere'nin bölgedeki çıkarlarına uygun olacaktır."

Muhtıra Yunanistan'ın İstanbul hakkındaki emelini açıklayan şu diplomatik cümle ile bitiyordu: "Ayrıca Yunanistan, Boğazlardan geçiş serbestliğinin samimi bekçisi olabilir ve bu görevi yüklenmeye hazırdır." [126]

İZMİT kaynıyordu. Uzaktan top sesleri yansımakta, Rum göç kolları ardarda gelip istasyona ve limana yığılmaktaydı. Şehirde çok gergin bir hava vardı. Askerler çok sinirli, Rumlar telaşlı, şaşkın ve öfkeliydi. Bir Rum, birlikte götüremeyeceği malları dükkânından çıkarıp deli gibi sokağın ortasına yığdı, ateşe verdi. Saatçi Ali Efendi, ayak altında ezilmemek için geri döndü. Hristo'nun atölyesine uğramayı göze alamadı. O sokakta kargaşalık vardı. Eve dönerken Hristoların kapısını çaldı ama açan olmadı. Eve geldi. Karısının gözleri ağlamaktan şişmişti.

"Ne oldu?"

"Hristolar burda. Seni bekliyorlar. Gidiyorlarmış."

Ali Efendi odaya daldı. Hristo'nun saçları daha beyazlaşmış gibiydi.

"Selamunaleyküm."

"Kalimera."

Oturdular. Hristo, "Şehir karışık.." dedi, "..eve döneceğini tahmin ettim. Sonra belki fırsat olmaz, ortalık daha da karışmadan veda etmek istedik. Şimdi de göç sırası bize geldi Ali Efendi."

Ali Efendi Hristo'nun dizini okşadı. Göçün ne olduğunu iyi bilirdi. O da uzun yıllar önce, göçe zorlanmış Rumelilerdendi. Göçmenliğin her türlü acısını tatmıştı.

"Ne zaman gidiyorsunuz?"

"Bu akşam."

"Nereye gideceksiniz?"

"Kimi trenle İstanbul'a gidiyor. Biz gemiyle Bandırma'ya gideceğiz. Sonrasını bilmiyorum."

"İşiniz zor. Göç eden acı yer, dert içer."

Hristo kuruyan dudaklarını sildi:

"Eee, rüzgâr ektikti, şimdi fırtına biçiyoruz."

İkisinin de gözleri doldu. Yirmi yıllık komşu ve dosttular. Dertlerini ve sevinçlerini paylaşarak birlikte yaşlanmış, Rumların ya da Türklerin aşırılarına karşı, birbirlerine sığınagelmişlerdi. Hristo, "Sizin ordu dönene kadar sakın dışarı çıkma.." dedi, "..deli çok."

Sustular.

Top sesleri devam ediyordu.

SAĞDAKİ TAKIM, Sapanca batısında duraklamış, ilerlemiyordu. Tabur komutanı öfkelenmişti. Sabredemedi, ateş hattına daldı, yata kalka ilerledi, takım komutanını buldu. Takım komutanı tabura yeni katılmış deneysiz bir yedek teğmendi. "Niye hücum etmiyorsun?" diye çıkıştı. Teğmen kekeledi:

"Askerin çoğunun süngüsü yok komutanım..." [126a]

Komutan parladı:

"Süngüsü yoksa, dipçiği, küreği, yumruğu, tekmesi, dişi, tırnağı yok mu? Çek silahını askerin önüne geç.."

Sesi yumuşadı, teğmeni belki de ölüme yolluyordu:

"..Haydi oğlum, Mehmet seni takip eder."

"Anladım komutanım."

Az sonra savaş sisi, top uğultuları ve makineli tüfek takırtıları içinde takım hücuma kalktı.

Çok geçmeden Yanıkköy'e girecekti.

İNGİLİZ DIŞİŞLERİ BAKANLIĞI notaya bir an önce ve kesin cevap verilmesi için diretince, Yunan hükümeti, Kral'ın da onayını alarak, bir karşı nota ile müttefiklerin arabuluculuğunu, dolayısıyla barışı reddetti:

"Yunanistan, Elenizm'in yüzyıllık emellerini ve Sevr Antlaşması'nın kendisine tanıdığı hakları savunurken, aynı zamanda Doğu Akdeniz havzasında ve Boğazlarda, uygar dünyanın çıkarlarını da savunduğu kanısındadır. Bu çifte misyonun önemini kavrayarak, maddi ve manevi güçlerini son haddine kadar toplamış ve Sevr Antlaşması'nı Ankara'ya empoze edebilecek duruma gelmiştir. Bu görev anlayışı Yunanistan'ı, barış yapılıncaya kadar, kendisinden istenen bütün fedakârlıklarda bulunmaya ve Sevr Antlaşması'nın uygulanmasından kaçınmaya çalışan Türklere karşı, kendi yetenekleriyle yeni bir savaşı kabul ettirmeye itmiştir.

Bu zorlayıcı nedenlerle, Yunan Kraliyet Hükümeti, hararetli arzusuna rağmen büyük müttefiklerinin tavsiyelerine uyamamaktadır. Çünkü askeri harekâtın, ordu şeflerince saptanmış sürenin ötesine ertelenmesi, askeri durumu Yunanistan aleyhine tehlikeye sokacak ve hasım [düşman] tarafa, büyük devletlerin kesin emirlerine karşı yeniden direnme cesareti verecektir." [127]

Yunanlılar savaş istiyorlardı.

KARŞIYAKA'daki köşkte, üzerine harita paftalarının serili olduğu büyük ceviz masanın çevresinde savaş meclisi toplanmıştı. Kral'ın sağında Başbakan Gunaris, Savaş Bakanı Teotokis, Genelkurmay Başkanı General Dusmanis, yardımcısı General Stratigos, solunda General Papulas, Ordu Kurmay Başkanı Albay Pallis, Kurmay Başkan Yardımcısı Albay Sariyanis vardı.

Papulas ordunun durumu hakkında bilgi sundu: Yunanistan'da 58.000 kişi, Anadolu'da da 12.000 Rum askere alınıp eğitilmişti. Anavatandan iki de yeni tümen gelmişti. Ordu mevcudu 200.000 kişiyi geçmişti.[127a] Top, ağır ve hafif makineli tüfek ile uçak bakımından Türklerden çok üstün bir durumdaydılar. Bazı birlikler Türklerde olmayan otomatik tüfeklerle donatılmıştı. Yunanistan'dan lokomotif ve vagonlar getirtilmiş, 1.500 kamyon ve 250 ambulans alınmış, Bursa-Kestel arasına demiryolu döşenmiş, Ege halkının elindeki develer ve at arabaları da toplanmıştı. İaşe ve sağlık teşkilatı mükemmeldi. İki hastane gemisi, bir hastane treni vardı. Yedek cephane boldu. Fransa'dan yeteri kadar mermi satın alınmıştı. Kâğıt üzerinde silah satışını yasaklamış görünen İngiltere'den, istedikleri her şeyi, el altından, aracılar kanalıyla satın alabiliyorlardı.[128]

Heyecandan dolgun yüzü kızarmış, pos bıyıkları dikilmiş olan Papulas, "Kral Hazretleri." dedi, "..Yunan tarihinin en büyük ve güçlü ordusunu kuran hükümete, huzurunuzda teşekkürlerimi sunuyorum. Ordumuz savaşa hazır, zaferden emindir."

Taarruz planını Albay Pallis açıkladı. Planın ana amacı, Türk ordusunu savaşı kabule zorlayarak imha etmekti.

İnönü'deki ve Kütahya doğusundaki mevziler çok güçlüydü. Türk asıl kuvvetleri bu kesimde toplanmıştı. Bu nedenle cepheden taarruzdan sakınılması gerekiyordu. Bu görüşle hazırlanan plan şöyle özetlenebilirdi: Türk ordusunun büyük kısmını cepheden yapılacak gösteriş taarruzlarıyla yerinde tutmak, yeterli kuvvetle ve Türklerin kuvvet kaydırmasına vakit bırakmadan, Seyitgazi doğrultusunda taarruz ederek, güney kanadını kuşatıp orduyu yok etmek.[128a]

Bunun için güneyde Afyon'a ilerlenerek Afyon düşürülecekti. Sonra da bu güçlü kol, Türk güney (sol) kanadına taarruz etmek ve gerisine dolanarak kuşatmak amacıyla, Seyitgazi'ye ve sonra da Eskişehir'e yönelecekti.

Bu geniş kuşatma hareketi sonunda, ya Türk ordusu yok olacak ya da teslim olup barış şartlarını kabul edecekti.

General Dusmanis, Papulas'ı küçümser, ordu kurmaylarına güvenmezdi. Yunan ordusunun iki kez yenilmesine neden olmuşlardı. Plan sonuç vericiymiş gibi görünüyordu ama yine güvenmedi. Kaba bir sesle, "Ayrıntılı hareket planını incelemek istiyorum.." dedi, "..düşüncelerimi Kral Hazretlerine arz edeceğim. Planı, Kral Hazretleri onayladıktan sonra, birliklere tebliğ edersiniz."

Albay Sariyanis sakin sakin, "Plan birliklere tebliğ edildi generalim" dedi.[129]

Dusmanis şaşırdı:

"Kral Hazretleri onaylamadan mı?"

Gunaris Kral'a eğildi, "Özel konuşalım efendim" diye fısıldadı. Kral donuk bir yüzle doğruldu, herkes ayağa kalktı. Kral Sariyanis'e öfkeyle baktı. İki nefret dolu gözle karşılaştı.

Yandaki odaya geçtiler.

Gerçeği açıklamanın zamanı gelmişti. Gunaris, "Efendimiz.." dedi, "..hükümetiniz fiilen ordunun başına geçmenizi doğru bulmuyor."

Kral'ın yüz kasları kabardı:

"Neden?"

"Bu kıyasıya savaşın sizi yoracağından korkuyoruz. Ayrıca sizinle ordu arasında anlaşmazlık çıkmasından da kaygı duyuyoruz. Orduda Venizelos taraftarı gizli ve geniş bir örgüt var."

"Hâlâ mı temizlenemedi bunlar?"

"Pek azı ayrılıp İstanbul'a gitmiş. Bir bölümünü anavatana aldık. Kalanlar orduda ve önemli yerlerdeler. Çoğu da ordunun en başarılı komutan ve subayları. En parlakları da Albay Sariyanis. Orduda efsanevi bir ünü var. Bu savaşın planını o hazırlamış. Papulas yerinden almaya cesaret edemedi.[130] Bunlarla ister istemez iyi geçinmeye çalışıyor. Venizeloscular, Tanrı korusun, bir başarısızlık halinde, bütün sorumluluğu üzerinize yıkarlar. Bu da rejimin, dolayısıyla hepimizin sonu olur.."

Yutkundu:

"..Orduyu serbest bırakalım efendim."

Kral'ın yüzü daha da donuklaştı. Daha 53 yaşındaydı ama sağlığı iyi gitmiyordu. Mücadele edebilecek kadar güçlü değildi artık. Hükümetin kararına boyun eğecek, zaferin şerefini Venizelosculara kaptırmamak için de ordunun peşinden ayrılmayacaktı.

MÜRETTEP KOLORDU ağır yaralıları ilk bakımlarını yapıp bulabildiği her taşıtla Eskişehir'e yolluyordu.

Hastane kan ve yara kokmaktaydı.

Koridor yeni gelen yaralıların yattığı sedyelerle dolmuştu. Gencecik bir er "anacığım" diye inliyordu. Halide Hanım, "Savaş denilen kanlı ziyafetin mutfağındayız.." dedi, "..nasıl? Dayanabilecek misin?"

Nesrin içi çekilerek, "Çalışacağım efendim" dedi.

Ameliyattan yeni çıkmış hastaların yattığı koğuşa girdiler.

MÜRETTEP KOLORDUNUN GÜCÜ, 11. Tümen'i durdurmaya yetmemiş, iki Yunan alayı, kuvvetli artçıların koruması altında, pek az kayıp vererek İzmit'e çekilmişti. İki savaş gemisi İzmit'e sokulan Türk birliklerini sürekli ateş altında tutarak yaklaşmalarını engelliyordu. Kolordu birlikleri şehri yarım daire içine almışlardı ama bütün çabalarına rağmen artçıları ve ateş çemberini aşamıyorlardı.

Güneydeki Üçüncü Yunan Alayı ise çatışa çatışa Karamürsel'e doğru çekilmekteydi.

Üç kişilik bir atlı keşif kolu, hava kararınca, İzmit'in kuzeyindeki uzakça tepelerden birine sokuldu. Atları ere bırakıp teğmenle onbaşı usulca tepeye tırmandılar. Teğmen dürbününe sarıldı. Projektörlerin keskin ışığı altında askerlerin telaşla gemiye bindikleri zor da olsa görülebiliyordu. Liman alanı asker, eşya ve kaynaşan sivillerle doluydu. Açıkta iki gemi daha bekliyordu. Teğmen dişlerini gıcırdatarak, "Kaçıyor katiller.." diye sızlandı, "..göz göre göre. Ah be, bir tek topumuz olsaydı şurada!"

Onbaşı, "Emret, kuş gibi uçar haber veririm.." dedi, "..topları yetiştirip analarını bellerler. Uçayım mı?"

Teğmenin sesi üzüntüden çatladı:

"Hangi topları şaşkın? Koca kolorduda beş tane top var, onlar da bir günlük yolda." [131]

Onbaşı inledi:

"Vah anam! Bu kadar kanadı kırık olduğumuzu valla bilmiyordum."

Yumruğunu Yunanlılara doğru uzattı, kısık sesle bağırdı:

"Ülen fırsatçılar! Topumuz, tüfeğimiz varken neredeydiniz? Ağalarınız kanadımızı kırdıktan sonra ortaya çıkmak marifet mi? Ordu orduyken gelmeliydiniz ki ben sizi göreyim. Ey 11. Tümen! Seni unutmayacağız. Bir gün elbet elimize düşersin."

Teğmen göreceğini görmüştü, "Haydi, gidiyoruz!" dedi. Dört nala geri döndüler. Keşif kolunun raporu telgrafla Kolordu karargâhına ulaştırıldı. Karargâhta heyecana yol açtı. 11. Tümen İzmit'i de bırakmak üzereydi! Birliklere yeni emirler yollandı.

28 HAZİRAN 1921 günü, öğleye doğru, Eskişehir'deki cephe karargâhında İsmet Paşa kurmay kuruluyla toplantı halindeydi.

Düşmanın ağırlıklı olarak Uşak bölgesinde toplandığı tahmin edilmekteydi. Uçakların arızalanması ya da kısıtlı benzin yüzünden sağlıklı ve sürekli hava keşfi yapılamıyordu. Cephenin elinde sadece 300 litre uçak benzini kalmıştı. Benzin kullanımını azaltmak için uçakların Kütahya'da toplanarak cepheye yaklaştırılması kararlaştırıldı. Komutanlığına usta pilot Yüzbaşı Fazıl getirildi.

Türk ordusunun savaş planı, taarruz edecek güce kavuşana kadar yine stratejik savunmada kalmaktı. Cephe, eldeki kuvvete göre çok uzundu ama ihtiyat ve takviyeler, cephe gerisindeki Eskişehir-Kütahya-Afyon demiryoluyla gereken kesime kaydırılabilirdi. Yunan ordusunun yaklaşma ve taarruz olasılıkları uzun uzun irdelenmiş, bu olasılıklar ve arazinin özellikleri dikkate alınarak, yer yer iyi tahkim edilmiş savunma mevzileri hazırlanmıştı. Her mevzi üç hattan oluşuyordu: Birinci hat güvenlik hattı, ikinci hat asıl savunma hattı, üçüncü hat ihtiyat hattıydı. Bazı yerlerde tel örgü engelleri ve mayınlı alanlar vardı.

Ne var ki çok güçlendiği öğrenilen Yunan ordusuna karşı, Batı Cephesi'nde sadece 160 top ve 55.000 savaşçı (silahlı) asker bulunuyordu. Geri kalanlar yardımcı sınıfların ve geri hizmet birimlerinin askerleriydi.

Binbaşı Kemal "En azından 20.000 savaşçıya ve daha çok topa ihtiyacımız vardı" dedi. Sesi karamsardı. Savaş öncesinde bu karamsarlığı tehlikeli bulan İsmet Paşa azarladı: "Memleketin imkânı bu kadar. Sabırlı ve iyimser olmak zorundayız. Bizim bir tek gerçek müttefikimiz var: Zaman! Zaman kazanmaya bakacağız. Zamanla askerce ve silahça güçleniriz, zamanla halkın desteği daha da artar. O zaman gelince de vatanımızı düşmandan temizleriz. Şimdi bize düşen, ümitsizliğe kapılmadan, var olanla yetinmek, dağlarımıza, ovalarımıza tırnaklarımızı geçirip o güzel zaman gelene kadar direnmektir."

Bir subay sessizce içeri girip Yarbay Naci Tınaz'ın önüne bir not bıraktı. Yarbayın gözleri parladı:

"Paşam! Sabah İzmit'i geri almışız."

İsmet Paşa neşeyle, "Haydi kahve içelim" dedi.

Yüzbaşı Cevdet Kerim İncedayı boynunu büktü:

"Affedersiniz paşam, kahvemiz bitti. Çay da daha gelmedi."

İsmet Paşa güldü:

"Bu güzel haberin şerefine bir şey içmeden olmaz. Haydi, birer sigara içelim."

İlk sigarayı kendi yaktı.

GÜN ATARKEN, İzmit'e önce bir süvari birliği girdi. Onu kuzeydeki tepelerden inen milli müfrezeler ve doğudan gelen bir piyade birliği izledi.

Halk sevinci ve acıyı birarada yaşadı.

Askerlerin ve sivil Rumların gemilere bindirilmesi bütün gece sürmüş, son gemi de sabaha karşı İzmit'ten ayrılmıştı. Gitmeden önce, İngilizlerin engel olması üzerine ancak 200 ev ve dükkânı yakmakla kalmışlar ama 300 kadar İzmitliyi öldürmeden de rahat edememişlerdi.[132]

Evde duramayan Ali Efendi sokağa fırladı, ana yola çıktı. Ardarda birlikler geliyordu. Askerleri seyretmeye doyamadı. Yorgun, sefil ve büyüktüler. Kadınlar askerlerin üzerine kolonya serpiyor, mendiller atıyorlardı. Atlarının kuyrukları ve kızlarının başörtüleri uçuşan Kara Fatma çetesini görünce artık gözyaşlarını tutmayı beceremedi. Kaldırıma çöküp sarsıla sarsıla ağlamaya başladı.

İNEBOLU mermi ve fişek sandıklarını, silah ve gereçleri, yakın uzak bütün çevreden sağlanan kağnılarla, at arabalarıyla, ağır yükleri de demir dingilli öküz ve manda arabalarıyla ardarda Ankara'ya yolluyordu. Bu sabah da elli arabadan oluşan bir kolu yolcu ettikten sonra Zafer Kemal ve menzil subayları kayıkçılar kahvesinin yolunu tuttular. Toplantı vardı. Geniş kahve az sonra tıklım tıklım doldu. Yöneticiler, subaylar, öğretmenler, İnebolu'nun ileri gelenleri, Kâhya İlyas Kaptan ve kayıkçılar yerlerini aldılar.

Kahvenin baş duvarında M. Kemal Paşa'nın bir büyük resmi asılıydı.

Yarbay Nidai ayağa kalktı, katılanları selamladıktan sonra kayıkçılara seslenerek, "Yaz-kış demeden ordu malını karaya taşıdınız.." dedi, "..bugüne kadar bu hizmetinize karşılık bir kuruş bile almadınız. Ama bombardıman sırasında kayıklarınız tahrip oldu. Pek azı kurtuldu. Bunu öğrenen Ankara son taşıma hizmetinizin bedeli olarak biraz para yolladı.."

Bir subaya baktı. Subay içi kâğıt ve madeni para dolu küçük bir torbayı Nidai'ye uzattı.

"..Bugüne kadarki hizmetleriniz için yürekten teşekkür ederek, 1.680 lirayı kâhyanız İlyas Kaptan'a teslim ediyorum."

Torbayı Kaptan'ın önündeki masaya bıraktı. Kayıkçılar bozuldular. İlyas Kaptan hayal kırıklığı içinde ayağa kalktı. Nidai telaşla, "Yaranızı sarmaya yetmeyeceğini biliyorum" diye durumu idare etmeye çalışınca, İlyas Kaptan, "Dur beyim.." diye terslendi, "..yanlış anladın. Bizim itirazımız miktarına değil, parayadır. Para istemeyiz. Yeni kayıklar yapılıyor. Evellallah hizmeti aksatmayız. M. Kemal Paşa'nın ellerinden öperiz. Bizi sevindirmek istiyorsa, şu alçak düşmanı tepelesin."

Eliyle torbayı Nidai'ye doğru itti.[133]

İZMİT'in batısına geçen bazı birlikler, güneyde Gebze'ye, kuzeyde Karadeniz kıyısında Şile'ye kadar ilerlediler. İngiliz birlikleri ile yüz yüze geldiler. İngilizler alarma geçti. Türkler sakindi. Aldıkları emir gereği, telaş etmeden yayılıp yerleştiler.

Bir İngiliz subayı Gebze karşısındaki Türk birliğinin komutanından hemen mülakat istedi. Aradaki şeritte buluştular. General Harington 'Türklerin tarafsız bölgeye ilerleyip ilerlemeyeceklerini' öğrenmek istiyordu.[133a] Bu kesimde müttefiklerin saptadıkları tarafsız bölge sınırı Gebze'den başlamaktaydı.

Türk subayları oyunbaz İngilizlere gülerek baktılar: Tarafsız bölge mi? Bu bölge tarafsız olsa Yunan donanması İstanbul'da üslenemez, ihtiyaçlarını İstanbul'dan sağlayamaz, İstanbul'da Yunan askeri bulunamaz, Yunan savaş gemileri İstanbul'dan Karadeniz'e açılıp Türk şehir ve kasabalarını bombardıman edemezdi!

Harington'un sorusuna Kâzım Özalp'tan şu cevap geldi: "Ankara'dan alacağımız emre göre hareket edeceğiz."

KUVVETLERİNİN Türk birlikleriyle karşı karşıya gelmesi, General Harington'u çok tedirgin etmişti. Albay Kâzım Özalp'ın lastikli cevabı iyice huylandırdı.

Ama bir gelişme, generalin ümide düşmesine yol açacaktı.

Emekli Binbaşı Henry'yi bilgi toplaması için bir süre önce Anadolu'ya göndermişti. Henry madencilikle ilgileniyor görünecekti. İnebolu'ya inmiş, dinlenmek için İnebolu yakınındaki Ecevit'te bulunan Refet Paşa ile tanışmış, uzunca bir görüşme yapmışlardı. Bu görüşme Binbaşı Henry'de, M. Kemal'in General Harington'la görüşmeye istekli olduğu izlenimini uyandırmıştı.

Henry, bu kritik günde İstanbul'a döndü ve edindiği izlenimi General Harington'a bildirdi.

Harington, Henry'nin getirdiği olağanüstü habere dört elle sarıldı. M. Kemal'le buluşabilirse, hava yumuşayabilir, Türkler İstanbul'a yürümez, şehirde çatışma çıkmaz, belki de bir anlaşma için ilk adımlar atılabilirdi.

İzin ve talimat verilmesi için durumu acele Londra'ya bildirdi. Konu kabinede tartışıldı ve şartlı izin çıktı: Harington, buluşmayı isteyen M. Kemal'i sadece dinlemekle yetinecek, görüş bildirmeyecekti. Yüksek Komiserlik Müsteşarı Rattigan, İngiltere'nin bu asi generali ciddiye almasına karşıydı. Hükümetin uygun görmesi üzerine, hiç olmazsa M. Kemal'in Harington'un bulunacağı savaş gemisine, açıkçası generalin ayağına gelmesi gerektiğinde ısrar etti.

Harington hükümetin talimatını ve Rattigan'ın tavsiyesini dikkate alarak nazik bir mektup yazıp M. Kemal'e, İnebolu açıklarına gelecek Ajax zırhlısında kendisini dinlemeye hazır olduğunu bildirdi.[134] Mektubu yollamasını yeni Hariciye Nazırı A. İzzet Paşa'dan rica ettiler. Paşa duraksadı. Çünkü Ankara'dan bir daha görev almayacağı sözünü vererek ayrılmış ama sözünü tutmayarak, Hariciye Nazırlığını kabul etmişti. M. Kemal'in göstereceği tepkiyi kestirebiliyordu. Bunun için Ankara'nın İstanbul'daki resmi olmayan temsilcisi, Kızılay İkinci Başkanı Hamit Hasancan'ı tavsiye etti.

Kızılay yöneticilerinin büyük çoğunluğunun Milli Mücadele'yi desteklediği herkesçe bilinmekteydi. Osmanlı hükümeti, kızılaycılığın bir düzey ve nitelik işi olduğunu bildiğinden, bu kuruma ve yöneticilerine dokunmamak akıllılığını göstermekteydi.

Rattigan Hamit Bey'le görüşürken, Ankara'yı aşırı isteklerde bulunmak ve İngiltere'nin hayati çıkarlarını kabul etmemekle suçladı, gözdağı vermeyi de ihmal etmedi:

"Kemalistler İngiltere halkının savaştan usandığını sanmakla hata ediyorlar. Böyle giderse bir gün karşılarında, kendilerini ezmek azmiyle birleşmiş Büyük Britanya'yı bulacaklar." [135]

Hamit Bey, 'zaten karşımızda, işgalci olarak başkentimizde, her entrikanın ve kötülüğün de arkasındasınız' diyecekti, kendini tuttu. Yeni başlamış bir süreci olumsuz etkilemekten çekindi. Gizli telgraf merkezi aracılığıyla mektubun metnini o gece M. Kemal Paşa'ya iletti.

MİHALIÇÇIK ile Porsuk ırmağı arasındaki küçük Çınarlı köyünün köy odasında muhtar, yaşlı başlı köylüler, esirlikten üç gün önce dönmüş olan Gazi Çavuş'u dinliyorlardı. İki gün hiç uyanmadan ölü gibi uyumuş, ilk bu akşam insan içine çıkmıştı. Yaşadığı çetinlikler derin yüz çizgilerinden okunmaktaydı.

Balkan Savaşı'nda, Çanakkale ve Irak'ta dövüşmüş, Musul'a doğru geri çekilirken esir düşünce, Hindistan'daki esir kampına götürülmüştü. O müthiş günleri sakin sakin anlatıyordu:

"Bazı subaylarımızın dediğine göre, İngilizler, kıpırdanan Hint Müslümanları yenildiğimizi iyice anlasınlar da uslu dursunlar diye bizi oraya götürmüşler. Esir olmak da savaşın cilvesidir diye birbirimizi teselli etmekteydik. Ama bir İngiliz astsubayı bir subayımızı tokatlayınca kahrolduk. İngiliz gemilerinin güle oynaya Çanakkale'den geçtiklerini, Fransızların Çukurova'ya girdiklerini, Ermenilerin Kars'ı aldıklarını, Yunanlıların İzmir'e çıktıklarını duyunca, üzüntüden ağlaştık. M. Kemal Paşa Anadolu'nun başına geçip de yedi düvele meydan okuyunca da sevinçten ağlaştık. Oradan Mısır'daki kampa getirdiler. Üç arkadaş kaçtık. Bilmediğimiz yollara düştük. Çölde kaybolduk. Yakalandık. Hapis yattık. Altı ay önce pis bir yük gemisiyle İstanbul'a getirip bıraktılar.

Bir daha vurulduk. Çünkü İstanbul hükümetinin esirlikten dönenlerle ilgilendiği yok. Çoğumuz hasta, yaralı, sakat, bakıma muhtaç. Devlet yüzümüze bakmıyor. Sanki İngilizler dost, bizler düşmanız. Allah Allah! Biz hangi devlet için savaşmıştık? O kadar sayageldiğimiz Padişahımızın devleti, böyle bize yabancı bir devlet olmuş. Rumlarla Ermeniler, sakat, yalnız gazileri tenhada sıkıştırıp dövüyorlar.[135a] Neyse ki ben dilenmeden ve dövülmeden bir iş buldum. Kuruş kuruş yol parası biriktirdim. Param tamam olunca yola çıktım. Sonunda Allahıma bin şükür, köyüme döndüm, evime kavuştum."

Bakışlarını dolaştırdı, "Bir şey sormak istiyorum." dedi, "..askerlik çağına gelmiş çocukların çoğu köyde. Öğrendim ki çocukları elbirliği ile saklayıp askere göndermemişsiniz. Benim oğlumu da köyde tutmuşunuz."

Uzun bir sessizlikten sonra muhtar, "Evet, doğrudur" diye mırıldandı.

"Niye böyle ettiniz ki?"

Yaşlı muhtar dikildi:

"Bak Gazi Çavuş, yaşıtlarından köye bir sen geri döndün. Ötekilerden hiç haber yoktur. Ocaklarınız sönmesin diye oğullarınızı koruduk. Yanlış mı ettik?"

Gazi Çavuş ayağa kalktı:

"Yanlış etmişiniz Muhtar Ağa. İşgal ne, düşman nedir bilseydiniz böyle yapmazdınız herhalde. Savaş daha bitmedi. Biz tükeninceye kadar dövüştüktü. Sıra oğullarımızdaydı. Çocukları analarının etekleri altında saklamaya devam ederseniz, bu sefer bütün milletin ocağı sönecek, her gün ağlayacağız. Ben yarın oğlum Ali'yi askere götüreceğim. Haydi Allah rahatlık versin."

Sekerek odadan çıkıyordu, Muhtar Emmi, "Acele etme.." diye seslendi, "..yarın bir daha konuşalım."

GECE M. KEMAL PAŞA, Fevzi Paşa, Yusuf Kemal Tengirşenk, İstanbul'dan Ankara'ya geçen ve Dışişleri Müsteşarlığına atanan Suat Davaz ve Hikmet Bayur, istasyondaki binada toplanmışlardı. Harington'un mektubunu inceliyorlardı. Değerlendirme uzun sürmedi. Kısa ve nazik bir cevap hazırlandı. Üç nokta vurgulanıyordu: Görüşme isteğinin M. Kemal'den geldiği doğru değildi; tam istiklal ilkesinin kabul edilmesi şartıyla görüşme mümkün olabilirdi; görüşme gemide değil, karada, İnebolu'da yapılabilirdi.[136]

Fevzi Paşa tok sesiyle, "Yani kendi toprağımızda" dedi.

Bu hava ve üslup Suat Davaz için çok yeni şeylerdi. Osmanlı Hariciyesi kaç zamandır yüksek sesle ve kesin konuşmayı unutmuştu. Cevap metni, Hamit Hasancan eliyle İngilizlere ulaştırılmak üzere gece yarısı İstanbul'a tellendi.

HAMİT HASANCAN, cevap metnini, sabahleyin Hariciye Nazırı A. İzzet Paşa'nın süslü odasında Rattigan'a verdi. Meraklı Rattigan hemen cevaba göz attı. Okudukça yüzünün rengi değişiyordu. Birden patladı:

"M. Kemal, General Harington'la görüşmek için İngiltere'nin tam istiklal ilkesini kabul etmesini ön şart olarak ileri sürmüş. Tam istiklal ne demek?"

Hamit Bey gülümsedi:

"Siz tam istiklalden ne anlıyorsanız işte o demek."

Rattigan başını A. İzzet Paşa'ya çevirerek, "Kemalistler akıllarını kaçırmış görünüyorlar.." dedi, "..böyle bir şart asla kabul edilemez!" [137]

Kalktı, pencereye gitti.

Ahmet İzzet Paşa

A. İzzet Paşa şaşırmıştı, Hamit Bey'e eğildi, "Bu çocukça bir çılgınlık.." diye fısıldadı, "..İngiltere gibi bir büyük devlete ön şart ileri sürülür mü? İngiltere gibi büyük bir devlet ön şart kabul eder mi?" [138]

Hamit Hasancan, Ordu Komutanlığı, Harbiye Nazırlığı, Sadrazamlık yapmış olan bir zamanların bu ünlü ve saygın askeri A. İzzet Paşa'ya hüzünle baktı. Milli Mücadele'nin anlamını hiç kavramamış, kapitülasyonları ve işgali yazgı diye kabullenmiş, emperyalizmin yenileceğini aklının ucundan bile geçirmeyen, Sevr Antlaşması'nı alınyazısı gibi gören, çürümüş düzenin ürünü, tipik bir Osmanlıydı.

Sesini düşürmeye gerek görmeden, "Paşam.." dedi, "..hiçbir devlet şerefimizden ve ümidimizden daha büyük değildir."

Rattigan, pencereden, Temmuz güneşi altında gümüş gibi parlayan İstanbul'a bakıyor ve şöyle düşünüyordu: "Lord Curzon haklı. İstanbul'u Türklerden almak, Avrupa'nın beş yüz yıldır beklediği bir fırsattı. Ne acı ki bu fırsatı kaçırmış görünüyoruz. Tarafsızlığı açıkça terk etmeli ve küstah Ankara'ya karşı bütün gücümüzle Yunanistan'ı desteklemeliyiz.[139] Müslüman Türklerin Avrupa toprağında ne işi var?"

İngiliz Dışişleri Bakanlığı M. Kemal'in Harington'a yolladığı mesaja cevap vermeye gerek olmadığına karar verecek, Malta'daki sürgün Türkler gibi Anadolu'daki esir İngilizler de yaklaşan savaşın sonunu bekleyeceklerdi.[139a]

Harbiye de İngiliz işgali altında

MİLLETVEKİLLERİ soluk almak için Millet Bahçesi'nde oturuyorlardı. Hava çok sıcaktı. Aralarında Malta'dan ayrıldıktan sonra oyalanmadan Ankara'ya gelmiş olan Ziya Gökalp de vardı. Konu Avrupa'ydı.

Gökalp söze karışmadan dinliyor, Ankara ortamındaki düşünceleri dinlemeye önem veriyordu. Yunus Nadi Bey düşüncesini sorunca susamadı, ellerini her zamanki gibi göbeğinin üzerinde birleştirerek, "Avrupa konusu önemli.." dedi, "bu konuda bir-iki şey söylemek istiyorum.

Büyük savaşın bitmesinden beri ne kadar çok olay yaşadık. Memleketimiz bugüne kadar hiç bu kadar uyandırıcı olaylar karşısında kalmamıştı. Büyük musibetlerin uyandırıcı bir etkisi vardır. En büyük musibet, emperyalistlerin niyetini bütün çıplaklığı ile açıklayan Sevr Antlaşması'dır. Bu antlaşmayla Türkiye'yi parçalamak, küçülen Türkiye'yi bile sürekli denetimleri altında tutmak istiyorlar. Ankara bu feci antlaşmayı reddetti, İstanbul ise kabul etti. Emperyalizmin niyetini ve Sevr'i kabul eden teslimiyetçi zihniyeti asla unutmamalıyız. Bunlar Türkiye için iki büyük tehlikedir.

Avrupalı siyasetçilerin bencil ve acımasız oldukları doğru. Her soruna kendi çıkarları açısından ve kendi ölçüleriyle bakıyorlar. Gerçeği araştırmak zahmetine de girmiyorlar. Ama Avrupa uygarlığını bu siyasetçiler değil, Avrupa'nın sanatı, bilimi, düşünce hayatı ve tekniği temsil eder. Avrupa siyasetçileriyle Avrupa uygarlığını birbirine karıştırmamalıyız. Papaza kızıp oruç bozulmaz. Türklerin yüzü Orta Asya'dan beri batıya dönüktür.."

Y. Kadri edebiyat yapmadan duramadı:

Ziya Gökalp

"Hep güneşi kovalamışız."

"Evet, güneşi kovalayarak, yurt, devlet, hanedan, din, alfabe değiştire değiştire, Orta Asya'dan Küçük Asya'ya, Anadolu'ya gelmişiz, ancak burada sükûn bulabilmişiz. Biz Batı Türkleriyiz. Müttefiklerin oburluğu, niyetleri, Sevr Antlaşması, Yunanlıların vahşeti, bazı arkadaşlarımızın duygusal doğuculuğu, dar görüşlü din çevrelerinin tutumu, tarihin bu iki bin yıllık akışını tersine çevirmeye yetmez. Çevirmeye çalışanlar başlarını tarihe çarparlar. Bu gerçeği de asla unutmamalıyız. Üçüncü büyük tehlike de bunu unutmaktır."

ZİYA GÖKALP'in iki ay kadar önce aralarında bulunduğu Malta sürgünleri sıkıntılarını okuyarak, yazarak, konuşarak, dil öğrenmeye çalışarak unutmaya çalışıyorlardı. Serbest bırakılmaları son dakika durdurulan 27'ler Vardela adlı kışlaya alınmışlardı. Burası tel örgülerin dışındaydı, Polvarista adlı zindandan daha rahattı.

Tüm sürgünlere haftada iki gün dört saat de şehre inme izni verildi.

Valetta tam bir liman şehriydi. Daha ilk gün, Malta'dan kaçmayı hayal edenlerin kaçma heveslerini iyice canlandırdı. Çeşitli gruplar İngilizlere ve sürgünler arasında bulunması olası boşboğazlara belli etmeden planlar yapmaya koyuldular.

En kararlılar İttihatçıların İaşe Nazırı Kara Kemal ile Ermeni kıyımına karıştıkları iddiasıyla buraya getirilmiş olan valiler grubuydu. İngilizler bunları yargılamadan bırakmayacaklarını açıklamışlardı. Kaçış için çok becerikli, işbilir ve ağzı sıkı birinin dış hazırlığı üzerine alması gerekiyordu. Bu kişiyi Kara Kemal Bey buldu: Emekli Süvari Yarbayı, İttihatçı Basri Bey.

Sansürden kaçırılan bir mektup ve hesabına yeterli para gönderilen Basri Bey vakit kaybetmeden İtalya'ya geçecekti.[139b]

ALBAY KÂZIM, 17. Tümen Komutanı Albay Nurettin Özsü ile İzmit Bölgesi Komutanlığına atanmış olan Yarbay Emin Yazgan'ı, Mürettep Kolordu karargâhına çağırmıştı. Durumu değerlendirdiler. Yunan taarruzu yakın görünüyor, cephe gerisini gecikmeden güven altına almak gerekiyordu:

"Emin Bey, Gebze-Şile arasındaki o sözde tarafsız bölgenin sınırını bütünüyle denetim altına alın, bu kesimdeki Rum ve Ermeni çetelerinin İstanbul ile bağlantılarını kesin. Sapanca Gölü'nün kuzeyini bu çetelerden siz temizleyeceksiniz. Bunun için emrinizdeki küçük milli müfrezeleri kullanın. Çetenin dilinden çete anlar."

Gülüştüler.

Nurettin Bey'e de, "Siz de Gemlik'e doğru çekilen Yunan alayını takip etmeyi hızlandırın." diye emretti, "..Körfez köylerinin bir kısmını olsun yakılmadan kurtarmaya çalışalım. Sapanca'nın güneyindeki bölgeyi de siz temizleyeceksiniz. Geride bir tek çapulcu, eşkıya, haydut kalmayacak. Halk nihayet bir oh desin. Çok çekti zavallılar. Teslim olan haydutları sağ isterim."

Albay Nurettin, "Çeteler tamam.." dedi, "..ama bu namussuz alay geçtiği yeri yakarak çekiliyor. Engellemek için çırpınıyorsak da pek başa çıktığımız söylenemez. Savaşın da bir ahlakı vardır. Bunlarda savaş ahlakının zerresi yok."

Hınç dolu bir sessizlik sindi odaya.

Kurmay Başkanı Hayrullah Fişek, "Karamürsel'de, İstanbul'dan kaçırılmış iki yeni topumuz vardı.." diye sessizliği bozdu, "..Yunanlılar işgal edince orada kalmıştı.[140] Eğer ellerine geçtiyse çok yanarım."

11. TÜMEN'in Gemlik'e çekilen alayı, Karamürsel'i de bütünüyle yakmıştı.[141] Hâlâ tütüyordu.

İnebolu gibi Karamürsel de Anadolu'nun bir kapısıydı. İstanbul'dan buraya da kaçak silah ve cephane getirilir, gelen silah ve cephaneyi halk, kadın erkek, çoluk çocuk ellerinde, sırtlarında taşıyarak arabalara yüklerlerdi.

Müfreze dumanlar içinden geçerek ortada bir yerde durdu. Ürpertici bir sessizlik vardı. Yalnız için için devam eden yangının çıtırtıları duyuluyordu. Sağda solda vurulmuş, yanmış hayvan leşleri yatmaktaydı. Müfreze komutanı üsteğmen, "Kimse yok mu?" diye bağırdı. Bir yıkıntının içinden çok yaşlı, kamburca bir kadın çıktı. Baktı. Yüzünde gülümsemeye benzer bir gölge belirdi. Acıdan kısılmış bir sesle, "Sahile gidin oğul" dedi.

Atları sahile sürdüler. Birden bir kadının attığı sevinç çığlığı işitildi:

"Kemal'in askerleriiiii!"

Ağaçların arkasından, çukurlardan, çatısı yanmış kayıkhaneden, tepeciklerin ardından yüzleri isten ve korkudan kararmış, gözleri sevinçten büyümüş yaşlı kadınlar bağrışarak çıktılar. Bir anda atların arasına karışıp üsteğmenin ve askerlerin üzengilerine sarılıp ağlaşarak ayaklarını öptüler:

"Elhamdülillah!"

Üsteğmenin içi parçalandı:

"Başka kimse yok mu? Bu kadar mı kaldınız anacığım?"

Kadın ağlayarak güldü, "Yok oğulcan.." dedi, "..düşmanın geleceğini duyunca kaçıştık. Biz koşamadıktı, buraya saklandık. Ötekiler dağa gittiler. Geldiğinizi anlayınca aşağı inerler. İki top gizlemiştik. Onları da getirirler.."

Canıyla baktı:

"..Oh yavrum, domuzlar daha uzaklaşmamıştır. Yetişip çevirin topları üstlerine, verin mermiyi, verin mermiyi.."

"Toplar nerde?"

Yaşlı kadın, "Dur, bekle" dedi, kayıkhaneye yürüdü, az sonra 12-13 yaşında, pembe yüzlü güzel bir kızla döndü:

"Torunumdur, sahildeydi, bu da kaçamadı. Kayıkhanenin mahzenine sakladık, kapağının üstüne ağları yığdık, domuzlar bulamadı-

lar. Şükür kızlarımızı saklamaya gerek kalmadı artık. Bu seni bizimkilerin olduğu yere götürür. Topların yerini gösterirler. Haydi kızım!"
Kız üsteğmene el etti:
"Beni takip et ağabey."
Birkaç adım yürüdü. Sonra dayanamadı, heyecanla koşmaya başladı. Yangın yerinden çıkıp yolu geçtiler, dağa vurdular. Küçük kız üsteğmenin atının yanında, atın tayı gibi koşuyordu.
Kestirmeden dağa tırmandılar.

İpsiz Recep çetesi

YARBAY EMİN BEY İzmit'e dönmüştü. Emrindeki milli müfreze reislerini çağırttı. Reisler geldiler. Aralarında Fatma Seher Hanım da vardı. Görevlerini anlattı. Eski eşkıya İpsiz Recep, "Askerce mi dövüşeceğiz?" diye sordu.
"Evet. Teslim olana dokunmayacaksınız. Cezasını devlet verir."
Kandıralı Molla Halit itiraz etti:
"Onlar öyle mi yaptı? Ne asker dinlediler, ne sivil, ne ihtiyar, ne kız, ne kadın, ne çocuk.."

Fatma Seher Hanım

Gözlerinden kin akıyordu. Emin Bey "Bana bakın.." dedi, "..biz cellat değiliz, askeriz."

"Kumandanım bunların hepsi eli kanlı haydut!"

Emin Bey ayağa kalktı. Reisler de kalkıp askerce durdular. "Öfkenizi gemleyin. Emrimin dışına kim çıkarsa, canını yakarım. Kurmay Başkanına uğrayıp görev bölgelerinizi öğrenin. Haydi!"

Bir ağızdan "Başüstüne!" dediler, selam çakıp çıktılar.

KARŞILARINDA birden süvarileri gören dağa kaçmış kadın-erkek Karamürselliler çığlık çığlığa atılıp süvarileri ve atlarını sevgiye boğdular. Topları dik bir yamacın en üstüne, ağaçlar arasına saklamışlardı. Hep birlikte oraya çıkıldı. Üzerlerini yapraklı dallar ve otlarla örterek, topları ormana katmışlardı.

Üsteğmen şaşkınlık içinde, "Bu koca topları buraya nasıl çıkardınız?" diye sordu. Bilge görünüşlü bir ihtiyar, gülümseyerek, "Değişik bir milletiz.." dedi, "..işler düzgünse ertesi günü bile düşünmeyiz, birbirimizi yeriz. İşler karıştıkça ağır ağır uyanmaya başlarız. İyice karışınca da, kenetlenip olmayacak işleri başarırız. Bunları da buraya böyle çıkardık. Çıkarmadık uçurduk."

Müfrezenin çavuşu becerikliydi. Topları aşağıya indirmek için askerleri ve köyün erkeklerini işe koştu. Kadınlar, kızlar, çocuklar bir köşede toplanıp seyre durdular. İhtiyarla üsteğmen de bağdaş kurup oturdu. İhtiyar bir sigara sarıp uzattı:

"Buyur."

"Sağ ol."

"Daha işin başında, baltayı, kazmayı, tırpanı kapıp Kemal Paşa'nın bayrağı altına koşmak varmış. Ve lakin işgal nedir bilmediğimiz için geç ayıldık oğul. Kafamızı karıştıranlar da oldu. Tepenin ardını göremedik. Çok acı günler yaşadık. Neyse, hepsi bitti gitti."

"Karamüsel'de sağlam bir tek ev bile kalmamış. Ne yapacaksınız?"

"Hava sıcak, açıkta yatarız. Biz o evleri parayla pulla değil, sabırla yanmıştık. Yine yaparız. Bizde sabır çok. Yeter ki kendi bayrağımızın altında olalım. Bunun değerini bilmeyen, dünyada hiçbir şey bilmiyor demektir."

Kadınlar alkışlayıp bağırışınca baktılar. Erkekler, ilk topu kımıldatmış, yürütüyorlardı.

İhtiyar, "Şunlar gibi yüzlerce topun gürlediğini de bir görebilsek.." diye göğüs geçirdi, gözlerini üsteğmene çevirdi, "..Ne dersin, görür müyüz? Ne zaman görürüz?"

Üsteğmen 17. Tümen'dendi. Tümeninin durumunu biliyordu. Önüne baktı.

KIYICILIĞI ile ünlü çeteci Hrisantos ve adamları, Şile'nin hemen doğusunda, Kabakoz yakınındaki sık ağaçlıkta mola vermişlerdi. Kötü haberler almışlardı bugün. Bir çete Kandıra yakınında, bir başka çete de Akçaova'da kıstırılıp yakalanmıştı. Ah Panaya mu! Yunan tümeninin çekilmesinden sonra Türkler bölgeyi temizliyor olmalıydılar. Bunun üzerine taşıyamadıkları ağır yağma mallarını bırakıp yola düşmüşlerdi. Hepsinin cebi, kuşağı, heybesi para ve takı doluydu. Bu gece Şile'nin güneyinden tarafsız bölgeye geçerek orada birbirlerinden ayrılıp İstanbul'a dağılacaklardı.

Akşam karası çökmüştü. Büyükçe bir ateş üstünde iki kazan kaynıyordu. Çoğu tıraş olmuş, derli toplu bir kılığa girmişti. Çetenin birkaç ileri geleni şarap içerek Hrisantos'u dinliyordu:

"..Üzülmeyin vre. Bizimkiler Türk ordusunu tepeleyince yine buraya döneriz. Sakarya'nın ötesine bile geçeriz. O zaman buralar çok şenlikli olacak. Bir düşünün. Ta Akçakoca'ya kadar yüzlerce yeni köy.."

Bir çeteci, silahına sarılıp ayağa zıpladı. Hrisantos kızdı:

"Ne oluyor?"

"Bir ses duydum."

"Otur yerine pezevengi! Ne telaş ediyorsun? Dört yanda nöbet-çi var."

Çeteci isteksizce yerine oturdu ama kulağı tetikte bekledi. Ağaçlar hışırdıyordu. İçi rahatlamıştı ki orta yere el bombası gibi bir ses düştü:

"Davranmayın, sarıldınız!"

Hrisantos ve onun gibi hızlı iki çeteci silahlarını çekip ayağa fırladıkları anda tüfekler patladı. Ânında devrildiler. Üçü de başından vurulmuştu. Dört yandan Kara Fatma ve kızları belirdi. Tüfekleri çetecilere dönük, parmakları tetikteydi. Biri kımıldasa silahlarını boşaltacakları belli oluyordu. Kara Fatma emretti:

"Silahlarınızı bırakıp ayağa kalkın!"

Hrisantos'un parçalanmış suratı gözlerinin önünde duruyordu. Hiç duraksamadan kalktılar.

"Tabancası, bıçağı olan yere atsın."

Attılar.

Üzerlerindeki, heybelerindeki mücevher ve paraları, hiç itiraz etmeden, ortaya serilen battaniyenin üzerine yığdılar.

"İşte böyle palikaryalar. Balta döner, sap döner, gün gelir hesap döner. İki yıllık zulmün, yağmanın, kundakçılığın, hainliğin, hayvanlığın hesabını verme gününüz geldi. Sizi divan-ı harbe teslim edeceğiz. Akıbetinizi o belirleyecek."

Akıbetlerinin ne olacağını kestiriyorlardı. Titrediler. Ela gözlü bir genç kadın usulca Kara Fatma'nın yanına sokuldu, alçak bir sesle, "Aradığım iti sonunda buldum abla" dedi. Kara Fatma da fısıltıyla sordu:

"Hangisi?"

"Ateşin yanında duran."

Ateşin yanında esmer, kıvırcık saçlı, dolgun dudaklı bir çeteci duruyordu. Kara Fatma'nın bakışından huylanıp başını önüne eğerek suratını saklamaya çalıştı.

"Komutan diri isterim dediydi."

"Öldürmeyeceğim."

"Peki öyleyse."

Ela gözlü kadın ilerledi, tüfeğinin namlusuyla Rum çetecinin çenesinin altına dokundu:

"Kaldır başını!"

Erkek başını doğrulttu.

"Bana bak!"

Erkek baktı.

"Tanıdın mı beni?"

Erkek gözlerini kapadı, zor duyulur bir sesle "Affet" dedi.

Kadın bir adım geri çekildi. Olacağı sezen kadınlar ve çeteciler nefeslerini tuttular. Erkeğin apış arasına ardarda iki el ateş etti. Erkek yakıcı bir çığlık atarak parçalanan kasıklarını tuttu, sarsıla sarsıla dizlerinin üstüne çöktü, başı önünde, ulur gibi bağırmaya başladı. Ela gözlü kadın Kara Fatma'ya minnetle baktı:

"Sağ ol abla. Belki artık rahat uyuyabilirim."

"Tamam kızım."

Sesini yükseltti:

"Bağlayın bu rezilleri birbirlerine. Ağırdan alanı, karşı geleni, kaçmaya yelteneni ânında vurun!"

Çeteciler yıldırım gibi sıraya girdiler.

İZMİR Basmane istasyonu hıncahınç doluydu.

General Papulas, ordu karargâhında hükümet temsilcisi olarak bulunacak olan General Stratikos ve kurmay kurulu, özel trenle, savaşı yönetecekleri Uşak'a hareket etmek üzereydiler.

Her yan Yunan bayraklarıyla süslenmişti. Genel Vali Stergiadis, Yardımcısı, Belediye Başkanı, Metropolit Hrisostomos, şehrin ileri gelenleri, İzmir karargâhında kalan subaylar, gazeteciler ve taşkın halk, ordu komutanını yolcu etmeye gelmişlerdi. Bando durmadan zafer marşını çalıyor, fotoğrafçıların magnezyum ışıkları çakıp sönüyor, Rumlar "Ankara'ya!" diye bağırıyordu.

Tren alkışlar arasında   hareket etti. Hrisostomos göğsündeki haçı başı hizasına kaldırarak trenin son vagonu da önünden geçene kadar öyle durdu, hepsini kutsadı.

General Stratigos'a verilen görev Pallis ve Sariyannis'le birlikte Papulas'ı da rahatsız etmişti. Papulas, siyaseti askerlikten çok seven bu geveze generalin, ordu karargâhında zorlukla sağladığı uyumu bozacağından ürküyordu. Tren istasyondan uzaklaşınca üçünü kompartımanına davet etti. Oturur oturmaz General Stratigos'a, "General Dusmanis'in Kral Hazretlerine verdiği muhtırayı gördünüz mü?" diye sordu. Sesi hiç de dostça değildi. Kurmaylar da Dusmanis'in yardımcısı Stratigos'a kuşkuyla bakıyorlardı.

Stratigos, "Evet, okudum.." dedi, "..hareket planını beğenmemiş. Karmaşık buluyor." [142]

"Sizin düşünceniz?"

"Ben aynı düşüncede değilim. Planı dikkatle inceledim ve çok beğendim. Durumu çok iyi değerlendirmişsiniz. Anadolu'nun derinliklerinde, Yunan ordusuna şeref katacak bir zafer görüyorum." [143]

Papulas rahatladı, "Böyle düşündüğünüze sevindik General.." dedi, "..10 Temmuz günü ordumuz, işte o zafere doğru yürüyecek."

Yunan büyük taarruzu başlıyordu.

İkinci Bölüm

Kütahya-Eskişehir Savaşı

10 Temmuz 1921 - 24 Temmuz 1921

10 TEMMUZ 1921 Pazar günü saat 04.00'te Yunan ordusu, cephe gerisinde güvenliği sağlamak için yeterli kuvvet bıraktıktan sonra, Söğüt-Afyon arasındaki 170 km. uzunluğundaki Türk cephesine doğru beş kol halinde harekete geçti. 1921 yılının üçüncü savaşı yola çıkmıştı.

Yunanlılar Türklere, yeniden kurdukları orduyu güçlendirebilecekleri genişçe zamanı hiç vermemişlerdi. En fazla iki ay ara verip yeniden saldırıyorlardı.

General Trikupis komutasındaki Kuzey Tümenler Grubu (iki tümen) İnönü mevzilerine; **General Polimenakos** komutasındaki Üçüncü Kolordu (iki tümen) Kütahya kuzeyine ilerleyecekti. Bunların görevi buradaki Türk birliklerini oyalayarak yerlerinde tutmaktı.

Albay Çiroyanis komutasındaki 9. Tümen'in hedefi de Kütahya idi. Bu tümenin görevi kuzey ve güneydeki kuvvetler arasında güvenliği ve haberleşmeyi sağlamak, Türklerde Kütahya'ya taarruz edileceği izlenimini uyandırmaktı.

Yunan ordusunun ağırlık merkezi güneydeydi:

Katarlar Anadolu'yu ele geçirme hevesindeki Rum ve Yunanlıları cepheye taşıyordu

Uşak-Dumlupınar çevresinde toplanmış olan **General Kondulis** komutasındaki Birinci Kolordu (iki tümen) ile **General Vlahapulos** komutasındaki İkinci Kolordu (iki tümen) doğuya doğru hızla yürüyecekler, Türk sol kanadına taarruz edeceklerdi.

Güney Tümenler Grubu, iki tümen ve süvari tugayı ile, bu iki kolordunun güneyinden Afyon'a yürüyordu. Afyon'u düşürdükten sonra, 12. Tümeni ile Süvari Tugayı, Türk güney kanadının arkasına dolanıp kuşatmak için kuzeye ve kuzeydoğuya yönelecekti.[1]

12. Tümen'e Kral'ın kardeşi **Prens-General Andreas** komuta etmekteydi.[1a]

YUNAN TÜMENLERİNİN öncü ve yancı birlikleri, yollardan, derelerden, ormanlardan, vadilerden, tarlalardan geçerek, otları, ekinleri, kır çiçeklerini eze eze, karınca yuvalarını çiğneye çiğneye, postal, nal, boru, tekerlek ve motor seslerinden oluşan ürkütücü bir uğultu ve homurtu içinde ilerlediler. Kuşlar çığlık çığlığa havalanıyordu.

Atlı ve yaya öncüleri, kalabalık ve uzun alaylar, otomobiller, telsiz kamyonları, bataryalar, istihkâmcılar, muhabereciler, sıhhıyeciler, bandocular, seyyar hastane ve mutfaklar, su tankları, kasap müfrezeleri, ağır ve hafif cephane ve erzak kamyonları, ambulanslar, at arabaları, deve kolları, kesimlik sürüler izliyordu.

Yunan öncüler ile mevziler ilerisindeki Türk süvari birlikleri arasında yer yer çatışmalar başladı.

Yunan uçakları Türk mevzilerinin üzerinde durmadan dolanmaktaydı. Bir Yunan uçağı Kütahya'yı bombaladı. Hızları ve yükselme yetenekleri düşük, kolayca arızalanan eski Türk uçakları Yunan uçaklarını zorlukla engellemeye çalışıyorlardı.

Karanlık basana kadar, sayı ve ateş gücü bakımından üstün Yunan birlikleri, ağırlaşarak da olsa ilerlemeyi sürdürecek, zayıf ileri birlikler de düşmanı yıpratıp yavaşlatmaya çalışarak, adım adım asıl savunma mevzilerine doğru geri çekileceklerdir.

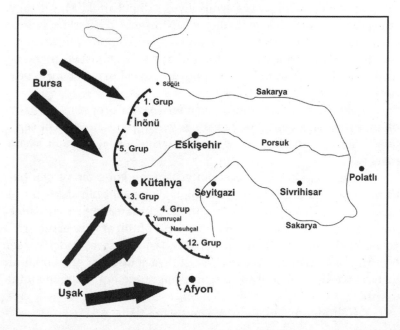

| Albay İzzettin Çalışlar | Albay Kemalettin Sami Gökçen | Albay (Deli) Halit Karsıalan |

SAVAŞIN BAŞLADIĞINI öğleden sonra öğrenen Y. Kadri Genelkurmay'a koştu. Karargâh çok hareketliydi. Telgraf merkezi durmadan çalışıyor, subaylar koşuşuyor, şifreler çözülüyor, durum harekât haritasına işlenip değerlendiriliyor, ikinci kattaki M. Kemal ve Fevzi Paşalara sürekli bilgi veriliyordu. Kimsenin Y. Kadri ile ilgilenecek zamanı yoktu. Bu sevimli yazarı bir yere oturttular ve kendisini unuttular. Gece ortalık yatışınca, Yarbay Salih Omurtak, meraktan ölen Y. Kadri'yi haritanın başına çağırdı. Çayına ekmek batırıp yiyerek bilgi verdi:

"Bakınız, Batı Cephemiz Söğüt'ten Afyon'a, oradan da batıya dönüp Menderes Irmağı boyunca Ege'ye kadar uzanıyor. Asıl cephe Söğüt-Afyon arası. Bu cepheyi, güçleri farklı dört ayrı grupla savunmaktayız.

Önce küçük bir bilgi: Savaşın gelişimine göre, bir yerden başka bir yere birlik kaydırmak gerekebilir. Üç bin, beş bin kişilik bir tümenin, bir yerden çekilip alayları, topları, kadana ve katırları, atları, mühimmatı, yem ve yiyecekleri, hastanesi, bütün araç ve gereçleriyle yola çıkıp bir başka yerdeki mevziye yerleşmesi, savaş kadar yorucu bir iştir. 'Falan tümen şuradan alınıp şuraya gönderildi' gibi bir cümle duyarsanız, bu cümlenin çok büyük bir uğraş demek olduğunu unutmayın."

Y. Kadri bütün ciddiliğiyle "Unutmam" dedi.

"Bir Yunan tümeni 11.000 ile 13.000 askerden oluşuyor. Bizimkiler en çok 5.000. Kuvvet bakımından iki-üç Türk tümeni, bir Yunan tümeni ediyor. Bizimkiler kalabalık olmadıkları için onlardan daha kolay ve hızlı hareket edebiliyorlar.

Cephe gerimizde Adana-Konya-Afyon-Kütahya-Eskişehir-Ankara demiryolu var ki nakil ve ikmal işlerinde çok büyük kolaylık sağlıyor. Bu bizim için büyük talih. Ama bu konuda da ciddi sorunlarımız bulunuyor.

Lokomotif sayısı yetersiz, elimizde çalışan sadece 18 lokomotif var. 23 lokomotif daha lazım ama elde etme şansımız yok tabii. Bozulanların onarımı, yedek parça olmadığı için çok uzun sürüyor. Kömür yok, odun kullanıyoruz. Odun bulmak marifet. Vagonlar eski. Makinistlerin, hareket memurlarının çoğu Rum ya da Ermeni. Bunlar ancak silah zoruyla veya bol para karşılığı çalışıyorlar. Bir gün bu gafilliğin neye mal olabileceğini hiç düşünmeden, demiryollarımızı gözü kapalı yabancılara emanet etmişiz, onlar da tek Türk bile yetiştirmemişler. Bunlar hiç unutulmaması gereken hayati dersler! Şimdi Demiryolları Genel Müdürü Albay Behiç Bey'in açtığı kursta acele Türk makinistler ve görevliler yetiştirilmeye çalışılıyor. Uzun sözün kısası, demiryoluyla birlik nakledilmesi de sorunlu bir iş.[1b]

Şimdi gelelim birliklerimize. Sıkıldınızsa haber verin."

Y. Kadri Bey isyan etti:

"Hiç sıkılır mıyım? Bilmezsem savaşı nasıl izleyebilirim?"

Salih Bey birer kahve söyleyip devam etti:

"Pekâlâ. En kuzeyde, İnönü mevzilerinde 1. Grup var. Komutanı Albay İzzettin Çalışlar. İzzettin Bey Çanakkale'de M. Kemal Paşa'nın kurmaybaşkanıydı. Birinci ve İkinci İnönü Savaşlarına katılmış, çok güvenilir bir komutandır.

Bu grubun solunda, Kütahya'nın batısında, 3. Grup yer alıyor. Komutanı Albay Arif Bey. Orduda Ayıcı Arif diye bilinir. Arif Bey de Birinci ve İkinci İnönü Savaşlarına katılmıştır. M. Kemal Paşa'nın sınıf arkadaşı. Laf aramızda, komutanlar zincirinin zayıf halkası.

Kütahya'nın güneyinde, Albay Kemalettin Sami Gökçen komutasındaki 4. Grup bulunuyor. Bu komutanımız bugüne kadar 16 kez yaralanmıştır. Sağ eli bu yüzden sakat.."

Y. Kadri şaşırmıştı, güldü.

"..İkinci İnönü Savaşı'na katıldı ve 17'nci kez yaralandı. Ama ata iki kolu da sağlammış gibi biner. Kararlı, yürekli, bilgili bir komutandır. Bu üç grubumuz mevzilerini kesin olarak savunacak.

4. Grubun güneyinde, Afyon önünde 12. Grup bulunuyor. Komutanı Albay Halit Karsıalan. Deli Halit diye anılır. İkinci İnönü Savaşı'na katıldı, o da yaralanmıştı. Gayet sert, korkusuzca cephe hattında dolaşır, inatçı, değişik bir komutan.

Bu grubun iki tümeni, bir süvari tugayı var. Bunlar Afyon'un batısında ve kuzeyinde bekliyorlar.

Yunan taarruzu başlayınca, bir tümeni ve süvari tugayıyla düşmanı biraz oyalayıp kuzeye çekilecek, 4. Grubun sol kanadına yanaşacaklar. Çekilecekleri mevziler önceden hazırlanmıştır. Bunlar Seyitgazi yönünü kapayacak, kuşatılma olasılığına karşı, ordunun sol kanadını koruyacaklar.

İkinci Tümen, Mürettep Tümen adını taşıyor, Afyon'un batısında. Bu tümen gücü yettiğince Afyon'u savunmaya çalışacak. Bu birliğin üstün kuvvetlerle kesin savaşa girerek hırpalanmasını ve elden çıkmasını uygun görmüyoruz. Gerektiği zaman ezilmeden Afyon'un doğusuna ve güneyine çekilip Konya yönünü örtecek.[2]

İşte böyle. Durumumuz iyidir. Yunan ordusunun yayılışı, planı henüz anlaşılmış değil. İki gün içinde belli olur."

11 TEMMUZ PAZARTESİ, yine küçük ve sınırlı çatışmalarla başladı. Askeri birlikler ile kadınlar ve askerlik yaşı dışında kalan erkeklerden kurulu işçi taburları, mevzileri daha da geliştirmek ve pekiştirmek için boğucu sıcakta durmaksızın çalışmaktaydılar.[2a]

Her tümenin bir subay komutasında, 30 askerden kurulu birkaç akıncı kolu vardı. Bunlar numaraları ile anılıyorlardı. Bu serdengeçti kollar, Yunan birliklerinin gerilerine sarkıyor, aralarına sızıyor, telefon ve telgraf hatlarını kesmek, ikmal kollarını vurmak için canlarını cömertçe tehlikeye atıyorlardı. Akıncılar, Cephe Komutanlığı'nın emri gereğince, orduya katılmayıp düşman cephesinin gerisinde, dağlarda kalacak, binbir tehlike içinde düşmanla çarpışmayı sürdüreceklerdir.[2b]

Yunan işgaline uğrayacaklarını anlayan köyler ve kasabalar halkından imkânı ve dermanı olanlar göç yoluna düştüler. Gecikenler Yunan birliklerinin ortasında kalacaklardı. Yunan ordusu yine Türk köylerini yakmaya başlamıştı.

TBMM Başkan Vekili Dr. Adnan Bey, "Efendim.." dedi, "..gündemimizde Bakanlar Kurulu Başkanımızın düşman mezalimi hakkında açıklaması var. Buyrun Paşa Hazretleri."

TBMM'nin küçük toplantı salonundaki boyasız ve cilasız sıralar milletvekilleriyle, iki yandaki balkonlar dinleyiciler ve gazetecilerle doluydu. Savaşın başlamış olması dolayısıyla hava elektrikliydi. Fevzi Paşa kürsüye çıktı. Mırıltılar sürüyordu.

"Önce, başlayan düşman taarruzu hakkında bilgi vermek istiyorum."

Mırıltılar kesildi. Fevzi Paşa cephe durumunu açıkladı, savaşın birkaç gün sonra kesin safhaya gireceğini belirtti, sözü Yunan zulümlerine getirdi:

"Geçen gün Meclisimizde düşman mezalimi hakkında uzun tartışmalar yapıldı. Gerekirse, bizim de onun gibi davranmamızı teklif edenler oldu. Bu konuyu Bakanlar Kurulunda görüştük. Düşman ordusu, gerçekten, her yenilginin acısını, gerideki masum ve silahsız insanlardan çıkarmayı, köyleri yakıp yıkmayı şiar edinmiştir. Ama efendiler, bizim askerimiz, yüzyıllardan beri intikamını savaş meydanında almayı öğrenmiş bir askerdir. Onun için yüce heyetinizden istirham ediyoruz, düşmanın seviyesine inmeyelim..."

Alkışlar ve bravo sesleri yükseldi.[3]

Öfkeli bir milletvekili yanındakine, "Müttefikler Anadolu'da işlenen cinayetleri bilmiyorlar mı?." dedi, "..Biliyorlar. İzmir'e çıktığında Yunan tümeni ve İzmirli Rumlar öyle şeyler yaptılar ki bir kurula inceletmek zorunda kaldılar. İzmit ve Gemlik arasındaki Yunan mezalimini incelemesi için de bir Kızılhaç Kurulu yolladılar. Kurullar bu iki yerde yapılan insanlık dışı hareketleri saptadı ve rapor etti.[3a] İnsan sanır ki Avrupalılar kıyameti koparacaklar. Tersine örtbas ettiler. Her şeyi sessizliğe gömdüler. Ayın görünmeyen yüzü gibi, Batının da görünen parlak yüzünün arka yanı kapkara."

Eğitim Bakanı Hamdullah Suphi ile Mazhar Müfit Beyler sessizce dışarı çıktılar. Meclis Başkanlığı odasının kapısı önünde Salih Bozok'la Yarbay Salih Omurtak alçak sesle konuşuyorlardı. Hamdullah Suphi Bey, "Reis Paşa'yı görebilir miyiz?" diye sordu. Salih Bozok, "Çalışıyordu ama sizi bekletmek istemez.." dedi, "..buyrun."

Kapıyı vurup açtı, yol verdi.

M. Kemal Paşa, masanın üzerine serilmiş bir harita başındaydı. Oldukça düşünceli bir hali vardı. Girdiklerini fark etmedi. Hamdullah Suphi Bey seslenmek zorunda kaldı:

"Paşam?"

Başını kaldırdı. Görünce, gülümseyerek ayağa kalktı, ellerini sıktı: "Buyrun."

Oturmadılar. Hamdullah Suphi Bey, "Vaktinizi almayacağız.." dedi, "..Mazhar Müfit Bey'in başkanı olduğu Öğretmenler Derneği, birkaç gün sonra Ankara'da toplanacak. İki yüzden fazla öğretmen katılıyor. Fakat Fevzi Paşa'yı dinleyince tereddüte düştük. Savaşın yoğunlaşacağı anlaşılan bir sırada böyle geniş bir toplantı size ayak bağı olabilir. Uygun görürseniz erteleyelim."

M. Kemal Paşa, "Hayır, hayır, ertelemeyin.." dedi, "..cahillikle, ilkellikle savaş, düşmanla savaştan daha az önemli değildir. Toplantıya katılacağım ve konuşacağım." [4]

12 TEMMUZDA Yunan ordusunun stratejik yayılması anlaşılmıştı. Cephe Komutanlığı, ihtiyatındaki tümenleri Albay Fahrettin Altay komutasında 5. Grup olarak örgütledi. Bu yeni grubu hızla, 1. ve 3. Gruplar arasındaki kesime, Kütahya kuzeyine sürdü. 4. Gruba da demiryoluyla bir tümen yolladı.

12. Grubun Afyon kuzeyindeki tümeni ile süvari tugayı, plan gereğince bir gerideki hatta çekildiler.

Güney Tümenler Grubu da Afyon önündeki Mürettep Tümen'e çullanmıştı. Direnen tümeni çekilmeye zorladı ve karanlığın basmasına rağmen takip etti. Mürettep Tümen, Cephe emrine uyarak, Afyon doğusuna ve güneyine çekildi.

13 Temmuz sabaha karşı, 12. Yunan Tümeni'nden bir alay Afyon'a girdi.

HER SAAT biraz daha yaklaşan top ve makineli tüfek sesleri yüzünden gece Afyonluların gözüne uyku girmemiş, bazı Türk birliklerinin şehrin doğusuna doğru çekildiklerini görmek Türkleri kahretmişti. Başlarına gelecekleri üç ay önceki işgalden biliyorlardı.

Yunan alayının silah ve boru sesleriyle Afyon'a girmesi Rumları ayağa kaldırdı. İlahiler, marşlar ve şarkılar söyleyerek, Yunan bayraklarını sallayarak hükümet alanına doldular. Coşku sarhoşu bir subay ilk gelen kafilenin önündeki Rumun taşıdığı bayrağı kapıp havaya kaldırdı:

"İşte bayrağımız üç ay sonra yine Afyon'da! Yakında Kütahya'da, Eskişehir'de, Ankara'da ve İstanbul'da da dalgalanacak!

Yaşasın büyük Yunanistan!

Yaşasın yeni Bizans İmparatorluğu!

Yaşasın Kralımız 12. Konstantin!.." [5]

Kalabalık çığlık çığlığa kendinden geçti.

DURUM 4. ve 12. Gruplar kesiminde kritikleşmişti. Çeşitli önlemler alındı. Ayrıca 3. Gruptan, Yarbay Nâzım'ın 4. Tümenini çok acele 4. Gruba yollaması istendi. Ama 3. Grup Komutanı Albay Arif, bu emri 12 saat bekletecek, üstelik tümenin üçüncü alayını da bir gün sonra yollayacaktır. [6]

Bu sebepsiz savsaklama felakete yol açacaktır.

Yunanlılar kuzeyde oyalama savaşı yapıyordu. Asıl sonuç yeri Türk cephesinin güney kanadıydı.

Birinci ve İkinci Yunan Kolorduları kuzeye yöneldiler ve taarruza geçtiler.

Taarruzları gece de sürdü.

Andreas'ın 12. Tümeni ile Süvari Tugayı da, Türk sol kanadının yanına taarruz etmek ve arkasına dolanmak için yönlerini kuzeye çevirmişlerdi.

Böylece ertesi gün bu kesimde, Yunanlılar, 180 top ve 40.000 kişi toplamış olacaktı. Türklerse bu kesime 113 top, parça parça 30.000 asker yetiştirebilecekti. [7]

Savaş kesin safhaya girmişti.

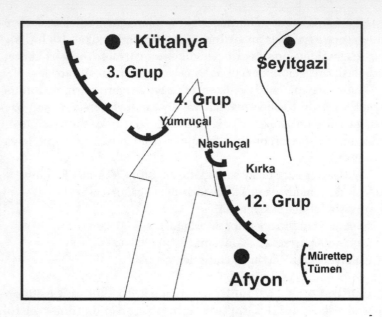

14 TEMMUZ günü çok hızlı başladı. Subaylar takviye birlikle-
rini, güney kesimine yetiştirmek için istasyonlarda çırpınıyorlardı.
Bindirme ve indirme istasyonları mahşeri andırıyor, katarlar ardarda
ve tıklım tıklım hareket ediyorlardı.

Türk ordusu zamanla yarış ediyordu.

Savaş, güneyde, 4. ve 12. Grup cephelerinde taarruz ve karşı ta-
arruzlar halinde ve çok kanlı sürdü. Karşılıklı süngü hücumları yapı-
lıyor, tepeler bir alınıp bir veriliyordu. Bir tepe, bir saat içinde on bir
kez el değiştirdi.[8]

Bugün 12. Grup, mevzilerini korumak için bütün ihtiyatlarını
cepheye sürmek zorunda kalacak, iki alay komutanı şehit olacaktı.

Albay Arif Bey'in hareketini geciktirdiği 4. Tümen, iki alayıyla
Çekürler istasyonuna ancak öğleden sonra gelebilmişti. Tümen yü-
rüyüşe geçti. Daha da güneye kaydırılmış olan bir tümenin bıraktığı
mevzilere yerleşip Yumruçal-Nasuhçal hattını savunacaktı. Yumru-
çal ve Nasuhçal tepeleri, 1800 metre yüksekliğinde, bir tepeler zinci-
rinin iki ucuydu.

Bırakılmış siperler, makineli tüfek yuvaları, top mevzileri, sığınaklar, yollar inceleniyor, birliklerin görevleri belirleniyor, toplar ve makineli tüfekler yerleştiriliyor, mesafe ayarları yapılıyor, keşif birlikleri çıkarılıyor, telefon ve telgraf hatları çekiliyordu. Tümen aç gelmişti. Akşam yemeği için kazanlar ateşe kondu.

Gece yarısı yaklaşırken, 4. Grup Komutanı Albay Kemalettin Sami Bey telefon etti:

"Nâzım Bey, yerleşebildiniz mi?"

"Yerleştik sayılır. 58. Alayım mevziye girdi. 40. Alayım da Yumruçal'da mevziye girecek. Ama bu alay tümenime yeni verildi. Eğitim düzeyi düşük. Komutanına da güvenemiyorum.[9] Sabah erkenden o kesime gidip duruma bakacağım."

"Düşman iyice yakınınızda. Yarın senin mevzilerine taarruz edebilir. Göreyim seni Nâzım, düşmana adım attırma."

Yarbay Nâzım, "Keşke 3. Alayım da burada olsaydı.." dedi, "..ama merak etmeyin, tümenim gerekirse kendini feda etmeye hazırdır."

"Allah yardımcınız olsun."

Nâzım Bey Emir Subayı Nimet'e sabahla ilgili gerekli emirleri verdi. Sonra karargâh emrinde tuttuğu Yüzbaşı Faruk'a, "Savaşmak istiyordun." dedi, "..işte beklediğin gün geldi. Yarın senin komutanlığında bir müfreze düzenleyip şu 40. Alay'ı takviye etmeni isteyeceğim. Sabah sen de bizimle gel. Çevreyi bir gör."

15 TEMMUZ Cuma sabahı gün doğarken Yarbay Nâzım, Kurmay Başkanı Binbaşı Şerafettin, Yüzbaşı Faruk, Emir Subayı Nimet, bazı karargâh subayları atlandılar, tümen süvari takımıyla birlikte Yumruçal kesimine hareket ettiler.

Orman yollarından geçerek Yumruçal mevzilerinin önüne geldiler. Az ilerde bir tepe vardı. Tepede kimse yoktu. Oysa mevziin güvenliği için bu tepenin mutlaka tutulmuş olması gerekirdi. Alay komutanının bu zorunlu önlemi aldırmadığı, tembellik edip bugüne ertelediği anlaşılıyordu. Atlardan indiler. Süvari takımı geride beklemekteydi.

"Olacak iş değil. Düşman bu tepeyi ele geçirirse mevzi nasıl savunulur? Yarım gün daha erken gelebilseydik, bu eksikleri vaktinde görüp düzelttirebilirdik."

Uzaktan top sesleri geliyordu. Süvari takımı komutanına, "Takımınla hemen tepeyi tut.." diye emir verdi, "..düşman taarruza geçerse, alaydan birlik gelene kadar burayı ne pahasına olursa olsun savunacaksın. Şimdi alaya gidip o tembel..."

Cümlesini tamamlayamadı.

Bir Yunan müfrezesi sabaha karşı bu kesime sızmış, gelenleri görünce yakındaki ağaçlığa sinmişti. Bir makineli tüfek birdenbire ölüm yağdırmaya başladı. Kuşlar korku içinde uçuştular.

Vurulan biçilmiş başak gibi düşüyordu.

Her şey bir dakika içinde olup bitti.[10]

Geride bekleyen süvari takımı öfke çığlıkları atarak ormana hücum etti. Nâzım Bey'in Emir Çavuşu Eyüp atıldı, komutanını kucağına alıp atına bindi, deli gibi sürdü. Yarbay Nâzım'ın kara gözlü beyaz atı da peşlerine takıldı. Genç komutan göğsünden ve elinden yaralanmıştı. Göğsünün sol yanındaki kan lekesi gittikçe büyüyordu. Eyüp Çavuş, bir yandan atı uçuruyor, bir yandan da, sesi şefkat ve ümitle titreyerek, "Ne olur dayan.." diye yalvarıyordu, "..Allah aşkına dayan. Sakın ölme kumandanım. Ellerinden öperim ölme. Kurban olayım dayan."

Ağaçların arasından sızan ışık oklarını biçerek, tepeleri rüzgâr gibi aşarak, peşinde beyaz at, tümen karargâhına geldi. Tümen doktoru ilk tedaviyi yaptı. Durumu ağırdı. Nâzım Bey'i Eskişehir hastanesine yetiştirmek için atlı bir cankurtaran arabasıyla Çekürler istasyonuna indirdiler.

Yarbay Nâzım'ın gözleri hafifçe aralandı. Eyüp Çavuş sevinç içinde, "Yaşıyor" dedi. Ama Nâzım Bey son anlarını yaşıyordu. Durmayan kan, göğsünü saran sargıya yayılmaktaydı. Fısıltıyla, "Tepeyi tuttular değil mi?" diye sordu. Bir subay, "Evet efendim.." dedi gözleri yaşararak, "..müsterih olun."

"Arkadaşlar iyi mi?"

"Hepsi iyi. Çok iyi."

Başında diz çökmüş olan Eyüp Çavuş'a baktı. Belki okşamak için sağ elini oynatmaya çalıştı, ancak kıpırdatabildi, canının son kırıntısını harcayarak, "Asıl siz dayanın çocuğum" diyebildi. Başı yavaşça sağına yaslandı ve öylece kaldı. Eyüp Çavuş ciğerleri parçalanarak haykırdı:

"Hayııııırrr!"

Süvarilerin, hücuma kalkan Yunanlıların elinden mucize halinde kurtarıp kaçırabildikleri bazı ağır yaralı karargâh subayları da istasyona getirilmişti. Acele hazırlanan bir trenle Eskişehir'e sevk edildiler.

Nâzım'ın beyaz atı da trenin yanında koşmaya başladı. Arazi, trenin yanında koşmasını engelleyince, at bir süre trenden uzağa düşüyor, yol elverince yeniden Nâzım'ın bulunduğu vagonun yanında beliriyordu.

Şehit Albay
Nâzım Bey

HABER Cephe karargâhını kedere boğdu. İsmet Paşa Kurmay Başkanına, "Bu kuşak.." dedi, "..vatanından başka sevgili bilmemiştir." Gözlerini sildi:

"Ankara'ya bildirin."

M. Kemal Paşa, Çankaya'daki çalışma odasında, ertesi gün Kongrede yapacağı konuşmayı hazırlıyordu. Manevi çocuğu Abdurrahim de bir koltuğa yan oturmuş, resimli bir dergiye bakıyordu. On bir yaşındaydı. M. Kemal Paşa bu Vanlı, şirin, akıllı Kürt çocuğunu beş yıl önce, doğuda 16. Kolordu Komutanıyken görmüş, kimsesiz olduğunu anlayınca evlat edinmiş, İstanbul'a geldiğinde annesine emanet etmişti. Okul tatil olunca da bu yaz başında Ankara'ya, yanına aldırmıştı.[10a] Fikriye sessizce içeri girdi, bekledi.

"Bir şey mi var Fikriye?"

Fikriye'nin yüzünden bütün kanı çekilmiş gibiydi:

"Evet Paşam, kötü bir haber var. Salih Bey üzülürsünüz diye söylemeye cesaret edemiyor."

"Nerde o?"

"Kapıda."

M. Kemal Paşa, "Salih, gel!" diye seslendi. Salih Bozok içeri girdi. Durdu.

"Ne var? Ne oldu?"

"Şimdi Fevzi Paşa telefon etti. 4. Tümen karargâh kadrosu felakete uğramış."

"Ne demek o?"

"Kurmay Başkanı Binbaşı Şerafettin Bey yaralı olarak düşman eline esir düşmüş. Çoğu şehit olmuş efendim. Askerler ancak birkaç yaralı subayı kurtarabilmişler."

M. Kemal korkarak sordu:

"Nâzım?"

Salih ağlamaya başladı.

M. Kemal Paşa donup kaldı, sonra zorlukla, "Gel biraz yürüyelim" dedi, bahçeye çıktılar. Büyük ağaçların altında yürüdüler.

Uzun bir sessizlikten sonra M. Kemal Paşa, "Yarınki Kongreye birkaç kadın öğretmen de katılacak.." dedi, "..bunu duyan bazı milletvekilleri karşı çıktılar.[11] Şu zavallı kafaya bak! Bu çağ dışı, dünyaya kapalı, alaturka, ilkel kafalar yüzünden bugün bu haldeyiz. Başka yolu yok, kendimizi yenilemek, ilerlemek, günümüz uygarlığına ayak uydurmak, onlarla eşit duruma gelmek, bunu sağlamak için de bu donmuş, durmuş, uyuşmuş kafaları değiştirmek zorundayız. Yoksa bugün kurtulsak bile, yarın yine ayak altında kalırız, kurbanlık koça döneriz, yem oluruz, yine rahat rahat sömürürler, bugün yaptıramadıklarını ilerde yine yaptırmaya çalışırlar, yine bir sürü işbirlikçi bulurlar. Uğrunda birçok çocuğumuz gibi Nâzım'ın da canını verdiği bu büyük mücadele, boşa gitmiş bir gayret olur."

Mustafa Kemal Paşa ve manevi oğlu Abdurrahim

Fikriye Hanım

KOMUTANI ve komuta kurulu savaş dışı kalmış olan 4. Tümen sarsılıyordu. 40. Alay saat 11.00'de Yumruçal'ı boşalttı, dağınık bir şekilde geriye çekilmeye başladı. Taarruz eden Yunan tümeni 4. Grubun savunma mevzilerinin bu bölümünü eline geçirdi.

Bir başka Yunan tümeni de Nasuhçal'a taarruza geçmişti. Ama 4. Tümen'in 58. Alayı, her türlü özveriyi göstererek, mevziini kararlılıkla savunmaktaydı.

4. Grup Komutanı Kemalettin Sami Bey, bu kesimdeki tehlikeli gelişmeyi durdurmak için elindeki son küçük birlikleri de takviye için yolladı. Yunan taarruzları büyük fedakârlıklarla kırıldı.

12. Grup da, ordu sol kanadını kuşatmaya çalışan Yunan birliklerine karşı biraz dağınıkça ama kanını esirgemeden direniyordu. Savaşın yaman koşulları içinde 4. Grup ile 12. Grup arasında tehlikeli bir boşluk oluşmakta, Andreas'ın tümeni bu boşluğa sokulmaktaydı.

Bütün cephede, Yumruçal'ın bir bölümü dışında, şimdilik esas savunma hatları ayaktaydı.

Yunan birliklerinin dağılımı ve hareketleri, amacı açıkça belli ediyordu: Cepheyi yarıp Türk ordusunun arkasına düşerek bütün yolların toplandığı Eskişehir'e ulaşmak.

Bu durum, çekiliş yolu kesilecek olan Türk ordusunun sonu demekti.

Sağ kanattan bir tümen daha alındı. Tümen birkaç saatlik bir dinlenmeden sonra hızla Seyitgazi'ye yürüyecekti.

12. Grup çekildiği hattı kesin olarak savunacaktı.

GECE BOYUNCA özellikle 4. Grup cephesinde çatışmalar zaman zaman sürmüş, yer yer boğuşmaya dönmüştü.

Çok yoğun bir topçu ateşinden sonra, savaşçı sayısı ve ateş gücü üstün iki Yunan kolordusu 16 Temmuz sabahı şiddetle taarruza kalktılar. 4. Grubun güney kesimi cehenneme döndü. Prens Andreas'ın 12. Tümeni, 4. ve 12. Gruplar arasında oluşan boşluktan sızarak savunma hattının sol yanına yaklaştı, Kırmızı Tepe'yi ele geçirdi. Buradan Yumruçal-Nasuhçal mevzilerinin gerileri toplarla rahatça dövülebilirdi.

Saat 11.00'e doğru Nasuhçal'ın çevresindeki Türk cephesi dalgalanmaya başladı.

NÂZIM BEY ile birlikte, ağır yaralı olan iki kurmay subay, Yüzbaşı Faruk, Emir Subayı Nimet ve Süvari Takımı Komutanı da, Eskişehir hastanesine getirilmişlerdi. Halide Edip'in Nâzım Bey'i o halde görmesini istemeyen başhekim, ancak bir saat sonra vedalaşmasına izin verdi.

Koridora yatırılmış yaralılar ırmağı içinden geçtiler. Koridorun sonuna doğru yürüdüler. Son kapının yanında, Nâzım'ı getirmiş birkaç bitik asker vardı. Çömelip sırtlarını duvara dayamış bekliyorlardı. Biri de Eyüp Çavuş'tu. Halide Edip'i tanırdı. Gözlerinden ip gibi yaş inerek ayağa kalkıp selam durdu. Başhekim odanın kapısını açtı, Halide Edip'e yol verdi.

Oda loş ve serindi.

Nâzım Bey'i ayaklı bir sedyeye yatırmış, üzerine büyük bir Türk bayrağı sermişlerdi. Halide Edip yavaşça bayrağı kaldırdı. Şehit Nâzım Bey, kalpağı ve göğsü kapalı üniformasıyla yatıyor, elleri göğsünde, huzur içinde uyuyordu. Nâzım'ın elini 'kardeş kardeşe veda eder gibi okşadıktan sonra' bayrağı usulca örttü. Dışarı çıktı.[11a] Beyaz at, karşıdaki boş alanda, gözlerini ümitle hastaneye dikmiş, bekliyordu. Ne yem yiyor, ne kimseyi yanına yaklaştırıyordu. Ameliyatı sona eren Yüzbaşı Faruk'u koğuşa taşıdılar. Yarı baygındı. Nesrin büyükçe bir ilaç kutusundan yaptığı bir yelpazeyi sallayarak onu serinletmeye çalışıyordu. Yunan uçakları, istasyonu bombalamaya başladılar. Biri alçalarak hastaneye bir bomba bıraktı. Bomba ıslık çalarak düştü, büyük bir gürültüyle avluda patladı. Koğuşun camları parçalanınca Nesrin korumak için Faruk'un üstüne kapandı.

Hava kararırken uçaklar çekildiler.

Nâzım Bey'in cenazesi akşam treniyle Ankara'ya yolcu edilecek, güzel beyaz atı bir daha gören olmayacaktı.

ÖĞRETMENLER KONGRESİ Öğretmen Okulunun salonunda toplanmıştı. Eğitim Bakanı Hamdullah Suphi Tanrıöver'in kısa açış konuşmasından sonra, M. Kemal Paşa kürsüye geldi.

Ön sırada milletvekilleri ve bakanlık yöneticileri oturuyorlardı. Bütün arka sıralar kalpaklı erkek öğretmenlerle doluydu. Üçüncü ve dördüncü sıranın sol yanında, sıkma başlı, on kadar kadın öğretmen yer almış, arkalarındaki, önlerindeki ve yanlarındaki koltuklar boş bırakılmış, böylece kadınlarla erkekler birbirlerinden ayrılmıştı. Bu ilkel görünüm M. Kemal Paşa'yı rahatsız etti. Bu yüzden konuşmaya durgun bir sesle başladı:

"Muhterem hanımlar, efendiler!

Bizi yaşatmamak isteyenlere karşı, yaşamak hakkımızı savunmak üzere toplanan Türkiye Büyük Millet Meclisi, burada, Ankara'da açıldı. Bugün Ankara, milli Türkiye'nin milli eğitimini kuracak olan Öğretmenler Kongresi'ne de sahne olmakla iftihar duymaktadır.

Derin bir idari ihmalin devlet varlığında açtığı yaraları sarmak için en büyük çalışmayı hiç şüphesiz eğitim için yapmamız gerekiyor.

Şimdi maddi ve manevi bütün güç kaynaklarımızı düşmanlara karşı kullanıyoruz. Ancak bu savaş günlerinde bile dikkat ve özenle işlenip çizilmiş bir milli eğitim programı yapmaya emek sarf etmeliyiz.

Milli eğitim programı derken, hurafelerden, yabancı fikirlerden, doğudan ve batıdan gelebilen bütün tesirlerden uzak, tarihi ve milli seciyemize uygun bir kültürü kastediyorum..."

Salih Bozok salonun kapısının karşısındaki sıra başında oturuyordu. Kapı aralandı, boşlukta Yarbay Salih Omurtak göründü, 'dışarı gel' diye işaret etti. Önemli bir şey olmalıydı. Salih Bozok dışarı süzüldü:

"Hayrola?"

"4. Grup cephesi, Yumruçal-Nasuhçal arasında yarıldı. Düşman ordu içine sızıyor. Paşa hemen Genelkurmay'a gelse çok iyi olacak."

"İçeri gel."

İçeri girip konuşmanın bitmesini beklediler.

"...Milletimizi yetiştirmek gibi kutsal bir görev yüklenmiş olan, gelecekteki kurtuluşumuzun yüce öncüleri, kadın ve erkek öğretmenlerimiz hakkındaki saygı duygularımı bir kere daha belirtmek istiyorum. Büyük tehlikeler önünde uyanan milletlerin ne kadar sebatkâr oldukları tarihten de bilinir. Silahıyla olduğu gibi kafasıyla da mücadele mecburiyetinde olan milletimizin, birincisinde gösterdiği kudreti, ikincisinde de göstereceğine asla şüphem yoktur. Her türlü güçlüğü göze alarak bu yolda sarsılmadan yürüyeceğinize inanıyorum. Göreviniz çok önemli ve hayatidir. Bunda muvaffak olmanızı Cenab-ı Hak'tan temenni ederim."

Herkes alkışlayarak ayağa kalktı.

Paşa kürsüden ayrılırken Salih Omurtak hızla yaklaştı, selam verdi, alkış şakırtıları içinde haberi fısıldadı. Milletvekilleri ve bakanlık ileri gelenleri M. Kemal'in çevresinde toplanmaya başlamışlardı.

"Anladım ama önce yapmam gereken önemli bir iş var. Sonra birlikte gideriz."

Aranarak, "Mazhar Müfit Bey?" diye seslendi. Mazhar Müfit Bey yaklaştı:

"Buyrun efendim."

M. Kemal Paşa sesini herkesin duyacağı kadar yükseltti:

"Kongreye hanım öğretmenlerimizi çağırdığınız için sizi kutlarım. Ama hanımefendileri niye böyle ayrı oturttunuz? Sizin kendinize mi güveniniz yok, yoksa Türk hanımlarının faziletine mi? Bir daha böyle bir ilkellik görmeyeceğimi ümit ederim." 12

Cevap beklemeden yürüdü. Erkeklerden uzakta ve ayakta bekleyen kadın öğretmenleri başını eğerek selamladı. Kenara itilmiş kadın öğretmenlerin gözleri minnetle parlıyordu. Onlar da M. Kemal Paşa'yı saygı ve geleceğe güvenle selamladılar. Zavallıların gelecekten beklediği şey, erkeklerle eşitlik gibi imkânsız şeyler değil, biraz saygıydı.

YUMRUÇAL-NASUHÇAL hattındaki birlikler, cephenin yarılması üzerine geri çekilmeye başlamıştı. Yunan Birinci Kolordusu yarığı genişleterek, çekilen birliklerin yollarını kesmek üzere Türkmen Dağı'na ilerliyordu.

Cephe ve Grup komutanlıkları, birliklerini, savaşın dişleri arasından çekip biraz geride toplamak için gün boyu didindiler. İlk iş olarak Kütahya havaalanındaki uçaklar Eskişehir'e kaçırıldı. Cephe karargâhının savaş kademesi, cepheye yaklaşarak Eskişehir güneyindeki Karacahisar'a geldi.

İsmet Paşa, 12. Grup Komutanı Halit Bey'i, '4. Grubun sol yanında boşluk bırakarak orduyu tehlikeye soktuğu için' azarladı. 13.30'da verdiği emirle de bulunduğu hattı kesinlikle savunmasını emretti. Bu azar Halit Bey'i çok sarsacaktı. Birliklerini zaten sertlikle yönetiyordu. Sertliğini daha da artırdı. Birliklere kesin savunma yapılacağını bildiren emirler yağdırdı. 2. Süvari Tümeni Komutanına yolladığı emri şöyle bitirecekti: "Tümeniniz bu görevi yapmadığı takdirde sizi şahsen sorumlu tutacağım ve her türlü örfi işlemi yapacağım."

Bu, asker dilinde 'kurşuna dizdiririm' demekti.

Cephe Komutanlığı, gelen son bilgileri de değerlendirdi: Yarma derinleşmişti. Ordu tehlikedeydi. Saat 21.30'da, bütün ordunun, düşmanla teması keserek, bir basamak geriye, Karacahisar-Seyitgazi hattına çekilmesini emretti. Ordu bu yeni hatta toplanıp toparlanarak savaşa devam edecekti.

Kütahya bırakılıyordu.

Yunan ordusunun yararlanmaması için birlikler kesimlerindeki demiryollarını bozup köprüleri atarak çekilmeye başladılar.

Asker arasına karışmış paralı ya da gönüllü bozguncular, Padişah'tan izinsiz savaşmanın dine aykırı, milliyetçilerin dinsiz olduğunu fısıldaya fısıldaya, cahil erleri zehirleyip durmuşlardı. Bu etkinin çürüttüğü erler çekilişi fırsat bilerek, yavaş yavaş sıvışıp gecenin karanlığına karıştılar. Bunlara ordunun dağıldığını, savaşın bittiğini sanan zayıf ruhlular da katılacaktı.[12a]

Cephe Komutanlığı, üç süvari tümenini, Albay Fahrettin Altay'ın komutası altında Süvari Grubu olarak örgütledi. Süvari Grubu'nun görevi, çekilen orduyu korumaktı. Bu grup geleceğin ünlü Süvari Kolordusu'nu oluşturacaktır.

ŞEHİT NÂZIM BEY, M. Kemal Paşa'nın, bakanların, milletvekillerinin, sivil ve asker bütün yöneticilerin ve Ankara halkının katıldığı büyük bir törenle sonsuzluğa yolcu edilmiş, Meclis, rütbesini albaylığa yükseltmişti. Bundan böyle Şehit Albay Nâzım diye anılacaktı.[12b]

M. Kemal Paşa bir gün içinde zayıflamış gibiydi. Günün acısını, cepheden gelen olumsuz haberler daha da derinleştirmişti. Direksiyon binasında, Yarbay Salih Omurtak'ın verdiği son bilgileri dinliyor, durumu haritadan izliyordu. Salih Bey'in açıklaması bitince başını göğsüne eğerek içine çekildi. Bir ikmal trenine cephane, erzak ve sağlık malzemesi yükleyenlerin telaşlı sesleri duyulmaktaydı. M. Kemal kimbilir kaç olasılığı tarttıktan sonra başını kaldırdı, "Salih Bey.." dedi, "..şimdi tek amaç, orduyu dağılmadan elde tutmak olmalı. Bunu sağlamak için daha geriye, hatta çok geriye bile çekebiliriz. Ama böyle ağır bir kararın sorumluluğunu tek başına İsmet Paşa'ya yüklemek doğru olmaz."

Durdu, "İsmet Paşa'ya bir telgraf göndermek istiyorum, yazar mısınız?" dedi, bir an düşünüp telgrafı yazdırdı:

"Hareket etmek üzere olan bir trenden yararlanarak sizinle gelip görüşmek istiyorum. Sıkıntı verir miyim? Cevabınızı bekliyorum."

BATI CEPHESİ karargâhının savaş kademesi Karacahisar'a yerleşmeye çalışıyordu. Bu unutulmuş, sessiz köy birdenbire çadırlar, atlar, arabalar, kamyonlar, koşuşan ve bağıran insanlarla dolmuştu. Osmanlı hanedanının atası Osman Bey'in 600 yıl önce beyliğini ilan ettiği tarihi yerdi burası. Karacahisar'da doğan o küçücük beylik üç kıtaya yayılarak görkemli bir imparatorluk olmuştu. Ama değişen ve gelişen hayata ayak uyduramadığı, kendini yenileyemediği, aydınlanmayı yaşayamadığı için giderek koflaşmış, büzülmüş, sonunda da bitmişti. Son Türkler, bu yıkıntıdan yeni bir devlet çıkarmak için çırpınmaktaydılar. Bu çırpınış bugün bir dönüm noktasına gelip dayanmıştı. Yeni bir devlet kurmak ülküsü ya burada sönecek, ya da yeniden canlanıp sürecekti.

Komuta kuruluna gelen ilk bilgilere göre kuzeydeki İzzettin Çalışlar'ın 1. Grubu, düzenini koruyarak çekiliyordu. Süvari Grubu örtme görevini yapıyor, 3. Grup da az-çok düzenle çekiliyordu. Ama cephesi beklenmedik zamanda ve yerden yarıldığı için 4. Grup tümenlerinin çekilişinin düzensiz, hatta karmakarışık olduğu anlaşılmaktaydı. Beş tümenli bu Gruptan dünden beri hiç haber yoktu.

Kurmayların hepsi mutsuz, çoğu karamsardı.[13] Binbaşı Kemal, "Cepheyi yaran düşman 4. Grubun gerisine, Türkmen Dağı'na akıyor." diye inledi, "..Grup düşman içinde kaldı." [14]

Grup belki de dağılmıştı.

Binbaşı Cemil Taner, "Sabah erkenden bir hava keşfi yaptırarak durumu anlarız" dedi.

Naci Tınaz umutsuzca başını salladı:

"Anlayamayız. Uçaklar Eskişehir'e gelebildi ama bakım yapacak ustalar ve malzemeler daha yolda."

Çekilen birliklerin ağırlıklarını taşıyan at ve öküz arabaları yolları tıkamıştı. Ancak bir gün sonra gelebileceklerdi.

Emir subayı, İsmet Paşa'nın önüne şifresi çözülmüş bir telgraf notu bıraktı. Okur okumaz yüzü rahatladı: "Çok iyi.." dedi, "..teşriflerine cidden müteşekkir olacağımı hemen bildir."

Kurmaylar meraklanmışlardı. Açıkladı:

"M. Kemal Paşa sabah Eskişehir'de olacak. Böyle güzel bir sürprize galiba hepimizin ihtiyacı vardı. Haydi şimdi yarın için alınacak önlemleri konuşalım."

YUNAN ORDU KARARGÂHI, ilerleyen orduyu izleyerek, Afyon kuzeyindeki Belcemeşe istasyonuna gelmişti. Komuta kurulu, karargâh vagonunda, harita başındaydı. Yunan birliklerini küçük haçlar, Türk birliklerini küçük yıldızlar temsil ediyordu. Haçlar çoğalmış ve doğuya doğru yayılmıştı.

Herkes haklı olarak neşeliydi.

Cephesi yarılan Türk ordusu çekilmeye çalışıyordu. Güneydeki birlikleri hızlandırmaya karar verdiler. Böylece Seyitgazi ve sonra da Eskişehir doğudan kuşatılarak, Türk ordusu çember içine alınabilecekti.

General Stratigos heyecanlanarak, "Emir verin.. " diye bağırdı, "..hemen harekete geçsinler! Hemen! Hemen! Bu müthiş fırsatı kaçırmayalım. Düşman çekilirse, havaya kılıç sallamış oluruz." [15]

Sariyanis'in yüzüne geniş bir gülümseme yayıldı:

"Elimizden kaçamayacaklar."

17 TEMMUZ 1921 günü sabah beşte Eskişehir'e gelen M. Kemal Paşa'yı İsmet Paşa karşıladı. Otomobille Karacahisar'a hareket ettiler. Bu saatte son Türk birliği de azap içinde Kütahya'yı terk etmekteydi.

"Hızır gibi yetiştin. Cephe yarılınca, hepimiz çok sarsıldık."

"Üzülme. Bir gün Meclis'te de söyledimdi, yarılmayacak cephe yoktur."

M. Kemal Paşa'nın elini tuttu:

"Sağ ol."

Gelen son bilgileri açıkladı. Şoförün ve emir subayının yanında daha fazla konuşmadılar.

Kurmaylar ve karargâh subayları, paşaları dört gözle bekliyorlardı. Uykusuz ve huzursuzdular. M. Kemal Paşa hepsinin elini sıktı, hatırlarını sordu, kısa bir konuşma yaptı:

"Kütahya çarpışmasını kaybettik. Çünkü düşman bütün kaynaklarını seferber etmişti. Şu anda insan, silah ve araç bakımından bizden çok üstün. Ama beyler, Yunanistan'ın toplayabileceği azami kuvvet, sarf edebileceği azami gayret, işte bundan ibaret. Hepsi bu! Şu halde bu kuvveti ve bu gayreti boşa çıkarırsak, iş değişir. O andan itibaren de zaman bizim lehimize işlemeye başlar. İçiniz rahat olsun, bu gayreti boşa çıkarırız."

Sakinliği ve olayı ele alışı, subayları yatıştırmıştı. M. Kemal Paşa, odadan son çıkan Tevfik Bıyıklıoğlu'nun omzuna dokundu, yavaş sesle, "Kendini bırakma, tıraş ol Tevfik!" dedi.

Üç gündür tıraş olmayan Binbaşı Tevfik utandı:

"Başüstüne efendim."

M. Kemal ve İsmet Paşa harita serili portatif masanın başına geçip oturdular. M. Kemal Paşa son durumun işlendiği haritayı inceledikten sonra sordu:

"Durum tatsız. Şimdi ne yapmayı düşünüyorsun?"

"Düşman, savaşı bizim için hezimete çevirmek üzere her taraftan bastırıyor. Bizim için en tehlikeli olasılık, düşmanın güney kolunun, sol kanadımızı yenerek ya da açığından dolaşarak, ordumuzun gerisine geçmesi. Bunu önlemek için 12. Gruba ne pahasına olursa olsun direnmesi emrini verdim. Süvari Grubu'nu da sol kanadımıza yolluyorum. Yine durduramazsak, yapılacak en doğru iş, tabii, orduyu hırpalatmadan basamak basamak geriye çekmek olacak.."

Duraksadı:

"..Ama savaşmadan şehir ve toprak bırakmanın, askeri bir zorunluk olduğunu halka nasıl anlatırız?"

"O benim sorunum. Sen tereddüt etmeden, askerliğin gereği neyse onu yap."

"Bazı hazırlıklarım var. Uygun görürsen, önce onları denemek istiyorum. Eğer sonuç alamazsam çekilirim."

"Çekilmeye karar verince düşmanla arayı iyice açmalısın. Orduyu yeniden toparlamak için zaman kazanalım.."

M. Kemal elini haritanın üzerinde dolaştırdı. Anadolu'yu okşuyor gibiydi:

"..Bence Sakarya nehrinin gerisine kadar çekil."

İsmet Paşa içi burkularak baktı:

"Bu kadar geniş çekilme seni Meclis'te çok zor durumda bırakmaz mı?"

"Zararı yok. Göğüs gererim. Yeter ki ordu elde kalsın." [16]

Bakışları buluştu. Anlaştılar. İsmet Paşa M. Kemal'e dayanarak askerliğin gereğini yerine getirecek, M. Kemal Paşa da İsmet Paşa'ya güvenerek Meclis'in ve kamuoyunun tepkisini göğüsleyecekti.

Karargâhın havası değişmiş, karamsarlığın yerini ümit ve azim almıştı. Öğle üzeri 4. Grubun düşman içinden sıyrılarak Avdan Köyü'ne ulaştığı haberi gelince, İsmet Paşa kaç gündür ilk kez güldü:

"Nihayet iyi bir haber!"

4. GRUP KOMUTANI Kemalettin Sami Bey ve Kurmay Başkanı, bir kütüğün üzerine çökmüş dinleniyorlardı. Az ilerdeki yoldan, karışık bir halde, ağır makineli tüfek yüklü katırlar, bitkin, ayağı vuruk, kimi yaralı askerler, erzak ve cephane arabaları, dik durmaya çalışan subaylar geçiyordu.

Zorlukla ölüm çemberinden çıkmışlardı.

Kemalettin Sami Bey, "İsmet Paşa kurtulduğumuzu duyunca sevinecektir" dedi. Kurmay Başkanı yüzünü buruşturdu:

"Ama binlerce askerin silahıyla birlikte kaçtığını öğrenince de sevinci kursağında kalacaktır."

Kemalettin Sami Bey, elinin tersiyle terini sildi:

"Bu acı olayın sebeplerini tekrar tekrar konuşmalıyız. Gençleri çok iyi eğitmek gerekiyor. İstanbul hükümeti de emperyalistler de karşılarında bilinçli bir millet görmek istemiyor, millileşmeyi sulandırmak için hemen faaliyete geçiyor namussuzlar. Neyse. Şimdi yemek işini halletmeye bakalım. Asker iki günden beri aç."

Yoğun savaş yüzünden evvelsi akşam askere yemek ve ekmek verilememiş, asker torbasındaki birkaç peksimetle açlığını bastırmıştı. Sonra da yollara dökülüp gerektikçe çarpışarak, dağılıp buluşarak, esir vermeden geri çekilmişlerdi. [17]

Elini alnına vurdu:

"Yahu biz de açız!"

GENERAL PAPULAS, Türk ordusunun tamamını kuşatıp çember içine almak için tümenlerini son takatlerine kadar zorluyor, tümenler de ellerinden gelen gayreti gösteriyorlardı. Türk ordusu imha edilmeden geri çekilirse, savaş çok uzayabilirdi.

Türk Komutanlığı, orduyu ilk aşamada Karacahisar-Seyitgazi hattına çekip bu gayretleri boşa çıkarmıştı. Şimdi ordunun bu hatta direnmesi, yeni gayretleri de boşa çıkarması gerekiyordu. Ordunun güvenliği özellikle sol kanadı oluşturan 12. Grubun direncine bağlıydı.

M. Kemal Paşa sabah Karacahisar'dan Halit Bey'e bir telgraf göndererek, 'cepheye geldiğini, sevgiyle gözlerinden öptüğünü' bildirmişti. Yürekten bağlı olduğu M. Kemal Paşa'nın bu kısacık telgrafı, Albay Halit Bey'in kararlılığını iyice pekiştirip heyecanını kattı. İleri hatlara gitti, subayları ve askerleri ölesiye savunmaya hazırladı. Ne yorgunluk tanıyordu, ne uykusuzluk. Diyordu ki: "12. Grup, ordunun esenliğini sağlamak, vatana borçlu olduğu hizmeti yapmak için düşman hücumunu ne olursa olsun kırmak... siperini kaptıran kıta, her ne pahasına olursa olsun geri almak zorundadır." 12. Grubun bir birliği, bu bilenmişlikle, Prens Andreas'ın 12. Tümenini Başören Geçidi'ni geçerken yakaladı. Tümen, öncüsü savaşmak için yayılınca, geçitte sıkışıp kalacak, bütün gece Türk ateşi yiyecekti.[18]

İNGİLTERE'nin Atina Elçisi Lord Granville, gece Dışişleri Bakanlığı'na günün son raporunu yazdı:

"..Afyon'dan sonra Kütahya'nın da bugün zaptedildiği haberi Atina'ya akşam geç saatlerde ulaştı ve Meclis'te Başbakan tarafından açıklandı. Papulas Eskişehir'e yürüdüklerini bildirmiş. Elli bin kadar esir alındığı hakkında hikâyeler anlatılıyor. Kiliselerin çanları çalıyor, halk silah atarak sokaklarda dolaşıyor. Yarın 101 pare top atışı yapılarak zafer resmen kutlanacak ve katedralde şükran ayini yapılacak."

Haber Lord Graville'i de bir Yunanlı kadar sevindirmişti.

M. KEMAL PAŞA Karacahisar'da geceledi. Onun ve İsmet Paşa'nın cephenin bu kadar yakınında olduğunu bilmek yaralı ordunun moralini yükseltmiş, sarp arazi de Yunanlıların hızını kesmişti.

18 Temmuz sabaha karşı saat 03.00'te, 12. Gruba bağlı birlikler, Seyitgazi'nin kuzeybatısında, Üçsaray yakınında konmaya geçmiş dolgun bir Yunan alayını yakaladılar ve duman ettiler. Kaçan askerlerini alay sancağını açarak durdurmaya çalışan komutanın çabası işe yaramadı, alay dağıldı. Alayı korumak isteyen Yunan süvari tugayı da tutunamadı, o da kayıp vererek geri çekildi.[19]

Ama bu sınırlı başarılar durumu kurtarmaya yetmiyordu. Genel bir başarı kazanmaya imkân kalmamıştı. Çünkü kaçaklar durmadan artmakta, ordu erimekteydi. Kimileri işgal altında kalan köylerine kaçıyor, kimileri dağlara dağılıyordu. Bazı azgın kaçak grupları ise, cepheye yollanan küçük takviye birliklerini geri çeviriyor, komutanları "Niye din kardeşlerimizi kırdırıyorsunuz?' diye tehdit ediyor, silah zoruyla erleri serbest bıraktırıyorlardı. Bir kısmı da çapulculuğa soyunmuştu; köyleri ve ikmal kollarını yağmalamaktaydılar.[20] Yunan tümenlerinin batıdan Eskişehir'e yaklaşması üzerine İsmet Paşa resmi dairelerin Eskişehir'den ayrılıp Mihalıççık'a taşınmasını emretti. Subay aileleri Mihalıççık ve Sivrihisar'a, hastane, uçak bölüğü ve silah tamirhanesi Ankara'ya çekilecekti.

Son tren de geçtikten sonra Eskişehir doğusundaki demiryolu köprüsü uçurulacak, demiryolu da geri çekildikçe bozulacaktı.

ESKİŞEHİR'de panik başladı.

Başhekim Şemsettin Bey, doktor, hemşire ve hastabakıcıları acele topladı. Hiç dinlenmeden çalışmışlardı. Ayakta zor duruyorlardı. Başhekim, "Haber kötü.." dedi, "..Eskişehir boşaltılıyor. Ankara'ya gidiyoruz. Kımıldatılmayacak kadar ağır olanları yazık ki burada bırakacağız. Geri kalanlar istasyona taşınacak."

Genç bir doktor öne çıktı:

"Efendim, yola çıkamayacak ağır yaralılarımızla birlikte ben de burada kalmak istiyorum. Hiçbirini düşmanın şefkatine bırakamayız."

Başhekimin gözleri yaşardı:

"Sağ ol kardeşim."

Güçlükle kendini toparladı:

"Gecikiyoruz. Hazırlığa başlayalım."[21]

Eskişehir Havaalanı Komutanı da herkesi toplayıp şu emri vermişti:

"Uçaklar, bütün malzeme ve herkes Polatlı'ya gidecek! Haydi beyler, işbaşına!"

Polatlı'da yedek bir havaalanı vardı.

Silah tamirhanesine gelen bir binbaşı da perişan bir yüzle, subaylara ve ustalara, "Savaş talihi böyle tecelli etti." dedi, "..tamirhane Ankara'ya taşınacak. Her şeyi toplayın. Geride bir tek vida bile bırakılmayacak."

"Ne zaman toplanmaya başlayalım?"

"Hemen! Şimdi! Derhal!"

Silah tamirhanesi adı verilen ve tophane, silahhane, dökümhane, demirhane gibi bölümleri bulunan bu kuruluşta imalat-ı harbiye subay ve ustalarıyla onların yetiştirdikleri işçiler çalışıyordu. 1920'den başlayarak Anadolu'ya geçmişlerdi. Kamaları alınmış toplara, çelik vagon dingillerinden kama yaparak, tüfekleri onararak, eksik parçalarını bulup buluşturup tamamlayarak orduyu ferahlatmışlardı.[21a] Mızıldanmadan çare bulur, yokluğa yenilmez, iş bitirmeye bayılırlardı. Makineleri, aletleri, kullanılabilir her şeyi toplamaya başladılar. Büyük demiryolu atölyesi de toplanıyordu. Onarım için atölyede bulunan arızalı lotomotif ve vagonlar tahrip edilecekti. Şehrin terk edileceğini öğrenir öğrenmez, halk da göç hazırlığına koyuldu. Düşmanın kıyıcılığını duymuşlardı. Çok geçmeden çoluk çocuk yayalar, köpekler, eşya yüklü eşekler, atlar, at ve öküz arabaları, Ankara yoluna düştüler. Arabası olmayanların ellerinde, kollarında sepetler, torbalar, omuzlarında heybeler, bazılarının sırtlarında denkler vardı. Bir kız çocuğu geride bırakmaya kıyamadığı kuşunu da almıştı yanına. Saka kuşu, küçük kafesinin içinde zıplıyor, sevinç içinde şakıyordu.

Göç kafileleri, gözyaşı gibi ağır ağır akarak, birbiri ardınca uzaklaştılar.

Bir hastane

ARKASINA havaalanının, uçak bölüğünün, hastanelerin ve tamirhanelerin araç ve gereçleriyle dolu yük vagonları eklenmiş iki lokomotifli katar istim üstündeydi. Gece serinliği basmıştı. İsli gaz lambalarından perona hüzün dökülüyordu.

Hemşire ve hastabakıcıların gözetiminde, ağır yaralılar taşınmaktaydı. Zorlukla yürüyen bir yaralıya Nesrin yardımcı oldu. Son yaralı da bindirilince, doktorlar da binmek için trene yürüdüler. Halide Edip Hanım istasyon binasının önünde duran M. Kemal Paşa'ya baktı. Yenilginin bütün acısı sanki onda toplanmıştı. Yüzü sapsarıydı. Yanında Hâkimiyet-i Milliye gazetesine savaş izlenimlerini yazmak için cepheye gelmiş olan Ruşen Eşref Ünaydın ile Salih Omurtak ve Salih Bozok vardı. Şehri en son terk edecek olan istihkâm subaylarıyla konuşuyordu:

"..Üzülmeyin çocuklar. Ordu yaşıyor. Önemli olan bu. Demiryollarını onarılamayacak gibi tahrip etmeyin. Sonra uğraşmayalım. Çünkü nasıl olsa düşmanı mahvedip bu yoldan geri geleceğiz."

Son cümleyi o kadar inançla söylemişti ki ezgin subayların duruşları bile değişti.[22]

Uzun katar, gece yarısı hareket etti.

İstihkâmcılar son trene selam durdular.

Bu sırada sol kanatta Seyitgazi batısında ise kanlı boğuşmalar sürüyor, kuşatılmayı önlemek için 12. Grup ölesiye direniyordu. Süvari Grubu da bu kanada yetişip savaş düzenine girmişti.

Salih Omurtak   Salih Bozok   Muzaffer Kılıç

ESKİŞEHİR'in boşaltıldığı çabuk Ankara'da duyulacak, milletvekilleri sabah, öfke ve kaygı içinde Meclis'e koşacaklardı. Asker kökenli milletvekilleri çekilmenin de bir savaş türü olduğunu açıklamaya çalışıyorlardı ama kimse dinleyecek halde değildi. O kadar güvendikleri ordu bir bir şehirleri düşmana bırakarak çekilmekteydi. Her kafadan bir ses çıkıyordu. İttihatçı Hafız Mehmet'in sesi gürültüyü bastırdı:

"İşte apaçık söylüyorum. Enver Paşa gelip de ordunun başına geçmedikçe kurtulamayız!"

Bursa Milletvekili Muhittin Baha Pars'ın tepesi attı:

"Bırak Allah aşkına. Enver'in maceracı ve tecrübesiz bir asker olduğunu sen de bilirsin ama İttihatçılık gayretiyle böyle konuşuyorsun. Yenilince kaçtı. Meclis'i açtık, orduyu yeniden kurduk. Şimdi hazıra konmak için mi gelecek?"

Hafız Mehmet dilini tutamadı:

"Ordu yeniliyor be. Enver Paşa dost bir kuvvetle geri dönse, durumu düzeltse, kötü mü olur?"

Enver Paşa'nın toplama bir Bolşevik kuvvetle Anadolu'ya girmek istediği hakkında bir söylenti vardı ama karanlık günlere özgü söylenti furyası içinde kimse önemsememişti. Bunu Enverci bir İttihatçının ağzından duymak pek çoğunu ürküttü. Ahmet Muhtar Mollaoğlu, "Bana bak.." dedi, "aklınızı başınıza toplayın. Taşıma kanla istiklal savaşı verilmez. Sonra kan yardımının faturasını insanın gözüne dayarlar."

Süreyya Yiğit, Hafız Mehmet'in koluna yapıştı:

"Iraklılar ve Suriyeliler İngilizlerle Fransızları kurtarıcı olarak karşılamışlardı. Şimdi bu kurtarıcılardan kurtulmak için çırpınıyorlar. Bunu sakın unutma!"

Ankara Milletvekili Atıf Taşpınar Hoca araya girdi:

"Beyler! Ankara göçmen ve yaralı dolu. Zavallı Eskişehirliler de buraya gelecektir. O kadar kişiyi nereye yerleştireceğiz? Kavga edeceğimize bunları konuşalım."

ENVER PAŞA Dr. Nâzım'ı çağırttı.

Sovyet yönetimi, Enver Paşa'ya seçkin misafirlerin ağırlandığı, eski Başvekillerden Prens Gorçakov'un sarayının bir dairesini ayırmıştı. Dairenin bir odasında da yurtdışına kaçmış önde gelen İttihatçılardan Dr. Nâzım kalıyordu. Dr. Nâzım mükellef salona girince, "Doktor gel.." dedi, "..otur. Önemli bir haberim var.."

Dr. Nâzım oturdu. Enver Paşa'nın yüzünde üzüntü ve ümit karışımı bir gerginlik vardı:

"Dışişleri Komiserliğinde telsiz-telgraf haberlerini gösterdiler. Yunan ordusu Eskişehir'e de girmiş."

Dr. Nâzım heyecanlandı:

"Şu halde Ankara'nın sonu geldi."

"Evet."

"Öyleyse bize de yol göründü."

"Evet."

"Ruslar emrinize kuvvet vermeyi kabul ettiler mi?"

"Bolşevik Müslümanlardan kurulu bir kuvvet için dayatıyorum. Daha bir sonuca varamadık." [23]

Dr. Nâzım ayağa kalktı, iktidar tutkusu tınlayan bir sesle, "Olmaz Paşam.." dedi, "..görüşmeleri bir an önce sonuçlandırmak gerek. Hemen harekete geçemezsek, fırsatı kaçırabiliriz. Görüşme uzayacaksa, Anadolu'daki arkadaşlarımızla yetinelim, kuvvet istemekten vazgeçelim. İktidar kadın gibidir, bekletmeye gelmez."

İNGİLTERE için bu sıralarda iki şehir çok önemliydi: Ankara ve Moskova.

İngiliz Haberalma Servisi, Ankara'da örgütlenmeyi henüz başaramamıştı. Sürekli ve doğru bilgi edinilemiyordu. Türk dostu bir Hindistanlı kimliği ile M. Kemal Paşa'yı öldürmesi için yollanan Mustafa Sagir'in İngiliz ajanı olduğu Ankara'da çok çabuk anlaşılmış ve yargılanarak 24 Mayısta idam edilmişti.[24] Bu sebeple Ankara'da çok dikkatli olarak örgütlenmeye çalışıyordu. Kurulması için çalışılan merkeze 'Black Jumbo' kod adı verilmişti. Hazırlıklar sürüyordu.

Moskova'da ise çok iyi örgütlenmişti. Sürekli bilgi akıyordu oradan. Edinilen bilgiye göre, Moskova, Enver Paşa'yla birlikte Anadolu'ya sevk etmek üzere 130.000 kişilik bir kuvvet toplamaktaydı. Enver Paşa'yı, Bolşevikliği benimsemeyen M. Kemal'e karşı bugüne kadar bir koz olarak elinde tutan Moskova, yenilgi üzerine, bu kozu ileri sürmeye karar vermiş görünüyordu.

Rattigan'a Moskova'dan alınan bu raporu özetlemeyi bitiren General Harington, "M. Kemal iki ateş arasında.." dedi, "..batıdan Yunan ordusu yürüyor, doğuda Sovyet birlikleri yürümeye hazırlanıyor."

Rattigan huzursuzca kımıldadı:

"M. Kemal sorunu bitecek, bu sefer de Enver sorunu başlayacak. Sovyet birlikleri Ankara'ya kaç günde ulaşabilirler?"

"Kurmaylarımın hesabına göre 68 günde." [25]

Rattigan'ın içi rahatladı:

"Yunanlılar onlardan çok önce Ankara'ya varırlar."

Harington, "Evet." dedi, "..kanımca Türk ordusu artık direnemez." [25a]

"Desenize Türk sorunu bitiyor."

YUNAN 10. Tümeni Eskişehir'i işgal ettikten sonra şehrin doğusuna güvenlik birlikleri sürerek durmuş, Türk ordusu Eskişehir doğusu-Seyitgazi hattına çekilmişti. ←

İsmet Paşa, Yunan ordusundaki bu durgunluktan yararlanarak, son bir hamle ile Eskişehir ve çevresindeki Yunan birliklerine karşı, toplayabildiği 9 tümenle taarruz etmeye karar verdi.

21 Temmuz sabahı Eskişehir savaşı başladı.

1. Grubun Eskişehir'in kuzeyinden yapmış olduğu taarruz, böyle bir hareket beklemeyen Yunanlılarda telaş uyandırdı. 3. Grup karşısındaki Yunan birliklerinde de kaçma, dağılma belirtileri gözleniyordu.[26] Beklenmedik taarruz Yunan komuta kurulunu panikletti. Türk taarruzunun başarıya ulaşması ve Eskişehir'in elden çıkması Yunan ordusunun güvenliğini alt üst edebilirdi. Komutanlık ne yapacağını şaşırmıştı.[26a] Ama tehlikeyi kavrayan birlikler, Ordu Komutanlığından emir almadan, direnişe geçtiler, iyi direndiler.

Türk cephesinin merkezindeki zayıf bir tümenin bir karşı taarruz önünde gerilemesi cephe hattını dalgalandırdı, kanatları açık kalan komşu birlikler aynı hizaya gelmek için geri çekilmek zorunda kaldılar.

Türk taarruzu yavaşladı, sonra da durakladı.

İSMET PAŞA, kırık bir sesle, "Taarruz çok ümit verici başlamıştı, iyi gelişiyordu" diye söylendi. Yarbay Naci, "Haklısınız paşam.." dedi, "..ama geliştirmeye artık asker ve silah sayımız yetmiyor. Silahıyla birlikte kaçanların sayısı, yirmi bini geçmiş durumda."

"Ne diyorsun?"

Bu, ordunun üçte biriydi. Kaçaklar daha da artacak gibi görünüyordu. Ordu Yunanlılara değil, asker deyimiyle 'General Kaçkaç'a yenilmekteydi.

"Büyük savaşlar görmüş eski askerlerimizi silah altına alabilseydik, iyi olacaktı. Yazık ki hükümet çekingenlik gösterip bu teklifimizi çok geç kabul etti. Çağrıyı duyuramadan savaş başladı. Orduya katılamadılar.[27] Tecrübeleriyle genç askerlere çok yararlı olacaklardır."

"Umarım hepsi katılır efendim. Tam da harman zamanı ama.."

"Katılırlar. Çünkü bu çağrıyı alan gerçek asker bıçağın ordunun kemiğine dayandığını anlar."

TÜRK ORDUSU bir basamak daha geri çekilmeyi başarırsa, Yunan ordusu havaya kılıç sallamış olacaktı. Bunun farkında olan Yunan Komutanlığı, sağ kanadındaki birlikleri, Türk cephesini Seyitgazi doğrultusunda yararak ordunun çekiliş yolunu kesmek için olanca güçleriyle saldırmaktaydı.

Albay Halit, gözleri delice parlayarak, küçük odada dolaşa dolaşa, Kurmay Başkanı Binbaşı Ziya Ekinci'ye emrini yazdırıyordu:

"Yaz! Bulunduğumuz mevzileri ne pahasına olursa olsun savunacağız. Her rütbedeki komutandan, birliğine hâkim olmasını istiyorum. Korkaklık gösterenleri affetmeyecek ve idam edeceksiniz. Yaz! Emrimi yerine getirmeyenlere karşı, ben de, makamı ve rütbesi ne olursa olsun silahımı kullanmak zorundayım." [28]

Binbaşı Ziya'nın duraksadığını görünce parladı:

"Ne diyorsam yaz! Vatan elden giderken, merhamet ihanettir. Emri hemen tümenlere ilet. Ben ileri mevzilere gidiyorum."

Binbaşı Ziya komutanı tanımıştı: Ateş hattına kadar sokularak askerin savaş direncini artırmaya çalışacak, biri korkup da geri çekilirse vuracaktı.[29]

GECE Genelkurmay'da M. Kemal ve Fevzi Paşa ile birlikte Dr. Adnan, Y. Kadri, Urfa Milletvekili Ali Saip Ursavaş ve Salih Bozok, cepheden gelecek haberi bekliyorlardı. Yan odada Halide Hanım İngiliz gazetelerinde çıkan ilginç haber ve yazıları çevirmekteydi. İşini bitirince, o da katıldı.

Genişçe odanın havası sigara dumanı ve gerginlik doluydu. Zaman geçmek bilmiyordu.

Kapı vuruldu ve sessizce aralandı. Salih Bozok şifre subayının uzattığı telgrafı kapıp koşar adım M. Kemal Paşa'ya verdi. Paşa telgrafa göz attı, sonra Fevzi Paşa'nın önüne kaydırdı:

"Eskişehir savaşını kazanamadık. İsmet Paşa Sakarya'nın doğusuna çekilmek için izin istiyor."

Yüzler soldu.

Dr. Adnan, "Bunu duyan Meclis ayaklanacaktır" dedi.

Ali Saip Bey, "Başta Enverciler" diye ekledi. Ötekiler de tabloyu tamamladılar:

"Tavizciler..."

"Düzenli ordu karşıtları..."

"Saltanatçılar..."

"Tutucular..."

Dr. Adnan noktayı koydu:

"Muhalif, muvafık, herkes. Kıyamet kopacak."

Neler olabileceğini hayal eden Ali Saip Bey kaygıyla doğruldu:

"Paşam, bana öyle geliyor ki bu zor dönemi bu Meclis'le atlatamayız."

M. Kemal Paşa, "Yanılıyorsun.." dedi, "..bence bu zor dönemi ancak bu Meclis'le, onun sayesinde atlatabiliriz. Öfkesine, isyanına, her tepkisine katlanacağız."[30]

Çünkü bu Meclis kavgacıydı, sabırsızdı, gevezeydi, genel olarak tutucuydu ama hiç kuşku yok, yurtsever bir Meclis'ti.

TÜRK ORDUSUNUN savaşı bütünüyle keserek geri çekilmeye başladığı haberleri, Kütahya'ya gelmiş olan Yunan Ordu Karargâhına gece yarısından sonra ulaştı. Türk sol kanadındaki birlikler son günü de öylesine şiddetle direnmişlerdi ki, Yunan ordusu Türk birliklerinin çekiliş yolunu kesmeyi başaramamıştı. Türk ordusu bir tek birlik bile kaptırmadan, bütün geri teşkilleri, erzak ambarları, cephanelikleri, seyyar hastaneleri ile bir basamak daha geri çekilerek yine tehlikeden sıyrılmıştı. Yunanlıların da soluğu kesilmiş, ikmal işleri aksamaya başlamıştı. Türkleri takip etmek ihtiyatlı Papulas'ı ürküttü.

Savaş durdu.

Yunan Büyük Taarruzunun 12 gün süren birinci evresi, kesin bir sonuç vermeden sona ermiş, Yunan ordusu havaya kılıç sallamıştı. [30a]

Ama kesin zafer bekleyen hükümeti ve Yunan kamuoyunu doyurmak gerekti. General Papulas, öğleden sonra bir basın toplantısı yaptı. Salona çok sayıdaki muhabirlerin alkışları arasında girdi. Sağına General Stratigos'u, soluna Kurmay Başkanı Albay Pallis'i alarak oturdu. Arkalarında ordu karargâhının önde gelen kurmayları yer aldı. Magnezyumlar çakıp sönüyordu.

Alkışlar, kutlamalar ve fotoğraf çekimleri sona erince, "Teşekkür ederiz.." diye söze başladı, "..Afyon ve Kütahya'dan sonra Eskişehir'i de düşürdük. Biraz soluk almayı hak ettik sanıyorum. Bu zafer uzun ve yoğun bir hazırlığın sonucudur. Kral Hazretlerinin İzmir'e gelmesi ve muzaffer ordumuzu izlemesi de, gücümüze güç kattı. Türk ordusunu hezimete uğrattık. Yunanlılar için Elenizm'in beşiği olan Küçük Asya yolları yabancı değildir. Biz Anadolu'yu istila etmiyoruz, uygarlığa açıyoruz. Yunanistan artık bütün Anadolu'ya yerleşmeye ve Boğazların bekçisi olmaya hak kazanmıştır. Yunan ordusu bu hak üzerinde ısrar etmeye kararlıdır, hakkını kabul ettirecek kadar da güçlüdür."

Katimerini gazetesinin yazarı Hristos Nicolopulos, "Bir soru sorabilir miyim?" dedi.

"Elbette."

"Düşman ordusunun son durumu ne? Nerede? Ne yapıyor?"

Bu soruyu General Stratigos cevapladı:

"Beyler, Kemalist ordudan geriye bir enkaz kalmıştır. Bu enkaz Ankara'ya doğru kaçıyor. Onun yok olması da gecikmeyecektir. Kısacası Türk ordusu artık askeri bir değer taşımıyor."[31]

Neşeli sesler yükseldi.

GENELKURMAY BAŞKANI General Dusmanis ise, Türk ordusunu elinden kaçıran Papulas'a ve kibirli kurmaylarına ateş püskürmekteydi:

"Kesin sonuçlu bir galibiyet kazanamadığımız için siyasi sorun yine çözülmemiş olarak kaldı. Bunun sebebi ordu komutanı ile yardımcılarının yetersizlikleri ve yeteneksizlikleridir. Ordumuz bunların elinde kaldığı sürece her girişim başarısızlıkla sonuçlanacak!" [31a]

Bu zafer gününde, huysuz, kaba generalin sürekli yakınması ve ordu yöneticilerini durmaksızın aşağılaması yakın çevresini bile rahatsız ediyordu. Oysa her aşamada General Dusmanis haklı çıkacaktı.

LLOYD GEORGE ise çok neşeliydi. Savaş Bakanı L.W. Ewans'a, "Sayın Bakan.." dedi, "..Atina'dan, İstanbul'dan ya da buradan birini gönderin de şu ilginç savaşı incelesin. Çünkü doğunun geleceğini bu mücadele belirleyecek.."

Hınzırca baktı:

"..Kurmaylarınız birkaç hafta önce titreşmekteydiler. M. Kemal'in yenilmez ordusuyla İstanbul'a yürüyeceğini iddia ediyorlardı. İnsan danışmanlara inanmamak gerektiğini, ancak hayat deneyleriyle öğreniyor. Yunanlılar haklı çıktı. Çılgın Kemalistler tarihe karıştı.."

Lord Curzon'a döndü:

"..Yunanlılar artık Sevr Antlaşması'yla yetinemezler. Daha geniş çapta tatmin edilmeleri gerekir. Bu konuda ne yapabileceğimizi düşünmeye başlayalım." [32]

FRANKLIN BOUILLON Beyrut'ta kalarak savaşın bitmesini beklemişti. Sonuç, Türk-Fransız çatışmalarının sona ermesini isteyen Beyrut'taki Fransız diplomat ve askerlerinde hayal kırıklığı yarattı.

Ah inatçı Türkler ah!

Uysallık gösterip anlaşmaya yanaşsalardı, güneydeki çatışmalar bitecekti. Bundan yararlanarak güneyden batıya kuvvet kaydırıp belki de Yunanlıları yenmeleri mümkün olabilirdi. Yenilginin rüzgârı bugünkü Ankara yönetimini devirirse, görüşmelere kimbilir kimlerle sıfırdan başlamak zorunda kalacaklardı.

Bouillon, "Kendilerine de söylemiştim." diye homurdandı, "..delice bir kahramanlıkları var. Ama böyle bir mücadele, hiç ödün verilmeden, hele büyük devletlerle çekişilerek, tam bağımsızlık diye inat edilerek, yalnız kahramanlıkla kazanılabilir mi? Kazanamadılar işte! Yeniden savaşabileceklerini de sanmam. Şaşılacak kadar yoksullar."

ABD ATAŞEMİLİTERİ acele Eskişehir'e gelip Yunan komutanlarıyla görüştü. Yüksek Komiserliğine çektiği telgrafın özeti şuydu: *"Türkler bitmiştir."* [32a]

YUNAN başarısı İstanbul Rumlarını sevince boğmuştu. Boğaz'da Yunan bayraklarıyla süslenmiş motorlar tur atıyor; otomobil dizileri, Beyoğlu, Şişli ve Galata caddelerinden, klaksonlarını çala çala geçiyordu.

Sait Molla, zaferi kutlayan bir otomobil dizisinin arasından zorlukla geçerek, Cercle d'Orient adlı kulübe girdi. İstanbul seçkinlerinin kulübüydü burası. Hanedan damatları, emekli Osmanlı paşaları, yüksek bürokratlar, nazırlar, bazı lövantenler ve gazeteciler ile havayı koklamak isteyen yabancılar burada yemek yer, içer, bolca çene çalar, gazete okur, yan masalara kulak verirlerdi.

Bir masada acele acele yazısını bitirmeye çalışan Ali Kemal'i görünce sevindi. Hemen yanına oturdu. Ali Kemal, yazmaya ara verip, "Gördün mü Molla Bey." dedi, "..korkmaya gerek yokmuş. Bizim düzme kahramanlar, on günde perişan oldular."

"Evet. Çok şükür."

"Ankara'ya doğru kaçıyorlarmış. Yunan Yüksek Komiseriyle konuştum, Yunan ordusu, yorulduğundan değil, artık takibe değecek bir kuvvet kalmadığı için duraklamış. Ordu, biraz dinlendikten sonra hareket edip bizim kabakçıların yuvası Ankara'ya yürüyecekmiş. O zaman her biri bir yere kaçar, M. Kemal saklanır, yine biz bize kalırız."

Kahkaha attı. Ertesi sabah yayımlanacak olan yazısını çabucak tamamlayıp çağırdığı Rum şef garsona verdi:

"Bunu hemen gazeteye yolla. Bize de kahve ve Yunan konyağı getirsinler."

Metaxa nefis bir konyaktı.

CEPHE KARARGÂHI geri çekilerek Sarıköy'e gelmişti. Binbaşı Tevfik ve Yüzbaşı Cevdet Kerim, kerpiç bir evin duvarına yaslanmış, geçip giden yorgun ve sefil askerleri seyrediyorlardı.

Yenilgi Tevfik Bey'i iyice yıpratıp kötümser yapmıştı, "Bu iş bitti Cevdet Kerim" dedi. [33]

"Sen üzüntüden ve yorgunluktan böyle konuşuyorsun. Biraz uyusaydın."

"Ah bir uyuyabilsem. Uyuyamıyorum ki. Naci Bey benden de beter. O üç gündür uyumuyor. Yemek de yemiyor. Bu yenilgiyi nasıl içimize sindireceğiz?"

Yaşaran gözlerini saklamak için arkasını döndü.

Yakup Şevki Paşa   Cevat Çobanlı Paşa   Ali İhsan Sabis

YENİLGİ HABERİ Malta'dakileri de perişan etti. Paşaları sıkıştırdılar: Askeri açıdan bir ümit var mıydı? M. Kemal Paşa bir çıkış yolu bulabilir miydi?

Y. Şevki Paşa, Cevat Paşa, Mersinli Cemal Paşa, Ali İhsan Paşa yenilgi sefilliğini ve acısını yaşamış, gerçekçi askerlerdi. Gönülleri bir mucize istiyordu ama ümit veremediler. Dağılmış bir orduyu toparlayıp geride yeniden bir cephe kurmak, orduyu hızla takviye etmek, donatmak, yedirmek, silahlandırmak güçtü, çok güçtü, dürüstçesi imkânsızdı.

Anadolu'nun ne kadar kararlı olduğunu bilen Rauf Bey'e bile karamsarlık çökmüştü.

En ümitsiz kişi, oynak mizaçlı şair Süleyman Nazif'ti. "Bunca düşmana, felakete, musibete, talihsizliğe, yoksulluğa karşı bir M. Kemal ne yapabilir?" diye sızlanıyor, cevabını da kendi veriyordu: "..Hiçbir şey."

Bu duyguyla Milli Mücadele aleyhinde yazılar yazıp Ali Kemal'in Peyam-ı Sabah gazetesine göndermeye başlayacak, bu yüzden bütün sürgünler tarafından boykot edilecek, sürgünlük boyunca bir başına kalacaktı. [33a]

YUNANİSTAN baştan başa zafer sarhoşuydu. Meydanlar, caddeler taşkın kalabalıklarla dolup taşıyordu.

Yunan propaganda makinesi harekete geçmiş, dünyaya, 'otuz bin Türkün esir alındığı', 'Türk ordusunun bütün toplarını bırakıp kaçtığı', 'cephede bulunan M. Kemal'in karargâhının bombalandığı, karargâh subaylarından dördünün öldüğü, yirmisinin yaralandığı' gibi hayal ürünü haberler yayıyor ve birçok kişiyi inandırıyordu. M. Kemal'in esir edildiği haberi bile uçurulmuş, İzmirli Rumlar, bu haberi gerçek sanarak coşkunca kutlamışlardı. [33b]

Ordu kurmaylarının Ankara'ya yürüme hevesi, bazı üst komutanların uykusunu kaçırıyordu. General Vlahapulos'un yerine İkinci Kolordu Komutanlığına atanan General Andreas bunlardan biriydi.

Birinci Kolordu Komutanı Kondulis'in de kendisi gibi düşündüğünü öğrenince General Papulas'ı ziyaret etti, atanması dolayısıyla teşekkür ettikten sonra, "Günlerdir Türkler bozguna uğradı diye zafer törenleri yapıyoruz.." dedi, "..amacımız Türk ordusunu yok etmekti. Ama yok olmadı, mütareke istemedi, pes etmedi. Hiçbir birliğini kaptırmadan geri çekilmeyi başardı. Ne ciddi esir alabildik, ne de iddia edildiği gibi ganimet. Şimdi kendi seçtiği yerde savaşmak için bizi bekliyor. Yürürsek ikmal merkezlerimizden çok uzaklaşacağız. Bunun birçok tehlikesi var. Buna rağmen Ankara'ya yürüyeceğimiz söyleniyor." [33c]

Papulas bıyığını sıvazladı:

"Size güvenirim, onun için açık konuşacağım. Evet, Ankara'ya yürüme konusu tartışılıyor. Merak etmeyin, ordunun bir maceraya sürüklenmesine izin vermem. Hükümet ısrar ederse, çekileceğim." [33d]

Andreas emrine verilen Süvari Tugayındaki atların yaşlılığından yakınacaktı ama komutan çok yorgun görünüyordu. Bu konuyu açmaktan caydı. Papulas gerçekten yorgundu. Bu seferin yapılmasını isteyenlerin çokluğu generali uyutmuyordu. Kimi askerlik bakımından gereklilik olduğuna inanarak, kimi kabaran hırsına kapılarak, gücünü yitirmiş Türk ordusunu bütünüyle bitirmek istiyordu. Hükümet de İngilizlerin dolaylı teşvikiyle Ankara seferine yatkın görünmekteydi. Yunanlılar durmak ile yürümek arasında bocalıyordu.

TÜRKLER de bocalıyordu. Morali bozulanlar, ordunun yeniden toparlanabileceğine inanamayanlar, yılgınlar, soluğu kesilenler de vardı, Kuva-yı Milliyeciler gibi azmini ve iyimserliğini hiç kaybetmeyenler de.

Akşam gazetesinin kapkara manşeti yurtseverleri titretmişti:
"Git vatan Kabe'de siyaha bürün"
Saraycı gazeteler ise bayram ediyorlardı.

Bu karışık ortam, gafilleri ve hainleri harekete geçirdi:

Yunan askerleri köyleri yakıp Türk kadınlarının ırzına geçerken, Kütahya Belediye Başkanı Hüseyin Hüsnü, General Papulas'ı ziyaret ederek başarısını kutladı, 'Kütahya'yı milliyetçilerden kurtardığı için' teşekkür etti. [34]

Gerici Konya isyanının elebaşılarından Delibaş Mehmet İzmir'de ortaya çıktı, sık sık Yunan Ordu Karargâhını ziyaret etmeye başladı. Yeni bir pisliğe daha bulaşacağı anlaşılıyordu. [35]

Milli ordunun yenilmesine sevinen saraya bağlı din adamları ve siyasetçiler, Yunanlılarla elbirliği yaparak Milli Mücadele'yi bütünüyle söndürmeyi amaçlayan Anadolu Cemiyeti adlı gizli bir örgüt kurmak için hazırlığa giriştiler. Başlarında Vahidettin'in beş kez Şeyhülislamlığa getirdiği İngiliz işbirlikçisi Mustafa Sabri Efendi vardı. [36]

Bu yenilgi Hariciye Nazırı A. İzzet Paşa'yı da ümitlendirdi. İşgalci diplomatlara, 'Kemalist ordunun ve Millet Meclisi'nin yüzde altmış beşinin desteğini garanti edebileceğini' bildirdi. [37] Yani milli ordunun ve Meclis çoğunluğunun M. Kemal'e karşı ayaklanmaya ve İngiliz uydusu İstanbul hükümetinin yanında yer almaya hazır olduğunu müjdeliyordu.

Ankara gerçekten tarih sahnesinden silinmek üzere miydi, yoksa Türkler bir yeniden doğuşun eşiğinde miydiler?

Zaman gösterecekti.

Üçüncü Bölüm

Sakarya Savaşı'na Hazırlık

25 Temmuz 1921 - 13 Ağustos 1921

PORSUK IRMAĞI'nın kuzey kıyısındaki patikada kırk kadar askerden oluşan bir birlik, düzensiz bir şekilde yürümekteydi. Hepsi dökülüyordu. Birkaçı çıplak ayaktı. Bazıları ayaklarına çuval, çaput sarmıştı. Yaralılar yardımla yürüyorlardı.

Cephe yarılınca o kızılca kargaşalık içinde taburlarından ayrı düşmüş, ormanda kaybolmuş, dövüşmüş, alayı aramak için vakit kaybetmiş, ordunun gerisinde kalmışlardı. Belki daha güvenlidir diye Porsuk'un kuzeyine geçerek, orduya yetişmeye çalışıyorlardı.

Asker kaçaklarını arayan bir süvari müfrezesi birdenbire tepeden aşağı inerek çevrelerini sardı. Müfrezenin komutanı, yüzü yaralı bir yüzbaşıydı. Ömer Çavuş öne çıkıp selam verdi. Yüzbaşı eli tabancasında, çavuşa ve birliğe göz attı. Kaçağa ve bozguncuya benzemiyordu bunlar:

"Hangi birliktensiniz?"

"4. Tümen, 55. Alay, 3. Tabur, 1. Bölükteniz komutanım!"

"Bölüğün geri kalanı nerde?"

"Bölükten geri kalan budur."

"Nereye gidiyorsunuz?"

"Duyduk ki ordu Sakarya ötesine çekiliyormuş. Biz de oraya gidiyoruz. Alayımızı orada arar buluruz."

Yüzbaşı sevindi. Bunlar silahlarının şerefini sonuna kadar korumaya kararlı sahici askerlerdi. Sesi yumuşadı:

"Şu tepenin ardında, suyu bol bir küçük köy var. Orada dinlenin. Sonra durmadan doğuya yürüyüp Sakarya'yı aşın. Ama birliğini köye bu haliyle sokma. Halkı üzmeyin. Anladın mı?"

Çavuş anlamıştı:

"Evet komutanım! Köye sanki belimiz kırılmamış gibi gireceğiz. Başüstüne!"

Yüzbaşı hüzünle gülümseyerek atının başını çevirdi. Kaçak ve bozguncu avlamak için dört nala uzaklaştılar. Müfreze uzaklaşana kadar selam duran çavuş, elini indirip birliğe döndü:

"Duydunuz. Halka teftiş vereceğiz. Ona göre. Sıraya gir! Çabuk, çabuk, çabuk! Hazır ol! Arş!"

Ayaklarını sürüyerek yürümeye başladılar.

"Bu ne biçim yürüyüş len? Başınızı kaldırın. Canlı yürüyün. Haydi hep beraber."

Kalan son gücüyle marşa başladı:

Annem beni yetiştirdi
Bu ellere yolladı
Al sancağı teslim etti
Allaha ısmarladı...

Marşa önce Hamza Onbaşı'yla birkaç er mırıldanarak katılmıştı. Çavuş azarlayınca katılanlar arttı, giderek hepsi katıldı. Marş ilaç gibi geldi. Yürüyüş canlandı, düzene girdi, başlar dikildi, sesler yükseldi. Çınarlı Köyü'ne, sefil görünüşlerine hiç uymayan bir çalım içinde girdiler.

Bütün kapılar kapalı, pencerelerin tahta kepenkleri örtülüydü. Görünürde kimse yoktu. Elinde domuz fişeği sürülmüş av tüfeği, köy odasının aralık kapısından gelenleri gözleyen Gazi Çavuş, muhtar ile iki yaşlıca köylüye, "Korkmayın.." dedi, "..bunlar çapulcu da değil, kaçak da."

"Emin misin?"

"Bunlar Ezrail'le güreş tutmuş babayiğitler."

Tüfeği bırakıp dışarı koştu:

"Hoş geldiniz kardeşler! Gazanız mübarek olsun. Hey millet! Su getirin! Sofra açın! Kemal'in askerleri bunlar!"

Kadınlar, kızlar, çocuklar, ellerinde testiler, bakraçlar, çanaklarla evlerden çıktılar. Sofralar açıldı. Karpuzlar kesildi. Asker iki gündür uyumamıştı. Karnı doyanlar ağaçların altına, duvar diplerine uzanıp uyudular.

Ömer Çavuş, Hamza Onbaşı, Gazi Çavuş, muhtar ve yaşlı erkekler biraraya gelip diz üstü çöktüler. Sigaralar sarıldı. Ömer Çavuş savaşı hikâye etti, "Düşman da iyi dövüştü." dedi, "..o da yoruldu. Dinlenince yine yürüyüp peşimizden gelecektir. Çünkü bizi bitiremedi."

Muhtarın sakalı titredi:

"Öyleyse bizi de ezip geçecektir."

"Elbette. Söylemesi benden. Köyleri önce soyuyor, sonra yakıyorlar."

Gazi Çavuş muhtarın gözünün içine baktı:

"Herkes oğullarını ırmak gibi cepheye akıtsaydı, bu duruma düşmezdik."

Muhtar kızdı, "O lafın sırası geçti." dedi, "..şimdi ne edeceğiz, onu söyle sen!"

"Ne edeceğiz, siz gelinleri, kızları, taze anaları, çocukları, gitmek isteyen erkekleri göç yoluna vuracaksınız. Ben de delikanlıları götürüp usulünce askere yazdıracağım. Savaş bitince kavuşuruz."

Muhtarın başı önüne düştü. Bu toprak kaç yüzyıl yıldır işgal görmemişti. İşgal üstüne masal bile dinlememişlerdi. Ama neler olabileceğini kestirebiliyordu. Bir zamanlar Rus savaşına katılmış, savaşın çirkin yüzünü tanımıştı. Başını zorlukla kaldırdı:

"Pekâlâ Gazi Çavuş. Öyle edelim."

BÜYÜK MİLLET MECLİSİ, hükümetin isteği üzerine gizli oturuma geçmişti. Tutanak kâtipleri ve dinleyiciler salonu boşalttılar. Kâtiplerin yerini hızlı yazan milletvekilleri aldı. Fevzi Paşa kürsüye geldi. Tıraşı uzamış, uykusuz ve yorgundu. Bozguncuların ortaya çıkması olasılığının belirdiğini söyleyerek, Konya ve Kastamonu bölgelerinde iki İstiklal Mahkemesinin kurulup ordunun sağ ve sol kanatlarının güven altına alınmasına gerek gördüklerini belirttikten sonra asıl konuya girdi:

Durak Sakarya   Diyap Ağa Mustafa Kemal Paşa ile birlikte

"Düşmanı Ankara batısında, Sakarya mevzilerinde karşılamaya hazırlanıyoruz. Fakat biz Ankara'da kaldıkça, ordu, daima Ankara'yı korumak zorunluğunu duyacak ve serbestçe savaşamayacaktır. Bakanlar Kurulu, orduyu manevralarında serbest bırakmak için hükümet merkezimizin Kayseri'ye naklini uygun görmektedir."

Bir şaşkınlık sessizliğinden sonra Meclis patladı:
"Hayırr! Aslaaa! Olmaz öyle şey!!!"

Çoğu ayağa kalkmıştı. Bazıları sıraları yumrukluyordu. Fevzi Paşa konuşmasını gürültüler arasında sürdürerek sözünü zorlukla tamamlayabildi:
"Bu iki hususun görüşülerek karara bağlanmasını rica ediyorum."

Kürsüden indi. Erzurum Milletvekili Durak Bey (Sakarya) kürsüye yürürken bağırdı:
"Söz istiyorum!"

Oturumu yöneten Dr. Adnan Bey'in cevabını beklemeden kürsüye çıktı:
"Efendiler! Biz bu davaya başladığımız gün, elimizde ne böyle bir ordu vardı, ne bu kadar silah. Bugün eskiye nispetle çok kuvvetliyiz. Bu sebeple Bakanlar Kurulu'nun önerisini reddediyorum.."

Alkışlar yükseldi.
"..Halk gidebilir. Ailelerimiz gidebilir. Memurlar gidebilir. Herkes gidebilir.."

Cebinden silahını çıkarıp kürsünün üstüne koydu:

"..Ama biz, elimizde silah, burada öleceğiz. Hiçbirimiz şehitleri-mizden daha büyük değiliz."

Meclis ayağa fırlayıp Durak Bey'i alkışlamaya başladı. Bakanlar Kurulu'nun önerisini her reddeden yoğun alkışla destekleniyordu. Ama birkaç milletvekilinin telaşa kapıldığı da gözleniyordu. Son olarak beklenilmez bir şey oldu, o güne kadar hiç söz alıp konuşmamış olan Tunceli Milletvekili Diyap Ağa'nın elini kaldırdığı görüldü. Dr. Adnan Bey inanamadı, sordu:

"Söz mü istiyorsunuz Diyap Ağa?"

"He ya."

"Buyrun."

Meclis sustu. Sakalı göğsüne inen Diyap Ağa ağır ağır kürsüye geldi. Gözlerini kısarak Meclis'i süzdü, "Lafım kısadır." dedi, "..biz buraya kaçmaya mı geldik, yoksa kavga ederek ölmeye mi?" Kürsüden indi.

Meclis alkıştan yıkılacaktı. [1]

Milletvekillerinin isteği üzerine Samsun Mahkemesi de eklenerek, üç yeni İstiklal Mahkemesinin kurulması oybirliği ile kararlaştırıldı. Bu mahkemelere ilerde Yozgat İstiklal Mahkemesi de katılacaktır. Hükümet arşivlerinin Kayseri'ye taşınması kabul edildi.

Seçilecek bir kurul Sakarya doğusuna çekilen orduya Meclis'in selamını götürmek için cepheye gidecekti.

SAKARYA'NIN BATISINDA, ordunun çekilişini korumak ve Yunan ordusunu gözlemek için kuzeyde, Mihalıççık çevresinde iki tümeni olan 1. Grup; güneyde, Emirdağ'da Süvari Grubu, ikisi arasında birkaç yerde de süvari ve piyade alayları bırakılmıştı. Mürettep Kolordu Kocaeli'nde, Mürettep Tümen Afyon'un doğusundaydı.

Batı Cephesi birlikleri, silah ve ağırlıklarıyla birlikte, Beylik Köprü ve Kavuncu Köprüsü'nden Sakarya'nın doğusuna geçmeye başladılar.

Bitkin subaylar ve erler, başları önlerinde yürüyor, ağır toplara koşulmuş kadanaların boyunlarından kan sızıyor, demir cephane arabalarını çeken katırların ağzından kızıl köpükler dökülüyordu. Aç akbabalar, kan ve çürük et kokan yaralı kafilelerinin üzerinde dönüp durmaktaydı.

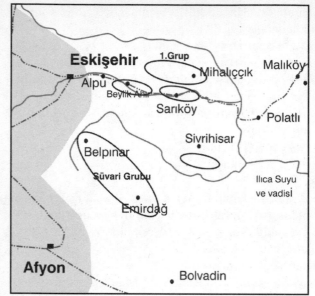

Yunan işgal bölgesi ve Türk ordusunun Sakarya batısında bıraktığı artçı birlikler. Beylikahır, Sarıköy ve Sivrihisar'da birer alay, Mihalıççık'ta 1. Grup, Emirdağ çevresinde Süvari Grubu vardır.

Sakarya kıyısında kısa bir mola verildi. Asker o mübarek suda elini yüzünü yıkayıp serinleyince, tümenler kendilerine ayrılmış yerlere gidip yerleşmek için yeniden yürüyüşe geçtiler.

Askerleri sefil göçmenler izledi.

Sivrihisar'ın neredeyse tümü Ankara'ya göçecekti.

RUMLARIN kalabalık ve cıvık sevinç gösterileri İstanbullu Türkleri kahretmekteydi.

Ankara, bütün gizli örgütlere ve gruplara tepki göstermemelerini, üyelerinin olay çıkarmamalarını sağlamalarını, gizlilik içinde asıl görevlerini sürdürmelerini emretmişti. Bu yüzden millici subaylar bu sahneleri, öfkelerini içlerine akıtarak görmemeye çalışıyorlardı. Bir gün nasıl olsa bütün bu rezillikler bitecekti. Buna inanıyor, inanmayanlara da düşman oluyorlardı.

Esnaflar da iş yerlerine zarar verecekleri korkusuyla sessiz kaldılar. Bu taşkın kalabalık kimi kez çok densiz oluyordu. Bazı gençler tepki gösterdiler ama gösterileri durdurmayı başaramadılar.

Sayıları yetersiz, kavga deneyleri azdı.

ÇİÇERİN, Ali Fuat Paşa'yı dikkatle süzerek, "Ordunuz savaşı kaybetmiş görünüyor" dedi.

"Haber alamadığım için kesin bir şey söyleyemem. Ama stratejimizi biliyorum. Ordu gerideki yeni bir hatta çekilerek savaşı mutlaka sürdürecektir."

"Bir Sovyet birliğinin fiili yardımda bulunmasını düşünmez misiniz?"

Ali Fuat Paşa bu konunun açılmasını bekliyordu, görüşmeyi bunun için istemişti. Bu soruyu kuşkuya yer vermeyen bir kesinlik ve açıklıkla cevapladı:

"Hayır Sayın Komiser. Çünkü bu bizim öz mücadelemiz. Yalnız emperyalizmle değil, hain İstanbul yönetimi ve onun uzantılarıyla da mücadele ediyoruz."

Bakıştılar. Çiçerin, "Peki.." dedi, "..hiç olmazsa Enver Paşa'nın, Müslüman bir kuvvetle Anadolu'nun yardımına koşması, bu sıkışık döneminizde yararlı olmaz mı?"

"Tersine, olağanüstü zararlı olur. Bölünürüz. Anadolu'da M. Kemal Paşa, büyük bir çabayla, milli bir cephe kurdu. Bu cephe parçalanırsa, bizi lokma lokma yutarlar. Enver Paşa birlik toplamak isteyebilir ama Moskova'nın buna izin vermeyeceğini kuvvetle tahmin ediyorum. Çünkü bu Moskova-Ankara arasındaki dostluk antlaşmasına kesinlikle aykırı düşecektir."

Çiçerin diretti:

"Ama aldığımız haberlere göre Yunanlılar, Boğazların bekçiliğine talip olmuşlar. Bu ucuz bekçiliği İngilizler destekleyebilir. Böylece bizi de boğmuş olurlar. Yunanlılar Ankara'ya yürür ve kesin bir başarı kazanırlarsa.."

Ali Fuat Paşa itiraz etti:

"Kazanamazlar!"

Çiçerin, nazik olmak için kendini zorlayarak, "Ama gelen haberler hiç de ümit verici değil" dedi.

"Güvenimin basit ama güçlü dayanaklarını açıklamama izin veriniz. Ankara-İstanbul arasındaki gizli telgraf haberleşmesini sağlayan telgrafçıların parolası, 'zafer'dir. Askeri gereçler, İstanbul'dan İnebolu'daki askeri birime, gizlice ticari eşya gibi sevk edilir. Bu gereçlerin teslim edileceği kapalı adres şöyledir: Zafer Ticarethanesi-İnebolu. Kağnıcı kadınlar yolda doğum yaparlarsa, çocuğa 'Zafer' adını koyarlar. Zafere böylesine inanmış ve bağlanmış bir halkı yenmek mümkün müdür?" [2]

OYSA Albay Sariyanis'e göre, Türkleri yenmek yalnız mümkün değil, kolaydı da. Ama böyle düşünmeyenler de vardı. Bunların başında General Papulas geliyordu.

Ankara seferinin planını yine Albay Sariyanis hazırlamıştı. Planına güveniyordu. General Papulas'ı ikna etmek için sabah toplanan komuta kurulunda söz istedi. Konuşmasına, "İki yıldır Ankara'yı ele geçirmenin şartlarını, mesafe ve yolları inceliyorum. Türkleri ezmedikçe ya da Kızılırmak'ın ötesine atmadıkça, ne Batı Anadolu'yu koruyabiliriz, ne İstanbul'u alabiliriz" diye başladı, plan hakkında ayrıntılı bilgi sundu ve açıklamasını şöyle bitirdi:

"Bu akın, askeri bir gezinti olacak. Ankara'yı kolayca ele geçireceğimize eminim." [2a]

Papulas basit ama deneyli bir askerdi. Orduyu bekleyen tehlikeyi seziyordu. Ümitle ordunun İkmal Şubesi Müdürü Yarbay Yorgos Spridonos'a baktı. Bu yarbayın çalışkanlığına ve dürüstlüğüne güvenirdi. Spridonos, beklediği gibi konuştu:

"Ben emin değilim."

Sariyanis'ten önce Kurmay Başkanı Albay Pallis sinirlendi:

"Neden?"

"Çünkü Türkler çekilirken, yararlanabileceğimiz bütün demiryollarını bozdular. İkmal merkezimizi Eskişehir'e almak, ikmal sistemimizi tersine çevirmek zorundayız. Bunun için de her çeşit malzeme, bundan böyle, deniz yoluyla İzmir'den Bandırma'ya, dar demiryoluyla Bandırma'dan Bursa'ya, karayoluyla Bursa'dan Karaköy istasyonuna, demiryoluyla Karaköy'den Eskişehir'e taşınacak, Eskişehir'den de her gün ordunun ihtiyacı olan tonlarca malzeme kara yoluyla Sakarya bölgesine ulaştırılacak. [2b] Bu kadar karışık ve zor bir ikmal sistemi düzenli işleyebilir mi? Bir yerde mutlaka tıkanır. Bu yolların güvenliğini sağlamak için de pek çok askere gerek var. Açık söylüyorum, bu sistemle ve bu şartlar içinde büyük bir sefer ordusunun ihtiyaçlarını düzenli, yeterli ve güvenli şekilde karşılamak mümkün değildir. Ben karşılayamam."

Sariyanis öfkeyle baktı:

"Karşılarsın. Emrinde binden fazla kamyon, binlerce araba ve deve var."

"Sen mesafeleri ve yolları iki yıldır incelediğini söyledin. Ben yeni inceledim ve şu kanıya vardım: Eğer bu yürüyüş gerçekleşirse, ordumuzun yenilmesi kaçınılmazdır." [3]

Ankara seferini candan destekleyen General Stratigos bu uğursuz yargıya çok içerlemişti, Papulas'ı, "Böyle konuşmaya izin vermeyin!" diye uyardı.

Spridonos ayağa kalktı:

"Komutanım! Anlaşılıyor ki ikmal merkezimizden 200-250 km. uzaklaşacak olan ordunun ulaşım ve ikmal işinin başarılabileceği düşünülüyor. Yerimi, bunu başaracak olan arkadaşa terk etmeye hazırım, orduda vereceğiniz her göreve razıyım." [4]

Papulas, "Otur Yorgo" dedi, kurula döndü:

"Ben de en az bu arkadaşım kadar kaygılıyım ve sonuçtan kuşku duyuyorum."

General Stratigos, "Neden ama.." diye bağırdı, "..Türk ordusunun kısa zamanda yeniden toparlanmasına imkân yok. Haberalma Şubesinin elinde buna aykırı bir bilgi mi var?"

Ordu Haberalma Şubesi Müdürü Yüzbaşı Karassos, "Hayır efendim.." dedi, "..aldığım son bilgilere göre, Türkler Ankara'dan kaçmaya başlamışlar. Parlamentoyu da daha doğudaki bir şehre taşıyorlarmış."

Stratigos, ağzı gizli bir gülüşle kıvrılarak yüzüne bakınca Papulas, "Ama güneydeki kolorduyu da Akşehir'e taşımaya başladılar!" diye bağırdı.

Kurmay Başkanı Albay Pallis, Papulas'ı yatıştırmak için araya girme zorunluluğunu duydu:

"Komutanım, izin verirseniz, Yarbay Spridonos ile görüşerek durumu yeniden değerlendirelim. Sonucu arz ederiz."

"Tamam. Toplantı bitmiştir."

Öfkeyle odadan çıktı.

General Stratigos, kurmay kurulundaki anlaşmazlığı hemen Başbakan Gunaris'e yetiştirecek, Gunaris Kütahya'ya gelip ilgililerle yüz yüze konuşmak için o gün İzmir'e hareket edecekti.

POLATLI'ya çekilen cephe karargâhı, istasyon ile çevresindeki tek katlı birkaç Tatar evine, karanlık bir hana ve çadırlara yerleşmişti. Orduyu doyurmak, bakıma almak, yeniden düzenlemek için hiç durmadan çalışmak gerekiyordu.

M. Kemal Paşa İsmet Paşa ile konuşmak için Polatlı'ya geldi. İsmet Paşa'nın küçük odasında durumu gözden geçirdiler.

Sonuç belli olmuştu. Ordu, 1.643 şehit, 4.981 yaralı ve 374 esir vermiş, 18 top, 47 ağır, 34 hafif makineli tüfek kaybetmişti.[5] Elde yalnız 28.825 tüfek kalmıştı.[5a]

Gerçek buydu.

"Kaçak sayısı?"

"Tam sayı belli oldu. Şaşırmaya hazır ol: 30.809."

"Neee?"

"Üstelik bunların 30.122'si de tüfeği ile kaçmış. O yüzden elimizde az tüfek kaldı."[6]

"Ordunun yarısı bu!"[7]

"Ne yazık ki evet."

M. Kemal isyanla ayağa kalktı:

"Anadolu'yu yüzlerce yıl, yalnız canına ve malına ihtiyacın olduğu zaman hatırlarsan, bunun dışında kaderine terk ve cehalete teslim edersen, sonuç tabii böyle olur. İnsanlarımızı okutmamış, bilinçlendirmemiş, kafalarını ve yüreklerini milli bir terbiyeden geçirmemişiz ki. Cami okullarında ve medreselerde, ne tarih, coğrafya dersi verilir, ne de vatan, millet nedir öğretilir. Bu yüzden iki yıldan beri düşman kadar, cahil, gafil ve hainlerle de uğraşıyoruz. Komutanlar bu sefer çok dikkatli olsunlar, bozgunculara fırsat verilmesin."

"Başüstüne."

Savaştan sonra, bu talihsiz millet için yapılması gereken çok iş vardı. Milleti yüzlerce yıllık uykudan uyandırmak gerekiyordu.

Bir süre susarak istasyonu seyrettiler. Askerler yük vagonlarını boşaltıyorlardı. Ayakları çıplak, üstleri perişandı. İstasyonun bir köşesinde de, genç kızlar, kadınlar, çocuklar ve yaşlı erkeklerden oluşan bir kalabalık beklemekteydi. Ellerinde kazma-kürek, yiyecek çıkınları ve su testileri, sırtlarında yorganlar vardı. Bir onbaşı bu rengârenk kalabalığı harekete geçirdi. Sakarya yönüne doğru yürümeye başladılar.

İsmet Paşa, "Mevzileri bir an önce hazırlamak için çevre halkından yardım istedik.." diye bilgi verdi, "..kazmasını, küreğini ve çocuğunu alan geldi. İşçi taburları kurduk. Tarlada çalışır gibi canla başla siper kazıyor, yol açıyor, yorgun orduya yardım ediyorlar. Gördüğün gibi çoğu da kadın. Kadınlarımızın hakkını nasıl ödeyeceğiz, bilmem."

M. Kemal Paşa, yüreğinden gelen bir sesle, "Ödeyeceğiz İsmet.." dedi, "..ödemek zorundayız."

MİHALIÇÇIK'a çekilen resmi birimler ile asker aileleri, belirlenen bir sırayla yola çıkıp Sakarya doğusuna geçerek Kızılcahamam'a gitmekteydiler. Mihalıççık Askerlik Şubesi de toplanıyordu. Gazi Çavuş, torbalarını sırtlamış dokuz delikanlı ile çıkageldi. Oğlu Ali de delikanlıların arasındaydı. Şube Başkanı Çolak Yüzbaşı eşya toplanmasını durdurdu. Filistin'de dirseğinden yaralandığı için geri hizmete alınmıştı. Sırasında dokuz erin ne kadar işe yaradığını iyi bilirdi. Bekletmeden gerekli işlemleri başlattı. Sonra da önünde birikmiş evrak yığınına eğildi. Eldeki işleri bitirmesi gerekti. Çünkü birkaç gün sonra da şube yola çıkacaktı. Gazi Çavuş esas duruşta, "Yüzbaşım bir şey sorabilir miyim?" dedi.

"Sor."

"Duydum ki Kemal Paşa eski askerleri de silah altına çağırmış. Doğru mudur?"

"Evet, doğru."

"Paşa'yı Çanakkale'den bilirim. Zorda olmasa çağırmazdı. Biz sıramızı savmıştık. On yıl dövüştüm. Çavuş oldum. Üç kere yaralandım. Esir düştüm. Geri gelebildim. Demek ki koca Allah beni ordunun bu zor günü için esirgemiş. Orduya katılmak için ne yapmalıyım?"

Yüzbaşı saygıyla başını kaldırdı. Baktı. Zaferin tadını, yenilginin acısını tatmış gerçek bir askerdi bu.

"Otur. Bir çay içelim hele."

Çavuş oturdu:

"Sağ ol."

"Kaç yaşındasın?"

"Otuz iki."

"Yanında bir belge var mı?"

"Kafa kâğıdım bile o kıyamette kaybolup gitti yüzbaşım. Bir canımı kurtarabildim."

Yüzbaşı anlayışla gülümsedi:

"Zarar yok. Evinle helalleştin mi?"

"Evet."

"Tamam. Seni ve çocukları, 1. Gruba yollayacağım. Grup karargâhı burada. Bir piyade, bir de süvari tümeni var. Sizi 1. Piyade Tümeni'ne verirler. Komutanı Abdurrahman Nafiz Bey. Çok disiplinli bir tümendir. Top, tüfek sesi duymamış yeni askerlere senin gibi tecrübeli çavuşların çok yararı olur."

Posta eri kurutulmuş otlardan yapılma uyduruk çayı getirdi.

FEVZİ PAŞA da, Ankara'da kurmaylarla durumu değerlendiriyordu. Ordu, düşmanla arayı 200 km. açarak, yeni bir savaşa hazırlanmak için gereken zamanı kazanmıştı.

Yunan ordusu da yıprandığı için çekilen orduyu izleyemeyip durmuştu. Yürüyüşe geçebilmek için ciddi hazırlık yapması gerekti. Bu süre yirmi gün olarak hesaplanıyordu.

Bu zamanı çok iyi değerlendirmek, vurgun yemiş ordunun silah ve savaşçı asker sayısını çoğaltmak, ikmal örgütünü yeniden düzenlemek gerekti.

Sakarya doğusuna çekilen orduda ancak 30.000 savaşçı (tüfekli er) kalmıştı. Gerisi, istihkâm, muhabere, ulaştırma, sağlık, bando, ekmekçi takımı gibi sınıfların ve destek hizmet birimlerinin çoğu silahsız erleriydi.

Merkez Ordusu'ndan bir tümen oluşturması ve yollaması istenmişti. Eğitim merkezlerinde de beş bin kadar asker vardı.

"Kalan açığı yeni askerlerle dolduracağız."

Yüzbaşı Nuri Berköz, "Evet ama Paşam." dedi, "..bitkin halk yenilmiş bir orduya yeniden destek verir mi? Üstelik zaman çok dar, ancak yakın illerden asker toplayabiliriz. Bu kesimin askerlik yaşına girmiş nüfusu, ihtiyacı karşılar mı? Yeter sayıda asker geldi diyelim, acemileri 10-15 günde eğitip savaşa hazırlamak mümkün müdür? Bu kadar kısa süre içinde acemi bir asker ne öğrenebilir ki?"

Sorun bu kadar değildi elbette.

Mesela bütün telsizler kurtarılmıştı ama çekiliş sırasında çoğu arızalanmıştı. Elde yedek parça yoktu. Mesela tüm süvarilerin elinde sadece yüz on sekiz kılıç vardı.[7a] Bu yüzden süvariler genellikle piyade savaşı yapıyor, erler atlı hücuma mızrak diye uçları sivriltilmiş uzun sopalarla kalkıyorlardı. Mesela 75 mm.lik mermi çok azalmıştı. Oysa topların çoğu bu çaptaydı. Cephe çok acele bu mermilerden istiyordu. Ama yakın depolarda bu çapta mermi yoktu. Karayoluyla doğudaki depolardan getirtmek ise aylar alırdı.

Yüzbaşı Şahap Gürler içi yanarak sordu:

"Topsuz mu savaşacağız?"

Top olmadan ya da az topla savaş kazanmak imkânsızdı. Bir savaşta sonucu kesin olarak top belirliyordu.

Bu çapraşık sorunlar on beş-yirmi gün içinde nasıl çözülecekti?

ERKENCİ MİLLETVEKİLLERİ sabah simidi yiyip çay içmek ve dertleşmek için Merkez Kıraathanesi'ne gelirlerdi. Bugün de cam önündeki masada birkaç milletvekili vardı. Çaylarını içmeyi unutmuş, üzüntü içinde, önlerinden geçip Taşhan'a doğru ilerleyen uzun göç kafilesini izliyorlardı. Meclis görüşmelerinin dışarı sızması üzerine, özellikle Ankara'ya sonradan yerleşmiş aileler Çankırı, Kırşehir, Kayseri gibi illere gitmeye başlamışlardı. Bu kimbilir kaçıncı kafileydi. Yaylılar kadın ve çocuk, yük arabaları eşya doluydu. Erkekler sessizce arabaların yanında yürüyorlardı.

Samsun Milletvekili Emin Gevecioğlu, "Bu gidişle geldiğimiz yollardan yine Asya'ya döneceğiz galiba" dedi.

Bir zaman sustular.

Afyon Milletvekili Mehmet Şükrü Koç homurdandı:

"Bu yenilginin hesabını sorumlularından sormayacak mıyız?"

Aydın'ın Kuva-yı Milliyeci Milletvekili Esat İleri kızdı:

"Yahu vatan ayağımızın altından kayıyor, şimdi kavga etmenin sırası mı? Böyle anlarda kavgaya ara verilir. Arkadaşlar yarın cepheye gidecekler. Dönüşlerini bekleyelim. Ordu ne durumda, niye yenilmiş, bir öğrenelim. Sonra ne yapacağımıza karar veririz."

GUNARİS, Kütahya'ya, yanına Savaş Bakanı Teotokis'i de alarak gelmişti. General Stratigos'un tavsiyesine uyarak, önce, hiç sevmediği Albay Sariyanis'le gizli bir görüşme yaptı:

"Albay, ayrı görüşlerin insanıyız. Ama bana size güvenilebileceği söylendi. Hükümeti aydınlatmanızı istiyorum. Gerçek durum ne? Ne yapmalıyız?"

"Gerçek şu ki Türk ordusu 'yenilmemiş, geriye atılmıştır. Şimdi ulaştığımız noktada kalır ve beklersek, Türklere yeniden güçlenmeleri için fırsat vermiş oluruz. Savaş katlanamayacağımız kadar çok uzar. Bu kadar geniş bir bölgeyi uzun süre güven altında tutmamız çok zor. Bu sebeple Türk ordusunu pes ettirmek ya da iyice doğuya sürmek, Ankara'daki tesis ve depoları yok etmek, yararlanabileceği bütün kaynakları kurutmak, Ankara-Eskişehir demiryolunu bir daha kullanılamayacak biçimde bozmak zorundayız. Bunu yaptığımız zaman Türk tehlikesi sona erer."

Teotokis, "Başarabilir miyiz?" diye sordu.

Sariyanis her zamanki edasıyla, "Tabii." dedi, "..çünkü bu kadar kısa zamanda yeniden toparlanamaz. Türk ordusu daha doğuya çekilirse, doğudaki Ermeniler, kuzeydeki Pontus çeteleri, güneydeki Kürt aşiretleri arasında kalacak. Batıda da biz varız.[7b] Ayrıca Delibaş Mehmet'in yardımıyla Konya'da, Kemalistler'e karşı büyük bir ayaklanma da hazırlıyoruz. Nereye kaçacak? Böyle bir ateş çemberinin içinden hiç kimse sıyrılamaz."[8]

"Peki, askerlerimizin büyük bölümünü ne zaman terhis edebiliriz?"

Hükümeti sıkıştıran en büyük sorun buydu.

"Bu kesin zaferden hemen sonra. Çünkü karşımızda çekineceğimiz ciddi bir kuvvet kalmayacak. Türk ordusundan geriye en fazla, dağlara kaçmış bir avuç subay ve asker kalır."

Gunaris, her şeyin tasarladığı gibi gideceğine güvenen bu kurmaya inandı:

"Savaş Konseyine sunulacak raporu bu anlayışla hazırlamanızı rica ediyorum."

"Albay Pallis'le birlikte rapor taslağını hazırladık bile. Ama imzalaması için General Papulas'ı ikna etmek gerek."

"Onu ben ikna ederim. Ordunun neye ihtiyacı var?"

"Biraz daha kamyona ve giyeceğe." [9]

İkisi de ayağa kalkıp el sıkıştılar. En fanatik Venizeloscu ile en sadık Kralcı, Türk ordusunu yok etmek için anlaştılar.

Batı Anadolu'yu, Trakya'yı ve İstanbul'u Yunanistan'a katarak, Ege denizine bütünüyle egemen olmak, böylece büyük ülküyü (megali idea) gerçekleştirmek için Türk ordusunu yok etmekten başka çare yoktu.

M. KEMAL PAŞA Polatlı'dan ayrılmadan önce, Ankara-Kayseri yolu üzerindeki Keskin ilçesinden bir telgraf almıştı. Keskin halkının temsilcileri diyorlardı ki:

"..Bazı milletvekilleri heyecan ve telaş içinde buradan geçerek geriye kaçtılar. Bizler canca ve malca her fedakârlığı yapmaya hazır bulunuyoruz. Bu milletvekillerinin telaşını haklı gösterecek bir tehlike varsa, yediden yetmişe cepheye gitmemize izin veriniz." [10]

İşte güvendiği halk konuşmaya başlamıştı.

Ankara'ya daha iyimser döndü.

Gafiller ile zayıf ruhlulardan arınmış, küçük ama kararlı bir ordu kalmıştı elde. Şimdi bu çekirdek ordunun mayalayacağı güçlü bir ordu oluşturmak gerekiyordu.

Bütün gün ara vermeden çalıştı.

Anadolu ve Rumeli Müdafaa-yı Hukuk Derneği'nin bütün şubelerine telgraf çekti, bucak ve köylere dağılarak halka durumu anlatmalarını istedi.

Tabansız yedi milletvekili gerçekten Ankara'dan kaçmıştı. Meclis Başkâtibi Recep Peker'e, "Bunlar sonra yüzümüze nasıl bakacaklar acaba?" dedi. Recep Peker güldü:

"Hiç utanmadan bakacaklardır Paşam, utanma duyguları olsa kaçmazlardı."

Fevzi Paşa ile buluştu. Fransızlarla Güney Cephesi'nde bir yarımütareke durumu oluşmuş, Güney Cephesi'ndeki İkinci Kolordu'nun bir tümeni (9. Tümen), Yunan ordusunun bir saldırısına karşı Konya yönünü örtmesi için Akşehir'e getirilmişti. Kolordu karargâhı ile ikinci tümeninin de (5. Tümen) Akşehir'e taşınmasını kararlaştırdılar. Bu kolordu, 2. Grup adıyla Batı Cephesi Komutanlığı emrine verildi.

İstanbul'daki gizli örgütlerden, çok acele kaydıyla sicili temiz subay, mühimmat, özellikle ve ivedi olarak da 75 mm.lik mermi istendi. Karadeniz limanlarına indirilen Rus yardımı silah ve mermilerin Ankara'ya yollanmasının hızlandırılması emredildi.

Artırabilecek her birlik, bir manga bile olsa, Sakarya'ya yollanacaktı. Akşam Dışişleri Bakanıyla birlikte yeni Sovyet Elçisi Natsarenus'u kabul ederek, Enver Paşa konusunda Ankara'nın hassasiyetini belirtti.

BAŞBAKAN GUNARİS'in, Bakan Teotokis ve General Stratigos'la birlikte apansız ziyaretine gelmesi Papulas'ı şaşırtmıştı. Başbakan'ın çok haşin bir hali vardı. Vakit kaybetmedi:

"Hükümet savaş emrini düşmana boyun eğdirin diye vermişti. Bunu sağlamanız için hiçbir şeyi esirgemedik. Peki, ne oldu General, Türkler boyun eğdi mi?"

Papulas'ın alnından ter fışkırdı, hırıldar gibi, "Hayır" dedi.

"Türkleri elinizden kaçırdınız. Şu halde savaş bitmedi. Yeni haklar elde etmek bir yana, Sevr Antlaşması'yla sağlanmış olan çıkarlarımız bile askıda kaldı."

Papulas, "Sayın Başbakan.." dedi, "..Anadolu'nun en zengin ve verimli bölgesi elimizde. Bu kadar başarıyla yetinemez miyiz?" [11]

Gunaris sertleşti:

"Hayır! Çünkü bu geçici bir durum. Sevr Antlaşması'nın yürürlüğe girmesini sağlamak, böylece durumumuzu yasallaştırmak ve sürekli kılmak gerek. Bunun için de Ankara'ya yürümek ve düşmana Sevr'i kabul ettirmek zorundayız."

Papulas kıvranıyordu:

"Ordu görevini fazlasıyla yaptı. Çok yoruldu. Bizim de çok kaybımız var."

"Zarar yok. Trakya'dan Anadolu'ya yeni bir tümen daha geçiriyoruz." [12]

"Orta Anadolu bozkırını geçmek zorunda kalacağız. İkmal çok güçleşecek. Ankara çok uzak.."

"Yeni kamyonlar geliyor." [13]

"Düşman da hazırlanıyor. Kendi seçtiği yerde savunma yapacak. Çok kayıp verebiliriz."

Stratigos Papulas'ın onuruna seslendi: "Korkmayın General!" [13a]

Papulas erimekteydi. Gunaris son vuruşu yaptı: "Haydi Papulas! Karar ver! Yoksa yarın sabah Kral Hazretlerinin ve tarihin huzurunda, Yunanistan için çok hayati olan bu savaşa karşı çıkan tek insan olarak kalacaksın!" [14]

Papulas'ın başı önüne düştü. Uzun bir sessizlikten sonra, "Peki.." dedi, "..Tanrı beni utandırmasın."

MUHARİP adlı örgüt emri alır almaz işe koyuldu. İlişki kurdukları Topçu Dairesi Başkanı Erzurumlu Yarbay Salih Bey dedi ki: "Depolardan ne isterseniz alın. İsterlerse beni deponun kapısına assınlar!" [15]

Ama bazı başka gizli örgütlerin ya da kaçırdıkları silah ve mühimmatı Ankara'ya satarak para kazanmak isteyen fırsatçıların acemice girişimleri yüzünden İngilizler huylanmış, güvenlik önlemlerini çok sıkılaştırmışlardı. Yakalananları, Kroker Oteli'nin bodrum katına tıkıyor, konuşturmak için adamlara ağır işkence yapıyorlardı. [16]

Rüşvet ve aldatma yoluyla ancak küçük kaçakçılıklar yapılabilmekteydi. Büyük kaçakçılık iyice zorlaşmıştı.

Bugünkü Ataköy'ün olduğu yerde bulunan Bakırköy Barut Fabrikası'nın depolarında 75 mm.lik bol mermi ve daha birçok savaş malzemesi olduğu öğrenildi. Buraya hiç el atılmamıştı.

Ümitlendiler.

Çünkü Bakırköy Fransız işgal bölgesindeydi. Fransızlarla arada zoraki bir dostluk oluşmuştu. Fransızların Yunanlıları sevmedikleri de kesindi. Belki bu depoların boşaltılmasına göz yumabilirlerdi.

Bakırköy Barut Fabrikası'nı soyma işini Muharip örgütünden Yarbay Eyüp Durukan üstlendi. Son durumu öğrenmesi için bir yüzbaşıyı görevlendirdi. Yüzbaşı sivil giyinip fabrikada görevli Sanayi Teğmeni Tahir Tuğhan'ı ziyaret etti. Teğmen örgütün güvendiği bir subaydı.

Tahir Tuğhan, "İngilizler mermi sandıklarını ilk günlerin telaşı içinde gelişigüzel yığdırmışlar.." dedi, "..sandıkların üstündeki açıklamalar silinmiş. Kayıtlar da dağınık. Aralarına farklı çapta mermi sandıkları karışmış olabilir. Haberiniz olsun."

"Zarar yok. Mermi mermidir."

Mütareke olunca üretimi durdurulan fabrika Bakırköy'le Yeşilköy arasındaki gözlerden uzak koyun kıyısında, geniş bir alana yayılmıştı. Depolar fabrikanın uzun iskelesine yakındı. Mermilerin ve öteki gereçlerin kolayca taşınabileceği anlaşılıyordu.

Şimdi sıra Fransızları razı etmeye gelmişti. Muharip yöneticileri Anadolu'ya el altından silah ve mühimmat satmak isteyen bankacı Mösyö Marcel Savoie'yi iyi tanırlardı. Fransız yetkililerinin güvendiği bir adamdı. Birçok kez görüşülmüş, fakat Ankara'nın yeterli parası olmadığı için onunla bugüne kadar bir iş yapılamamıştı. Yarbay Eyüp Bey o akşam Mösyö Savoie'yı buldu, ne istediklerini anlattı. Tabii, daha büyük ve kârlı işler için bunun bir deneme ve başlangıç olduğunu sezdirmeyi ihmal etmedi. Fransız para kokusunu bir kilometre uzaktan alırdı. Gözleri parladı:

"Anladım. Bana birkaç gün izin verin."

Durumu, desteklemesi için Fransızlarla sağlam bağlantılar kurmuş olan Hamit Hasancan'a da duyurdular.

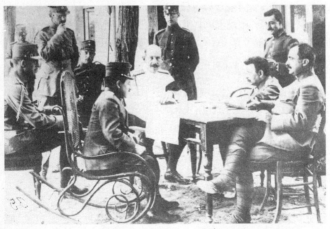

Kral, Genekurmay Başkanı General Dusmanis ve kurmaylarıyla birlikte

SAVAŞ KONSEYİ, sabah Kral'ın başkanlığında toplandı. Toplantıya Veliaht Prens Yorgi, Gunaris, Teotokis, Dusmanis, Papulas, Stratigos, Pallis ve Sariyanis katılıyordu. Ordunun raporu Gunaris'in istediği doğrultuda hazırlanmıştı. Pallis, Ankara'ya yürüyüşünün gerekçesini açıklayarak hareketin amacını özetledi:

"Türk ordusunu pes ettirmek, çekilirse dağıtıncaya kadar takip etmek, Ankara'daki bütün tesis ve depoları yıkmak, malzemeyi imha etmek, Ankara-Eskişehir demiryolunu bir daha kullanılmayacak şekilde bozarak bugünkü hatlarımıza geri dönmek." [17]

Kral yine hasta görünüyordu. Ölgün bir sesle, "Hazırlık için kaç güne ihtiyaç var?" diye sordu.

Papulas susuyordu. Pallis cevap verdi:

"En fazla yirmi güne."

Kral kuşkuya düşmüştü:

"Düşman bu süre içinde toparlanamaz mı?"

Pallis, "Mümkün değil efendim.." dedi, "..kaçaklar yüzünden çok zayıflamış durumda. Kaynakları yeni bir ordu kurmaya elverişli değil. Askerlerine üniforma bile veremeyecek kadar yoksullar. Bu kısa zaman içinde ne top sayısını artırabilir, ne mühimmat sağlayabilirler. Yeniden askere alacakları gençleri eğitecek kadar zamanları da olmayacak. Türk ordusu şu anda bizim bakımımızdan en uygun durumda bulunuyor."

Kral Başbakan'a baktı:

"Hükümetin görüşü?"

"Hükümetim, ordunun bu haklı ve cesur kararını destekliyor, zamanlamayı uygun buluyor, siyasi sorumluluğunu üstleniyor."

"Genelkurmay?"

General Dusmanis, "Biz de harekete karşı değiliz.." dedi, "..ama bu kez M. Kemal'i elimizden kaçırmayalım."

Kral gülümsedi:

"Bir yerde durmalı ki yakalayabilelim."

Yüzler neşeyle aydınlandı. Kral bakışlarını dolaştırarak sordu:

"Karşı görüşte olan var mı?"

Papulas önüne baktı. İstifa etme zamanını kaçırmıştı. Artık orduyu Ankara'ya götürmek ve zaferle dönmek zorundaydı. Evet, bozkırı geçmek ve ikmal zincirini kurmak zor olacaktı ama hangi savaş kolaydı ki? İçi yavaş yavaş yeni savaşa ısınıyordu. Ankara fatihi olarak geri dönmenin çekiciliği, kaygılarını bastırmaya başlamıştı.

Kimseden ses çıkmayınca, Kral toplantıyı kapadı:

"Savaş Konseyi ordunun önerisini oybirliği ile kabul etmiştir. Tanrı kararımızı kutsasın ve yardımcımız olsun." [18]

Hepsi haç çıkardı.

Ertesi gün Eskişehir'e hareket edeceklerdi.

ON BEŞ KİŞİDEN oluşan Meclis Kurulu Polatlı'ya gelmişti. Cephe Komutanı ile kısaca görüştükten sonra Grupları ziyaret etmeye başladılar. Başarısız sonuçtan dolayı komutanlara kırgın gibiydiler. Aralarında Yunan kaynaklı söylentilerin etkisinde kalanlar da vardı.

Ama daha ilk adımda ordunun yoksulluğu, çıplaklığı hepsini ayılttı. Bugüne kadar nasıl dayanabildiğine şaştılar. Mahmut Esat Bozkurt derin bir şefkat ve saygıyla, "Ordumuz meğerse.." dedi, "..hiç şikâyet etmeden, kefenine sarınmış da öyle dövüşmüş."

Karavana yediler, kalabilecekleri yer olmadığı için gece battaniyeye sarılarak asker yatağında yattılar, yani toprakta.

Sabah kalan birlikleri de görmek için yola düşeceklerdi.

MÖSYÖ MARCEL SAVOIE'nın yüzü gülüyordu. Çetin tartışmalardan ve yorucu pazarlıklardan sonra, Fransızlar mermilerin kaçırılmasına göz yummaya razı olmuşlardı. Ama İngilizler fark edip olaya el koyarlarsa, izin verdiklerini reddedecek, Türkleri korumayacaklardı. Örgüt bu koşulları kabul etti. Pazarlığa geçtiler. Mösyö Savoie sandık başına bir lira istiyordu. Muharip örgütü fiyata itiraz edince, çok şaşırdı:

"İşi üst düzeyde dostça bağlayabildim ama alt katlarda durum değişti. Bazılarına ödeme yapmam gerekiyor. Bana belki birkaç kuruş kalacak." [18a]

Durum Ankara'ya bildirildi.

KURUL bütün gün dolaştı, son olarak da 12. Grup Komutanı Albay Halit Bey'i ziyaret etti. Kızgın güneş, susuz ve gölgesiz arazi milletvekillerini iyice yormuş, ordunun yoksulluğu sinirlerini bozmuştu.

Halit Bey de, o saate kadar, grubunun savunacağı bölgede hazırlanan savunma mevzileriyle ilgilenmişti. Elde ne dikenli tel vardı, ne kum torbası, ne çimento, ne demir, ne de siperler için kütük. Sadece arazinin doğal imkânları ile taş ve topraktan yararlanılabiliyordu. Halit Bey de yokluğa isyan halindeydi.

Neşesiz bir buluşma oldu.

Konya Milletvekili Vehbi Çelik Hoca, Halit Bey'in babacan görünüşüne kapılarak soru sormaya heveslendi:

"Halit Bey oğlum, bu ne hal? Biz sizi İzmir yollarında görmek isterken, neden buralara geldiniz? Niye yenildiniz?"

Moraran Halit Bey hışımla yerinden fırladı, "Bana bak Hoca!" diye infilak etti, "..siz buraya halimizi görmeye, bizi teselli etmeye, derdimize çare bulmaya mı geldiniz, yoksa gevezelik edip yaramıza tuz basmaya mı?"

Çıktı gitti.[18b]

Bu tepkiyi olgunca sineye çektiler. Çünkü bir şeyi çok iyi anlamışlardı. Subaylar yenilginin lafına bile katlanamıyorlardı. Daha fazla oyalanmaya gerek yoktu. Ertesi sabah Ankara'ya dönerek genel durumu Meclis'e arz etmeye karar verdiler.

ANKARA'dan onay gelince, sabaha karşı, bir Fransız gemisi Baruthane'nin uzun iskelesine sessizce yanaştı. Taşıma, yükleme ve sevk işlerini, yine Hüsnü Bey ve teşkilatı üstlenmişti. Üç bine yakın mermi sandığı hızla taşınıp gemiye yüklendi.

Uzaktan bir motor sesi gelse, İngilizlerin devriye motoru sanıp yürekleri ağızlarına geliyordu. Yakalanma korkusuyla işi kısa kestiler. Gerekli malzemeyi almışlardı. Yüklemeyi durdurdular. Ama birçok malzemede gözleri kalmıştı. Hele bazıları ne harikaydı: Pilli el fenerleri, lambalar, küçük gaz ocakları, aydınlatma ve işaret fişekleri, bunların tabancaları, ışıldaklar, portatif kürekler, alüminyum mataralar, çelik miğferler, deri eldivenler, harita çantaları vb. Bu güzel oyuncaklar Alman birliklerinden kalmış olmalıydı.

Yoksul orduyu sevindirmek için bunları ilk fırsatta Marmara yoluyla İzmit'e yollamaya karar verdiler. Böyle yapmakla denetimden kurtulmuş oluyorlardı. Ne var ki Marmara'da İngiliz devriye motorlarına, Yunan torpidobotlarına yakalanmamak için çok dikkatli hareket etmek gerekmekteydi. Yakalananları konuşturup örgüt yöneticilerini öğrenmek için ağır işkenceden geçiriyorlardı.

Depolar harıl harıl soyulurken, Fransız nöbetçiler, tabii sus payı karşılığı, Baruthane'nin girişindeki ahşap barakada toplanmış, iskambil oynamışlardı. Fabrikanın korkak müdürü de evine yollanmıştı. Depo kapıları yeniden kilitlendi. Gemi sabah ayrılıp işlemler için Galata açığında demirleyecek, denetim atlatılırsa İnebolu'ya hareket edecekti.

Denetimi aşamamak korkusu örgüt yöneticilerinin içini titretiyordu.

YARBAY SPRIDONOS, yeni bir zafer hevesine kapılan General Papulas'ın baskısı yüzünden görevden kaçamamıştı. Orduya gerekli her çeşit malı hızla Eskişehir'e yığıp depoluyordu ama kaygıları da artarak sürüyordu.

Türkler vatanlarının derinliğine çekilmiş, Yunan ordusunun cehennem yolculuğuna çıkmasını bekliyorlardı. Ordunun, Sakarya doğusuna çekilen Türkler hakkında hiçbir ciddi bilgisi yoktu. Kötü olasılıkları hiç dikkate almayan hayalci kurmaylar tehlikeyi görmek istemiyorlardı. Durumu, tahmin ve varsayımlarla değerlendiriyor, biri itiraz edince de kızıyorlardı.

Ne var ki hükümet sözünü tutmuştu. Savaş sırasında hurdaya çıkmış ya da parçalanmış kamyonların yerine yeni ve güçlü kamyonlar yollamaktaydı. Mudanya'ya son olarak 800 kamyon gelmişti. Eğer Mühendis Binbaşı Vlangalis ve adamları, Eskişehir ile Ankara arasındaki demiryolu ve köprüleri kısa zamanda onarmayı başarırlarsa ikmal sorunu belki biraz hafiflerdi.

Sinir içinde sağa sola emir yağdırmayı sürdürdü. [18c]

GEMİ, Fransız denetçinin ve Türklerin istiklal mücadelesine saygı duyan Fransız gemi komiserinin yardımı ile denetimden geçip yola çıktı.

İnebolu'ya üç bin sandık mermi yollandığı bildirildi.

Yöneticiler yükün Yarbaşı'na taşınması için halkı uyardılar. Ne kadar kağnı ve araba varsa İkiçay'a getirilmesi için de dört bir yana haber saldılar.

İşin ivediliğini biliyorlardı.

SABAH Fransız gemisinin İnebolu'ya yanaştığı saatte Fevzi Paşa yeni kurulan Silah Tamirhanesini denetlemeye geldi.

İmalat-ı Harbiye Müdürlüğü Fevzi Paşa'nın emriyle 1920'de kurulmuş, iş genişleyince 1921 yılı başında Genel Müdürlük yapılmıştı. Ankara ve çevresindeki küçük baruthaneler, fişek doldurma atölyeleri, iş ocakları, saraçhaneler, marangozhaneler, silah tamirhaneleri bu Genel Müdürlükçe kurulup yönetiliyordu.

Silah Tamirhanesi

Eskişehir'den gelen imalat-ı harbiyecilere yer olarak istasyon yakınında, bugünkü MKE Genel Müdürlüğü'nün bulunduğu yerdeki eski süvari tavlası gösterilmişti. Tavla, büyük, yüksek tavanlı, uzun zamandır kullanılmadığı için harap ve pisti. Koca binayı hızla temizleyip onarmış, çeşitli iş makinelerini, aletleri, jeneratörleri taşıyıp yerleştirmiş, tamirhaneyi faaliyete geçirmişlerdi.

Sakatlanmış topları, topçu dürbünlerini, nişangâhları, makineli tüfekleri, tüfekleri, tabancaları harıl harıl onarmaya başlamışlardı bile.

Fevzi Paşa, az konuşup çok iş yapan yöneticilere, subaylara ve ustalara teşekkür edip ayrıldı.[19]

Oradan, yakındaki Ankara Havaalanı'na geçti. Alan, bugünkü Fen Fakültesi'nin bulunduğu yerde, sıkıştırılmış bir toprak pist ile bir baraka ve uçak tamirhanesi olarak kullanılan büyükçe iki hangardan oluşmaktaydı. Tamirhane araç ve gereçleri Ağustos başında, Polatlı'dan Ankara'ya alınmıştı.

Havacılarımız

Başmakinist Abdullah Usta ve adamları, uçabileceğini sandıkları dört uçağa can vermek için çalışmaktaydılar. Bunlar da tıpkı imalat-ı harbiyeciler gibi cephe gerisi kahramanlarıydı. Farklı model üç uçağı birleştirerek bir avcı uçağı kurgulamayı bile başarmışlardı. Yedek parça olmadığı için hurda uçaklardan aldıkları parçaları motorlara uydurmaya çalışıyor ya da kullanım süresi çoktan dolmuş parçaları elden geçirip geçirip yeniden kullanıyorlardı.[20]

Fevzi Paşa, Hava Bölüğü Komutanı Yüzbaşı Fazıl'a "Gecikmeden Malıköy'de havaalanı hazırlat.." dedi, "..uçakları bir an önce oraya taşıyın. Çok yakında hava keşfi gerekeceğini sanıyorum." Havaalanından ayrılıp istasyona geldi. Kurulduğunu duyduğu Lütfiye Mahallesini görmek istiyordu. İstasyon görevlileri, öne düşüp yol gösterdiler. Kör hatlara çekilmiş vagonların aralarından geçerek neşeli çocuk seslerine doğru yürüdüler.

Fevzi Paşa ağzı açık bakakaldı.

İstasyonun bu bölgesi bir panayır gibiydi. Kör hatlara çekilmiş yük vagonlarının içi çarşaflarla evciklere bölünmüş, şilteler serilmiş, vagonların arasına ipler gerilip çamaşırlar asılmıştı. Maltızlarda yemekler pişiyor, çocuklar vagonların altında, arasında, üstünde oynuyorlardı. Bazı kadınlar, kilim serdikleri kara vagonların sahanlıklarına oturmuş, dertleşmekteydiler.

Ankara'ya kaçırılan yüzlerce vagonu gören Bayındırlık Bakanı Ömer Lütfi Yasan, bunların göçmenlere ayrılmasını isteyince, bu öneri ânında kabul edilmiş, göçmenler de Lütfi Bey'in bu can kurtarıcı buluşuna saygı olarak buraya Lütfiye Mahallesi adını vermişti. [20a]

Evlerinden savrulmuş bu insancıklara içi yandı. İngiltere'ye ve onun kiralık katili Yunan ordusuna lanet okudu!

Kurul bugün cepheden dönecek ve Meclis'te ordunun durumu görüşülecekti. Yemeği ayak üstü istasyonda yiyip Meclis'e yollandı. Eleştirileceği aklından bile geçmiyordu.

BİR GÖREVLİ, açık oturuma ara verildiği için koridora çıkmış olan milletvekillerini uyarıyordu:

"Gizli oturum başlıyor efendim. Lütfen salona buyrun. Kapılar kapatılacak. Lütfen!"

Cepheden dönen milletvekilleri açık oturumda orduyu övmekle yetinmiş, eleştirilerini gizli oturuma saklamışlardı. Son milletvekilleri de salona girdiler. Mehmet Şükrü Koç, yanındaki arkadaşına, ellerini ovuşturarak, "Hesap sorma saati geldi" dedi. Kapılar kapandı. Meclis Başkanı M. Kemal Paşa, zile vurdu:

"Oturumu açıyorum."

Gizli oturum başladı. Tarih 2 Ağustos 1921'i gösteriyordu. Dr. Rıza Nur elini kaldırdı.

"Buyrun."

Rıza Nur kürsüye geldi:

"Efendim! Açık oturumda konuşan arkadaşların arz ettikleri gibi cephede bütün birlikleri gezdik. Subay ve erlerle görüştük. Ordu sayıca yetersizdir ama elde kalan çekirdek hakikaten mükemmeldir. Savaşa hazırdır. Fakat birçok noksanlık ve aksaklık var. Şimdi onları arz edeceğim. Söylenmeyen derdin devası olmaz.."

Meclis derin bir sessizlik içinde izliyordu. Rıza Nur ordunun yoksulluğunu anlatmaya başladı:

"..Askerin çarığı yok. Çoğunun ayağı çıplak. Süvarinin kılıcı yok. Çadır yok, asker güneş altında yanıyor. Birçok askerin matarası yok. Birliklerde su fıçısı, kırba yok. Asker geri çekilirken çamurlu Porsuk suyundan içmek zorunda kalmış. Askerin yüzde yirmisinin süngüsü yok. Geri hizmetlerin iyi yapılmadığı anlaşılıyor. Bunlar Milli Savunma Bakanlığı'nın görevleri. Fevzi Paşa Hazretleri'ni yakından tanırım. Çok saygım vardır. Cidden yurtsever, çalışkan ve doğru bir insandır. Ama kanaatimce bugüne kadar uyumuş, görevini hakkıyla yapmamıştır.."

Fevzi Paşa'nın yüzü soldu.

"..Şu anda üç görevi var. Bakanlar Kurulu'na başkanlık ediyor, Genelkurmay Başkanı İsmet Paşa cephede olduğu için ona vekâlet ediyor ve Milli Savunma Bakanı! Bu üç önemli görev neden bir kişide toplanmış? Bu ne hırs?"

Fevzi Paşa yanında oturan Adalet Bakanı Refik Şevket İnce'ye, "Bu görevleri ben mi istedim.." diye yakındı, "..Meclis verdi."

Rıza Nur Bey'in sesi sertleşiyordu:

"..Bakanlar Kurulu da çok ağır davranmıştır. O da bu konuda idaresizlik göstermiştir.."

Yer yer alkışlar duyuluyordu.

"..Taşıt araçları, gereçler yetersiz. On-on beş gün içinde orduyu Sakarya'da tutunacak hale getiremezsek, felakete sebep oluruz. Dünyamızı da ahretimizi de kaybederiz. Şimdi düşündüğüm hal tarzını açıklayacağım. İsmet Paşa Hazretleri'ni çok seven ve sayan bir insanım. Meziyet ve faziletleri de çok yüksektir. Fakat olağanüstü hallerde olağanüstü önlemler gerekir. Ordunun başına.."

Dr. Rıza Nur

Selahattin Köseoğlu

M. Şükrü Koç

Hafız Mehmet Bey

Ardahan Milletvekili
Hilmi Bey

Ziya Hurşit Bey

Mersin Milletvekili Emekli Albay Selahattin Köseoğlu acele etti, oturduğu yerden, "M. Kemal Paşa geçsin" diye bağırdı.

Meclis dalgalandı. Köseoğlu başlangıçta M. Kemal'in çevresinde toplanan komutanlar arasında yer almıştı. Ama bir takım adamı değildi. Seçime katılarak siyaseti seçmiş, Meclis'teki tutuculara katılmıştı.

Beklenilmeyen bir öneriydi bu. Orduyu zaten savaşa hazırlamakla uğraşan M. Kemal Paşa dikkat kesildi.

Rıza Nur Bey, eliyle M. Kemal Paşa'yı gösterdi:

"..Evet, bizim reisimiz tam bu işin adamıdır. Onun gibi iyi bir komutanımız yok. Bence bu millet, ancak onun verebileceği ümitle silkinebilir."

Özellikle birkaç muhalif bu sözleri şiddetle alkışladı. Polatlı'ya giden kurul üyelerinden Trabzon Milletvekili Hüsrev Gerede kuşkulandı. Bir gariplik vardı. Kurul olarak böyle bir çözüm önermeyi hiç konuşmamışlardı. Üstelik bu öneriyi muhaliflerin candan desteklemeleri kuşkusunu artırdı.

Neydi bunların amacı?

Fevzi Paşa, konuşmasını bitirip de kürsüden inen Rıza Nur Bey'e, "Sana yazıklar olsun.. " diye bağırdı, sinirden bıyıkları dikilmişti, "..ben makam hırsı olan biri miyim? Cepheye gider, bir er gibi savaşmasını da bilirim!"

Dr. Rıza Nur karşılık vermeden yerine geçip oturdu.

"Söz Vehbi Bey'in. Buyrun."

Kürsüye Balıkesir Milletvekili Vehbi Bolak geldi:

"Ben de yanlışlık ve noksanlardan söz edeceğim.."

"Bravooo!"

"..Birincisi aylık sorunu. Cephedeki subay ve erler, dört aydan beri aylık ve harçlıklarını alamamışlar."

Birinin, "Bunun sebebi ne, sorumlusu kim?" diye sorması Fevzi Paşa'yı çok sinirlendirdi. Sesin geldiği yana bağırdı:

"Hazinede para olmadığını sanki bilmiyor musun?"

Meclis daha da dalgalanıp gerildi. Başkan zile vurdu:

"Devam edin Vehbi Bey!"

"Ediyorum efendim. Cephedeki askerin tütünü yok. Kuru ot toplayıp içiyorlar. Askerin yüzde sekseninin üniforması yok. Palaskası yok. Çorabı, çamaşırı yok. Bazı tümen karargâhlarında, gece harita okumak için, gaz lambası, fener bir yana, mum yok, mum! Evet beyler, ordumuz bu durumda.."

Uğultu ve tepkiler gittikçe çoğalıyordu. Ankara Milletvekili Şemsettin Bayramoğlu Efendi'nin gözleri dolmuştu. "Aman yarabbi.." diye sızlandı, "..ordu ne haldeymiş."

"..Ama biz inanıyoruz ki Reisimiz M. Kemal Paşa Hazretleri başkomutanlığı kabul ederse, ordu canlanır, bir ay içinde düşmanı terbiye ederiz." [21]

M. Kemal Paşa dinliyor ve susuyordu.

TARTIŞMALAR Meclis'te geç saatte bitmişti. Yatakhanede sürüyordu.

Olayların kaçınılmaz bir şekilde cumhuriyete doğru aktığını gören saltanatçılar M. Kemal'in etkisini azaltmak için çareler aramaktaydılar. Başkomutan olarak Ankara'dan uzaklaşmasının, bu gidişin hızını keseceğini, belki de durmasını sağlayacağını düşünerek öneriyi destekliyorlardı. K. Karabekir Paşa bile devreye girerek M. Kemal Paşa'yı cumhuriyete gitmekten sakınmaya davet etmekteydi. [22] Fanatik İttihatçıların da, M. Kemal'in yenilmezliğini tehlikeye atarak Enver Paşa'ya yol açmak istedikleri anlaşılıyordu.

Tunalı Hilmi Bey, yatağının kenarına oturmuş çay içen Hafız Mehmet Bey'e, "Sizin amacınız Paşa'yı başkomutan yapıp Ankara'dan uzaklaştırmak" dedi.

Hafız Mehmet Bey güldü:

"İyi bildin. Biz onu zaten yıldızı parlak, cesur bir komutan olduğu için başımıza getirmiştik. Siyaset yapsın diye değil. Siyaseti siyasetçilere bıraksın, işini yapsın." [23]

Tunalı Hilmi Bey çok kızdı:

"Hesabınıza göre nasıl olsa ordu yenilecek, M. Kemal Paşa da orduyla birlikte silinip gidecek, siz de başınızda Enver Paşa, bu yangın yerinde at koşturacaksınız, ha? Cahilce siyasetinizle koca devleti parçaladınız. Şimdi de aynı kafayla Anadolu'nun parçalanmasına sebep olacaksınız. Vatan pahasına siyaset olur mu? Lanet olsun!"

Hafız Mehmet yerinden fırladı. Araya girdiler:

"Meclis'te tartışmak yetmedi mi? Bir de burada mı kavga edeceğiz?"

"Sabah ola, hayrola."

Gaz lambaları iyice kısıldı. Ama yataktan yatağa fısır fısır tartışma, dertleşme, sızlanma sürüp gidecekti.

ALİ FUAT PAŞA da daha yatmamıştı. Çalışma odasında, önünde bir kadeh votka, düşünüyordu. Bu çalkantı, Ankara'da küçük hırsları ve hesapları su üstüne çıkarmış, görüş farklarını keskinleştirmiş olmalıydı. 1920 Haziranında, üstün Yunan kuvvetleri karşısında Bursa terk edildiği zaman Meclis üzüntüden çıldırmış, bir kurban aramış, o öfkeyle Albay Bekir Sami Bey gibi gerçek bir kahramanın başını istemiş ve almıştı. [24] Şimdi daha da öfkeliydi herhalde. Bu kez kimin başını istiyorlardı acaba? Bu seferki hedefin M. Kemal Paşa olabileceği aklına bile gelmiyordu.

Kapı vuruldu.

"Gel!"

Binbaşı Saffet içeri girdi.

"Hayrola Saffet Bey?"

"Bu saatte rahatsız ettiğim için özür dilerim. Uyanık olduğunuzu öğrenince, elde ettiğim bilgiyi sabaha bırakmayı doğru bulmadım. Enver Paşa Çiçerin'le gizli bir görüşme yaptıktan sonra, bugün Moskova'dan ayrılmış." [25]

Ali Fuat Paşa'nın göğsü sancıdı:

"Nereye gidecekmiş?"

"Öğrenemedim. Gideceği yeri Hayreti Bey'den de saklamış. Şimdi Hayreti Bey'den geliyorum. Dr. Nâzım da ortadan kaybolmuş. Birlikte ayrıldılar anlaşılan. Hayreti Bey 'Galiba Batum'a gidecekler' dedi. Akla yakın bir tahmin bu."

Gerçekten akla yakındı. Batum Trabzon'a kapı komşu, hâlâ birçok Türkün yaşadığı bir limandı. Kuşku uyandıran hareketleri yüzünden Anadolu'dan uzaklaştırılan eski ordu komutanı, Enver'in amcası Halil Paşa da oradaydı. Trabzon'a geçmek çok kolay, Trabzon'un fiili hâkimi ise Kayıkçılar Kâhyası İttihatçı Yahya'ydı. Olabilecekleri kestiren Ali Fuat Paşa, acıyla söylendi:

"İşe bak. Millet can derdinde, Enver ve yoldaşları iktidar."

MECLİS, ordunun hızla güçlendirilmesi gerektiğini anlamıştı. Ama nasıl güçlendirilecekti? Kaynaklar sınırlı, bütçe yetersizdi. Ordu nasıl doyurulacak, donatılacaktı? Bu yüzden 3 Ağustos günü, görüşmeler genellikle mali sorunlara kaydı. Saatler çözüm içermeyen konuşmalar ve bakanların ayrıntılı açıklamalarıyla geçti.

Zaman azaldıkça, M. Kemal'in başkomutanlığı üstlenmesini isteyenlerin sayısı artıyordu. M. Kemal Paşa'nın milletin son kozu olarak kalması, saygınlığının tehlikeye atılmaması gerektiğini düşünenler de, kurtuluşun M. Kemal Paşa'nın dehasıyla sağlanabileceğini düşünmeye ve görüşlerini heyecanla açıklamaya başladılar.

M. Kemal Paşa dinlemeyi sürdürüyordu.

MECLİS'in iki gündür içine kapanması, Ankara esnaf ve zanaatkârlarını huzursuz etmişti. Seğmen havalı bir esnaf, ertesi sabah, Merkez Kıraathanesi'ne girdi. Her zamanki masalarda yine bazı milletvekilleri vardı. "Beyler.." dedi, "..iki gündür kendi aranızda konuşuyorsunuz. Bir de milletle konuşsanız." Milletvekilleri bakıştılar. Sahi, Meclis'e kapanıp milleti unutmuşlardı.

"Arkadaşlarla toplandık, sizi bekliyoruz. Buyrun, birlikte gidelim."

Çıkrıkçılar yokuşundan Samanpazarı'na yürüdüler, oradan kale önüne çıkan daracık yola saptılar. Yokuşun iki yanında küçük, gösterişsiz nalbur, hırdavat, urgan dükkânları vardı. Kale önüne çıkınca, seğmen, milletvekillerine yol göstererek bir zahireciye girdi. Tavanı atkılı, bölmeleri zahire dolu geniş dükkânda yirmiden fazla Ankaralı esnaf ve köylü toplanmıştı. Komşu esnaflar da koşup geldi. Yuvarlak yüzlü, gür bıyıklı bir Ankaralı öne çıktı:

"Hoş geldiniz."

"Hoş bulduk."

"Kulağımıza gelenlere göre, Meclis, M. Kemal Paşa'nın başkomutan olmasını istiyormuş ama Paşa kabul etmiyormuş. Demek ki ümit yok."

Süleyman Sırrı Bey irkildi:

"Hayır. Paşa daha konuşmadı. Bizleri dinliyor."

"Öyleyse Paşa'ya söyleyin, millet malıyla, canıyla arkasındadır. Başkomutanlığı kabul etsin. Bu dükkân benimdir. Ne varsa hepsini orduya helal ediyorum."

Biri, "Ben de!" dedi.

Öteki esnaflar da katıldılar:

"Bizimkiler de helal olsun."

Bıyıkları sigaradan sararmış bir köylü, "Biz yakın köylerdeniz.." dedi, "..hepimiz adına söylüyorum, neyimiz varsa ordunun ayağına sermeye hazırız.. Yeter ki şu gelen kara belayı durdursun." [26]

Heyecandan milletvekillerinin ağızları kurumuştu. Süleyman Sırrı Bey güçlükle, "Sağ olunuz!" diyebildi. Vakit geçirmeden Meclis'e döndü, Ankaralıların söylediklerini ilgililere duyurdu. Vekili olduğu millete yakışmak için farklı bir şey yapmak gereğini duyuyordu. Başkanlığa bir yazıyla başvurarak, savaş süresince orduda er olarak hizmet etmek istediğini bildirip izin istedi. İsteği uygun görülecek, 1. Süvari Tümeni karargâhında er olarak hizmet edecekti. [26a]

İSMET PAŞA askerin son durumunu öğrenmek için Grup Komutanlarını öğle yemeğine çağırmıştı.

Komutanlar gelişmeden memnundular. Sakarya doğusuna geçildiğinden beri, kazanlar kaynıyor, askere sıcak yemek veriliyordu. Ankara, Polatlı ve ordunun sahra fırınları, 24 saat çalıştırılmakta, cepheye ekmek akıtılmaktaydı.

Ordugâhlarda tek tük de olsa şakalar, gülüşmeler duyulmaya, subaylar tıraş olmaya başlamıştı.

Bekleyen mektuplar dağıtılmış, Ankara'dan biraz çadır, çorap, çarık, postal ve çamaşır, pek az da olsa er üniforması gelmişti. Milli Savunma Bakanlığı'nın Ankara'da kurduğu küçük dikimevinde, dikişçi kadınlar beyaz Amerikan bezini ceviz yaprakları ile kaynatıp rengini biraz koyultuyor, bu boyalı bezden üniforma dikiyorlardı. Renk biraz dalgalı oluyordu ama hiç yoktan iyiydi.

Asker sayısı her gün azar azar artıyordu.

4 AĞUSTOS PERŞEMBE günü Meclis, gizli oturumda durumu görüşmeye devam etti. Başkanlık kürsüsünde bugün Dr. Adnan Bey vardı. Hava dolgun, yüzler gergindi. Akşama doğru konuşmalar başkomutanlıkta odaklandı. Artık bütün gruplar M. Kemal'in başkomutan olmasını istiyorlardı. Kürsünün karşısına gelen ilk sıranın sağ ucundaki değişmez yerinde, görüşmeleri izlemekte olan M. Kemal Paşa, son milletvekili konuşmasını bitirince, elini kaldırıp söz istedi. Üç gündür susan Paşa sonunda konuşacaktı.

Keskin bir sessizlik oldu.

Ne karar verdiğini kimse bilmiyordu. Akşamları sevdiği ya da saydığı kimselerle birlikte olmaktan, konuşup tartışmaktan hoşlanırdı. Ama iki gündür kimseyi çağırmamış, Çankaya'ya yalnız çıkmıştı.

Dr. Adnan heyecanla "Buyrun" dedi. Bu ânın milletin yüzlerce yıldır yaşadığı en önemli anlardan biri olduğunun farkındaydı. Anadolu Timur istilasından sonra bir kez daha ölüm-kalım açmazına düşmüştü. M. Kemal Paşa telaş etmeden yürüyüp kürsüye çıktı. Milletvekillerine baktı:

"Efendiler!

Başkomutanlık sorunu dolayısıyla hakkımda gösterilen güven ve teveccühe teşekkür ederim.

Başkomutanlığı kabul ediyorum.."

Küçük salona sıkışmış iki yüze yakın milletvekilinin derin bir nefes aldığı duyuldu.

"..Ama bundan beklenen yararları hızla elde edebilmek, ordunun maddi, manevi kuvvetini artırmak ve eksiklerini tamamlamak, sevk ve idaresini bir kat daha güçlendirebilmek için Meclis'in orduya ilişkin yetkilerini, üç ay süreyle kullanmak istiyorum."

Yetkileri konusunda çok titiz ve kıskanç olan Meclis donakalmıştı.

Rıza Nur, "Olmaz böyle şey!" diye bağırdı.

"Heyecanlanmanıza gerek yok beyefendi. Bu görevi ben istemedim, siz önerdiniz. 'Olağanüstü zamanların önlemleri de olağanüstü olur' diyen de sizdiniz. O halde sorunu sükûnetle tartışalım.

Başkomutanlığa tayinimden beklenen yarar, bugünkü çalışma usulleri ile sağlanamaz. Çünkü ben zaten reisiniz olarak orduyla ilgilenmekteyim. Bu çalışma tarzını yeterli görmeyen, yüksek heyetinizdir. Öyleyse alınacak önlem, ihtiyaca uygun olmalı. Büyük bir hızla karar vermek, uygulamak ve sonuç almak gerekiyor. Durum bu işler için uzun görüşme ve tartışmalara vakit ayıramayacağımız kadar acildir. İtiraf edeyim ki istediğim yetki, sınırlı da olsa büyük bir yetkidir. Bu nedenle üç ay dedim. Süre sona erince, ya yetkiyi geri alırsınız veya yeniden uzatırsınız. Hele reisinize güveniniz yoksa, böyle bir yetki vermeniz doğru olmaz. Önerim gerçekten düşünmeye değer, çok düşününüz ve öyle karar veriniz!" [27]

İnip yerine oturdu.

Bu açıklamadan sonra birçok milletvekili konuştu. Kimi destekliyor, kimi Meclis'in sınırlı bile olsa yetkilerinin bir kişiye devredilmesine karşı çıkıyordu. İttihat ve Terakki döneminin acı anıları dolayısıyla bu yetkinin kötüye kullanılmasından çekinenler de az değildi. Bu kargaşalıkta Selahattin Köseoğlu, 'Başkomutan' değil, Enver Paşa gibi 'Başkomutan Vekili' denilmesi için çabalayıp duruyordu. Saatler çabuk ilerledi, görüşmelerin devamı ertesi güne kaldı. M. Kemal bazı arkadaşlarıyla birlikte Çankaya'ya çıktı.

Kılıç Ali   Mazhar Müfit Kansu   Hüsrev Gerede

IHLAMUR VE İĞDE kokan bir Çankaya akşamıydı.

Havuzlu holdeki sofraya geçtiler. Ali Çavuş emir bekliyordu. M. Kemal Paşa, "Çocuk.." dedi, "..belki arkadaşlar bir şeyler içmek isterler. Sor bakalım."

Topçu İhsan, "Siz içmeyecek misiniz Paşam?" diye sordu.

"Böyle günlerde içmem. Mazhar Müfit Bey bilir."

"Evet. Erzurum Kongresi sürerken Paşa yalnız kahve içmişti. Biz de utanıp içkiden elimizden geldiğince uzak durmuştuk."

Kılıç Ali'nin boynu büküldü:

"Öyleyse içmeyelim."

"İyi yaparsınız. Yarın önemli bir gün. Hele bir düze çıkalım, yine beraber oluruz."

Süreyya Bey, "Paşam.." dedi, "..gelişmeleri nasıl değerlendiriyorsunuz?"

"Diktaya gideceğimden kaygılananların itirazlarını saygıyla karşılıyorum. Yarın bir konuşma yaparak rahatlamalarını sağlayacağım."

Aynı kaygıyı taşıyan Mahmut Esat Bozkurt'un yüzü gevşedi:

"Böylece bizi de rahatlatacaksınız Paşam."

Kahkahalar patladı.

"Ben milli hâkimiyet fikrine hayatımı bağladım Mahmut Esat Bey. Meclis'le çekişirim, tartışırım ama Meclis'siz yapamam.[28] İçiniz rahat olsun. Zaten Meclis'in bütün yetkilerini değil, sadece orduyu savaşa hazırlamakla ilgili yetkilerini istedim. Bu sınırlı isteğimin sebebi açık: Uzun görüşmelerle kaybedilecek zaman yok. Her dakikanın değeri var. Meclis yine bütün yetki ve haklarına sahip olarak başımızda bulunacak. Beni Ankara'dan uzaklaştırmak, yenilerek silinip gitmemi isteyenlere gelince.."

"Öneriniz oyunlarını bozdu."

Ali Metin Çavuş, dumanı tüten büyük bir kâseyle geldi. Üzerine kırmızı biberli yağ gezdirilmiş yoğurt çorbasının kokusunu içlerine çektiler:

"Mmmmmmmmm..."

M. KEMAL PAŞA ertesi gün, gizli oturumda Meclis'i aydınlatan bir konuşma yaptı. Rıza Nur ve sekiz milletvekili, Meclis'in duyarlığını ve M. Kemal Paşa'nın önerisini uzlaştıran bir tasarı hazırlayarak Başkanlığa sundular ve ivedilikle görüşülmesini istediler.[29]

Bu istek kabul edilerek tasarı görüşülmeye açıldı. Burdur Milletvekili hukukçu Veli Bey'in (Saltıkgil) açıklamasından sonra, söz isteyen olmadığı için tasarı gizli oya sunuldu. Oyların sayımı bitince, oturumu yöneten Dr. Adnan Bey sonucu açıkladı:

"Efendim, oylama bitmiştir. Oylamaya 183 arkadaşımız katılmış, yasa 169 oyla kabul edilmiştir.."

Şiddetli alkışlar yükseldi. Bunalım sona ermişti.

"..13 arkadaşımız muhalif kalmıştır. Açık oturumda da muhalif kalırlarsa, korkarız ki, milli heyecan örselenebilir."

Muhalif kalan milletvekillerinden biri ayağa kalktı:

"Açık toplantıda kabul oyu vereceğiz."

Bu incelik de alkışlarla yüceltildi. Meclis dış dünyaya milli konularda tam birlik içinde olduğunu göstermeye önem veriyor, en ters milletvekilleri bile buna uyuyordu. M. Kemal Paşa kısaca teşekkür ettikten sonra, açık oturuma geçilmek üzere toplantıya 15 dakika ara verildi.

Meclis balkonları, uzun zamandır Meclis önünde bekleyen meraklı gazeteciler ve dinleyicilerle tıklım tıklım doldu. Çok önemli bir tarih sahnesine tanık olacaklarının sezgisi içindeydiler. Tutanak kâtipleri yerlerini aldılar. Bütün milletvekilleri içeri girdi.

Dr. Adnan Adıvar, heyecanını dizginleyerek, açık oturumu olağan bir günmüş gibi açtı. Gündemin öneriler bölümüne gelince, Dr. Rıza Nur ve sekiz arkadaşının verdiği beş maddelik Başkomutanlık Yasası'nı okuttu. Dört gün süren tartışmalar sonunda sorun çözüldüğü için kimse söz almadı. Gizli oylamaya geçildi.

Sonuç derin bir sessizlik içinde bekleniyordu. Oy sayımı sonucu Dr. Adnan Bey'e verildi. Dr. Adnan Bey sonucu açıkladı: Oylamaya 184 milletvekili katılmış, tasarı oybirliği ile yasalaşmıştı.

Bir alkış tufanı koptu. Balkonda bazı dinleyicilerin birbirlerine sarıldıkları görülüyordu. M. Kemal Paşa ayağa kalktı. Onunla birlikte Fevzi Paşa, bakanlar ve öbek öbek milletvekilleri de ayağa kalktılar ve bir daha oturmadılar. Bu sivil giysili, sarışın genç adam, milletin zafer ümidini ve kurtuluş iradesini temsil ediyordu. Alkışlar ve başarı dilekleri arasında kürsüye çıktı. Duru bir sesle, "Sayın arkadaşlar.." dedi, "..Yüce Meclis'in manevi kişiliğine ait olan Başkomutanlık görevini fiilen ifa etmek üzere bendenizi memur ettiniz. Teşekkürlerimi arz ederim.."

Alkışlar salonu sarstı.

"..Efendiler!

Zavallı milletimizi esir etmek isteyen düşmanları, Allah'ın yardımıyla kesin olarak yeneceğimize güven ve inancım, bir dakika olsun sarsılmamıştır. Bu dakikada, bu inancımı, yüksek heyetinize karşı, bütün millete karşı ve bütün âleme karşı ilan ederim. Bu inancımın, gerçekleşmek için ihtiyaç duyduğu tek şey, yüce heyetinizin beni esirgemesi ve milletin bana yardımcı olmasıdır. Yüksek heyetinizin ve milletimin esirgemesine ve şefkatine daima mazhar olacağıma bütün yüreğimle güveniyorum.."

Gözleri yaşaran bir tutanak kâtibi, elini gözlerine siper ederek görevini sürdürdü.

"..Buna dayanarak, yüksek heyetinizden aldığım feyiz ile bu dakikadan itibaren Başkomutanlık görevine başlıyorum!" [30]

Kürsüden indi. Kendini, kucaklayan, gülen, ağlayan, dua eden milletvekillerinin arasında buldu.

SALİH OMURTAK, telefon eden Salih Bozok'a "Sözü uzatma.." dedi, "Oldu mu? Onu söyle!" Cevabı alınca odasının kapısına çıkıp neşeyle bağırdı:

"M. Kemal Paşa Başkomutaaaan!!!"

"Heeeeeey!"

Subaylar sevinçle kucaklaştılar. Albay Asım Gündüz de oradaydı. Anadolu hareketinin sadece emperyalizm ve onun gölgeleriyle savaş olmadığını, Osmanlı rejimine ve çağdışı anlayışına karşı da bir ihtilal olduğunu anlamış, Anadolu'ya yeniden ama bu kez tek başına geçmişti. İki gündür Ankara'daydı. Daha M. Kemal Paşa'yı görmeyi başaramamıştı. Coşkuyla ayağa fırladı. Kütahyalıydı. Hafif Kütahya şivesiyle söyleyerek oynamaya başladı:

Sarı zeybek aman
Şu dağlara yaslanır... [31]

Yıldırım gibi yayılan haber, ta doğu sınırındaki askere kadar bütün orduyu diriltti.

İsmet Paşa, M. Kemal Paşa ile anlaştıkları gibi, Batı Cephesi Komutanlığı işlerinin yoğunluğunu ileri sürerek Genelkurmay Başkanlığı'ndan istifa etti. Meclis, Başkomutan'ın önerisi üzerine Genelkurmay Başkanlığı'na Fevzi Çakmak Paşa'yı, Milli Savunma Bakanlığı'na da Refet Bele Paşa'yı seçti.

Taşlar yerine oturmuştu.

MECLİS TOPLANTISININ sona erdiği saatte Padişah Vahidettin, Yıldız Sarayı'nın zengin döşeli loş bir salonunda, tatilden dönen İngiliz Yüksek Komiseri Sir Horace Rumbold'u kabul etmişti. M. Kemal Paşa'nın oybirliği ile Başkomutanlığa seçildiğini henüz ikisi de bilmiyordu.

Klasik nezaket cümlelerinden sonra Yüksek Komiser, Kral'ın Vahidettin'i ve İstanbul yönetimini destekleyen sözlü mesajını iletti. Mesaj Vahidettin'i pek duygulandırdı. Milletin kendi arkasında olduğunu belirtmek için, "Türkiye'nin bugünkü ıstırabından sorumlu olanlar nüfusun ancak yüzde onudur" dedi; kısa bir duraksamadan sonra devam etti:

"İngiltere Anadolu'daki savaşı neden durdurmuyor, anlamıyorum. Birkaç savaş gemisini İzmir'e, bir-ikisini de Karadeniz'e yollamanız, iki yanı da mantıklı davranmaya zorlar." Sir Rumbold Padişah'a hayret ve gizli bir acıma ile baktı. Çok zavallı bir duruşu vardı. İngiltere Sevr'e karşı çıkan M. Kemal'i değil, elbette Sevr'i benimseyen onu tutacaktı. Ama bu 600 yıllık devletin hükümdarının, olup bitenlere akıl erdiremediği anlaşılıyordu. Ne Yunanistan'ın İngiltere için anlamını kavramıştı, ne de Ankara'nın bir çift savaş gemisiyle dize getirilemeyeceğini. Sözü uzatmadı, "Barışı sağlamak için uygun zamanın henüz gelmediğini" söylemekle yetindi.

Konuşma Vahidettin'in sızlanmaları ve Yüksek Komiser'in avutucu cevapları ile sona erdi.

Konuşmanın tutanağı, tarihin gurur ve utanç verici olaylarla dolu belgeliğinde hak ettiği yeri aldı.[31a]

BAŞKOMUTAN orduya ve millete bir beyanname yayımlayarak göreve başladığını bildirdi. Düşmanı anayurdun 'harim-i ismetinde' (temiz kucağında) boğacağına söz verdi.

Bu çok büyük bir sözdü!

Bu sözü tutamayan silinip giderdi.

Anadolu Ajansı'nın yurda ve dünyaya yaydığı beyanname, bütün Anadolu ve millici İstanbul gazetelerinde yer aldı. M. Kemal Paşa'nın Başkomutan olması ve beyannamesi, halkta büyük bir ümit kabarmasına yol açtı.

Buna karşılık, milletin kendilerini desteklediğini, Meclis'in M. Kemal'i devireceğini iddia ve ümit edenleri derin bir hayal kırıklığına uğrattı.

İngilizlerin de canları sıkıldı. Fazla bir şey yapması mümkün değildi ama M. Kemal Paşa'nın askerliğin yaratıcı bir sanatçısı olduğunu Çanakkale'den çok iyi biliyorlardı.

Yunanlılar ise olayın önemini kavrayacak halde değillerdi. Zafer mahmurluğu içindeydiler. Yürüyüşe geçmek için yapılan hazırlığın bitmesini, Eskişehir'de coşkun madalya ve geçit törenleri ile vakit geçirerek bekliyorlardı.

M. KEMAL PAŞA Başkomutanlık ile bakanlıklar arasında eş-güdüm sağlamak üzere bir kalem (*sekreterya*) kurdu. Milli Savunma Bakanlığı Müsteşarı Kâzım İnanç Paşa'yı sekreteryanın başına getirdi. Kâzım İnanç Paşa, Çanakkale'de ve Suriye'de Komutan Liman von Sanders Paşa'nın Kurmay Başkanlığını yapmış, deneyimli ve akıllı bir kurmaydı. Sekreterya onun başkanlığındaki birkaç subay ile memurdan oluşuyordu.

Trabzon Milletvekili Hüsrev Gerede'yi de yapılan işler hakkında Meclis'e bilgi vermekle görevlendirdi. Hüsrev Bey Samsun'a M. Kemal ile birlikte çıkan on sekiz subaydan biri, ilk karargâh kadrosundan bir kurmay binbaşıydı.

Halkın sayıp güvendiği, sözünü dinlediği bazı milletvekillerini halkı aydınlatmak ve gençleri orduya kazanmak için yakın illere göndermek üzere odasına davet etti:

"Herkesle konuşun. Halkı bilgilendirin. Köylü, şehirli, bütün gençlerin bu ölüm dirim savaşına katılmasını sağlayın. Millete ümit verin. Sizi mahcup etmeyeceğim."

"Ne zaman hareket etmemiz uygun olur?"

"Yarın sabah!"

"Oooo!"

Milletvekilleri telaşlandılar. Hepsi adına Mazhar Müfit Kansu konuştu:

"Öyleyse bize izin verin Paşam." [32]

Hazırlanmak için genç hızıyla odadan çıktılar. Salih Bozok'u çağırdı:

"Salih.." dedi, "..kardeşimden mektup geldi. Paraları bitmiş. Şu notun gizlice anneme ulaşmasını sağla."

"Başüstüne."

Not çok kısaydı: "Bankadaki parayı harcayın. Yetişmezse evdeki halıları satın." [32a]

Sırada, çözümü için mucize bekleyen dev ve acil bir sorun vardı: Orduyu sayıca güçlendirmek, donatmak, savaş boyunca her gün yiyecek ve cephane ile beslemek.

Bu çok çetin soruna hemen, hemen, hemen bir çözüm bulmak gerekiyordu. Hainlik sınırına yakın duran birkaç koyu muhalif, M. Kemal Paşa'nın bu sorunun altında ezilip kalacağını beklemekteydi. Hava kararırken Çankaya'ya geldi. Fikriye Hanım ile iki satır konuştu, Abdurrahim'in başını okşadı ve çalışma odasına çıktı.

CEPHE GERİSİNDE güvenliği sağlamakta zorluk çeken Yunan İşgal İdaresi, dağlara çıkmış milli çetelerin ve cephe gerisinde kalmış orduya bağlı akıncı kollarının baskınlarını ve sabotajlarını durduramıyordu. Her gün bir-iki kayıp vermekte, haberleşme ve ulaşım aksamaktaydı. Bütün bölgenin binlerce köyünü işgale yetecek kadar askeri olmadığı için çetelere ve akıncılara yataklık yaptıklarından kuşkulandıkları yerleri zaman zaman işgal ediyor, halka insafsızca gözdağı vererek direniş ruhunu kırmaya çalışıyor, birçok sivil erkek ve kadını esir ya da rehine diye Yunanistan'a götürüyordu. Sefalet içindeki kamplarda tutulan bu sivillerin sayısı üç bini aşmıştı.[32b]

Bu sabah bir Yunan birliği Manisa'nın Gördes kasabasını işgal etmişti.

Demirci halkı heyecan ve korkuya kapıldı. Gördes Demirci'ye çok yakındı. Kaçmaya imkân yoktu. Dört bir yan işgal altındaydı.

Demirci, Manisa-Uşak-Balıkesir üçgeninin ortasındaki dağlık bölgede ve düşman denizi içinde bir ada gibiydi. Bir kez işgal edilmiş, Yunanlılar püskürtüldükten sonra uzun zaman bir daha işgal görmemişti. Demirci Kaymakamı İbrahim Ethem Akıncı, bu durumdan yararlanarak bir akıncı kolu kurmuş, giderek Parti Pehlivan, Halil Efe, Hacı Veli gibi dağlarda dolaşıp düşmanla boğuşan bazı çete reisleri, adamlarıyla birlikte bu ünlü kaymakamın emrine girmiş, akıncı kolu oldukça güçlenmişti.

Her fırsatta düşmana darbe vurmaktaydılar.

İbrahim Ethem Bey, Gördes'ten Demirci'ye gelen yöneticiler, orduya bağlı akıncı kollarının komutanları ve Demirci Akıncıları'nın müfreze komutanları ile görüştü. Akşam kaymakamlık ve belediye görevlilerini, müftüyü, kasabanın önde gelenlerini kaymakamlığa çağırdı. Çağrılanlar koşar adım geldiler. Odada oturacak yer bulamayanlar ayakta dikildiler. İbrahim Ethem Bey, "Düşman yarın sabah burayı da işgal edecektir.." dedi, "..silahla karşı koymaya gücümüz yetmez. Kasabayı yakmalarına sebep oluruz. Bu yüzden öteki akıncı kollarıyla birlikte biz de Demirci'yi geçici olarak terk etmeye karar verdik. Böyle yaparak daha yararlı olacağımızı sanıyoruz.."

Dinleyenlerin göğüsleri daraldı.

"..Geçici olarak diyorum, çünkü bir gün mutlaka geri döneceğiz."

Kaymakamlık kâtibine, "Evrakları toplayıp gizli mahzene kaldır.." dedi, Jandarma Başçavuşuna döndü: "..Sen seçeceğin üç jandarma ile burada kalacak, görevine devam edeceksin. Geri kalanları serbest bırak. İsteyen bizimle gelsin. Gizli mahzene silah ve cephane saklayın. Gün gelir, gerekir."

Topluluğa yöneldi:

"Birlik olun! Ne olursa olsun kurtulacağımıza inanın! Düşmana karşı vakar ve haysiyetinizi koruyun! Düşmanla işbirliği yapanın akıbetinin pek acı olacağını da hiç kimse unutmasın."

Akşam inmişti. Bütün akıncılar, hükümet konağının önünde toplanmış, bekliyorlardı. Parti Pehlivan ile Halil Efe'nin eşleri erkek elbisesi giyip akıncıların arasında yer almışlardı.

Demirci halkı akıncılarla ağlaşarak vedalaşmaktaydı.

İbrahim Ethem Bey atına bindi, herkes adına, dehşet içinde kaynaşan Demircililere seslendi:

"Hakkınızı helal edin!"

"Helal-ü hoş olsun!"

Kadınların iç paralayan çığlıklarını duymamaya çalışarak kuzeydeki dağlara doğru at sürdüler.[33]

AKINCILAR gece içinde yol alırken, M. Kemal, Çankaya'daki çalışma odasında, otura dolaşa, kahve ve sigara içe içe, dağınık düşünceleri toparlayıp birleştirmeye çalışıyordu.

Zihninde, halktan gelen mesajlar, destek telgrafları ve Meclis'teki konuşmaların da etkisiyle, tarihte örneği olmayan kapsamlı bir tasarı olgunlaşmaktaydı.

Gece yarısı sessizce kahveyi tazeleyen Fikriye'den, kuru yemeklikleri saymasını istedi. Söylediklerini dikkatle not aldı. Fikriye yemekle hiç arası olmayan Paşa'nın bu merakına çok şaşmıştı:

"Niye sordunuz?"

"Yarın anlarsın. Haydi sen yat artık. Ben daha çalışacağım."

Fikriye her zamanki uysallığıyla "Peki Paşam.." dedi, "..size iyi geceler."

"Sana da."

Genç kadın çıkarken, içinden sökülüp gelen bir istekle arkasından seslendi:

"Dua et çocuk."

"Ah! Başka bir şey yaptığım yok ki."

M. KEMAL PAŞA, hazırladığı notları sabah Özel Kalem Müdürü Hayati'ye verdi: "Bunları temize çektir. Fevzi Paşa'ya telefon et. Mümkünse, öğleyin Bakanlar Kurulu'nu toplasın. Hem peynir ekmek yer, hem konuşuruz."

Vedaya gelen Kastamonu, Konya ve Samsun İstiklal Mahkemesi başkan ve üyelerini kabul etti. "Cephe gerisini sağlam tutun.." dedi, "..Damat Ferit gitti ama kuyrukları ve kafadaşları duruyor. Türlü yollarla orduyu bölmek, içinden çökertmek için çalışıyorlar, uyanık durun. Yarın bazı emirlerim yayımlanacak, bunların hızla ve dürüstlükle uygulanmasını gözetin. Takdir sizin ama orduya geri dönmeye hazır kaçakları affetmeniz iyi olur diye düşünüyorum. Cahillik halkın kusuru değildir."

Sonra da Cebeci hastanesine giderek yaralıları ziyaret etti. Paşanın öteki yaralılarla birlikte hatırını sorduğu Yüzbaşı Faruk, "Ben iyiyim Paşam.." dedi, "..görevimin başına dönmek istiyorum. Fakat bu inatçı doktorlara iyileştiğimi kabul ettiremiyorum."

Doktorlar yüzbaşının gammazlığına güldüler. Daha dün akşam, M. Kemal'in başkomutan olduğunu öğrenince, ameliyatlı olduğunu unutarak sevinçle yerinden fırlamış, birkaç dikişi patlamıştı.

M. Kemal'i ilk kez gören Nesrin, ziyaretten sonra Faruk'a, "Daha yaşarken efsane gibi bir insan, nasıl bu kadar mütevazı ve nazik kalabiliyor?" diye sordu.

Yan yatakta yatan tek kolu kesik bir binbaşı söze karıştı:

"Bir insan gerçekten büyükse böyle olur. Ama şunu diyeyim: Savaş sırasında çok titiz, hatta serttir. Hatayı affetmez. Çanakkale'de karargâhında çalışmıştım, ordan bilirim."

Hasan Saka   Refik Şevket İnce   Muhittin Baha Pars

HASTANEDEN ayrılan M. Kemal Paşa Valiliğe geldi. Bakanlar toplanmıştı. Simit ve kaşar peyniri getirttiler, çay söylediler. Toplantı başladı. M. Kemal, "Yunan ordusunun harekete geçmesi fazla uzamaz.." dedi, "..bu kısacık süre içinde ordunun eksikliklerini tamamlayabilmek için ne yapabiliriz Hasan Bey?"

Maliye Bakanı Hasan Saka, zor duyulur bir sesle ve içi eriyerek, "Bence yapılabilecek bir şey yok efendim" dedi ve bilgi verdi: Yeni bir vergi konulsa bile, tahsilat çok uzun sürerdi. Halkın tasarruf gücü sıfıra yakın olduğundan iç borçlanmaya gitmek düşünülemezdi. Sovyetler'den bu yıla ilişkin para yardımı gelmiş, aylıklara ve zorunlu cari giderlere gitmiş ve bitmişti. Ekonomi Bakanı Celal Bayar da Hasan Saka'nın açıklamalarına katıldı.

Ürkütücü bir sessizlik çöktü. Her zaman panik halinde olan Sağlık Bakanı Dr. Refik Bey inler gibi nefes alıyordu.

M. Kemal Paşa, "Beyler.." dedi, "..anlaşılıyor ki klasik mali önlem ve yöntemlerle bu işin içinden çıkamayacağız."

"Evet efendim, yazık ki öyle."

"Ama ne olursa olsun düşmanı yenmek zorunda mıyız?"

"Eveeeet!"

"Şu halde bilinen usulleri ve her çeşit mülahazayı bir yana bırakacağız."

Çantasından, Hayati Bey'in temize çektirdiği yazıları çıkardı: "Şunlara bir göz atar mısınız?"

Kâğıtları Hasan Saka'ya verdi. Maliye Bakanı kâğıtları aldı. Okudukça yüzü sararıyordu. Terini sildi:

"Ne diyeceğimi bilemiyorum. Halka dünyada eşi benzeri olmayan bir taleple gidiyoruz."

Bakanlar meraktan kıvranıyorlardı. M. Kemal açıklama yaptı:

"Amacım bütün milleti savaşla ilgilendirmek, bütün kaynakları harekete geçirmek, her evi, her işyerini, cephenin bir parçası yapmak. Bunun için halkı malı ve emeği ile de savaşa katılmaya çağıracağım. Yüksek sesle okur musunuz? Arkadaşların da bilgisi olsun."

Hasan Saka, terini sile sile, Tekalif-i Milliye (Milli Yükümlülük) emir taslaklarını okumaya başladı.

Bakanlar, yeni bir savunma anlayışına tanıklık ettiklerini bilmeden, yarı hayranlık, yarı hayret içinde dinlediler.

İlk altı emir, son şeklini alarak, gece yarısından sonra, işgal altında olmayan bütün illere, mutasarrıflıklara ve ilçelere tellendi.[33a]

ÇORUM POSTANESİNDEKİ nöbetçi telgrafçı, sabaha karşı, gülle gibi ardarda düşen, Başkomutan imzalı altı telgrafı alınca, panik içinde müdürünü, o da Mutasarrıf Ali Cemal Bardakçı'yı uyandırdı. Mutasarrıf, Başkomutan'ın kanun gücündeki emirlerine uyku sersemi göz attı ve ânında ayıldı.

Birinci emre göre, her ilçede kaymakamın başkanlığında bir Milli Vergi Kurulu kurulacak, kurul iş bitene kadar aralıksız çalışacak, köylere kadar teşkilatlanacaktı. Bütün devlet birimleri, dernekler, öğretmenler, imamlar ve muhtarlar, Kurulun doğal üyesi gibi çalışacaktı. Kurul teslim aldığı her mal için, bedeli ilerde ödenmek üzere makbuz verecekti. Emirlere aykırı davrananlar İstiklal Mahkemelerine sevk edilecekti.

Olağanüstülük bundan sonraki emirlerde başlıyordu.

Mutasarrıflık ve belediye görevlilerini, askerlik şubesi başkanını, okul müdürlerini, müftüyü, Müdafaa-yı Hukuk Derneği yöneticilerini, eşrafı ve başlıca tüccarları çok acele toplantıya çağırdı.

EMİRDAĞ KAYMAKAMI da telgrafları okuyunca zembereği boşalmış gibi yerinden zıplamış, kendine gelir gelmez bütün ilgilileri, eşrafı ve esnaf temsilcilerini ayaklandırmıştı.

Çağrılanlar gözlerini merak içinde kaymakama diktiler. Kaymakam birinci emirden sonra, derin bir soluk alıp ikinci emri okudu:

"Şehir, kasaba ve köylerdeki her ev, birer kat çamaşır, bir çift çorap ve bir çift çarık hazırlayıp kurula teslim edecektir."

Daha ağır isteklerle karşılaşacaklarını tahmin edenlerin kasları gevşedi, yüzleri güldü, rahat bir soluk aldılar:

"Bu kolay canım."

"Üçüncü emre geç bakalım Kaymakam Bey!"

Kaymakam üçüncü emre geçti:

"Tüccar ve halk elinde bulunan bez, amerikan, patiska, pamuk, yün, tiftik, kumaş, kösele, meşin, çarık, fotin, iplik, çivi, nal, mıh, yem torbası, yular, belleme, kolan, kaşağı, semer ve urganın yüzde kırkı Vergi Kuruluna teslim edilecektir."

Dinleyenler dehşetle doğruldular:

"Neeeeeeee?"

Kaymakamın hiç istemediği halde gülmesi geldi:

"Sakin olun. Dahası var. Dördüncü emir: Buğday, saman, un, arpa, fasulye, bulgur, nohut, mercimek, pirinç, kasaplık hayvan, çay, şeker, gaz, sabun, yağ, zeytinyağ, tuz ve mumun..."

"Eeeee?"

"Bunların da yüzde kırkı."

"Of ooooof!"

ÇORUM'da da mutasarrıfı dinleyenler, emirleri duydukça sarsılıyorlardı:

"Beşinci emir: Benzin, motor yağı, vazelin, lastik, buji, tutkal, telefon, kablo, pil ve tel stoklarının yüzde kırkı..."

"Anaaam!"

"Altı: Her çeşit taşıt aracıyla deve, at, öküz, katır, kadana, merkep gibi yük hayvanlarının yüzde yirmisi..."

"Vay anaaam!"

Akşam dört emir daha geldi, emirlerin sayısı on etti. Başkomutan, halkın elinde bulunan her çeşit silah ve cephanenin üç gün içinde Vergi Kurullarına teslim edilmesini; ilçe bölgelerindeki kasatura, kılıç, mızrak ve eyer yapabilecek bütün zanaatçıların adlarının ve üretim güçlerinin saptanarak bildirilmesini; halkın elinde kalmış olan her çeşit taşıt aracıyla, ayda bir kez, 100 km.yi geçmemek üzere ordu mallarını ücretsiz taşımasını; ordunun giyim ve yiyimine yarayacak bütün terk edilmiş mallara el konulmasını emrediyordu.

EMİRDAĞ KAYMAKAMI vakit geçirmeden İlçe Vergi Kurulunu kurdu.

Kurul kaymakamın odasında toplandı.

Kurul üyeleri bu hayati sorumluluğun altında ve halktan istenen özverinin büyüklüğü karşısında sersemlemişlerdi. Üyelerin çoğu ümitsizdi. Kaymakam halkın nasıl davranacağını kestiremediği için yalpalıyordu. Emirde, "Kurullara her şey makbuz karşılığı teslim edilecek, ne teslim edilmişse bedeli ilerde ödenecek" deniyordu ama acaba halk inanır mıydı buna?

Anadolu, Osmanlı tarihçilerinin 'büyük kaçgun' adını verdikleri on yedinci yüzyıl sonundaki kargaşa döneminden beri devlete güvenmez olmuştu. Can ve mal güvenliğini sağlayamayan devlet, eşkıyanın yağmaladığı köyleri bir de vergi almak için kendi zorlayıp inletmişti. Bu yüzden birçok büyük, bayındır, zengin köy parçalanmış, köylüler kel tepelere, kuytu vadilere, orman içlerine göçmüş, böylece devletin ve eşkıyanın gözünün önünden, elinin altından, yolunun üzerinden kaçmıştı. Kaçamadığını anlaması uzun sürmeyecekti. Eski devlet bugüne kadar, bir şey vermeden, mal ve can vergisi isteyegelmişti. Şimdi yeni devlet de istiyordu.

Bunları konuşurlarken birden odanın kapısı küt diye ardına kadar açıldı. Kapının çerçevesi içinde Emirdağ'ın delisi Battal belirdi. Bağırdı:

"Selamünaleyküm!"

Kaymakam öfkelendi:

"Ulan deli, baksana çalışıyoruz. Çık dışarı!"

"Kızma beyim, biliyorum, onun için geldim. Duydum ki Kemal'in askeri çıplakmış. Allah şahidimdir üzerimdekinden başka çamaşırım yok. Çoraplarımı getirdim. Şimdi yıkadım, temizdir."

Yaklaşıp masanın üzerine bir çift ıslak yün çorap koydu. Çarıklarını sıyırıp odanın ortasında bıraktı:

"Aha bunlar da çarıklarım. Haydi kolay gelsin!"

Çıplak ayak, huzur içinde yürüyüp çıktı. Kapıyı gümleterek kapadı.

Üyelerin dilleri tutulmuştu sanki. Kaymakam, "Halktan kuşkulandığımız için tövbe edelim beyler." dedi, "..Deli Battal gibi bir garibin bile yüreği köpürdüyse, tekmil halk ayaklanacak demektir. Hızlanalım." [34]

ÇORUM MUTASARRIFI Ali Cemal Bey Haymana'da Kaymakamlık, Ankara'da Emniyet Müdürlüğü yapmış deneyli bir idareciydi. Sakin bir sesle yapılacakları sıraladı:

"Bugün hazırlığımızı yapar, köylere kadar teşkilatlanır, vergileri duyururuz. Yarın sabah da halkı beklemeye başlarız."

Eşraftan biri uyarmak gereğini duydu:

"Bizim Allah'a şükür imkânımız vardır, veririz. Ve lakin halktan yana sakın hayale kapılma Mutasarrıf Bey. Bitik halk rızkını verecek değil ya."

"Biz gereğini yapalım da, bakalım halk neyler.."

Sözünü ümitle tamamladı:

"..neylerse güzel eyler."

İLLER, mutasarrıflıklar, ilçeler, bucaklar, emirleri aldıkça bir şaşkınlık geçirdikten sonra telaşla çalışmaya koyuluyorlardı.

Emirler, gazeteler, Müdafaa-yı Hukuk Derneği üyeleri, memurlar, öğretmenler, ticaret ve esnaf odaları, jandarmalar, muhtarlar, imamlar, münadiler, bekçiler yoluyla bütün halka duyuruldu.

Bürokrasinin paslanmış çarkları, ister istemez hızla dönmeye başladı:

Halk dalgalanıp hareketlendi.

Kastamonu Kadınları Müdafaa-yı Hukuk Derneği de, kadınların orduya ayrıca yardımda bulunması için harekete geçti. Üyeler şehre yayılıp ev ev dolaşarak ertesi gün ikindi namazından sonra şehitler için okunacak mevlide Kastamonu hanımlarını davet ettiler.

ANADOLU'daki pek çok yönetici gibi Çorum Mutasarrıfı da, bütün gün hazırlıklarla ilgilenmiş, ancak gece yarısı yatabilmişti. Heyecandan gün ağarana kadar gözünü kırpmadı.

Halkın tavrı sabah belli olacaktı.

Evde duramadı, erkenden hükümete geldi. Vergi Kurulu üyeleri, görevliler, işbaşı etmiş bekliyorlardı. Odasına çıktı. Odacı kahvesini getirdi. Kahvesini alıp pencerenin önüne geldi. Gözünü meydana açılan yol ağızlarına dikti.

Sinek uçmuyor, yaprak kımıldamıyordu.

Neden sonra, derin sessizlik içinde belli belirsiz bir gürültü uyandı. Yavaş yavaş yaklaştı. Yol ağzından iki çuval yüklü bir eşekle yaşlı bir erkek göründü. Onu büyükçe bir çuvalı sırtlamış bir başka erkek izledi. Derken ellerinde sepetler, heybeler ve torbalarla kadınlar sökün etti.

Az sonra taş döşeli hükümet meydanı, arabalar, kağnılar, atlar, eşekler, denkler, balyalar, hurçlar, sepetler, küfeler, tenekeler, torbalar, heybeler, bakraçlar, testiler, kadınlar, erkekler ve çocuklarla dolacaktı.

Ali Cemal Bardakçı ağlamaya başladı.[35]

ANKARA valiliğinin önündeki genişçe meydan da içeri giremeyenlerle dolmuştu. Adalet Bakanı Refik Şevket İnce valiliğe yoğun kalabalığı zorlukla yararak girebildi. Alt kattaki bütün odalar Milli Vergi Kurulu ile ona bağlı alt-kurullara ayrılmıştı. Vergisini hemen ödemek ya da mal bildiriminde bulunmak isteyen erkenci Ankaralılar, odaları ve koridoru doldurmuşlardı.

Görevliler gece gündüz çalışacak, üç hafta boyunca eve gidip de çamaşır değiştirecek zaman bulamayacaklardı.[36]

Ortalık karınca düğünü gibiydi. Üst kata çıkan merdivenin sahanlığında gazeteciler, bu olağanüstü düğünü izliyorlardı. Yanlarına çıktı. Sesi titreye titreye, "Beyler, bu tabloya çok iyi bakın.." dedi, "..Anadolu uyanıyor!"

KONYA'da da halk vergisini ödemek için hükümet konağını işgal etmişti. Bina uğulduyordu. Üç Konyalı konuşmak için Vali Galip Pasiner Paşa'ya çıktılar. Kalpaklı, değirmi sakallı Konyalı, "Paşam.." dedi, "..arkadaşlar bizi temsilci seçtiler. Konyalıların bir dileğini arz etmek istiyoruz. Biliyorsunuz, bir hafta sonra kurban bayramı..."

Vali Paşa doğruldu:

"Yooo, hemen söyleyeyim, vergileri ertelemek mümkün değil."

Konyalılar gülümsediler:

"Hayır Paşam, o başka, vergi borcumuzu ödeyeceğiz. Biz bayram için harcayacağımız şeker parasını Kızılay'a, kurbanları da orduya vermeyi kararlaştırdık. İlgililere hazırlıklı olmaları için emir vermenizi diliyoruz."

Galip Paşa'nın yüzü mutlulukla parladı.[37]

Milli Mücadele'nin başında Ankara'yı o kadar uğraştıran Konya artık Delibaş'ın, Zeynelabidin'in, Artin Cemal'in karanlık Konyası değildi.

EVLER de arı kovanına dönmüştü. Çorap, çamaşır ve çarık hazırlıyorlardı. Antalya'nın Elmalı kasabasında da, yakın komşu beş yeni yetme kız yün çorap örmek için biraraya gelmişlerdi. Konuşa konuşa çalışmaktaydılar.

İçlerinden biri, "Benim ördüğüm çorabı giyecek asker, inşallah Afyon'a ilk giren asker olur" dedi. Bu hoş dilek kızlara sevinç çığlıkları attırdı, emeklerine tarifsiz bir ümit tadı kattı:

"Aaaaa! Benim ördüğüm çorabı giyen asker de Eskişehir'e ilk giren olsun."

"Benimki de Uşak'a girsin!"

"Benimki Bursa'ya."

Sonuncu kız, "Benim askerim de inşallah İzmir'e girer!" dedi.

Afet adındaki bu güzel kız, ilerde İzmir'de M. Kemal Paşa ile karşılaşacak, himayesine girecek, İsviçre'de eğitim görerek Profesör Afet İnan olacaktı.[38]

VERGİNİN YÜKSEKLİĞİNDEN dolayı sızlananlar da vardı elbette. Hele Milli Mücadele'ye karşı olanlar içlerinden ateş püskürüyorlardı. Ama söylene söylene de olsa vergilerini vereceklerdi. Çünkü herkes birbirinin durumunu bildiği için ne kaytarmak mümkündü, ne savsaklamak.

Mal kaçırmak isteyenler ile bu işten çıkar sağlamaya yeltenenler, soluğu İstiklal Mahkemelerinde alacaklardı.[38a]

BİR JANDARMA ERİ Konya hükümet konağının geniş bir odasının kapısına 'İstiklal Mahkemesi' tabelasını yerleştirirken, bir başka jandarma eri de odanın baş duvarına 'İstiklal Mahkemesi mücahedesinde (savaşında) yalnız Allah'tan korkar' yazısını astı.

Konya İstiklal Mahkemesi üyeleri Konya'ya gelmişlerdi. Öğleden sonra çalışmaya başlayacaklardı.

Mahkemenin üyeleri TBMM'ce milletvekilleri arasından seçilmekteydi. Bir jandarma mangası ile yola çıkıyor, bölgesindeki illerin hangisinde gerekiyorsa orada mahkemeyi kuruyor, sanıkları hızla yargılıyor ve karar veriyorlardı. Kararları kesindi.

Bir ihtilal mahkemesiydi.

Halk iki yüzyıldır Osmanlı yönetiminin kararsızlığından, vurdumduymazlığından, ilgisizliğinden, yavaşlığından o kadar çekmişti ki bu olağanüstü mahkemeleri memnunlukla karşıladı. Hızlı, kararlı ve cesurdu; yerel sorunlarla ilgileniyor, gaddar yöneticileri hizaya getiriyor, etki altında kalmıyor, suçlu kim olursa olsun duraksamadan cezasını veriyordu.[39]

İstiklal Mahkemeleri bu nitelikleri ile namuslu, yurtsever halk için bir güvence, halkçı tutumuyla gelecek için de bir ümitti. Buna karşılık bozguncular, casuslar, hainler, bölücüler, işbirlikçiler, isyancılar, gericiler, din tüccarları ve aktörleri içinse elbette ciddi bir tehlikeydi. Bu safta olanların düşüncelerini paylaşanlar, uzun yıllar sonra da bu ihtilal mahkemelerinin aleyhinde konuşacak, haklı çıkabilmek hırsıyla yalan söylemekten çekinmeyeceklerdi.

Bugün Kastamonu bölgesi İstiklal Mahkemesi de Çankırı'ya ulaştı.

NASRULLAH CAMİSİ genç, yaşlı pek çok hanımla doluydu.

Mevlit sona ermişti. Dua ve şehitlere ithaf edilen fatihalardan sonra Kastamonu Kadınları Müdafaa-yı Hukuk Derneği Umumi Kâtibi Saime Ayoğlu Hanım ayağa kalktı:

"Yüce Allah dualarımızı kabul buyursun."

"Amiiiiin!"

"Düşman ülkemizin kalbine yürümek istiyor. Ordumuz yeni bir savaşa hazır olmak zorunda. Gazi ordumuza niye biz hanımlar da yardım etmeyelim? Ne dersiniz?"

Kastamonu Milli Mücadele'yi insanca, malca, paraca sürekli desteklemişti. Daha da destekleyecekti. "Hay hay" sesleri yükseldi. Üç genç kız saflar arasında tepsileri dolaştırmaya başladı. Kadınlar küpelerini, bileziklerini, taşlı yüzüklerini, boyunlarındaki takıları, para keselerini tepsiye bırakmaya başladılar.

"Helal olsun!"

"Helal olsun!"

"Helal olsun!"

Tepsiler tepeleme doldu.[39a]

Hatice adlı Zonguldaklı bir genç kız, Kastamonu hanımlarının bu cömertliğini duyar duymaz, düğünü için o kadar özenle diktirdiği gelinliğini satıp bedeli olan 30 lirayı Kızılay'a bağışladı.[39b]

Anadolu'nun durgun hayatına yeni heyecanlar, yeni değerler, yeni ölçüler, yeni ülküler katılıyor, millet silkiniyordu.

Bu aydınlık ruh uzun yıllar canlılığını koruyacaktı.

FETHİ OKYAR Ankara'ya güven içinde gelebilmek için Avrupa'da çare ararken hayli vakit kaybetmiş, sonunda uygun bir İtalyan gemisine binerek 3 Ağustosta İnebolu'ya çıkmıştı.

İnebolu'nun artık bir otomobili vardı.

Otomobil Süleymanoviç adlı uyanık bir adamındı. Atsız, öküzsüz yürüyen araba İnebolu halkı için büyük olay olmuştu. Süleymanoviç'in arabası dileyeni iki günde Ankara'ya ulaştırıyordu. Ücreti kişi başına 75 liraydı. Büyük paraydı bu ve Fethi Okyar'ın bu kadar parası yoktu. Faytonla yola çıktı. Dört günde Çankırı'ya geldi. Çankırı'da kendisini Salih Bozok bekliyordu. M. Kemal Paşa otomobilini yollamıştı. Sabah yola çıktılar. Akşam Ankara'ya ulaştılar.

Üç yıldır görüşemeyen iki eski dostun karşılaşması heyecanlı oldu.

Bütün gece dertleştiler. Sorunların boyutu ve niteliği soğukkanlı Fethi Bey'i bile ürpertti.

ANKARA'ya önce Topal Osman Ağa'nın ünlü 47. Alayı gelmiş, törenle karşılanmıştı. Alay Giresun ve çevresinin gençlerinden kuruluydu. Pontus ve Koçgiri ayaklanmalarının bastırılmasında görev almıştı. Donatımları, kıvraklıkları Ankaralılara güven ve ümit vermişti.

Topal Osman Ağa

Meclis'in önünden alayla birlikte Giresunlu millici Gülpembe Hanım da geçmişti.

Bugün de akşama doğru Merkez Ordu'nun yeni kurup yolladığı iki alay geldi. Meclis önünden iki yanı bataklık istasyon yoluna döndü. İstasyonun yanında mola verecek ve nereye gideceği hakkında emir bekleyecekti.

Alayların görüntüsü bir gün önceki morali berbat etti. Subayların üniformaları birbirini tutmuyordu. Hiçbir askerin üniforması yoktu. Tüfekleri kayışsız ve süngüsüzdü. Fişeklerini azık torbalarında ya da ceplerinde taşıyorlardı. Çarıkları parça parçaydı. Amasya'dan beri yürüyerek geldikleri için yorgun ve toz-toprak içindeydiler.

Bir esnaf, hayal kırıklığına uğrayan arkadaşlarına, "Üzülmeyin.." dedi, "..zaferi kazanıp da barış olunca, ordumuzu güzelce giydirir, sırmalara boğarız."

Bu iki yeni alayı kurup 180 subay, 3.000 savaşçı er, 4 top yollayabilen Merkez Ordusu, bu alaylardan daha yoksuldu.[39c]

ANKARA'ya akşam alacası ve yayla serinliği çöküyordu. Bazı yaralılar hastabakıcıların yardımıyla tek katlı pavyonların ortasındaki bahçede yürümeye çalışmaktaydılar. Dr. Hasan, Nesrin'in koluna tutunarak tahta sıraya oturmaya çalışan Faruk'a, "Boşuna gevezelik etme.." dedi, "..bir ay daha burada kalman gerek."

Nesrin destekledi:

"Doktor bey çok haklı. Hâlâ koluma girmeden yürüyemiyorsunuz."

Yüzbaşı Faruk güldü:

"Size nazlanıyorum da ondan."

İçerden bir ses Nesrin'i çağırdı. Nesrin izin isteyip içeri koştu. Dr. Hasan arkasından karbeyaz gömlekli ve başörtülü Nesrin'e baktı. Koşmuyor sanki akıyordu. Faruk'un yanına oturdu, elini dostça omuzuna koydu:

"İnsanların hallerinden anlayan bir doktor olarak teşhisimi söylüyorum: Bu harika kız seni seviyor."

"Doktorcuğum, bu teşhisinde de yanılıyor olmanı dilerim."

"Neden?"

Faruk'un sesindeki şakacı ton birden kayboldu:

"Çünkü er-geç cepheye gideceğim ve dövüşeceğim. Arkamda benim yüzümden acı çekecek birini daha bırakmak istemem. İstanbul'da annemi bıraktım. Bir annem yeter."

GENELKURMAY'daki küçük odada Yarbay Salih ile Albay Asım Gündüz, kahve içerek dertleşiyorlardı. Lloyd George'un yaptığı bir açıklama ikisinin de canını yakmıştı. Birden M. Kemal Paşa odaya girince şaşırdılar, ayağa fırladılar. Başkomutan Asım Bey'in elini sıktı. Sanki İnebolu'ya Şehzade Faruk'la geldi diye İstanbul'a geri göndermemiş gibi candan bir tavırla, "Asım hoş geldin.." dedi, "..niye gelir gelmez beni aramadın?"

"Cesaret edemedim."

"Ne demek? Akademide başçavuşumdun. Beni çağırabilirdin."

Albay Asım Bey bu dostça şakaya gülemedi, büyük bir saygıyla, "Estağfurullah efendim" diye cevap verdi. Harp Akademisi'ndeyken başçavuşu olduğu doğruydu ama o günden bu yana çok şey değişmişti. Karşısında artık bir sınıf arkadaşı değil, bir devlet kurucusu, bir ihtilal lideri, bir Başkomutan vardı.

Oturdular.

"Ne var ne yok Salih Bey?"

Asım Gündüz

Yarbay Salih, "Lloyd George bir açıklama yapmış.." diye homurdandı, "'Sevr Antlaşması yırtıldığına göre, artık taraflara silah satmak serbesttir' demiş.[40] Şu halde Yunanlılara yeniden silah satmaya başlayacak bunlar."

M. Kemal Paşa'nın yüzü gerildi:

"Bu sorun değil. Zaten Romanya ve İspanya üzerinden gizlice satıyorlardı.[41] Sorun Mr. Lloyd George'un bin toptan daha tehlikeli olan anlayışı. Sevr Antlaşması'nın galip Yunanlılar açısından yırtılmış olduğunu söylemek istiyor. Anlaşılıyor ki Yunanlılara yeni ödüller verecek. Bizimse, bu rezil antlaşmanın tümden yırtılması için dövüşmeye devam etmemiz ve tartışmasız galip gelmemiz gerekiyor. Çünkü bu fraklı, rugan iskarpinli salon haydutları için hakkın önemi yok, ancak kanla ikna oluyorlar."

Öfkeyle yerinden kalktı, yukarı çıktı. Fevzi Paşa yatsı namazını kılmış, Başkomutan'ı bekliyordu.

M. Kemal Paşa, "Paşam.." dedi, "..eğitimleri biten Harbiyeliler yarın akşam cepheye hareket edeceklermiş. Sabah talimgâha gidip çocukları ziyaret edelim."

"Hay hay."

"Belki de çoğunu bu savaşta kaybedeceğiz."

"Öyle."

İkisi de daldılar. Savaş başlayınca 20-21 yaşındaki bu genç insanlar, takım komutanı olarak erlere cesaret vermek için en önde ateşe koşacaklardı. Konuşulacak birçok sorun ve alınacak birçok karar vardı. Dalıp duygulanacak zaman değildi. Fevzi Paşa ister istemez sessizliği bozdu:

"Haberler Yunan ordusunun yürümeye hazır olduğunu gösteriyor. Bir an önce cepheye gitmemiz gerektiğini düşünüyorum..."

ANKARA'dan çok uzakta, Britanya İmparatorluğu'nun başkenti Londra'da, Carlton otelinin görkemli lokantasında Sir Basil Zaharof ile İyonya Bankası'nın Başkanı Sir John Stavridis, akşam yemeğinde biraraya gelmişlerdi. İkisi de Yunan ordusunun İzmir'e çıkmasını hazırlayan olayları sessizce yönlendirmişlerdi.

Bir süre Paris ve Londra ile ilgili magazin haberleriyle oyalandılar. Venizelos'un zengin bir İngiliz 'lady'si olan Miss Helena Şilizzi ile evliliğe hazırlanıyor olması Zaharof'un hoşuna gitti. İstediği gibi az pişirilmiş bonfilesinden büyükçe bir parça keserken, asıl konuya girdi:

"Önceki gün Paris'e gelen Mr. Lloyd George ile görüşmüş, silah satışlarını artık serbest bırakmasını rica etmiştim. Karar kesinleşince hemen buraya geldim. Bu karardan Yunanistan'ın yararlanmasını nasıl sağlarız? Çocuklar Ankara'ya yürüyecekler. Yardıma ihtiyaçları olacağını sanıyorum."

Et parçasını ağzına attı, ağır ağır çiğneyerek Stavridis'e baktı. Stavridis gülümsedi:

"Kolayca. Çünkü İngiliz hükümeti, özel bankaların Yunanistan'a kredi açmasını serbest bırakacak. Bir-iki gün içinde bunu açıklayacaklar." [42]

Zaharof zarif sakalını dalgalandırarak güldü:

"Oooo! Harika."

İş basitleşmişti.

Büyük armatörlerden ve dünyadaki üç büyük silah satıcısından biri olan Sir Basil Zaharof, Muğla'da doğmuş Rum asıllı bir Fransız vatandaşıydı, İngiltere'ye yaptığı hizmetlerin karşılığı olarak da İngilizlere özgü 'Sir' sanını taşıyordu. Her güçlü iş adamı gibi Lloyd George'un yakın dostuydu.[42a]

Yunanistan bu iki becerikli iş adamı için hem anavatan, hem de sağlam bir müşteriydi. Yapılacak her çeşit yardımın ve açılacak her kredinin güvencesi hazırdı: Dağlarından yağ, bağlarından bal akan, toprağının altı boraks, kömür, kükürt, kurşun, krom gibi zengin maden yataklarıyla dolu Batı Anadolu!

Gözleri parlayarak kadehini kaldırdı.

Sir John da.

YUNAN ORDU KARARGÂHI artık geç saatlere kadar çalışıyordu. Ordu yeniden düzenlenmiş, üç kolordu halinde örgütlenmişti.

Yürüyüş gününü öğrenen kolordular son hazırlıkları yapıyorlardı.

General Papulas Metaxa konyağından bir büyük yudum aldı. Arkasına yaslandı.

Ordu dinlendirilmiş ve eksikler giderilmişti. Moral çok iyiydi. İstihkâmcılar 30 metre boyundaki Alpu köprüsünü onarmışlardı. Alpu istasyonu Üçüncü Kolordu'nun ikmal merkezi olmuştu. Demiryolu onarıldıkça ikmal merkezi ileri doğru, Beylik Köprü'ye kadar kaydırılacaktı. Öbür iki kolordunun ikmal işi de çok iyi düzenlenmiş, ordunun Sakarya nehrini kolayca geçebilmesi için gereken köprü gereçleri de hazırlanmıştı.

Uçak keşiflerine göre Türk ordusunun cephesi, batıya dönüktü.

Gülümsedi.

Cepheden taarruz edecek gibi ilerleyecekler ama bir tümeni kuzeyde bırakarak, hızla dağların arkasından güneye inecek, yarmak ve kuşatmak için Türk cephesinin güney (sol) kanadına baskın vereceklerdi.

Gözlerini keyifle kapadı.

Plan mükemmeldi.

GENERAL PAPULAS haklıydı. Türk ordusunun cephesi batıya dönüktü. Ama savunma planı, sağ ya da sol kanada yönelecek olası bir taarruzu karşılamak için gerekli esnekliği ve önlemleri de içeriyordu.

Ordu, Ankara Çayı ile Ilıca Deresi arasında, nehrin doğu kıyısında savunma düzeni almıştı. Orta geride de, düşman taarruzunun yönüne göre sağ ya da sol kanada gönderilmek üzere güçlü ihtiyat birlikleri bulunduruluyordu.[42b]

Ancak şu sorun vardı:

Ordu savaşçı asker ve silah sayısı bakımından henüz istenen güce ulaşabilmiş değildi. Ordunun güçlenmesi için yeterli sayıda yeni ve eğitimli askerin gelmesi gerekiyordu. Bunun için de zamana ihtiyaç vardı. Savaş erken başlarsa, iki ordu arasında güç bakımından çok tehlikeli bir fark oluşacaktı ki bu yenilgiye yol açardı.

Öncelikli sorun orduyu savaş başlamadan güçlendirmekti.

İsmet Paşa bu amaçla, Genelkurmay'ın tavsiyesine uyarak, Akşehir'de toplanmakta olan 2. Gruba, "cephe sol kanadına katılmak üzere gizlice hazırlanarak hemen yürüyüşe geçmesini" emretti. Bu karar sorunu çözmüyordu ama hafifletiyordu.

Bu sırada Ankara'da, Genelkurmay'da, M. Kemal Paşa, Fevzi Paşa, Salih Omurtak ve Harekât Şubesinin kurmayları da, Genelkurmay'a bağlı olan Mürettep Kolordu'nun durumunu görüşmekteydiler. Kısa bir görüşmeden sonra aynı amaçla Mürettep Kolordu'nun da cephe sağ kanadına alınması uygun bulundu. Albay Kâzım Özalp'e kolordusunu yürüyüşe hazır tutması bildirildi.

BAKIRKÖY BARUT FABRİKASININ depolarından kaçırılan Alman fişekleri ile subayların 'oyuncak' dediği küçük ve yararlı malzemeleri taşıyan geniş karınlı bir motor karşı kıyıyı izleyerek Karamürsel'e ulaşmıştı. Sabah gün doğmadan İzmit'e geçti.

Kaçakçı motorları Marmara'da işgalcilere yakalanmamak için geceleyin ve çok dikkatli yol alıyor, deniz ufkunda bir gölge belirse motor susturuluyor, gerekirse kıyıya yanaşıp yatıyorlardı.

Motor iskeleye halat attı.

Gizli örgüt motorun geleceğini İzmit'e bildirmişti. Yaşlı bir deniz başçavuşu, kaptanı ve mürettebatı kucakladı, öptü, kıyıya davet etti. Çorba ve cevizli ekmek hazırlatmıştı.

Askerler sandıkları, kutuları karaya taşımaya başladılar.

CEBECİ ABİDİNPAŞA tepesindeki subay okulu, resmi adıyla Zabit Namzetleri Talimgâhı Temmuz 1920'de açılmıştı.[43] İstanbul'daki Harp Okulu'ndan ve işgal altındaki şehirlerde bulunan askeri liselerden kaçarak Ankara'ya gelenler ve yedeksubaylar, bu okulda kısa ve yoğun bir eğitim gördükten sonra istiklal ordusuna katılıyorlardı.

Nefti çadır bezinden dikilmiş uydurma üniformaları içinde, yüzleri güneşten yanmış iki yüz kadar teğmen, tören düzeninde, Başkomutan'ın konuşmasını bekliyordu. Başkomutan'la birlikte, Fevzi, Refet ve Kâzım İnanç Paşalar, asker kökenli bazı milletvekilleri, Fethi Okyar, Genelkurmay ve Milli Savunma Bakanlığının üst yöneticileri de gelmişlerdi.

M. Kemal Paşa iki adım öne çıktı:

"Çocuklarım, bu talimgâha henüz Harbiye diyemiyoruz. Çünkü çok eksiğimiz var. Ama ben sizlere, hakkınız olan adınızla hitap edeceğim.

Harbiyeliler!

Savaş ve yenilgi acıları içinde büyüdünüz. İşgal altındaki okullarınızdan, evlerinizden kaçtınız, milletinizin kurtuluş mücadelesine katılmak için binbir zorluk içinde Ankara'ya geldiniz. Burada yorucu bir eğitimden geçtiniz. Ne çocukluğunuzu bildiniz, ne gençliğinizi yaşadınız. Birkaç gün sonra da çok sert bir savaşa katılacak, gerekirse canınızı feda edeceksiniz.

Biliniz ki gelecek nesiller bu fedakârlıklar sayesinde, medeni âlemde, eşit haklara sahip, bağımsız bir milletin, fikri hür, irfanı hür, vicdanı hür çocukları olarak yaşayacaklar. Size söz veriyorum!"

Yeni teğmenlerin inanan sesi top gibi patladı:

"Sağ oool!"[44]

YAŞLI BAŞÇAVUŞ topuklarını coşkuyla çarparak tekmil verdi:

"Binbaşım, motor sabaha karşı geldi. Boşaltıldı. İstanbul'a geri döndü. Yüz bin Alman fişeği ile birçok harika ıvır zıvır getirmişler. Ivır zıvırları gördüm, bayıldım. Kurban olayım bunları hemen cepheye ulaştıralım. Komutanlarımız bayram etsin."

Gelen malzemenin listesini İzmit Deniz Komutanı Binbaşı Celal Köprücü'nün önüne bıraktı. Binbaşının yüzü pembeleşti. Gelen yararlı malzemeden çok, babacan Başçavuş'un cephedekiler adına duyduğu katıksız sevinçten mutlu olmuştu. Başçavuşun bir gözü kördü, kör gözü bile sevinçle parlıyordu.

Orduyu taş gibi birlik içinde tutan bu sevgiydi.

CEPHE KOMUTANLIĞININ emri 2. Grubun Akşehir'deki karargâhına öğleye doğru ulaştı. Konya yönünü örtmek için düzen almış olan grup hemen yola çıkacak durumda değildi.

Cephe sol kanadına ulaşmak için aşılacak bozkır yolu 150 kilometreydi. Bu mesafe ancak beş konakta alınabilirdi. İlk üç konakta su yoktu. Grubun cephane ve erzakıyla birlikte ek olarak üç günlük suyunu da taşıması gerekecekti. Ama elde ne su fıçısı bulunuyordu, ne de fıçıları taşıyacak kadar araba.[45]

Yola çıkmayı zorlaştıran bir engel daha vardı. 5. Tümen'in son alayı bu sabah erkenden Akşehir'e gelmek üzere Konya'dan hareket etmişti.

Katardan bir daha haber alınamamıştı.

5. TÜMEN'in son alayını ve tümenin iki topunu taşıyan uzun katarın lokomotifi, odun bittiği için Konya-Akşehir arasında, Kemrelik rampasında can vermişti.

Alay Komutanı şaşkına döndü.

Trenler kömür olmadığı için odunla hareket eder, odun biterse yolda durup ağaçlar kesilir, hatta istasyonların ahşap kısımları parçalanıp ocağa atılırdı. İşbilir subaylar erleri yakın çevreye odun bulmaya yolladılar. Erler çalı-çırpı ile dönünce, Birinci Tabur Komutanı Deli Yüzbaşı Zekeriya iyice delirdi:

"Ulan köz kebabı mı yapacağız burda? Uçun! Bir parça odun bulup getirmeyeni, yağlı çıra diye bu iblisin ocağına sürmezsem namerdim."

Erler uçsuz bucaksız bozkıra yayıldılar.

Ufka kadar tek ağaç ve tek bina yoktu.

Yürümeye kalksalar Akşehir'e dört günde varırlardı. Tümen karargâhına haber verebilseler, belki komutan bir lokomotif yollayıp katarı Akşehir'e aldırırdı ama buraları bilen bir subay Akşehir'le bağlantı sağlanabilecek ilk istasyonun yayan üç saat çekeceğini söylüyordu. Sağlam lokomotif yoksa ne yapacaklardı? Bu durumu öğrenebilmeleri için ilk istasyona gidecek adamın geri dönmesi de bir üç saat alacaktı.

Oooooooof!

GEYVE'deki Mürettep Kolordu karargâhına cephe emri bu sırada geldi.

Bu kolordunun karşısında Bursa-Söğüt arasına yayılmış olan 11. Yunan Tümeni bulunuyordu. Bu tümene belli etmeden çekilebilmek için hazırlık çok gizli yapılmalı, hele 17. Tümen'in buradan ayrıldığı hiç belli edilmemeliydi. Yoksa bu katil tümen durumu anlar anlamaz geride kalacak küçük birlikleri ezip ilerleyerek köyleri yağmaya ve yakmaya girişebilirdi.

Albay Kâzım Özalp 17. Tümen'e çok gizli olarak toplanmaya başlamasını emretti. Karargâh subayları kolordunun ayrılışından sonraki savunma düzenini planlamaya koyuldular. Geride Süvari Tugayı ile milli müfrezeler kalacak, bölgenin ve birliklerin komutanlığını Tugay Komutanı Albay Hacı Arif Bey üstlenecekti.

ASKERLER yine çalı-çırpı ile dönmüşlerdi. Yüzbaşı Zekeriya deli deli baktı ama bir şey demedi. Alay Komutanı ile öteki tabur ve bölük komutanları biraraya gelmiş konuşuyorlardı. Yanlarına gitti. Bir süre onları dinledi. Kimsenin bir çare üretmediğini görünce patladı:

"Komutan!"

"Evet?"

"Bir fikrim var."

"Söyle!"

"Vagonların çoğunun duvarı, tabanı ve sıraları tahta. Bunları parçalayıp yakarak yol alabiliriz. Yetmezse cephane sandıklarını yakarız. O da yetmezse postallarımızı, çarıklarımızı, palaskalarımızı..."

"Yeter!"

Bu delice çözüme komutanın aklı yatmıştı. Uçar gibi ortaya koştu. Askerler ve genç subaylar, vagonların gölgesine sığınmışlardı. Hava haince sıcaktı. Avazı çıktığı kadar bağırdı:

"Son iki vagonla gelenler ayağa kalksın!"

Yüz kadar asker, bir teğmen ve bir astsubay ayağa kalktı.

Yarım saat sonra iki vagon parçalanmış, tahta parçaları lokomotife bağlı olan 'yakacak vagonuna' taşınmıştı. Rum makinist, "Bu tahtalarla olmaz, sünger taşına dönmüş bunlar" diye itiraz edip duruyordu. Yüzbaşı Zekeriya beklenilmez bir sükûnetle tabancasını çekti, namlusunu adamın iki kaşının arasına dayadı, emniyetini açtı:

"On beş dakika sonra yola çıkacağız. Anladın mı çorbacı?"

Makinist çok iyi anlamıştı. Ateşçiye ocağı canlandırması için ardarda emir yağdırdı. Kazan istim tutar tutmaz hareket ettiler. İlk istasyonda durup Akşehir'e demiryolu telgrafı ile bilgi verip yola devam edeceklerdi.

Bir Yunan keşif uçağı gürültüyle üzerlerinden geçip Ankara yönüne gitti. Arkasından kıskanarak baktılar.

ANKARA ile Polatlı arasındaki Malıköy istasyonunun kuzeyindeki açıklıkta yüzden fazla er toplanmış, emir bekliyordu.

Sarışın, uzun boylu, genç bir havacı işi yöneten üsteğmene, "Keşke bir el silindiri olsaydı" dedi.

"Haklısın aslanım ama silindir nerde? Ben istihkâm bölük komutanıyım, benim bölüğümde iki adet testere var. Ona göre durumu anla. Ama merak etme. Sarıköy ve Polatlı havaalanlarını da böyle hazırlamıştık. Toprağı ıslatıyoruz, keçeciler gibi oynaya oynaya sıkıştırıyoruz. Bunu iki-üç kez tekrarlıyoruz. Taş gibi pist oluyor."

Üsteğmen Batı Cephesi Uçak Bölüğü için havaalanı hazırlıyordu. Çavuşa seslendi:

"Haydi başlayın."

Çavuş erlere döndü:

"Hazır mısınız? Başla!"

Ne yapacakları erlere iyi tarif edilmiş olmalıydı. Kısacık ama güçlü adımlarla, ayaklarını vura vura, ıslak toprağı ezip bastırarak, düzenli bir biçimde ilerlemeye başladılar.

Hareketleri giderek bir raksa dönüşecekti.

Çadırlar kurulmuş, büyükçe bir çardak yapılmış, telefon hattı çekilmiş, benzin varilleri ve yağ bidonları yakındaki boş bir ağıla yerleştirilmişti. Pistin yapımı bitince havaalanının tek eksiği kalacaktı: Uçak. Eldeki dört uçak, uçabilmek için Ankara uçak tamirhanesinde mucize bekliyordu.

AKŞEHİR İSTASYON KOMUTANI, 5. Tümen Komutanı Yarbay Kenan Dalbaşar'a haberi ulaştırdı: Kayıp katar bulunmuş, geliyordu.

Oh yahu!

Bu sorun kapanmış görünüyordu. Ama su ve araba sorununu çözmek mümkün olmamıştı. Grubun ağırlığı (erzakı, cephanesi, yedek silahları vb.) 75 ton tutuyordu. Akşehir Menzil Komutanlığı bu ağırlığı taşıyacak arabaların yarısı için kendi araba kollarını vermiş, yarısını da halktan toplayarak sağlamıştı. Ama Menzil Komutanı,

"Elimde hiç fıçı yok.." demişti, "..bunları taşıyacak araba da bulamam. Halkın elinde ne varsa zaten aldım."

Su sorunu çözülmemişti.

Bütün ikmal ve menzil birimleri Konya'daki Batı Anadolu Menzil Komutanlığı'na bağlıydı. Oradan araba isteyebilirlerdi ama arabaların gelmesi en az bir hafta sürerdi.

Kafası bozulan Grup Komutanı Albay Selahattin Adil Cephe Komutanlığına, su sorunu ve araba olmaması yüzünden grubunun cepheye katılmasını şüpheli gördüğünü belirten karamsar bir yazı yazdı.[46]

RUM MAKİNİST haklı çıkmıştı. Yağmur ve güneş yiye yiye niteliğini yitirmiş tahtalar zor yanmakta, yanınca da çabucak kül olmaktaydı. Saatte en çok 10 km. hızla gidebiliyor, gerektikçe durup iki vagon daha parçalıyorlardı. Duvarsız kalmış vagonlardaki askerler ağustos güneşinden korunmak için koyunlar gibi birbirlerinin gölgesine sokularak yumaklar oluşturmuşlardı.

Bu gidişle Akşehir'e ancak gece varabileceklerdi.

Albay Selahattin Adil   Yarbay Naci Tınaz

2. GRUP KOMUTANININ karamsar yazısı, en çok Cephe Kurmay Başkanı Naci Tınaz'ı kızdırdı, kızdırmakla kalmadı, grubun cepheye katılamayacağını düşündürerek telaşlandırdı da. Yenilgi, geri çekiliş, on binlerce askerin kaçışı, uykusuz geceler Naci Bey'in sinirlerini yormuştu. Hazırladığı çok sert cevabı İsmet Paşa durdurdu, "Bu üslupla komutanı büsbütün panikletmeyelim." dedi, "..sen de sakin ol. Kesin olarak yola çıkmalarını yaz ama üslubu yumuşat."

Naci Bey öfkesini ve telaşını içine gömdü:

"Peki efendim."

ANKARA askerlik şubesinde işlemleri biten, çarıklı, yemenili, potinli, şalvarlı, poturlu, pantolonlu, mintanlı, gömlekli, ceketli, iki yüz kadar köylü, kasabalı ve şehirli genç, ellerinde çıkınları, torbaları, çantaları, heybeleri, dağınık düzen, önde davul zurna, arkada askerlik şubesinden bir subay, alkışlar, dualar, tehlil ve tekbirler arasında, neşeyle, bağıra çağıra, bir eğitim alayına yollanmak üzere Meclis'in önünden geçip istasyona iniyordu. Saz çalmayı bilenler, sazlarını tüfek gibi omuzlarına almışlardı. Bazılarının annesi, babası, kardeşleri de birlikte yürüyorlardı.

Aralarında iki de eski asker vardı.

M. Kemal Paşa veda için Meclis'e gelmişti. Ertesi sabah cepheye gidecekti. Neşeli uğultuyu duyunca, bazı milletvekilleriyle, Meclis'in yola bakan balkonuna çıkıp bu renkli kafileyi izledi. Eski askerlerden biri Paşa'yı tanımıştı. Heyecanla yanındakini dürterek fısıldadı:

"Mustafa Kemal Paşa!"

İki usta asker selam vererek, gözlerini Başkomutan'dan ayırmadan, ayaklarını sertçe vurarak yürüyünce, gençler de heveslendiler, onlar da iki usta askerin selamını ve yürüyüşünü taklit ederek geçmeye koyuldular. Bütün acemiliklerine rağmen askerce bir tavırları vardı. Savaşı kabul ettikleri belli oluyordu.

Başkomutan gençleri sevgiyle selamladı.[46a]

YOLA ÇIKMAK için bir çözüm bulunmadığı ve Akşehir'de çakılı kaldıkları için 2. Grup karargâhında da hava elektrikliydi. Albay

Selahattin Adil Bey Kurmay Başkanı Binbaşı Burhanettin Denker'i odasına çağırdı, bağırmaya başladı:

"Nerede bu Menzil Komutanı? Bir çare bulsun diye emir vermiştim. Ne yapmış, nereye gitmiş, ne oluyor? Hâlâ bulamadınız mı adamı?"

Burhanettin Bey sükûnetle, "Her yeri arattım, hâlâ da aratıyorum.." dedi, "..nerede olduğunu, nereye gittiğini kimse bilmiyor. En gerektiği anda birdenbire sırra kadem bastı. Belki de kaçtı."

"Neeeeeeee?"

Masaya yumruğunu vurdu:

"Buna düpedüz hainlik denir."

YAŞLI AKINCI Faris Ağa, "Beyim hazırız" dedi.

Orduya bağlı akıncılar ile Demirci Akıncıları, dikkati çekmemek için yolda birbirlerinden ayrılmışlar, Demirci Akıncıları Tavak yaylasına gelmişti. Şimdi yaylanın ormanlık bir köşesinde toplanmış, İbrahim Ethem Bey'in yapacağı konuşmayı bekliyorlardı. Akşam güneşinde gölgeleri uzamıştı. İbrahim Ethem Bey bir kaya parçasının üstüne çıktı:

"Akıncılar!

Evlerimizi, işlerimizi terk edeli günler oldu. O günden beri dağdayız, düşman içindeyiz. Aç kaldık. Daha da kalacağız. İki şehit verdik. Daha da vereceğiz. Kurtulmadığımıza göre, bu kavga sürecek. Düşmanımız yalnız Yunanlılar ve onların hizmetinde kan döken, ev yıkan, can alan Hıristiyan çeteler değil. İnanmak zor ama düşmana hizmet eden ve yağma yapan Müslüman çeteler de var. Ne yazık ki bizim bile aramızdan bir bozguncu çıktı. Sizi kaçmaya, düşmana teslim olmaya teşvik ettiğini, hatta zorladığını öğrendik. Vatan hainini hoş görüp affeden ondan daha haindir."

Dönmeden arkaya seslendi:

"Getirin şu haini!"

İki akıncı, elleri arkadan bağlı, saçı sakalı birbirine karışmış birini, ite kaka meydanın ortasına getirdiler. Kısa, zayıf, küçük gözlü bir çeteciydi. Debeleniyor, ağzından tükürükler saçarak bağırıyordu:

"Vurun şu kaymakamı da evlerimize dönelim!"

Yüz elli kadar akıncı yarım ay halinde dizilmiş, kıpırdamadan duruyorlardı. Çeteci bir daha bağırdı:

"Ulan korkaklar, vursanıza şunu!"

İbrahim Ethem Bey başıyla işaret verince, bozguncunun sağındaki akıncı tabancasını çekti, emniyetini şaklatarak açıp ensesine dayadı. Adam yalvarmak için ağzını açıyordu, silah patladı, öne doğru savrulup yüzükoyun düştü.

İbrahim Ethem Bey, "Şimdi beni iyi dinleyin!" dedi, "..aramızdan bir bozguncu daha çıkmasını istemiyorum. Zayıflar, bu çetin şartları göze alamayanlar, pişman olanlar ayrılabilir. Ayrılanlara gücenmeyeceğim. Çünkü bundan sonraki günlerimiz çok daha zor geçebilir."

Kimse kımıldamadı.

"Pekâlâ. Biz rahat karar vermeniz için çekiliyoruz. İsteyen silahını bırakıp gitsin. Gidecek olanlara sözüm şudur: Bizim hakkımızda bilgi vermesinler. Başarımız için dua etsinler. Geri dönemezsek hayırla yad etsinler."

Kaymakam ile müfreze komutanları Parti Pehlivan, Halil Efe, Hacı Veli ve Mehmet Efe meydandan uzaklaştılar.

Yarım saat sonra Faris Ağa geldi:

"Beyim, mazeretli arkadaşlar silahlarını bırakıp ayrıldılar. Kalanlar emrinizi bekliyor."

Akıncılardan kırkı dürüstçe ayrılmıştı. Kalanlar ayakta düzenli bir biçimde bekliyorlardı.

İbrahim Ethem Bey, "Ordu Sivas'a, Erzurum'a bile çekilse biz burada kalacağız.." dedi, "..artık ne ev, ne aile. Bizim için bundan sonra bir tek düşünce var: Düşmanı yok etmek. Ellerinizi koynunuzdaki mushafın üzerine koyun. Yemin edeceğiz."

Yemine müfreze komutanları da katıldılar:

"Düşmanı yeninceye kadar savaşacağıma, arkadaşlarıma ihanet etmeyeceğime, halka zulüm yapmayacağıma, iyilikle muamele edeceğime vallahi ve billahi!"

Silah sesi yerlerini belli etmişti. Bir başka yerde gecelemek için yola çıktılar.[47]

KAYIP KATAR Akşehir'e gece geç saatte ulaştı. Komutanlar istasyonda alayı bekliyorlardı.

Akşehir'e on dört vagonun ahşap kısımlarını parçalayıp yakarak gelebilmişlerdi. Askerler güneşten ve isten kararmışlardı. Baygın gibi uyuyorlardı. İnleyerek uyandılar, birbirlerinden güçlükle çözüldüler, zorlukla sıralandılar. Alay Komutanı yaklaşıp tekmil verdi. Yorgunluktan sallanıyordu.

Albay Selahattin Adil Bey, tümen komutanlarına, "Her şey hazır olsaydı bile bu gece yine yola çıkamayacakmışız.." dedi, "..şunlara baksanıza. Alay üç günde kendine gelirse çok iyi."

BU SAATTE Genelkurmay'a Muharip adlı örgütten çok can sıkıcı bir mesaj geldi. Örgüt İzmit'e kaçak fişek ve askeri gereç götüren motorun İstanbul'a dönerken, bir İngiliz devriye motoru tarafından durdurulup arandığını, kaçak fişeklerin ve gereçlerin teslim edildiğini gösteren makbuzun İngilizlerin eline geçtiğini, örgütün adının ve mührünün deşifre olduğunu, kaptan ve mürettebatın tutuklandığını bildiriyordu.

Allah kahretsin!

Tam da savaşın eşiğinde, çalışmalara ara vermek, bazı görevlileri hemen İstanbul'dan kaçırmak gerekiyordu. Örgüt, yeniden faaliyete geçince Felah adını kullanmayı önerdi.[48]

Felah kurtuluş demekti.

12 AĞUSTOS 1921 Cuma sabahı Fikriye Hanım ile küçük Abdurrahim, M. Kemal Paşa'yı ellerinden öperek cepheye uğurladılar.

Arkasından su döktüler.

1919'da askerlikten ayrıldığı için sivildi. Orduya bir sivil olarak komuta edecekti. Her zamanki gibi giyinmişti: Astragan kalpak, geniş cepli, açık tirşe spor ceket, kravat, beyaz gömlek, avcı pantolonu ve çizme.

Türk ordusunun başkomutanı kırk yaşındaydı.

ANKARA İSTASYONU olağanüstü bir gün yaşıyordu.

Başta Refet Paşa olmak üzere Bakanlar, Meclis Başkan Vekilleri, Ankara'daki milletvekilleri, Vali, Belediye Başkanı, sivil ve askeri üst yöneticiler, gazeteciler M. Kemal Paşa, Fevzi Paşa, Başkomutanlık

Kalemi Umumi Kâtibi Kâzım İnanç Paşa'yı ve onlarla birlikte gidecek olan subayları uğurlamaya gelmişlerdi.

Demiryolları Genel Müdürü Albay Behiç Erkin üç vagonlu bir karargâh treni hazırlatmıştı. 1912 Krupp yapısı güçlü lokomotifi bugün ilk kez eğitimini tamamlamış bir Türk makinist yönetecekti. Havada bir ümitsizlik yoktu ama coşku da yoktu. Durumun ciddiliği yüzlere yansımıştı. Din İşleri Bakanı Fehmi Gerçeker'in dudakları sürekli kıpırdamaktaydı. Anlaşılan durmadan dua ediyordu. Dr. Refik Saydam'ın sesi heyecandan daha da incelmişti.

Paşalar herkesin elini sıkarak veda ettiler. Yaverler ve muhafızlar binince vagonların kapıları kapatıldı. Karargâh treni peronu buğuya boğarak hareket etti.

Saat 09.00'du.

Biri olanca sesiyle haykırdı:

"Güle güle gidin, zaferle dönün!"

BİNBAŞI TEVFİK, sabah raporlarını okumayı bitirir bitirmez kalpağını başına geçirip İsmet Paşa'nın odasına daldı.

"Paşam!?"

İsmet Paşa, iki gündür boş kaldıkça, General Papulas'ın komutanlık psikolojisini çözüp anlamaya çalışmaktaydı.[49] Başını kaldırdı:

"Evet?"

"Düşmanın Afyon'dan Emirdağ'a doğru bir hareketinin gelişmekte olduğu bildiriliyor.[50] Anlaşılan buradaki Yunan tümeni öteki tümenlerle aynı hizaya gelmeye çalışıyor. Şu halde Yunan genel yürüyüşü bir-iki gün içinde başlayacak."

Bir kuzgun sürüsü karargâhın toprak çatısını çığlık çığlığa yalayıp geçti.

Savaş, ordu daha gerekli düzeye ulaşamadan kapıyı çalmıştı.

EMİRDAĞ'a doğru gelişen düşman hareketi 2. Grup Komutanı Selahattin Adil Bey'i çok ürküttü. Burada biraz daha beklerlerse, genel Yunan yürüyüşü başlayacak, birliği ile cephe arasına güçlü Yunan birlikleri girecek, çok kritik bir duruma düşeceklerdi. Cephe de 'ne yapıp edip' harekete geçmesini çok kesin bir dille emretmişti.

Tümen komutanları ve kurmay başkanlarıyla bir toplantı yaptı. Durumu bir daha değerlendirdiler. Burada kalmak susuz kalmaktan daha tehlikeli görünüyordu. Cepheye ulaşmak için ilk üç konağı susuz aşmayı göze alarak ertesi akşam yola çıkmaya karar verdiler. Karargâh ve iki tümen, yolculuk hazırlığına girişti.

Her şey çılgınca hızlandı.

Yusuf İzzet Paşa

Fahrettin Altay

AFYON'a 70 km. mesafedeki Emirdağ, Yunan ordusunu gözlemek, ilerlerse savaşarak geciktirmekle görevli Süvari Grubunun merkeziydi.

Grup Komutanı Albay Fahrettin Altay çadırının önünde oturmuş kahvesini höpürdetiyordu. Ölümle yüz göz olmuş her savaşçı gibi o da her ânın tadını çıkarmasını bilirdi. Halkın, evlerdeki tarihi kılıçları bile Vergi Kuruluna teslim ettiğini öğrenmişti. Böyle giderse yakında süvari grubu kılıçla donatılabilecekti. Duyduğuna göre MM Grubu da İnebolu'ya 3.000 adet sahici mızrak yollamıştı.

Keyifle bir yudum kahve daha aldı. Seyisi Köse, iki at boyu uzakta çömelmiş, bu çocuk kalpli dev adamı hayran hayran seyrediyordu.

Kurmay Başkanı geldi ve komutanın sabah keyfini mahvetti: Afyon'daki 9. Yunan Tümeni yola çıkmıştı. Emirdağ'a doğru ilerliyordu.

Komutanın başına ağrı saplandı. Grubun iki tümeni, bir de tugayı vardı. Bir tümeni (2. Sv. T.) Yunan cephesi gerisine yaptığı akından daha dönmemişti. Öteki tümeni (14. Sv. T.) 60 km. kuzeyde, Belpınar'daydı; bu akşam Yunan cephesi gerisindeki Seyitgazi'ye akın yapmak için yola çıkacaktı.

Elinin altında yalnız 500 mevcutlu Süvari Tugayı bulunuyordu.

YÜRÜYÜŞE GEÇEN 9. Yunan Tümeni ise 12.500 mevcutluydu. Tümenin Komutanı Albay Kalinski, Afyon'da kalacak olan 4. Tümen'in Komutanı General Trikupis'e veda etmeye gelmişti. Tümeninin öncüsü sabah erkenden yola çıkmıştı. Kendisi, karargâhı ve alayları ile birlikte öğleden sonra hareket edecekti. Küçük bir bölümü geride kalmıştı. O da birkaç gün sonra yola çıkacaktı.

Şık, yakışıklı, neşeli ve iyimserdi. Geçilecek arazi çorak, hava sıcak, yol uzundu ama subaylar ve askerler çok istekliydi. Susuzluk tehlikesine karşı, yeteri kadar kamyon su tankına dönüştürülmüştü. Kaygılanmak için hiçbir sebep yoktu. Türk Başkomutanı'nın ordusu için halktan çarık-marık istediği duyulmuştu. Kahkahayı bastı. Trikupis bu iyimser albayı uyarmak gereğini duydu:

"İhtiyatı elden bırakmayın Albay Kalinski. Ayağı çıplak Türk askeri bizi iki kez yendi. Son savaşta da çok iyi dövüştüler. Şimdi daha da sert dövüşeceklerdir. İki yan için de çok kritik bir savaş olacak. Karım gönüllü hemşire olmak istedi. Düşündüm ki bu savaşta bir kişi bile çok önemli. Bu yüzden isteğini kabul ettim. O da ordu hastanesiyle birlikte cepheye gidecek..."

Kalinski gülerek Trikupis'in sözünü kesti:

"Bana inanın, Bayan Trikupis eve istediği gibi bir Ankara kedisiyle birlikte dönecek."

KARARGÂH TRENİ ilk olarak Sincan'da durdu.

İsmet Paşa, 4. ve 23. Tümenleri İhtiyat Grubu adıyla Sincan çevresinde toplamış, cephede görev isteyen Bolu Milletvekili Yusuf İzzet Met Paşa'yı da bu grubun komutanlığına atamıştı.

Paşalar iki tümenin yakındaki birliklerini ziyaret ettiler.

Başkomutanlık Karargâh Treni

Yusuf İzzet Paşa milletvekili seçilince 1920 Nisanında ordudan uzaklaşmış, istiklal ordusunun savaşlarına katılmamıştı. Ordunun yoksulluğuna daha alışamamış görünüyordu:

"Bana verilen tümenler çok zayıf. İkisi biraraya getirilse, ancak bir alay eder. Takviye diye alay eder gibi sadece 60 er yollandı. Üstelik hepsi de yarı çıplaktı."

Başkomutan, birliklerde kalabalık, üniforma, çarık değil, başka bir şey arıyor, aşırı bir dikkatle bakıyordu. Subayları çok iyi tanıyordu. Bunlar yurtlarına canlarını vakfetmiş insanlardı. Askerlerin de çok kararlı olduklarını gözledi.

Aradığı buydu. Yüreği güvenle doldu.

Kırk kadar askeriyle Sakarya'nın doğusuna geçerek tümenini bulmuş olan Ömer Çavuş'un yüreği de M. Kemal Paşa'yı gördüğü için mutlulukla dolup taştı. Başkomutan bir adım önünden geçmişti. Geçerken yüzüne değil, gözlerinin içine, ciğerine bakmıştı. "Ciğerimi okuduysa iyi.." diye düşündü, "Aferin asker demiştir."

Başkomutan Sincan'dan ayrılırken Y. İzzet Paşa'nın kulağına eğildi:

"Paşam, bu savaşı elde ne varsa onunla ve kesin olarak kazanmak zorundayız."

Tren hareket edince Fevzi Paşa'ya, "Merkez Ordusu'nun yolladığı iki alaydan birini 4. Tümen'e, ötekini 23. Tümen'e verelim de Y. İzzet Paşa'yı yatıştıralım.." dedi, "..Osman Ağa'nın alayı cephe ihtiyatı olarak kalsın." [51]

"Peki Paşam."

Ali Çavuş kahveleri getirdi.

Sağda solda bozkıra yayılmış irili ufaklı birçok birliğin eğitimde olduğu görülüyordu. Paşalar bu yoğun etkinliği çok beğendiler. Kâzım Paşa, "Çok iyi.." dedi, "..eğitimsiz asker savaş canavarına çerez oluyor."

Savaşın, genç insan etine doymaz bir canavar olduğunu çok iyi biliyorlardı.

PAŞALARIN trenden görüp de beğendikleri birliklerden biri Haydar Çavuş'un eğitmekte olduğu takımdı.

Yüzbaşı Faruk'un İngilizlere selamlata selamlata caddelerden geçirdiği ağır makineli tüfekleri tabutlara yerleştirmiş olan İstanbullu Haydar Çavuş, eski askerlere yapılan çağrıyı duyar duymaz bir yolunu bulup Anadolu'ya geçmiş, 61. Tümen'in 190. Alayına verilmişti. Eğitim merkezlerinde kısa bir eğitim görüp acele tümenlere yollanan yeni askerlerin eğitimleri pekiştiriliyordu. Daha çok şey öğrenmeleri gerekiyordu bu çaylakların.

Koşan takımına bağırdı:

"Yaaat!"

Erler yorulmuşlardı, emir müjde gibi geldi, kendilerini toprağa bırakıverdiler. Haydar Çavuş çıldırdı:

"Vay reziller! Ben size öğlen uykusuna mı yatın dedim? Bu ne? Savaşta, manda çamura uzanır gibi yatılır mı? Üstümüze kurşun yağıyor. Şarapneller eşek arıları gibi uçuşuyor. Ne yapacaktık? Kene gibi yere yapışmayacak mıydık? Yapış yere yapışşş!"

Kiminin başına şaplak attı, kiminin kıçını ayağıyla bastırdı:

"Göm başını toprağa! Kıçını indir, dümdüz ol. Niye yırtınıyoruz burada? Evinize sağ ve sağlam gaziler olarak dönün diye. Anladınız mı? Ölmek marifet değil. Marifet ölmemek, savaşa devam edip düşmanı tepelemek. Haydi çocuklar, bir daha yapacağız. Kaaaalk!"

Askerler inleyerek doğruldular.

Isı gölgede 45 dereceydi.[51a] Eğitim alanı güneş altında kavruluyordu. Üstelik Haydar Çavuş'un insafı yoktu. Acımadan çalıştırıyordu. Yalnız Haydar Çavuş mu? Bütün birliklerde, yeni Mehmetçikleri ölüme kaptırmak istemeyen eğitim subayları ve çavuşlar da tıpkı onun gibiydiler.

GAZİ ÇAVUŞ ile oğlu Ali ve Çınarcıklı delikanlılar Mihalıçcık'taki 1. Tümen'e ama farklı alaylara verilmişlerdi. Gazi Çavuş oğlunu ve çocukları sık sık gidip yokluyor, çavuşlarıyla konuşuyor, iyi asker olduklarını işittikçe mutlu oluyordu.

O da burada yeni askerleri inletmekteydi:

"Şimdi bir daha hücuma kalkacağız. Doğru yapmazsanız yine tekrarlatacağım, ona göre. Hedef şu karşıdaki tek ağaç. Komutu iyi dinle ve hemen yap."

Yere yapışmış olan askerler kulaklarını diktiler. Komut geldi:

"Kalk, hücuuuuum!"

Takım sıcaktan bitkin ve su gibi ter içindeydi. Ama ânında kalktılar, lanetlik tek ağaca doğru beşinci kez koşmaya başladılar. Köyden gelenlerin çoğu hızlı yürümeyi bile bilmiyor, koşmayı yeni öğreniyordu. Daha sonra el bombası atmayı, ateş ederek koşmayı, en son da süngüleşmeyi öğreneceklerdi. Gazi Çavuş da sekerek koşuyor ve bağırıyordu:

"Koş! Yanındaki vurulsa da durma. Vurulanı sıhhiyeciler toplar. Senin işin hedefe ulaşmak, düşmanı tepelemek. Koş!.."

MİLLİ SAVUNMA BAKANLIĞI, şimdi Yüksek İhtisas Hastanesi'nin bulunduğu yerdeki Ankara Erkek Lisesi'nin büyük taş binasının yarısına yerleşmişti. Subayların çoğu, üzerleri öğrencilerin kazıdığı tuhaf yazılarla dolu okul sıralarında çalışıyordu. Duvarlarda okuldan kalma eğitim tabloları vardı. Yenilgi yüzünden hepsi sinirli, sabırsız ve kırıcıydı. Yalnız yeni Bakan Refet Paşa neşeliydi. Bıyıkları ve çizmesi her zaman pırıl pırıldı. Sahiden mi iyimserdi, yoksa oynuyor muydu, anlaşılmıyordu.

İstasyon dönüşü, kahve içmeye gelen misafirlerle sohbet etmekteydi:

"Halk süngü yapılsın diye pencere demirlerini söküp getiriyor, demircilerin önüne yığıyor. Halkın canlılığı çingenelere de yayıldı. Maşacı bir çingene oymağı süngü yapmaya talip oldu. Oymakbaşı günde 25 süngü yapabileceklerini söylüyor..."

Misafirler kibar kibar güldüler. Ordunun işlerliğini yabancı savaş sanayiine bağlamış olan talihsiz anlayış yüzünden, şimdi maşacı çingenelere muhtaç duruma düşmüş olmak, Kırşehir Milletvekili Yahya Galip Kargı'nın sırtını ürpertti.

Emir Subayı içeri girdi, saygıyla yaklaşıp Refet Paşa'nın kulağına birkaç cümle fısıldadı. Paşa'nın yüzü büsbütün ışıldadı. Haberi misafirlere iletti:

"75 mm.lik top mermileri gelecekti. İlk kafile Ankara'ya girmiş. Onu izleyen birkaç kafile daha var. Her gün böyle iki-üç kafile gelecek. Eğer İstanbul'daki arkadaşlar, bu mermileri yetiştirmeseler, yanmıştık."

Ağzı kulaklarında emir subayına döndü:
"Haydi bize birer kahve daha söyle."

YÜZ KAĞNIDAN KURULU ilk kafile Sarıkışla'ya yaklaşıyordu. Kağnıların tüyleri diken diken eden gıcırtıları, kışlanın önünde 75 mm.lik mermileri bekleyen subaylara kuş cıvıltısı gibi gelmekteydi.

Kolbaşı kağnısını durdurdu. Bir topçu binbaşı koştu, kolbaşının kertenkele derisi gibi sert, pürüzlü elini öpüp başına koydu:
"Hoş geldiniz ana."

Kadın, "Sağ ol oğul." dedi, "..kızlarım çok yorgun. Yükümüzü çabuk boşaltsınlar."

"Başüstüne."

Sekiz gündür yoldaydılar. Küreli bir gelin doğum yapmış, Azdavaylı bir kadın sancılanıp ölmüştü.

Sakat bir er kağnıcılara su dağıtmaya koyuldu. Topçu binbaşı sabırsızdı. İlk sandığı hemen açtırdı. Mermilerden birini kucağına alıp sallamak geliyordu içinden. Bunu kimsenin ayıplamayacağını da adı gibi biliyordu. Öyle özlemle beklemişlerdi bu mermileri. Açılan sandıktaki mermiler elden ele dolaştı. Acı bir sessizlik çöktü.

Mermiler 75 mm.lik değil, 77 mm.likti.

Telaşla bütün sandıklara bakıldı. Yalnız otuz sandıktan 75 mm.lik mermi çıktı. Kalan bütün sandıklar 77 mm. çaplı mermilerle doluydu. Batı Cephesinde ise 77'lik sadece birkaç top vardı.

Binbaşının kanı dondu. Ortalığı ayağa kaldırmamak için yoldaki üç kafileyi de beklemeye karar verdi.

KARARGÂH TRENİ Sincan'dan sonra Malıköy'de durdu. Malıköy çok hareketli bir istasyondu.

Ordunun ihtiyacı olan her şey Ankara'dan Malıköy ve Polatlı'ya yollanıyordu. Batı Cephesinin günlük yiyecek ve yem ihtiyacı yaklaşık 250 tondu. Savaş başlayınca cepheye her gün 325 ton da cephane yetiştirmek gerekecekti.[51b] Demiryolu olmasaydı her gün 575 ton yem, yiyecek ve cephaneyi Ankara'dan 90 km. uzaktaki cepheye taşımak için binlerce araba gerekirdi. Demiryolunun önemini ve değerini hiç kimse, istiklal ordusu subayları kadar bilemezdi.

Ankara'dan trenle Polatlı ve Malıköy'e gelen yiyecek, silah ve mühimmat, araba ya da kağnı kollarıyla da kuzeydeki ve güneydeki birliklere dağıtılıyordu.

Son vagona yanaştırılan dolgu tekerlekli Daimler-Benz bir kamyona bir masa, birkaç parça kilim, koltuk, iskemle, portatif asker yatağı, hurç ve sandık yüklendi. Bütün eşyası orta halli bir aile gibi bir kamyonu ancak dolduran Başkomutanlık karargâhı, Cephe ve Genelkurmay karargâhlarıyla birlikte, üç gün sonra, Malıköy'ün 10 km. kadar güneydoğusundaki Alagöz çiftliğine yerleşecekti.

Yükleme sona erince, kamyon her yanı zangırdayarak uzaklaştı.

ESKİŞEHİR'de iki otomobil süratle gelip Kral'ın kaldığı güzel ve büyük Türk evinin önünde durdu. Kapıda bekleyen şık bir yaver birinci arabaya ilerledi, kapıyı açtı:

"Hoş geldiniz General."

General Papulas otomobilden indi, yaveri ve nöbetçileri babacanca selamlayarak içeri girdi. Papulas'ı General Stratigos, Albay Pallis ve Sariyanis izlediler. Kral büyük taarruz öncesinde komutanı ve yardımcılarını öğle yemeğine çağırarak orduyu taltif etmek istemişti. Yaver konukları ikinci kata aldı. Sofa geniş ve serindi. Başyaver sofada bekliyordu. Bekletmeden bir kapıyı açarak konuklara yol verdi.

Kral, üç oğlu ve Genelkurmay Başkanı General Dusmanis, salonda ayakta bekliyorlardı. Kral'ın büyük oğlu Yorgi de Ankara seferine katılacaktı.

Kral yalnız General Papulas'ın elini sıktı. Ötekileri başını hafifçe eğerek selamladı. Oturdular. Papulas yemeğe geçmeden önce bilgi sunmak için izin istedi:

"Bu sabah ilk tümenimiz hareket etti. Hiçbir direnişle karşılaşmadan günlük hedefine ilerliyor. Yarın öteki tümenlerle bir hizaya gelecek. Öbür gün, bütün ordu yürüyüşe geçecek. Ankara önüne 85.000'i savaşçı asker olan 122.500 kişilik bir ordu ile gidiyoruz. Düşmandan savaşçı asker sayısı bakımından iki kat, ateş gücü bakımından en az dört kat daha üstün durumdayız..." [51c]

Savaş planının ayrıntılarını açıklamaya koyuldu.

PAPULAS savaş planını açıklarken, Osmanlı Padişahı ve Halifesi Vahidettin, selamlık törenine katılmak için küçük mabeyn köşkünden çıkıyordu.

Al cepkenli gidiş ağaları saltanat arabasının iki yanında, kollarını kavuşturmuş bekliyorlardı. Atların derisi, yumuşak İstanbul güneşi altında pırıl pırıl yanıyor, koşumlar ışıldıyordu. Arabanın arkasında, Başkâtip ve Başmabeynci ilk sırada olmak üzere saray görevlileri yer almıştı. İşgal komutanlığı silahlı tören birliğini yasakladığı için alay eskisi kadar görkemli değildi ama yine de etkileyiciydi.

Başyaver Avni Paşa Vahidettin'in saltanat arabasına binmesine yardımcı oldu. Alay saltanat marşıyla hareket etti, ara kapıdan Yıldız Camisi'nin avlusuna geçti. Sadrazam ve nazırlar, ayan (senato) üyeleri, sivil ve asker yüksek görevliler, hanedan damatları, elçilik temsilcileri ve davetliler, büyük üniformaları ve protokol giysileriyle sıralanmış bekliyorlardı.

Kadife sesli bir saray müezzininin okuduğu ezan başlarken, Vahidettin camiye girdi, padişahlara özgü olan bölüme geçti.

Padişah-Halife'nin her cuma namazında halka görünmesi töre gereğiydi. Ama selamlık törenlerine kaç zamandır halktan pek az kimse katılıyordu.

İstanbul halkının çok büyük bir bölümü, hiçbir yenilginin acısına, hiçbir zaferin sevincine katılmamış, milletinin ırzı ve namusu için şehit olanlara bir kez bile rahmet dilememiş olan bu benzeri tarihte az bulunur hükümdarı kafasından silip atalı çok olmuştu.

Yüzünü ve yüreğini Ankara'ya çevirmişti.

İstanbul yıkım ve esirlik, Ankara ümit ve özgürlüktü.

KARARGÂH TRENİ Polatlı'ya gelir gelmez komuta kurulu toplandı.

Son bilgiler gözden geçirildi. Keşif ve haberalma raporları Yunan ordusunun genel yürüyüşe geçmesine çok az zaman kaldığını gösteriyordu. Düşmanın önünde savaş sanatına göre iki ciddi seçenek vardı: Türk ordusunun sağ ya da sol kanadına taarruz etmek.

Komuta Kurulu Yunanlıların, ordunun sol kanadına yönelmesini daha kuvvetli bir olasılık olarak değerlendirdi.

Sol kanada taarruz için Yunanlılar Sakarya güney kolunu aşmak, suyu az, çöl karakterindeki arazide ilerlemek zorundaydılar. Bu seçenek ikmal yollarını da çok uzatıyordu. Ama bu kanadın, kuzey kanattan önemli bir üstünlüğü vardı: Burada arazi Yunan ordusunun taarruz için açılıp yayılabilmesine çok elverişliydi.

2. Grup son kez uyarıldı. Hazır olduğu bilinen Mürettep Kolordu'ya da bu gece yola çıkması emri verildi.

Bu birlikler yetişemezlerse, düşman ister sağ, ister sol kanada yönelsin, direnmek çok zor olacaktı.

TOPÇU BİNBAŞI nefes nefese Bakanlığa geldi. Yoldaki üç kafile de Sarıkışla'ya ulaşmış, sandıklar denetlenmiş ve mermilerin ancak küçük bir bölümünün 75 mm. çapında olduğu anlaşılmıştı.

Haberi, eski tümen komutanı, yeni Bakanlık Müsteşarı Albay Ali Hikmet Ayerdem'e bildirdi. Ayerdem bürokrasinin savaştan daha tehlikeli olduğunu söylemekteydi. Haberi alınca zavallının yüzü, bütün kılcal damarları çatlamış gibi kıpkırmızı kesildi. Birlikte Refet Paşa'nın yanına girip durumu bildirdiler. Refet Paşa zaten zayıf, ufak tefek biriydi. Çaresizlikten daha da ufaldı. İnler gibi sordu:

"Şimdi ne yapacağız?"

Sahi, ne yapacaklardı? Uygun çaptaki mermileri toplara uydurmak teknik olarak mümkündü ama çok vakit alan bir işlemdi bu. O kadar geniş vakit yoktu. İnebolu'ya, henüz yollanmamış olan sandıkları açıp mermileri muayene etmeleri için emir verildi. Ümide yer bırakmayan cevap gece gelecekti:

"İnebolu'da iki binden fazla sandık var ve mermilerin ancak dörtte biri 75 mm.lik."

Bu kadar az mermiyle bir meydan savaşı verilemezdi.

KOMUTA KURULU'nun toplantısından sonra İsmet Paşa, Başkomutan'la yalnız kaldı.

Konuşmak istediği iki konu vardı.

Birinci konu, Üçüncü Grup Komutanı ve M. Kemal Paşa'nın sınıf arkadaşı Albay Arif Bey'in durumuydu. Kütahya-Eskişehir savaşlarında önemli yanlışlar yaptığı ortaya çıkmıştı. Güvenilir bir komutan değildi. Kısa bir görüşmeden sonra görevden alınması için anlaşmaya vardılar. Başkomutan, üç savaşa da katıldığını dikkate alarak Arif Bey'i Başkomutanlık sekreteryasında görevlendirip onurunu korumayı uygun buldu.

İsmet Paşa'nın ikinci konusu Cephe Kurmay Başkanı Yarbay Naci Tınaz'dı. İsmet Paşa Naci Bey'i çok sevip güvenirdi ama bir süre dinlenmesi gerektiğini düşünmekteydi. Gelen savaş, iyi yetişmiş ve sinirleri çelik gibi bir kurmay başkanı istiyordu.

Milli Mücadele'yi benimsemiş olan Albay Asım Gündüz'de anlaştılar.

Konuşma savaşçı asker sayısına kaydı. Düşmanla aradaki farkı kapatmak mümkün değildi. Bunu bilen M. Kemal Paşa kaç zamandır, stratejik alanda güçlü olan düşmana karşı, taktik alanda ne yapılabileceğini düşünerek, yeni bir yöntem geliştirmişti. [52] Tasarladığı yöntemi İsmet Paşa'ya açtı. İsmet Paşa, bilinen savaş yöntem ve kurallarına bağlı klasik bir askerdi. M. Kemal Paşa'nın askeri dehasına ve yaratıcılığına sonsuz güveni vardı ama yine de duraksadı.

M. Kemal Paşa yöntemini türlü olasılıklara göre krokiler çizerek açıkladı. İsmet Paşa iyi bir kurmay ve hesap adamı olarak yöntemin yararını ve önemini çok çabuk kavradı ve hemen benimsedi.

Karargâha döner dönmez kurmay kurulunu toplayıp anlattı. Asker sayısının azlığından bunalmış genç kurmayların içleri aydınlandı. İyi uygulanırsa bu yöntem düşmanı eritirdi. Yöntemin özü ile genel kuralları kaynaştıran bir cephe emri hazırlanıp 16 Ağustos günü birliklere yayımlanacaktı. [52a]

MÜRETTEP KOLORDU bölgesi ile 11. Yunan Tümeni'nin bölgesi arasındaki duyarlı sınırda (Gemlik-İznik-Söğüt) 17. Tümen'in bir alayı ile çeşitli milli müfrezeler vardı.

Boşta bulunan üç milli müfreze, hava kararınca alayın bıraktığı mevzileri sessizce devralmaya başladı. Toplam 285 kişiydiler. Alayın ayrıldığının anlaşılmaması için bu gece ve sabah, bir alaymış gibi ateş yakacak, gürültü edecek, keşif kolları ve devriyeler çıkaracaklardı. 17. Tümen Komutanı Albay Nurettin Özsü, "Yahu savaşmak bundan daha kolay" diye güldü.

Süvari Tugayı ertesi sabah gelerek bölgenin ve sınırın güvenliğini üstüne alacaktı. Üzerine o kadar sorumluluk yüklenen Süvari Tugayı'nın gücü, topu topu 40 subay, 1.000 kadar er ve 2 de toptu.

KARARGÂH VAGONUNDA paşalar gaz lambasının soğuk ışığında oturuyorlardı. M. Kemal Paşa Enver Paşa'dan bir mektup aldığını açıkladı. "16 Temmuzda yazmış, ancak dün elime geçti" dedi, okumaya başladı. Mektup şöyle bitiyordu:

"Yurtdışında kalmamızın, başta Türkiye olmak üzere, kurtarmaya çalıştığımız İslam âlemi için yararsız ve belki de tehlikeli olduğunu sezdiğimiz anda memlekete geleceğiz. İşte o kadar."

Kâzım İnanç Paşa söylendi:

"Hep aynı ölçüsüzlük, hep aynı maceracı ruh, aynı hayalcilik, aynı yukardan konuşma."

İsmet Paşa ayağa kalktı. Kaçamak yapıp gelmişti. Karargâha gidip çalışmalıydı. İzin istedi:

"Enver Paşa bu büyük davalarla uğraşadursun, biz vatanımızı kurtarmaya bakalım."

HALİL KUT PAŞA Batum'da Kral Bahçesi'nin karşısında, bahçe içindeki güzel bir köşkte oturuyordu.

Vakit akşamdı. Kapı çalındı. Kapının bu tekinsiz saatte çalınması Paşa'nın emir subayı Yüzbaşı Muhittin'i kuşkulandırdı. Küçük pencereden dışarı baktı. Kapının önünde ablak yüzlü bir adam duruyordu. Tehlikeli birine benzemiyordu. Elini belindeki tabancanın üzerine koyup kapıyı araladı. Adam Alman şivesiyle kendini tanıttı: "Tavariş (*yoldaş*) Holzmann."

Yüzbaşı Almanca sordu:

"Ne istiyorsunuz?"

"Halil Paşa ile görüşmek için geldim. Çok önemlidir."

Güven vermek için "Ali Bey'den selam getirdim" diye ekledi. 'Ali Bey' Enver Paşa'nın kapalı adıydı. Bu adı yalnız yakınları bilirdi. Aralık kapı ardına kadar açıldı. Köşk ayaklandı. Yoldaş Holzmann'ı salona aldılar. Holzmann Enver Paşa'nın dünden beri Batum'da olduğunu haber vermeye gelmişti. Halil Paşa, "Nerde şimdi?" diye sordu heyecanla, "..Niye kendi gelmedi?"

"Batum istasyonunda eski bir vagonda kalıyor. Burada olduğunu kimsenin bilmesini istemiyor. Bugünlerde buraya uğrayacak. Değişik bir kıyafetle gelirse şaşırmayın."

İttihatçıların sivil lideri Talat Paşa Mart ayında Berlin'de bir Ermeni tarafından öldürülmüştü. O günden beri hepsi ihtiyatlı davranıyordu. Bu dikkati doğal karşıladılar.

Soğukkanlı Bolşevik, dün tanıştığı ufak tefek adamın adı geçince heyecanlanan Türklere şaşarak bakmaktaydı. Enver Paşa'nın yenik ve kaçak bir eski başkomutan olduğunu öğrenmişti. Moskova'nın, bu hem başarısız, hem Alman emperyalizminin eski dostu adama neden önem verdiğini anlamamıştı. Büyük siyaset buydu demek ki. Burnunu çekti. Görevi düşünmek değil, Rus gizli polisinin Batum şubesi adına Enver Paşa'yı korumak ve izlemekti.

Kalkmak için izin istedi.

BELPINAR'da bulunan 14. Süvari Tümeni, Yunan cephesi gerisinde kalmış olan Seyitgazi'ye baskın vermek için hazırlanmıştı. Öncü yola çıkmıştı. Karadağ'da tümeni bekleyecekti. Tümen Komutanı Yarbay Suphi Kula atını mahmuzladı. Alnı akıtmalı yağız at sevinçle ileri atıldı.

Tümen yola çıktı.

Küçük ama kıvrak Anadolu atları, sakin yaz gecesi içinde ilerlemeye başladılar.

Saat 21.00'di.

ALİOTİ konağının bahçe duvarından dışarı, Kordon'a çok güzel bir müzik yansıdı. Orkestra canlanmıştı. Genel Vali Stergiadis, İzmir'de Yunan yönetiminin başlamasının yıldönümü şerefine gardenparti veriyordu.

12 Ağustos 1920'de Vali Vekili Besim Bey, hükümet konağında yapılan bir törenle yönetimi Yunan temsilcisine devretmiş, böylece İzmir'de Yunan yasaları ve mahkemeleri yürürlüğe girmiş, Türk parasının yerini Yunan drahmisi almıştı. İzmir çevresine binlerce göçmen yerleştiriliyor, Türkler doğrudan ya da dolaylı yollarla göçe zorlanıyordu. Merkez Bankası Ege'ye yerleşen Yunanlılara işlerini geliştirmeleri için % 6 faizle kredi vermekteydi. Bu kredinin toplamı yalnız 1919 yılında 20 milyon drahmiyi bulmuştu. İzmir'den 1920 yılında 161 milyon drahmilik ihracat yapılmıştı.[52b] Yunan yönetimi, durgun Yunan ekonomisine taze kan pompalayan bu verimli bölgeyi Yunanlılaştırmaya çalışmaktaydı.

Konağın geniş bahçesi tuvaletli ve bol mücevherli hanımlar, üniformalı, redingotlu ve fraklı erkeklerle dolmuştu. Hava iyot ve İzmir manolyası kokuyor, orkestra hayat kadar güzel parçalar çalıyordu. Bu akşam Kralcılar da, Venizeloscular da sakin ve mutluydu. Yunan ordusunun Afyon, Kütahya ve Eskişehir'i almasından sonra açıkça çekişmeyi ertelemişler, birbirlerini dedikodu ile hırpalamaya bakıyorlardı.

Venizelos'un zengin bir İngiliz kadınıyla evleneceğini öğrenen Kralcılar dokunaklı şakalar yapıyor, Venizeloscular da Sax-Weimar Prensesi Paola ile gizlice mektuplaştığını duydukları Kral'ı ince ince çekiştiriyorlardı.[53]

Stergiadis kısa bir konuşma yaparak dinleyenlerin yüreklerinde kartal armalı, altın sırmalı Bizans bayrağını dalgalandırmak fırsatını kaçırmadı:

"Yunanlılık yakında, Büyük İskender falanjlarının, Haçlı eskadronlarının, Bizans lejyonlarının geçtiği yollardan geçerek Gordion'a varacak ve Haşmetli Kralımız Küçük Asya kördüğümünü kılıcıyla çözecektir.." [54]

Şık alkışlar yükseldi. Konuşmasını Yunanlıları ve Rumları coşturan şu cümleye bitirdi:

"..Buraya kalmak için geldik ve kalacağız!" [55]

Garsonlar alkışlar kesilmeden şampanya dağıtmaya başladılar.

2. GRUP Kurmay Başkanı, "Komutanım.." dedi, "..biz susuzluğu atlatacak çareler bulabiliriz. Ama hayvanları ne yapacağız? Onlar üç gün boyunca susuzluğa dayanamazlar ki."

Bataryalarda, makineli tüfek ve süvari bölüklerinde, ağırlık kollarında yüzlerce at, katır, öküz ve eşek vardı.

Selahattin Adil Bey, Kurmay Başkanına, "Yaramı kanatma.." diye yalvardı, "..Allah'a güvenip yola çıkacağız işte."

Kapı açıldı. Gelen grup kurmaylarından Yüzbaşı Nurettin Baransel'di. Suratı iyice sertleşmişti:

"Menzil Komutanı geliyor."

"Ooo! Neredeymiş adam?"

"Sormadım efendim. Yalpalıyor. Sarhoş olmalı."

Selahattin Adil Bey'le Kurmay Başkanı öfkeyle ayaklandılar. Menzil Komutanı binbaşı içeri girdi. Sahiden yalpalıyordu. Gözleri de kan içindeydi. Bitikçe, "İyi akşamlar" dedi.

Selahattin Adil Bey ustura gibi keskin bir sesle, "İki gündür sizi arıyoruz beyefendi! Neredeydiniz?" diye sordu.

Menzil Komutanı gülümsemeye çalıştı:

"Özür dilerim, oturmadan anlatamayacağım."

"Görüyorum, ayakta duramayacak haldesiniz."

Binbaşı imayı anlayacak halde değildi, "İzninizle" diyerek, kendini koltuğa bıraktı. Gözleri kapanıyordu. Kesik kesik anlattı:

"Burdan ayrıldığımı telaştan kimseye haber veremedim. Köylerden haber göndermeye imkân yok. Çabucak hallederim sanmıştım ama iş uzun sürdü. 60 saattir at üstündeyim. Hastaydım zaten. Hiç uyumadım. Galiba yemek de yemedim. Dağ köylerini dolaştım, yetecek kadar araba tedarik ettim. Testi, kırba, tulum, hatta fıçı da buldum. Hepsi arabalarda. Arabalar yarın sabah erkenden pazar meydanında emrinize hazır olacak. Ne zaman isterseniz yola çıkabilirsiniz."

Selahattin Adil Bey söyleyecek söz bulamadı. Söylese de Menzil Komutanı duyamazdı. Başı göğsüne düşmüş, kendinden geçmişti. Komutanla Kurmay Başkanı, binbaşı rahat uyusun diye ayaklarının ucuna basarak odadan çıktılar.

Yüzbaşı da çıkıyordu, durdu, çömelip Menzil Komutanı'nın dizlerini öptü.

17. TÜMEN tam gece yarısı yola çıktı. Tümenin gücü 150 subay, 2.500 asker, 1.650 tüfek ve 4 toptu. Tümeni küçük bir koyun sürüsü ile ağırlıkları taşıyan araba kolları izliyordu. Gürültü olmasın diye topların ve arabaların tekerleklerine çuval ve saman sarılmıştı. Konuşmak ve sigara içmek yasaktı.

Tümenin cephe sağ kanadına zamanında yetişmesi için 250 kilometrelik sarp dağ ve sık orman yolunu altı günde aşması gerekiyordu.

Kolordu karargâhı ile bir süvari alayı (33. Alay) ertesi gün yola çıkacaklardı.

17. Tümen bütün gece hiç durmadan yürüdü. Yol çok bozuktu. Çoğunun tabanları kabardı ya da yarıldı.

Öncü alayın komutanı ilk molayı gün ışırken verdi. Askerler silahları çatar çatmaz inleyerek yerlere serildiler.

Sıhhiyeciler harekete geçti. Bunlar unutulmuş köylerin diplomasız hekimleriydi. Her dert için kendilerine göre bir devaları vardı. Her taburun tepesinde iki sıhhiyeci belirdi. Birinin elinde kaba süvari çizmesi bulunuyordu.

"Ağlaşmayı kesin, sıhhiye geldiiiii!"

Tedavi yöntemleri çok basitti. Tabanı kabaranlara biri süvari çizmesini giydiriyor, öteki sırtına binip bağırıyordu:

"Zıpla!"

Asker zıplayıp da yere basınca, taban derisi patlayıp ânında ete kaynayıveriyordu.

Tümen karargâhı yetişmişti. Komutan sürünün bir bölümünü gözden çıkardı. Etler mutfağa yollandı, koyun postları tabanları derin

yarılmış olanlara ayrıldı. Can sıcaklığı gitmemiş deriler, çabuk iyileş-
meleri için yaralı ayaklara sarıldı.

Ateşler yakılıp kazanlar kuruldu. Yarası hafif olan iştahlılar, kedi
gibi yavaş yavaş kazanların çevresinde toplanmaya başladılar. Birin-
ci taburun şişman aşçısına takılmaya başladılar. Aşçı bir yandan kep-
çeyle et suyunun köpüğünü alıyor, bir yandan da takılanlara yakası
açılmadık cevaplar yetiştiriyordu.

Gülmeyi hafiflik sayan dağ köylüleri bile güldüler. Neşe tabur-
dan tabura yayıldı. İkindiye kadar dinlenecek, sıcağın gücü kesilince
yeniden yola çıkacaklardı.

AKŞEHİR pazar yeri, dağ köylerinden inen kağnı ve at araba-
larıyla dolmuştu. İlk gelenler yan yana bir hizada duruyorlardı. Geç
kalan arabalar arkaya geçip sıraya giriyorlardı. Yüzleri sabah aydınlı-
ğı içinde eriyip gidecekmiş gibi görünen safran yüzlü kadınlar, hilal
boynuzlu öküzlerin, mahzun bakışlı yük atlarının yanı başında, kı-
mıldamadan emir beklemekteydiler.

Komutanların ve karargâh subaylarının içleri saygı ve minnetle
tiril tiril titriyordu. Komutanlardan biri erkekleri sorunca, ön sırada-
ki bir kadın, "Erkeklerimiz cephede beyim.." dedi, "..yaşlılara da kıya-
madık. Yol uzunmuş. Biz geldik."

"Allah hepinizden razı olsun."

Tek tek dolaşıp bütün kadınlara teşekkür ettiler. Yeni Türkiye'yi
erkeklerle kadınlar ortaklaşa kuruyorlardı.

Eksiği kalmayan grup, akşam hava kararır kararmaz, cephenin
sol kanadına yetişmek için yürüyüşe geçecekti.

14. SÜVARİ TÜMENİ Karadağ'ın eteğinde durdu.

Öncü tabur, Karadağ'dan ileri gidemediğini bildirmişti. Tümen
Komutanı, dörtnala tepeye tırmandı, gözetleme yerine geldi. Güçlü
topçu dürbünüyle Yunan kesimini taradı. Şakaklarından ter fışkırdı.
Öncü ileri gidememekte haklıydı. Seyitgazi yönü, yürüyüşe geçmek
için ileriye yanaşmış büyük birliklerin ordugâhlarıyla doluydu. Yeni
yürüyüş kollarının da toz kaldıra kaldıra yaklaştığı görülüyordu.

Tümenini boşuna kırdırmamak için baskını erteledi, Grup Ko-
mutanı'nın vereceği emri beklemek üzere Karadağ yakınındaki köye

çekildi. Bu köy işgalin ve vatan kaybetmenin ne olduğunu iyi bilen Rumeli göçmenlerinin köyüydü. Tümeni sevgiyle karşıladılar.

REFET PAŞA makamına saat 08.00'de geldi. Herkesi kıskandıran neşesi uçup gitmişti. Müsteşar, mermi konusuyla ilgisi olan herkesin gelmiş olduğunu bildirince toplandılar.

İmalat-ı Harbiye Genel Müdürü[56] Albay Asım Bey, toplantıya tamirhanenin 'tophane bölümü' şefi Mühendis Veli Bey'i de getirmişti. Mühendis, kelebek kravatlı, 25 yaşında, yüzü ergenlik dolu bir delikanlıydı. Asım Bey Almanya'da mühendislik öğrenimi görmüş bu delikanlıyı tophanenin başına ünlü Ahmet Ustalar'ın ısrarlı isteği üzerine atamıştı.[57] Ustaların bu toy görünüşlü, gepgenç birini neden tavsiye ettikleri kısa zamanda anlaşılacaktı: Çok bilgili, çok becerikli, çok yaratıcı biriydi.

Refet Paşa mermi olayını açıklayınca, haberi ilk kez duyanlar panikledi. Genç mühendisin sakinliği Refet Paşa'nın sinirine dokundu. Mühendise yöneldi. Densizce bir cevap verirse iyice azarlayacaktı:

"Söyle bakalım delikanlı, ne yapacağız?"

"75 mm.lik kaç mermi gerek? O kadar mermiyi ne kadar zamanda sağlamak zorundayız?"

Refet Paşa'nın gözleri açıldı. Allah Allah! Delikanlı lafı hiç dolandırmadan, işin bam teline ve püf noktasına dokunmuştu. Müsteşara baktı. Müsteşar bilgi verdi: Ankara'ya ulaşan mermilerin 4.000 kadarının 75'lik olduğu anlaşılmıştı. Savaş da en çabuk ancak dört-beş gün sonra başlayabilirdi. Demek ki vakit bakımından çok sıkışık değillerdi. Yarından başlayarak, geri kalan mermiler değiştirilmeye başlanır, bu işlem kesintisiz sürdürülürse...

Mühendis açıklamanın sonunu beklemeden, "Anlaşıldı efendim." diye acele etti, "..hallederiz."

Öyle güvenle konuşmuştu ki Refet Paşa, dilinin ucuna geldiği halde, "Nasıl halledecekmişsiniz bakayım?" demekten kaçındı. İyi de oldu. Çünkü mühendis de nasıl halledeceklerini daha bilmiyordu. Bildiği, bu sorunu kesinlikle halletmek zorunda olduklarıydı.

SALİH BOZOK Cephe karargâhından yollanan notu Başkomutan'ın masasına bıraktı. Nota göre subay ve er sayısı, bugün 70.000'e ulaşmıştı. Yola çıkmış olan Mürettep Kolordu ile 2. Grubun katılmasıyla bu sayı 80.000'i bulacaktı.[58]
Bunun 45.000'i savaşçıydı.
İki haftada bu sonuca ulaşmak büyük başarıydı. Ama yeterli değildi. Düşmanla az çok bir denge sağlanabilmesi için savaşçı sayısı hiç değilse 60.000'e yükselmeliydi.
M. Kemal Paşa notu Kâzım Paşa'ya uzattı, ayağa kalktı. Fevzi Paşa ile sağ kanattaki hazırlıkları inceleyecek, komutanlarla konuşacaklardı.

İSMET PAŞA Kütahya-Eskişehir savaşında yaşanan olayların bir daha yinelenmemesi için sert bir emir taslağı hazırlamış ve Başkomutan'ın onayını almıştı. Emrin yeni yöntemin uygulanmasına da destek verecek biçimde olmasını istiyordu. Bitirince Tevfik Bey'i çağırıp yazdırmaya başladı. Uzun emir şöyle özetlenebilirdi:
"Savaş başlayınca, kimse emir ve izin almadan geriye gelmeyecektir. İzinsiz ve emirsiz geri gelen, kim olursa olsun, idam edilecektir." [59]
Tevfik Bey sarardı. Şimdiye kadar hiç böyle bir emir verilmemişti. Tevfik Bey'in yüzünü gören İsmet Paşa, "Bu bir kader savaşı Tevfik Bey.." dedi, "..anlatabildim mi?"
"Evet efendim. Anladım."
"Öyleyse devam edelim."
Emrin kalanını yazdırmaya devam etti.

MÜHENDİS, tamirhane subayları ve Ahmet Ustalar, üzerinde 77 mm.lik bir merminin durduğu tezgâhın çevresinde toplanmışlardı. Merminin çelik çekirdeği canavar gözü gibi hain hain parlıyordu.
Usta Bey, "Mermiyi değiştirmek için içini boşaltmak zorundayız.." dedi, "..zaman alan da bu."
Mühendis yüzünü kaşıyarak, "Boşaltmak zorunda mıyız?" diye sordu.
"Boşaltmadan çalışmadık hiç."

"Çalışsak ne olur?"

Kavak Ahmet Usta sinirli güldü:

"Ne olacak, bummm! Tamirhane uçar."

Evet, böyle bir tehlike vardı ama ince eleyip sık dokunacak zaman değildi. Tartıştılar, çekiştiler, hızlı iş çıkarmak için şu çözümde anlaştılar: Mermiler bu iş için yapılacak özel, küçük torna makinelerine, içleri boşaltılmadan, dolu dolu bağlanacak ve tornalanarak 7.5'lik topa uydurulacaktı. Bu tehlikeli işlemi yalnız mühendis ile Ahmet Ustalar yapacaklardı.

Mühendis ilk küçük torna makinesini çizip imal etmek için kolları sıvadı.

Bu gözüpek ve becerikli insanlar, sorunu çözecek gibi görünüyorlardı. Ama cephede bir başka sorun ortaya çıkmış, şiddetle hava keşfine ihtiyaç belirmişti. Çünkü gözleri az mevcutlu Türk birliklerine alışmış keşif kolları yürüyüş çizgisine yanaşmış Yunan birliklerini abartarak, taburu alay, alayı tümen diye değerlendiriyor, karargâhın kafasını karıştırıyorlardı. İsmet Paşa "Tam da gerektiği sırada bir tek uçak da mı yok.." diye bağırıyordu, "..Hava Genel Müdürlüğü ne gün için var?" Malıköy Havaalanı'nda hâlâ bir tek uçak yoktu.

ONARIM VE BAKIM, birçok eksiklik ve aksilikten dolayı uzun sürdüğü için uçakların Malıköy'e uçması bugüne kalmıştı. İleri teknik sorunlarla ilgilenecek bir uçak mühendisi yoktu. Havacılığı başlatan Harbiye Nazırlığı, bir tane olsun Türk uçak mühendisi yetiştirmeyi nedense hiç düşünmemişti.

Uçaklar pistte sıralanmışlardı. Son denetimleri yapılıyordu. Hepsi çift kanatlıydı. Başta Erzurumlu tüccar Nafiz Kotan'ın orduya armağan ettiği iki Fiat keşif uçağı duruyordu: Nafiz-1 ve Nafiz-2.[59a] Üçüncüsü, Fransızlara ait bir Bréguet-XIV keşif uçağıydı. Güney cephesinde düşürülerek ele geçirilmişti. Dördüncü uçak, birkaç uçağın gövdesi, kanadı, motoru birleştirilerek yapılmış o ünlü tek kişilik kurgu-uçaktı. Kanatlarından yararlanılan avcı uçağının modeli ile anılıyordu: Albatros D-III. Bu uçağa İzmir adı konulmuştu.

Abdullah Usta, Yüzbaşı Fazıl'a, "Bak, bunların dördünün de çoktan hurdaya çıkması gerekirdi.." dedi, "..uçaklardan sorumlu teknik adam olarak söylüyorum, bunlarla uçulmaz!"

Yüzbaşı Fazıl güldü:

"Bunu bir yıldır söylüyorsun. Ama bir yıldır vızır vızır uçuyoruz."

"Nasıl uçtuğunuza şaşıyorum."

"Bir itirafta bulunayım mı? Biz de şaşıyoruz."

Bakıştılar ve kahkahayı bastılar. Zorunluk ve çılgınlık, teknik gerekleri aşıp geçiyordu.

BU SIRADA çift kanatlı bir Brégue-XIV Yunan keşif uçağı, sabah gözlemi için Eskişehir-Muttalip Havaalanı'nın toprak pistinde ilerledi, hızlandı, rüzgârı göğüsleyerek havalandı. Yeni takılmış 260 beygir gücündeki motoru, saat gibi çalışıyordu.

Orta Anadolu altlarında dev bir kuruboya resim gibi açıldı.

Eskişehir'in doğusu ve güneyi, ertesi gün yürüyüşe geçecek birlikler ve ağırlık kollarıyla doluydu. Küçük Türk keşif kollarının, tepelerden Yunan ordugâhlarını gözledikleri görülüyordu.

Daha güneye inip Sivrihisar'dan Polatlı'ya doğru uçtular.

Altlarından geriye, kimbilir kaç uygarlığı emzirmekten yorgun düşmüş, aşınmış topraklar, çıplak dağlar, kirli beyaz tepeler, kaburgaları sayılan etsiz düzlükler akıp gidiyordu. Hele Mülk Köyü ile Beylikköprü arasında, haritada adı olmayan, geniş bir toz çölü vardı ki

–Türkler buraya Acıkır diyorlardı– bu ölü sarısı boşluk pilotu da gözlem subayını da irkiltti.

Bu mevsimde arkadaşları, bu bölgeyi yürüyerek nasıl aşacaklardı?

BU BÖLGEDEN geçecek olanlardan biri de Sakız Adalı er Panayot'tu. Aydın'daki alaydan Üçüncü Kolordu'ya bağlı 3. Tümen'e verilmişti.

Bütün birlikler gibi Panayot'un taburu da yürüyüşe hazırlanıyordu. Yeni yazlık elbiseler, postallar ve ince çamaşırlar dağıtılmıştı. Yemekler iki gündür çok iyi çıkıyordu.

Tabur komutanı, "Korkmayın.." demişti, "..suyumuz bol. Yolumuz düz. Ege'den daha sıcak olmaz. Bu yürüyüş güzel bir gezinti olacak. Türk ordusu dağılmak için ilk silah sesimizi bekliyor. Ankara'yı alacağız."

Panayot o akşam sevgilisine mektup yazdı:
"Ankara'dan ne istersin?"

SÜVARİ TUGAYI Mürettep Kolordu karargâhının boşalttığı Mekece'ye saat 09.30'da girdi. Bir adam birdenbire öne atıldı, Tugay Komutanı Albay Hacı Arif Örgüç'ün atının dizginlerini yakaladı, haykırmaya başladı:

"Kızımın öcünü alacaksın değil mi? Almayacaksan niye atlandın, niye silahlandın? Söyle, kızımın öcünü alacaksın değil mi?"

Adam uluya uluya ağlamaya başladı. 11. Yunan Tümeni telaş içinde çekilirken bile birçok kirli iş yapmıştı. Zavallı baba da buna tanık olan talihsizlerden biriydi. Köyü yandığı için Mekece'ye sığınan adamcağız, kaç zamandır rastladığı her subaya, askere ağlayarak bu soruyu soruyordu.

Deli Baba diye anılır olmuştu.

Tugay Komutanı atından inip Deli Baba'ya sarıldı, sırtını okşadı, "Namus sözü veriyorum.." dedi, "..yalnız kızının değil, bütün mazlumlarımızın öcünü alacağız."

Bunu bir gün mutlaka başaracaklarına ta içinden inanıyordu. Bu inanç olmasa bu savaş sürdürülebilir miydi?

KÜÇÜK BİR SÜVARİ BİRLİĞİNİN eşlik ettiği açık Mercedes otomobil, Polatlı demiryolunu geçip toprak yoldan kuzeye doğru ilerledi. M. Kemal ve Fevzi Paşalar arkada, Salih Bozok şoförün yanında oturuyordu.

3. Grup mevzileri ve birlikleri buralardaydı ama onları dönüşte denetleyeceklerdi. Köseler köprüsünden Sakarya'nın batısına geçerek 1. Grubun bölgesine girdiler. Yunan ordusunu gözleyen 1. Grup yürüyüş başlayınca düşmanı oyalayarak geri çekilecek, bu kesimdeki köprüleri yıkıp Sakarya doğusuna geçecekti.

1. Grup Komutanı Albay İzzettin Çalışlar ile piyade ve süvari tümenlerinin komutanları Abdurrahman Nafiz Bey ile Osman Zati Bey paşaları karşıladılar. Yarı yarıya boşalmış bir köyün tek çınarının altında oturdular. Yaşlı bir kadın kuyuda soğutulmuş ayran ikram edip çekildi.

Kütahya-Eskişehir savaşından, Türkiye'nin geleceğinden, sonra da beklenen savaştan söz ettiler.

Başkomutan bu savaşın büyük önemine değindi.

İngiltere hem Doğu Akdeniz'e, Hindistan yoluna, İran, Irak ve Kuveyt petrollerine egemen olmak, hem de emperyalizme baş kaldırmış olan Türkleri, dünya Müslümanları istiklal hevesine kapılmasınlar diye iyice cezalandırmak, Sevr Antlaşması'yla da bir daha baş kaldıramayacak hale getirmek istiyordu. Bunu gerçekleştirmek için Yunanlıları kullanıyordu. Yunanlıların arkasında İngiliz emperyalizmi durmaktaydı. Bilinen, bilinmeyen kısa ve uzun vadeli İngiliz çıkar ve hesapları için akacak Yunan kanının bedeli olarak Yunanistan'a, İzmir ve Doğu Trakya'yı vermişti.

Demek ki Sakarya'da tam bağımsızlık isteği ile emperyalizm çarpışacaktı. Bunun içindir ki bu savaş yalnız Türklerin değil, bütün mazlum milletlerin savaşı olacaktı.

Yunanlılar İzmir ve çevresi ile Doğu Trakya'dan başka, İstanbul'a da sahip olmak istiyorlardı. Bunun gerçekleşmesi için Sevr Antlaşması'nı Ankara'ya zorla kabul ettirmek zorundaydılar.

Demek ki Sakarya'da Misak-ı Milli ile büyük Yunan ülküsü de çarpışacaktı.

Bu savaşta milliyetçilerin yenilmesini bekleyen ve isteyen bazı Osmanlılar da vardı: Padişah, padişahçılar, hilafetçiler, yobazlar, işbirlikçiler, casuslar, hainler ve ayrılıkçılar. Bu gafil, dar, sığ, hain kafaları yetiştiren düzen de yaşayabilmek için ümidini Yunan galibiyetine bağlamıştı.

Demek ki aydınlığa çıkabilmek için Sakarya'da bu kara düzenin ümidini de kırmak gerekiyordu.

Başkomutan, "İşte bu nedenlerle bu savaştan kesinlikle galip çıkmak zorundayız" dedi, geliştirdiği yeni savaş yöntemini ayrıntılı olarak açıkladı, açıklamasını şöyle bitirdi:

"Toprağımızın her karışı, her noktası için kanımızı dökeceğiz. Böylece üstün düşman kuvvetlerini şaşırtarak, yorarak, yıpratarak, ezerek, eriterek, aç bırakarak, sonunda onu, taarruza devam azim ve kudretinden yoksun bir hale getireceğiz. Subay ve erlerinize bu savaş yöntemini çok iyi anlatın." [59b]

Komutanlar titrediler. Bu sadece bir yöntem değil, daha başka, daha büyük, daha anlamlı bir şeydi. Salih Bozok yeni yöntemi ilk kez dinlemişti. M. Kemal Paşa'ya baktı. Zihni uzun yıllar öncesine kaydı. M. Kemal Paşa'dan aldığı bir mektuptaki cümleyi hatırladı: "Bilirsin ben askerliğin her şeyinden ziyade sanatkârlığını severim." [59c]

Cümlenin anlamını şimdi kavramıştı.

ANKARA'dan Cephe Komutanlığına dört uçağın Malıköy'e bu akşam geleceği bildirildi. Pilotların dışındaki görevliler trenle hareket edeceklerdi.

İlk keşif uçuşu ancak ertesi sabah yapılabilirdi.

İstihkâm Albayı Ahmet Şükrü Bey Yüzbaşı Şükrü Sökmensüer'e döndü:

"Muğla civarına bir Yunan uçağı zorunlu iniş yapmıştı. O uçak ne oldu? Belki işimize yarardı."

"İncelemek için üç kişi yolladılar Albayım. Ancak varmışlardır."

Arıza ve gecikmeleri sona erdirmenin kestirme ve güvenli yolu, yeni uçaklar almaktı. Ama Ankara'nın bu kadar parası hiç olmamıştı. Bundan sonra olacağı da çok şüpheliydi.

YÜZBAŞI ŞÜKRÜ haklıydı. Bir deve kervanı, çan sesleri ve develere süs diye takılan minik aynaların pırıltısı içinde Muğla'dan çıkarken, pilot Vecihi, gözlemci Hamdi ve Eşref Usta bir at arabasıyla şehre yeni giriyorlardı.

Kervan, toplanan ilk vergileri Konya'ya götürüyordu.

İtalyanlar pilotu ve gözlemciyi alıp kırık uçağı Türklere bırakmışlardı. Uçak İngiliz yapımı, iki kişilik, çift kanatlı, De Hawilland-9 tipi bir keşif uçağıydı. İniş takımı ve sağ kanadı kırılmış, dümeni sakatlanmış, gövdesini saran keten parçalanmıştı. Motoru harap olmuş görünüyordu. İyice muayene ettiler. Bundan daha beter durumdaki uçakları bile uçurmuşlardı. Bu ganimet uçağı rahatlıkla uçurabilirlerdi.[59d]

Sevinçle kucaklaşıp dönmeye başlayarak herkesi güldürdüler.

KONYA MEYDANLARI kurbanlık koçlar, satıcılar, alıcılar, kasaplar ve büyük kazanlarla doluydu. Orduya armağan edilen kurbanlar hemen oracıkta kesilip parçalanıyor, kavurma yapılmak üzere kazanlara basılıyordu. Bucak ve ilçeler de, toplanan ilk vergileri, bayramdan önce orduya yetişsinler diye Batı Anadolu Menzil Komutanlığına teslim edilmek üzere Konya'ya yollamışlardı. Bu iyi niyetli ama program dışı davranış yüzünden Konya dört bir yandan şehre giren kervanların ve araba kollarının da hücumu altında kalmıştı.

Yollar tıkandı, şehir kilitlendi.

Menzil Komutanı Albay Kâzım Dirik'i tanımayanlar, daha ilk adımda bu duruma düşen Konya'nın, Muğla, Denizli, Antalya, Burdur ve Isparta'dan yola çıkarılacak vergi kolları da gelmeye başlayınca felç olacağına, menzil örgütünün bu çok büyük işin altında ezilip kalacağına bahse girebilirlerdi.

Oysa Albay Kâzım Dirik böyle günlerin adamıydı.

Bu geçici kargaşalığı tatlı-sert yöntemlerle çabucak düzene koyacak, akşam Konya İstiklal Mahkemesi üyelerine ziyafet bile verecekti.

İstiklal Mahkemesi, gelir gelmez, rüşvet yedikleri bilinen Ceza Mahkemesi Başkanıyla iki üyesini tutuklamış, kaç zamandır Konya'yı huzursuz eden bu pis sorunu sona erdirmişti.[60] Bunu kutlamamak olmazdı.

İlçelerden gelen çamaşır, çarık ve çoraplar eşek kollarıyla hemen ikmal noktalarına yollandı. Bazı iller orduya vergiden ayrı, armağan olarak kavurma, tulum peyniri, meyve kurusu gibi yiyecekler de yolluyorlardı. Orduyu doyurmak ve donatmak sorun olmaktan çıkmıştı. Oysa iki hafta önce bu sorun çaresiz sanılıyordu.

Bu vergiler yoluyla 100.000 insanın ve 130.000 hayvanın 8 aylık yiyimi sağlanacaktır.[60a]

PAŞALAR dönüşte Ankara Çayı ile demiryolu arasında bulunan 3. Grup birliklerini de denetlediler. Henüz görevinden alınmamış olan Grup Komutanı Albay Arif Bey ve gruba bağlı üç tümenin komutanlarıyla konuştular.

Savunmanın bütünüyle Sakarya'ya dayandırılmış olması Başkomutan'ı memnun etmedi. Düşman nehri herhangi bir noktasından geçebilir, o zaman asker, en önemli engelin aşıldığını, öyleyse savaşın kaybedildiğini sanabilirdi. Asıl savunma mevzilerinin uygun olan yerlerde geri alınmasını emretti. Yeni savaş yöntemini anlattı.

Komutanlara moral, yani çeliğe su verdi.

MERCEDES Polatlı'ya dönerken, ilk uçak da akşam ufkunda görünmüştü. Kara nokta gittikçe büyüyerek yaklaştı. Gelen Nafiz-1'di. Süzüldü, havaalanı görevlilerinin, civardaki askerlerin ve ikmalcilerin alkışları arasında piste indi.

Onu Nafiz-2 izledi. Albatros D-III de geldi ama motorunun teklediği anlaşılıyordu. Güçlükle inebildi.

Dördüncü uçak Bréguet-XIV geç kalmıştı. Çok geçmedi, o da göründü. Gelişinde bir tuhaflık vardı. Düşer gibi alçalıyordu, yere dokunduğu anda motorundan alevler fışkırdı. Pilot zorlukla yere atlayabildi.

Uçak tutuşup yandı.

Daha ilk gün bir uçak kadro dışı kalmıştı.

MÜHENDİS küçük tornayı bitirmişti. Aygıt demirden yapılmış garip bir oyuncağa benziyordu. Sıra denemeye gelmişti. Mermi patlarsa tamirhaneye bir zarar gelmemesi için o komik görünüşlü aygıtla birlikte yanına bir de mermi aldı. Binanın yakınında bir baraka yapılıyordu. Orada gündüzden bu iş için bir tezgâh hazırlanmıştı. Oraya geçti. Yardıma gelmek isteyenlere izin vermedi.

Koca tamirhanede iş durdu. Zaman geçmez oldu. Subaylar, ustalar tezgâhlar arasında amaçsız dolanıp duruyorlardı.

Kırk dakika sonra mühendis tamirhaneye mermiyi havada sallayarak döndü. Ağzı kulaklarındaydı. İlk deneme olduğu için ihtiyatlı davranarak yavaş çalışmış, işi uzatmıştı. Bir çiçek armağan eder gibi hoş bir jestle mermiyi Usta Bey'e verdi. Tornadan yeni geçmiş mermi pırıl pırıl parlıyordu. Usta Bey mermiyi öpüp başına koydu, bir an durakladı, sonra ani bir kararla mengeneye bağladı, bu ilk merminin gövdesine keski ile imalat-ı harbiye tarihine geçecek olan şu ünlü cümleyi kazıdı:

"Venizelos cenaplarına hediyemizdir"[61]

Tamirhane kahkahaya boğuldu.

Bütün gece çalışarak beş küçük torna daha yaptılar. Böylece günde, istenilenden iki kat daha çok mermi 7.5'lik toplara uyarlanabilecekti.

Ankara'dan göç durmaksızın devam ediyordu

İKİÇEŞMELİK camisinin çevresindeki kahveler, babalar ve çocuklarla doluydu. İzmir töresince arifeyi karşılıyorlardı. Gece yarısı kuyrukları kınalı, boynuzları kurdeleli koçlar, sürüler halinde buradan geçirilip şehre indirilir, Türk semtlerindeki kurban yerlerine dağıtılırlardı.

Töre korunuyordu ama kimsede neşe yoktu. Babalar suskun, çocuklar bile durgundu.

İzmir Türkü iki buçuk yıldır gülmüyordu.

Sporting Club, Kramer Palas'ın gazinosu, Büyük ve Küçük Poseidon, Klonaridi, Café Corso, Café de Paris, Viyana Birahanesi ve benzeri eğlence yerleriyse, her gece dolup taşmaktaydı. İzmir Rumları ve

Ermenileri iki yıldan beri mutluydular. Türk ordusu yenildiği için yirmi günden beri de bayram ediyorlardı.

Ta karşıda, Karşıyaka'da, yalı boyundaki küçük, ahşap evin karanlık cumbasında, beyaz başörtülü iki gölge, uzaktan İzmir'i seyretmekteydi. 'Gâvur İzmir' ışıklar içindeydi. Türk mahalleleri ise çoktan karanlığa gömülmüştü.

Acıyla inlediler. Küçük olanın kocasını işgal günü şehit etmişlerdi. Büyüğünün kocası ise, öldürülmemek için iki oğlundan ufağını alıp Rodos'a kaçmıştı.[62] Büyük oğlu Yunanlılarla savaşıyordu. Rumlar öğrenmesinler diye, bilenlerin dışındaki hiç kimseye, Süvari Grubu Komutanı Albay Fahrettin'in annesi olduğunu söyleyip de övünemiyordu.

Yıldız yağmuru başladı.

Ellerini kaldırdı, yüce Tanrı sevgili oğlunu ve askerciklerini korusun, al sancak İzmir'e geri dönsün diye gözleri dolarak duaya durdu.

ALBAY FAHRETTİN BEY erkenden yatmıştı. Emir Subayı Üsteğmen Fevzi Uçaner ile akından dönen 2. Tümen'den Yüzbaşı Şeref İzmir, üsteğmenin çadırının önünde yere oturmuş dertleşiyorlardı.

Yıldız yağmuru başlayınca hayranlıkla susup seyrettiler. Yüzbaşı İzmir'i hatırlamış olmalı ki, durup dururken, "İzmir'e ilk giren subay ben olacağım!" dedi.

Emir subayı, yüzü yıldızların ışığında güçlükle seçilen yüzbaşıya korkuyla baktı. Ne diyordu bu yüzbaşı? İzmir çok uzaktaydı ve belki de yarın Yunan savaş makinesinin altında kalıp parçalanacaklardı. Yüzbaşı, üsteğmenin ne düşündüğünü anlayarak güldü:

"Delirdim mi diye bakıyorsun, değil mi? Korkma, deliliği atlattım. Artık beni ele geçiremez."

Yüzbaşı Şeref iki yıl önce, bir İtalyan gemisiyle, esir düştüğü Trablus'tan yurda dönerken, Yunanlıların İzmir'e çıktıklarını duyunca çok üzülmüş, gerçekten delirmiş, "İzmir'e ilk ben gireceğim" diye tutturmuş, gülenlere ve acıyanlara kızıp kendini Akdeniz'e atmıştı. Gemi durdurularak güçlükle kurtarılmıştı.[63]

Yüzbaşı uzanıp üsteğmeni öptü, sanki ertesi gün İzmir'e girecekmiş gibi sevinç içinde zıplayarak gitti.

Yıldız yağmuru artarak sürüyordu.

Dördüncü Bölüm

Ankara'ya Yürüyüş

14 Ağustos 1921 - 22 Ağustos 1921

14. SÜVARİ TÜMENİ'nin öncü bölüğü, ileri Yunan birliklerine çatmamak için sapa yollardan sessizce ilerliyordu. Grup Komutanı Albay Fahrettin Bey, baskın görevinin yerine getirilmesini ve Seyitgazi çevresindeki durumun keşfedilmesini emretmişti.

Süvarilerin ayakları altında birdenbire yemyeşil bir vadi açılıverdi. Bardacık suyu, iki yanındaki değirmenlerin dolaplarını döndürerek neşeyle akıyor, hava çam sakızı kokuyordu. Vadinin masalsı bir görünümü vardı. Tehlike kokusu alan atlar, kulaklarını diktiler. Vadinin karşı yamacında da Yunan öncüsü belirdi. Birbirlerini gören Türk ve Yunan komutanlar aynı anda çığlığı bastılar:

"Düşman!!!"

Silahlar patladı. Öncü hızla yaya savaşına indi. Az sonra tümen yetişerek savaş düzeni aldı. Yeni yürüyüşe geçmiş olan 5. Yunan Tümeni durdu, onun da bir alayı açıldı ve savaşa girdi.

Tüfek cayırtıları Bardacık vadisinin bin yıllık sessizliğini öldürdü.

PORSUK'un kuzeyindeki Dudaş Köyü çevresinde de bir başka çatışma gelişiyordu. 1. Süvari Tümeni'nden 10. Alay'ın keşif bölüğü, sabah keşfi için ilerlerken, yürüyüşe geçmiş bir Yunan taburuyla burun buruna gelmiş ve sıkı ateş yemişti.

Yunan yürüyüşü başlamış olmalıydı.

Durum tümene bildirildi ve alay silah başı yaptı. Alay imamının duasından sonra subaylar ve erler helalleştiler, yaya savaşı için mevzilendiler.

Beklemeye başladılar.

Sabah sessizliği içinde doğum sancısı gibi gittikçe artan ve hızlanan bir uğultu yaklaşıyordu. Yunan öncüsünün arkasından, bir alayla takviyeli 16.000 kişilik bir tümen gelmekteydi. (*7. Tümen+16. Alay*)

10. Alay'da 250 savaşçı vardı.[1]

EVET, Yunan ordusu bu sabah, 14 Ağustos 1921 Pazar günü, saat 05.00'te, üç dolgun kordusu ile harekete geçmişti.

Yunan büyük taarruzunun ikinci evresi başlamıştı.

Sol kanattaki (kuzeydeki) Üçüncü Kolordu'ya General Polimenakos komuta ediyordu. Bu kordunun üç tümeni Eskişehir-Ankara demiryolunun iki yanından Sakarya'ya doğru ilerliyordu. Eski komutan General Vlahopulos İşgal Genel Komutanı olmuş ve İzmir'de kalmıştı.

Ortada, Birinci Kolordu vardı. Komutanı General Kondulis'ti. Bu kolordu üç tümeniyle Sivrihisar doğrultusunda yürüyordu.

Sağ kanatta (güneyde) General Prens Andreas'ın komuta ettiği İkinci Kolordu bulunmaktaydı. Bu kolordu iki piyade tümeni ve bir süvari tugayıyla güney Sakarya'nın güneyinden yol almaktaydı. Afyon'dan yola çıkan 9. Tümen yolda kolorduya katılacaktı.

Alay alay yürüyen kalabalık tümenleri, yiyecek ve cephane kamyonları, ambulanslar, arabalar, deve kolları, benzin ve su tankerleri, hizmet birimleri ve sürüler izliyordu. Ordu karargâhı, birliklere, 'Türk ordusunun isyan edip dağıldığı' söylentisini yaymıştı. Morali zaten iyi olan askerler, bu söylenti yüzünden büsbütün rahatlamışlardı.

Keyifle yürüyorlardı.

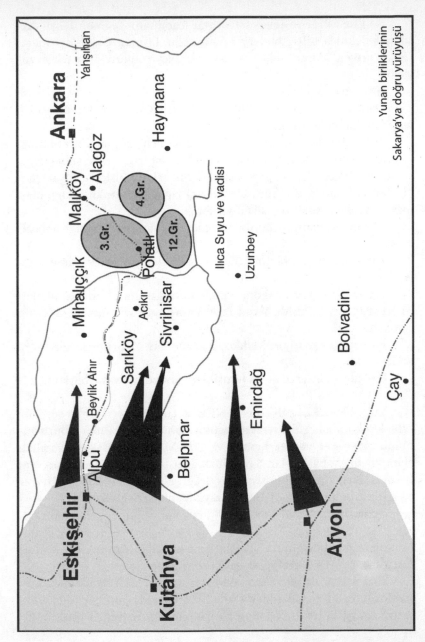

BATI CEPHESİ Telsiz İstasyonu Komutanı Teğmen İhsan Aksoley kulaklıkla telsiz biplerini dinliyordu, Osman Çavuş'a, "Süvari Grubu arıyor.." dedi, "..telsiz çavuşu manipleye bugün biraz telaşlı vuruyor."

"Bir tatsızlık olmalı."

Osman Çavuş da kulaklıklarını taktı, Süvari Grubunun sabah raporunu almaya başladı.

Artçı birliklerden tümenlere tümenlerden gruplara, gruplardan Cephe Karargâhına yağan telsiz ve telgraf raporları, şifre subaylarınca açılıyor, verdikleri bilgiler Harekât Şubesinde birleştirilip durum haritasına işleniyordu. Türk birliklerini kırmızı bayraklı, Yunanlıları mavi bayraklı iğneler temsil ediyordu.

Yunan ordusunun bütün birlikleriyle harekete geçtiği anlaşılmıştı.

Başkomutan cephenin güneyini denetlemeyi ertesi güne erteledi.

Albay Arif Bey Başkomutanlık Karargâhına alındı, tümenleri başka gruplara dağıtıldı. Yusuf İzzet Paşa'nın İhtiyat Grubu, 3. Grup adını aldı.

Bu grup Malıköy'e, Malıköy'de bulunan 4. Grup da Polatlı'ya yaklaşacaktı.

Her taşın binlerce kişiyi temsil ettiği büyük satranç başlamıştı.

YUNAN BİRLİĞİNDEN ÖNCE, kaçmakta geç kalmış son göç kafileleri korkuyla gelip telaşla geçtiler. Sonra Yunan öncü taburu göründü. Ateşi yer yemez hemen yayıldı. Makineli tüfekler karşılıklı ölüm kusmaya başladılar. Savaş hızla kızıştı. 10. Alay'da birkaç yeni er vardı. Biri, yüzü kanla sıvalı bir askeri görünce kıvrılıp kustu. Bir başkası titremeye başladı. Burma bıyıklı onbaşı bağırdı:

"Bana bak, Azrail korkakları arar, korktuğunu belli etme çocuk!"

Bir Yunan birliğinin alayın gerisine sarktığını gören Alay Komutanı Yüzbaşı Şerif Güralp, askerini ezdirmemek için geri çekti.

Yoğun ateş altında zahmetle toplanıp yaralıları da alarak 4 km. gerideki Geyikli'ye çekildiler. Daha ilk çatışmada geri çekilmek yüzbaşıya ağır gelmişti. Acısını çıkarmak için ağır makineli tüfek bölügünü yolun iki yanına, sırtların arkasına yerleştirdi. Bölüklerini de pusuya yatırdı. Düşman ne kadar yaklaşırsa yaklaşsın emri olmadan kimse ateş etmeyecekti.

Beklemeye başladılar.

YUNUS NADİ BEY'in Yenigün gazetesinin baskı makineleri de Kayseri'ye yollanınca Ankara'da tek gazete kalmıştı: Hâkimiyet-i Milliye.

Taşhan'ın karşısındaki harap bir hanın birinci katındaki bir odacıkta yazılıp diziliyor, hanın ahırına yerleştirilmiş, gazyağı motorlu bir makinede basılıyordu. Başyazıları çoğunlukla Ruşen Eşref Ünaydın yazmaktaydı. Bugünkü yazısının başlığı Hicret'ti (Göç).

Göç Türkün kanayan yarasıydı.

Her bağımsızlığını kazanan Balkan devleti Müslüman Türkleri ve Türk olmayan Müslümanları ya kırmış ya göçe zorlamıştı. Bu göç yıllarca sürmüştü, hâlâ da sürüyordu.[1a] Bu facia sona ermeden, Yunan ordusunun acımasız tutumu, bu kez de on binlerce Anadolulunun canını ve ırzını korumak için evini, barkını bırakıp İç Anadolu'ya sığınmasına yol açmıştı.

Uygar Batı, bu durumu seyretmekle yetiniyordu.

Bugün de yine binlerce çaresiz kadın, kız ve çocuk göç yollarındaydı.

KATİMERİNİ gazetesi savaş muhabiri Hristos Nicolopulos, Eskişehir-Sivrihisar arasındaki toprak yolda, toz kaldıra kaldıra ilerleyen otomobillerden birindeydi. Birinci Kolordu Karargâhıyla birlikte cepheye gidiyordu.

Uzaklardaki tepelerin üzerinde, küçük göç kafilelerinin doğuya doğru yürüdükleri görünmekteydi ama bu olay Nikolopulos'u ilgilendirmedi. O Yunanlılığının bin yıl sonra Küçük Asya'yı yeniden fethetmesiyle ilgiliydi.

Keşif ve avcı uçakları, Türk cephesini sürekli denetim altında tutuyorlardı. Öncülerden gelen parça parça bilgilere göre Türkler, Sakarya'nın batısında, tahminlerin tersine pek az birlik bırakmışlardı.

Birinci Kolordu'nun yolu üzerinde bulunan bir Türk süvari alayı fazla direnç göstermeden Sivrihisar'a çekildi.

Tozdan başka sorun yoktu.

Nikolopulos defterine şu notu düştü: *"Yürüyüş neşeli ve sakin başladı."*

Embros gazetesi muhabiri İlia Vutieridu da Üçüncü Kolordu Karargâhı ile birlikteydi. O da bugünden şöyle söz edecekti: *"Asker neşeli. Arada bir 'Ankara'ya!' diye bağırıyor."*

14. SÜVARİ TÜMENİ kendinden tam on misli kalabalık 5. Yunan Tümeni'ne çatmıştı. Bir süre savaştı. Sarılma tehlikesi belirince geri çekildi.

İkinci Kolordu Komutanı General Andreas, süvari tümeninin kolordunun ikmal yolunu kesmek istediğini sanıp telaşlanmıştı. Sakarya'ya kadar Eskişehir-Seyitgazi-Emirdağ yoluyla beslenceklerdi. Seyitgazi yolunu korumak için 5. Tümen'den bir alay ile bir bataryayı geride bıraktı. Böylece tümenin bütünlüğü bozulmuş oldu.

Yürüyüş aksamaya başlamıştı.

YUNAN ÖNCÜ TABURU, Geyikli'ye yaklaşıyordu. Bu kez daha dikkatli ve ihtiyatlıydı. Makineli tüfek bölüğü komutanı, düşmanın mesafesini telemetre ile ölçüp Yüzbaşı Şerif'e fısıldıyordu:

"1.500 metre... 1.200 metre... 1.000 metre..."

Alay soluğunu tutmuş, komutanının işaretini bekliyordu.

"500 metre... 400 metre... 300 metre... 200 metre..."

Mesafe çıplak gözle kestirilebilecek kadar azaldı. Arada 100 metre bile kalmamıştı. Yüzbaşı Şerif dişini sıktı, biraz daha bekledi. Sonra 250 kişinin beklediği işareti verdi:

"Ateeeeş!"

Önce dört ağır makineli tüfek takırdadı. Onları hemen hafif makineliler ve tüfekler izledi. Yunan taburu bir an donup kaldı, sonra çil yavrusu gibi dağıldı. Geride üç yüz kadar ölü ve yaralı bıraktı.[1b] Yürüyüş Yunanlılar için, tahminlerin tersine, hiç de iyi başlamamıştı.

Öğlene doğru da bütün haşinliğiyle bozkır direnişe geçecekti.

SABAH KEŞFİ için iki uçak hazırdı.

Görevli pilot ve gözlemciler Fazıl'ın çadırında toplanmışlardı. Yüzbaşı Sırrı, "Biliyor musunuz.." dedi, "..yarın kurban bayramıymış."

Son günler öyle yoğun ve sıkıntılı geçmişti ki hiçbiri bayramı bilebilecek halde değildi. Yüzbaşı Fazıl yüzünü buruşturdu:

"Kasapların yola çıkmasından anlamalıydık."

Bugün pilot Behçet gözlemci Yüzbaşı Sırrı'yla, pilot Halil gözlemci Yüzbaşı Bahattin'le uçacaklardı.

Fazıl, "Halil, siz demiryolunun kuzeyini tarayacaksınız.." dedi, "..Behçet, siz de güneyini. Düşmanın ağırlık merkezi kuzeyde mi, güneyde mi, bunu belirleyeceğiz."

"Tamam."

"Uçuş süreniz en çok bir buçuk saat."

"Yetmeyebilir."

"Uçakları zorlamayın. Zaten son demlerini yaşıyorlar. Zavallılara şefkatli davranın. Haydi çocuklar!"

Beş dakika sonra Nafiz-1 ile Nafiz-2 havalandılar. Uçakları uğurlayan Fazıl çadırına girdi. Çok geçmeden bir havacı çadıra daldı:

"Uçaklar geri dönüyorlar ağabey!"

"Nasıl olur, daha yeni uçtular."

"İkisi de tekliyor."

"Allah kahretsin!"

Dışarı fırladı. Nafiz-1 yalpalayarak yaklaşıyor, motorundan acayip sesler geliyordu. Behçet'in uçağa hâkim olabilmek için çırpındığı görülüyordu. Sertçe de olsa uçağını indirmeyi başardı.

Nafiz-2'nin durumu iyice tatsızdı. Düşer gibi hızla alçalıyordu. Havaalanının ilerisindeki ağaçların arkasında kayboldu. Pis bir gürültü ve koyu bir toz bulutu yükseldi. Deli gibi ağaçlığa koştular. Pilot ve gözlemci böyle bir kaza için ufak sayılacak yara bere ile kurtuldular ama uçak sakatlanmıştı.[2]

Cepheye keşif görevinin yapılamadığı bildirildi.

GENERAL PAPULAS, Albay Pallis ile ordunun Hava Komutanı Binbaşı Hacizafirios'u birlikte kabul etti.

İlk raporlar ulaşmıştı.

Tümenler hedeflerine sorunsuz ilerliyordu. Hiçbir bölgede ciddi bir direniş olmamıştı. Yunan uçakları sürekli uçarak, düşmanın hava keşfi yapmasına imkân vermemişti.

Papulas keyiflendi:

"Oturun, birer kahve içelim."

Hacizafirios'a baktı:

"Taarruzumuzun başarı kazanması için baskın özelliğini koruması gerek. Yeteri kadar uçağımız var. Düşmanın hava keşfi yapmasını savaş başlayana kadar kesinlikle engelleyeceksiniz."

"Emredersiniz."

Ordu karargâhı henüz Eskişehir'deydi. Ertesi sabah yola çıkacaklardı.

ÖĞLENE DOĞRU bozkır sert yüzünü göstermeye, azgınlaşan güneş askeri dağlamaya ve çarpmaya başladı.

Özellikle orta kesimde ve güneyde, tümenlerin yürüyüş yolları üzerinde, mola verip gölgesine sığınabilecekleri hiçbir geniş ağaçlık yoktu. Ormanlar geride kalmıştı.

Aylardır yağmur yememiş çıplak toprak un ufak olmuştu. Yürüdükçe yoğun toz bulutları yükseliyor, öndekilerin kaldırdığı yapışkan tozu, arkadakiler yutuyordu. Yayalar ve atlılar toz solumaktaydı. Komutanlar bu sorunu sıraların arasını iyice açarak çözmeye çalıştılar. Ama bu kez de yürüyüş kolları çok uzadı. Bu uzun yürüyüş kollarına hâkim olmak ve güvenliği sağlamak sorun oldu. Tankerlerin su dağıtması çok zaman almaya, bu da tepkiye yol açmaya başladı.

Hayvanların su ihtiyacının da iyi hesaplanmadığı anlaşılmıştı.

Yunanlılar, huyunu suyunu hiç bilmedikleri bir coğrafyada yürüyor ve yürüdükçe sorunları büyüyor ve çoğalıyordu.[3]

GENERAL HARINGTON Fransız ve İtalyan işgal kuvvetleri komutanları General Charpy ve General Mombelli ile öğle yemeği yiyecekti. Zengin ve karışık Osmanlı mirası üçünü de yakından ilgilendiriyordu. Sevr Antlaşması, hepsinin beklentilerini karşılayan iyi bir çözüm olmuştu. Ama Almanlar, Macarlar, Avusturyalılar, Bulgarlar ve Osmanlı hükümeti galiplerin barış şartlarını kabul ettikleri halde, milliyetçi Türkler etmemiş ve Anadolu'da yeniden silaha sarılmışlardı. Dört yıl sürmüş kıyasıya bir savaştan sonra, barış özlemi içindeki dünya için bu çok talihsiz bir durumdu. Mütareke imzalanalı neredeyse üç yıl olacaktı. Türkiye sorunu gittikçe büyüyerek ve şiddetlenerek sürüp gitmekteydi.

İngiltere'nin tek sorunu milliyetçi Türkler değildi. Yayılan grevler, patlayan İrlanda olayı, Hindistan'daki Hindu-Müslüman hareketleri, Mısır'daki ve Irak'taki milliyetçi kıpırdanışlar, Bolşevik ihtilali, Almanya'daki sosyalist ayaklanmalar, Fransa'yla olan anlaşmazlıklar İngiltere'yi uğraştırıyor ve korkutuyordu.

Yunanlılar hiç olmazsa şu asi Türkler sorununu bitirebilselerdi ne iyi olacaktı. Yunan ordu karargâhında gözlemci olarak bulunan Binbaşı Johnson Yunanlıların bugün yürüyüşe geçeceklerini bildirmişti. Türkler hakkında yeni bir bilgi yoktu.

General Harington'un o kadar ümit bağladığı Black Jumbo Ankara'da hâlâ faaliyete geçememişti.

SICAK, saatler geçtikçe daha yırtıcı oluyordu.

Toz, askerleri beyaz hayaletlere, sıcak serseme çevirmişti. Yol bitmek bilmiyordu. Kızgın toprağın ateşi yüzlerine vuruyor, sıcakta eller ve ayaklar şişiyordu.

Bölgedeki kuyuların suyu bol değildi. Çabuk tükeniyor, geç doluyorlardı. Boşalan tankerleri doldurmaya bu kuyuların suyu yetmiyordu. Haritada görülen küçük akarsuların da yazın kurudukları anlaşılmıştı. Tankerlerdeki suyu idareli kullanmak şarttı.

Kısıtlayıcı kurallar, sorunu birdenbire dramatik hale getirdi. Asker, bir kuyu ya da cılız bir çeşme görünce, biraz olsun serinlemek için izin mizin almaksızın dağılıp suya hücum etmeye başladı.

Su başı tartışmaları giderek kanlı kavgalara dönüşecekti.[4]

ABDULLAH USTA ve ekibi akşam trenle Malıköy'e geldiler. Önce iki kişilik Nafiz-1 keşif uçağı ile tek kişilik Albatros D-III avcı uçağını bakıma aldılar. İki uçağın huysuzluk eden motorlarını söküp indirdiler.

Behçet Abdullah Usta'ya takılmadan edemezdi:

"Duyduğuma göre İsmet Paşa, 'yarın sabah bir uçağı hazır etmezse, Abdullah Usta denilen o adamı, poposuna bir kuyruk takıp uçurtma diye uçuracağım' demiş. Demire can veren koca Abdullah Usta'ya söylenecek laf mı bu? Ben senin adına teessüf ettim. Ama sen özel bir cevap vermek istiyorsan, söyle, kendisine ileteyim."

Bu genç, yakışıklı pilotta şeytan tüyü vardı. Abdullah Usta hiç kızmaz, aksine onunla çene yarıştırmaya bayılırdı. Uçağı tapışlayarak, "Hey yavru kuş.." dedi, "..İsmet Paşa bu mereti uçan halı sanıyor galiba. Buna uçak derler uçak! Ne sihirli sözle uçar, ne emirle. Söyle de, bunlara yeni motorlar alsın!" Bu gevezelik havacılar yatana kadar sürdü.

Makinistler, bütün gece, gaz lambası ve mum fenerlerinin ışığında çalışacak, Nafiz-1 ve Albatros D-III'ü sabah keşfi için hazırlayacaklardı. Ertesi gün de onarabilmek ümidiyle Nafiz-2'ye el atacaklardı.

ENVER PAŞA, Dağıstanlı bir köylü kıyafetiyle az önce çıkagelmişti. Büyük salonda oturuyorlardı. Halil Paşa'nın eşi Safiye Hanım, "Ben sizi yalnız bırakayım.." dedi, "..konuşacaklarınız vardır."

Enver Paşa memnun oldu:

"Teşekkür ederim yenge."

Safiye Hanım salondan çıkar çıkmaz konuya girdi:

"Doktor Nâzım'la birlikte geldim. Ankara'daki arkadaşlarımız adına Trabzonlu Hafız Mehmet Bey'i çağırmıştım, geliyor. Bizim Küçük Talat da (Muşkara) birkaç gün içinde burada olacak. Ee, sen hazırlıkları bitirdin mi?"

Halil Paşa, isteksiz, sönük bir sesle, "Evet" dedi.

"Ne o? Bir şey mi var?"

"Evet. M. Kemal Paşa'yı Başkomutan yaptılar. Şimdi Meclis ve ordu onun çevresinde toplanmıştır."

Enver Paşa oralı olmadı:

"Meclis önemli değil. Sorun çıkarırsa dağıtırız. Ordu, dönünce de benim çevremde toplanır."

"Bu çok zor dönemde Anadolu'da ikilik çıkmasından korkuyorum."

Enver Paşa ayağa kalktı. Güzel döşeli geniş salona bakarak birkaç adım attı:

"Sen burada rahatı görünce, kendini bırakmışsın. Tereddüte yer yok. Harekete geçmenin tam sırası."

Halil Paşa sabahleyin Sovyet yardımıyla ilgili olarak Batum'da bulunan Türk deniz ve kara subaylarıyla konuşmuştu. M. Kemal Paşa'nın Başkomutan olmasının sevinci içindeydiler, hepsine başka bir şevk gelmişti. Enver Paşa'yı ne hatırlayan vardı, ne arayan. Ama Enver Paşa çok istekli ve sabırsız görünüyordu, kırmamak için konuyu uzatmaktan kaçındı, "Peki" dedi.

YUNAN ABLUKASI son bir aydır sıkılaştığı için Sovyet yardımı silah ve cephanenin Rus limanlarından Anadolu limanlarına kaçırılması çok zorlaşmıştı. Denizciler, Karadeniz kıyısında gerektiğinde sığınabilecekleri bir müstahkem üs olmadan, her tehlikeyi göze alarak bu görevi yerine getiriyorlardı.

Nitekim bu gece de, orduda Paskal Mahmut diye anılan Yüzbaşı Mahmut Gökbora'nın kaptanı olduğu Rüsumat IV adlı küçük gemi, silah ve cephane dolu olarak Batum'dan Trabzon'a hareket edecek, oradan alacağı talimata göre yükünü uygun bir Anadolu limanına boşaltacaktı. Bu dokuzuncu seferiydi.

Paskal Mahmut Gökbora

Elli yaşındaki köhne gemi harekete hazırdı. Kaptan dümenciye döndü:

"Yirmi derece sancak."

Dümenci komutu tekrarladı:

"Yirmi derece sancak."

Makine dairesine ses ileten boruya, "Çok ağır yol ileri" dedi.

Borunun öbür ucunda ikinci çarkçı Yusuf vardı. O da aldığı emri tekrarladı:

"Çok ağır yol ileri."

Pervanesi dönmeye başlayan gemi homurdanarak yerinden oynadı ve usulca hareket etti.

"Işıkları kapatın."

Bütün ışıklar kapatıldı.

"Ağır yol ileri."

"Ağır yol ileri."

Limanın hayli uzağında, açık denizde, silah taşıyan Türk gemilerini avlamak için nöbet tutan bir Yunan savaş gemisinin beklediği biliniyordu. Fark edilmemek için sigara bile içmeyeceklerdi.

"Viya böyle."

"Viya böyle."

İkinci Kaptan Üsteğmen Reşat Talayer, Güverte Teğmen Fahrettin Akyollu kaptan köşküne girdiler:

"Allah selamet versin!"

"Amin."

Gemicik gittikçe uzaklaşarak gecenin içinde eridi.[5]

CEPHE KOMUTANLIĞININ 'izinsiz ve emirsiz geri çekilenin idam edileceği' hakkındaki emri birliklere dağılmıştı.

4. Tümen'in 42. Alay Komutanı Yarbay Hüseyin Avni Bey emri alınca, birçok alay komutanı gibi o da, alayının subaylarını akşam yemeğinden sonra topladı. Emri okudu, içlerine sindirmeleri için biraz bekledi, sonra ayağa kalktı:

"Bu savaş işte böyle bir savaş olacak. Çünkü bu savaş fetih, yağma savaşı değil, vatan savaşı. Hiçbir hatayı affetmeye hakkımızın olmadığı bir savaş. Komutanlarımız izin vermedikçe öleceğiz, geri çekilmeyeceğiz. Askere örnek olacağız. Çocuklarımıza para pul, mal mülk değil, milleti için şehit ya da gazi olmuş namuslu bir askerin çocukları olmanın şerefini bırakacağız.

Beyler!

Kendinizi ve askerlerinizi bu büyük savaşa hazırlayın!"

Alayı sırf fedailerden kurulu bir birlik gibi dövüşecek, ilk şehitlerden biri de Yarbay Hüseyin Avni Bey olacaktı.

YUNAN BİRLİKLERİ genel olarak fazla çatışmaksızın ordu komutanlığınca belirtilen günlük hedeflere ulaşmış, dinlenmeye geçmişlerdi.

Bu kez de gündüz ile gece arasındaki şaşırtıcı ısı farkı, sorun oldu. Akşam serinliği gece olunca bozkır ayazına dönmüş, ince giyimli askerler titreşmeye başlamışlardı.

Yaz ortasında yüz bin battaniye nasıl bulunabilirdi?

Ekmek Eskişehir, Seyitgazi, Emirdağ fırınlarında pişirilip birliklere çuvallar içinde gönderilmekteydi. Bazı açıkgözler ısınmak için boşalmış ekmek çuvallarına sarınıp öyle yattılar. Bu buluş çabucak yayıldı. Ekmek çuvalları geri gönderilmeyecek, bu yüzden ekmek ikmali hızla aksayacaktı.[6]

Çoğu için uykusuz ve soğuk bir geceden sonra sabah saat 05.00'te Yunan yürüyüşü yeniden başladı.

Türkler daha erken uyanmışlardı. Namaz kılıp bayramlaşacaklardı.

Bugün kurban bayramının birinci günüydü.

RÜSUMAT IV, Yunan savaş gemisine yakalanmadan sabah gün ağarırken Trabzon limanına girdi. Deniz Ulaştırma Komutanlığı'ndan bir motor girişte bekliyordu, düdüğünü çalarak gemiyi selamladı. Rüsumat buharlı düdüğü ile öyle candan bir karşılık verdi ki Trabzon'da uyanmamış olanlar varsa onlar da uyandılar.

Gemi mendireğin içine girdi ve motorun işaret ettiği yerde demir bıraktı.

Mühendis Teğmen Cevat Talu ile Güverte Teğmen Kemalettin Bozkurt gemide nöbetçi kaldılar, Yüzbaşı Mahmut ve subaylar motora geçtiler. Motor Deniz Ulaştırma Komutanlığı'nın iskelesine yanaştı. Karaya çıktılar. Komutan Binbaşı Fahri bekliyordu.

Önce askerce selamlaştılar, sonra kardeşçe kucaklaşıp öpüşerek bayramlaştılar.

İKİ UÇAK uçuşa hazır, pist başında bekliyordu.

Bütün havacılar, makinistler ve yer görevlileri ayaktaydılar. Bayramlaştılar. Bayram yemeği öğleyin birlikte yenecekti. Karargâh subayı, yemekte etli pilav, ayran ve irmik helvası olduğunu açıkladı.

Cephe karargâhı da havacılara armağan olarak kahve yollamıştı. Uykusuz Abdullah Usta'nın bile yüzü güldü.

Nafiz-1'i Behçet uçuracaktı. Gözlemci Yüzbaşı Sırrı'ydı.

Yüzbaşı Fazıl, "Demiryolunun kuzeyini ve güneyini iyice tarayacaksınız.." dedi, "..süreniz iki buçuk saat."

Albatros'un pilotu Fehmi'ye döndü:

"Sen birlikte uçup keşif uçağını koruyacaksın."

"Başüstüne."

Albatros'ta pilot yerinin önünde, dört yana dönebilir, canavar gibi bir makineli tüfek vardı. Tüfeğe şerit takılmıştı.

"Haydi çocuklar, hayırlı uçuşlar."

Helalleştiler.

Motorlar ısınırken Behçet bağırdı:

"Sofrayı süslü istiyorum."

Sarışın havacı artistik bir selam çaktı:

"Emrin olur!"

Uçaklar hiç aksilik çıkarmadan havalandılar, kanatlarını sallaya sallaya bir tur atıp aşağıdakileri selamladılar ve ufukta kayboldular.

Havacılar sofraya temiz oturmak istiyorlardı. Çadırların ortasındaki meydancıkta büyük bir faaliyet başladı. Birbirleriyle şakalaşarak, atışarak, yardımlaşarak kimi tıraş oluyor, kimi başını yıkıyor, biri botunu boyuyor, bir başkası pantolonunu ütülüyor, bazıları bıyık düzeltiyor, düğme dikiyor, gömlek yıkıyor, çorap yamıyordu.

Sonra da çardağın altında öğle yemeği için Behçet'in istediği gibi süslü bir sofra hazırlayacaklardı.

Bayram anısı

BİNBAŞI FAHRİ, "Yükünüzü İnebolu'ya indireceksiniz.." dedi, "..Her zamanki gibi gece yol alın, hava aydınlanmadan önce bir limana sığınıp saklanın. Çünkü iyice azdı bunlar. Silahsız yelkenlilere bile ateş ediyor, takaları batırıyorlar. Korumasız limanlarda da çok tedbirli olun. Kıyı gözetleme postaları, limanlara düşman gemilerinin durumunu bildiriyor. Ona göre hareket edersiniz."

Yüzbaşı Paskal Mahmut, "Tamam, anladık, başüstüne, emret, dediğin gibi yaparız.." dedi, "..ama artık sadede gelelim. Öğleyin ne yiyeceğiz? Bugün bayram. Biz sıcak mısır ekmeği ile hamsi buğulamanın özlemi içinde yanıyoruz."

Başçarkçı Arif'in gözleri ışıldadı:

"Ve de..."

"Höt, ötesini söyleme, binbaşıma ayıp olur, o lafın gelişinden ne istediğimizi anlamıştır."

Fahri Bey gevrek gevrek güldü:

"Hergeleler."

Mahmut çok sıkıntı çekmişler gibi yüzünü buruşturdu:

"Batum'da her gün havyar yemekten gına geldiydi binbaşım."

Başta kendi, kahkayı bastılar.

Ölümle köşe kapmaca oynayan bu insanları ölümden ya da ölümü bunlardan uzak tutan bu neşe miydi, neydi?

HAVACILAR çardağın altında, el birliği ile portatif masaları birleştirerek uzun bir masa hazırladılar. Teneke tabakları, çatal bıçakları, sürahileri, maşrapaları yerleştirdiler. Sarışın havacı, yakındaki tarlaya uzanıp gelincik topladı. Kan kırmızı gelincikleri su dolu iki maşrapaya koyup masanın iki ucuna bıraktı.

Öf be!

Behçet sofraya bayılacaktı.

KARARGÂH BİNASI önünde motorları çalışan yirmiden fazla kapalı otomobil ve içi muhafızlarla dolu üstü tenteli kamyonlar beklemekteydi.

General Papulas, Veliaht Yorgi, kurmaylar, karargâh görevlileri binadan çıktılar. Papulas'ın yaveri saygıyla kapıyı açtı. Komutan ve

Veliaht arabaya girdiler. Yaver Yüzbaşı Stefanopulos şoför Galani'nin yanına bindi.

Arabalar ardarda hareket ettiler.

Telsiz istasyonu, ordu hastanesi, ordu bağlı birlikleri ile karargâhın ağırlıklarını taşıyan yepyeni kamyonlar, bir saat önce yola çıkmışlardı.

Komutan ve ordu karargâhı cepheye gitmek üzere Eskişehir'den ayrıldılar. Araba dizisini karargâh muhafızlarıyla dolu kamyonlar izledi.

Yol tozlu, çevre ağaçsız, hava sıcak, doğa çıplak ve haşindi. Emperyalistliğe özenmiş hırslı ve küçük bir devletin gelecekteki kralı Veliaht Yorgi heyecanlanmıştı, "Bu savaş.." dedi, "..tıpkı Avrupalı bir ordunun sömürge kurmak için yaptığı çöl savaşlarına benziyor. Ne kadar güzel. Böyle bir sefere katıldığım için çok mutluyum." [7]

MUHARİP adlı gizli örgütün yöneticileri, kimsenin bulamayacağı yerlere dağılıp gizlenmişlerdi. Yüzbaşı Seyfi Akkoç Ankara'ya alınmıştı. Grup Başkanı Binbaşı Ekrem Baydar, uzak bir akrabasının Eyüp'teki evinde saklanıyordu.

İngilizler, motor kaptanını konuşturamamış olmalıydılar. Yoksa adlarını öğrendikleri örgüt yöneticilerini tutuklamak için o gün harekete geçerlerdi. Demek ki kaptan, yakalanarak yaptığı yanlışlığı işkenceye katlanarak ödemekteydi.

Savaş başlamak üzereyken örgüt hareketsiz kalamazdı. Aranıyor olsa bile bayram canlılığı içinde dikkati çekmeyeceğine güvenerek giyinip sokağa çıktı. Şehzadebaşı'ndaki İstanbul kıraathanesine yollandı.

Kıraathanenin yaşlı garsonu örgüt yöneticilerinin posta kutusuydu. Böyle durumlarda yöneticiler bu garson aracılığıyla haberleşir, bir tehlike varsa ajanlar garsona mesaj bırakırlardı.

GÖREV SÜRESİNİN bitiminden bir saat önce, Albatros D-III göründü.

"Albatros dönüyoooor!"

Merakla toplandılar. Yalnız geliyordu. Görünürde keşif uçağı yoktu. Albatros sarhoş gibi indi. Koştular. Pilot Fehmi'nin güneş yanığı yüzü gözyaşıyla sırılsıklamdı.

Fazıl'ın kalbi sıkıştı:

"Ne oldu Fehmi, keşif nerde?"

Nafiz-1, 2.000 metre yükseklikte birden alev almış, yanarak düşmüş, Behçet ve Sırrı şehit olmuşlardı.[8]

Hepsi acıdan taş kesildiler.

SÜVARİ GRUBU bir yandan General Andreas'ın kolordusunu her fırsatta savaşmaya zorlayarak oyalayıp yormakta, bir yandan da, Yunan birlikleri ile 2. Grubun arasında durarak, grubun yürüyüşünü korumaktaydı.

Bu iki görevin aksaksız yürütülebilmesi için Süvari Grubu'nun, Cephe ve 2. Grupla sürekli bağlantı içinde olması gerekiyordu. Bu sebeple Grup Komutanı Fahrettin Bey, telsizcileri her zaman yakınında, elinin altında tutuyordu.

Grubun telsizi eski, büyük, hantal bir cihazdı. Manda arabasıyla taşınıyordu. Benzin jenaratörüyle çalışıyordu. Yüksek, zor kurulur bir anteni vardı. Fahrettin Bey Telsiz Takım Komutanı Teğmen Remzi'ye "Bu telsize çicek gibi bakacaksınız.." diye emir vermişti, "..bir dakika bile arıza yapmayacak!"

"Başüstüne."

Teğmen Remzi ile yardımcısı Teğmen Emin Orkut telsizin üzerine titriyorlardı. Telsizin hiç arıza yapmamasının ilerde ne kadar büyük bir yitime yol açacağını nasıl bilebilirdi zavallıcıklar.

BİNBAŞI EKREM İstanbul Kıraathanesi'ne girdi. Her zaman kalabalık olan kıraathanede bayram dolayısıyla bugün pek az insan vardı. En dipteki masaya oturdu. Garson Ekrem Bey'i tanırdı. Yanında askerlik yapmıştı. Biraz sonra, tanışık olduklarını belli etmeden masasına bir gazete bıraktı:

"Hayırlı bayramlar."

"Hayırlı bayramlar. Bir sade kahve."

"Peki.."

Yavaşça ekledi:

"..Mesaj yok. Yalnız Dağ adlı bey uğradı. Yarın ikindi vakti Aksaray'da olacakmış."

Aziz Hüdai idi bu.

"Teşekkür ederim."

Bir daha konuşmadılar. Kahvesini içti, yüklü bir bahşiş bırakıp çıktı.

YUNAN İKİNCİ KOLORDUSU ile Türk 2. Grubu, Sakarya'nın güneyindeki bölgede, aynı sert koşullar içinde doğuya doğru yürümekteydiler. Aralarında bir yürüyüş günü fark vardı.

Türk komutan daha deneyimli olduğu için birliklerini küçük gruplar halinde ve daha çok geceleri yürütüyordu. Buna rağmen yalnız bu gün 322 asker hastalanmıştı. Bu zahmete katlanamayıp kaçanlar da olmuştu.[9]

Yunanlıların durumu doğal olarak çok daha ağırdı. Çünkü bu bölgeyi hiç tanımadıkları için güvenlik kaygısıyla gündüzleri yürüyüp sıcaktan kavruluyor, gece yatıp soğuktan titriyorlardı.

Albay Kalinski sinir içindeydi:

"Hani bu yürüyüş askeri bir gezinti olacaktı?"

TEK KİŞİLİK avcı uçağı ile sağlıklı keşif yapılabilmesi için pilotların gözlem eğitimi almış olmaları gerekti. Bu konuda en yetişkin pilot Fazıl'dı. O uçacaktı.

Akşam keşfi için Albatros D-III hazırlandı. Bu güzel uçağa İzmir adını vermişlerdi.

Abdullah Usta, uçağa binmeden Fazıl'ı yakaladı, "Bak.." dedi, "..bütün parçaları tek tek bir daha elden geçirdim. Yine de dikkatli ol. Büyük pilot olduğunu bilirim. Ama sakın motoru zorlama, hız yapma, düşmanla dalaşma. Ayağını öpeyim. İki kurban yeter."

Fazıl gözleri dolan ustaya sarıldı:

"Merak etme, sağ döneceğim."

Motoru çalıştırdı, ısıttı, pist başını doldurmuş genç pilotlara ders verir gibi dikkatle ilerledi, elini salladı, hızlandı ve havalandı.

İki saat sonra döndü. Alkışlarla karşılandı. Raporunu telefonla Binbaşı Tevfik Bey'e yazdırdı.

HAVA KEŞİF RAPORU paşaları rahatlattı. Fazıl demiryolu kuzeyinde bir tümen, Sakarya'nın kolları arasında dört-beş, Sakarya'nın güneyinde üç tümen saptamıştı.[10] Bu durumda düşmanın ağırlık merkezi ortadaydı. Kuzeyden gelmeyeceği anlaşılıyordu. Ya merkezden saldıracaktı ya da merkezde zayıf bir kuvvet bırakıp güneye sarkacaktı.

Askerlik sanatınca doğru olan güney kanada yönelmesiydi. Ama bunun için güneye çark etmesi, Sakarya'yı aşması, yayılarak güney kanada yanaşması gerekiyordu.

Bu bir hafta demekti.

Bu amatörce plan, Türk ordusuna en çok ihtiyacı olduğu şeyi, zamanı kazandıracaktı. Bir hafta, bu kritik dönemde, büyük bir nimetti.

Hemen iki tümen güneye kaydırıldı. Ertesi gün bu kanatta inceleme yapmaya karar verdiler. Güney (sol) kanat büyük önem kazanmıştı. Savaş burada düğümlenecekti.

TÜRK ARTÇI BİRLİKLERİ Yunan birlikleriyle ya dövüşerek, ya göz temasını koruyarak geri çekiliyorlardı.

Mihalıççık'taki 1. Piyade Tümeni, geride Süvari Tümenini bırakarak, akşam Sakarya doğusuna geçti.

Güneydeki Süvari Grubu da akşam, yaklaşan düşman tümeni yüzünden, halkın gözyaşları içinde Emirdağ'ı boşalttı. Bu insanları düşmanın insafına bırakarak çıkıp gitmek subayları da askerleri de kahretmekteydi. Acı sahneyi uzatmamak için atları mahmuzlayıp kaçar gibi uzaklaştılar.

Gece de Trabzon limanındaki Rüsumat IV, İnebolu'ya gitmek için demir aldı:

"Vira bismillah."

M. KEMAL PAŞA, Fevzi, İsmet ve Kâzım Paşalar, Binbaşı Tevfik Bey, Yarbay Salih Omurtak, öğleden önce Albay Deli Halit Bey'in komutasındaki 12. Grubu ziyaret için iki arabayla grup karargâhının bulunduğu Toydemir köyüne geldiler.

Bu grup Sakarya boyunda, demiryolundan güneydeki Yıldıztepe'ye kadarki kesimde mevzilenmişti.

Albay Halit Bey ve emrindeki tümen komutanları paşaları bekliyorlardı. Komutanlar eksikliklerin az da olsa sürekli giderilmesinden çok memnundular. Asker neşeliydi. Bunu duymak paşaları sevindirdi. Kaçak sayısı da çok azalmıştı.

Başkomutan, "Şu andaki asker sayımız istediğimiz düzeyde değil.." dedi, "..ama güneye yöneleceği anlaşılan düşman bize zaman kazandırıyor. Askerlik şubelerinde, eğitim alaylarında birçok gencimiz ve askerimiz var. İşlemleri bitenler eğitim alaylarına, eğitimleri sona erenler orduya katılıyor. Millet, çocuklarını saklamadan askere yolladığı için bu akış artık durmaz, savaş boyunca devam eder. İçiniz rahat olsun." [10a]

Yeni savaş yöntemini genişçe anlattı ve bir cümleyle özetledi: "Yurdumuzu karış karış koruyacağız." [10b]

Nice savaş görmüş komutanları bile heyecan bastı. Gerçek bir ölüm-kalım savaşı olacaktı.

Toydemir'den Yıldıztepe'ye çıkıldı. Bu şirin tepeden geniş Sakarya vadisi bütün görkemi ile görünüyordu. Yıldıztepe'nin sarışın yamaçları Sakarya'ya doğru yavaşça, usulca, küçük dalgalar halinde inmekteydi. Ne güzel bir vatandı bu. Bu sarhoş edici güzellikten bir süre gözlerini alamadılar. Yazık ki birkaç gün sonra savaş burasını cehenneme döndürecekti. Bu kesimdeki bazı mevzileri gezip askerlerle bayramlaştıktan sonra, daha güneye indiler.

İnlerkatrancı Köyü'ne geldiler. Bu köyün güneybatısında, üstü düz bir tepe vardı. Sakarya'ya karışan Ilıca Deresi vadisinin bu tepeden iyi incelenebileceği anlaşılıyordu. Ilıca vadisi Türk cephesinin güney çizgisini oluşturacaktı.

Otomobilleri tepenin eteğinde bıraktılar, en yakındaki alaydan yollanan atlara binip ağır ağır tepeye çıktılar.

Alay Komutanı Başkomutan'a kendi seçkin atını ikram etmişti.

BU SIRADA Rüsumat IV küçük Ordu limanına giriyordu. Bir motor hızla yaklaştı. Gelen Liman Reisi Dursun Bey'di. Rüsumat hız kesti. Reisi gemiye aldılar. Dursun Reis iyi haber getirmemişti:

"Bir düşman gemisi Samsun'dan bu yana limanları taraya taraya yaklaşıyormuş. Cephaneyi buraya boşaltacaksınız."

Mahmut Bey zengin küfür koleksiyonundan okkalı bir örnek sundu. Ordu limanında küçük gemilerin bile yanaşabileceği bir iskele yoktu. Reis, yükün hızla boşaltılması için geminin mümkün olduğu kadar kıyıya yaklaştırılmasını istiyordu:

"Kıyı ile geminin arasına kayıkları yan yana sıralayıp bir köprü yaparız."

Aklı yatan Mahmut Kaptan kısa emirlerle gemiyi ağır ağır kıyıya yaklaştırdı.

ÇIKTIKLARI TEPEDEN, doğu-batı doğrultusunda uzanan Ilıca vadisi gerçekten iyi görünüyordu. Vadinin kuzeyi güneye egemendi. Bu durum savunmaya kolaylık ve üstünlük sağlayacaktı. Esas savunma hattının bu vadinin kuzeyinde oluşturulması, 4. Grubun Yıldız Tepe ile Ilıca vadisi arasındaki kesime kaydırılması kararlaştırıldı. 4. Grubun soluna 2. Grup gelecekti.

Doğuya doğru iyice ilerde, çevreye egemen, heybetli bir dağ vardı. Güçlü bir dürbünle çevreyi inceleyen Başkomutan sordu:

"Şu koyu renkli güzel dağın adı ne?"

"Mangal Dağı."

Dürbünü gözünden indirdi. Yere serili olan haritaya baktı, dağı buldu, işaretledi:

"Sol kanadımızı bu güzel dağa dayayalım. Düşmanın daha doğuya doğru ilerleme olasılığı belirirse, bu dağı esas savunma hattına katarız."

Öğle yemeğini Toydemir'de komutanlarla yiyeceklerdi. İsmet Paşa haritasını toplarken, bir at kişnemesi ve bir erin korku çığlığını duyup başını kaldırdı.

M. Kemal Paşa tam ata binerken, bir şeyden ürken at parlayınca, ayağı üzengiden kayıp yere düşmüş, sol böğrünü büyükçe bir taşa çarpmıştı. [11]

Fevzi Paşa uzatılan mataradan avucuna boşalttığı su ile M. Kemal Paşa'nın yüzünü yıkadı. M. Kemal Paşa gözlerini araladı, başucunda diz çökmüş İsmet Paşa'nın korku ile terleyen yüzünü görünce gülümsemeye çalıştı:

"Merak etme, önemli değil."

Zorlukla doğrulup oturdu. İsmet Paşa'ya tutunarak ayağa kalktı. Yüzünden canının yandığı belli oluyordu. Atı tutan seyise seslendi:

"Çocuk, getir onu buraya."

Beyaz, güzel, uzun bacaklı, örme yeleli bir attı bu. Yanlış bir şey yaptığının farkındaymış gibi suçlu suçlu duruyordu. Seyis atı yaklaştırdı. M. Kemal Paşa, "Gel çocuğum.." dedi, atın yüzünü okşadı, "..senin bir kusurun yok." Gözlerinin arasından öptü.

Yavaş yavaş tepeden indiler.

Sakarya savaş meydanının ana noktaları ile Sakarya savaş alanı

RÜSUMAT IV kıyıya iyice yaklaşıp sığa oturmadan demir attı. Reisten durumu öğrenen Ordulu kayıkçılar, gemiyle kıyı arasında köprü oluşturmak için çala kürek kayıklarını yan yana sıralamaya koyuldular. Bu sırada belediye münadisi sokak sokak dolaşıyor ve Orduluları yardıma çağırıyordu:

"Ey ahali! Eli ayağı tutan limana gelsin! Düşman yetişmeden cephane taşınacaaaaak!"

1. YOUNG'S CHIP SHOP
   (4 LARGE COD FILLETS
   2 pt Milk SK
   2 pt " S·SK·

   CARROTS
   PENNIR
   S·OGAN

THE TIMES

4	2	7	3	5	9	6	8	1
9	1	8	4	2	6	5	3	7
3	6	5	1	7	8	9	4	2
6	7	3	2	4	1	8	5	9
5	8	1	7	9	3	4	2	6
2	9	4	6	8	5	7	1	3
1	3	9	8	6	4	2	7	5
7	4	6	5	1	2	3	9	8
8	5	2	9	3	7	1	6	4

Her yaştan erkekler, erkek çocuklar limana koştular. Bunlara balıkçılar, askerlik şubesindeki askerler de katıldı. Sandalların üzerine gemiden kıyıya kadar uç uca kalaslar dizilip bir geliş gidiş yolu yapılmıştı. Düşman gelmeden gemiyi boşaltmak gerekiyordu. Cephaneyi ve silahları güçlükle, düşe kalka, cambazlık yaparak, askerlik şubesinin taş binasının mahzenine taşımaya başladılar.

2. GRUP öğleyin Gökpınar'a ulaşmıştı.
Burası Sakarya'ya karışan gür Gökpınar deresinin kaynağıydı. Dik kayaların dibinden buz gibi duru su fışkırıyordu. Su bol, çevre zehir yeşili çimen, kaynağın ve derenin kıyıları koyu gölge döken sık ağaçlarla doluydu.

Disiplin içinde sıralarını bekleyen birliklere soğuk kaynak gölünden kırba, tulum ve testilerle su taşınıyor, sırası gelen askerler, derede zevk çığlıkları ata ata yıkanıyor, daha ilerde de hayvanlar sulanıyordu.

Askerler beş sıska koyununu otlatan küçük çoban Musa'yı sevdiler, aralarına alıp karavanaya ortak ettiler.

Cehennem yürüyüşü bitmişti.

Cephe Komutanlığı Grubun öbür gün akşam Mangal Dağı'na ulaşmasını istiyordu. Selahattin Adil Bey, "Allaha şükür, çorak bölgeyi aştık.." dedi, "..bundan sonrası kolay. Kapağı cepheye atınca daha da rahatlarız. Düşman düşünsün."

Doğru söylüyordu.

Düşman daha günlerce Anadolu'nun sıcağıyla, tozuyla, gölgesiz ve susuz bozkırıyla boğuşacaktı.

AVAM KAMARASI Başkanı, "Mr. Walter Guiness" dedi. Olağan oturumlardan biriydi. Milletvekilleri görüşmeleri sönük bir dikkatle izlemekteydiler. Mr. Guiness ayağa kalktı:

"Beyler! Yunan ordusu yine yürüyüşe geçti. Başbakan Mr. Lloyd George'a göre en iyi siyasetin bu olduğu anlaşılıyor. Bu pek bencil, hele dünya barışının yeniden kurulması bakımından pek felaketli bir siyaset. Bu durumun üzücü sebebi, dış siyasetimizin, Dışişleri Bakanlığımız yerine, doğrudan doğruya Başbakan tarafından yürütülmesidir. Üzülerek söylemeliyim ki kendisine deney ve bilgileriyle yararlı tavsiyelerde bulunabilecek olan uzmanlar, pek seyrek olarak göreve çağrılıyorlar. Ben bu sözlerimle, Mr. Lloyd George'un danışmanları yoktur demek istemiyorum. Başbakanın önemli bir danışmanı vardır. Bu önemli danışman silah tüccarı Sir Basil Zaharof'tur.." Topluluk dalgalandı. Dikkatler uyandı. Gülümsemeler ve alkışlar duyuldu.

"..Bu önemli kişinin en önemli özelliği, Yunan çıkarlarını korumada gösterdiği azimdir. Eğer Başbakan dış siyasete yön vermeyi sürdürecekse, önce bu ülkenin insanlarının seslerine kulak vermelidir."

Lloyd George, yanında oturan Mr. Churchill'e, yüzünü buruşturarak, "Bir Türk dostu daha" diye homurdandı.

Cevap vermek için söz istedi.

OTOMOBİLLERLE çok yavaş olarak Polatlı'ya gelmişler, M. Kemal Paşa vagonuna çekilmişti. Yanında Cephe Sağlık Müdürü Dr. Murat Cankat vardı. Paşalar ve karargâhın önde gelen subayları, derin bir kaygı ve sessizlik içinde, yandaki vagonda, muayene sonuncunu bekliyorlardı.

Doktor yarım saat sonra bekleyenlerin yanına geldi. Terini sildi. Ürkmüş görünüyordu:

"Bir ya da iki kaburga kemiğinin kırıldığını sanıyorum. Biri ciğerini tahriş ediyor. Sesi kısılmaya başladı. Röntgen çekilmesi gerek."

Yalnız Ankara Hastanesi'nde röntgen vardı.

"Öyleyse Ankara'ya gitmek zorunda."

"Evet, hemen."

İsmet Paşa, yaverine, "Treni hazırlatın." dedi, topluluğa döndü, "..olayı gizli tutacağız."

Refet Paşa'ya ve Cebeci Hastanesi'ne gizlice bilgi uçuruldu.

MR. LLOYD GEORGE öfkeliydi:

"...Majestelerinin hükümeti olarak ne yapmamız bekleniyordu? Türk milliyetçilerini uzlaşmaya zorlamak için Anadolu'nun derinliklerine İngiliz askerleri mi yollayacaktık? Bu imkânsız bir şey! Tek çare var: Yunanlılarla Türkleri sonuna kadar vuruşturmak. Savaşın bir meziyeti de şudur: Taraflara, gerçeğe saygıda bulunmayı öğretir.

Öyle ümit ediyorum ki barış girişimlerimize karşı çıkan Türkler, bu kez gerçeğe saygı duymasını öğreneceklerdir."

Avam Kamarası'nın çoğunluğu, emperyalist siyasetin güçlü temsilcisi Lloyd George'u şiddetle alkışladı. Walter Guiness yanındaki milletvekiline, "Başbakan bütün siyasi sermayesini Yunan atına yatırmış görünüyor.." dedi, "..bu at kazanamazsa, iflas edecek." [12]

EKREM VE AZİZ HÜDAİ Beyler Aksaray'daki güvenli evde buluştular.

Bilgi toplama elemanlarından olumsuz bir mesaj gelmemesi İngilizlerde bir kıpırtı olmadığını gösteriyordu. Galiba tehlike atlatılmıştı.

Örgütü yeniden canlandırmaya karar verdiler. Ankara, motor yakalanmadan önce, acele 625 subay istemişti. Fazla açılmadan, şimdilik yalnız subay yollama birimini çalıştırmak akıllıca olurdu.

O gece Ankara'dan izin ve yeni şifre istediler.

CEPHANE VE SİLAHLARIN taşınması bitmek üzereydi. Kaptan, Reis ve subaylar keyif sigarası yaktıkları sırada Giresun Liman Reisliğinden gecikmiş bir telgraf geldi. Trabzon'dan alınan habere göre bir Yunan savaş gemisi, Trabzon'u bombalamış, batıya doğru hareket etmişti.

Allah kahretsin!

Tarih, saat ve mesafeleri hesapladılar. Sonuç tatsızdı. Gemi iki saat sonra Ordu'da olabilirdi.

Mahmut Kaptan yerinden hopladı, "Ulan ben bu gemiyi batırır, düşmana teslim etmem" diye kükredi. Genelkurmay'ın emri böyleydi zaten. Hiçbir gemi düşmana teslim edilmeyecekti. Ama kaptanın yüzüne inanılmaz bir karar verenlere özgü bir tuhaflık yayılmıştı.

"Ne oldu?"

"Aklıma bir delilik geldi."

"Ne?"

Reise döndü:

"Gerektiğinde gemi için kömür bulabilir miyiz?"

"Fındık kabuğundan âlâ kömür olur mu?"

"Makine yağı için..."

"Fındık yağı ne güne duruyor?"

Kaptan subaylara bağırdı:

"Yürüyün, gemiye gidiyoruz."

Mermi gibi odadan çıktılar. Gemiye geçtiler. Mürettebat cephanenin boşaltılması işine yardım etmiş, dehşetli yorulmuştu. Oraya buraya serilmiş, dinleniyorlardı.

"Toplanın!"

Herkes toplandı.

"İki düşman gemisinin arasında sıkıştık. Komutanlığın emri, bu gibi durumlarda geminin batırılıp düşmana teslim edilmemesidir. Ben diyorum ki, gemiyi öyle batıralım ki düşman çekip gidince suyunu boşaltıp tekrar yüzdürebilelim. Var mısınız?"

Mürettebat bu çözüme bayıldı. Araçlar, gereçler, haritalar, resmi ve özel eşyalar kıyıya taşındı. Gemi, makinelerinin bütün gücüyle sığlığa sürüldü. Kinistin valfı söküldü. Gemi su dolarken, reisin motoruyla gemiden ayrıldılar.

Rüsumat IV'ün gövdesi, makine dairesi, kömürlüğü, ambarları, güverte altları ağız ağıza suyla dolup battı ve kuma oturdu. İki direği, bacası ve kaptan köşkü su üstünde kalmıştı. Mahmut Kaptan, kaptan köşkünün birkaç camını kırdırdı, dışını yanık yağla kirlettirip kararttı. Ön güverte denizle bir hizadaydı. Sahte bir yangın için güvertenin burun kısmına bir teneke gaz döküp yaktılar.

Karaya çıktılar.

Kaptan, "Vay benim güzel gemiciğim.." diye dertlendi, "..her kılığa girmiş, bir denizaltı olmamıştı, onu da oldu."

REFET PAŞA, Kâzım Paşa, Müsteşar Albay Ali Hikmet Ayerdem, Salih Bozok ile Muzaffer Kılıç başhekimin odasında sonucu bekliyorlardı.

Doktorlar Başkomutan'ı, röntgeninin çekilmesi ve muayene edilmesi için alıp götürmüşlerdi.

Sol kaburgalarından birinin kırık olduğu anlaşıldı.[12a] Kırık kaburganın ucu akciğeri örseliyordu. Kaburga alçıya alınamadığı için Dr. Mim Kemal Öke, belden yukarısını kalınca bir band ile sıkıca sardı. Kırık kaburganın zamanla kaynayıp iyileşmesi beklenecekti.

Dr. Adnan Adıvar, Dr. Refik Saydam, Dr. Şemsettin Bey, Dr. Murat Cankat ayaktaydılar. Arkalarında Nesrin Hemşire duruyordu.

Mim Kemal Bey, "Paşam.." dedi saygıyla, "..yatarak, az hareket ederek dinlenmeniz gerekiyor. Aksi takdirde kaburgadaki kırık, ciğerdeki tahriş, başımıza çok iş açar. Velhasıl cepheye dönmeniz mümkün değil. Yoksa.."

Sözünü tamamlamak için yumuşak bir sözcük aradı, bulamadı: "..ölürsünüz." [13]

Öteki doktorlar başlarını sallayarak Dr. Mim Kemal Bey'i onayladılar.

Mustafa Kemal Paşa Çankaya'ya döndü.

BAZI MALTA SÜRGÜNLERİNİ kaçıracak olan Basri Bey bugün Roma'ya gelmişti. Roma'da İstanbul'u Osman Nizami Paşa, Ankara'yı Cami Baykurt temsil ediyordu. İstanbul'un İttihatçılara yardım etmesi düşünülemezdi. Ayağının tozuyla Ankara Temsilciliğine başvurdu. Ataşemiliter Albay Mümtaz Bey Basri Bey'e yardımcı olarak yanındaki subaylardan İtalyanca bilen Yüzbaşı Muhlis'i verdi. Basri Bey ve yüzbaşı, ertesi günü Sicilya'ya geçecek, yüzbaşı on gün sonra dönecekti:

"Bağlantılar yapıldı Albayım. İş tamam."

YUNAN ORDU KARARGÂHI Hamidiye köyüne gelmişti. Büyük toplantı çadırı kurulmuş, serinlik sağlamak için dört yanındaki etekleri toplanıp açılmıştı. Komutan, Veliaht, General Stratigos ve başlıca kurmaylar, uzun, portatif bir masanın çevresinde oturuyorlardı.

Albay Pallis, "Güneye çark etmek için gereken çizgiye ulaştık.." dedi, "..beş tümenimiz, yarın dinlenip hazırlık yapacaklar. Öbür gün güneye yönelecekler. En güneydeki İkinci Kolordumuz ise doğuya doğru ilerlemeye devam edecek, tümenlerin Sakarya köprülerinden güneye geçmesini koruyacak."

Stratigos yüzünü buruşturdu. Yürüyüş planının zaman yitimine yol açtığına inanıyordu. Düşüncesini söyleyecekken, Spridonos, "Ciddi bir sorunum var" diye öne atıldı.

"Ne?"

"Birlikler ekmek çuvallarımı geri göndermiyorlar."

Albay Sariyanis bu şikâyete çok içerledi:

"Buraya getirilecek sorun mu bu?"

"Haklısın ama bu yüzden her gün sekiz bin yeni çuval bulmak zorundayım. Bu ne kadar süre mümkün olabilir?" [13a]

Sariyanis elini Spridonos'u aşağılarcasına salladı:

"Her şeyi büyütüyorsun."

"Büyütüyorum ha? Ordu ekmeksiz kaldığı gün bu sözünü hatırlatacağım."

General
Papulas
kurmayları ile

DOĞUDAN VE BATIDAN gelen iki Yunan savaş gemisi, akşam inerken, Ordu limanının açığında buluştu. Aralarında ışık ve bayraklarla haberleştikten sonra, biri limana yaklaşıp durdu.

Halk ve denizciler dağılıp gizlenmiş, kayıkçılarla balıkçılar her zamanki gibi kahvelerindeki yerlerini almışlardı. Birkaç meraklı da kıyıda durmuş, yanan gemiyi seyrediyordu.

Yunan subayları dürbünle limanı ve kıyıyı taramaya başladılar.

Savaş gemisinden denize indirilen on iki çifte bir sandal ile silahlı bir müfreze limana girdi. Batan geminin çevresinde dolandılar, Rüsumat olup olmadığını denetlediler. Bir türlü yakalayamadıkları gemiyi iyi tanırlardı. Evet, yanmaya devam eden bu batık gemi oydu.

Baş taraftaki yalancı yangın, Mahmut Kaptan'ın hesabına aykırı olarak yayılmış, ön direği de sarmıştı. Kalın direk büyük bir gürültüyle yıkıldı. Ürken Yunanlılar uzaklaşıp gemilerine döndüler. Kuru sıkı bir zafer atışından sonra doğudan gelen gemi batıya, batıdan gelen de doğuya hareket etti.

Kayıklar Rüsumat'ın çevresini aldı. Kayıkçılar, balıkçılar kova kova su dökerek ciddileşen yangını söndürdüler. Devrilen direği kıyıya çektiler. Mahmut Kaptan, "Yanan gemi taklidini bu kadar iyi yapmak şart mıydı a haspa?" diye bağırıyordu.

Şükür yakalanmamışlardı.

Ah bir de sabahleyin gemiyi yüzdürebilselerdi.

Çankaya
Köşkü

PAŞASININ kaza geçirdiğini öğrenen Fikriye Hanım az kalsın bayılacaktı. Kendini zorlukla toparladı, Paşa'yı büyük bir şefkatle yukarıya, yatak odasına çıkardı.

Salih Bozok, Dr. Murat Cankat, yaver Muzaffer Kılıç alt kattaki salona geçtiler. Az sonra Abdurrahim de aşağıya indi. Gözleri dolu dolu Salih Bozok'a sokuldu. Hiç konuşmadan oturdular. Olayı duyup telaşlanan birkaç Bakan geldi. Fikriye Hanım misafirleri Paşa'nın yanına çıkardı. Az sonra hızla aşağıya indi. Dr. Murat Bey'e, gözleri korku içinde, "Bakanlara yarın cepheye döneceğini söylüyor." dedi, "..dönebilir mi?"

Dr. Murat Bey hüzünle gülümsedi:

"Bakanların maneviyatı bozulmasın diye öyle söylüyordur. Çünkü dönmesi mümkün değil. En azından iki hafta yatması gerek." [14]

2 NUMARALI koğuşta sadece iki yatak doluydu. Birinde Faruk yatıyordu, ötekinde ateşten inleyen bir yaralı. Kalan yirmi küsur yatak boş ve dağınıktı.

Faruk, küçük idare lambasının zayıf ışığında, sırt üstü, gözleri kapalı, bu akşam nöbetçi olan Nesrin'in gelmesini bekliyordu. Nöbetçi hemşirelerin koğuşları denetleme saatiydi.

Çok iyi tanıdığı zarif ayak sesleri duyuldu, yaklaştı, yaklaştı, yaklaştı, koğuşa girdi. Faruk bir çığlık bekliyordu. Beklediği oldu. Nesrin çığlığı bastı:

"Aaaaaaaaaa! Bu yaralılara ne oldu Faruk Bey? Nerede bunlar?"

Faruk oturdu:

"Galiba Beyoğlu'na çıktılar.."

Ayaklarını karyoladan yere sarkıttı:

"..Pinti felekten bir gece çalacaklar."

"Şaka yapmayın ne olur."

"Peki. Kaçtılar Nesrin Hanım."

Nesrin isyan etti:

"Neden ama?"

"Cepheye dönmek istiyorlardı. Doktorlar izin vermeyince, kaçtılar." [15]

"Hiçbiri daha iyileşmemişti ki."

"Zararı yok. Cephenin havası, karavanası insanı hastaneden daha çabuk iyi eder."

Nesrin kapıya yürüdü:

"Ben olayı nöbetçi doktora bildirmek zorundayım."

Faruk uzanıp kızın elini yakaladı:

"Hayır, durun lütfen. Dün kaçacaklardı. Bu akşam kaçmalarını ben tavsiye ettim. Çünkü sizin nöbetçi olacağınızı biliyordum, ricamı dikkate alacağınıza güveniyordum. Kaçakların istasyona ulaşıp cephe trenine binmeleri için bir yarım saate daha ihtiyaçları var. Sonra hastaneyi ayağa kaldırabilirsiniz. Şimdi lütfen şuraya oturun. Bir yarım saatçik dinlenmenizi rica ediyorum."

Nesrin'i yanındaki yatağa oturttu. Kızın küçük eli hâlâ kocaman avucunun içindeydi. Fark edince utandı:

"Ah affedersiniz."

Telaşla elini çekti.

CEPHE KURMAY KURULUNUN gece toplantısı sürüyordu. İkinci Şube Müdürü Binbaşı Tahsin Alagöz toplanan bilgileri sunmuştu. Son olarak, Afyon'dan alınan haberi verdi:

"İzmir'den Afyon'a gelen Delibaş Mehmet, çetesiyle birlikte dün Afyon'dan ayrılmış. Haberi yollayan arkadaşımız Konya'ya geçtiğini tahmin ediyor." [16]

İsmet Paşa hiç beklemedikleri bir şey yaptı, galiz bir asker küfrü savurdu, sonra da, "Bu it yine dini alet edip cahilleri azdırmaya çalışacaktır." dedi, "..Valiye acele bilgi verin. Geri hizmetteki erlerden bir birlik kurup bu Yunan uşaklarını tepelesin."

"Başüstüne."

"Ben dindar bir aileden geliyorum. Dindar bir insanım. Dinimizin üzerinde çok düşünmüşümdür. Sizler de dindarsınız. Elbet siz de dinimiz üzerinde düşünmüşsünüzdür. Size ve kendime soruyorum: İslamlık, isteyenin istediği yere çekebileceği, hainlik için de kullanılmaya elverişli, lastikli, her emele uydurulabilir bir din midir?"

Yaşlı, genç subaylar itiraz ettiler:

"Hayır!"

"Haklısınız. Ama genel duruma bir bakalım. Anadolu'daki birçok din bilgini, müftü, imam, hoca bizi destekliyor. Ama buna karşılık Osmanlı Şeyhülislamı vatanı savunanların öldürülmesinin din görevi olduğu hakkında fetva verebildi. İstanbul'da pek çok din adamı, din bilgini var. Dinin siyasete alet edilmesinin en pis örneği olan bu fetvaya hiçbiri karşı çıkmadı, hepsi susarak destek verdi. İstiklal ordusuna ve idaresine karşı düzenlenen isyanların çoğunda din silahı kullanıldı ve etkili oldu. Bazı din dernekleri bildiriler yayımlayarak halkı istiklal idaresine karşı gelmeye çağırdılar. Birtakım din adamları isyanlarda başı çektiler. İsyancılar, kuva-yı milliyecileri, subayları, askerleri, vatan savunmasını destekleyen yurtsever din bilginlerini, müftüleri din gereğidir diye öldürdüler, din gereğidir diye düşmana yardımcı oldular.[17] Bazıları hâlâ yardımcı oluyor. Mesela Tekirdağ Müftüsü, mesela Bursa Müftüsü, mesela Feraizci Hoca.[18] Edirne Müftüsü Hilmi Efendi Venizelos'un sağlığı için dua ediyor.[18a] Anzavur, 'Yunanlılar bizim dostumuzdur, padişahın emir ve rızası hilafına olarak onlara silah çekmek küfürdür, isyandır' diyor, Adliye Nazırı

Ali Rüştü Efendi gazetelere demeç verip, 'Yunan ordusunun başarısı için dua ediniz' diyor, Divitli Eşref Hoca, 'İngilizlere meydan okuyoruz, bu en büyük küfürdür' diyor.[19]

Bu nasıl iş?

Dinimiz düşmana hizmet etmeyi, hainliği, işbirlikçiliği, sefilliği, sürünmeyi, geri kalmayı, yenilmeyi, esir olmayı, şerefsizliği caiz gören bir din midir? Hiçbir din caiz görmez. İslamiyet hiç görmez.

Öyleyse bu yapılanlar, bu yaşadıklarımız ne? Nedir bu utanç verici olayların sebebi?

Bunun bir açıklaması olmak gerekir. Medreselerde milli duygudan, istiklal fikrinden, yurt sevgisinden yoksun yetiştirilmiş olmak mı, din eğitiminin yetersizliği mi, din eğitimi verenlerin cahilliği mi, din devleti olmanın etkisi mi, son yüz yıllık ezik Osmanlı ruhu mu, dine gömülüp hayatı izlememek mi, İslamlığı hiç anlamamış olmak mı, dini ortaçağ kafasıyla yorumlamak mı, yoksa başka bir şey mi?

Ne?

Hangisi?

Neden bütün Müslüman ülkeler geri, sefil, esir?

Bunun sebebini saptamak, dinin vatan ve millet aleyhine, çıkar için, ticaret için, siyaset için, karanlık emeller ve yanlış amaçlar için kullanılmasını, sömürülmesini önlemek, bunun için gerekeni yapmak zorundayız. Çünkü biz dindar bir milletiz. Din bizde her zaman etkili olacaktır. Yoksa bu acı olayları sürekli yaşayacağımızdan korkarım."

NESRİN koğuşta, kaçakların cephe trenine binmesi için gerekli zamanın dolmasını bekliyor ve alçak sesle Faruk'a bugün tanık olduğu büyük sahneyi anlatıyordu:

"Doktor Mim Kemal Bey, kırık kaburga oynayıp da ciğeri tahriş etmesin diye geniş bir bandla Paşa'nın göğsünü sıkı sıkı sardı ve cepheye dönemeyeceğini söyledi. Paşa hiç sesini çıkarmadı."

"İtiraz etmedi mi?"

"Hayır."

Faruk hemen teşhisini koydu:

"Öyleyse kafasına koymuş, o da kaçacak."

ANKARA, örgütün 'Felah' adıyla yeniden çalışmaya başlamasını uygun bulmuş ve yeni şifre vermişti.

Milli Savunma Bakanlığı, istiklal ordusu için 'sicili düzgün, sağlığı ve aile hayatı iyi subay' istiyordu. Bu nitelikteki subaylar örgüt aracılığıyla Anadolu'ya davet edilir, daveti kabul etmeyenler 'vatan haini olarak' kabul edilip bu durum dosyalarına işlenirdi. Daveti kabul eden bekârlara 25, evlilere 35-50 lira yolluk ve harçlık veriliyordu. Örgütün bu işle ilgili şubesi kolları yeniden sıvadı.

MAHMUT KAPTAN, subaylar, tayfalar, Dursun Reis, kayıkçılar, balıkçılar, liman görevlileri, meraklılar gün ışırken kalktılar.

Gemi yüzdürülecekti.

Ama nasıl?

Mahmut Kaptan sıkıntıdan kaşınıp duruyordu. Gemiyi yüzdürmek, batırmak gibi kolay değildi. Önce birinin makine dairesine dalıp kinistin valfını yerine takması gerekiyordu. Sıkıntısını öğrenen Dursun Reis kaptanın omuzuna vurdu:

"Yüzbaşım, bizim Hamdi diye bir oğlumuz var, derin su balığı gibidir. Tarif et, kinistin valfını yerine takar, hiç merak etme. Geminin suyunu da biz boşaltırız, üzülme."

Küçük Hamdi birkaç kez makine dairesini dolduran kirli, yağlı, karanlık suya daldı, ne yapması gerektiğini öğrendi. Sahiden balık gibiydi. Sonunda kinistin valfını yerine taktı.

İlk sınavı atlatmışlardı.

Belediyenin göreve çağırdığı Ordulu kadınlar, kızlar, ellerinde kovalar, bakraçlar, güğümler, taslarla sökün ettiler, kayıklara binip gemiyi kuşattılar. Türkü söyleyerek suyu boşaltmaya başladılar:

Ordu'nun dereleri
Aksa yukarı aksa
Vermem seni ellere
Ordu üstüme kalksa...

TARİHÇİ Yusuf Akçura, İstanbul'daki rahatını tepip Anadolu'ya geçen 45 yaşında bir üniversite hocasıydı. Batı Cephesi Komutanlığı'na başvurarak orduda bir görev istemiş, İsmet Paşa da bu yurtsever aydını saygıyla karşılayarak Cephe Karargâhında görevlendirmişti.

Bayram dolayısıyla Polatlı'dan Ankara'ya izinli gelen Akçura, Dr. Adnan Bey'i ve Halide Hanım'ı ziyaret etti. Bir ara dedi ki: "Refik Halit Anadolu'ya sürgün edilmeseydi, o güzel Memleket Hikâyeleri'ni yazamazdı. Anadolu'yu o sayede gördü. Osmanlı aydını yalnız İstanbul'u bilir, rahatını sever. Dünyası İstanbul'dan ibarettir. Anadolu'da yaşamayı göze alamaz. Oysa aydınlarımızın görev alma zamanı geldi. Cephede, cephe gerisinde, Anadolu'da aydınlara düşen o kadar çok iş var ki."

Akçura'nın sözleri yüzünden Halide Edip Hanım bütün gece uyuyamayacaktı.

HALİDE EDİP HANIM verdiği kararı sabah Dr. Adnan Bey'e açıkladı. Adnan Bey ancak bir saat karşı durabildi. Halide Edip Hanım'ın bir özelliği vardı: En doğru düşündüğüne, hep haklı olduğuna inanır ve aklına koyduğunu da yapardı.

M. Kemal Paşa'ya bir mektup yazıp bir aydın olarak cephede bir görev istedi.[20]

Adnan Bey Halide Hanım'ın heyecanını kırmamak için M. Kemal Paşa'nın Ankara'da olduğunu, cepheye gidemeyeceğini söylemedi.

SALİH, Muzaffer ve Muhafız Taburu Komutanı Yüzbaşı İsmail Hakkı Bey, belki Paşa'nın bir emri olur diye erkenden gelmişler, yemek salonunda oturuyorladı.

Bir ayak sesi duyuldu. Salih ayağa kalkmaya davranınca, İsmail Hakkı elini tuttu:

"Telaşlanma, Fikriye Hanım'dır."

Merdivenden Fikriye Hanım değil, M. Kemal Paşa indi. Tıraş olmuş, giyinmişti. Üçü de ayağa fırladılar. Salih ağlamaklı, "Aman Paşam.." dedi, "..niye kalktınız?"

"Böyle günde yatılır mı çocuk?"

Sesi iyice kısılmıştı:

"İsmail Hakkı, taburunu topla, yarın cepheye hareket et."

"Başüstüne."

Salih Bozok'a döndü:

"Trenlerde arkalığı öne arkaya hareket ettirilebilir koltuklar olurdu. Bana arkalığı öyle olan bir koltuk bulun. Belki demiryolu ambarında vardır. Kâzım Paşa'ya haber verin. Bir saat sonra cepheye hareket edeceğiz.[21] Albay Asım Bey'i de bulun. O da bizimle gelsin. Siz de hazırlanın."

"Ama Paşam, doktor..."

"Dediğimi yapın."

"Peki."

İki yaver ve Yüzbaşı İsmail Hakkı azap içinde çıkarlarken Fikriye Hanım Paşa'nın yanına gelip durdu, sitemle baktı. Paşa, Fikriye Hanım'a tutunarak yavaşça oturdu. Elinden çekerek Fikriye Hanım'ı da oturttu.

"Bu kazayı anneme yazma."

"Yazmam."

"Teşekkür ederim. Zavallı kadın, benden yana hep acı içinde yaşadı. Ya hapisteyim, ya sürgünde, ya savaşta. İdama mahkûm olduğumu bile duydu.."

Genç kadının elini okşadı:

"..Sen de üzülme. Allah bana yardım edecektir."

VECİHİ sevinç içindeydi. Muğla demircilerinin yardımıyla kırık kısımlar onarılmış, sihirbaz Eşref Usta da motoru çalıştırmayı başarmıştı. İtalyanlar nazlanmadan motor yağı ile uçak benzini verdiler.

Geride uçağı bezle kaplamak ve uydurma emayit ile gerip kayganlaştırmak kalmıştı.

Sonra, ver elini Ankara!

2. GRUBUN öncü koluyla 4. Grubun ileri bir karakolu İnlerkatrancı'nın güneyinde karşılaştılar.

Çok heyecan verici bir buluşma oldu bu.

Birbirlerini tanımıyorlardı. Ama vatan savaşı için ölüme birlikte yürüyeceklerini biliyorlardı. Sarılıp öpüştüler, bir söğüt ağacının altına çöktüler, sigaraları tellendirdiler. Biraz sohbet ettiler. Sigaralar bitince helalleşip ayrıldılar.

Yolu öğrenen öncü geri döndü.

2. Grup bugün dinleniyordu. Sabah arabaları ve kağnıları ile buraya kadar gelen yiğit kadınlarla vedalaşılacaktı. Onlar Akşehir'e dö-

necekler, grup yürüyüşe geçerek cephenin sol kanadında, Mangal Dağı çevresindeki yerini alacaktı.

RÜSUMAT'ın makine dairesine, ambarlarına dolan suyun büyükçe bölümü boşaltılmış ama gemi yüzmemişti. Suyun tümünü boşaltmak gerekiyordu. Eldeki imkânlarla ancak bu kadar başarılabilmişti.

Dost bir geminin Ordu'ya uğramasını beklemeye başladılar.

O gün İstanbul'daki Yunan Yüksek Komiserliği'nden gayretkeş bir görevli, bir Rum gazetesine Rüsumat No. IV adlı kaçakçı Türk gemisinin Ordu limanında batırılıp yakıldığı haberini sızdıracak, haber iki gün sonra bir Batum gazetesinde de yayımlanacaktı.

KARARGÂH TRENİ Ankara'dan sessizce hareket etti. Malıköy'de durdu. İki otomobil istasyonda bekliyordu. Başkomutanlık, Genelkurmay ve Cephe Komutanlığı karargâhları Malıköy yakınındaki Alagöz'e alınmışlardı.

Yeni karargâha hareket ettiler.

Küçük Alagöz çiftliği büyük bir ordugâh olmuştu. Her yanı subaylar, askerler, çeşit çeşit çadırlar, arabalar, atlar, telsiz antenleri, telefon ve telgraf direkleri kaplamıştı. Büyük Savaş'tan kalma birkaç da demir tekerlekli kamyon vardı. Türk ordusunun çok uzun yıllardır bu kadar canlı bir başkomutanlık karargâhı olmamıştı.

Otomobiller Türkoğlu Ali Ağa'nın iki katlı, büyükçe evinin önünde durdular. Ev Başkomutan için hazırlanmış, telefon ve telgraf bağlanmıştı. Orduda bulunan tek asetilen (karpit) lambası da, çok ışık verdiği için Başkomutan'a ayrılmıştı.

Paşalar ile Başkomutanlık Sekreterliği görevlileri evin önünde bekliyorlardı. Paşalar kucaklaştılar. Üst kata çıkıldı. Bu katta Başkomutan'ın çalışma ve yatak odası ile yemek ve yaverlik odası bulunuyordu. Demiryolu ambarında bulunan arkalığı hareketli koltuğu birlikte getirmişlerdi. Muzaffer Kılıç ile Ali Metin Çavuş koltuğu çalışma odasındaki küçük masanın yanına yerleştirdiler.

Odada birkaç iskemle, yerde küçük bir halı vardı. Neşeyle kahve içtiler. M. Kemal Paşa iyi görünmeye çalışıyordu ama kımıldadıkça acıdan yüzü terlemekteydi.

Alagöz Karargâhı

Paşaları neşelendiren bir haber verdi:

"Halide Edip Hanım cephede bir görev istiyor."

İsmet Paşa Halide Hanım'ı sayardı, bu isteğinden dolayı daha da saygı duydu. Türkiye bir savaş kahramanından daha cesur bu öncü kadınlar sayesinde, ilkel bir toplum olmaktan kurtulacaktı.

"Kaydını gönüllü er olarak yaparım. Karargâhta çalışır."

Kâzım Paşa İsmet Paşa'nın omuzuna dokundu:

"Dünyada, ünlü bir kadın yazarın er olarak görev aldığı ilk ordu karargâhı seninki olacak."

Paşa gururla baktı:

"Evet."

Sohbet iyiydi ama iş yoğundu. İsmet Paşa Albay Asım Gündüz'le birlikte karargâhına döndü.[22] Yeni Kurmay Başkanı Albay Asım Gündüz saygıyla karşılandı.

Bugün karargâhta yüzler gülüyordu. Başkomutan dönmüş, yeni asker katılımı sürmüş, onarımdan gelenlerle birlikte top sayısı 166'ya çıkmış, yeteri kadar 75 mm.lik mermi gelmişti. Mürettep Kolordu sağ kanada yetişmiş, 2. Grup sol kanada yaklaşmıştı. Halkın verdiği iki binden fazla kılıç, pala ve yatağan, ayrıca Ankara tamirhanesinde yapılmış mızraklar süvarilere dağıtılmak üzere Cephe karargâhına teslim edilmişti. Binbaşı Kemal Bey bile iyimserdi bugün. İsmet Paşa memnun gülümsedi:

"Ama biz askerliğin altın kuralına uyup en kötü, en uzak olasılığa da hazırlıklı olmalıyız."

İstihkâm Albayı Ahmet Şükrü Bey'e baktı:

"..Gerektiğinde Polatlı'dan Ankara'ya kadar demiryolu makaslarını, su pompalarını, istasyonları ve telgraf hatlarını tahrip edebilmek için şimdiden önlemini al." 23

"Emredersiniz."

Ankara'da da Milli Savunma Bakanlığı, bir yenilgi halinde Ankara'yı Yunanlılara yıkıntı olarak teslim etmek amacıyla bütün tesis ve işe yarar binaların tahribi için sessizce hazırlık yapıyordu. 24

ÖĞLEDEN SONRA Ordu'ya, Karadeniz hattında çalışan İtalyan bandıralı Remo adlı yolcu gemisi geldi. Yük indirilirken Dursun Reis ve kaptan gemiye çıktılar. Durumu anlatıp İtalyan kaptandan yardım istediler.

Kaptan Rüsumat'ın serüvenini dinleyince heyecanlandı. Bu kahramanlara yardım etmemek denizcilik ruhuna ihanet olacaktı. Geminin güçlü su boşaltma tulumbasını verdi. İş bitene kadar da bekledi.

Ama Rüsumat kuma öyle oturmuştu ki su iyice boşaltıldığı halde yüzemedi. Öyle batık olarak duruyordu.

Çare, makineleri var kuvvetiyle çalıştırıp gemiyi yerinden oynatmaktı.

Belediyenin çuval çuval yolladığı fındık kabuğu ile ocaklar doldurulup kazanlar fayrap edildi. Makineler fındık yağı ile temizlenip yağlandı. Makinelerin pirinç, çelik, demir parçaları yeni gibi olmuştu. Teğmen Cevat Talu, yüzü gözü yağ içinde, bağırdı:

"Bu fındık ne mübarek şeymiş Reis!"

"Öyledir oğul. Kabuğu bile nimettir."

Akşama doğru motorları tam yol tornistan çalıştırdılar. Limanın kıyıları, kayık ve taka iskeleleri, kahveler Ordulularla doluydu. Dualar, haykırışlar arasında gemi titredi, sallandı, zangırdadı, birden kımıldayarak kumdan kurtulup yüzdü! Binlerce sevinç çığlığı, havai fişekler gibi göğe yükseldi.

Mahmut Kaptan, "Ah yavrum.." dedi, "..yüzüyor, dalıyor, çıkıyor, bir gün de uçarsa hiç şaşmam."

Gemiye çıktı, diz çöküp güvertenin ıslak tahtalarını öptü.

Ertesi günü gemiyi elden geçirip yolculuğa hazırlayacaklardı.

CEPHE GERİSİNDE kalmış akıncıların görevi telgraf ve telefon hatlarını kesmek, demiryolunu bozmak, köprüleri atmak, pusu kurmak, baskın vermek, ikmal kollarını vurup haber toplamaktı. Bu görevleri yerine getirirken kimlerin Yunanlılara muhbirlik, casusluk, uşaklık ettiğini, kimlerin Yunan efendilerine güvenerek halka zorbalık ve zulüm yaptığını da duyup öğrenmekteydiler.

Zaman buldukça, bu işbirlikçileri ve fırsat düşkünlerini uyarıyor, namuslu olmaya çağırıyor, hainlikte ısrar edenlere cezalarını veriyorlardı.

Asker ve sivillerden kurulu 15 No.lu akıncı kolu, on kişilik bir Yunan müfrezesinin kaldığı Közlüce köyünü ve muhtarı Sefer Ağa'yı defterine almıştı.

Uygun bir zaman kollamaktaydılar.

O zaman gelmişti.

Bir gün önce yola çıkmış, gece yol almış, gündüz gizlenmişlerdi. Bu gece de durmadan yürümüşlerdi.

Şafak sökerken üçe ayrıldılar. Her grupta on kişi vardı. Sessizce ilerlediler. Sel yatağından, bahçeler arasından, çitlerin arkasından köye yaklaştılar. Köpekler havlamaya başladı. Yunanca bağırtılar duyuldu. Hızlandılar.

Birinci grup muhtarın avlusunu çeviren duvarın üzerinden içeri atladı. Hırlayarak saldıran köpeği lahzada boğup susturdular.

İkinci ve üçüncü gruplar bu sırada, üst katında askerlerin kaldığı karakolu iki yandan çevirmişlerdi. Kapıda ikisi giyimli, biri yataktan fırlamış, yarı çıplak, elleri tetikte üç asker vardı. Evden telaşlı sesler geliyordu. İki kurt köpeği havlayarak üzerlerine koştu. İkinci grup kurt köpeklerini ve kapıdakileri vurdu, ateş ederek eve yürüdü. Evin pencere kepenkleri, camları, pervazları, saçakları, doğramaları parçalanıp dağılıyor, duvarları parça parça dökülüyordu.

Üçüncü grup evin arkasına geçip otların içine uzanmış sessizce beklemekteydi. Arkadan kaçmaya yeltenen askerleri teker teker devirdiler.

Köy uyanmıştı.

Birinci grup muhtarı itekleyerek köy meydanına getirdi. Korkudan gözleri büyümüş, rengi kireç beyazı olmuştu. Başı açık, ayakları çıplaktı. Köylüler meydanın çevresini doldurdular. Muhtarın böyle cascavlak yakalanmış olmasına çoğunun çok sevindiği belli oluyordu. Akıncı kolunun komutanı Teğmen Abdullah, "Bu deyyusun ne mal olduğunu biliyoruz.." dedi, "..onca rezilliği tek başına mı yaptı bu Allahsız? Yardımcıları, avaneleri, aferincileri kimdir?"

Köylü korkuyordu daha. Kimsenin sesi çıkmadı. Teğmen üsteleyince, yaşlı bir kadın, elini uzattı:

"Aha biri şu!"

Otuz akıncının gözü o yana döndü. Kadın, orta yaşlı, kırmızı yüzlü, değirmi sakallı birini gösteriyordu. Adam akıbetini anladı, dizlerinin üstüne düştü:

"Hayır! Yalan söylüyor!"

Kavruk bir köylü ortaya atıldı:

"Sus namussuz!"

Hepsi birden konuşmaya ve kimlerin neler yaptığını ağlayarak anlatmaya başladılar. Küllenmiş acılar yeniden alevlenmişti. Köydeki hainlerin sayısı çok değildi ama anlatılanlar, akıncıların midesini bulandırdı. Birçok köyde, kasabada, çok olmasa bile, bunlar gibi satılıklar ya da gönüllü işbirlikçiler eksik değildi. Akıncılar bunlara 'Müslüman gâvuru' diyorlardı. Teğmenin, bu çürümüş insanlardan dert yandığı bir yönetici, "İyi ki bu savaş oldu da ne durumda olduğumuzu anladık, bu hastalığın farkına vardık.." demişti, "..yalnız köylerde değil ki, şehirlerde de hayli çürük var. Hele İstanbul yönetimi çürük dolu. Çürümeyi durdurup yok edecek tek çare eğitimdir. Ama şimdiki gibi yetersiz, ilkel, ezberci, kaderci, çağdışı medrese, cami eğitimi değil, sahici eğitim. Çocuklarımızı iyi insan, iyi yurttaş yapacak gerçek bir millet eğitimi. Ankara hükümeti bunu yapmazsa, bizi yine Osmanlının akıbetine mahkûm etmiş olur. Bunca acı da boşa gider."

Akıncılar hainleri biraraya toplamışlardı. Zorbalıkları, korkunçlukları, meydan okuyuşları yok olmuştu, soğuk sudan çıkmış köpek yavruları gibi titreşiyorlardı. Muhtarı ve suçları affedilmez üç kişiyi vurdular. Akıncı Yasasına uyarak, birinin kulağını kestiler. Ötekiler korkudan ruhları uçmuş gibi kımıltısız duruyorlardı. Bir daha muhbirlik etmeyeceklerine, zorbalık yapmayacaklarına yemin billah ettiler.

Teğmen köylülere, "En yakın Yunan karakoluna birini yollayın.." dedi, "..Akıncıların köyü bastığını, askerleri ve kimi köylüleri öldürdüğünü haber versin ki başınız derde girmesin. Ne yana gittiğimizi sorarlarsa, gittiğimiz yönün tersini gösterin."

Birer maşrapa süt içip köylülerin duaları ve teşekkürleriyle köyden ayrıldılar.[24a]

KUZEYDEKİ beş Yunan tümeni sabah dağların, tepelerin ardından güney Sakarya köprülerine doğru yürümeye başlamıştı.

Geride bir alayla bir tümen bıraktılar.

Alay Porsuk'un kuzeyine yerleşmişti. Sakarya kıyısına gözetleme postaları sürdü. Karşı kıyıda da Türklerin gözetleme postaları vardı. Görünmemeye çalışarak birbirlerini kolluyorlardı. Görünen ateşi yiyordu.

7. Tümen ise Porsuk'un güneyinde, Beylikköprü karşısında kalmıştı. Alayın ve tümenin esas görevi Türk ordusunun kuzey kanadını oyalayarak güneye birlik kaydırılmasını önlemekti.

Keşif kollarının raporları Cephe Komutanlığı'nın aklını karıştırdı. Çünkü yine abartarak, Porsuk'un kuzeyinde üç tümen olduğunu bildirmişlerdi.

Porsuk'un güneyindeki tümen sayısı doğru bilinebilse gerçek anlaşılırdı. Ama bilinmiyordu. Çünkü 7. Tümen ileri sürdüğü birliklerle Türklerin bu kesimde kara keşfi yapmasını ustaca engellemişti.

Türkler hava keşfi de yapamıyordu. Avcı uçağı yine arızalıydı.

Yalnız 4. Grup güneye kaydırılmıştı. Yetmezdi bu. Direnmek ve kuşatılmayı önlemek için başka tümenlerin daha kaydırılması gerekliydi. Ama sağlamcı İsmet Paşa, durum kesinleşinceye kadar, birlikleri merkezde tutmak için kaydırmayı durdurdu.

Sesi üç ev öteden duyulmaktaydı:

"Genelkurmay'a, Milli Savunma'ya, Hava Kuvvetleri'ne, her yere yazın! Sağlam bir uçak istiyorum! Tümenler de Porsuk'un güneyinde ne olup bittiğini öğrenip bildirsinler. Onlardan da açık, kesin, güvenilir bilgi istiyoruuuuuum!"

BOZGUNCULAR toz olmuşlardı. Ancak birkaçı yakalanabilmiş ve cezaları verilmişti.

Kaçakların büyükçe bölümünün köyleri Yunan işgali altındaydı. İşgal altındaki bu köylere dönenler, yakınları şehit düşmüş ya da cephede düşmanla savaşanların aşağılayan sözleri, iğrenen bakışları altında ezik ve sefil yaşamaya çalışıyorlardı. Bazıları utanıp ya akıncı kollarına katılmış, ya da köyden de kaçıp dağa çıkmış, işi eşkıyalığa vurmuştu. Bu toy eşkıyaları ya akıncılar vuruyordu, ya da Yunan askerleri.

Köyleri işgal altında olmayanlar ise, evlerine dönemiyor, şehirlere giremiyorlardı. Bozguncular gibi kaçaklara da aman verilmediğini biliyorlardı. Köprüler, kavşaklar kaçakları yakalamakla görevli müfrezelerce tutulmuştu. Kimi af dileyip yeniden orduya katıldı, kimi vatan savaşına ilgi duymayan ümmetçi medreselere sığınıp gizlendi.

Kalan kaçaklar, yarı eşkıya, yarı serseri, dağdan dağa geziyor, yiyecek bulmak için zaman zaman köylere uğruyorlardı. Yağmaya, tecavüze kalkmazlarsa köylülerden yardım görmekteydiler. Bu çevrenin dünyadan habersiz köylüleri için askerden kaçmak ayıplanacak bir şey değildi, çok uzun yıllardan beri yaşanan olağan bir olaydı. Kaçakların elebaşları, Yunan ordusunun Halifenin ordusu olduğunu, bu orduya silah çekmek istemedikleri için kaçtıklarını söyleyerek saf köylülerden aferin bile almışlardı.

Ama acımasız Yunan ordusu bu köylerden geçince iş değişti.

Tohumluklara, kışlık erzaka, sürülere el koymuşlar, köprü yapımı için gerekebilir diye evleri yıkıp dikmeleri, atkıları alıp götürmüşlerdi. Harmanlanamamış ekinleri yakmış, eğlence olsun diye minarede ezan okuyan müezzinlere ateş etmişlerdi. Subayların çoğu yağma ve tecavüze göz yummuştu.

Köylü uyandı.[24b]

9. YUNAN TÜMENİ'nin artçı birliği Gökpınar'a ulaştı.

Sıcaktan bunalmış, yüz derileri soyulmuş, dudakları yarılmış askerler, yarı çılgın ve karmakarışık bir halde, birbirlerini çiğneyerek, haykıra bağıra kaynak gölüne saldırdılar. Sırayı ve disiplini sağlamak isteyen subaylar tabancalarına el attılar.

İkinci Kolordu ile 9. Tümen'in karargâhları az önce Gökpınar'a gelmişlerdi. Yeni yerleşiyorlardı. General Andreas ile Albay Kalinski henüz karşılaşmamışlardı. Askerlerin suya saldırışını gören General Andreas, emir subayına öfkeyle, "Albay Kalinkski'yi bulun!" dedi.

Albay Kalinski'yi askeri düzene sokmak için çırpınırken buldular. Geldi.

"Bu ne, ordu mu, sürü mü?"

Kalinski'nin ne şıklığı kalmıştı, ne yakışıklılığı, ne de iyimserliği: "Ne deseniz haklısınız. Sıcak, toz, susuzluk tümenimi bu hale getirdi. Suyu gören askeri tutamıyoruz. Düzeni ancak şiddetle koruyabiliyoruz. Orduyu bu maceraya sürükleyenlere lanet olsun!" [25]

Küçük Musa Albay Kalinski'den daha dertli ve öfkeliydi. Pis askerler beş koyununu da elinden almışlardı. Bir bunları düşündü, bir evvelki günkü düzen içindeki Türk birliğini. "Bunlar harami.." diye geçirdi içinden, "..bizim ordu bunları iyice döver. İnşallah."

Kaynak kıyısından, dere boyundan silah sesleri yansımaya başladı.

GÜNEYE çark edip geçiş için köprülere yaklaşmakta olan beş Yunan tümeninden biri de Panayot'un 3. Tümeniydi.

Su, ekmek ve erzak taşıyan ağır kamyonlar Acıkır'da dingillerine kadar toza battıkları ve işlemedikleri için aç kalmışlar ve iki gün de bataklık suyu içmişlerdi. [25a]

Birdenbire ortaya çıkıp çılgınca saldıran demir boyunduruklu çoban köpeklerini vura vura ilerliyorlardı. Birileri yanından geçtikleri bazı köyleri yakıyorlardı. Duyduğu yakarılar ve çığlıklar Panayot'u sarsıyor, böyle anlarda eve dönmek istiyordu. Ama savaş bitmeden eve nasıl dönebilirdi? Çavuş diyordu ki:

"Ne kadar çok Türk öldürürsek savaş o kadar çabuk biter!"

Bir tek Türk öldürmemişti daha. Arkadaşı Pandelli, "Hiç olmazsa bir Türk öldürmelisin" dedi. O bir Türk öldürmüştü.

YATAK ODASINA portatif bir asker yatağı konmuştu. Ama Paşa geceyi çalışma odasındaki arkalığı yatırılan koltukta geçirdi. Zaten az uyurdu. Burada daha da az uyur olmuştu. Herkes yatmaya gidince ya düşünüyor, ya kitap okuyordu. Gelirken İslam tarihiyle ilgili birkaç önemli kitap almıştı yanına.

Uyanır uyanmaz Ali Çavuş kahvesini verdi. Karargâh berberi bekliyordu. Tıraş oldu. Gecelik entarisini çıkarıp giyindi. Arkalığı yatıkça koltuğa yarı uzanmış durumda oturdu, böylece doktorların tavsiyesine az da olsa uymuş oldu.

Albay Asım Bey telefon etti, Merkez Ordusu'nun yolladığı 16. Tümen'in iki alayı yola çıkmıştı: 2.250 subay ve er.[26]

Alaylar savaşa yetişebilirse savaşçı sayısı 58.750 olacak, altmış bine yaklaşılacaktı.

Doktor sigara içmesini yasak etmişti ama dayanamadı, bir sigara yaktı.

HİNDİSTAN İŞLERİ BAKANI Mr. Montagu da sıkıntıyla sigaraya sarıldı. Müsteşar Yardımcısı, Hindistan'dan alınan bilgileri özetliyordu:

"...Korktuklarımız oluyor efendim. Yunanlıların yürüyüşe geçmesi Hindistan'da karışıklıklara yol açmış. Genel Vali bazı yerli liderleri tutuklamaya karar verdiğini yazıyor."

"Ama bu sert tavır işleri daha da güçleştirecek."

"Liderler bağımsızlıktan söz etmeye başlamışlar. Gandhi ve Muhammet Ali Cinnah da, Anadolu'ya yardım kampanyası açmışlar." [27]

Mr. Montagu bilgece baktı:

"İtiraf edelim ki çok bencilce ve saldırgan bir siyasetimiz var. Bu siyasette ısrar edersek, Türklerin Asya'ya dönmesi yerine, galiba biz Adamıza çekilmek zorunda kalacağız."

"Hükümeti bir daha uyaramaz mıyız?"

"Bir yararı yok. Başbakan Türklerin ezilmesini hayati bir zorunluk sayıyor. Bu siyasetin bize neler kaybettirdiğini görmüyor. Aşkın gözü kördür derler. Çok doğruymuş. Yunan aşkı Mr. Lloyd George'u kör etti."

ALBATROS D-III'ü güçlükle pist başına getirebildiler. Bu mevsimde az rastlanılan sert bir rüzgâr vardı. Fazıl başlığını ve rüzgâr gözlüklerini taktı. Yerine geçti. Motoru çalıştırdı. İki parmağını başına götürüp izleyenlere selam verdi, gaza yüklenip uçağı yürüttü, daha da şiddetlenen rüzgâra rağmen büyük bir ustalıkla havalandırdı.

Çeyrek saat geçmeden yağmur başladı.

Paça suyuyla gerdirilen kanat bezleri ıslanınca gevşiyordu. Fazıl son uçağı korumak için görevi yapmadan geri döndü.

İSMET PAŞA ile Albay Asım Bey, harita başındaydılar.

İsmet Paşa "Biz ikmal sistemimizi güçlendirirken, Yunan ordusu her gün ikmal merkezlerinden uzaklaşıyor." dedi, "..ikmal yolları her gün biraz daha uzuyor. Böyle büyük bir deney yaşamadıkları için bunun tehlikelerini bilmiyorlar. Bu acemi orduya bu tehlikeyi hatırlatmanın zamanı geldi. Sakarya'nın güneyinden yürüyen düşman kolordusunun Emirdağ üzerinden ikmal edildiği anlaşılıyor. Hatırlatmaya buradan başlayalım. Afyon'un doğusunda Mürettep Tümen adını taşıyan karma bir tümenimiz var. Bu tümen Emirdağ'a baskın vererek bu ikmal merkezini körletsin. Sonra da..."

Tevfik Bey üzüntüyle içeri girip İsmet Paşa'nın sözünü keserek uğursuz haberi verdi: Yine keşif yapılamamıştı. Paşa'nın yüzünün pençe pençe morarmaya başladığını görünce, odadan kaçtı.

MİLLİ SAVUNMA BAKANLIĞI, savaşın yaklaşması üzerine, cephe gerisindeki bazı illerde, büyük hastaneler kurulmasını istedi.

Bu illerden biri de Çankırı'ydı. Bin yataklı hastane kurması isteniyordu.

Mutasarrıf, Belediye Başkanına, "Ne diyorsun.." diye sordu, "..başarabilir miyiz?"

Belediye Başkanı Cemal Efendi, kır sakallı, gösterişsiz biriydi, "Beyim.." dedi, "..devletimiz bizden gazilerimiz için bin yataklı bir hastane istiyorsa, başaramamak olmaz. Allah'ın ve halkın yardımıyla az zamanda kurarız. Ama bin tane karyola bulamayız. Hastanemiz yer yataklı olur. Belediye bina fukarasıdır. Siz bize yer verin, yeter."

İZMİT'ten yola çıkarılan yüz bin Alman fişeği ile yaşlı başçavuşun pek beğendiği askeri oyuncaklar, Göynük-Nallıhan-Ayaş üzerinden büyük zorlukla Ankara'ya ulaşmıştı.

Ankara oyuncakları bekletmeden Malıköy'e yolladı.

İkmalciler, evrensel 'bal tutan parmak yalar' yasasına uyarak, birkaç çay ocağı ile el fenerini, birkaç potinle botu kendilerine ayırdılar. Kalanları, Cephenin hazırladığı plana göre grup komutanlıklarına ve tümenlere dağıtmaya başladılar.

Başçavuş haklıydı. Oyuncakları alan komutanlar sahiden bayram edecek, en çok da işaret ve aydınlatma fişek ve tabancalarına sevineceklerdi.

DÜŞMANIN yolu uzatarak Türklere kazandırdığı zaman çok işe yaramıştı. İlk gelen askerlerin eğitimleri pekiştirildi. Eskiler gibi ustalaştılar.

Sonra gelen askerler çaylaktı. Önce, bitlenmeye karşı önlem olarak bunların da saçları sıfır numara kırkıldı. Sonra da bu çaylakları hızla eğitmek için teğmenler ve çavuşlar kolları sıvadılar.

Bütün askerlere çorap ve çamaşır dağıtıldı.

ÇANKIRI, İnebolu-Ankara yolunun önemli konaklarından biriydi. Bu yoksul yerden her gün birçok kişi geçiyordu. Yeni şeyler söyleyen bu insanlar yüzlerce yıldır donup kalmış olan zamanı yerinden oynatmış, zaman yeniden akmaya başlamıştı. Bu canlılık Çankırı'yı Milli Mücadele'yi en iyi anlayan illerden biri yapmıştı.

Belediye Başkanı hemşerilerine güveniyordu. Sağlık Müdürüne bin yataklı bir hastane için gereken eşyanın listesini yaptırdı: Bin şilte, iki bin çarşaf, bin yastık, iki bin yastık yüzü, bin battaniye vb... Sağlık müdürü her sayıdan sonra başkana belli etmemeye çalışarak, ümitsizce bir 'of' çekiyordu.

Başkan birim amirlerini, Müdafaa-yı Hukuk ve Kızılay başkanlarını, öğretmenleri, esnaf ve eşraf temsilcilerini, askerde olmayan başağaları,[27a] muhtarları, mahalle imamlarını çağırdı. Çankırı küçük bir şehircikti. Hepsi yarım saat içinde geldiler. Durumu anlattı.

Hepsi şehre dağılıp halkı bilgilendirip yardıma çağıracak, imkânı olan her aile, payına düşen ne ise, şilte ya da bardak, gösterilen ambara götürüp teslim edecek, bin yataklı Çankırı Hastanesi bir hafta sonra, tıbbi aygıtlar ve doktorlar dışında, hizmete hazır olacaktı.[28]

Bu hız ve dayanışma mutasarrıfı o kadar şaşırtacaktı ki uzun zaman ağzını kapatamayacaktı.

SUBAYLAR VE TAYFALAR erkenden işbaşı etmiş, bütün gün durmaksızın çalışarak tüm araçları, aygıtları, düzenekleri elden geçirmiş, kaptan köşkünü kullanılır duruma getirmişlerdi.

Yola çıkmak için havanın kararmasını bekliyorlardı.

Güneş batmış, karanlık bastırmıştı.

Makineler çalıştırıldı. Kumanya ve sigara getirmiş olan reisle vedalaştılar. Reis ağlayarak ayrıldı. Işıklar söndürüldü. Rüsumat sesi daha da açılmış olan düdüğü ile Orduluları selamladı. Kıyıda bu ânı bekleyen Ordulular da karşılık verdiler:

"Yolunuz açık olsunnnnn! Allaha emanet olunnnn!"

Gazi gemi ağır yolla Karadeniz'e çıktı.

Trabzon'a uğrayıp ertesi gün onarım görmek için Batum'a gidecekti.

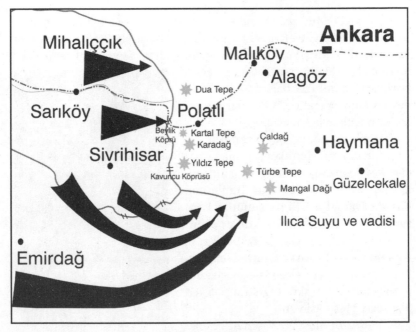

Yunan Tümenlerinin Sakarya Güneyine yaklaşımı

İLK YUNAN TÜMENİ 19 Ağustos 1921 sabahı, sağlamlaştırılmış bir köprüden güneye geçmeye başladı.

Saat 06.00'ydı.

Hava kapalı, sıkıntılı ve çok rüzgârlıydı. Serseri rüzgâr dolana dolana esiyor, burgaçlar yapıyor, toz yığınlarını uçuruyordu. Rüzgâr dolayısıyla yine uçak keşfi yapılamamıştı. 7. Yunan Tümeni ileri sürdüğü birliklerle kara keşfine de engel olmuş, Türkleri gözsüz ve kulaksız bırakmıştı. Kısacası geçişin anlaşılması olasılığı yoktu.

Yunan ordusu Sakarya'nın güneyine geçip de Türk cephesine doğru ilerlemeye başladığı zaman, durum fark edilecekti ama Türkler önlem almakta çok geç kalmış olacaklardı. Güney kanadını güçlendirene kadar taarruz başlamış, belki de cephe yarılmış olurdu.

TÜRKİYE heyecan içinde Yunan ordusunun Ankara'ya yürüyüşünü izliyordu. Gazeteler bu uğursuz yürüyüşüyle ilgili haberler ve yazılarla doluydu. Yunan ordusu galip gelirse, Sevr Antlaşması'nın öngördüğü düzen yürürlüğe girecek, böylece Anadolu'da bağımsız bir Türk devleti kalmayacaktı.[28a] Bu olasılığı bilenlerin içi kan ağlıyordu.

İşgal altındaki bazı yerlerde ve İstanbul'da, bu tehlikeyi umursamayan, keyfi yerinde, milletin acısını paylaşmayan Türkler de vardı. Bunlardan biri de Damat Feritçi ve İngilizci yazar Refik Halit Karay'dı. Yunan ordusu arkasında kanlı ayak izleri bırakarak Ankara'ya yol alırken, milliyetçilerle alttan alta alay eden, neşeli yazılar yazıyordu. Bugünkü yazısının başlığı 'Patlıcan Meselesi'ydi:

"Patlıcan meselesi deyip de geçmeyiniz. Göreceksiniz ki başlığı dolu, lakin

Refik Halit Karay

içi kof birçok yüksek meselelerden, bu mesele daha ehemmiyetli, daha ciddi ve daha hayatidir." [28b]

O AKŞAM Refik Halit Karay, Boğaziçi'ni seyrederek, lakerda, midye tava, karides ve marul göbeği ile rakısını içerken, 61. Tümen'in 174. Alay Komutanı ve yakın taburların komutanları da birarada yemek yemekteydiler. Bu akşamki yemek bulgur pilavı ve yoğurttu. Allah'a hamdettiler.

Alay Komutanı Binbaşı Şevki Savaşçı, "Bir gün birikmiş aylıklarımızı alırsak.." dedi, "..para toplayalım ve orduya bir uçak alıp armağan edelim. Var mısınız?"

Subaylar "Varız" dediler.[28c]

MUDANYA'da İşgal Komutanlığına bağlı Yunan askerleri kahvelere girerek oturanları uyardılar:

"Bugün cuma, dininize saygı gösterin, hayde vre herkes camiye!"

Böylece dinine dokunulmamasından başka bir şey istemeyen, düşünmeyen yobazların gönlünü kazanıyorlardı. Namaza daha vakit vardı ama işgalci askerlerle itişmemek için halk kalktı, camiye yollandı.

Mudanya Bidayet Mahkemesi sorgu yargıcı Abdullah Galip Tokça, dini bütün bir Müslümandı. Çok önemli bir engel yoksa cuma namazını kaçırmazdı. Aptesini aldı. İçinden, millete sabır vermesi, memleketi esenliğe çıkarması, orduya zafer nasip etmesi için Allah'a dua ede ede camiye geldi. Ortalarda bir yer bulup oturdu. Kimsenin neşesi yoktu. Her gün köylerden Yunanlıların yaptığı rezilliklerle ilgili haberler geliyordu. Birtakım vurdumduymazlar dışında halk azap içindeydi. Cami hocası vaazının başında şöyle dedi:

"Ey Müslümanlar! Neden mağlup olduk? Neden şehirlerimiz işgal edildi? İyi düşününüz. Çünkü Allah'a kulluk görevimizi ihmal etmeye başlamıştık. Bu işgalciler, hiç şüphe yok ki, dini görevlerini ihmal edenleri, dinsizleri terbiye için Cenab-ı Hak tarafından yollandı. Camilerimiz, mescitlerimiz şimdi bu işgalciler sayesinde doluyor. Bu nimetin kadrini bilelim." [28d]

Abdullah Galip Bey'in midesi bulandı. Toparlanıp camiden çıktı. "Keşke kalkıp itiraz etseydim, böyle düşünmenin Müslümanlığa uymadığını, Allah'a saygısızlık olduğunu söyleseydim" diye pişman oldu ama artık çıkmıştı.

Üzüntü içinde işine döndü.

Din konusundaki cahilliğin ne kadar tehlikeli olduğunu sürekli görmekteydiler. Dinde cahillik ile ihanet arasında usturanın ağzı kadar incecik bir aralık vardı.

MÜRETTEP TÜMEN cephe emrini öğleden sonra aldı.

Tümenin komutanı Yarbay Zeki Soydemir atak, bilgili, kararlı bir komutandı. Kurmay Başkanı Yüzbaşı Yümnü Üresin de komutanı gibiydi. Tümen her an savaşa hazır bir cephe birliği olduğu için hazırlanması vakit almazdı. İki süvari alayı ile hemen o gece yola çıkmaya karar verdiler. [29]

Dikkati çekmeden bütün gece ilerleyecek ve sabah Emirdağ yakınında olacaklardı.

BU SIRADA Rüsumat IV, Batum limanının mendireğinden içeri girmekteydi. Mahmut Kaptan ve mürettebat avaz avaz şarkı söylüyorlardı:

Çırpınırdı Karadeniz
Bakıp Türkün bayrağına
Ah ölmeden bir görseydim
Düşer idim ayağına...

Düdüğünü öttürerek limanı ve limandaki gemileri selamladı, irtibat bürosundaki Türklere de geldiğini bildirmiş oldu.

Rüsumat'ı ilk fark eden, bakım için burada bekleyen Remo gemisinin tayfaları oldu. Rüsumat'ın serüvenini biliyorlardı. Batum gazetesinde çıkan battığı hakkındaki habere kahkahalarla gülmüş, herkese Yunanlılara oynanan oyunu anlatmışlardı. Remo uzun uzun düdük çalarak karabatak Rüsumat'ı selamladı. Batum limanında bulunan Preveze ve Aydınreis adlı Türk gambotlarıyla birlikte, olayı duymuş olan yabancı gemiler de selamlamaya katılarak neşeli düdükleri, rengârenk bayraklarıyla bu karşılamayı bir zafer şenliğine çevirdiler.

Rüsümat'ın aralarından geçtiği gemilerin denizcileri, güvertelere çıkarak bu küçük gemiye ve yiğit mürettebatına selam durdular.

Rüsumat demir attı.

Onarıldıktan sonra silah ve cephane yüklenip onuncu seferini yapmak üzere yakında yine yola çıkacaktı.[30]

YUNAN TÜMENLERİNİN güneye geçişi sürüyordu. Bir tümen yedi saatte geçmekteydi. Yunanlılar her şey düzeninde gidiyor sanırlarken, Türk keşif kolları bugün ciddi keşifler yaptılar ve güneye geçişi saptadılar.

Durum kesinleşmişti: Düşman güneyden geliyordu.

M. Kemal Paşa güldü:

"Bunu sonuna kadar saklamak mümkünmüş gibi öyle uzun bir yol yürüdüler ki en dar zamanımızda bize günler kazandırdılar."

İsmet Paşa, yanlış keşifler yüzünden gecikmiş olarak 3. Gruba güney kanada hareket etmesini emretti.

Gruplar batıdan doğuya doğru şöyle sıralanacaklardı: 4. Grup, 3. Grup, 2. Grup. Mangal Dağı'nı 2. Grup savunacaktı.

1. Grup da ordu ihtiyatı olarak Haymana'ya hareket ettirildi.

Başkomutan, Fevzi Paşa'dan güney kesimine inmesini, birlikleri denetlemesini ve savunma düzenini gözetmesini rica etmişti. Fevzi Paşa emir subayını ve Yarbay Salih Omurtak'ı yanına alarak Haymana'ya hareket etti.

MÜRETTEP TÜMEN sabah Emirdağ'ın batısındaki tepelere yaklaşıp gizlenmişti. Durumu anlaması için köylü kıyafetiyle şehre yollanan küçük keşif birliği çabuk döndü. Birliğin komutanı teğmen raporunu sözlü olarak verdi:

"Fırınlara el koymuş, kasabaya pek çok yiyecek yığmışlar. Prens'in kolordusu Emirdağ'dan besleniyormuş. Burada dinlenen bir büyük birlik, bu sabah doğuya hareket etmiş.[30a] Geride kalan kuvveti, iki piyade taburu, bir süvari bölüğü diye tahmin ettik. Ciddi bir güvenlik önlemi yok."

Yüzbaşı Yümnü güldü:

"Demek bunlar bir baskına uğrayacaklarına hiç olasılık vermiyorlar."

Komutan kararını açıkladı:

"Top kullanırsak şehre zarar veririz. Top yok. Bir saat sonra, iki yandan birden şehre gireceğiz. Şehir düşmandan temizlenecek, fırınlar yıkılacak, yiyecek stokları imha edilecek."

Gerekli emirler verildi. Bir saat sonra süvariler iki yandan şehre daldılar. Sevinç çığlıkları yükseldi:

"Kemal'in askerleri!.."

Deli Battal sevinçten çıldırmıştı, çıplak ayak bir bölüğün önüne düşmüş, bağıra bağıra koşuyordu:

"Asker ağalar! Düşman şu yanda! Peşimden gelinnnnn..."

Yunanlılar panik içinde silah başı yaptılar. Bir Yunan subayı tabancayla Deli Battal'ı vurdu, aynı anda da bir kılıç darbesiyle yüzü ikiye bölündü. Süvariler Yunan karargâh ve ordugâhlarını bastılar, yakaladıklarını kılıçtan geçirdiler, çiğnediler, mızrakladılar, kurşunladılar. Sağ kalanlar, geride beşi subay, yüzden fazla ölü, bir o kadar da yaralı bırakarak şehirden kaçtılar. Emirdağlılar fırınları ve yiyecek yığılan yerleri gösterdiler. Fırınlar yıkıldı. Yiyecekler halka dağıtıldı, kalanlar dışarı çıkarılıp yakıldı.

Yaşlı bir kadın bir teğmeni elinden tutup büyükçe bir ambara götürdü. Yunanlılar ambara pek çok kuru yiyecek doldurmuştu. Teğmen ofladı:

"Bu kadar yiyeceği dışarı taşıyıp imha etmek için günler ister."

Yaşlı kadın, "Gam çekme oğul." dedi gülümseyerek, "..dök gazı, yak. Bu bina benim. Varsın yansın."

Yaktılar.

YUNAN ORDU KARARGÂHI Gökpınar'ın çok yakınındaki Renköylü'ne yerleşmişti.

Rüzgâr insanın yüzüne cehennem üfürüğü gibi çarpıyordu. Büyük toplantı çadırının altında terleyip durmaktaydılar. Güneye geçişin hâlâ sürüyor olması General Stratigos'u çok sinirlendirdi:

"Baskın verme hülyasıyla yürüyüşü çok uzattık ve orduyu gereksiz yere yorduk."

Pallis ve Sariyanis öfkeyle baktılar. Sariyanis, "Boşuna ve gereksiz değil." dedi kaba bir tavırla, "..stratejik bir baskın bu. Yürüyüş planımız sayesinde Türkler hangi kanada taarruz edeceğimizi hâlâ keşfedemediler. İşte hava fotoğrafları.."

Rüzgâr dolayısıyla iki gündür hava keşfi yapılamıyordu. Üç gün önce çekilmiş iki hava fotoğrafını masaya bıraktı.

"..Bakınız, cephesi hâlâ batıya dönük. Oysa biz güneyden, boş böğründen vuracağız."

Birden Yarbay Spridonos'un feryadı duyuldu. Yüzü kıpkırmızı geldi:

"Bir Türk birliği Emirdağ'ı basmış! Fırınları yıkmış! Bütün yiyecek stoklarımı yakmış!"

Hepsi ayağa fırladılar. Spridonos ağlamaklıydı:

"İkinci Kolordu'yu nasıl besleyeceğim?" [31]

Papulas çok kızmıştı:

"Güvenlik önlemi almamış mı bu aptallar? Emirdağ'dan ayrılan birlik derhal geri dönsün. Bu melun birliği yok etsin!"

Birlik geri dönecek, Afyon'daki Trikupis'in 4. Tümeni de ileri çıkarak yolunu kesmeye çalışacaktı. Ama bu 'melun birlik' sarp Emir Dağlarını durmaksızın yürüyerek çemberden sıyrıldı. Yunan ordusunun başına iş açmayı sürdürecekti.

ÖĞLEDEN SONRA General Harington'u şaşırtan bir şey oldu. Black Jumbo'dan ilk haber geldi.

Türk ordusu hakkında ayrıntılı bilgi veriyordu. [32]

Black Jumbo'nun bu bilgileri elde edebilmesi inanılmaz bir olaydı, bu bilgileri İstanbul'a yollamak için gerekli teknik düzeneği kurabilmiş olması daha da inanılmaz bir olaydı.[33] En inanılmaz olay ise Türklerin yenilgiden bu yana geçen kısacık süre içinde, Sakarya'nın doğusunda 20'den fazla tümen toplamayı başarmış olmalarıydı. İsmet Paşa'nın sakin ve sade emri, Türk ordusunun çok kararlı olduğunu belli ediyordu.

Harington, General Marden'e, "Hayret." dedi, "..sessiz sedasız, yeniden bir ordu kurmuşlar. Ankara'nınki yılgınlık değil, fırtına öncesi sessizliğiymiş. Doğrusunu söyleyeyim, bir enkaza doğru yürüdüğünü sanan Yunanlıları uyarmak, hiç içimden gelmiyor." [34]

Black Jumbo savaş boyunca elde ettiği açık, gizli bilgileri İstanbul'a yollamayı sürdürecekti.

HALİDE EDİP HANIM kendisini geçirmeye gelen bazı bakanlara, Y. Kadri ve R. Eşref'e veda ederek cephe trenine bindi.

Cephe için diktirdiği giysiyi giymişti: Lacivert baş örtüsü, aynı renk uzun ceket, bol pantolon, yumuşak çizme. Cepheye giden bir yüzbaşı bavulunu rafa yerleştirdi.

Her istasyonda trene yeni askerler doluşuyor, toprak rengi kadınlar ağlaşarak bir zaman trenle birlikte koşuyorlardı. Malıköy'e vardıklarında ay çıkmıştı. İstasyonda derin bir sessizlik içinde dağıtım bekleyen birçok yeni asker vardı. İsmet Paşa yaverini ve otomobilini yollamıştı.

Otomobil Batı Cephesi Karargâhı önünde durdu. Halide Hanım'ı Tevfik Bıyıklıoğlu karşıladı. Karargâhın alt katındaki toprak zeminli iki odada subaylar çalışıyordu. Yukarı kattaki iki odadan birine götürdü. Odada büyükçe bir masa ile üstü asker battaniyesi ile örtülü portatif bir yatak vardı. Burası Batı Cephesi Komutanı İsmet Paşa'nın makam ve yatak odasıydı. Öbür oda Cephe Kurmay Başkanı'nındı.

İsmet Paşa elini sıktı, oturması için bir tahta iskemle gösterdi ama Halide Hanım komutanına saygı gösterip oturmadı.

"Artık ordumda bir ersiniz. Sizi Birinci Şubeye atadım. Küçük bir eviniz, bir de hizmet eriniz olacak."

Halide Hanım teşekkür etti.

"Başkomutan'ı ziyaret ettiniz mi?"

"Hayır Paşam. Şimdi geldim."

"Hemen gidin. Sizi bekliyor."

Yüzbaşı Hasan Atakan Halide Hanım'ı M. Kemal Paşa'nın karargâhına götürdü. Halide Hanım bu sahneyi anılarında şöyle anlatacaktı:

"M. Kemal Paşa oturduğu koltuktan güçlükle kalkmaya çalıştı. Çünkü kaburga kemikleri hâlâ ağrılar içindeydi... M. Kemal Paşa'ya doğru, kalbimde gerçek bir saygı ile gittim. O kendi halindeki odada bütün gençliğin bir millet yaşasın diye ölmeyi göze alan kararını temsil ediyordu. Ne saray, ne şöhret, ne herhangi bir kudret, onun bu odadaki büyüklüğüne yaklaşamaz.

Gittim, elini öptüm." [34a]

Bundan böyle akşam yemeklerini, İsmet Paşa, Kâzım Paşa, Albay Arif Bey ile birlikte Başkomutan'ın sofrasında yiyecek, bu müthiş savaşın kulisinde yaşayacaktı.

GÜNEYE KAYDIRILAN birlikleri ve yeni hazırlanan savunma mevzilerini denetleyen Fevzi Paşa, 2. Grup Komutanı Selahattin Adil Bey'e Mangal Dağı'nın çok iyi berkitilmesini emretmişti. Yunanlıların cepheyi yarmak için önce Mangal Dağı'nı, sonra da Türbe Tepe'yi basamak olarak kullanacaklarını tahmin ediyordu.

Dağın savunmasına sadece bir alay ayrıldığını öğrenince şaşırdı. Selahattin Adil Bey, kuşatmayı önlemeyi daha önemsemiş, elindeki az kuvveti geride, topluca bulundurmayı tercih etmişti.

Fevzi Paşa pek az yaptığı bir şeyi yaparak Kolordu Komutanına bağırmaya başladı:

"Olmaaaz! Bütün çevreye egemen koca bir dağ, sadece bir alayla korunabilir mi? Düşman önce burayı ele geçirmek isteyecektir. Burayı ele geçirirse mevzilerimizi korumak çok güçleşir. Savunmamız tehlikeye girer. Beşinci Tümen bütün alaylarıyla dağı işgal edecek, hemen berkitmeye başlayacak.."

Daha da bağırdı:

"..Hemen!"

İSTANBUL'dan yeni gelen ve ilk kez cepheye katılan Dr. Teğmen Rauf Gürün, yeni yerleşilen kesimde bir sargı (ilk tedavi) yeri açması gerektiğini biliyordu ama nerede açmasının uygun olacağı hakkında hiç bilgisi yoktu. Sıhhiye çavuşuna sordu:

"Doktor bey, sargı yeri en güvenli yerde olmalı. En güvenli yer ağır makineli tüfekleri taşıyan katırların bağlandığı yerdir. Bu katırlar çok değerlidir. Makineciler bu yüzden en kuytu, en güvenli yeri keşfederler. Ama sen bilirsin."

Doktor, sargı yerini katırların bulunduğu yerde açtı.

RÜZGÂR hafiflemişti. Akşam bir hava keşfi yapıldı. Gözlemcinin verdiği rapor Yunan karargâhını fena halde sarstı: Rüzgârdan dolayı hava keşfi yapılamayan son iki gün içinde Türk ordusu sol kanadını Ilıca vadisi boyunca doğuya, Mangal Dağı'na kadar uzatmıştı.

Baskın hülyası suya düşmüş, onca zaman ve emek boşa gitmişti.

Karargâh ileri gelenleri yemeği büyük çadırın altında birlikte yiyorlardı. Pallis ile Sariyanis, General Stratigos'un eleştirilerine hedef olmamak için yemeği harekât çadırında yediler. İkisinin de morali bozuktu. Şarap biraz yatıştırdı. Üçüncü kadehte yeniden neşelendiler. Türkler güneyden geleceklerini fark etmeselerdi, savaş kısa sürecekti. Şimdi belki birkaç gün daha uzayabilirdi, daha fazla değil. Kadehlerini tokuşturdular:

"Zafere!"

"Zafere!"

21 AĞUSTOS günü Yunan ordusunun Türk hatlarına iyice yaklaşıp yayılarak, savaş düzeni alması gerekiyordu. Ama tümenler yorgunluktan berbat haldeydiler. Üniforma ve ayakkabılar parça parça olmuştu. Ayak vuruğu olanlar çoktu. Bazı askerlerde sıtma başlamıştı. General Papulas, bütün birliklerin bulundukları yerlerde kalarak dinlenmelerini ve kendilerine çekidüzen vermelerini emretti.

Yunan ordusu dinlenirken, Türk ordusunun güney kanadındaki üç grup da mevzilerini genişletip güçlendiriyordu.

Fevzi Paşa'nın kesin emri üzerine 5. Tümen Mangal Dağı'na ve eteklerine yerleşmiş, berkitmeye koyulmuştu ama arazi kayalıktı. Gerektiği gibi berkitebilmek için ne yeterli araç vardı, ne de zaman. Zorlukla baş ve bel siperleri yapılabiliyordu.

Türk savunması ilk yarayı burada alacaktı.

İSTİKLAL MAHKEMESİ Kastamonu'ya gelmişti. Bugün İ. Habip Sevük'ün yazdığı bir yazı Açık Söz adlı millici gazetede yayımlandı:

"İstiklal Mahkemesinin tekrar gelişi bütün memlekete bir sevinç oldu. En inatçı kaçaklar kendi ayaklarıyla o kapıya sığınmış, en azılı haydutlar kendi istemleriyle bu mahkemeye boyun eğmişlerdi.

Durgun memurlara bir başka canlılık, tembel amirlere bile bir başka uyanış, hükümet çarkına bir başka dönüş geldi.

Hoş geldiniz!" [34b]

ANADOLU bir kıyametin eşiğindeyken, Türkiye'nin ve İslam âleminin geleceğini görüşmek üzere, hayali geniş beş İttihatçı gece Halil Paşa'nın köşkünün salonunda toplandı. İstanbul'dan (Küçük) Talat Muşkara, Ankara'dan Hafız Mehmet Bey gelmişti. Enver Paşa ilk sözü Talat Muşkara'ya verdi. Komitacı Talat Bey uzun, ayrıntılı ve hırslı bir açıklama yaptı. Konuşması şöyle özetlenebilirdi:

"Şu anda yalnız İstanbul'da 29 gizli şubemiz, birçok ilde silahlı teşkilatımız var. Her şey hazır. Artık beklemeye de gerek yok, merhamete de. Gerektiğinde kan dökmekten çekinmeyelim. Hemen harekete geçelim."

Dr. Nâzım destek verdi:

"Aynı fikirdeyim. Neden bekleyelim ki? M. Kemal'den mi korkuyoruz?"

Enver Paşa Hafız Mehmet Bey'e döndü:

"Siz ne düşünüyorsunuz Hafız Bey?"

Hafız Mehmet Bey Anadolu'nun havasını biliyordu:

"Paşam, ben farklı düşünüyorum. Hemen harekete geçmemiz doğru olmaz."

Bu açıklama Talat Bey'i hayal kırıklığına uğrattı:

"Hayrola Hafız Bey? Ankara seni de mi Kemalist yaptı?"

Hafız Mehmet Bey kızdı:

"Ne münasebet? Ama düşman Ankara yolunda. Bence savaşın sonunu beklemeliyiz..."

Dr. Nâzım Hafız Bey'in sözünü kesti:

"Beklemek doğru olmaz. Ya savaşı M. Kemal kazanırsa?"

Tartışmaya karışmak istemeyen Halil Paşa yüreğini dizginleyemedi, ayağa kalktı:

"Ne olur kazanırsa? Onun kazanması Türkiye'nin kazanması demek değil mi?"

"Ama o zaman iktidara geçemeyiz."

Halil Paşa, İttihat ve Terakki iktidarının en önemli yöneticilerinden biri olan bu heyecan adamına hayretle baktı. İktidarı her şeyden çok seviyordu. Bu tür siyasetçiler iktidarda olmanın verdiği güce ve saygınlığa taparlardı.

"Doktor, iktidar hırsı senin vicdanını karartmış."

Dr. Nâzım da ayağa kalkarak aynı şiddetle karşılık verdi:

"Paşa, bizden uzak kalalı senin de yüreğin çürümüş."

Halil Paşa elini tabancasına attı:

"Dua et ki evimdesin. Yoksa bu sözün bedelini hayatınla öderdin."

Enver Paşa ayağa fırladı:

"Beyler, oturun!"

Homurdanarak oturdular.

"Sakin olmanızı istiyorum. Biz yeminli arkadaşlarız. Bu kardeşlikten daha ileridir."

Hafız Bey'e döndü:

"Niye savaşın sonunu beklememizi uygun görüyorsunuz?"

"Yenilip dağılmak bir yana, ordunun Kızılırmak'ın gerisine çekilmesi bile M. Kemal Paşa'yı bitirmeye yeter. Durum böyle. Kimsenin yeni bir yenilgiye, çekilişe tahammülü yok. Benim gördüğüm, ordu yenilmese bile direnemez. Mutlaka Kızılırmak gerisine çekilecek. Gücü bu kadar. Genelkurmay'ın çekilişle ilgili planlar hazırladığını biliyorum.³⁵ Bu takdirde millet yeni bir baş arayacaktır.."

Enver Paşa'ya baktı:

"..Bu baş da belli. Böylece sorun kendiliğinden çözülmüş olur."

Bu görüş, çatışmalara, anlaşmazlıklara yol açmayacak iyi bir çözüm gibi görünüyordu ama savaş sonu olaylarını beklemeyi gerektiriyordu. Dr. Nâzım Talat Bey'e döndü:

"İskele Kâhyası Trabzon'da gönüllü asker topluyor demiştin. Bu gönüllülere gizlice karışıp cepheye gidemez miyiz?"

Halil Paşa itiraz etti:

"Olmaz. Ben biliyorum. Kâhyanın adamları ya hapisane kaçkını, ya haydut. Enver Paşa onların arasında yer alamaz."

Dr. Nâzım sabırsızlandı:

"Ne yapacağız öyleyse?"

Hafız Mehmet Bey "Uygun bulursanız.." dedi, "..Ankara'ya dönünce, gönüllü toplamak için Genelkurmay'dan izin alayım. Bir tek askere bile ihtiyaç var, reddetmezler. Kafamıza uygun adamlar toplarız. Trabzon'da yeğenim var. Bu işi o düzenler. Siz gizlice bizim topladığımız bu gönüllülere karışırsınız."

Talat Bey heyecanlandı:

"Memlekete er olarak girdiğiniz anlaşılınca, bu haber bomba gibi patlayacaktır!"

Dr. Nâzım sordu:

"Sonra?"

Cevap Enver Paşa'dan geldi:

"Merak etme. Saati gelince de harekete geçeriz. Kabul mü?"

"Hafız Bey'le yeğeni hemen gönüllü toplamaya başlarlarsa, kabul."

"İzin alır almaz başlarız."

Enver Paşa, "Hafız Bey.." dedi, "..yarın memlekete dönün ve çalışmaya başlayın."

"Peki paşam."

İktidarı ele geçirmek için Türkiye'ye girmeyi, Hafız Bey'den gelecek habere ertelediler.[36]

GENERAL ANDREAS ile Kolordu Kurmay Başkanı Albay Gavallias, Süvari Tugayı Komutanı Albay Nikolaidis'i dinliyorlardı. Albay Nikolaidis tugayının feci durumunu ölçülü sözcüklerle anlatmaya çabalıyordu:

"...Generalim, tugayımdaki atların çoğunun Balkan savaşından kalma olduğunu biliyorsunuz. Geldiğimiz uzun yol, aşırı sıcak, su azlığı, Türk süvarilerin sürekli tacizi, arpa yetersizliği atlarımı mahvetti. Bu çevrede taze ot da yok. Bu sebeple atlar yola çıktığımız zamankinden çok daha kötü durumdalar. Tugayım koşamıyor artık. Düşman süvarileriyle her karşılaşmamızda esir vermeye başladık."

Gavallias, "Sevgili Niko.." dedi, "..şartlar aynı olduğu halde Türk süvarileri nasıl bu kadar çalışkanlar? Her yanda cirit atıyorlar."

Nikolaidis içini çekti:

"Çünkü onların altında gösterişsiz ama dayanıklı, bu iklime yatkın Anadolu atları var. Benimkilerse süslü merasim beygirleri. Bugün öğleden sonra bir Türk süvari birliği cephe gerimize sızdı, yetişip durduramadık. Yüz elli develik bir ikmal kolumuzu esir etti, bir kamyon kolumuzu da yaktı. Yürüyüşe başladığımız zaman bunların kılıçları ve gerçek mızrakları yoktu. Şimdi yarısı kılıçlı, yarısı demir mızraklı olmuş. Tugayım bunlara karşı bir başına cephe gerisini ve kolordumuzun sağ yanını korumayı başaramaz.[37] Bunu bildirmek için rahatsız ettim. Atılgan Türk süvarilerine karşı ciddi önlem almak gerekiyor."

Planlarını üç tümenle saldıracaklarını düşünerek yapmışlardı. Şimdi bir tümeni cepheden çekip sağ geriye almak gerekiyordu.

Şeytan alsın!

Bu durum Türklerin işine yarayacaktı.

22 AĞUSTOS sabahı Üçüncü ve Birinci Yunan Kolorduları, erleri yormayacak kısa yürüyüşlerle Türklerin ileri savunma hatlarına yaklaştılar, taarruz düzeni alarak yine dinlenmeye geçtiler.

En sağdaki İkinci Kolordu Türk sol kanadını kuşatmak üzere doğuya doğru yürüdü.

Yunan Ordu Karargâhı Uzunbey Köyü'ne yerleşti.

Türk sol kanadının en ucunda 2. ve 3. Süvari Tümenleri yer aldı. Albay İzzettin Çalışlar'ın 1. Grubu, ordu yedeği olarak Haymana kesimine gelmişti Albay Fahrettin Altay'ın Süvari Grubu ise hayli güneyde, Yunan ordusunun sağ açığındaydı.

Şiddeti ve süresi bakımından tarihte benzeri bulunmayan meydan savaşının başlamasına bir gün kalmıştı.

General Papulas Uzunbey Köyü'nde

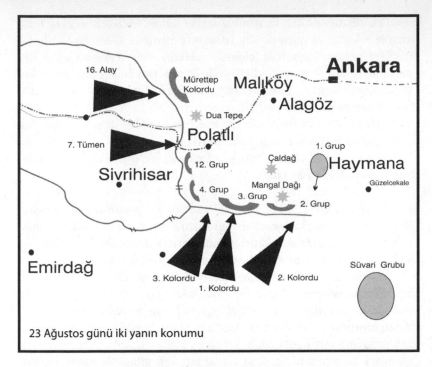

 altında:

16. Alay
Mürettep Kolordu
Malıköy
Ankara
Alagöz
Dua Tepe
Polatlı
7. Tümen
Sivrihisar
12. Grup
Çaldağ
1. Grup
Haymana
4. Grup
Mangal Dağı
3. Grup
Güzelcekale
2. Grup
Emirdağ
3. Kolordu
1. Kolordu
2. Kolordu
Süvari Grubu

23 Ağustos günü iki yanın konumu

YUNAN ORDUSUNUN Ankara'ya doğru yürüyüşü Malta'da büyük heyecan yaratmıştı. Paşalar gazetelerde çıkan yalan ve yanlış haberlerle bir değerlendirme yapmanın mümkün olmadığını ileri sürüyorlardı ama bu mantıklı itiraza kulak veren yoktu.

Sürgünler cevap alabilmek için bastırıyorlardı: Bizimkiler savaşı kazanabilir mi? Yine geri çekilir miyiz? Çekilirsek ne olur? Ordu dağılır mı?

Paşalar sürgünleri yuvarlak sözlerle avutmaya, oyalamaya çalışırken, askerlikten zerre kadar anlamayan Feyzi Pirinççioğlu bangır bangır bağırıyordu:

"Düşmanı şakır şakır yeneceğiz, göreceksiniz!"

Bu avuntu, her defasında birçok sürgünün gözlerini yaşartıyordu. Derme-çatma bir ordu ile Batının bütün kaynaklarından yararlanan Yunan ordusunu yenmek mümkün müydü?

YÜZBAŞI FAZIL sarışın havacıyı telefon nöbetçisi olarak bırakıp bir arkadaşını görmek için istasyona gitmişti. Genç havacı hafiften kestirirken manyetolu telefon hırıldadı. Açtı. Arayan Cephe Komutanlığından Binbaşı Tevfik Bey'di. Tevfik Bey'in verdiği bilgiyi heyecan içinde not etti ve çadırdan fırladı, iki kolunu kanat gibi açarak, bağıra bağıra koşmaya başladı:

"Heeeey milleettt! Vecihi Ağabey yepyeni bir uçakla Muğla'dan dönmüş. Bugün Ankara'da, yarın burdaaaa!"

Sevinçle Abdullah Usta'nın çadırına daldı, duramayıp direği devirmiş olmalı ki çadır çöktü.

ANKARA İSTASYONU çok kalabalık ve gürültülüydü. Cepheye gidecek beş yüz kadar asker vagonlara bindirilmekte, yük vagonlarına topçeker kadanalar, katırlar, mühimmat sandıkları, onarılmış silahlar, ekmek ve erzak çuvalları, küfeleri yüklenmekteydi.

Eskisi makineli tüfek mermileriyle delik deşik olduğu için Yüzbaşı Faruk, verilen yeni üniforması, tasa benzeyen başlığı ve tahta çantasıyla görevlilerin gösterdiği vagona bindi. Sonunda bu sabah taburcu etmişlerdi. Nesrin'le ayaküstü ve resmice vedalaşıp hastaneden ayrılmış, bu saate kadar Milli Savunma Bakanlığı'nda uğraşıp gerekli işlemleri yaptırmıştı. Yazık ki atama istediği gibi olmamıştı. Doktor raporuna bakarak, savaşçı bir birliğe değil, 1. Grup Karargâhına vermişlerdi.

Bu yüzden neşesizdi.

Vagon ter, çarık ve tütün kokuyordu. Askerler ilk pencere yanını Faruk'a verdiler. Çantasını sıranın altına sürdü, pencereyi açtı, istasyona özgü canlılığı izlemeye başladı. Haftalardır hastanedeydi, dış dünyayı, gürültüyü, hareketi özlemişti. Az sonra buharlı düdük havayı dalgalandırarak uzun uzun öttü. Vagon sarsıldı. Hareket ettiler.

Birden sıkmabaşlı, beyaz üniformalı, siyah pelerinli bir gölge belirdi. Bu kıvrak gölge, perondaki görevlileri ve uğurlayıcıları yararak yaklaşıyor, gözü pencerelerde, telaş içinde birini arıyordu. Faruk sarktı, ellerini sallayarak, heyecan içinde "Burdayım!" diye haykırdı.

Nesrin pelerini uça uça koşup yetişti, elindeki paketi uzattı:

"Bunu bulabilmek için geciktim. Güle güle gidin. Lütfen kendinizi koruyun.."

Nesrin elini de uzattı ama artık tren iyice hızlanmıştı, ancak parmak uçları birbirine değdi. Gittikçe geride kalmaktaydı. Yalnız kendinin duyabileceği bir inilti ile "..çünkü sizi seviyorum" dedi.

Küçülüp noktalaştı ve görünmez oldu.

Faruk pencereden çekildi, içinde türlü duygular uçuşarak paketi açtı. Kahverengi, kıvır kıvır, harika bir kalpak getirmişti Nesrin. Tasa benzeyen başlığını çıkardı, başına bu güzel kalpağı geçirdi. Hafifçe sağ kaşına eğdi.

ANKARA HAVAALANI'nda Vecihi ile Eşref Usta'nın Muğla'dan getirdiği keşif uçağının kuyruğuna ve gövdesinin iki yanına Türk uçağı olduğunu belirten işaretler yapılıyordu. Silahçılar uçağın üç makineli tüfeğini elden geçirdiler. Önde iki sabit, gözlemcinin önünde de bir oynak makineli tüfek vardı. Üçü de zehir gibiydi. Uçağa, bomba atmak için geliştirdikleri düzeneği de taktılar.

Vecihi uçağa 'İsmet' adının verilmesini önermiş, Hava Genel Müdürlüğü de çok üzdüğü İsmet Paşa'nın gönlünü almak için uçağa bu adın verilmesini kabul etmişti.[38]

Uçak ertesi gün Malıköy Havaalanı'nda olacaktı.

İsmet adı verilen uçak

KASTAMONULULAR Nasrullah camisi önündeki büyük meydanda toplanmışlardı.

Halkı coşturan konuşmalar ve duadan sonra Başkomutan'a bir telgraf çekilmesine karar verildi.

Telgrafın 4. maddesi şöyleydi:

"Ordunun yiyeceğini, giyeceğini, silahını, cephanesini sonuna kadar sağlamak için hepimiz, günlük nafakamıza varıncaya kadar bütün varımızı fedaya hazırız." [38a]

TREN hava kararırken Polatlı'ya geldi. Acemi askerler karmakarışık bir halde perona indiler. Görevli subaylar bağıra çağıra, düdük çalarak askerleri düzene sokmaya çalışırken, Faruk aradan sıyrılıp istasyon komutanının odasına daldı, 1. Grubu nasıl bulabileceğini sordu.

İstasyon Komutanı, tombalak, al yanaklı, savaş ortamına hiç uymayan şirin bir binbaşıydı, "Hele bir oturun" dedi, Faruk oturunca da sordu:

"Yemek yediniz mi?"

"Hayır."

"Güzel. Birlikte yeriz. 1. Grup dün Haymana'ya alındı. Haymana buradan 45 km. güneyde. Sizi bu gece bir ağırlık koluyla Haymana'ya gönderirim."

Kapının eşiğinde bekleyen köylü kıyafetli posta neferine, "Yemeğimizi getir oğlum" dedi. Posta az sonra iki tabak etli bulgur pilavı, iki baş soğan, iki parça ekmek getirdi. Binbaşının yüzü minnetle parladı:

"Oooooo! Bugün yine ziyafet var ha. Allah Ankara'ya zeval vermesin."

17500/5567 sayılı ordu emri saat 23.30'da birliklere dağıtıldı.

Emre göre ertesi günü kolordular Türklerin ileri mevzilerini işgal etmekle yetinecekler, öbür gün sabah saat 05.00'te emir beklemeksizin Türk esas mevzilerine taarruza geçeceklerdi.

Emirde ordunun amacı açıklanmıştı:

"Düşman cephesini merkezden yarmak ve doğudan kuşatmak."

Ordu, yarma için ortadaki General Kondulis'in komuta ettiği Birinci Kolordu'yu, kuşatma görevi için de doğuya doğru açılan General Andreas'ın İkinci Kolordusunu görevlendirmişti.

16. Alay
Mürettep Kolordu
Ankara
Malıköy
Alagöz
Dua Tepe
Polatlı
7. Tümen
1. Grup
Çaldağ
12. Grup
Haymana
Sivrihisar
Mangal Dağı
Güzelcekale
4. Grup
3. Grup
2. Grup
Uzunbey
Emirdağ
3. Kolordu
1. Kolordu
2. Kolordu
Süvari Grubu

Yunan planı: Ortadan yarma ve Türk sol kanadından kuşatma

İSMET PAŞA geceleri geç saatte gelerek, hazırlanan cephe emrinin taslağını gösterip Başkomutan'ın onayını alıyordu.

Bu gece yarısı da geldi. Emir taslağını Başkomutan'ın masasına bıraktı. Oturdu. Yorgun ve her gerçekçi komutan gibi kaygılıydı. Yunan birlikleri taarruz mesafesine yaklaşmış ve savaş düzeni almışlardı. Işıksız bir sesle, "Yarın düğün başlıyor" dedi.

Cephe emrinde bütün birliklerin bulundukları mevzileri kesin olarak savunmaları isteniyordu.

Başkomutan cephe emrini dikkatle okudu. Yüz çizgileri emri okudukça keskinleşip derinleşiyordu. M. Kemal Paşa'yı izleyen Halide Edip Adıvar o gece, anıları için şu notu alacaktı: *"Zaferden emin, aksi çıkarsa bütün arkadaşlarıyla birlikte ölmeye hazır."* [39]

Bu saatlerde Türk ileri güvenlik birlikleri ile Yunan keşif birlikleri arasında yer yer, küçük, kısa çatışmalar oluyordu. Aydınlatma fişekleri ortalığı gündüze çeviriyor, iki yanı da sürpriz baskınlardan koruyordu.

Sinirler gerilmişti.

İki ordu da heyecandan uyuyamıyordu.

WAITROSE

292 UPPER RICHMOND ROAD WEST
EAST SHEEN
LONDON SW14 7JG
TELEPHONE NO. 020 8878 4792

www.waitrose.com/eastsheen

		£
V	TOILET DUCK FRESH	0.85
V	WR SALT GRANULES	1.19
	WR SR S/F FLOUR	0.46
V	COMFORT PURE	1.59
V	VANISH LIQUID	1.99
	SULTANAS	0.85
	T&L GRANULATED SUGAR	1.45
	WR SKIMMED MILK	0.33

www.waitrose.com

Food shops of the John Lewis Partnership

Doncastle Road, Bracknell Berkshire RG12 8YA

Waitrose Limited Registered Office
171 Victoria Street London SW1E 5NN
VAT No 232 457 280

	WR SKINNED		
V	BRILLO SOAP PADS		0.99
V	WR KTCHN TWLS RED		1.19
V	ANDREX TOILET TISSUE		2.15
	G/FIELD RAPESEED OIL		0.99
	FLORA LIGHT		0.99
V	ANDREX TOILET TISSUE		2.15
	SRSNS MALT VINEGR		0.67
V	O/S CRANBERRY LIGHT		0.99
V	O/S CRANBERRY LIGHT		0.99
*	Buy 2 save 50p	*	-0.50
	HORLICKS MALTED		0.42
	HORLICKS MALTED		0.42
	HORLICKS MALTED		0.42
*	Buy 3 for £1.00	*	-0.26
	TETLEY TEA BAGS		1.56
	SPECIAL K SML		2.45
	SPECIAL K SML		2.45
*	Buy 2 save £1.50	*	-1.50
	SHRED WHEAT BITESIZE		1.89
	GREEN CELERY		0.69
	WR F/R EGGS MEDIUM		0.99
	MIXED PEPPERS P/P		1.45
	REDUCED		

www.waitrose.com

Food shops of the John Lewis Partnership

Doncastle Road, Bracknell Berkshire RG12 8YA

Waitrose Limited Registered Office
171 Victoria Street London SW1E 5NN
VAT No 232 457 280

Waitrose

Beşinci Bölüm

Sakarya Savaşı

23 Ağustos 1921 - 13 Eylül 1921

23 Ağustos 1921 Salı günü Sakarya Savaşı başladı.

Hava kapalı ve boğucuydu.

Türkler cephe boyunca gözetleme yerlerinden Yunan birliklerinin hareketlerini izliyorlardı.

Beylik Köprü karşısındaki Yunan 7. Tümeni bütün gün dikkati çekecek önemli bir harekette bulunmadı, Türkleri uyuttu.

Güneyde ise, Yunan Üçüncü Kolordusu yayılarak yaklaştı, Türk mevzilerini çok yoğun top ateşi altına aldı. Güzelim Yıldıztepe, yeşil Ilıca vadisi alev ve duman içinde kaldı. Türk topları da cevap verdiler. Bozkır otları ve mor çiçekli dikenler tutuştu. Karınca yuvaları kavruldu. Ateş ve barut dumanı havayı daha da boğucu yaptı. Bölge cehenneme döndü.

Türkler sabırla bombardımanın bitmesini bekliyorlardı. Eğitimi az olanlar, başlarının üzerinden şarapneller vızıldayarak geçmeye, yaralılar devrilmeye başlayınca korku içinde büzüldüler. Yer sarsılıyor, toprak fokurduyordu. Takım komutanları, tecrübeli çavuşlar, onbaşılar, eski askerler, korkanları azarlayarak, severek yatıştırmaya çalıştılar. Toplar susup da Yunan birlikleri ilerlemeye başlayınca herkes silah başı etti. Savaş sarhoşluğu korkuyu bastırdı.

Her çeşit merminin idareli kullanılması yazısız kanun olduğundan topçular gönüllerinin çektiği gibi ateş edemezlerdi. Bir batarya coşsa, hemen uyarılar gelirdi:

"Mermiyi idareli kullan!"

Ama bugün askere moral vermek için bolca mermi harcanmasına göz yumuldu. Mermiler yaklaşan Yunan birliklerinin başlarının üstünde ve içlerinde patladıkça, seyreden yeni askerler, "Yaşa topçubaşı!" diye bağırışıyorlardı.

İleri güvenlik birlikleri, güçlü olmadıkları için genellikle kısa oyalama savaşları yaparak esas savunma hatlarına çekilirlerdi. Bu kez bu küçük birlikler çekilmediler, çok sert karşılık vererek dövüştüler. İsabetli top atışları, her yandan yağan makineli tüfek ateşleri, ilerleyebilen Yunan birliklerini durdurdu.

Yunan cephesinde bir şaşkınlık rüzgârı dolaştı. Hani Türk ordusu enkazdı? Hani hemen dağılacaktı?

Türklerde büyük bir başkalık vardı bu kez. Böylesine canlı, şevkli, etkili, sert, zehir gibi bir direniş beklemeyen Yunanlı komutanlar kaygıya kapıldılar. Savaşın uzayıp yağmur mevsimine kalması olasılığı hepsini düşündürmeye başladı. Gecikme, yolları geçilmez hale getirirdi.

Savaşı bir an önce bitirmek gerekti.[1]

YÜZBAŞI FARUK ağırlık kollarından biriyle sabah Haymana'ya geldi. Haymana büyük bir ordugâha dönmüştü. Grup karargâhını zorlukla buldu. Grubun Kurmay Başkanı Yüzbaşı Asım Tınaztepe'yle İstanbul'dan tanışıyorlardı.

Sarılıp öpüştüler.

Faruk bir daha şansını deneyerek bir alaya verilmesini istedi ama Kurmay Başkanını kandıramadı:

"Hiç ümitlenme. Atama emrine uyacağız. Yanımda kalacaksın. Çayını bitir, kalpağını düzelt, komutana çıkıyoruz."

BİR YUNAN KEŞİF UÇAĞI Uzunbey'de yeni yapılmış olan piste indi. Gözlem subayı paniklemiş bir halde raporunu yazıp Binbaşı Hacizafirios'a verdi, o da Albay Pallis'e ulaştırdı.

Rapora göre Türkler Yunan sağ kanadı karşısına büyük kuvvetler yığıyordu. General Papulas haklı olarak korktu. Bu kuvvet taarruz eder, İkinci Kolordu'yu ordudan ayırırsa hem kolordu hem de ordu çok zor duruma düşerdi. İkinci Kolordu'nun savunma önlemleri alarak hareketsiz kalmasını emretti.

Oysa gözlemci subayın büyük bir kuvvet sandığı bu kitle, köylülerin savaş alanından kaçırdıkları koyun ve sığır sürüleriydi.[1a]

5. SÜVARİ GRUBU, Yunan ordusunun gerisine keşif kolları salmıştı. Bu küçük kollardan biri, İkinci Kolordu'nun arkasına sızdı, kolorduyu izleyen erzak ve cephane kollarından birini gördü.

Arazi çukurlar ve kuru su yataklarıyla doluydu. Uygun bir yere saklanıp bu ikmal kolunu gözlediler. Bu uzun kolu bir süvari takımı koruyordu. Ama atları öyle hantaldı ki Türk süvarilerini yakalamaları mümkün değildi.

Beş kişiden oluşan küçük keşif kolunun komutanı Sinoplu Alican Onbaşı, basit bir plan yaptı. Gözden uzak bir kavis çizerek yola yakın bir kaya kitlesinin ardına sindiler. İki er atların başında kaldı, üçü pusuya yattı.

Alican Onbaşı'nın hesabı bir cephane kamyonunu vurmaktı. Hangisinin cephane kamyonu olduğu anlaşılmıyordu. Biçimi değişik bir kamyonu gözlerine kestirip silahlarını ardarda ateşlediler.

Kamyon benzin tankeriydi. Müthiş bir gürültüyle patlayıp parçalandı, yakınındaki erzak kamyonları tutuşmuş benzin yağmuru altında kalarak yanmaya başladılar.

Keşif kolu atlanıp sıvıştı.

ÖZEL KALEM MÜDÜRÜ Savaş Bakanı Teotokis'e, "İngiliz Askeri Ataşesi Mr. Nairne telefonda efendim, randevu rica ediyor." dedi, "..ne diyeyim? Hangi tarihi uygun görürsünüz?"

Bakan çok neşeliydi bugün, Yunanistan tarihinin en parlak günlerini yaşıyorlardı, Mr. Nairne ile kendi konuşmak istedi:

"Albayı bana bağla."

Birkaç nezaket sözcüğünden sonra, "Bu sabah savaş başladı.." dedi, "..her şey çok iyi gidiyor. Olumsuz hiçbir haber yok. Randevu istiyormuşsunuz. Biz 5 Eylülde Ankara'da olacağız. O gün sizi Ankara'da bekleyeceğim. Birlikte hakiki Türk kahvesi içeriz. Olur mu?" Gür bir kahkaha patlattı.[1b]

OYSA iyi gitmeyen birçok şey vardı. Sözgelimi Yunan ikmal kolları için süvarilerden başka bir tehlike daha belirmişti.

Yunan birliklerinin geçişi sırasında ortadan kaybolan kaçaklar, geçiş sona erdikten sonra ortaya çıkıp yine köylere yanaşmışlardı. Ama durum değişmişti. Bekledikleri yüzü bulamadılar. Yunan ikmal kollarına yöneldiler.

Silah, cephane, ilaç, giyecek, yiyecek ve içecek taşıyan ikmal kamyonları Eskişehir'den Sivrihisar'a, oradan da Fettahoğlu köprüsüne geliyor, köprüden güneye geçip Uzunbey Köyü'ne ulaşıyor, malzeme Uzunbey'e yığılıyordu. Kolordular ihtiyaçlarını kamyonlarla Uzunbey'den almaktaydılar.

Kaçaklar, Eskişehir ile Fettahoğlu köprüsü arasındaki ıssız bölgede, küçük ikmal kollarını durdurup soymaya koyuldular. İkmal programı aksamaya başladı.[2]

Yunan ordusu kaçakları el altından teşvik etmiş, kaçak olayını sevinçle karşılamıştı. Şimdi bu kaçaklar Yunan ordusunun başına bela olmak üzereydiler.

BÜYÜK KOMİSYON ODASINA bir kara tahta yerleştirilmiş, Hüsrev Gerede, tahtaya renkli tebeşirlerle savaş alanının krokisini çizmişti. Başkomutan'ın yolladığı bilgiye dayanarak, toplanan milletvekillerine Türk ve Yunan birliklerinin yerlerini gösterdi, savaşın başladığını haber verdi.

Zamir Bey, "Hüsrev Bey.." dedi, "..bir kurmay olarak söyler misiniz, bu savaşı kazanma olasılığımız yüzde kaç?"

Hüsrev Gerede düşüncesini dürüstçe bildirdi:

"Yüzde elli bir." [3]

Bu gerçekçi cevap milletvekillerinin zafer ümitlerini tam karşılamadığı için Hüsrev Bey'e fena halde içerlediler.

DR. MİM KEMAL BEY Başkomutan'ın yatıp dinlenmediğini öğrenince Alagöz'e gelmişti. Muayene etti. Değişen bir şey yoktu. Ağrı, zor nefes alma ve ses kısıklığı ilk günkü gibiydi. Bandı yenilerken çıkıştı:

"Ama Paşam, siz hareket ettiğiniz sürece ne bu kırık iyileşir, ne ciğerdeki tahriş."

Paşa, "Haklısın ama.." dedi, "..düşman bütün hıncı ile üstümüze gelirken, benim yatmam olur mu? Şu sargıyı da biraz gevşek sar ki rahat hareket edebileyim. Bugün ve yarın en zor iki günümüz. Belki cepheye inmem gerekebilir."

Dr. Mim Kemal, Dr. Murat ve Salih Bozok, umutsuzca bakıştılar. Paşa'nın doktor tavsiyelerini dinlemeye niyeti yoktu.

İLERİ BİRLİKLER, bir Yunan tümeninin güney batıdan Mangal Dağı'na doğru yaklaştığını bildiriyorlardı. Bu durum Mangal Dağı'nı korumakla görevli 5. Tümen Komutanı Yarbay Kenan Bey'i huzursuz etti. Mangal Dağı'nın hemen arkasındaki yamaçta bulunan 2. Grup Karargâhına gitti, takviye edilmesini istedi. 2. Grup Komutanı da kuşatılmayı engelleyememekten korkuyordu. Tümen komutanının isteğini geri çevirdi:

"Bir düşman kolordusu sol kanadımızı kuşatmak için sürekli doğuya yürüyor. Kuşatmayı önlemek için çırpınıyorum. Her yana yetiştirecek kadar asker mi var elde? Sana tek nefer bile veremem." 4

Kolordu Kurmay Başkanı Binbaşı Burhanettin Bey tümen komutanına yardımcı olmak için, "Beyefendi.." dedi, "..1. Grup Haymana'dan yola çıkmış. Yarın sabah solumuza gelmiş olacak. Kuşatmayı önlemek o grubun görevi."

Selahattin Adil Bey sesini yükseltti:

"Ama o gelene kadar da benim görevim!"

Bir şey diyemediler. Komutan da haklıydı. Türk ordusu cephenin her noktasında güçlü olabilecek durumda değildi. Kenan Bey geri döndü. İhtiyatta tuttuğu üçüncü alayını da cepheye sürdü.

İLERİ TÜRK BİRLİKLERİNİ atarak Mangal Dağı'na yaklaşan birlik, Birinci Kolordu'ya bağlı 12.000 kişilik Yunan 1. Tümeni idi.

Türk cephesini yarmakla görevli Birinci Kolordu Komutanı General Kondulis, Mangal Dağı'nı düşürmeden Türk cephesini yarmanın çok zor olacağını görerek, dağın ne pahasına olursa olsun bugün işgal edilmesini istemişti.

1. Tümen Komutanı Albay Frangos dağın bugün düşürülebileceğini hiç ummuyordu. Düşman savunmasının bel kemiği olduğu anlaşılan dağ herhalde şiddetle savunulacaktı. Üstelik hava anormal sıcaktı. Askerini kollayan bir komutan olarak ertesi gün sabah serinliğinde taarruz edilmesini önermiş ama aceleci General Kondulis'e sözünü dinletememişti.

YUNAN TÜMENİNİN Mangal Dağı'na ilerlediği sırada, Batı Cephesinin kurmay kurulu toplantı halindeydi. Cepheden gelen son bilgileri değerlendiriyorlardı. İsmet Paşa bazı kaygılı kurmayları yatıştırmak için dedi ki:

"Üç kez karşılaştığım General Papulas'ı ders gibi inceledim. Şu sonuca vardım: İyi bir kıta komutanı. Askerine hâkim. Ordusunu savaşa iyi hazırlıyor ve sevk ediyor. Ama sabırsız, çabuk sonuç almak istiyor. Alamazsa sinirleniyor, türlü kuruntulara düşüyor, korkuya kapılıyor. Bir tehlikeye uğramamak için savaşı kesiyor. Yine öyle olacaktır. Başkomutanımızın emrettiği yöntemle savaşacağız ve daima ihtiyatta kuvvet bulunduracağız. Biri yepyeni, öteki askerlik kadar eski bu iki anlayışın bizi başarıya götüreceğine eminim." [5]

KURMAY KURULU Afyon güneyinde bulunan 6. Tümen'e bağlı akıncı kollarının daha etkin olmalarını, Mürettep Tümen'in de Fettahoğlu ve çevresine baskın yapmasını istedi.

6. Tümen'e bağlı beş akıncı kolu vardı. Tümen Komutanı hedef belirleyip üçünü görevlendirdi.

Mürettep Tümen'se Emir Dağı'nı bir gecede aşmanın büyük yorgunluğunu daha üzerinden atamamıştı. Ama komutan, "Asker yürüdükçe dinlenir.." dedi, "..bu gece yola çıkıyoruz. Tümeni yürüyüşe hazırlayın."

İZMİR UÇAĞI tam 13.00'te havalandı. Yağmur başlayınca geri döndü.

Sürenin kısalığına rağmen kuzeye ve güneye hızla göz atmayı başarabilmişler, güneyde, Mangal Dağı'na sokulan tümenle birlikte Mangal Dağı'nın hizasından doğuya doğru ilerleyen büyük kuşatma kolunu (Yunan İkinci Kolordusu'nu) görmüşlerdi.

Hava acayipleşmiş, bozkıra gün ortasında akşam loşluğu çökmüş, güney ufku iyice kararmıştı. Bu karanlığın içinde şimşekler kaynaşıyordu.

YUNAN 1. TÜMENİ Mangal Dağı'na gerektiği kadar yaklaşınca durdu, iki alayı ile yayılarak taarruz düzeni aldı.

Gözlem yerinden bakan Kenan Bey'in şakakları zonkladı. Düşman 5. Tümen'den dört kat daha kalabalıktı.

Mangal Dağı'nın güney eteğindeki siperlerin önünden ufka kadar bozkır gelinciklerle doluydu. Hafif rüzgâr altında dalgalanıp duruyorlardı. Yunan topları Mangal Dağı'nı ateş altına aldı. Tümenin bataryalarının yanı sıra, İzmir depolarından İngilizlerin göz yummasıyla alınmış ağır Türk toplarından kurulu bir topçu birliği de vardı.[5a] İlk mermiler siperlerin ilerisine düştü. Patlayışın yarattığı hava akımı, bütün gelinciklerin yapraklarını koparıp savurdu. Toprak birdenbire çıplaklaşmıştı. Antepli Adil küfrü bastı:

"Hay eşşekler! Ne istediniz fakir çiçeklerden?"

5. Tümen'in sadece 6 topu vardı, onlarla karşılık verdi. İki saat sonra, Albay Frangos ateşi kestirdi. Dağı hallaç pamuğu gibi atmışlardı. Yeterli görerek bir alayını taarruza kaldırdı.

Saat 16.30'du.

Toprağa sinmiş Türkler canlandılar ve yerlerini aldılar. İçinde şimşekler kaynaşan dev bir kara bulut rüzgârıyla birlikte yaklaşmaya başladı. Dağın üzerinde durdu. Gittikçe sertleşen rüzgâr, tozu toprağı, güneyden kuzeye, Türk mevzilerine doğru uçurmaya başladı.

Giderek göz gözü görmez olacaktı.

MANGAL DAĞI'na taarruzun başladığı haberi 2. Grup Komutanı Selahattin Adil Bey'i düşündürdü. 5. Tümen'i takviye etmek şart olmuştu. 2. Grup emrine verilmiş olan Meclis Muhafız Taburu ile ihtiyattaki alaya hemen Mangal Dağı'na hareket etmeleri emrini verdi.

Muhafız Taburu yakındaydı. Alay iki saat uzaklıktaydı ama bu havada yolu bulup yetişmesi çok zordu.

Şiddetli patlayışlarla sarsıldılar. Dağa ve çevresine yıldırım yağmaya başlamıştı.

RÜZGÂR fırtınaya dönmüş, hava gece gibi kararmıştı. Arka arkaya patlayan gök gürültüleri top seslerini bastırıyordu. Gökyüzü çatlıyor, yıldırımlar havayı çatırdatarak düşüyordu.

Topçu gözetleme yerinden telefonla toplara mesafe ve yön veren 5. Tümen bataryasının gözlem subayı ağlamaklıydı:

"...Hava iyice karardı. Rüzgâr çok şiddetlendi. Bana doğru esiyor... Hedefi göremiyorum... Gözümü açıp bakamıyorum ki... Bilmiyorum... Allah yardımcımız olsun!"

Toplar sustu.

Türk savunmasının afet yüzünden felç olduğunu gören Albay Frangu İkinci Alayını da taarruza kaldırdı. Rüzgârı arkalarına alan alaylar iki yandan dağın eteklerine doğru ilerlediler.

MANGAL DAĞI'nın eteklerindeki siperler dağdan aşağı akan sel sularıyla dolmaktaydı. Asker dizlerine kadar su içindeydi. Ama asıl sorun rüzgârdı. Küçük taş ve çamur parçalarıyla karışık yağmur suyunu yüzlerine doğru öylesine şiddetle savuruyordu ki askerler gözlerini açamıyorlardı. Bitlisli Veysel Onbaşı olanca sesiyle "Ateşşşş!" diye bağırıyordu ama kimse başını kaldıracak halde değildi ki ateş edebilsin. Yunan askerlerinin hücum naraları duyuldu:

"Aeraaaaa!"

Düşman tufandan yararlanarak burunlarının dibine sokulmuştu.

SELAHATTİN ADİL BEY Mangal Dağı'ndaki durumu yakından görmek için büyük zorlukla 5. Tümen Karargâhına gelebildi. Yağmur deli gibi yağmaktaydı. Kenan Bey ve karargâh mensupları sırılsıklamdılar. Afetin verdiği dehşet içinde geri çekilen bazı askerleri yeniden cepheye döndürmek için koşuşmaları gerekmişti.

"Ne durumdasınız?"

"Muhafız Taburu geldi komutanım, dağın doruğuna yerleşiyor. Ama alay yolda, daha gelemedi."

"Direnebilecek misiniz?"

"İnşallah."

Selahattin Adil Bey korkuyla, "Ah şu geceyi bir atlatabilsek" diye inledi. Sol yanından emin değildi. Oraya geleceği bildirilen 1. Grupla bağlantı kurulabilse içi rahat edecekti.

Havanın kötülüğü yüzünden ne telsiz çalışıyordu, ne telefon.

SOL KANADA gitmek emrini alan 1. Grup Karargâhı ve birlikler, Haymana'dan ayrılmışlardı, yoldaydılar. Sağanak yağmur altında, iliklerine kadar ıslana ıslana, hiç durmadan 2. Grubun sol yanına doğru yürüyorlardı. İzzettin Bey grubunu gün doğmadan sol kanada yetiştirmek istiyordu.

Toplar ve arabalar zorlukla ilerliyor, tekerler çamura saplanıyor, huysuz katırlar büyük zorluklar çıkarıyordu. Her yanı bataklığa çevirmiş yağmurda durup da askere sıcak bir çorba vermek mümkün olmamıştı. Asker torbasındaki daha kötü günler için saklaması gereken peksimeti gizlice yiyerek açlığını bastırıyordu.

Mangal Dağı'ndan savaşın vahşi sesi yansıyordu.

ALAGÖZ'de İsmet Paşa gelince yemeğe oturdular. Ali Metin Çavuş yemeği dağıtırken, Paşa genel durumu çok kısaca özetledi:

"Düşman asıl kuvvetleriyle güneydeki gruplarımızın ileri karakollarını geri attı ve durdu. Yarın sabah genel taarruza geçeceğini tahmin ediyoruz."

Cephe Karargâhı, güneydeki fırtına yüzünden telsiz ve telefonlar işlemediği için düşmanın Mangal Dağı'na taarruz ettiğini ve savaşın sürdüğünü bilmiyordu.

Alagöz ve çevresinde hava oldukça sakindi.

RÜZGÂR KESİLİNCE dağın üzerine yoğun, yapışkan bir sis çöktü. Fırtınanın yardımıyla esas savunma hattına çok yaklaşmış olan Yunan birlikleri sisten yararlanarak dağın eteğindeki bazı siperlere girdiler. Yunan askerleri savaşı bir an önce sona erdirip evlerine dönebilmek için çok hırslı ve kararlı dövüşüyorlardı.

O beyaz karanlık içinde, yer yer, göğüs göğüse bir boğuşma başladı: Süngü, kasatura, dipçik, kürek, el bombası, tabanca, yumruk, diş, tırnak... Bu kanlı kavgaya Yüzbaşı Zekeriya da katılmıştı. Bir yandan avaz avaz bağırarak askerini coşturuyor, bir yandan da koca tabancasını ateşliyordu:

"Vurun katillere! Vurun ırz düşmanlarına! Vurun!"

BİRİNCİ KOLORDU Kurmay Başkanı Albay Gonatas durumu özetledi:

"1. Tümen fırtınadan yararlanarak dağın batı eteğini işgal etti. Geri kalan yerler düşman elinde. Boğuşma sürüyor."

Fırtınaya ve bunca baskıya rağmen Türk direnişinin kırılamamış olması Kolordu Komutanı General Kondulis'i tedirgin etti:

"Bu akşam bu işi mutlaka bitirmeye bakalım. Yarına kalırsa takviye alır, dağı daha da şiddetle savunurlar. Burda saplanıp kalır, ileriye gidemeyiz. Bu dağ yüksekliğinden dolayı Türk savunmasının içine egemen. Burayı alırsak cepheyi ezer ve yararız. Dağın bu gece mutlaka zaptedilmesini istiyorum. Tümeni takviye edelim." 6

BU SIRADA Mangal Dağı'na yönelik Yunan taarruzu yorgunluk yüzünden hızını yitirmiş, sonunda durmuştu. Henüz soluk almışlardı ki General Kondulis'in kesin emri geldi: Ara vermeden taarruza devam!

Her yandan inlemeler, itirazlar ve yakınma homurtuları yükseldi.

Frangos Üçüncü Alayına ve emrine giren takviye birliklerine de taarruza hazır olmalarını bildirdi. Yorgun birlikleri yeniden ateşe sürebilmek için askerlere bolca konyak dağıtıldı. Tümen bandosu ön hatta yanaştırıldı.

Gece taarruzu, bandonun çaldığı Kral için bestelenmiş 'Kartalın Oğlu' marşı ile başlayacaktı.7

MUHAFIZ TABURU dağın doruğuna yerleşmişti. Savaşa katılmak için heyecanla emir bekliyor ve gelişmeyi izliyordu. Gece aydınlatma fişekleri dolayısıyla kanlı bir donanma gecesine dönmüştü. Gece yarısı 5. Tümen'in piyade komutanı Binbaşı Kadir Bey doruğa geldi:

"Geri çekiliyoruz İsmail Hakkı. Çekilişi senin tabur koruyacak."

Yüzbaşı İsmail Hakkı itiraz etti:

"Nasıl olur binbaşım? Biz hazırlığımızı yaptık. Taburumun savaş gücü çok yüksektir. Düşmanın tepesine inip.."

Binbaşının gözlerinin dolu dolu olduğunu görünce itiraz etmeyi kesti:

"Başüstüne!"

5. Tümen'in alayları güçlükle direnirken düşmanın sürekli takviye aldığını gören Selahattin Adil Bey, tümenin ve topların elden çıkacağından korkarak, bağlantı kurulamadığı için Cephe Komutanlığından izin istemeden, sorumluluğu üzerine alıp dağın boşaltılmasını emretmişti.[8]

Mangal Dağı gece yarısından sonra aşama aşama boşaltıldı. Şehitler gömüldü. Aralarında Denizlili Deli Yüzbaşı Zekeriya da vardı.

24 Ağustos sabaha karşı Muhafız Taburu'nun subay ve erleri, dağı savaşmadan bıraktıkları için ağlayarak geri çekildiler.[9]

BİR GÜN ÖNCE bütün gün hareketsiz kalarak Türkleri güzelce uyutan Yunan 7. Tümeni, gece yarısından sonra, Beylik Köprü'nün iki kilometre güneyinde sessizce iki geçici köprü kurarak bir alayını Sakarya'nın doğusuna geçirmişti. Türk gözetleme postaları bu geçişi geç fark etmişlerdi. Tümenin başarılı komutanı Albay Platis, köprü başını genişletmeye çalışıyordu.

Bu tümenin karşısında Albay Kâzım Özalp ve Albay Deli Halit Bey'in grupları vardı.

Alarma geçtiler.

BU KÖTÜ HABER Cephe Karargâhını ayağa kaldırdı. Albay Asım Bey avaz avaz bağırıyordu:

"Bu nasıl iş? Adamlar köprü kuruyor, taburları, hayvanları, topları geçiriyor. Bizim gözetleme postaları uyuyor. Olmaz böyle şey!"

Daha bu haberin yarattığı telaş geçmeden 5. Tümen'in de Mangal Dağı'nı bıraktığı öğrenildi.

Donup kaldılar.

M. KEMAL PAŞA İsmet Paşa'nın yüzüne baktı:

"Daha ilk adımda iki kanadımızdan birden darbe yemişiz."

"Öyle."

"Sakarya'yı aşan birliği durdururuz. Ama Mangal Dağı'nın elden gitmesi güneyde savunmamızı çok kötü etkileyecek."

"Fırtınanın cepheyi allak bullak ettiği anlaşılıyor. Ama bu savaş mazeret kaldırmaz tabii. Soruşturma açtırdım."

"Soruşturma bitene kadar tümen komutanını görevden çek. Bunu da bütün orduya duyur."

"Anladım. Başüstüne."

İsmet Paşa 5. Tümen Komutanı Yarbay Kenan Dalbaşar'ı o gün görevden aldı. Başkomutan da sert bir genelgeyle Mangal Dağı'nın terk edilmesini kınadı. Başkomutan'ın Kenan Bey'le Selahattin Adil Bey'in idam edilmelerini istediği, İsmet Paşa'nın ricası üzerine affettiği söylendi ama cephe söylentisi olarak kaldı, doğrulanmadı.

MANGAL DAĞI'nı kaybetmenin acısı 2. Grubun içine çökmüştü. Dağı geri alabilmek için öğleye doğru taarruz ettiler ama sonuç alamadılar. Dağı işgal eden Yunan 1. Tümeni'nin savunma düzenini aşamadılar.

Fevzi Paşa 2. Grup Karargâhına öfkeyle geldi. Grup Komutanı Albay Selahattin Adil ve karargâh subaylarına ilk sözü, "Hata ettiniz.." oldu, "..Mangal Dağı güney kanadımızın kilidiydi. Orayı ne pahasına olursa olsun korumalıydınız. Artık çok dikkatli ve sakin olun, iyi dövüşerek bu hatayı unutturun."

O kesimi yeniden düzenledi. 2. Grubu biraz daha doğuya kaydırdı. İkinci önemli mevzi olan Türbe Tepe'nin savunulmasını Yusuf İzzet Paşa'nın 3. Grubuna verdi.

DE HAWILLAND-9 ya da İsmet uçağı, uzaktan yansıyan top sesleri arasında, ufukta görününce havaalanında görevli olan herkes pist başına koştu.

Uçak kanatlarını sallayarak bir tur atıp alanı ve Malıköy istasyonunu selamladı. Sonra süzüldü, yumuşakça indi, ilerleyip durdu. Vecihi ile Hamdi sevinç gösterileri arasında uçaktan atladılar.

Alıcı gözle bakan Abdullah Usta uçağı beğendi, diz çöküp uçağın tekerleğini öptü, sonra kollarını açıp Vecihi ile Hamdi'yi kucakladı.

Günün tek iyi olayı bu yeni uçağın gelmesiydi.

BUGÜN KUZEYDE, Beylik Köprü kesiminde Kâzım Özalp ve Deli Halit Bey birlikleri Yunan 7. Tümeni'ni makasa alıp hırpaladılar ama karşı kıyıya atmayı başaramadılar. Tümen küçücük bir arazi parçasına yapışıp direndi. Bu acar tümeni nehrin ötesine atmak şarttı. Polatlı'yı ele geçirirse, Türk cephesinin sağ kanadını kavramış olmakla kalmaz, ikmal düzenini de alt üst ederdi. 7. Tümen nehrin ötesine atılamadığı gibi beş Türk tümenini de karşısında tutmayı başarmıştı.

Güneyde Yunan kolordularının bütün taarruzları püskürtüldü.

Subayları ve arkadaşları yaralanan ya da şehit olan askerlerin bütün hücrelerine öfke doluyordu.

Yunan İkinci Kolordusu ordu emrine uyarak savunmaya geçmiş, bütün gün siper kazmıştı. Bu durum sol kanada inen 1. Gruba zaman kazandırdı. Tümenler rahatça yerleştiler. En sol uçta, kuşatmaya karşı son savunma gücü olarak 2. ve 3. Süvari Tümenleri yer aldı.

Yunan İkinci Kolordusu'nun ileri sürdüğü keşif kolları, hava gözlem subayını ve ordu komutanını korkutan kuvvetin, koyun sürüleri olduğunu saptadı. Bu skandal General Andreas'ı çıldırttı. 'Yeteneksizliklerini herkesin bildiği havacılar' yüzünden koca bir gün kaybedilmişti.[10]

General Papulas gerçeği öğrenince, ertesi sabah üç kolordunun birden şiddetle taarruza geçmesini emretti.

ÜÇÜNCÜ GÜN (25 Ağustos) savaş gece yarısı başladı, gittikçe yayılarak bütün cepheyi sardı, gün boyu sürdü. İki yerde, Türbe Tepe ve güney kanadın doğu ucunda çok şiddetli oldu.

Yarma yönündeki ilk büyük doğal engel Türbe Tepe'ydi. Onu düşürürlerse Türk cephesinin 10 km. içine girmiş olacaklar, böylece yarma çok kolaylaşacaktı. General Kondulis sabahı beklemedi, savaşı gece yarısı başlattı. Tüm toplar Türbe Tepe'yi dövmeye başladı. İki saat süren bombardımandan sonra bir tümenini taarruza kaldırdı. Türkler iki saat top ateşi altında kalmamış gibi şevkle silah başı ettiler ve tepeyi ölümüne savunmaya başladılar. Muhabir Nikolopulos kolordu gözetleme yerinden bu savaşı izliyordu. Defterine şöyle yazacaktı: *"Bu tepelerde sinirleri gerçekten çelik gibi Türkler var."* [10a] General Kondulis ikinci bir tümeni daha saldırttı. Savaş aydınlatma fişeklerinin beyaz ışıkları altında, sabaha kadar karşılıklı süngü ve bomba hücumları ve boğuşmakla sürdü.

Sayı üstünlüğü Türbe Tepe'nin sabah terk edilmesine yol açtı. Cephenin yarılması olasılığı belirmişti.

Yunan tümenlerinden biri bu boşluğa doğru büyük bir hevesle ilerlemeye başladı. 3. Kafkas Tümeni bu fırsatçı tümene öfkeyle çullandı. Ardarda yaptığı süngü hücumlarıyla tümeni durdurdu. Cephenin yarılmasını engelledi. Çok kayıp vermiş, 7. Alay'ının bölüklerinde er mevcudu 90'dan 40'a düşmüştü.[10b] Yarma ümidine kapılıp ilerleyen Yunan tümeni de savaş alanında sayılamayacak kadar çok ölü bırakıp çekilmişti.

İsmet Paşa Türbe Tepe'nin geri alınmasını istiyordu. Emir, 2. ve 3. Grup Komutanları tepeyi geri almak için hazırlanırlarken geldi. Taarruz planı yapıldı: 57. Tümen taarruz edecek, 7. Tümen ve 3. Kafkas Tümeni de bu taarruzu destekleyeceklerdi.

57. Tümen'den 37. Alay'ın Komutanı Binbaşı Osman Bey alay sancağını açtırdı. Sancağın açılması büyük olaydı. Alayı heyecan sardı.

İlk taarruz edecek tabur mermi ve şarapnel sağanağı altında, koşarak, yata kalka, Yunan mevzilerine süngü hücumu mesafesine kadar yaklaştı, yere yapıştı. Az sonra, "Hücuuum!" komutları ve yakıcı boru sesleriyle birlikte, süngü hücumu için ayağa kalktı. 300 kişiydiler. Süngüleri ilerde, savaş çığlığı atarak ölüm kusan silahlara karşı koşmaya başladılar: "Allah Allah Allah Allah Allah Allah..."

Vatanının bir kel tepesi için ölüme koşan bu 300 subay ve eri izleyen öteki tabur ve alaylarla yakın tepelerdeki komşu birliklerin subay ve askerlerinin yürekleri kabardı, taburla birlikte onlar da "Allah Allah" diye savaş çığlığı atmaya, tekbir getirmeye başladılar.

On bin askerin canından kopan bu dayanışma haykırışı, savaş alanını gerçekten titretti. Bu müthiş uğultu içinde sırası gelen taburlar da birbirlerinin ardı sıra hücuma kalktılar.

İki Yunan tümeni büyük kayıp vererek geri çekildi. Türbe Tepe saat 18.30'da yeniden Türklerindi.[10c]

SOL KANADIN doğu kesiminde de bir başka çok kanlı savaş vardı bugün.

1. Grup, hareketsiz görünen Yunan İkinci Kolordusu'na taarruz için saat 13.00'te ilerlemeye başladı. Bu sırada General Andreas da taarruz etmek için iki tümenini Mangal Dağı'nın doğusuna yanaştırıyordu.

Otuz bin savaşçı karşı karşıya geldi. Kızılca kıyamet koptu.

General Andreas ve Albay İzzettin Çalışlar'ın kuvvetleri, bugünden başlayarak günler ve gecelerce çılgınca boğuşacak, biri kuşatmak, öteki bunu engellemek için dövüşecekti.

Tepeler oluk gibi kan akıtılarak durmaksızın el değiştirirken, güneyde eğlenceli şeyler oluyordu. Süvari Grubu'nun Yunan cephesi gerisine sürdüğü kollar, bugün Yunan İkinci Kolordusu'nu besleyen bir ulaştırma kolunu vurmuş, birçok ganimet ele geçirmişlerdi. Ganimetler arasında Yunan ailelerinin orduya hediye olarak yolladığı pek çok çikolata da vardı.

Birçok asker çikolatayı tanıdı. Bazıları ölçüyü kaçırıp çikolata sarhoşu oldular.

6. TÜMEN'e bağlı üç akıncı kolu hava kararır kararmaz yola çıktı. İlki Uşak'ın batısındaki büyük demiryolu köprüsünü yıkacak, ikincisi Banaz-İslamköy arasındaki demiryolu köprülerini ve telgraf hatlarını bozacak, üçüncüsü bir ara ikmal noktası olan Banaz istasyonunu basıp yakacaktı.

Yunanlıların, işgalleri altındaki bölgede bulunan bütün istasyonları, köprüleri, demiryollarını, telgraf hatlarını korumaları mümkün değildi. Bunu sağlamak için on binlerce asker isterdi. Ancak önemli yerleri korumaktaydılar. Bunu bilen akıncılar her fırsatta korumasız ya da zayıf korunan demiryollarını bozuyor, köprüleri atıyor, telgraf hatlarını kesiyor, Yunanlıları çılgına çeviriyorlardı.

Ama bu defaki hedefler önemliydi, ciddi olarak korunuyorlardı.

İşgal sınırına yaklaşınca helalleşip birbirlerinden ayrıldılar. Gece yürüyüp gündüz saklanarak hedeflerine yaklaşacaklardı.

ALBAY PALLİS kolordulardan gelen gece raporlarını bulunanların duyması için yüksek sesle okudu.

Raporlar üç kolordunun da kayıplarının ağır olduğunu belirtiyordu. Buna rağmen ne yarma gerçekleştirilebilmiş, ne kuşatma başarılabilmişti. Üstelik Türbe Tepe de elden çıkmıştı. Birinci Kolordu Komutanı General Kondulis uğradığı ağır kayıp dolayısıyla ertesi günkü taarruzun ertelenmesini öneriyordu.[11] İkinci Kolordu savaşarak doğuya doğru kaymayı sürdürmüş ama her aşamada dirençle karşılaşmıştı.

Türk süvarileri ikmal kollarını vurmayı sürdürüyordu. Bugün, biri cephane taşıyan iki deve ikmal kolunu daha vurdular.[11a]

Albay Bernardos ertesi gün birliklerin dinlendirilmesini önerince, Papulas çok kızdı, "Hayır.." diye bağırdı, "..taarruz edeceğiz. Durmadan taarruz edeceğiz. Durursak daha çok eririz."

Üç kolordunun ertesi gün de kayba bakmaksızın şiddetle taarruz etmelerini emretti.

SAVAŞIN DÖRDÜNCÜ GÜNÜ olan 26 Ağustos hakkındaki Türk cephe emri 1. Gruba sabaha karşı geldi.

Cephe Komutanı, 1. Grubun ordu sol kanadını kesinlikle korumasını ve gerekirse grup emrindeki iki süvari tümeninin feda edilerek kuşatmanın engellenmesini istiyordu.[12]

Faruk 1. Grubun sol açığında bekleyen bu iki tümeni bir gün önce görmüştü. Kısa boylu Anadolu atları üzerinde, ne kadar yoksul ve ne kadar yiğittiler. Yüreği yandı ama karara da saygı duydu. Böyle bir kararı ancak yaptığına güvenen ve tarihten korkmayan büyük askerler verebilirdi. Düşmanla aradaki sayısal fark, komutanların ve askerlerin fedakârlığı ve ustalığı ile kapatılabiliyordu. Cephe Komutanlığı ordunun selameti için gözü gibi koruduğu bu iki süvari tümenini feda etmeyi göze almıştı.

Yüzbaşı Asım, "Bugün piyadeler yine aslan gibi dövüşürler, merak etme, bu acı çözüme gerek kalmaz" dedi.

Sonra da karıncalanan gözlerini, yaşarmasınlar diye yumruğuyla ovuşturdu.

YUNAN ORDUSU bütün cephede büyük bir hırs ve hınçla taarruza geçmişti. Savaş bu yüzden bazı yerlerde çok çabuk boğazlaşma halini aldı. İşi bitirmek isteyen Yunanlı komutanlar birliklerini ardarda saldırtıyorlardı.

Sakarya ile Ankara Çayı'nın kesiştiği yerden Mangal Dağı'nın doğusuna kadar uzanan 70 kilometrelik cephe ateş içinde kaldı. Cephe taarruz ve karşı taarruzlarla ileri geri dalgalanıyor, mevziler el değiştiriyor, arazi yüzlerce topun kesintisiz ateşi altında yeni biçimler alıyordu.

Andreas'ın kolordusu kuşatma ümidiyle doğuya doğru açılmayı sürdürdüğü için cephenin boyu bugün 80 kilometreyi aşacaktı.

Özellikle güney kanadın her noktasında Yunan baskısı gittikçe artmaktaydı. Bazı yerlerde mevziler çöküyor ama yerinden sökülen hiçbir birlik dağılmıyor, kaçmıyor, biraz geride yerleşip yeniden direnişe geçiyordu. İki yanındaki birliklerse çekilmiyor, mevzilerini koruyarak savaşı sürdürüyorlardı. Bu kesintisiz, yekpare direnme Yunanlıları şaşırtmakta ve eritmekteydi.

Cephe Komutanlığı duruma göre gerektikçe bir gruptan öbürüne tabur, batarya, alay ya da tümen kaydırarak, ara emirlerle cepheyi sürekli düzenleyerek düşmanla dengeyi sağlıyordu.

Hızlı bir satranç oynanmaktaydı.

İSMET UÇAĞI bugün keşif yapmakla kalmadı, Yunan birliklerini bombaladı, bombalar bitince makineli tüfek ateşine de tuttu.

Subaylar ve erler, gözetleme yerlerinden ve siperlerden, Türk işaretli bu yeni uçağın Yunan birliklerinin üzerine dalıp dalıp ateş açmasını büyük bir keyifle izliyorlardı. Uçakların eskiliği yüzünden bu tür gösterilere hasret kalmışlardı.

Düşmanın daha güçlü olması yarı çıplak Türk askerlerinin moralini bozmuyordu ama Yunan askerlerinin kıyafetini, postallarını kıskandıkları kesindi. Ama en kıskançlar sıhhiyecilerdi. Gözleri Yunan sıhhiyecilerinin kullandığı alüminyumdan yapılma hafif İngiliz sedyelerindeydi. Kendilerininki kaba ağaçtan çatılmış kurşun gibi ağır sedyelerdi. Bir Yunan mevziine girilirse sıhhiyeciler, iki şeyin peşine düşüyorlardı: Hafif sedye ve kinin.

KOMİSYON ODASI bugün çok kalabalıktı. Milletvekilleri Hüsrev Bey'i dinledikten sonra namazgâhta binlerce kişiyle birlikte kılınacak cuma namazına katılacak, sonra da cepheden gelecek ilk yaralı kafilesini karşılayacaklardı. Hüsrev Gerede Başkomutanlık'tan gelen bilgiyi yorumlayarak aktardı:

"Güney kanadımızda, Yıldız Tepe'den doğuya doğru sırayla 4., 3. ve 2. Gruplar kendilerinden en az iki kat güçlü düşmanla çarpışıyor ve mevzilerini koruyorlar. Sol kanadımızda düşman iyice açılarak cepheyi Mangal Dağı'ndan doğuya doğru hayli uzattı, Güzelcekale'ye yaklaştı. En solda bulunan 1. Grup da, kuşatmayı önlemek için durmadan doğuya kuvvet kaydırıyor ve düşmana geçit vermiyor. Askerimiz az olduğu için cephenin uzaması tabii bizim savunma yoğunluğumuzu ve cephemizin derinliğini azaltıyor."

"Yani Hüsrev Bey, durum tehlikeli mi?"

"Kuşatmayı durduramazsak tehlikeli."

"Ne kadar tehlikeli?"

"Çok."

"Öf be! Bir gün olsun yüzümüzü güldürecek bir şey söyleyemez misin yahu?"

Ankara, Namazgâh, 26 Ağustos 1921

ANKARA'nın namazgâhı bugünkü Etnografya Müzesi ve Türkocağı'nın bulunduğu geniş ve yüksek düzlükteydi. Ankaralılar sabahtan ağır ağır namazgâhta toplanmaya, çimenlere oturup sessizlik içinde namaz vaktini beklemeye başladılar. Namaz vakti yaklaştıkça kalabalık artıyordu. Namazgâh öğle olmadan on bine yakın Ankaralı ile doldu. Denilebilir ki zafer için dua etmek üzere sivil-asker, köylü-kentli, kalpaklı-sarıklı, zengin-fakir, yürüyebilen herkes gelmişti.

Balıkesir Milletvekilli Abdülgafur Efendi cüppesinin eteklerini toplayarak konuşma taşının üzerine çıktı. Çok etkili bir konuşma yaptı. Konuştukça insan denizi heyecanla dalgalanıyordu.

Yüce Allah'tan zafer dileyince deniz kabarıp köpürdü. Binlerce göğüsten kopan amin çığlıkları Ankara'nın tozlu göğünü doldurdu.

SÜVARİ GRUBU Komutanı Albay Fahrettin Altay, keşif raporlarına bakarak Yunan cephesinin gerisindeki Uzunbey Köyü'ne baskın vermeyi kararlaştırdı. Oranın önemli bir ikmal merkezi olduğu anlaşılmıştı. Yunan Ordu Komutanı ve karargâhı da hâlâ Uzunbey'deydi ama Süvari Grubu'nun bundan haberi yoktu.

Kurmay Başkanı Binbaşı Baki Vandemir, "Bu baskına biz de katılalım komutanım, değişiklik olur" dedi.

Bu öneri Fahrettin Bey'i keyiflendirdi:

"İyi dedin. Hazırlığa giriş. Gece baskını yaparız. Telsiz ve ağırlıklar burada kalsın."

Binbaşı Baki Bey topuklarını neşeyle birbirine vurarak selam verdi:

"Başüstüne kumandanım!"

TUNUS'un Kairouan şehrinde, büyük camideki cuma namazından çıkan Bouhdiba Efendi hızla evine yollandı.

Koynundan İllustration dergisini çıkarıp sedirin üzerine koydu. Arkadaşının sözünü ettiği bu dergiyi bulmak için çok dolaştığından camiye geç kalmış, hutbenin ancak sonuna yetişebilmişti. Hutbenin sonunda Tunus Beyi, İslam Halifesi ve M. Kemal Paşa için dua edilmişti. Türklerin emperyalizme karşı silaha sarılmalarından beri ilk iki isme, Fransız sömürgesi Tunus'ta, M. Kemal Paşa'nın ismi de eklenmişti. Tüm Magrip'te halk ozanları M. Kemal için heyecanlı türküler yakıyorlardı.

Dergiyi karıştırıp aradığı sayfayı buldu. M. Kemal Paşa'nın çok güzel bir resmi vardı. Resmi özenle kesti, odanın baş duvarında asılı küçük halıya iğneledi. Sevgiyle baktı.[12a]

Ortadoğu'da, Asya'da, Afrika'da emperyalizmin kölesi, tutsağı, ucuz işçisi ve pazarı olan birçok mazlum millet bulunuyordu. Bu zavallı milletler ya içten çökertilerek, ya aldatılarak, ya uyuşturularak, ya işgal edilerek emperyalizmin eline düşmüşlerdi. Sömürülüp durmaktaydılar.

Emperyalizmin ne olduğunu yavaş yavaş anlıyor ve uyanıyorlardı. Ama hiçbiri bu çok kollu ejderhadan kurtulabilecek kadar azimli ve güçlü değildi. Bu yüzden Türklerin verdiği Kurtuluş Savaşı'nı imrenerek, heyecan ve dikkatle izliyor, Bouhdiba Efendi gibi onlar da bu savaşın serdarı M. Kemal Paşa'ya büyük hayranlık ve saygı duyuyorlardı.

Mustafa Kemal Paşa, yalnız Tunus'ta değil, kaç zamandır bütün mazlum ülkelerde, kurtuluş özlemini temsil ediyor, 'Asya ırklarının kurtarıcısı', 'İslamın kahramanı', 'Doğunun kahramanı', 'Milliyetçiliğin babası', 'İslam dünyasının en iyi evladı', 'Çağın en büyük adamı' gibi adlarla anılıyordu. Bütün Müslümanların ve sömürgelerin ortak kahramanıydı.

İslam tarihinde yüzyıllardır bu kadar evrensel olmuş hiç kimse yoktu.

Bu mazlum milletler Milli Mücadele'yi başından beri izledikleri için Yunan ordusunun arkasında duran gücün İngiltere olduğunu iyi bilmekte, bu sebeple Anadolu'nun kalbindeki bu savaşın sonunu kaygı ve ümitle beklemekte, serdar M. Kemal Paşa ile ordusunun başarısı için dua etmekteydiler.[12b]

BAKANLAR, milletvekilleri, yöneticiler, hastane görevlileri ve halk, istasyonu hıncahınç doldurmuştu. Önce iniltiye benzer bir düdük sesi duyuldu. Sonra yaralı getiren çok vagonlu ilk katar istasyona ağır ağır, oflayarak girdi.

Yaralılarımız

Yük ve yolcu vagonlarından zorlukla yürüyebilen yüzlerce yaralı subay ve er indi. Sargıları kirli ya da kanlıydı. Elbiseleri de öyle. Erlerin çoğunun ayağı çıplaktı. Yüzler sapsarı ya da bembeyazdı.

İstasyonu kan ve ter kokusu kapladı.

Karşılayıcılar bu kadar çok yaralıyı, hele bu kadar çok yaralı subayı ilk kez görüyorlardı. Onlar da kurşun yemiş gibi oldular. En çok sarsılan da Sağlık Bakanı Dr. Refik Saydam'dı. Bu kadar yaralıyla nasıl başa çıkılacaktı?

Erkek hastabakıcılar ve cephe gerisinde çalıştırılan sakat erler ağır yaralılarla dolu vagonlara girdiler. Yaralıların sedyeleri yük vagonlarına yan yana dizilmişti.

Sedyeleri indirmeye başladılar.

Ağır yaralılardan üçünün 4 saat süren yolculuk sırasında öldüğü anlaşıldı. Bazılarının cephe hastanelerinde bacağı, ayağı, kolu ya da eli kesilmişti. Çoğunun ameliyatı tazeydi. Ağrısı olan subaylar dişlerini sıkıyor ve susuyorlardı. Ama anne şefkati arayan genç erlerin kimi inliyor, kimi ağlıyordu. Cephede de, cephe gerisinde de, binlerce yaralıya yetişecek kadar ağrı dindirici yoktu.

Ağır yaralılar Kızılay'ın ambulanslarına ve arabalara yerleştirilip hastaneye yollandı. Yürüyebilen gaziler ve destek veren karşılayıcılar, birbirlerini teselli ederek hastaneye gitmek üzere yavaş yavaş yürümeye koyuldular.[12c]

A. Muhtar Mollaoğlu koluna girdiği yaralı bir binbaşıya, "Bu acıların birçok sorumlusu var." dedi, "..bunların başında İngilizler geliyor. Ülkeleri, içindeki insanları hiç düşünmeden biftek gibi kesip parçalıyor, tepki gelince de şaşırıyorlar."

LLOYD GEORGE'un sekreteri ve sevgilisi Miss Stevenson'un güncesinden:

"L. George Yunanlıların Türkler karşısında ilerlemeleriyle çok ilgileniyor... Siyasal ününün Anadolu'daki olaylara çok bağlı bulunduğunu söylüyor... 'Yunanlılar Sevr Antlaşması'nı koruyabilirlerse, Türk egemenliği sona erecek, İngiltere ile dost yeni bir Yunan İmparatorluğu kurulacak ve Doğudaki bütün çıkarlarımıza yardım edecektir' diyor. Bu konuda çok haklı olduğuna inanıyor, bunun için her çeşit kumarı oynamaya hazır." [12d]

SAATLER GEÇTİKÇE Türk ordusu, sayıca eksik olmanın yarattığı sorunları iyice yaşamaya başlamış, tümenlerin, grupların ve Cephe Komutanlığının bütün ihtiyatları, bugün zorunlu olarak zayıf noktalara ve açılan gediklere sürülmüştü.

Ağır baskı gece 2. Grup cephesinde yer yer çökmelere yol açtı. Birlikler gerideki hatlara alındılar. İki yandaki gruplardan Cephe Karargâhına telaşlı haberler yansımaya başlayınca, Cephe Komutanlığı 22.45'te sert bir emirle duruma müdahale etti:

"Tümenler, son erleri ölünceye kadar mevzilerini kesin olarak savunacaklardır." [13]

Direniş yeniden sertleşti.

Yunan taarruzu gece yarısından sonra yavaşladı ve on altı saat süren vahşi savaş durdu.

Çok kayıp veren iki taraf da yaralarını sarmaya koyuldu. Yorgunluktan kimse konuşmuyor, yemeğini yiyen toprağa düşüp uyuyordu.

Bugün Yunan İkinci Kolordusu da, kuşatmayı başarmak için yine doğuya doğru kaymayı sürdürmüş ama karşısında daima 1. Gruptan inatçı bir birlik bulmuş, Türk cephesinin arkasına dolanamamıştı. 23. Tümen bu kesimdeydi. 68. Alayı cephede savaşıyordu. Bu alayın bir takımında saka eri olan Antalyalı Kel Zeynel, ön hat siperlerini geriye bağlayan sıçan yollarından iki büklüm geçerek takımının siperlerine geldi. Bunlar aceleyle kazılmış yarım siperlerdi. Çömeldi. Siperlerin hemen üzerinden makineli tüfek fişekleri vızıldayarak geçmekteydi. Taze su getirmişti. Bağırdı:

"Su geldi!"

Sıcağın ve savaşın bunalttığı askerler sevindiler:

"Yaşa be Kel!"

Kel Zeynel takımın neşe kaynağıydı. Ast-üst ilişkisini iyi kavrayamadığından komutanlarla da lafını sakınmaksızın konuşuyordu. Takılmak için kendisine "Yunanlıları yener miyiz, ne dersin?" diye soran Takım Komutanına yan yan bakmış, sonra da şöyle diyerek zavallı teğmeni şaka yaptığına pişman etmişti:

"Bunu sen bilemiyorsun da ben mi bileceğim? Öyleyse yazık senin yıldızına, tabancana, çizmene!"

İki büyük tulum yüklü eşeği ile durmadan gidiyor, geliyor, takımı susuz bırakmıyordu. Ölmekten değil, takımından birinin vurulup ölmesinden ödü kopuyordu. Pek yufka yürekliydi. İlk günü patır patır yaralanıp düşenleri görünce ağlayarak, "Amanın ağalar.." diye yalvarmıştı, "..kurban olayım artık kendinizi koruyun, vurulup da beni üzmeyin."

Bir Yunanlı vurulunca da dertleniyordu:

"Tüüüü gitti yine bir çocuk..."

1. Grup birlikleri, bütün gün düşmanın korkunç ateş gücü altında eğildi, büküldü, eridi, ezildi, yer yer çöktü, geriledi ama savunma azmini koruyarak düşmana yol vermedi. Süvari tümenlerinin feda edilmesine de gerek kalmadı.

Savaş bu kesimde de gece yarısına doğru sona erdi.

İki gündür uyumamışlar, bütün gün aç dövüşmüşlerdi. Yemek savaş durulunca verilebildi. Yemeğini yiyen ve silahını temizleyen asker başını sıcaklığı daha gitmemiş toprağa koyar koymaz sızdı.

Toprağa barut kokusu sinmişti.

SÜVARİ GRUBU gece yarısı yola çıktı. Yayla akşamlarına özgü tatlı bir serinlik içinde Uzunbey'e doğru ilerlediler.

Yola neşeyle çıkmış olan Albay Fahrettin Bey kısa bir zaman sonra suskunlaştı. Zor duyulur bir sesle, "Baki.." dedi, "..ben iyi değilim. Ateşim var. Atın üstünde zor duruyorum."

Binbaşı Baki Bey üzüntüyle geriye seslendi:

"Doktor bey!"

"Burdayım."

Doktor atını mahmuzlayıp komutanın yanına yaklaştı. Yüzünün ter içinde olduğunu görünce, "Duralım!" diye seslendi.

Durdular.

Doktor komutanı bir mum feneri ışığında muayene etti. Ateşi 39'du. Sıtma krizi başlamıştı. İğne yaptı. Seyis hemen yere bir battaniye serdi. Bir battaniyeyi de yastık gibi dürüp başucuna koydu. Fahrettin Bey 14. Tümen Komutanı Suphi Kula'ya, dişleri birbirine vurarak, "Komutayı sen al.." dedi, "..Baki de seninle gelsin, yardımcı olur. Geç kalmayın, hareket edin. Yoksa baskın baskın olmaktan çıkacak. Haydi."

"Emredersiniz."

Az sonra komutlar yükseldi ve grup hareket etti. Komutanla birlikte doktor, Emir Subayı Teğmen Fevzi, Seyis Köse ve süvari müfrezesi kalmıştı. Fahrettin Bey titriyordu:

"Bu sıtma ne dehşetli hastalıkmış be."

Baş ucuna çömelmiş olan Köse, "Öyledir komutanım.." dedi, "..Anadolu'da pehlivan çok. Ama başpehlivan bu sıtmadır. Ondan sonra yoksulluk gelir. Sonra mütegallibe. Sonra mültezim. Sonra eşkıya. Sonra..."

Doktor, "Komutanı rahat bırak" diye terslendi. Köse doktora dargın dargın baktı:

"Sordu, anlatıyordum. Sağ ol."

Biraz geri gitti, gözlerini komutana dikip sustu.

GRUP KOMUTANLARINDAN gelen telaşlı raporlar Cephe kurmaylarının moralini bozdu. Durumun kritik olduğu anlaşılıyordu. Cephe derinliği bazı yerlerde tehlikeli derecede incelmişti. İkmal örgütü de bugün savaşın hızına ve tüketimine ayak uyduramamış, bu yüzden topçular mühimmat sıkıntısı çekmişlerdi. Subay ve er kaybı ürkütücü boyuttaydı. Mesela 15. Tümen'in 38. Alayı'nın 20 subay bulunması gereken 1. Taburu'nda subay sayısı 6'ya düşmüştü.[14] Çavuşlar takım komutanlığı, teğmenler bölük komutanlığı görevlerini üstlenmişlerdi. Taburun mevcudu bir bölük kadar kalmıştı.

İsmet Paşa gece Başkomutan'a geldi:

"Sol kanatta direnmemiz güçleşti. Halit Bey'in Grubunu (12. Grup) Sakarya boyundan çekip sol kanada alıyorum ama toparlanıp yetişmesi bir gün alır. Süvari Grubu'nu da sol kanada çekecektim, fakat o da baskın için güneye inmiş. Sol kanada yetişemez. Bu yüzden yarın çok kritik. Orduyu daha gerideki sağlam bir hatta almamız gerekebilir. Güneydeki durumu yakından bilen Fevzi Paşa'dan görüşünü bildirmesini istedim, cevabı daha gelmedi, bekliyoruz."

Geri çekilme olasılığı düşünülerek Genelkurmay'ca Sakarya'dan Ankara'ya kadarki mesafe içinde üç doğal savunma hattı belirlenmişti. Ordu gerekirse bu hatlardan yararlanarak kademe kademe Ankara'ya doğru geri çekilebilirdi. Sakarya'dan sonraki ilk savunma hattı Zir-Malıköy-Haymana hattıydı.[14a]

Gecikmenin yaratacağı sorunlar Kâzım İnanç Paşa'yı çok kaygılandırdı. Çekilme söz konusu olacaksa hükümeti ve Meclis'i bir an önce Ankara'dan daha doğuya taşımak gerekebilirdi. Üzüntüden çatlaşmış bir sesle, 'hükümetin taşınmaya hazırlıklı olmasını sağlamak için Refet Paşa'nın uyarılmasını' önerdi.

Odaya sessizlik çöktü.

Çekilmeyle ilgili en acı ve ivedi sorun buydu.

Başkomutan haritayı bir daha inceledi, Gruplardan gelen son raporları bir daha okudu. Durumu bir daha tarttı. Ordu tutunabilirdi ama bir o kadar da cephenin yarılması olasılığı vardı. Ankara yönetiminin güvenliği için en kötü olasılığı dikkate almayı doğru buldu.

Refet Bele'ye ve Meclis İkinci Başkanı Adnan Adıvar'a gizli bir telgraf yollayarak hükümet ve Meclis'in Kayseri'ye taşınmasını istedi.[15]

UZUNBEY'de bulunan Yunan karargâhında da hava gergindi. Papulas zayiat çizelgesini öfkeyle masanın ortasına fırlattı. Onca kayba rağmen merkezde ve güney uçta ancak birkaç kilometre ilerleyebilmişlerdi. Sesi iyice boğuklaşmıştı:

"Aldığımız sonuç uğradığımız kayba göre hiç değerinde. Adım adım geri çekilerek canımıza okuyorlar. Erimemek için tek çaremiz var, düşmanı bir an önce yenmek."

Yalnız İkinci Kolordu'dan 5. Tümen'in bugünkü kaybı 1.300 subay ve erdi.[15a] Uzunbey'deki yeni ordu hastanesi bile yaralılarla dolmuştu. Demiryolu Biçer istasyonuna kadar onarıldığı için kuzeydeki 7. Tümen'in yiyecek ve cephane sorunu yoktu. Demiryoluyla oldukça rahat ikmal ediliyordu. Ama Türk süvarilerinin ve asker kaçaklarının ikmal akışını bozmaları, ayrıca kamyonların arızalanması yüzünden güney kanattaki birlikler için ekmek ve benzin sorunu başlamıştı.[15b]

Bu sorunları ancak zafer sona erdirebilirdi. Papulas masaya yumruğunu indirdi:

"Taarruza devammmm!"

YUNAN BİRİNCİ KOLORDUSU'nun yorgun askerleri daha yeni yemek yemiş, uyumaya hazırlanıyorlardı. Fakat General Kondulis Papulas'tan daha telaşçıydı. Kolordusunu gece yarısından biraz sonra 3. Grubun mevzilerine taarruza kaldırdı.

Yüzden fazla topun sesi geceyi parçaladı. Aydınlatma fişekleri bütün bölgeyi ışığa boğdu.

3. Grubun yorgun tümenleri de yeni uykuya dalmışlardı. Yalnız nöbetçiler uyanıktı. Boru sesleri, patlamalar, komutlar, bağırtılar arasında uyandılar. Mermiler dört bir yanda havaya toprak sütunlar kaldırıyor, yer kaynayan bir suyun yüzü gibi fokurduyordu.

Savaşın beşinci günü yine çok zorlu ve kanlı biçimde başlamıştı: 27 Ağustos.

FEVZİ PAŞA 3. ve 2. Grupların durumunu inceleyip gerekli emirleri verdikten sonra telefonla 1. Grup Komutanı Albay İzzettin Bey'i aradı:

"..Raporunu okudum. Bugün başarıyla savaştığın halde, yalnız düşman baskısından söz ediyorsun." [15c]

İzzettin Bey, "Evet efendim." dedi, "..çünkü bu kanatta durum kritik. Cephe Komutanlığının dikkatini sürekli sol kanat üzerinde tutmak istiyorum."

"2. ve 3. Grupların raporları da seninki gibi olunca, komutanlık endişeye düştü. Ben cepheyi içinden görüyorum. Bütün kesimleri dolaştım. Askerin maneviyatı sağlam. İkmal iyi. Mevzilerimiz fena değil. Seni takviye için bir tümen geliyor. Sabah emrine girecek. Metanet ve sükûnetle savaşı sürdürün."

"Başüstüne."

Fevzi Paşa bu konuşmadan sonra, Alagöz'ü arayarak, bu kesimde durumun ordunun geri çekilmesini gerektirecek kadar tehlikeli olmadığını bildirdi. Gerektikçe kısa geri çekilişlerle savunmaya devam edilmesi uygun olurdu.[16]

Bunun üzerine Başkomutan kesin karar için 3. ve 2. Grup cephelerini kendi gözüyle görmeye karar verdi. Refet Paşa'ya, hükümet ve Meclis'in taşınması için yeni yazısını beklemesini bildirdi.

Başkomutanın güney kanada geleceği Fevzi Paşa ve komutanlara duyuruldu.[16a]

15. TÜMEN'in 38. Alayı'nda bir makineli tüfek takımının komutanı olan Yedek Teğmen Şevket Efendi (Soğucalı) esirlikten Eylül 1920'de İstanbul'a dönmüş, oyalanmadan Samsun'a geçmiş, 15. Tümen'e başvurarak görev istemişti. Alay Samsun'dan ayrılırken, Alay Komutanı Yarbay Demir Ali Bey, hepsi adına, alay sancağı altında, "İzmir'i almadan dönmeyeceğiz" diye yemin etmişti.

Önemli olayları güncesine not eden Şevket Efendi bugün şunları yazdı:

"Bugün 1. ve 3. Bölük komutanlarımız yaralandı, 2. Bölük Komutanı Yüzbaşı Fehmi Bey ile 3. Bölük Başçavuşu şehit oldu. Taburumuzun mevcudu yarı yarıya azaldı. Burada mıhlanacağız, bu arkadaşlarımızın intikamını alacağız." [16b]

TÜRBE TEPE ve çevresindeki gece savaşı gittikçe sertleşip genişlerken 100 km. güneyde derin bir sessizlik vardı. Yalnız cırcır böceklerinin sesi duyuluyordu. Gün doğumuna bir sigara içimi kalmıştı. Ateşi düşen Albay Fahrettin Bey uyanıp doğruldu. Tavşan uykusu uyuyan Köse ile emir subayı da ânında uyandılar. Ufuk aydınlanmıştı.

"Milleti uyandırın. Hazırlanalım."

Köse'nin içi rahat etmemişti:

"Başüstüne de, sen iyi misin?"

Fahrettin Bey gülümsedi:

"İyiyim oğlum. Sen çayı demlemeye bak. Baskın başlamıştır. Yetişelim."

Yanılıyordu. Öncü yolu şaşırdığı için Grup daha Uzunbey'e varmamıştı bile. Ancak saat sekize doğru taarruza geçebilecekti.

Yarım saat sonra yola çıktılar.

YUNAN ORDU KARARGÂHI kahvaltıdan sonra Uzunbey'den ayrılıp cepheye daha yakın olan İnlerkatrancı'ya hareket edecek, Uzunbey'de hastane, uçak alanı ve ikmal depoları kalacaktı.

Komutan, Veliaht, General Stratigos, İngiliz bağlantı subayı Binbaşı Johnson ve belli başlı kurmaylar büyük çadırın altındaki uzun masada kahvaltı ediyorlardı. Hava daha ısınmamıştı. Hoş bir yel esiyordu.

Geç kalan Pallis Komutanı, Veliaht'ı ve sofradakileri selamlayıp neşeyle yerine geçti. Yüzü ışıldıyordu:

"Birinci Kolordu Türbe Tepe'yi geri aldı." [16c]

"Ooooooooo!"

Haber Papulas'ı çok mutlu etmişti:

"Gün iyi bir haberle başladı."

Sariyanis, "Bugün cepheyi yarabiliriz" dedi. Veliaht sevinçle başını kaldırdı, tam bir şey söyleyecekti, yakında bir top mermisi patladı, üzerlerine taş toprak saçıldı.

"Ne oluyor?"

İkinci bir mermi daha yakına düştü, patlayışın rüzgârı çadırı fırtınaya tutulmuş gibi salladı. Komutanın yaveri Yüzbaşı Stefanopulos heyecanla koşup geldi, korkudan gözleri büyümüştü:

"Türk süvarileri!"

Hepsi ayağa fırladılar:

"Neeee?" [17]

SÜVARİ GRUBU'nun katırların sırtında taşınan iki dağ topu vardı. Yunan komuta kurulunun ödünü patlatan, acele kurulup faaliyete geçirilen bu iki toptu. Güvenliği sağlamakla görevli uyuşuk Yunan taburu silah başı edemeden bir süvari alayı atlı hücuma geçerek taburun yarısını kılıçtan geçirdi.[18]

Bir benzin deposu gök gürler gibi havaya uçtu.[18a]

Uçaklar ardarda havalanarak kaçtılar. Cephane kamyonları ve benzin tankerleri de kaçıyorlardı, biri arızalanınca yol tıkandı. İsabet alan kamyonlar korkunç bir sesle parçalanıyorlardı. Barut ve benzin kokusu nefes almayı zorlaştırdı.

Komutan, Veliaht, General Stratigos, İngiliz bağlantı subayı binbaşı Johnson, toprak bir evin yüksek duvarlı avlusuna sığınmışlardı. Avluya kerpiç, taş ve tahta parçaları yağıyordu.

Soğukkanlılığını koruyan birkaç Yunan subayı, karargâh ile ikmal erlerini örgütleyip hızla bir savunma düzeni kurdu. Hastanede bulunan bazı hafif yaralılar da koştular. Tabur da kendine gelerek silah başı etti. Durum dengelendi.

Pallis komutanı ve ordu karargâhını bu tuzaktan kaçırmak için çırpınıyordu ama karargâhın bazı arabaları yara almıştı, Papulas'ın şoförü Galani ortalıkta yoktu. Zaten Papulas da hastanede çalışan dört gönüllü hemşireyi bırakıp apar topar kaçmayı doğru bulmuyordu. Dördü de ünlü kadınlardı. Komutanın emri üzerine Albay Bernardos gönüllü hemşirelere koştu:

"General, sizin hemen bir ambulansla burdan ayrılmanızı ya da bizimle birlikte gelmenizi istiyor. Çabuk hazırlanın!"

Dördü adına Bayan Trikupis konuştu:

"Yaralılarımız ne olacak?"

Bin beş yüz yaralı vardı hastanede. Bernardos üzülerek, "Onlar burda kalacaklar" dedi.

"Öyleyse biz de kalıyoruz. Bize ihtiyaçları var." [19]

Kaçmaya can atan Albay Bernardos, kadınların bu yiğit tavrı karşısında utandı. Bir şey diyemedi, selam verip yanmaya başlamış olan köye geri döndü.

ALBAY FAHRETTİN ALTAY bu sırada yetişmişti. Gecikme yüzünden baskının gündüze kalmış olmasına canı sıkıldı. Üst üste emirler vererek taarruzu hızlandırıp şiddetlendirdi. Süvariler çemberi daralttılar.

Kaçmaya çalışan kamyonlar uzaklaşamadan vurulup kalıyorlardı. General Papulas, Türklerin eline geçmesi istenmeyen malzemenin tahrip edilmesini emretti.[19a] Uzunbey teslim olmaya hazırlanıyordu.

Yere tükürdü:

"Ordusu zafere yürüyor, komutan esir düşmek üzere."

SÜVARİLER kuşatmayı tamamlamış, bazıları köye sızmıştı bile. Yunanlıların cephane ve erzakı yok etmeye başladıkları sırada, Süvari Grubu'nun habercileri uçar gibi geldiler. Atlarının ağzı köpük içindeydi. Teğmen Remzi, Cephe Komutanlığının yazdırdığı çok önemli bir telsiz emrini alır almaz, habercileri yıldırım gibi yola çıkarmıştı.

Fahrettin Bey emre göz attı:

"İsmet Paşa hemen yola çıkarak cephe sol kanadına yetişmemizi emrediyor."

Yarbay Suphi Kula komutanın taarruzu keseceğini sezmişti, önlemek istedi:

"Köye girmek üzereyiz albayım!"

Fahrettin Bey, "Verdiğimiz zarar yeter.." dedi, "..sol kanadımız zor durumda olmalı. Bir dakika bile oyalanmak doğru değil. Önümüzde 130 km. yol var. Taarruzu durdurun, geri dönüyoruz." [20]

130 km. üç gün demekti.

ÇATIŞMA yavaş yavaş durdu. Süvariler çekiliyorlardı. General Papulas terini sildi:

"Burada olduğumuzu anlamadılar."

Veliaht haç çıkardı. General Stratigos sinir içinde, "Kaçalım bu uğursuz yerden.." diye bağırıyordu, "..haydi, hemen!"

Papulas Kurmay Başkanına döndü:

"Evet Kosti, gidelim."

"Başüstüne."

Uzunbey karmakarışıktı. Albay Pallis bulunabilen şoförler ve çalıştırılabilen arabalarla acele bir kafile düzenledi. Karargâh, tozu dumana katarak İnlerkatrancı'ya hareket etti.

Saat 10.00'du. [21]

BU SABAHKİ Akşam gazetesinde Falih Rıfkı Atay'ın, işgal sansürünün birçok yerini çıkarttığı 'Sakarya' başlıklı yazısı yer alıyordu:

"Anadolu'nun silahsız Türk köylülerinden yarattığı ordu, dört günden beri Sakarya boyunda düşman ile boğuşuyor... İman ile ıstırap, iki seneden beri Anadolu'da yeni bir Türk yoğurdu. Bu Türk harp ederken, bir ordu içinde bir madde değildir ve bilmediği şeyler için vuruşturulan eski askere benzemiyor.

Bu harp halk harbidir...

Bu muharebenin büyüklüğünü hissetmeyenlerde yalnız yurtseverlik değil, insanı vücuda getiren vasıflardan hiçbiri yoktur." [22]

İstanbul'da son cümleyi hak etmiş bir hayli hain ve gafil Osmanlı vardı.

CEBECİ HASTANESİ daha ilk yaralı kafilesinin gelişiyle dolmuştu. Yeni hastaneler hazırlamak gerekiyordu.

Erkek Lisesi'nin, dolayısıyla Milli Savunma Bakanlığı'nın bahçesinde sınıf olarak kullanılan barakalar, okul tatilde olduğu için boştu. İlk adım olarak bu barakalara ve kurulan çadırlara Sağlık Bakanlığı ambarından ve Ankaralılardan sağlanan 300 yatak yerleştirilerek bir yeni hastane kuruldu. Büyük çadırlardan biri ameliyathane yapıldı. Böylece tarihi Numune Hastanesi'nin temeli atılmış oldu.

Bu çalışma sırasında Öğretmen Okulu'nun bazı öğretmenleri gönüllü hemşire olmak için başvurmuşlar, dilekleri hemen kabul edilmişti.[22a]

Sağlık Bakanı Dr. Refik Saydam sabah koşar adım hastaneye geldi. Bugün barakalardan birine Kızılay'ın İstanbul'dan getirttiği röntgen aygıtı yerleştirilecekti. Böylece Ankara'da iki röntgen aygıtı olacaktı. Milli Savunma Bakanlığı ile ortak kullanılan bahçeye girince Milli Savunma Bakanı Refet Paşa ile karşılaştı. El sıkıştılar. Refet Paşa, "Kutlarım.." dedi içtenlikle, "..çok düzenli ve tertemiz bir hastane oluyor.."

Sağlık Bakanının kadınsı titizliği ve zor beğenmesi ünlüydü.

"..Ama savaş böyle sürerse yaralı sayısı on bini bulur. Hazırlıklı olmalısınız."

Dr. Refik Saydam'ın kulakları uğuldamaya başladı:

"Ne dediniz?"

"On bini bulur. Belki de geçer."

Yüzüne kan hücum etti. On bin yaralı mı? On bin yaralıyı nasıl barındırırdı? Buna hiç imkân yoktu.

Refet Paşa'nın hesabı da eksikti. Yaralı sayısı yirmi bine yaklaşacaktı.[23]

ÜÇ AKINCI KOLU DA görevini yerine getirmişti. Banaz istasyonu yıkılıp ikmal malzemeleri ateşe verilmiş, İslamköy-Banaz arasındaki on küçük köprü ile telgraf hatları bozulmuş, Uşak batısındaki büyük demir köprü uçurulmuştu. İzmir-Afyon arasındaki ikmal akışının yeniden eski hızına kavuşabilmesi haftalar isterdi. Afyon'daki 4. Yunan Tümeni günlerce ekmeksiz kalacak, açlığını gidermek için her evden zorla üç ekmek toplayacaktı.[24]

Akıncıların hemen hepsi, hedefleri koruyan muhafızlarla çatışıp boğuştukları için az-çok yaralıydı. Beş de şehit vermişlerdi.

Şehitlerini gömerek tümene dönmek üzere yola çıktılar.

M. KEMAL PAŞA, Kâzım Paşa, Albay Asım, Binbaşı Tevfik ve Salih Bozok bu saatte, iki arabayla güney kanadın merkez kesimine gitmek üzere Alagöz'den ayrılıyorlardı.

Çaldağı'nın eteğinden geçerek 3. Grup Karargâhının bulunduğu Soğluca'ya geldiler. Cepheye çok yakındı burası. Üç tümen komutanı da gelmiş bekliyordu. Üçünün de gözleri kan çanağı gibiydi. İki gündür hiç uyumamışlardı. Türbe Tepe'nin elden çıkması hepsini kahretmişti. Düşman taarruza devam ediyor, askerini acımadan ateşe sürüyordu.

Başkomutan komutanları dinledi. Ordunun kanını ve canını esirgemeden savaştığı kesindi. Kimsenin gözü geride değildi. Ama düşmanın ateş gücü çok yüksekti. Bunun kayba yol açtığını ve birliklerin direncini etkilediğini anlattılar. Zorunlu çekilmelerin sebebi buydu.

Başkomutan savaş başlamadan önce bu komutanlarla konuşmaya fırsat bulamamıştı. Yeni yöntemi özetleyerek tümen komutanlarını görevleri başına yolladı. Birlikte gelmek isteyen Grup Komutanı Yusuf İzzet Paşa'ya "Hayır." dedi, "..görevinizin başında kalın. Komutanların size ihtiyacı olacaktır. Bugün zor bir gün."

Daha da güneye inerek ateş hattının hemen gerisine kadar geldiler. Savaşın çok şiddetli olduğu top ve tüfek uğultusundan anlaşılıyordu. Yedekte bekleyen tabur, erzak getirmiş kağnıcılar, cephaneciler, hastane personeli ve yaralılar, Başkomutan'ı aralarında görünce inanamadılar. Başkomutan hepsinin hatırlarını sordu, yaralıları ziyaret etti.

Her an savaşa katılmayı bekleyen taburun subaylarıyla birlikte öğle yemeği yediler. Subaylar savaş öncesinin ürpertici sükûneti içindeydiler. Hayatla ölüm arasındaki çizgide duruyorlardı. Başkomutan görevlerine kenetlenmiş subaylara başarı dilemekle yetindi:

"Gazanız mübarek olsun!"

"Sağ oool!"

Subaylar Başkomutan'ın arabası görünmez olana kadar gözlerini bile kırpmadan selam durdular.

Kılavuzluk yapan süvarilerin yardımıyla sapa dağ yollarından geçerek ikindi üzeri zorlukla 2. Grubun bölgesine geldiler. Bugün bu cephede ciddi bir çatışma yoktu. Birlikler yeni mevzilerine yerleşiyordu. Dün çok yorulmuş olan Yunan tümeni de bugün işi ağırdan almaktaydı. Başkomutan cephe gerisindeki ihtiyat alayın subay ve askerleriyle konuştu, sahra hastanesinde yatan yaralıları ziyaret etti. Yeni ameliyat olmuş ağır yaralı bir eski asker, M. Kemal Paşa'yı tanımıştı. Heyecanlandı. Ayağa kalkıp selam vermek için çırpındı ama doktorlar okşayarak yatıştırdılar.

Bir bacağının kesildiğinin henüz farkında değildi.

Sahra hastanesinin başhekimi, ağır yaralı olmayan subayların, iyileşene kadar cephe gerisinde kalmak haklarıyken, sargı yerinde ya da hastanede yaralarını sardırıp koşarak cepheye döndüklerini anlattı. Erler de böyle yapmaya başlamıştı.

Kâzım İnanç Paşa, "Yunanlılar bunu bilseler hiç hayale kapılmazlar" dedi.

Doktorun çayını içip Yamak Köyü'ne gitmek üzere yola koyuldular. Yamak'ta Fevzi Paşa, 2. Grup Komutanı, tümen komutanları ve Yarbay Salih Omurtak'la buluştular.

Bu kesimde de savaş şu sıra pek şiddetli değildi. Onun için acele edilmeden konuşuldu. Komutanlar çok kararlı görünüyorlardı. Kaçak sayısı çok azalmıştı, sağ elinin işaret parmağını yaralayarak askerden kaçmak isteyen yine birkaç kişi çıkmıştı ama askerin büyük çoğunluğu şevkle savaşıyordu. Bazılarının paniklemesinin sebebi korkaklık değil, daha giderilememiş olan acemilikti. Sadece bir kişi bozgunculuk yapmış, o da birliğinin önünde kurşuna dizilmişti.

Fevzi Paşa'nın yeni savaş tarzını açıklamış olduğunu öğrenen Başkomutan bazı teknik tavsiyelerde bulunmakla yetindi. Fedakârlıkları için teşekkür etti. Başarı diledi.

Fevzi Paşa ve Salih Omurtak'ı da alarak Haymana'ya hareket ettiler.

SÜVARİ GRUBU sol kanada yetişebilmek için çok kısa bir mola dışında sürekli yol almış, yemek yemek ve gecelemek için bir köyde durmuştu.

Fahrettin Bey küçük çadırının önünde, yere serili bir battaniyeye bağdaş kurmuş, kahvesini beklemekteydi. Köse, dilinin ucu dışarda, komutanının kahvesini getiriyordu.

"Dökmeden getir. Yoksa şaplağı yersin."

"Hiç döker miyim? Bu son. Başka kahve yok."

Birden Kurmay Başkanı Baki Bey'in acı sesi duyuldu:

"Ne diyorsunnnnnn???"

Tatsız bir şey olmalıydı. Emir Subayı sese koştu. Baki Bey ve ödü kopmuş bir Yunanlı esirle birlikte geri döndü.

"Ne oldu Baki? Niye bağırıyorsun?"

Baki Bey derin bir nefes alarak olayı içine sindirmeye ve yatışmaya çalıştı. Yunanlıyı gösterdi:

"Uzunbey'de esir aldığımız Yunanlıların sorguları yapılıyordu. Sıra buna gelmişti. Bunun adı Galani."

"Eee?"

"General Papulas'ın şoförüymüş."

Fahrettin Bey korkarak sordu:

"Yani?"

"Yani biz taarruz ederken General Papulas ve ordu karargâhı Uzunbey'deymiş."

Albay daha bir yudum bile almadığı kahve fincanını yere vurdu. Bağırarak ayağa fırladı:

"Lanet olsun bu telsize! Ulan vicdansız, bir gün olsun arıza yapamaz mıydın? Kaçırılacak fırsat mıydı bu? O hain telsizci teğmen bir daha gözüme gözükmesin. O hurda telsize çiçek gibi bakmanın âlemi var mıydı? O namussuz telsiz çalışmasa, cephe emrini almayacak, şimdi burda Papulas'la kahve içiyor olacaktık."

Köse safiyetle, "Kahve bitti komutanım" dedi.

Komutan gürledi:

"Yıkıl sersem herif!"

Zavallı Köse kös kös geri çekildi, komutanın gözünün önünden yok oldu.[25]

HAYMANA'da Fevzi Paşa'nın kaldığı eve inmişlerdi. Ellerini yüzlerini yıkayıp serinledikten sonra, harita başında toplanıp durumu değerlendirdiler. Şu ortak görüşe vardılar: Zir-Malıköy-Haymana hattına çekilmeye gerek yoktu.

Ordu direniyordu.

Meclis'in ve hükümetin Kayseri'ye taşınması konusu böylece kapanmış oldu.

SOL KANADIN doğu ucunda bugün çok şiddetli savaşlar yaşanmaktaydı.

General Andreas ezip yarmak ümidiyle 4. Tümen'in mevzilerini saatlerce top ateşi altında tutmuştu. Yunan birlikleri yürümeye başlayınca, yok oldukları sanılan birlikler yıkıntıların içinden çıkıp Yunan taarruzlarını süngü hücumuyla karşılayıp kırdılar.[25a]

Birlikler can havli ile dövüşüyor, topçular gerektikçe mahvolmayı göze alarak açığa çıkıp Yunan hücumlarını eziyorlardı.

İyice doğuya açılan bir Yunan birliği sol kanadın arkasına taşacak gibi görününce, Albay İzzettin Bey en sondaki 3. Süvari Tümeni Komutanı Binbaşı İbrahim Çolak'a ve ona bağlı olan piyade alayına şu emri yolladı:

"Gerek tümeniniz, gerek emrinizdeki piyade alayı, mahvoluncaya kadar dayanacak ve düşmana yol vermeyeceksiniz."

Eridiler ama düşmana yol vermediler.[25b]

Akşam 22.40'ta Başkomutan Haymana'dan telefon ederek durumu sordu. İzzettin Bey sarsılan bazı birliklerini biraz geriye çektiğini anlattı. Birlikler yeni mevzilerine yerleşiyorlardı.

"Düşman bu gece baskına ve gece hücumlarına kalkışabilir. Uyanık olun. Gece baskınlarını mutlaka süngü hücumuyla püskürtün."[26]

"Başüstüne komutanım."

Başkomutan ve arkadaşları, Fevzi Paşa ve Salih Omurtak'la vedalaşıp gece yarısına doğru Haymana'dan ayrıldılar. Yolda ay ışığında ağır ağır Haymana'ya yürüyen yiyecek ve cephane kollarına rastladılar.

İkmalciler bu yaman savaşın hızına ayak uydurmaya çabalıyordu.

İSTANBUL'dan kaçırılan, Rusya'dan getirilen, yurtiçindeki uzak depolarda bulunan silah ve cephane ile Vergi Kurullarınca toplanan malzemenin cepheye ulaştırılması, yüz bin kişilik bir ordunun aksamadan her gün ikmal edilmesi dev bir işti. Bu işi gerçekleştirmek için savaşan ordunun yanı sıra bir de karınca ordusuna gerek vardı.

Fişek doldurma atölyesi

Bu ordu Milli Mücadele'nin başlamasıyla birlikte kurulmaya başlamış, aşama aşama genişlemişti. Yarısı resmi, yarısı özeldi. On binlerce asker ve subay ile kadın, kız, çocuk, sakat ya da yaşlı erkeklerin yönettiği araba, kağnı, deve ve eşek kollarından oluşuyordu.

Bu kollar ya doğrudan Ankara'ya ya da dekovil hattıyla Ankara'ya bağlı olan Yahşıhan'a akıyorlardı. Karınca ordusunun görevi bu

Bir ulaştırma kolu ve cephane taşıyan kadınlarımız

kadarla bitmiyordu. Ankara'dan trenle Polatlı ve Malıköy'e gelen yiyecek, silah ve mühimmatın, araba ve kağnılarla birliklere dağıtılması, dönüşte de ağır yaralıların ve bozulan silahların Polatlı ya da Malıköy istasyonlarına taşınması gerekiyordu.

Ordu, adsız kahramanlardan kurulu bu gösterişsiz karınca ordusunun sayesinde ayakta durmaktaydı.

YUNAN ORDU KARARGÂHI İnlerkatrancı'ya yerleşmişti.

Mermi izleri taşıyan ve eteğinin bir bölümü yanmış olan büyük çadırın altındaydılar yine. Lüks lambasının çevresinde gece kelebekleri kaynaşıyor, uzaktan top sesleri yansıyordu. Hiç konuşmadan oturuyorlardı. Sabahki felaket dolayısıyla hiçbirinin neşesi yoktu. Canlarını güç kurtarmışlardı. O kadar korkmuşlardı ki savaşı kesip geri dönmeyi bile düşünmüşlerdi.[26a] Ordunun Afyon'la telgraf bağlantısı kesilmiş, ikmal sistemi yıkılmış, benzin ve cephane stokları tehlikeli düzeye düşmüştü.[27] Kolordulara iki gün cephane alamayacakları bildirildi.[28]

İnlerkatrancı'da yeni açılan ordu hastanesi de dolmak üzereydi.

Bir subay Albay Pallis'e şifreleri açılmış kolordu akşam raporlarını verip çekildi. Papulas'ın boğuk sesi belki de iki saattir ilk kez duyuldu:

"Önce kayıpları oku."

"Peki efendim."

Pallis raporlardan kayıpları çıkararak okudu. Veliaht bu son sayıları daha önceki kayıplarla topladı. Derin bir kaygıyla, "Beş gün içinde bir tümenden fazla kayıp vermişiz.." dedi, "..böyle ne kadar devam edebiliriz?" [29]

Papulas yakasını koparır gibi açtı:

"Düşman pes edene kadar."

Hava hâlâ boğucuydu ya da Papulas'a öyle geliyordu.

28 AĞUSTOS günü savaş yine erkenden, olanca hırçınlığıyla başladı.

Önce kuzeydeki 7. Tümen taarruza geçti. 12. Grubun sol kanada alınması üzerine, bu tümenin karşısında, sadece Kazım Özalp'in Mürettep Kolordusu kalmıştı. İki piyade ve bir süvari tümeninden kurulu Mürettep Kolordu, Ankara Çayı'ndan Beştepeler'e kadar Sakarya doğu kıyısını savunacaktı. Tümenler ancak bir Yunan alayı kuvvetindeydi. Burada da sayı farkı kanla kapatılacaktı.

Demiryolunun kuzeyinde Abdurrahman Nafiz Bey'in 1. Tümeni, güneyinde Nurettin Bey'in 17. Tümeni vardı. Alay komutanları erlere cesaret vermek için ateş hatlarına kadar geldiler, birlikler canla başla direndiler.

Yunan Tümeni bütün çabasına rağmen, demiryolu kuzeyinde sonuç alamadı. Ama demiryolunun güneyinde, iki alayıyla taarruza geçerek, Beştepeler kesimindeki Türk mevzilerini sarsmayı başardı. 48. Alay Komutanı Binbaşı Hasan Basri Bey ağır yaralandı. Son sözü "Düşmanı defedin!" oldu.

Emir subayı hiç çekinmeden yalan söyledi:

"Düşmanı bozduk komutanım. Alayımız takip ediyor."

Binbaşı gözlerini huzur içinde kapadı. Zafer rüyası görerek söndü.

Yunanlılar Beştepeler'in bir bölümünü ele geçirdiler.

Bu kesimdeki sahra hastanelerinde yer kalmadığı için yaralılar Polatlı'ya getirilip istasyonun karşısındaki düzlüğe yatırılıyorlardı. Gölge verecek bir tek ağaç yoktu. Binlerce yaralı güneş altında kavrulmaktaydı.[29a] Cephane ve erzak getiren trenlerle Ankara'ya yollanıyorlardı.

Yunanlı yaralılar da sahra hastanelerine sığmaz olmuş, Eskişehir'e yollanan yaralıların sayısı çok artmıştı. Eskişehir hastaneleri dolduğu için yaralılar sokaklarda kalmışlardı.[29b] Yaralıların anlattıkları ile ordunun zaferden söz eden bildirileri birbirini tutmuyordu.

Yaralıların sayısı ve anlattıkları, Savaş Bakanı Teotokis'in emriyle Kral'dan saklandı. Hasta Kral'ı üzmek doğru olmazdı.

SAVAŞ bugün güneyde daha da hırçındı.

Üç kolordu, şafakla birlikte bütün güçleriyle Türk mevzilerine yüklendiler. 4., 3. ve 2. Gruplar taarruzları fedakârca kırarak mevzilerini korudular. 4. Gruptan 13. Alay Komutanı Yarbay Ahmet Rifat Bey şehit oldu.

Kayıplar yüzünden zayıflamış olan 1. Grup cephesinde ise durum çok kritikti. 12. Grup gelene kadar dayanması gerekiyordu.

Kıl payı dayandı. Ama kanını sebil ederek: 7. Tümen Komutanı Yarbay Ahmet Derviş Bey yaralanmış, 41. Alay Komutanı Ahmet Muhtar Bey, 4. Tümen Komutan Yardımcısı Yarbay Esat Faik Bey, 42. Alay Komutanı Yarbay Hüseyin Avni Bey ve birçok subay, astsubay ve er şehit olmuştu.[30] Şehitlerin arasında Şehit Albay Nâzım Bey'in emir çavuşu Eyüp Çavuş da vardı.

Bu kanatta Haymana kaplıcası ve çevresi, büyük bir hastaneye dönmüştü. İleri birliklerden sürekli yaralı kafileleri geliyor, operatörler uyumaya zaman bulamıyorlardı.

Mürettep Tümen Komutanı
Yarbay Zeki Soydemir

YARBAY ZEKİ BEY'in Mürettep Tümeni Fettahoğlu'na yakın bir köyde konaklamış, keşif kollarını Sakarya köprülerine sürmüştü. Özellikle Fettahoğlu köprüsünü gözlüyorlardı.

Eskişehir'den gelen cephane ve erzak kamyonlarının Fettahoğlu'nda toplandığını, düzenlenen konvoyların muhafızların koruması altında güneye geçtiğini öğrenmişlerdi.

Keşif kolu Fettahoğlu köprüsünden 150 kamyondan oluşan bir ikmal konvoyunun güneye geçtiğini bildirince, süvari alayı harekete geçti. Konvoyu yolda yakaladı. Konvoy kalabalık muhafızlarca korunuyordu. Çatışma uzun sürdü. Kamyonların büyükçe bölümü Fettahoğlu'na, 30 kamyon da cephe yönüne kaçmayı başardı.

Çatışma alanında, yanan 16 kamyonun kalıntısı, şoförleri kaçmış on kadar sağlam kamyon ile altı esir ve ölüler kalmıştı. Kamyonlar topçu cephanesi ve ekmek yüklüydü.[31] Ekmekler köylülerle bölüşüldü. Cephane tümenden yollanan ve köylerden tedarik edilen arabalara yüklendi. Kullanmayı bilen tek kişi bile olmadığı için yepyeni kamyonları yaktılar.

Tümenin baskın müfrezeleri, bu kesimdeki ikmal noktalarını körletmek, ikmal kollarını vurmak için Sakarya boyuna yayıldılar.

12. GRUP saat 18.00'de 1. Grubun soluna yetişti. Son savaşta olduğu gibi ordunun sol kanadını korumak, dolayısıyla ordunun esenliğini sağlamak görevi yine Halit Bey'e düşmüş, bu ağır sorumluluk albayı iyice sinirli ve fazla duyarlı yapmıştı.

Cephe emri gereğince en uçtaki Güzelcekale kesimini devraldı. Burası irili ufaklı birçok taştan tepe ile uçurumlar, yarlar, yarıklardan oluşan, çok sert ve karmaşık bir arazi parçasıydı. Askerler buraya Kanlıtepeler adını takmıştı. Yunan kuşatma kolunun ilerleyişini engellemek için emrindeki birlikleri aceleyle cepheye yığdı. Dar alanda yığışma oldu. Kurmay Başkanı Binbaşı Ziya Ekinci, bu tehlikeli uygulamaya karşı çıkıp görüşünde ısrar da edince, albay çok kızdı, bağırdı çağırdı, öfkesini alamadı, tabancasına sarılıp bir el de ateş etti. Atik davranarak canını kurtaran Binbaşı Ziya Bey eşyasını toplamadan çekip gidecekti.[32]

Halit Bey bu konuyla ilgilenmedi bile. Daha önemli bir işi vardı. Birliklerinin arkasında bulunan büyük bir kaya parçasının önüne oturdu, iki tabancasını çıkarıp kucağına koydu, savaşı izlemeye koyuldu. Komutanlar ve eski subaylar bunun anlamını iyi biliyorlardı: Geri çekilmeye yeltenenin beynini dağıtacaktı.

GÜZELCEKALE'nin taşlık tepelerinde Albay Halit Bey'in ve General Andreas'ın askerleri arasında inanılmaz bir boğuşma sürürken, 500 km. batıda, İstanbul'da, İngiliz Yüksek Komiseri Sir Harold Rumbold, Tarabya'daki yazlık ikametgâhının geniş, bakımlı bahçesinde İngiliz kolonisine gardenparti vermekteydi.

Hava limonata gibiydi. Bahçe sivil-asker erkekler ve şık hanımlarla doluydu. Garsonlar içki ve ordövr dolu gümüş tepsileri dolaştırıyor, küçük bir orkestra hafif parçalar çalıyordu.

Avaz avaz şarkı söyleyen Rumlarla dolu büyük bir motor Tarabya koyuna girdi. İki şarkı arasında bir erkek "Ankara'ya" diye bağırdı. Alkışlar yükseldi. Motor kıyıyı yalayarak şamata içinde uzaklaştı.

Yunan ordusunun yürüyüşe geçmesiyle birlikte Rumlar yeniden gösterilere başlamış, üç-dört günden beri de "Ankara'ya" diye bağırmak moda olmuştu. Elçilik Müsteşarı Rattigan, İstanbul güvenliğinden sorumlu Albay Maxwell'i bir kenara çekti:

"Bu gösteriler, 'Ankara'ya' diye bağırmalar, Türklerin tepkisine yol açmaz mı? Yüksek Komiser de, ben de, şehirde bir çatışma çıkmasından çekiniyoruz."

Albay Maxwell başını salladı:

"Milliyetçi gazetelerde çıkan ateşli yazılara bakmayın siz. Onlar ümitsizlik çığlığı. İstanbullu Türkler yenilgi dolayısıyla seslerini kesmişlerdi zaten. Yunan ordusu Ankara kapısına dayanınca iyice sindiler. Bütün haberalma hatlarımı açık tutuyorum. En ufak bir kıpırtı belirtisi bile yok."

Albay Maxwell, M.M. Teşkilatı'nın gizlice silahlandırdığı İstanbulluların sayısının 20.000'e ulaştığını, bunların içinde Rumların gösterilerini dağıtmaya, elebaşılarına anlayacakları dersi vermeye hazır yüzlerce kişi olduğunu bilmiyordu ama hiçbir kıpırtı belirtisi olmadığını söylerken haklıydı. Çünkü böyle eylemlerde bulunulması kesinlikle yasaktı. Bu örgütün, günü gelene kadar bilinmesi istenmiyordu. Silahlı örgüt ancak İstanbul için silahlı mücadele gerektiğinde ortaya çıkacaktı.

Ama halkın sabrını denetlemek mümkün değildi.

NİTEKİM O AKŞAM ilk olay patlak verdi.

Aksaray'a giden iki vagonlu yarı boş tramvaya, Karaköy'de iki Rum bindi, en öndeki sıraya oturdular. Vagona rakı kokusu yayıldı. Öteki yolcuların çoğu işten eve dönen, yorgun, içine kapanık, sessiz Türklerdi. Rumlar kendi aralarında bağıra bağıra Rumca konuşuyor, birbirlerine el şakası yapıyor, kahkahalar atıyorlardı.

Biletçi yanlarına geldi:

"Evet beyler?"

Genç Rum yüksek sesle Türkçe, "Ver bakalım Ankara'ya iki bilet!" dedi.

Biletçi anlamamıştı:

"Nereye?"

Genç Rum ötekine döndü:

"Bir de nereye diye soruyor."

Öteki Rum biletçiye çıkıştı:

"Nereye olacak vre Turkos? Ankara'ya işte. Kes Ankara'ya iki bilet. Biz de görelim şu Ankara'yı."

Rumlar bu oyunu pek sevmişlerdi, bir süre devam ettirdiler. Birdenbire tok bir ses bu cıvık oyunun üstüne balta gibi indi:

"Yetti ulan!"

Ses vagonun arkasından geliyordu. Sarhoş hayretiyle o yana döndüler. Orta yaşlı, kır bıyıklı bir Türk vagonun ortasındaki yolda ayakta durmuş kendilerine bakıyordu. Yüzü öfkeden kıpkırmızıydı. Elinde büyükçe bir tabanca vardı. "Alın cehenneme iki bilet!" dedi, silahını iki kez ateşledi. Alınlarından vurulan Rumların biri sıraların arasındaki yola yuvarlandı, öteki arka üstü uçup giriş sahanlığına düştü.

Adam Efe Mehmet diye tanınan bir Edirnekapılı bir İstanbulluydu. Tabancasını koynuna yerleştirirken vatmana seslendi:

"Durdur kardeş."

Yolculara döndü:

"Sabrımızı korkaklık sanıyor bu palikaryalar."

Tramvay demir tekerleklerinden ve raylardan kıvılcımlar saçarak zangırdaya zangırdaya durdu. Efe elini göğsüne bastırarak yolcuları selamladı, polislere teslim olmak için aşağı indi.[33]

Rumların neşeleri sürdü ama bu olaydan sonra Ankara üzerine şaka yapmaktan kaçındılar.

Ankara tekin değildi.

KURTULAN 30 KAMYON cepheye hava karardıktan sonra ulaştı. 150 kamyon yerine ancak 30 kamyonun gelebilmesi, bunlardan sadece birkaçının cephane kamyonu olması Yunan komutanlığını çıkmaza soktu.

Tehlike çanları çalmaya başlamıştı.

Ordu emrine 'topçu cephanesinin idareli kullanılmasını' isteyen bir madde eklendi.[34] Türk süvarilerinin erişemeyeceği yeni ve güvenli bir ikmal yolu oluşturmak şarttı.

HALİDE EDİP HANIM her gece olduğu gibi bu gece de istihbarat raporunu özetleyecekti. Yüzündeki kaygı M. Kemal Paşa'nın içine dokundu. Ümit ve güven verecek bir açıklama yaptı. Her gün karargâhta en tehlikeli olasılık hesapları içinde ezilen Halide Hanım'ın kaygısı geçmedi ama yüzünden silinip içine çekildi. Raporu okudu:

"Veliaht Abdülmecit Efendi, İngiliz Yüksek Komiseri'yle bir görüşme yapmış. Edinilen bilgiye göre 'Milliyetçilerin politikası deliliktir' demiş.." [35]

M. Kemal Paşa yüzünü buruşturdu:

"İstanbul'da böyle düşünenler az değil. Bu kafalar için akıllılık, bir büyük devletin sömürgesi ya da uydusu olmak, onlarca yönetilmek, yönlendirilmek. Adamlarda istiklal anlayışı, milli bilinç ve onur yok. İnsan bu anlayışı, bu bilinci, bu onuru içgüdü gibi içinde bulmaz. Bunlar eğitimle ve düşünülerek kazanılır. Bunların eğitiminde ve düşünce dünyalarında bu gibi kavramlar yer almıyor. Neyse. Devam edin hanımefendi."

"Çetesiyle Konya'ya geçen Delibaş Mehmet adlı gerici eşkıya, dün gece Karaman'da adamları tarafından öldürülmüş."

Hepsi doğruldu:

"Ooooo!"

Kâzım Paşa meraklanmıştı:

"Niye öldürülmüş?"

Veliaht Abdülmecit Efendi

"Din perdesi altında düşman hesabına çalıştığını anlamışlar." [36]

İsmet Paşa, "Bu hain ve katil yobaz geçen yıl köy köy dolaşıp 'Yunan ordusu Halifenin emriyle geliyor, karşı durmayın' diye telkinde bulunuyordu.." dedi, "..yazık ki etkili de olmuştu. Bu kez yanındaki haydutları bile kandıramamış. Bu iyi bir gelişme."

M. Kemal Paşa mendiliyle yüzünün terini aldı:

"İlerde halkımızın, bunca ibret verici tecrübeden sonra gerçek dindarlarla din tüccar ve aktörlerini birbirlerinden ayırdedeceğini ümit ederim. Yoksa hep böyle geri ve ezik kalırız. Başka?"

"Bu kadardı efendim."

Muzaffer Kılıç içeri girerek İsmet Paşa'ya karargâhtan yollanan bir telsiz notunu verdi. Notu okuyan İsmet Paşa, "Süvari Grubu yarın akşam sol kanadımıza yetişeceğini bildiriyor" dedi.

Kâzım İnanç Paşa'nın esmer yüzüne pembelik yayıldı:

"Şimdi General Andreas düşünsün."

GENERAL ANDREAS kara kara düşünüyordu zaten. Ordu bir çıkmaza saplanmıştı. Kolordusu bir haftada 8.000 kayıp vermiş, buna karşılık yarı çöl, yarı kayalık bir arazide en fazla 20 km. ileri gidebilmişti.[36a] Askeri bakımdan hiçbir değer ifade etmeyen bir kazançtı bu. İkmal sistemi çökmüştü. Askere bugün ekmek hakkının ancak altıda birini verebilmişlerdi.[36b]

Son bir hamle ile bu kötü gidişi belki durdurabileceği ümidi içinde ara vermeden var gücüyle saldırıyordu.

Cephenin boyu 100 kilometreye çıkmıştı.

1. ve 12. Grup cephelerindeki boğuşma gece yarısından sonra da sürdü. 4. Tümen'le ilgili gece raporu bu kanlı günü özetliyordu:

"Hücum taburunda yalnız bir subay kalmıştır. 42. Alay'da alay komutanlığı bir yedek teğmenin, bölüklerin emir ve komutası da bölük çavuşlarının elindedir."[37]

TOPÇU CEPHANESİNİN tutumlu kullanılmasıyla ilgili ordu emrini pek az Yunan birliği dinledi. Savaş yine Yunan toplarının yoğun ateşiyle başlamıştı. Bu konuda en müsrif birlik, bir an önce sonuç almak için çabalayan Birinci Kolordu'ydu.

7. Yunan Tümeni bugün sert savaşlardan sonra Dua Tepe ve Kartal Tepe'yi ele geçirmeyi başardı.

Bugün Gazi Çavuş'un oğlu Ali de şehit olmuştu.

Savaş 4. Grup cephesinde de erken başladı, şiddetlenerek bütün gün sürdü. 4. ve 3. Gruplar arasında bir boşluk oluştu. Bu boşluk Çaldağı'na açılıyordu. Çaldağı tıpkı Mangal Dağı gibi bütün çevreye egemen bir dağdı ve Türk savunması sırtını bu dağa dayamıştı. Son dayanaktı.

İsmet Paşa, daha az tehlikede gördüğü Mürettep Kolordu'dan 1. Süvari Tümeni'ni çekip 4. Gruba verdi. Oradan buradan küçük birlikler toplayıp onları da yolladı. Aradaki boşluk bu birliklerle doldurularak Çaldağı yolu kapatıldı.

Savaş gece yarısı dengelendi.[38]

3., 2. ve 1. Grup cephelerine taarruz geceden başlamıştı. Öteki komutanlar gibi Birinci Kolordu Komutanı General Kondulis de, ordunun nasıl olsa cephane yollayacağına güvenerek, sabahleyin özellikle 3. Grup mevzilerini uzun ve yoğun ateş altına aldırdı. Mevziler cehenneme döndü. Patlayış, ateş, alev, duman, çığlık, şarapnel, taş, toprak, insan, kan birbirine karıştı. Her şey sarsılıyordu. Ateşi yeterli bulunca üç tümenini birden taarruza geçirdi. Yoğun top ateşi ve taarruzun baskısı 57. Tümen'i sarsmıştı. Askere şevk vermek için komutanlar ateş hattına geldiler. 37. Alay'ın Komutanı Binbaşı Osman Bey şehit oldu. Tümen saat 16.00'da sarsılmaya başladı ve giderek çözüldü.

Komutanlar çözülmeyi durdurmak, Haymana'ya açılan boşluğu kapatmak için didinirlerken, beklenmedik bir şey oldu, General Kondulis bu başarıyı ilerletmedi, saat 17.00'de taarruzu yavaşlattı, sonra da durdurdu.[38a]

Sebebini anlamadıkları bu duraklama Türklere nefes aldıracaktı. Haymana yolunu sağlamca kapattılar.

YUNAN KURMAY KURULU da bu duraklamanın sebebini anlamamıştı. Çaldağı ya da Haymana'nın ele geçirilmesi, Ankara yolunun açılması demekti.

Haymana doğrultusunda cepheyi yarmasına ramak kalmışken General Kondulis'in taarruzu yavaşlatması, sonra da durdurması kurmay kurulunu şaşırttı. Sariyanis General Kondulis'e verip veriştirirken, General Papulas'ın yaveri geldi. Komutanın Yarbay Spridonos'u beklediğini haber verdi.

Spridonos yeni bir ikmal yolu hakkında konuşmak için 'harekât çadırına' gelmişti. Yavere yavaşça sordu:

"Kötü bir şey mi var?"

"Galiba."

GENERAL PAPULAS geniş çadırında, portatif bir masanın başında, lambasını yakmamış, akşam loşluğu içinde, yorgun ve yalnız oturuyordu. Spridonos'a "Otur" dedi. Sesi kaygı vericiydi.

Spridonos oturdu.

"General Kondulis'ten özel bir mesaj aldım. Oku!"

Masanın ortasında duran telsiz mesajını önüne itti. Kondulis cephanesinin bitmek üzere olduğunu, bu yüzden taarruzu durdurduğunu, yeni cephane gelmediğini, düşman taarruzu halinde cephesinin çökeceğini bildiriyor ve mesajını şöyle bitiriyordu: *"En kısa zamanda cephane ikmali için Tanrı'ya ve Başkomutan'a yalvarıyorum!"* [39]

Spridonos'un gözleri yaşardı. Başını kaldırdı. Papulas'la göz göze geldi. Komutanın gözleri de acı doluydu:

"Yorgo, Türklere yakalanmadan cephane yetiştirmeni istiyorum."

Spridonos ayağa fırladı. Heyecandan titriyordu:

"Komutanım! Beşköprü'de cepheye getirtmeyi başaramadığım çok cephane var. Onları getirmek için şimdi yola çıkıyorum."

"Acele et Yorgo."

Papulas, General Kondulis'e 'savunmaya geçip cephane beklemesini' emretti. Spridonos yarım saat sonra silahlı askerlerle dolu üç otomobille yola çıktı. [40]

12. GRUP CEPHESİNDE savaş bütün gün delice sürmüş, boğuşma boğazlaşmaya dönmüştü.

Kayalık mevzilere düşen mermiler, keskin taş parçalarını da şarapnel gibi dört bir yana savuruyorlardı. Buradaki şartlara dayanmak için insan demirden dökülmüş olmalıydı.

Hava kararırken yer yer çözülme başladı, iyi eğitilmemiş askerlerden geriye kaçanlar oldu. Kaçanlar ateş hattının tam gerisinde Albay Halit Bey ve iki tabancasıyla karşı karşıya geldiler. Yüzleri savaş kiriyle kararmış, gözleri korkudan büyümüş yılgın askerler, birden ayıldılar ama geç kalmışlardı.

Albay, kalabalığın önünde duran kaçmaya kararlı birkaç askeri korkunç bir hızla ardarda vurdu. Kalanların çeneleri kilitlendi. Demek Deli Halit Bey buydu!

Halit Bey kalanlara, tabancasıyla cephe yönünü göstererek tek kelime söyledi:

"Yerinize!"

Askerler birbirlerini çiğneyerek cepheye geri döndüler.

Bir saat sonra bazı küçük gruplar yeniden geriye kaçmaya başladılar. Karşılarına yine Halit Bey çıktı. Bir yandan kaçak gruplarının önündekileri vuruyor, bir yandan da ateş etmesi için orada bulunan 16. Alay Komutanı Binbaşı Rahmi Apak'a bağırıyordu. Ateş etmezse onu da vurabilirdi. Rahmi Apak da tabancasını çekip ateş etmeye başladı. Ama o kaçakların ayaklarına doğru, yere ateş ediyordu.

Kaçaklar geldikleri hızla silahlarının başına döndüler. Bir daha da kimse kaçmaya yeltenmedi. Cephe daha az tehlikeliydi.

Rahmi Apak o gece anı defterine, savaş tarzını hiç beğenmediği Halit Bey için şunu yazacaktı:

"Bu adamın bulunduğu bir yerde çözülme ve bozgun olmaz. Geriye gelmekten herkes titrer." [41]

TEĞMEN ŞEVKET EFENDİ'nin güncesinden:

"Bugün iki piyade bölüğümüzü idare eden Asteğmen Ekrem Efendi de şehit düştü. Böylece taburumuzun üç piyade bölüğü de tamamen subaysız kaldı... Alayımızın mevcudu yarıdan da aşağıya düştü... Ama düşman da çok kayıp verdi... Düşmanı burada didikleye didikleye bitireceğiz." [41a]

CEPHE bir dik açı şeklini almış, cephenin köşesi ilerde kalmıştı. Cephe Komutanlığı gece köşedeki birlikleri geriye çekti. Cephe çizgisi düzeldi ve kısaldı.[41b]

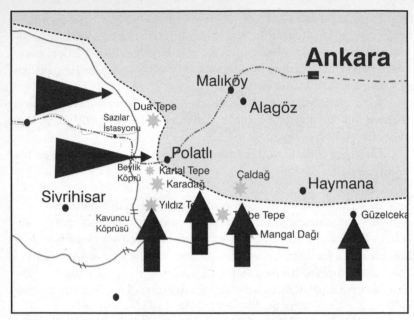

Cephenin geri çekilerek düzeltilmesinden sonraki durum

Düşmanın bir türlü ele geçiremediği güzel Yıldıztepe terk edildi. Türk cephesi yavaş yavaş yön değiştirmekteydi. Bu çekilişle yüzü batıdan güneye döndü.

İstanbul'dan yeni gelen ve Haymana'da görev bekleyen subaylar, subay kaybı çok olan birliklere verildiler.

8. Tümen Komutanı Albay Kâzım Sevüktekin orduda Efe Kâzım diye anılan babacan, kabadayı bir komutandı. Takdim için yanına getirilen yeni genç subaylarla pek kısa konuştu, isimlerini, nereli olduklarını sormadı. Hatta yüzlerine bile pek az baktı. Başarı dilemekle yetindi.

Komutanın bu soğuk tavrı Kurmay Başkanını şaşırtmıştı. Ağzını arayınca komutanın birden gözleri doldu:

"Yahu bu aslan gibi çocuklar birkaç gün içinde şehit olacaklar. İsimlerini bilmez, yüzlerini hatırlamazsam, acıya daha kolay katlanıyorum. Anlayabildin mi?"

SÜVARİ GRUBU gece sol kanat yakınındaki Canımana Köyü'ne ulaştı. Köylüler su ve ayran koşturdular. Atlar sulanıp yemleri verildi. Zavallıların yarıdan fazlasının nalları dökülmüştü. Ertesi gün büyük bakım günü olacak, atlar nallanacak, tırnakları ziftlenecek, kuyrukları kısaltılacak, eyer ve koşum takımları elden geçirilecekti.

Çorba kazanları ateşe kondu. Çoğu o kadar yorgundu ki yemeği bekleyemeden uyuyacaktı.

Yunan ordusunun sağ açığında üç süvari tümeni ile bir süvari tugayının toplanmış olması Andreas'ı çok ürküttü. Sağ kanadını korumak için ciddi önlemler aldı. Bir süvari tümeninin gücü bir piyade taburu kadardı ama düşmanı ürkütmeye adı bile yetiyordu.[41c]

BEŞKÖPRÜ'ye gece yarısı ulaştılar. Uzunbey olayından sonra Türk baskını korkusuyla yaşayan köprü muhafızları, asker dolu üç otomobili ateşle karşıladılar.

Birkaç akıllı asker beyaz fanilalarını sallayarak, durmadan ateş eden muhafızların dikkatini çekmeyi başardı.

Sonunda köprüyü geçtiler.

Beşköprü'de 120 büyük kamyon cephane vardı. Bu kadar cephane, yeni ikmal yolu açılana kadar ordunun ihtiyacını karşılardı. Spridonos Türklere yakalanmamak için sabah olmadan geri dönmek istiyordu. Fakat konvoyu düzenlemek vakit aldı. Ancak gün doğduktan sonra hazır olabildiler.

Bugün 30 Ağustos, savaşın sekizinci günüydü.

120 kamyon sıralandı. Spridonos muhafızlarla dolu iki otomobili sona ve ortaya yerleştirdi. Şoförlerin yanına da birer muhafız oturttu. Hızlı gidilecek, ne olursa olsun durulmayacaktı. Kendi de otomobiliyle en önde yer aldı. Ağır ağır köprüden geçtiler.

Muhafızların parmakları tetikte, gözleri tepelerdeydi. Hiç Türk süvarisi görünmüyordu. Kamyonlar yanaşık düzen, birbirlerinin toz bulutu içinde uzaklaştılar.

Mürettep Tümen'in iyi gizlenen keşif kolu konvoyu izlemişti. Durumu tümene bildirdi.

Süvari Alayı konvoyu dağıtmak için yola çıktı.

KATİMERİNİ gazetesi savaş muhabiri Hristos Nikolopulos, askeri bir otomobille 2. Tümen'in karargâhına gitmek üzere sabah erkenden yola çıktı. Tümen Komutanı ünlü Albay Valettas'la yapacağı röportajın çok ilgi toplayacağına güveniyordu.

Nikolopulos yarı yolda bir sahra hastanesi görünce arabayı durdurdu. Çadırlarda yer kalmamış olmalı ki yaralıların çoğu açıkta yatıyordu. Hastane başhekimiyle konuştu. Başhekim çadır ve sargı bezi sıkıntısı çektiklerini söyledi:

"Dünden beri de ambulansları öküzler çekiyor."

Bunu kötü bir şaka sanmıştı. Yolda öküzlerin çektiği iki ambulans görünce şaka olmadığını anladı.[42] Benzin de sorun olmuştu demek ki. Cepheye hayli yaklaştığı sırada, üstü başı dökülen bazı askerler arabayı durdurdular. Kıvırcık sakallı bir asker pencereyi açan Nikolopulos'a "Cephane!!!" diye yalvardı, "..Allah aşkına cephane! Geriye dönün ve cephane getirin!" [43]

Nikolopulos'un göğsüne ağrı saplandı.

İki hafta önce Eskişehir'den şarkılar söyleyerek ayrılan o gıcır gıcır Yunan ordusu, bu ordu muydu? Ne olmuştu da bu hale düşmüştü?

FALİH RIFKI ATAY'ın bugünkü yazısının konusu yine Sakarya Savaşı'ydı:

"Türk dağlarının bağrından kaynayıp Türk köyleri ve Türk ormanları arasından akarak Türk kıyılarında denize karışan Sakarya'nın ismi, yedi günden beri milli coğrafyadan milli tarihe geçti... Sönmüş görünen Türk ruhu yedi günden beri Sakarya kıyılarında bir alev gibi yanıyor.

Türkler dirilmiyorlar, yaşadıklarını ispat ediyorlar." [44]

SÜVARİ ALAYI, hızla yol alan konvoyun önüne geçip de yolunu kesemedi. Ancak yetişmeyi başarabildi. Tek çare vardı: Atlı hücuma kalkmak.

Süvarileri gören şoför korkudan kısılmış bir sesle "Komutanım!" dedi. Spridonos başını kucağındaki haritadan kaldırıp şoförün gösterdiği yana baktı. Tüyleri diken diken oldu. Kılıçlarını çekmiş, mızraklarını ileri uzatmış yüzlerce süvari, sağdaki tepeden saflar halinde aşağı iniyor, demir kamyonların üzerine geliyordu.

"Hızlan! Lanet olsun! Hızlan! Daha hızlan! Daha!"

Muhafızlar ateş etmeye başladılar. Vurulan süvari devriliyor, ötekiler doludizgin yaklaşıyorlardı. Bir anda demir kamyonların yanlarında bitiverdiler.

Motor homurtuları, at kişnemeleri, hücum naraları, bağırışlar, çarpışma, yırtılma, kırılma ve silah sesleri, kılıç şakırtıları, demir gümbürtüleri birbirine dolaştı.[44a]

DR. HASAN Cebeci Hastanesi'nde başhekim yardımcısı olmuştu. Ortalığı titretiyordu ama işlerini dürüstçe yapanlar kendisinden çok memnundular. Sabah vizitesinden sonra yeni gönüllü hemşireleri topladı. Henüz uyum sağlayamamışlardı, hata yapıp duruyorlardı. Doktorun haşlayacağını sanarak korku içinde toplandılar. Ama doktor hiç beklemedikleri bir konuşma yaptı:

"Hanımlar!

Gönüllü hemşire olarak uygarlık hareketinin öncüleri arasına sizler de katıldınız. Bu cesur tavrınız dolayısıyla hepinizi kutluyorum.

Beni iyi dinleyiniz!

Oturduğum mahallede, kadınlar sokağa yüzlerini kara peçeyle örterek çıkıyorlar. Bir erkek görürlerse, arkalarını da dönüyorlar. Duvara dönüp çömelenler de var. Dini bir gereklilik mi bunlar? Hayır. Peki ne? Düpedüz ilkellik. Yazık ki birçok ilkelliğimiz daha var.

Ama bir toplum donup kalmaz, değişip gelişir. Biz de ister istemez değişip gelişiyoruz. Hayatımıza öğretmen, çeteci, işçi, kağnıcı, yazar, dernek yöneticisi hanımlar karıştı. Bunlar da Müslüman. Ama bu hanımlar peçe takmıyor, çarşaf giymiyor, tavuk kafese kapanır gibi eve kapanmıyorlar. Kendilerini ikinci sınıf bir yaratık olarak görmüyorlar. Erkeklerin iki adım gerisinden yürümüyorlar. Vatan savaşına katılmayı namus borcu biliyorlar.

Durum şu: Bir yanda o hanımlar var, bir yanda da sizler. İlkellikle uygarlık yan yana. Bunlar zamanla karşı karşıya gelecekler. Ya ilkellik uygarlaşmanın önünü kesecek, ya uygarlaşma ilkelliği yenecek. Türkiye'nin geleceği bu çatışmayı sizin kazanmanıza bağlı.

Bu çizgide durun, gerilemeyin, ödün vermeyin, korkmayın, kanmayın, geleceğimizi ilkelliğe kurban etmeyin!

Haydi hanımlar, kolay gelsin!"

Gönüllü hemşirelerden bir kısmı

CEPHEDE çıkıntı oluşturan bölümdeki birliklerin geri çekilmesi Yunan kurmaylarını çok ümitlendirmişti. Bu genel bir çekilişe hazırlık olabilirdi. Durumu kesin olarak anlamak için hava keşfi yapılmasına karar verildi.

On beş dakika sonra bir Bréguet-XIV, İnlerkatrancı Havaalanı'ndan havalandı. Bir saat sonra döndü. Raporu kısa ve kesindi: Türkler genel olarak geri çekiliyorlardı. Yunan karargâhı sevince boğuldu. Bekledikleri olmuş, Türk direnişi sonunda çökmüştü!

Bu sevinç sürerken cephane konvoyu da çıkageldi.

Kamyonlar kurşun, kılıç ve mızrak yaraları ile doluydu, çoğunun ön ve yan camları kırılmış, farları, çamurlukları parçalanmıştı. Yarısı patlak lastikle gelmişti. Muhafızların yarısı çarpışma alanında kalmıştı. 30 kamyonun bir kısmı geri kaçmış, bir kısmı da Türklerin eline geçmişti. Ama olsun, 90 kamyon cephane gelmişti ya.[45] Konvoy gösterilerle karşılandı.

General Papulas, yüzü cam çizikleriyle dolu olan Spridonos'u kabul etti:

"Teşekkür ederim Yorgo. Büyük iş başardın. Dağıtımı çabuk yap! Üç kolorduyu da taarruza kaldıracağım. Ankara yolunu bu cephane ile açacağız."

Kolordulara, çekilen Türkleri takip etmeleri emredildi. Bugünkü taarruza 'Ankara'ya Doğru' adı verildi.[46]

Yunanlıların iyimser olmaları için önemli bir sebep daha vardı: Çıkıntıdaki birlikler geri çekilince, Kavuncu köprüsü Türk toplarının menzilinin dışında kalmıştı. Demiryolu Sazılar istasyonuna kadar çalıştırılıyordu. Türk süvarilerinin hücumuna uğrama tehlikesi olmadan, Sazılar-Kavuncu köprüsü ya da Eskişehir-Sivrihisar-Kavuncu köprüsü yolu ile ikmal yapılabilir, yaralılar da bu güvenli yollardan Eskişehir'e gönderilebilirdi. Süvariler yüzünden kaç zamandır yaralıları cephede tutmuş, geriye yollayamamışlardı.

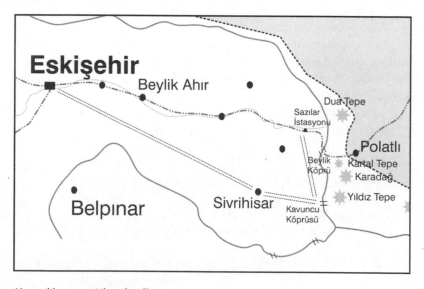

Yunanlıların yeni ikmal yolları:
Kavuncu Köprüsü - Sazılar İstasyonu
Kavuncu Köprüsü - Sivrihisar - Eskişehir

YUNAN HAVACILARININ yine hayal gördükleri anlaşıldı. Türklerin çekildiği filan yoktu. Geceleyin yerleştikleri yeni mevziler-de Yunan ordusunu bekliyorlardı. Her kesimde daha da şiddetle direndiler. Bugünün önemli savaşı 4. Grup cephesinde oldu. Bu grubun karşısındaki Üçüncü Kolordu, yüzünü kuzeyden doğuya, Çaldağı yö-nüne çevirmişti. Bu yönü kapatma görevi, 4. Grup emrine yeni girmiş olan 1. Süvari Tümeni'nindi. Sayıca çok azdı, savunmak zorunda ol-duğu cephenin genişliği ise sayısına göre fazlaydı: 8 km.

Aksi gibi taarruz da gittikçe şiddetleniyordu.

Bu tehlikeli durum Cephe kurmaylarını çok tedirgin etti. Yunan-lılar Çal'ı ele geçirirlerse Türk cephesinin gerisine hâkim olurlardı. Dağdan cephe gerisi tabak gibi görünüyordu. Bu da yenilgi demekti. Çal'a mutlaka takviye yetiştirmek gerekiyordu.

Ama nereden?

Sağ kanattaki Mürettep Kolordu'nun iki tümeni kalmıştı, mer-kezde durum kıl payı dengelenmişti, sol kanatta ise ölüm kalım savaşı sürüyordu. Nereden bir kuvvet alınsa, orası zayıflayacak, biraz zor-lanırsa kopacaktı.

İsmet Paşa tehlikeyi göze alarak 15. Tümen ile 24. Tümen'i Çal'ı korumakla görevlendirdi.

BİNBAŞI TEVFİK BIYIKLIOĞLU 4. Grup Komutanı Kema-lettin Sami Bey'e telefonla Çal'a iki tümen yolladıklarını bildirdi. 4. Grup Komutanı sevinemedi, Kurmay Başkanına dert yandı:

"En yakın tümen bile ancak sabah yetişebilir."

"Evet komutanım. Takviye gelene kadar dayanıp bu geceyi atlat-mamız şart."

Grubun tek ihtiyat birliği, iki taburlu 190. Alay'dı. Komutan onu en zor saat için saklıyordu. Sonunda o en zor saat gelmişti.

"190. Alay'ı Çal'a kaydıralım." dedi, "..takviyeler yetişene kadar Süvari Tümeni'ne destek versin."

"Peki efendim."

SAĞLIK BAKANLIĞI, gelen yaralılara yer açmak için yürüyebilecek durumda olan yaralıları kafileler halinde, Allah'a ve yol üzerindeki köylerin şefkatine emanet ederek, yeni açılan Çankırı ve Kırşehir hastanelerine yollamaya başlamıştı. Yaralılar araba olmadığı için yürüyerek gidiyorlardı. Çankırı 130, Kırşehir 180 kilometreydi. Buralar dolunca yaralılar yeni yapılan Kastamonu hastanesine yollanacaklardı.

Ağustos sıcağı ortalığı kavuruyor, yaman yolculuk günler sürüyordu.

Yaralı akını azalmadığı için Öğretmen Okulu ile yanındaki Sanayi Okulu da hastaneye çevrilmişti. [47] Bugünkü Bakanlar Kurulu toplantısında ilk sözü yorgunluktan gözlerinin altı çürümüş olan Dr. Refik Bey aldı:

"Onlar da doldu. Son gelen yaralılar açıkta kaldı. Bütün resmi binalardan yararlanmak zorundayım."

Refet Paşa Sağlık Bakanının niyetini anlamıştı, "Siz galiba bu binaya da el koymayı düşünüyorsunuz" dedi.

"Evet. Hiç olmazsa birinci katı kullanmak istiyorum."

Bayındırlık Bakanı Ömer Lütfi Bey şaşırdı:

"Eeee, biz nerede çalışacağız?"

Bakanlıkların memurları, arşivleri, eşyaları Kayseri'ye yollanmış, Ankara'da sadece Bakan ile uygun gördüğü birkaç memur kalmıştı. Adalet Bakanı Refik Şevket İnce, "Telaş etmeyin yahu.." dedi, "..ailemi Kayseri'ye yolladım. Evde iki odam boş. İki bakanlığı misafir edebilirim." [48]

Dr. Refik Saydam — Celal Bayar

Bu açıklama üzerine İktisat Bakanı Celal Bayar da ikinci odaya talip oldu. Refik Şevket Bey sevindi:

"Memnuniyetle. Evde eşya var. Bir şey getirmenize gerek yok. Mührünüzü alıp gelin, yeter."

Gülüştüler. Çoğu ateşten geçerek bugüne gelmişti. Bu yüzden paniğe kapılmıyorlardı. Ümit gibi yenilmez, yıkılmaz bir müttefikleri vardı. Bu iyimser hava Sağlık Bakanını sinirlendirmişti. Kaleminin tersiyle masaya vurarak dikkatlerini çekti:

"Sözüm bitmedi. Önemli bir sorunum daha var."

Hasan Saka homurdandı:

"Anlaşıldı, yine para isteyeceksin."

"Evet. Çünkü..."

"Biliyorum, ödeneğin var ama paran yok. Halbuki ilaç alman lazım."

Maliye Bakanı'nın derdini bilmesi Dr. Refik Bey'e ümit verdi:

"Evet."

Hasan Saka, "Sen para diye çok geldin gittin.." dedi, "..yandaki odanın Maliye Bakanlığı olduğunu iyi bilirsin. Odadaki kasa da devlet hazinesidir. Kasayı kapatmadım bile. İçinde para bulursan al, helal olsun."

"Peki, ne yapacağım?"

"Veresiye alacaksın."

Refik Saydam titremeye başladı:

"Rica ederim Hasan Bey! Dünyaya kafa tutan bir hükümet, ordusunun ilacı için mahalle eczanesine el açar mı? Biri duysa ne der?"

Hasan Saka istifini bile bozmadı:

"Ne diyecek? 'Bunların paraları yok ama yürekleri var' der." [48a]

SAATLER geçtikçe durum daha tehlikeli olmaktaydı. Çal'ın batı eteğinde 1. Süvari Tümeni canı pahasına dayanıyordu. Hava kararırken 190. Alay yetişti. Ama Süvari Tümeni'nin takatı tükenmişti, alaya bir görev veremeden çözüldü, emrindeki bazı küçük piyade birliklerini de birlikte sürükledi, adeta dağılarak kuzeydoğuya (*Karayavşan'a*) çekildi.

Çaldağı yönü açılmış oldu.

Önünde bir engel kalmayan 10. Yunan Tümeni rahatça ilerlemeye başladı.

Cephenin bütünlüğü ve güveni tehlikeye girmişti.

Kemalettin Sami Bey, 190. Alay'ın 'gerekirse kendini feda ederek, takviyeler yetişene kadar ilerleyen düşmanı durdurmasını' emretti. [48b]

Alayın komutanı Yarbay Sabit Noyon tam bir asker, alayı da ateş topu gibi bir birlikti.

Yetişmek için durmadan ve hızlı yürümüşlerdi. Askeri dinlendirmek için uygun bir yerde geçici olarak durup silahları çattılar. Yiyecek yoktu. Dert etmediler. Asker çay yapıp peksimetle açlık bastırmaya alışıktı. Hava kararınca durumu öğrenmek için dağa keşif kolları yollandı. Askerler çay için küçük ateşler yakarlarken üç kağnı ağır ağır gelip ordugâhın kıyısında durdu. Öndeki kağnıcı yaşlı bir kadındı. Seslendi:

"Burası 190. Alay mı?"

Haydar Çavuş mum feneriyle yaklaştı, "Evet ana" dedi.

Yarbay Sabit Noyon

"Eyi. Size yiyecek getirdik."

Haydar Çavuş inanamadı. Bu kargaşalıkta ikmal işinin böyle düzenli, bu kadar hızlı işlemesi mümkün değildi.

"Allah Allah. Kim yolladı sizi?"

"Ne bileyim? Erzakla ekmeği verdiler, burayı tarif edip 'haydi' dediler, geldik."

Birkaç er yaklaşmıştı, biri sordu:

"Ne var?"

Kadıncağız torunu yaşındaki askerleri memnun etmek için dişsiz ağzını şapırdattı:

"Ziyafet var yavrularıma. Tulum peyniri, ekmek, kavun."

"Başka bir şey yok mu?"

Kadın içerledi:

"Anaavv! Daha ne olsun ülen?"

Kızması hoşlarına gitmişti. Üstelediler:

"Sıcak yemek yok mu yani?"

"Şimdi şaplağı yersin ha! Bu kıyamette bunu bulduğuna şükret, zevzek!"

Haydar Çavuş buruşuk kadına büyük bir sevgiyle sarıldı:

"Kızman hoşlarına gitti de ondan takılıyorlar anacığım. Kusura bakma."

Kadın gevşedi:

"Eh, öyleyse canları sağ olsun hınzırların.."

Koca sesiyle bağırdı:

"..Kızlar! Yükü boşaltıverin."

Ordugâhın öbür yanında, alay komutanı, iki tabur komutanı ve bölük komutanları bir ağacın altında oturmuş, alçak sesle durumu değerlendiriyorlardı. Keşif kolları, düşmanın dağın batı kısmını ve batı zirvesini işgal edip durduğunu saptamışlardı. Her yana hâkim zirvenin sabah düşmanın elinde kalması büyük tehlike yaratacaktı. Tümen taarruzunu kolayca ilerletir ve dağın tamamını ele geçirirdi. Düşmanı durdurabilmenin ilk şartı, batı zirvesini geri almaktı. Komutan önerisini yaptı:

"Bu gece zirveyi baskınla ele geçirelim. Ölene kadar direnerek orduya zaman kazandıralım. O zamana kadar birlikler yetişir."

Komutanlar duraksamadan öneriyi kabul ettiler.

"Öyleyse beyler şimdi baskının ayrıntılarını konuşalım!"

Emir subayı peynir, ekmek ve kavun getirdi.

"Asker?"

"Üç araba erzak geldi efendim. Asker de yemeğe oturmak üzere."

"Güzel."

İçleri rahat, yemek yiyerek baskını ve sonrasını planladılar.

Zirveyi ve çevresini uzunca bir zaman savunacaklarını düşünerek artan peynir ekmek bölüştürülüp torbalara yerleştirildi, sakalar tulumları doldurdular.

Teyemmüm ederek yatsı namazını topluca kıldılar. Helalleşip gece yarısından önce yola çıktılar.

Çaldağı'nın güney yamaçlarından yukarı tilki gibi sessizce tırmandılar. Baskın için yayıldılar ve zirvedeki Yunan birliğinin içine birkaç noktadan birden süngüleriyle hışım gibi daldılar. Zirve ve çevresini temizleyip mevzilendiler.[48c]

Saat 01.00'di.

Savaşın dokuzuncu günü başlamıştı: 31 Ağustos!

I. Yunan Kolordusu karargâhı savaşı izliyor.

CEPHE KARARGÂHINDA genel olarak gündüz uyunuyor, gece çalışılıyordu. Ama günler o kadar hareketli geçmekteydi ki gündüzleri de uyumak pek mümkün olmuyordu artık. Fırsat bulan, uykusuzluğunu beş-on dakika kestirerek gidermeye çalışıyordu. Hepsinin gözleri küçülmüş, avurtları çökmüştü.

İsmet Paşa Başkomutan'ın yanına, saat 01.00'den sonra gelebildi. Yorgun ve sıkıntılıydı:

"Sol kanatta düşman faaliyeti hızını kaybetti. Ama merkezde cepheyi yarmak için durmadan saldırıyorlar. Yarın da saldıracaklardır. Kemalettin Sami Bey Çaldağı'na bir alay sevk etmiş. Çal'da bu gece sadece bu alay var. Öbür birlikler ancak sabaha yetişebilir. Bu gecemiz çok kritik. Çaldağı'nın elden çıkması olasılığını dikkate alarak Kızılırmak'ın doğusuna çekiliş planlarını hazırlamaya başladık." [49]

Sustu.

Gözler Başkomutan'a döndü. İsmet Paşa'yı, başını önündeki haritadan kaldırmadan dinlemişti. Halide Edip Hanım ordunun en kötü olasılığa göre hazırlık yapmasına alışmıştı ama yine de içi titredi. Çaldağı elden çıkarsa ne olacağını da anlatmışlardı. Üzüntüden yanmaya başlayan gözlerini M. Kemal Paşa'ya dikti. Şimdi başını kaldıracak, gerçekçi bir insan olarak herhalde karargâhın yaptığı hazırlıkları onaylayacaktı. Sonra da geri çekilişin ayrıntılarını konuşacaklardı. O kadar emekle ve ümitle kurulmuş ve bugüne kadar ölümüne direnmiş olan gazi orduyu çekiliş yollarında düşündü. Millet bu ikinci çekilişin acısına ve yüküne katlanabilir miydi?

Nefesini tuttu.

M. Kemal Paşa başını kaldırdı. Yoğun düşünce anlarından sonra gözleri koyulaşıyordu. Şimdi de öyle olmuştu: "Çaldağı elden çıksa da çekilmeyeceğiz" dedi.

Kâzım Paşa şaşırdı:

"Nasıl olur Paşam?"

Başkomutan nasıl olacağını anlattı.

YUNAN 10. TÜMENİ sabaha karşı taarruza geçti. 190. Alay, arka arkaya süngü hücumları yaparak Yunanlıları önce durdurdu, sonra zirveden iyice aşağıya sürdü.

Alay hayli kayıp vermişti ama savaş azmi azalmamış, tersine artmıştı. Siperleri geliştirdiler, ağır makineli tüfekler için taştan yuvalar yaptılar. Puslu sabah aydınlığı içinde kımıldayan her Yunanlı kurşunu yiyordu. Nişancı erler kuş uçurtmuyorlardı.

Zirvedeki bu çılgın alay yüzünden 10. Tümen ilerleyemez oldu. Çal'ı ele geçiremiyordu.[49a] Albay Sumilas tümeninin bütün toplarının zirve ve çevresini dövecek biçimde yaklaştırılıp yerleştirilmesini emretti. Alayı tepeleyip ilerleyemediği için kolordudan ve ordudan azar işitmişti.

Alayın gözcüleri, dağın etek ve yamaçlarındaki her hareketi gözlüyorlardı. Topların toplandığını da gördüler. Belli ki alayı yoğun ateş altına alacak, sonra taarruza geçeceklerdi. Hızla siperleri ve bağlantı yollarını derinleştirdiler, sığınakları büyütmeye çalıştılar. Ağır makinelileri sakladılar. Toplar ateşe başlar başlamaz korunaklı yerlere çekildiler.

Zirve kızıl ateş ve kara duman içinde kaldı. Dağ uyanmış bir yanardağa benzedi.

190. Alay'ın mevzilerini bir saatten fazla top ateşine tuttuktan sonra 10. Tümen harekete geçti. Alay çok kayıp vermiş, sığınaklar yıkılmış, siperlerin çoğu allak bullak olmuştu.

Sağ kalanlar ve yaraları ağır olmayanlar silah başı ettiler. Savaş başladı. Sakalar, ağırlıkçılar, sağlıkçılar, aşçılar, tabur imamları, flamacılar, borazanlar da sahipsiz kalmış tüfekleri alıp savaşa katıldılar. İlerleyemeyen 10. Tümen taarruza ara verdi.

ÜÇÜNCÜ KOLORDU'nun sabah raporu General Papulas'ı delirtmişti. Sesi karargâhı sarsıyordu:

"Bir alay tümenimizin içine dalıyor, zirveyi koruyan birliği temizliyor, en önemli yeri ele geçiriyor, koca tümen bu alayı defedemiyor, ezip yürümeyi başaramıyor ve Çaldağı'nı işgal edemiyor. Oysa ben dün Kral'a ve hükümete 'Ankara'ya yürüdüğümüzü' bildirmiştim.

Bugün Çaldağı'nı ve Haymana'yı istiyorum!!!" [50]

TEĞMEN ŞEVKET EFENDİ'nin güncesinden:
"Durmadan yürüyerek Çaldağı'na geldik. Dağın güneyine mevzileniyoruz. Burasını tek er kalana kadar savunacağız. Tümenimiz (15. Tümen) çok kayıp vermişti. Henüz subay ve askerce ikmal edilmediği için bölüklerimiz çavuşların komutası altında." [50a]

GERİ ÇEKİLEN 1. Süvari Tümeni'nin 11. Alayı'ndan 2. Bölük kayıptı. Esir düşmüş olacaktı. Esir olmayı büyük onursuzluk sayan Alay Komutanı ıstırap içindeydi. Kendi alayından bir bölüğün esir olmasını affedemiyordu:

"Bir süvari esir olmaz, dövüşür ve şehit olur!"

2. Bölük esir olmamıştı. Geri çekilme kargaşası içinde yolunu kaybetmiş, Yunan tümeninin içinde kalmış, Çaldağı'nın sarp vadilerinden birine çekilip saklanmıştı. Yetmiş kişiydiler. Su yoktu. Mata-

ralarındaki ve heybelerinde taşıdıkları küçük testilerdeki suyu içmediler, peksimetleri yemediler, atlara verdiler. Tehlikeyi sezen eğitimli savaş atları sessiz duruyorlardı. Bölük tam anlamıyla araziye uymuştu. Bölük Komutanı dört bir yana atsız keşif kolları çıkardı. Alayına kavuşmak için bir gedik arıyordu.

Bölük iki gün böyle yaşayacak, üçüncü gün buldukları bir boşluktan sızarak düşman içinden kurtulacak, o sert, affetmez Alay Komutanı bölüğünü eksiksiz karşısında görünce, utanmayı bir yana bırakıp askerin önünde sevinçten çocuk gibi ağlayacaktı. [50b]

ALBAY ŞÜKRÜ NAİLİ BEY'in komutasındaki 15. Tümen dağın güney eteğine yerleşirken Başkomutan'ın otomobili de, dağın kuzeyindeki bir yükseltiye tırmanıyordu.

Bu küçük tepeden, dev bir boğaya benzeyen Çaldağı ile altın sarısı Haymana Ovası görünmekteydi. Fevzi Paşa ve Yarbay Salih Omurtak otomobille, yakınlardaki grupların komutanları atlarla önceden gelmiş bekliyorlardı. Komutanların yanında grup ve bazı tümenlerin kurmayları vardı.

Tehlikeli durum yüzünden hepsi mutsuz ve hayli telaşlıydı.

Başkomutan komutanların ve kurmayların ellerini sıktı, hatırlarını sordu. Çok iyi dövüştüklerini söyleyerek teşekkür etti. Yatışmalarını sağladıktan sonra Çaldağı'nı göstererek konuya girdi:

"Bütün çevreye hâkim, güzel bir dağ. Elimizde kalması çok iyi olur. Kalması için ne mümkünse yapın."

"Başüstüne!"

"Elimizden çıkarsa, geçerli kurallara göre savaşın aleyhimize döndüğünü, yenildiğimizi düşünenler olacaktır. Ama böyle düşünmekle yanlış yapacaklardır.."

Komutanlar ve kurmaylar bakıştılar. Başka ne düşünülebilirdi ki?

"..Çünkü biz alan savunması yapıyoruz. Bu yöntemde 'hâkim yer' düşüncesinin yeri olamaz. Bir ordu aklını ve anlayışını koruyorsa, onun için mevzi önemli değildir. Bir asker her yerde savaşır. Tepenin üstünde, tepenin altında, derenin içinde, ovada, her yerde. Öyleyse Çaldağı'nı da her alan gibi şiddetle, inatla savunacağız. Eğer elimizden çıkarsa, araziye mahkûm olmayacağız, durup cephe kurmak için ille dağ, tepe aramayacağız, elverişli bir yer bulmak için kilometrelerce geriye gitmeyeceğiz, beş yüz metre, bin metre geri çekilip yeniden cephe kuracağız ve aynı azimle savaşa devam edeceğiz." [50c]

Salih Bozok, gergin, kavruk yüzlerin birdenbire gevşediğini gördü. Bu açıklama yüzlerce yıllık savunma anlayışının yerine her türlü taktik yaratıya açık, esnek bir savunma anlayışı getiriyor, hepsini düşündüren düğümü çözüyordu. Fevzi Paşa da rahatlamıştı. Büyük bir saygı ve şefkatle M. Kemal Paşa'nın sırtını sıvazladı.

ALBAY SUMİLAS'ın 10. Tümeni yeniden taarruz için hazırlık yaparken, General Kondulis bir tümeniyle Çal'ın, iki tümeniyle de Haymana'nın güneyine taarruza geçti.

Çok acımasız bir savaş başladı. Ortalık kan gölüne döndü.[51] Türkler her taarruz girişimini, ölümün üzerine yürüyerek süngü hücumuyla söndürüyorlardı. Yunan subaylarının askerleri taarruza kaldırmak için zorladıkları, genç subayların askerlerine örnek olmak için kendilerini feda ettikleri görülmekteydi. Savaş alanı Yunan ölü ve yaralıları ile doldu. Çok kayıp veren Yunan tümenleri savaşı kestiler.[52]

15. Tümen'den bir müfreze Çal'ın batı zirvesine ulaştı. Müfrezenin komutanı yüzbaşı, 190. Alay'ın dün geceden beri burada direnerek Çal'ın düşmesini önlediğini biliyordu. Görevi devralmak ve Alay Komutanı Yarbay Sabit Bey'in ellerinden öpmek için mevziye girdi.

Kanı dondu.

Yıkık siperler, bağlantı yolları, sığınaklar, mermi çukurları, şehitler ve yaralılarla doluydu. Alaydan geriye komutan, birkaç subay ve 150 er kalmıştı.[53] Şehitleri birlikte gömdükten sonra görevi müfrezeye teslim eden alay, yaralılarını alarak dağdan aşağıya indi.

GECE YUNAN KARARGÂHINDA herkes çok sinirliydi. Çaldağı ele geçirilememiş, Haymana yolu açılamamıştı. Yine çok kayıp verilmişti. Papulas yarmayı gerçekleştirmek için, Andreas'ın kolordusundan bir tümen alınarak yarma bölgesindeki kuvvetlerin takviye edilmesini emretti.

Albay Bernardos çekine çekine, "Ama o kanattan bir tümen çekersek düşmanı sol kanadından kuşatma planımız suya düşer" dedi.

Papulas parladı:

"Sen ne diyorsun? O plan çoktan suya düştü! Oradaki düşman süvarileri neredeyse bizim sağ kanadımızı kuşatacaklar. Tek çare cepheyi yarmak. Yarın yine taarruz edeceğiz!"

General Stratigos, buz gibi bir sesle, "General.." dedi, "..her taarruzumuz binlerce insana mal oluyor. Buna karşılık ciddi bir sonuç alamıyoruz. Ordu şimdiye kadar buna bir çare bulmalıydı."

Papulas masaya yumruğunu vurdu:

"Siz bu seferin başlıca teşvikçisiydiniz. Zorlukları ve tehlikeleri anlattığım zaman bana 'korkma' demiştiniz."

Stratigos da bağırdı:

"Ordu eriyor! Geçmişi değil, bugünü konuşalım."

Papulas ayağa kalktı. Yüzünün sağ yanı seğiriyordu:

"Evet, eriyor. Üstelik aç. Bazı birliklere ekmek yetişmediği için haşlanmış buğday verildi. Gücü tükenmek üzere. Ben bunları bilmiyor muyum? Ne yapayım, savaşı keseyim mi?"

General Stratigos ürkmüştü. "Yoo, hayır" dedi.

"Öyleyse yeter! Eleştiriye son veriniz!"

Pallis'e döndü:

"Yarın da taarruz edilecek. Sabah erkenden!"

TÜRK ORDU KARARGÂHINDA da hava çok gergindi.

7. Yunan Tümeni'nin Duatepe ve Kartaltepe'den sonra Karadağ'ı da alması ve Polatlı'ya iyice yaklaşması iki büyük sorun yaratmıştı:

Bu kez de sağ kanadın kuşatılması tehlikesi belirmişti. Bir delik yamanırken bir başka yer deliniyordu. İsmet Paşa 1. Süvari Tümeni'ni 4. Gruptan alıp zor duruma düşen Mürettep Kolordu'ya geri yolladı.

Sağ kanattaki birlikler Polatlı'dan ikmal ediliyorlardı. Düşmanın yaklaşması ikmal düzenini bozmuştu. Şimdi Polatlı'dan geride, Yunan toplarının ulaşamayacağı kadar uzakta yeni bir ikmal noktası kurmak gerekiyordu.

Cephe Komutanlığı Çaldağı ve Haymana kesimlerinin savunulması için de ek önlemler aldı. 23. Tümen'e, alaylarından birini Cephe ihtiyatı olarak hemen Haymana'ya yollamasını emretti.

Ömer Halis Bıyıktay   Şükrü Naili Gökberk

23. TÜMEN'in iki alayı ilk hattaydı. Tümen Komutanı Yarbay Ömer Halis Bıyıktay, üçüncü alayı olan 68. Alay'ı dinlenmesi için cepheden yeni geri çekmişti. Daha iki saat bile olmamıştı.

Tümenin yazgısı buydu. Durmadan savaşıyor, bir yere gönderiliyor, yürüyor, siper kazıp yerleşiyor, savaşıyor, fırsat bulursa yemek yiyor, sonra bir başka yere yetişmesi isteniyor, yeniden yürüyor, yeniden siper kazıyor, yeniden savaşıyordu... Hep böyle geçmişti günler. Üç alayı da buna alışıktı. Bu yüzden askerler yürürken uyumayı öğrenmişlerdi.

Alaya hemen toplanıp Haymana'ya hareket etmesini emretti. Askerler yeni yatmışlardı. Kalktılar. Saat 23.00'te yola çıktılar.

Kel Zeynel'in alayıydı bu. Takımının en sonunda, gözlerinden uyku akarak, elindeki kuru ekmeği kemire kemire, eşeğiyle uygun adım tin tin yürüyordu. Yürüyüş kolunu denetleyen bölük çavuşu geçerken laf attı:

"Ne haber Zeynel Ağa?"

Zeynel, "Ne olacak çavuşum.." dedi, "..Allah yine 'yürü ya kulum' dedi, yürüyorum."

Çavuşun kahkahası gece sessizliği içinde tabanca gibi patladı.

1 EYLÜL 1921 Perşembe günü yine top sesleriyle başladı.

Kuzey kanatta 7. Tümen, Dua Tepe'nin doğusundaki Basrikale Tepe'sini sabah erkenden şiddetli topçu ateşi altına aldı. Birkaç dakika içerisinde tepenin doruğunda bulunan Basri Baba'nın yüksek duvarlı kabri yerle bir oldu. Tepenin üzeri dümdüz bir hale geldi. Yoğun ateşten sonra dolgun bir Yunan taburu Basrikale'ye doğru taarruza geçti. Bu tepe sağ kanadın kilidi idi. Düşman bu yüksek tepeyi ele geçirirse, ordunun sağ kanadına tamamen hâkim bir duruma geçmiş olacaktı.

Taarruz etmek için burdaki birliklerin en zayıf ânını bulmuşlardı. Dua Tepe'den çekilen birlikler Basrikale'ye yeni yerleşiyorlardı. Siperler daha yarım yamalaktı. Yunan birliği berkitilmemiş ve düzenlenmemiş Türk mevzilerine iyice yaklaşınca süngü hücumuna kalktı.

Kâzım Özalp, karargâhıyla birlikte savaşı Karapınar Köyü'nün kuzeyindeki 1063 rakımlı tepedeki gözetleme ve komuta yerinden heyecan içinde izliyordu.

Çok az rastlanılan bir şey oldu. Yunanlıların hücum ettiği yarım yamalak mevzideki askerler son âna kadar düşmana ateş edeceklerine, siperlerinden fırladılar, onlar da süngü hücumuna kalktılar. Siperlerin önündeki alanda süngüler ışıldadı. Birbirlerine girdiler. Seyredeni bile yaralayan çok kanlı bir boğuşma başladı.

Kâzım Özalp kaskatı kesilmiş, boğuşmanın sonunu bekliyordu.

Sağ kalan Yunanlılar geri kaçtılar. Basrikale Tepesi Türklerde kalmıştı.

Düşmanın toplarının menzili içinde kalan Polatlı boşaltıldı. İstasyona indirilen yiyecek ve ekmekler, birliklere dağıtılamadan kül olmuştu. Durumu öğrenen yakın köylerden ve çiftliklerden birliklere yufka ekmeği ile azık yağacaktı.

Yunan Üçüncü Kolordusu çok çabaladı ama ilerleyemedi.

Bugün Panayot da yaralanmıştı. Savaşa ara verilince sıhhiyeciler yaralıları toplayıp geri taşıdılar. Panayot'u İnlerkatrancı'daki ordu hastanesine gönderdiler. Sol bacağından yaralıydı. Hastanede unutamayacağı bir sahneye tanık olacaktı.

Birinci Kolordu Komutanı General Kondulis bir tümeniyle yine Çal'a yüklendi. Ama Çal Grubu (*15. ve 24. Tümenler*) çok iyi direniyordu. Asker hayal edilmesi bile zor bir özveriyle dövüşmekteydi.

15. TÜMEN'in 38. Alayı iyi mevzilenmişti. Hele ağır makineli tüfeklerden biri, ilerde, tek başına, çok elverişli bir yer tutmuş, düşmana göz açtırmıyordu. Yunan birliği yeniden taarruza kalktığı sırada tüfek arıza yaptı. Bu talihsizlik savunmàyı çok zor durumda bıraktı. Düşman taarruzu hızla gelişmekteydi. Abdurrahman Çavuş arızayı arıyor, telaş ve heyecandan bulamıyor, üzüntüyle gözlerinden ip gibi yaş akıtıyordu. Teğmen Şevket uzaktan bağırdı:

"İğne mahfazasına bak!"

Mahfaza o kadar kızmıştı ki el dokundurulamıyordu. Makineli tüfeğin Karadenizli erlerinden biri mahfazayı kara başlığı ile tutup çıkardı. Arıza anlaşıldı: İğnenin ucu kırılmıştı. Yeni bir iğne takmak için kırık iğneyi çıkarmak gerekti ama iğne çıkaracağını bir türlü bulamıyorlardı. Yunanlılar iyice yaklaşmışlardı. Abdurrahman Çavuş başlığa sarılı olan mahfazayı yakaladı, dişleri, dudakları, dili cayır cayır yanarak, kızgın iğne kovanını dişlerinin arasına sıkıştırıp çevirdi, kırık iğneyi çıkarıp yenisini taktı. Çevreye yanık kemik ve et kokusu yayıldı. Dakikada 500 mermi yakan makineliyi çalıştırdı.

Can acısından ve heyecandan bütün ciğeri ile bağıra bağıra yakına gelmiş olan Yunan askerlerini biçmeye başladı.[53a]

GENERAL KONDULİS Çal yönünden ümidini kesti.

İki tümeniyle Haymana yönünü bir daha zorladı. Gırtlak gırtlağa bir savaş başladı. 8. Tümen birkaç saat içinde 900 erini kaybetti, 57. Tümen'in üç alay komutanı da yaralandı, 176. Alay'dan iki bölük, 131. Alay'dan iki tabur esir düştü.[54] Savaş dolayısıyla bu birliklerin mevcutları çok azalmıştı ama birlik olarak esir olmaları herkesi şaşırttı ve çok üzdü.

8. ve 57. Tümenler, Haymana'nın 2 km. güneyindeki sırtlara çekildiler ve burada çılgınca direndiler. Çünkü bu sırtlardan ötesi Haymana, dolayısıyla Ankara'ydı.

Ağır kayıp Kondulis'i korkuttu. Taarruzları durdurdu, Kurmay Başkanına, "Etimiz dökülüyor." dedi, "..hedefe ancak iskeletimiz varacak."[54a]

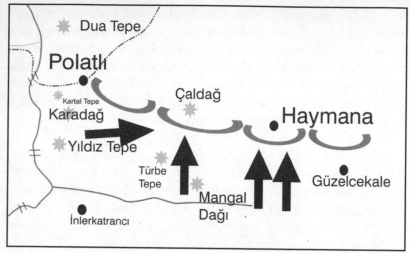

Yunan 3. ve 1. Kolordularının Çal Dağı ve Haymana güneyine taarruzları

MİLLİ SAVUNMA BAKANLIĞI'ndan gelen 31 Ağustos günlü ivedi mesaj üzerine Binbaşı Ekrem Bey, subay gönderme işi ile ilgili görevlilerle Aksaray'daki güvenli evde akşam üzeri buluştu. Hemen konuyu açtı:

"Ankara acele 15 alay komutanı, 35 tabur komutanı, 150 yüzbaşı, 400 teğmen ve üsteğmen istiyor." [54b]

Yüzbaşı Rasim çıplak ayak ateşe basmış gibi inledi:

"Ooof! Ne çok subay kaybetmişiz."

Ekrem Baydar, "Ankara, gidecekler için yol parası da yollamış.." dedi, "..bu akşam faaliyete geçin."

"Başüstüne."

GENERAL ANDREAS, ordunun emri üzerine batıya, Albay Kalinski'nin komutanı olduğu disiplinsiz 9. Tümen'i yollamıştı. Birinci Kolordu ile araları çok açıldığı için bazı birliklerini de bu boşluğa sürdü. Elinde ciddi taarruz yapabilecek güç kalmadı.

İki yan da topçu düellosuyla vakit geçirdi. 1. ve 12. Grup bu sayede dinlendi. Bitkin birlikler sıcak yemek yiyebildiler, temizlik yaptılar ve gece erkenden toprağa uzanıp uyudular.

Yüzbaşı Faruk bu fırsattan yararlanarak Nesrin'e mektup yazdı:

"Nesrin Hanım,

Karavana ve barut kokusu yaradı. Çok iyiyim. Bugün savaş yok. Savaş gürültüsüne o kadar alışmışız ki bu sessizlik hepimize tuhaf geldi. Siz nasılsınız? İşiniz başınızdan aşkın olmalı. Şehitlerimizi burada toprağa veriyor, yaralıları size yolluyoruz. Önümüzdeki yaz bu topraklarda gelincikler kan kırmızı açacaktır.

Şefkat ve ilginiz için size bütün gönlümle bir daha teşekkür ediyorum. Kalpağımı kıskanan çok. Nazara geldi. Geçen gün ateş hattına gitmem gerekmişti. Afacan bir mermi kalpağımın sağ yanını çizip geçti, küçük bir savaş anısı bıraktı. Başta suratsız Hasan, bütün doktorlara selam.

Allaha emanet olun."

Mektubu ertesi günü yollayacak ama adresini bildirmeyecekti.

BU GECE Nesrin yine nöbetteydi. Sorumlu olduğu koğuşlar arasında koşturup duruyordu. Gönüllü hemşirelerden genç bir öğretmen de Nesrin'e canla başla yardım etmekteydi.

Koğuştan çıkarken yardımcısına, "Niçin bütün öğretmenler gönüllü hemşire olmadınız?" diye sordu, "..Sayınız herhalde bu kadar değildir."

Genç öğretmen, "Haklısınız.." dedi, "..daha kalabalığız. Ama bazı arkadaşlar gelmedi. Çünkü arkadaşlarımızdan birinin yakını bir din adamı var. Müslüman bir kadının yabancı erkeklere dokunmasının dine uygun olmadığını söylemiş. Arkadaşların da bir bölümü, 'demek ki bu iş dinimize uygun değil' deyip gelmediler."

Nesrin koridorda zıngadak durdu:

"Böyle düşünenler herhalde pek çok ki bizde bu hayırlı, güzel meslek oluşmamış. Diyelim ki hemşirelik gereği yapılan şeyler dince bir kusur. Ama biri bir insanın, bir milletin iyiliği, huzuru, yararı, hayrı için biraz kusur işlese, ne olur? Yüce Allah bunun bir özveri olduğunu takdir edemez mi? Böyle incelikleri kavramaktan uzak, olgun bir insandan daha mı katı? Bu güzel davranışı, bencillikten daha değerli, daha insanca, daha Müslümanca saymaz mı?"

Üzüntüyle baktı:

"..Bir insanın Allah'ı böyle sırf cezalandırıcı gibi görmesi ve yalnız kendini kurtarmaya çalışması ne kadar yanlış bir şey. Bu dar anlayış bazı Müslümanları çok bencil ve katı yapıyor. Bence Müslümanlık bu değil. Toplumun selameti, kişinin selametinden önce gelir. Neyse. Gel, yaralılara yardım etmek kusursa, biz güzel Allahımızın affına sığınarak kusur işlemeye devam edelim."

Öteki koğuşa girdi.

Ameliyattan yeni çıkmış bir yaralı "Su..." diye inliyordu. Koştu, nemli bir tülbentle yaralının dudaklarını ıslattı. Yaralı, birliğini biçen bir Yunan makineli tüfeğini, sürünerek yaklaşıp el bombasıyla susturmuş bir fedaiydi. Vücudunda ondan fazla kurşun yarası vardı.

İŞ YÜKÜ çok artmış olan Kızılay, yakındaki üç katlı, geniş bir Ankara konağına geçmişti. Alt kat atölyelere ayrılmıştı. Ücretli ve gönüllü hanımlar sargı paketi hazırlıyor, asker çamaşırı dikiyorlardı. Orta kat da idari işlere ayrılmıştı. Son kat misafirhane olarak kullanılıyordu. Halide Hanım'ın cepheye gitmesi üzerine Kalaba'daki evin düzeni bozulmuş, Y. Kadri buraya taşınmıştı.

Karanlık basınca koyu bir sessizliğe gömülen Ankara'da Kızılay Merkezi aydınlar için bir sığınak oldu. Akşamları üçüncü katın sofasında toplanıyor, bol çay içerek geç saatlere kadar cephe haberlerini konuşuyor, Türkiye'nin geleceğini tartışıyorlardı. Bu sohbetlere katılmak için zaman zaman Dr. Adnan Bey de gelip gece kalmaktaydı.

Bugün düşmanın Haymana'nın kapısına dayandığı, Yunan 7. Tümeni'nin Polatlı istasyonunu top ateşi altına aldığı duyulmuştu. Bir memur "Ordu dağılırsa, bir daha toparlanamayız" dedi. Yaşlı bir kızılaycı azarladı:

"Sus! Ordu yenilebilir ama millet yenilmez."

Milli Mücadele'yi tükenmez, Kuva-yı Milliyecileri iyimser yapan sır buydu işte.

HERKES çadırına çekilmişti. Büyük çadırın altında yalnız Pallis'le Sariyanis kalmıştı. Uzaktan top sesleri geliyor, ufukta ara sıra top ışıkları çakıp sönüyordu. Albay Sariyanis, o kadar emek verdiği ve güvendiği planın adım adım çöküşüne tanık olmanın derin üzüntüsü içindeydi. Acıdan kararmış bir sesle, "Oyunu kaybediyoruz" dedi.[55]

Pallis kızdı:

"Böyle konuşma! Senin de benim de ümitsizliğe kapılmaya hakkımız yok. Daha şansımız çok. Çaldağı düşünce neler olacağını biliyorsun."

Bir kurmay olarak çok iyi biliyordu elbette. Çaldağı düşerse Türk direnişi parçalanıp çökecek, iki gün sonra da Ankara kalesinde Yunan bayrağı dalgalanacaktı.

Sariyanis başını önüne eğdi ve bunun için dua etti.

2 EYLÜLDE, orduya bağlı topçu birlikleri ile Üçüncü ve Birinci Kolorduların tüm topları sabah Çal ve Haymana kesimindeki Türk mevzilerini delice dövmeye başladılar. Savaşın on birinci günüydü. Mevziler cehenneme döndü. Havadan mermi yağıyor, havaya taş, toprak, silah ve insan parçaları uçuyordu. Bir saat sonra iki kolordu Çaldağı'nı ve Haymana'yı ele geçirmek azmiyle ilerledi.

Çok yırtıcı bir savaş başladı.

GENERAL PAPULAS yaralıları ziyaret etmek için İnlerkatrancı'daki ordu hastanesine geldi. Hatır soracak, 'Ordunun Annesi', 'Ordunun Ablası' gibi kuruluşların anavatandan yolladığı sigaraları, şekerleri, küçük hediyeleri de yaralılara dağıtacaktı. Kaç zamandır yapmayı düşündüğü ama gerçekleştiremediği bu ziyaretin yaralıları çok memnun edeceğini umuyordu. Başhekim ve doktorlarla birlikte büyük hastane çadırına girdi.

Panayot çok heyecanlıydı. Başkomutanı ayakta karşılamak istiyordu. Ama ayağı çok sancıdığı için başaramadı. Yatakta oturmaya çalışırken tüylerini diken diken eden bir şey oldu, protesto ıslıkları ve "terhis!" çığlıkları duyuldu. Bu acayip tepki birdenbire yayıldı. Dev çadır öfkeli yaralıların çığlıkları ile doldu:

"Eve gitmek istiyoruz!"

"İngiliz petrolü için ölmek istemiyoruz!"

"Burda ne işimiz var?"

"Bizi eve yolla!"

Sonra daha pis sesler yükseldi:

"Yuh! Yuuh! Yuuuh!"

Askerler Başkomutanlarını yuhalıyorlardı. Panayot korku ve utançla taş kesildi.[55a]

HER GÜN birkaç keşif, dolayısıyla bombalama uçuşu yapılıyordu.

Bugün Vecihi ile Basri uçtular. Keşif uçuşunun sonuna doğru güneybatıda uçan bir Yunan uçağı gördüler ve anlaştılar. Bombalarını atacak, sonra bu uçağın peşine düşeceklerdi.

Bombaları önceden belirledikleri hedeflere attılar. Ağırlıktan kurtulan uçak rahatladı. Kıvrakça Haymana üzerinde bulunan Yunan uçağına döndüler. Yunanlı pilotlar çatışmadan hoşlanmıyorlardı. Bu pilot kaçamayınca çatışmayı kabul etmek zorunda kaldı. Ölüm turu denilen turlamalara başladılar. Dönerlerken rakibini uygun duruma düşürüp vuran galip gelecekti.

Türk ve Yunan askerleri bir yandan savaşmakta, bir yandan da başlarının üzerindeki bu ustalık savaşını izlemekteydiler.

Vecihi daha tecrübeli bir pilottu. Sabırla dönüyor, yükseliyor, alçalıyor, hızlanıyor, yavaşlıyor, Yunanlı pilotu açık vermeye zorluyordu. Birden bu fırsatı yakaladı, yıldırım gibi kayıp Yunan uçağının kuyruğu altına daldı. Basri tetikte bekliyordu. Makineli tüfeğini çalıştırdı.

Vurulan Yunan uçağı döne döne düşmeye başladı. Askerler savaşmayı kestiler, Vecihi ile Basri için büyük tezahürat yaptılar:

"Yaşaaaaaaaa!!!"

Yunan uçağı Ilıca vadisine çakılıp parçalandı.

Geri dönen Vecihi ile Basri bir zafer turu atıp Malıköy'e indiler. Olayı telefonla öğrenmiş olan havacılar ve meydan görevlileri pist başında bekliyorlardı. Sarmaşdolaş oldular.[55b]

HAYMANA VE ÇAL DAĞI'ndaki acımasız savaş sürüyordu.

Haymana güneyinde Türkler çok çetin bir savunma yapmaktaydı. Yunanlılar Haymana'ya geçit bulamadılar.

Ama Çal'ı savunan iki Türk tümeninin direnci azalıyordu. Zaten ikisi de zayıftı. Kıyasıya savaş daha da zayıflatmış, tümenlerin mevcudu 500 askere düşmüş, bölükler subaysız kalmıştı. Bazı topların da mermisi bitmişti.[56]

İsmet Paşa, ihtiyatta tuttuğu 68. Alay'ı Haymana'dan Çal'a, bu iki tümene yardıma yolladı, sol kanattan 12. Grup Komutanı Halit Bey'e de, karargâhıyla birlikte hemen yola çıkarak Çal'daki iki tümenin komutasını üstlenmesini emretti.

Halit Bey ancak ertesi sabah yetişebilirdi.

Çal Grubu, yoğun top ateşi altında ancak akşama kadar dayanabildi, akşam üstü sarsılmaya başladı. Bunu sezen Albay Valettas birliğini taarruza kaldırdı. 2. Tümen yarı aç ve yorgundu. Ama Çaldağı ele geçirilirse savaşın biteceğini uman askerler son güçleriyle ileri atıldılar.

İki Türk tümeni saat 19.00'da dayanamayıp çözüldü.

Bütün yaralılarını alarak kuzeye çekilmeye başladılar. Bir mermi çukurunda, bir taşın arkasında, bir siper yıkıntısının altında oldukları için görülmeyip birlikte götürülemeyen yaralıları Yunanlılar esir almıyor, süngüleyip öldürüyorlardı.[56a]

2. Yunan Tümeni Çaldağı'nı işgal etti. Korkulan olmuş, Türk cephesi ikiye bölünmüş, yani yarılmıştı.[56b]

TÜMENLERİN çözülmesi ve Çaldağı'nın düşmesi Cephe karargâhında sinirleri gerdi.

Çekilen iki tümen ne yapıyordu?

Dağı işgal eden Yunan tümeni ne yana ilerliyordu?

İki soru da birçok tehlikeli sorunu içermekteydi. Bağlantı sağlanamadığı için hiçbir bilgi alınamamıştı. Zaman akmıyor, sanki damlıyordu.

Geç saatte Binbaşı Tevfik Bey nefes nefese İsmet Paşa'nın odasına daldı. Şimdi haber gelmişti. Çekilen tümenler, Başkomutan'ın istediği gibi biraz geride durup yerleşmiş, sağdaki ve soldaki Gruplarla da değinti sağlamışlardı.

Çaldağı'nın kuzeyinde, dağın eteğinin 300 metre gerisinde cephe yeniden kurulmuştu.[56c]

"Düşman tümeni ne yapıyormuş?"

"Çal'ı işgal etmiş ve durmuş efendim. Demek ki o da iyice yorulmuş."

Bu aşamada hiçbir birlik yorulduğu için durmaz, yarmayı derinleştirmek için ilerlerdi. Heyecanlanan İsmet Paşa ayağa kalktı:

"Hayır, bence başka bir şey oldu. Ama hüküm verebilmek için yarını bekleyeceğim."

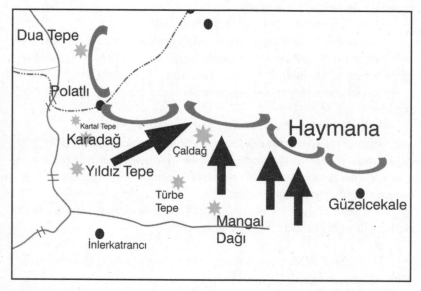

Çal Dağı'nın elden çıkmasından sonra dağın biraz kuzeyinde kurulan yeni savunma hattı.

ABD'nin Atina Elçisi Mr. Hall, Savaş Bakanlığından aldığı bilgilere dayanarak Anadolu'daki durumu Washington'a gece şöyle bildirdi:

"Sakarya ırmağının kıyısında günlerdir süren savaş, Yunanlılardan yana dönmüşe benzemektedir. Yunanlılar birkaç gün içinde Ankara'ya varmayı ümit ediyorlar."

THE TIMES

su doku

M	T	W	T	F	S	S
				1	2	3
4	5	6	7	8	9	10
11	12	13	14	15	16	17
18	19	20	21	22	23	24
25	26	27	28	29	30	31

DIFFICULT

5	6	1	2	4	3	9	7	8
8	7	2	6	9	1	5	4	3
3	4	9	8	7	5	1	6	2
9	1	3	5	8	7	6	2	4
2	8	7	9	6	4	3	5	1
4	5	6	1	3	2	8	9	7
7	2	5	3	1	6	4	8	9
1	9	4	7	5	8	2	3	6
6	3	8	4	2	9	7	1	5

5	6	1	2	4	3	9	7	8
8	7	2	6	9	1	5	4	3
3	4	9	8	7	5	1	6	2
9	1	3	7	5	8	6	2	4
2	8	7	1	6	4	3	9	5
4	5	6	3	2	9	7	8	1
7	2	5	4	3	6	8	1	9
1	9	4	5	8	7	2	3	6
6	3	8	9	1	2	4	5	7

İNLERKATRANCI'da bayram havası esiyordu. Karargâh subaylarından kurulu amatör orkestra neşeli havalar çalmaktaydı. Büyük çadırın altındaki uzun masa ziyafet için hazırlanmıştı. Oturmak için Papulas'ı ve Veliaht'ı bekliyorlardı.

General Stratigos Papulas'ın çadırına girdi. Papulas, gaz lambasının hasta ışığında, ceketinin önü açık, masasında oturuyordu. Bir gün önceki tartışmayı unutturmak isteyen Stratigos dostça, "Veliaht Hazretleri de sofraya şeref vermek üzere.." dedi, "..sizi almaya geldim. Çaldağı'nın düşmesini kutlayacağız. Cepheyi yardık, Ankara yolu açıldı."

Papulas şefkatle, "Oturun general, biraz konuşalım" dedi. Stratigos oturdu. Bugün hastanede protesto edildiği duyulmuştu. Onu anlatacağını sandı. Papulas yüzünün terini sildi:

"Çaldağı gibi bütün çevreye egemen bir dağ elimize geçerse düşmanın dağılacağını ya da hızla Kızılırmak'a çekileceğini tahmin ediyorduk."

"Evet. Askerlik fennince böyle olması gerekmez mi?" [56d]

Papulas önündeki iki telsiz mesajını Stratigos'un önüne itti:

"Okuyun! Bunlar, Birinci ve Üçüncü Kolordu Komutanlarımızdan gelen mesajlar. Dağı terk eden düşmanın biraz geri çekilip yerleştiğini, dağın kuzey eteğinde yeniden bir cephe kurduğunu bildiriyorlar."

Stratigos isyan etti:

"Fakat mümkün değil bu."

"Ama böyle. Dağı elde ettik ama düşman ikiye bölünmedi, dağılmadı, Kızılırmak'a doğru geri çekilmedi. Bilmediğimiz bir askeri anlayışla savaşıyor. Kolordulara savunmada kalmalarını emrettim. Çünkü yeniden savaşa başlamak için şimdi her şeyi bir daha değerlendirmemiz gerekiyor. Düşman Çaldağı'nın kuzeyinde kurduğu bu yeni cepheyi güçlendirecektir. Buna karşılık ordumuz bitik halde. Yalnız Çaldağı bize 4.000'den çok subay ve askere mal oldu. İkmal düzenimiz iflas etmiş halde.[57] Ankara'yı işgal için ısrar etmenin felakete sebep olacağından çekiniyorum.."

Gelen mesajları avcunun içinde ağır ağır buruşturup top yaptı ve fırlatıp attı:

"..Kısacası general, orduyu daha fazla zorlarsam, öyle anlıyorum ki, geri çekilecek gücü bile bulamayacağız." [58]

Orkestra coşkuyla zafer marşını çalmaya başlamıştı. Stratigos yerinden doğruldu:

"Allah kahretsin! Şunu susturacağım..."

Papulas filozofça bir eda ile, "Bırakın.." dedi, "..sahte bir zaferle oyalansınlar. Raporlar gelince nasıl olsa gerçek anlaşılacak."

Stratigos oturdu. Gözbebeklerinin rengi bile solmuştu. Papulas devam etti:

"İkinci Kolordu Kurmay Başkanı Albay Gavallias benim eski yaverimdir. Akıllı ve dürüst bir askerdir. Savaşın geleceği hakkında ne düşündüğünü öğrenmek istemiştim. Anlamlı bir rastlantıyla bugün cevabını aldım. Bakın ne diyor.."

Gavallias'ın mektubunu okudu:

"..Ordumuz düşmanın daha ilk savunma hattını ele geçirebilmek için kuvvetinin üçte birini kaybetti. Ankara'ya ulaşmak için kimbilir daha kaç hat var? Eğer savaşa devam edersek, anlaşılıyor ki generalim, ordunun geri kalanı da tamamen eriyecek ve siz, Ankara'ya tek başınıza girmek zorunda kalacaksınız.' [59]

İfadesi hoyratça ama haklı. Gavallias bana her zaman gerçeği söylemiştir. Bugüne kadar otuz bin savaşçı kaybettik. Buna karşılık en fazla 20 km. ilerleyebildik. Ankara hâlâ çok uzakta. Gerçekçi olma saati çaldı dostum. Kabul edelim ki düşmanın taktiğini de, azmini de yenemiyoruz. Orduyu dinlendireceğim. Durumumuzu anlatan bir rapor yazarak Sakarya batısına geçmek için hükümetten izin isteyeceğim. Hazırlayacağım raporu götürür müsünüz?"

Stratigos'un gözleri yaşarmıştı, titrek bir sesle, "Evet" dedi.[60]

Alkış sesleri duyuldu. Orkestra 'Kartalın Oğlu' marşına başlamıştı.

BATI CEPHESİ karargâhındaki kurmaylar ve Çal'a yakın birliklerin komutanları, bütün gece, dağı işgal eden Yunan tümeninin bu başarıyı tamamlamak için yeniden harekete geçmesini beklediler. Savaş sanatının gereği buydu. Kaygı içindeydiler. Çünkü Çaldağı'nın kuzeyinde yeni bir cephe kurulmuştu ama daha yeteri kadar güçlendirilememişti.

Başkomutan'la İsmet Paşa da beklediler. Başkomutan'ın uykuyla arası iyi değildi zaten. Ama kimi zaman yorgunluktan İsmet Paşa'nın gözleri kapanıp başı göğsüne düşer, tahta iskemlenin üzerinde otururken, üç-beş dakika kestirir, sonra silkinerek uyanırdı. Böyle anlarda Başkomutan, İsmet Paşa uyuyabilsin diye parmağını ağzına götürerek odadakileri susururdu. Vakit ilerledikçe Kâzım Paşa'nın da içinin geçtiği oluyordu.

Bu gece kimse gözünü kırpmadı.

Düşman gece boyunca kıpırdamadan kaldı.

SABAH RAPORLARI durumu aydınlattı: Çaldağı'nı ele geçiren tümen, dağı savunmak için durmadan siper kazmaktaydı. Öteki Yunan tümenleri de hareketsiz kaldılar. On ikinci günün sonunda Yunan ordusu, savunmaya çekilmişti.

Tarih 3 Eylüldü.

General Papulas'ı çok iyi çözümlemiş olan İsmet Paşa hükmünü verdi:

"Papulas korkuya kapılıp fikren yenildi ve ordusunu durdurdu. Şimdi bir kazaya uğramadan savaşı sona erdirmenin yollarını düşünüyordur."

HAKLIYDI. General Papulas çadırına kapanmış, Savaş Bakanı aracılığı ile hükümete yollayacağı raporu yazıyordu.

Amacı savaşı hemen kesip orduyu Sakarya'nın batısına çekmekti. Ama pek çok olumsuzluğa yol açacağını iyi bildiği bu büyük kararın sorumluluğunu tek başına taşıyacak kadar safdil değildi. Askerce gereklerden anlamayan politikacılar adamı paramparça ederlerdi.

Hükümetin onayı ve izniyle geri çekilmek istiyordu.

İzin gelene kadar orduyu Sakarya'nın doğusunda oyalayacaktı.

MECLİS TELGRAFHANESİNE sabah raporu öğlene doğru geldi. Milletvekillerinin sabırsızlığını gören Hüsrev Bey şifresi çözülür çözülmez raporu kapıp komisyon odasına koştu. Çaldağı'nın düştüğünü belirten ilk madde milletvekillerini sersemletti. Devamını okusa

Şakir Kınacı   Dr Fuat Umay

durumun tehlikeli olmadığını Hüsrev Bey de anlayacaktı, milletvekilleri de. Ama çok telaşlanan milletvekillerinden biri korkuyla "Yani?" diye sordu. Hüsrev Bey'in iyi bildiği kurallara göre savaş yitirilmişti. Raporun devamını okumadan, bu gerçeği yumuşatarak açıkladı:

"Kanaatimce savaşın birinci kısmını kaybetmiş bulunuyoruz."

Bu açıklama komisyon odasını dolduran milletvekillerinin büyük bölümünü çıldırttı:

"Ne diyorsun sen?"

"Kayıp mı ettik?"

"Kaybettik ne demek?"

"Bir dağ kaybetmekle savaş kaybedilir mi?"

"Zafere imanı olan biri böyle konuşmaz!"

"Zafere inanmayana aramızda yer yok!"

Zaferden başka hiçbir sonuca razı olmayan milletvekilleri zavallı Hüsrev Bey'in yakasına yapıştılar, tartaklamaya, itip kakmaya başladılar.[61] Ortalık karıştı. Ankara Milletvekili Şakir Kınacı, "Sakarya'da tutunamazsak Kızılırmak'ta dövüşürüz, olmazsa Yeşilırmak'ta, o da olmazsa Fırat'ta" diye bağırıyordu.

Rapor masanın üzerinde kalmıştı. Rapora göz atan Bolu Milletvekili Dr. Fuat Umay bir iskemlenin üzerine çıktı:

"Beyler durun! Yenilgi menilgi yok! Raporun devamını okuyorum."

Okudu.

Ortalık bu kez de sevinçten karıştı.

ÇALDAĞI bunalımını atlatan Türk ordusu rahatlamıştı. Birlikler bugünkü durgunluktan yararlanarak eksiklerini bütünlemeye baktılar. Temizlik yaptılar. Yeni gelen askerler yoğun eğitime alındı. Bazı askerlerin giysileri parça parça olmuştu. Bunlara çamaşır ve üniformaya benzeyen bir şeyler dağıtıldı. Çaldağı'ndaki düşmanın görüş ve ateşine açık mevziler berkitildi ve korunma hendekleri hazırlandı.

Yakın köyler dinlenen birliklere kazanlarla sıcak yemek yolladılar.

Çal kuzeyine yetişen Albay Halit Bey buradaki iki tümenin komutasını üzerine aldı. İsmet Paşa Halit Bey'in emrine bir tümen ile Topal Osman Ağa'nın 47. Alayı'nı da verdi.[61a] Bu kesim iyice güçlenmişti. Düşman taarruz ederse, çok yırtıcı bir direnişle karşılaşacaktı.

Ama Yunanlılar hareketsiz kaldılar. Sadece keşif kolları arasında çatışmalar sürüyordu. Esir alınan Yunanlılar hemen "ekmek" diye yalvarıyorlardı. Subayların savaşmayan askerleri vurduklarını söylemekteydiler.[62]

TEĞMEN ŞEVKET EFENDİ'nin güncesinden:

"Şehit Mehmet hattını Cephe komutanlığının emriyle 11. Tümen'e teslim ederek geri çekildik. Bakım için geride toplandık. Koca alayımız düşmanla on iki gündür pençeleşe pençeleşe neredeyse dolgun bir bölük kadar kalmış.[62a]

Yeni erler geldi. Aralarında Büyük Savaşa katılmış yaşlılar ve sakallılar da var. Eğitim başladı. Durup dinlenmeden yeniden savaşa hazırlanıyoruz."[62b]

POLATLI İSTASYONU top ateşi altında olduğu için tren hayli uzakta durmuştu. Yükünü boşaltıyor, Ankara'ya götürmek için son çarpışmalar dolayısıyla sayısı çok artmış olan yaralıları bekliyordu.

Yeterli sedye ve araba yoktu. Bunun için yalnız ağır yaralılar sedye ya da arabayla taşınıyordu. Ötekiler yürümek zorundaydılar. Güney kanattan demiryoluna ulaşmak büyük sorundu. 50 km. yürümek gerekiyor, yaralı hızıyla bu yolu aşmak üç-dört gün alıyordu. Görenlerin yüreğini parçalayan bir yürüyüştü bu.

Yüzbaşı Faruk böyle bir yaralı kafilesini gördü. Karargâhta kafilenin halini anlatırken, gözleri yaşardı. Albay İzzettin Bey duygularını belli eden biri değildi. Ama bu kez onun da gözleri doldu:

"Can düşmanımız yalnız yoksulluk değil ki Faruk Bey. Birçok can düşmanımız var: İngiltere, Yunanistan, İstanbul zihniyeti, cahillik, 31 Mart kafası, tembellik... Birini yenmek yetmez. Hepsini yenmeliyiz."

GELEN YARALILAR Ankara istasyonunda birikmeye başladı. Çünkü Ankara'da yaralıları yatıracak yer kalmamıştı. Sağlık Bakanlığı, Valilik ve Belediye çaresizlik içinde kıvranıyordu. Olmaz gibi gelen bir öneri ortalıkta dolaşmaya başladı:

"Ağır yaralılar hastanelere, ağır olmayan yaralılar evlere!"

Olacak şey miydi bu? Mutaassıp halk buna razı gelir miydi? Ama bu sihirli söz hızla yayıldı ve benimsendi.

Meclis bu işi örgütlemesi için Dr. Rıza Nur'u görevlendirmişti. Birçok Ankaralı evinin bir odasını Sakarya gazilerine açacak, evlere yerleştirilen yaralılarla doktor milletvekilleri ilgileneceklerdi.[62c]

Herkesi titreten sorun çözülmüştü.

CEPHEDE Sünni, Alevi, Türk, Kürt, Çerkez, Abaza, Tatar, Boşnak, Laz, Pomak, Arap, kısacası bütün Anadolulular birlikte kan dökerlerken, işgal altında olmayan bütün şehirlerde de mitingler yapılıyor, camilerde toplanılıp zafer için dua ediliyor, mevlit okunuyor, aşiret ve derneklerden Meclis Başkanlığına her gün orduyu destekleyen telgraflar yağıyordu.[62d]

Anadolu altı yüzyıldır ilk kez böyle bir birlik yaşamaktaydı.

Buna karşılık Yunan ordusunun Ankara'ya girmesini isteyenler de vardı. Bunlardan biri de yazar Ali Kemal Bey'di. Akşam bir İngiliz dostuyla konuşmuş, Yunan ordusunun Ankara yolunu açtığını öğrenmişti. Bu yüzden pek neşeliydi:

"Demiştim sana, Ankara ordusu Yunanı yenemez. Yenemiyor işte. Yunan ordusu yarın öbür gün Ankara'ya girer, bu haddini bilmez serserileri yakalar. Çok da iyi olur. Bu kuru gürültü biter, başımızı dinleriz. İstiklal, hürriyet, milli and, milliyetçilik filan gibi iyi tınlayan içi boş laflarla vakit kaybetmez, tıpkı Yunanistan gibi İngiltere'ye bağlanırız. Her sorunumuzu çözecek tılsım budur."

YUNAN ORDUSU kurmay kurulu toplanıp durumu bütün yönleriyle değerlendirdi. Ümide kapılmaya imkân kalmamış, oyun kaybedilmişti.

General Stratigos sonucu şöyle özetledi: "Yunan iradesi, M. Kemal'in iradesi önünde baş eğdi." [63]

Daha ağır bir duruma düşmemek için ordunun nehrin batısına çekilmesi zorunluydu. Çekiliş sırasında Beylik Köprü kesimi büyük önem taşıyacaktı. Bu duyarlı kesimi iyice güven altına almak için yakındaki Türk birliklerinin daha geri atılmaları gerekiyordu. Ertesi gün Üçüncü Kolordu'nun bu kesimdeki Türk birliklerine taarruz etmesi kararlaştırıldı ve hedefler belirtildi.

Cephede birikmiş yaralıların hızla Eskişehir'e gönderilmeleri kararlaştırıldı.

4 EYLÜL PAZAR sabahı, Üçüncü Kolordu taarruza kalktığı sırada, General Stratigos Papulas'ın raporuyla Eskişehir'e hareket etmişti. Oradan Bursa'ya geçecekti. Kral, Savaş Bakanı ve Genelkurmay Başkanı General Dusmanis Bursa'ya gitmişlerdi.

Büyük ümitlerle geldikleri yoldan şimdi yenilgiyi haber vermek için geri dönüyordu. Türk ordusu ne pes ettirilebilmiş, ne dağıtılabilmiş, ne de Ankara işgal edilebilmişti. Cephe yarılamamış, kuşatılamamış, 15-20 km. toprağa karşılık ordunun üçte birinden çoğu kaybedilmişti. Yunan tarihinin en büyük, en donatımlı ordusu, yoksul Türk ordusuna yenilmişti.

Ne acı bir olaydı bu!

Bundan daha da acı olan bir şey vardı: İngiltere'nin ve Yunanistan'ın çıkarlarının güvencesi olan Sevr Antlaşması'nı Ankara'ya zorla kabul ettirmeye imkân kalmamıştı.

İki yıldan fazla süren kanlı mücadele, onca emek, para, can, ümit ve hülya boşa gitmişti.

Yol boyunca içinden ağladı.

TAARRUZA KALKAN Üçüncü Kolordu, ordunun belirttiği hedeflere varmayı başaramadı, sadece bir tümeni büyük kayıp pahasına biraz arazi kazanabildi.

Çaldağı'ndaki tümen, çevredeki Türk mevzilerine hâkim olmasına rağmen seyrek ve etkisiz top ateşiyle yetindi. Kolordusunun üçte ikisini kaybetmiş olan General Kondulis, tümenlerin çatışmaya yol açmasından kaçınıyordu.

Taarruzun hiçbir anlamı kalmamıştı.

İSMET PAŞA 5 Eylül günlü emrinde, 'bundan sonra elden çıkacak her yerin kesinlikle geri alınmasını' emretmekteydi.[64] Bu emir savaşın yeni bir döneme girdiğini gösteriyordu. İki hafta süren ağır ve kanlı savaştan sonra inisiyatif Yunan ordusundan Türk ordusuna kayıyordu.

Savaşın on dördüncü günü başladı.

Yunan Üçüncü Kolordusu bir gün önce ulaşamadığı hedefleri ele geçirmek için bugün yeniden taarruz ettiyse de istenilen sonucu alamadı. Eski hızı ve hırsı kalmamıştı. Öteki cephelerde de, keşif çatışmalarından, zaman zaman topçu düellosundan başka bir hareket olmadı.

Papulas boşuna kayıp verilmemesi için taarruzları durdurdu. Üç kolordu da, mevzilerini berkitip savunmada kalacaktı. Geri çekileceklerini ordudan gizliyor, birliklere yeni bir genel taarruz için dinlendirildikleri izlenimini vermeye çalışıyordu.[65]

CEPHE KARARGÂHINDA telaş, heyecan, gürültülü geliş gidişler, tartışmalar, oflamalar yerini sükûnete bırakmıştı.

Binbaşı Kemal çeyrek saattir, gözlerini dikmiş, bir mucizeye bakar gibi durum haritasına bakıyordu. On savaşa bedel bir savaş yaşamışlardı. Sonunda sessizliği bozdu:

"Yunan ordusunun savaş anlayışı sayı üstünlüğüne, yani kaba kuvvete dayanıyor. Güçlüyse yükleniyor, değilse çekiliyor. Askerlik sanatı açısından hiçbir incelikleri, buluşları ve yaratıcılıkları yok. Oysa askerlikte uygulanabilecek birçok imkânlar, yollar, seçenekler var. Sadece en basit ve kolay olanlarını kullanıyorlar. Bizim askerliğimiz çok farklı. Savaş sanatının bütün inceliklerinden yararlanıyoruz."

Binbaşı Tahsin saklı bir gururla gülümseyerek, "Haklısın.." dedi, "..bu sayede bizden çok güçlü olan düşmanı yendik. İlerde bu savaşın, uzmanlar tarafından her günüyle bir sanat eseri gibi inceleneceğine inanıyorum."

Yeniden sustular.

Yaşanan olağanüstü sonucun söze gelir yanı pek azdı.

DÖRT YÜZ KİLOMETRE batıda, Demirci'de ise kıyamet kopuyordu. Halk çoluk çocuk sokaklara dökülmüştü. Demirciler sevinçten ağlıyor, atların üzengilerini öpüyor, avaz avaz bağırışıyorlardı:

"Hoş geldiniz!!!"

"Var olunuz!!!"

"Aslanlar!!!"

Yunan askerlerinin Demirci ve çevresinden çekildikleri haberini alan Demirci Akıncıları dağdan inip dört hafta önce ayrıldıkları Demirci'ye geri dönmüşlerdi.

Demirci Kaymakamı İbrahim Ethem Bey

Bu süre içinde dağdan dağa gezmiş, üşümüş, yanmış, aç kalmış, korkmuş, korkutmuş, Yunan askerleri ve Yunanlıların emrindeki çetelerle çatışmış, baskınlarda bulunmuş, halka moral vermiş, akıncılığın bütün gereklerini yerine getirmişlerdi.

Demirci bayram yeri gibiydi. Hükümet meydanında müftünün okuduğu güzel bir duadan sonra akıncılar ve halk evlere çekildi. Saçı sakalı iyice uzadığı için kimilerinin tanımakta güçlük çektiği Kaymakam İbrahim Ethem Bey odasına çıktı.

İnsafsız işgalin yarattığı pek çok acı sorun birikmişti.[65a]

6 EYLÜL Salı günü Yunan ordusu bütünüyle hareketsiz kaldı. Savaşın on beşinci günüydü.

Uzun katarlar ve konvoylarla Eskişehir ve Bursa'ya yollanan yaralıların çokluğu ve sefillikleri görenleri şaşkına çevirmişti. Bu acı durumun halka ve basına yansımaması için İzmir'e çekilen telgraflara sansür konuldu.[65b]

Bugün kaderin zehir gibi acı bir şakası olarak, İngiliz gazetesi Daily Telegraph'ta Kral Konstantin'in bir demeci yayımlanmıştı. Kral, 'bu kez M. Kemal'in ordusunu yok edeceklerini ya da büyük kısmını esir edeceklerini' söylüyor, demecini 'Ankara'ya gireceklerini' açıklayarak bitiriyordu.[66]

Oysa Kral bu sırada Savaş Bakanı Teotokis ve Genelkurmay Başkanı Dusmanis'le birlikte General Stratigos'un ağzından Yunan yenilgisini dinlemekteydi.

Kral için hazırlanmış büyük Bursa evinin salonundaydılar.

Kral bembeyazdı. İngiliz ataşemiliterine 5 Eylülde Ankara'da randevu vermiş olan Savaş Bakanının şakaklarından su gibi ter akıyordu. Papulas'dan M. Kemal Paşa'nın esir edilmesini isteyen General Dusmanis'in üzüntüden dudakları kabarmıştı.

Bugüne kadar Kral'a ve Genelkurmay Başkanına yeterli bilgi vermemiş olan ordu, birdenbire yenildiğini bildirmişti.[66a] Kapkara bir sessizlik çöktü üzerlerine.

General Stratigos Atina'ya geçmek için öğleden sonra Bandırma'dan gemiye bindi, kimseyle konuşmamak için kamarasına kapandı.

MALTA İngiliz yönetimi A. Emin Yalman'a sağlığı dolayısıyla şehirdeki bir otelde kalması için izin vermişti. Otel büyük ve sessizdi. Hava sıcaktı. Gazetelerde bugün bir tek iyi haber yoktu. Bütün günü sıkıntı içinde geçti. Serinlemek için akşam dışarı çıktı. Ana caddede Diyarbakır Milletvekili Zülfü Tigrel'e rastladı. Zülfü Bey pek heyecanlıydı:

"Sana rastladığım çok iyi oldu. Bir şey söyleyeceğim. Söylemezsem çatlarım. Gel benimle."

Ahmet Emin'i elinden çekerek bir kahvenin üst katına çıkardı. Issız bir köşeye oturdular. Sesini iyice kıstı:

"Az önce 16 arkadaşımız kaçtı."

"Ne diyorsun?"

Ahmet Emin'in küçük kara yüzü içinden aydınlanmış gibi parladı. Bu olay, kibirli İngilizlerin suratına inen ne güzel bir tokattı! Daha önce de iki kişi kaçmıştı. Kuş uçmaz diye övündükleri Malta delik deşik olmuştu.

Zülfü Bey kaçanların Kara Kemal Bey, valiler ve bu kafileye alınan Ali İhsan Paşa olduğunu açıkladı. Kaçaklar çok dikkatli davranmış, bir-iki kişi dışında kimseye açılmamışlar. Tek ihtiyatsızlık eden cimri Ali İhsan Paşa olmuş. Yanına alamayacağı bir kısım eşyasını bir gün önce satışa çıkarmış. Bu hal biraz şüphe uyandırmış ama üzerinde fazla durulmamış. Bugün de iki kat çamaşır, üstüste iki elbise ve en üste de pardösü giyerek dışarı çıkmış.

"Akdeniz sıcağında perişan oldu tabii." [66b]

A. Emin Yalman, "Paşanın malı canından azizmiş" diyerek kahkahayı bastı. Neşeyle birer konyak söylediler.

Tricotti adlı İtalyan gemisi bir gün önce Valetta'nın Marca Siroco adlı küçük limanına gelip yükünü indirerek kaçakları beklemeye başlamıştı. Bugün ayrı ayrı şehre inen kaçaklar, heyecanlı olaylardan sonra, Sicilya'dan Malta'ya gelmiş olan Maltalı kaçakçının talimatı uyarınca, beşer beşer gemiye binmişlerdi. Zülfü Bey açıklamıyordu ama gözcülük yaptığı anlaşılıyordu:

"Gemi 19.30'da hareket etti. Şu anda İtalya yolunda. Gece yarısına kadar kaçtıkları anlaşılmazsa, en hızlı savaş gemisi bile yetişemez, kurtulurlar."

Zindana dönmek istemiyordu. Birlikte yemek yediler. Gece Zülfü Bey zindana döndü, A. Emin Bey otele.

Zindan yöneticileri 16 kişinin kaçtığını gece sayımında anladılar ve İngiliz moru kesildiler. Malta Genel Valisi Lord Plumer'e kadar tüm yöneticiler ayaklandı. 02.00'de iki torpido kaçakları yakalamak için Akdeniz'e açıldı ve tabii bir sonuç alamadı.

16 kaçak sabaha karşı Messina yakınındaki sakin bir limana çıkacaktı. [67]

7 EYLÜL savaşın on altıncı günüydü.

Gönüllü ya da seçilmiş müfrezeler, durumu anlamak için gece boyunca bütün cephede Yunan mevzilerine baskınlar yapmış, geceyi el bombası, silah ve boğuşma sesleri doldurmuştu. Yunanlılar mevzilerinde duruyorlardı. Ama çok duyarlı ve sinirliydiler.

Malta'da da İngilizler çok sinirliydi.

16 önemli sürgünü kaçırmış olmanın acısını kaçmayan sürgünlerden çıkarmak için şehirde kalma ve şehire inme izinlerini kaldırdılar. Nöbetçiler artırıldı. Daha rahat olan Verdala kışlasında kalanları, kötü Polverista kışlasına taşımak istediler. Verdala kışlasındakiler, suçsuzlukları kabul edilmiş sürgünlerdi, serbest bırakılacakken, İngilizlerin son dakikada karar değiştirmesi yüzünden Malta'da kalmışlardı. Aralarında nazırlık ve ordu komutanlığı yapmış kimselerin bulunduğu bu sürgünler, Polverista'ya taşınma kararına itiraz ettiler. Bunun üzerine İngilizler işi zora döktüler. Albay Galatalı Şevket Bey kendisini sürüklemeye yeltenen İngiliz erine tokadı yapıştırdı. Aynı şeyi İstanbul eski Merkez Komutanı Albay Cevat Bey de yaptı. Olaylar çıktı. Bu ikisi İngiliz küstahlığının kayda geçmesi için zorla götürülmeyi tercih etti, tepkiyi yeterli bulan ötekiler muhafızların gözetiminde Polverista'ya taşındılar.[68]

Albay Mürsel Bey (Baku) öfkeden ağlayarak durup durup M. Kemal Paşa'ya sesleniyordu:

"Paşam, ne olur yen şu rezilleri!"

Yunanlıları yenmek İngilizleri yenmek demekti.

BU SAATTE Atina'da Başbakan Gunaris, Dışişleri Bakanı Baltacis ve Maliye Bakanı Protopapadakis, büyük bir hayal kırıklığı içinde, General Stratigos'u dinliyorlardı. General sözünü şöyle bağladı:

"Kısacası durum, ordunun raporundan daha ürkütücüdür. Karşımızda yeni, kararlı ve çok iyi yönetilen bir ordu bulduk."

Gunaris zor duyulur bir sesle, "Kısa zamanda nasıl yeni bir ordu kurabildiler." diye inledi, "..ordumuz nasıl oldu da yenildi?"

"Çözemediğimiz bir taktik ve yenemediğimiz bir irade ile savaştılar sayın Başbakan." [69]

"M. Kemal'in orduyu toparlayamayacağını sanıyorduk, yeni ayaklanmalar bekliyorduk. Yanılmışız. General Metaksas haklı çıktı. Sonunda bütün bir milletle karşı karşıya kaldık."

Protopapadakis, "Ordu geri çekilirse.." dedi, "..bu sefer de kendi milletimizle karşı karşıya kalacağız. Venizeloscular ayaklanacak, terhis bekleyen aileler sokağa dökülecek, parlamento karışacak."

Baltacis yaralı bir sesle cümleyi tamamladı:

"Lloyd George'un da güvenini kaybedeceğiz."

Stratigos telaşlandı:

"Ama böyle siyasi kaygılarla orduyu daha uzun zaman orada, düşman tehditi altında bırakamayız. Hükümet bir an önce bir karara varmalı ve bildirmeli. Gecikirsek ordumuz bir kazaya uğrayabilir. O zaman İzmir bile elimizden gider."

Protopapadakis korkuyla Başbakana "Ne yapacağız?" diye sordu. Ordu geri çekilirse, savaş hali devam edecek demekti. Böyle büyük bir ordunun ekonomik yükünü uzun süre nasıl taşıyacaklardı?

Gunaris General Stratigos'u ürperten bir cevap verdi:

"Bilmiyorum."

BASKINLAR gündüz de sürdü.

Yunanlılar yerlerinde duruyorlardı. Ama hava keşfi geriye doğru bir hareket olduğunu saptamıştı. Yaralılarını, ağırlıklarını ve yardımcı birimlerini Sakarya batısına geçiriyor, azar azar çekilmeye hazırlanıyor gibiydiler.

M. Kemal Paşa, Fevzi Paşa'ya telefon ederek, cephe sağ kanadına geçip düşmanın durumunu incelemesini, Cephe Komutanlığına da 'taarruz etmek için ön hazırlık yapılmasını' emretti.[70]

Kurmaylar çeşitli taarruz planları hazırlamaya başladılar.

KRAL KONSTANTİN Savaş Bakanı Teotokis'e, "Hükümet cevabını niçin geciktiriyor.." dedi, "..ordunun çok zor durumda olduğu belli."[71]

Gece raporun kopyasını bir daha okumuş, hiç uyumamıştı. Sesi bitik, yüz kasları çözülmüş gibiydi. Çıplak başı ter içindeydi. Dusmanis'i ve Teotokis'i görüşmek için sabah yeniden çağırmıştı. Bakan, "Bilemiyorum efendim." dedi, "..yenilginin kamuoyuna nasıl açıklanacağını tartışıyor olabilirler. Açıkça yenildik diyemeyiz."

Dusmanis sertçe başını kaldırdı:

"Ne diyeceğiz?"

"Bütün gece bunu düşündüm. Belki şöyle bir şey denebilir: Sakarya Savaşının birinci dönemi sona erdi. Bu dönem ordumuzun zaferiyle sona ermiştir. Ordu kışı Sakarya'nın batısında geçirecektir. Böyle bir şey."

Dusmanis yüzünü buruşturdu:

"Ama ordu gerçekten Sakarya'nın batısında kalmalı. Yoksa hem yenildiğimiz anlaşılır, hem bütün siyasal avantajlarımızı kaybederiz." [71a]

"Doğru."

Bu sırada Atina'da, gerçekten Teotokis'in formülüne benzer bir açıklama geliştirilmekteydi. Ama İngilizleri kısa bir süre için bile kandırmak imkânsızdı. Black Jumbo gelişmeleri aksatmadan Harington'a bildiriyordu.

FEVZİ PAŞA saat 19.00'da sağ kanada geldi. Kâzım Özalp'ı 1063 rakımlı tepedeki komuta yerinde buldu.

Bu tepeden, batarya dürbünüyle düşman cephesi ve Kavuncu köprüsüne kadar cephe gerisi rahatça gözleniyordu. Fevzi Paşa dürbünle durumu uzun uzun inceledi. Gerçekten Yunan ordusunda geriye doğru sessiz bir hareket gözleniyordu. Albay Kâzım Bey, "Birkaç gündür böyle Paşam." dedi, "..bence harekete geçme zamanı geldi."

Fevzi Paşa da aynı kanıya varmıştı:

"Taarruza geçmemiz için öneride bulunacağım. Bakalım İsmet Paşa ne diyecek? Ordunun genel durumunu en iyi o biliyor."

GENELKURMAY BAŞKANI'nın taarruz önerisi gece yarısından sonra Cephe karargâhına ulaştı. İsmet Paşa da Başkomutan ve Fevzi Paşa gibi düşünüyordu ama bazı kaygıları vardı.

Asım Bey'e, "Zafere çok yakınız ama takatimizin de sonundayız.." dedi, "..ancak bir taarruz yapabilecek kadar canımız var. Topçu cephanemiz uzun bir savaşı karşılayacak düzeyde değil.[72] Bu yüzden düşmanın çekileceğine kesin kanaat getirmeden, orduyu taarruza kaldırmayı doğru bulmam. Savaşı bu noktaya kadar çok güzel getirdik. İyi donatılmış, bizden kalabalık, topçusu zengin, hırslı ve iyi dövüşen bir orduyu ezdik, taarruz azmini kırdık. Bu sonucu tehlikeye atmamak için ihtiyatlı davranmalıyız." [73]

Şimdilik sol kanattan üç tümenin ve 11 ağır topun yola çıkmak için hazır tutulmasını emretmekle yetindi.

8 EYLÜL günü sabaha karşı Sakarya kesiminde yağmur başladı. Türklerin rahmet diye sevinçle karşıladığı yağmur, Yunanlılar için felaket habercisiydi.

Üç gündür hükümetten cevap alamamış olan Papulas zaten çok gergindi. Savaş Bakanının bir telgrafına gücenmiş, görevden alınmasını istemiş, iki gün çadırdan çıkmamış, ancak Bakanın kesin ricası üzerine görevine devam etmeye razı olmuştu.[73a] Yenilgi herkesi aşırı duyarlı yapmıştı. Yağmurun ince ince ve sürekli yağması sinirlerini iyice bozdu. Toprağı örten toz tabakası kaygan çamura dönüşmeye, kabak lastikli kamyonlar patinaj yapmaya başlamıştı.

Ani bir kararla Savaş Bakanını atlayıp doğrudan Başbakan Gunaris'e telgraf çekerek hükümet cevabının çabuklaştırılmasını istedi.

Bu saatte hava güney İtalya'da pırıl pırıldı.

16 kaçak, Basri Bey ve Maltalı kaçakçı, bir feribotla Messina boğazını geçip İtalyan çizmesinin burnundaki Reggio limanına gelmişlerdi. Maltalının önceden anlaştığı gümrükçüler pasaportsuzlara zorluk çıkarmadılar. Hiç vakit geçirmeden trene binildi.

Ertesi gün Roma'da olacaklardı.

İstanbul'da ise harika bir sonbahar günü yaşanıyordu bu sırada. Hava serince, deniz mavi pusluydu. Karşı kıyı akılda kalmış bir rüya parçası gibiydi.

Ama İngilizler bu güzelliği görecek durumda değillerdi. Black Jumbo Türklerin karşı taarruza hazırlandığını bildirmiş, ayrıntı da vermişti. 'Türk başarısının İstanbul'da yaratacağı yankıdan', açıkçası Türk coşkusundan çekinen General Harington, alınması gerekli ve mümkün önlemleri görüşmek için kurmaylarını, General Marden'i, Albay Maxwell'i, haberalma şeflerini Harbiye'deki odasında topladı.[74]

Türklerin yenileceğini tahmin eden Albay Maxwell taarruza hazırlandıklarını öğrenince şaşırdı:

"Nasıl olur?"

General Marden, "Şaşırmakta haklısınız.." dedi, "askeri kuramları altüst eden bir savaş bu. Hiçbir tahminimiz tutmadı. Türk ordusunun uyguladığı karmaşık savunma yöntemini çözemedim."

İngiliz Genelkurmayı da çözemeyecekti.[75]
Görüşme başladı.
Toplantıya katılanlar, Black Jumbo'nun verdiği bilgileri öğrenmişlerdi. İçlerinden biri, bu gizli bilgilerin General Papulas'a ulaşmasını sağlayacaktı.

SAKARYA'da yağmur sürüyordu.
Başbakanın cevabı şaşırtıcı bir hızla akşam geldi. Gunaris Papulas'a, 'siyasi fikirlerin etkisinde kalmaksızın, yalnız askeri yararları göz önünde tutarak karar vermesini' bildirmişti.
Cevap Papulas'ı yatıştırdı. Yağmur yolları geçilmez hale getirmeden ve orduyu ezdirmeden, Sakarya'nın batısına çekebilirdi artık. Çekiliş tarihini ve düzenini saptamak için kurmay kurulunu toplantıya çağırdı.
Yağmurun başlaması bütün orduyu ürkütmüştü.[75a]

İSMET PAŞA ve kurmayları da toplanmış, gruplardan gelen keşif raporlarını değerlendiriyorlardı. Birlikler bütün gün taarruz ve baskınlarla Yunan mevzilerini yoklamayı sürdürmüşler, hayli esir ve ganimet almışlardı. İki de hava keşfi yapılmış, Yunan ordusunun çekilmeye hazırlandığı anlaşılmıştı.
İsmet Paşa talimat bekleyen üç tümenin ve ağır topların, hava karardıktan sonra yola çıkarılmalarını emretti. Taarruz hazırlığı Yunanlılarca anlaşılmamalıydı. Hâlâ Türk ordusundan daha güçlü olan Yunan ordusuna öldürücü bir darbe vurmak için taarruzun baskın özelliğini taşıması çok önemliydi.
Asıl taarruz Beylik Köprü kesimine, Yunan sol kanadına yöneltilecekti. Öteki grupların görevi cephelerindeki birlikleri gösteriş taarruzlarıyla oyalamak, tutmaktı. Düşman ordusunu yıpratacak ve Beylik Köprü kesimine takviye göndermelerini engelleyeceklerdi. Plan Yunan ordusunu öncelikle kaçmaya zorlamayı ve Sakarya'ya dökmeyi amaçlıyordu.
Akşam yemeğini kurmaylarıyla birlikte yedi. Çok neşeli bir yemek oldu. Kemal Binbaşı bile neşeliydi.

İSTANBUL çıkışlı çok gizli telsiz mesajı, Yunan ordu karargâhına, İsmet Paşa kurmaylarıyla neşe içinde yemek yerken geldi. Güvenilir kaynak, 'Türklerin taarruza hazır olduklarını' bildiriyordu. Düşmanın Üçüncü Kolordu'yu geri atarak ikmal yollarını kesmek istediği anlaşılmaktaydı. Bu bilgi panik yarattı. Sakarya batısına çekilmeden önce bu büyük tehlikeyi önlemek gerekiyordu. General Papulas kolorduları şu cümleyle başlayan telaşlı cephe emriyle alarma geçirdi:

"İnanılır kaynaklardan öğrenildiğine göre Türkler, Üçüncü Kolordu'ya karşı pek fazla kuvvet toplamıştır..." [76]

Aslında Türkler daha kuvvet toplamamışlardı ama Black Jumbo böyle bilgi vermişti. Papulas'ın emrine göre Üçüncü Kolordu ne pahasına olursa olsun direnecek, Birinci ve İkinci Kolordular ise Türk taarruzunun hızını kesmek için karşılarındaki Türk birliklerine taarruz edeceklerdi.

Türk taarruzu, bir İngilizin Yunan dostluğu ya da Türk düşmanlığı yüzünden, baskın olmaktan çıkmıştı.

Emri alan Yunan birlikleri hazırlığa giriştiler.

General Andreas ordu emrini 'ümitsiz bir çığlık' olarak değerlendirmişti. Ordu, İkinci Kolordu'nun da taarruz etmesini istiyordu ama İkinci Kolordu bitikti.[76a] Türkler karşısında çok tehlikeli durumlara düşebilirdi. Orduya başka bir çözüm tarzı önerilmeliydi.

Tümen komutanlarını toplantıya çağırdı.

ÜÇ TÜMEN ve ağır toplar, karanlık basar basmaz kuzeye doğru yürüyüşe geçtiler.

Yağmur yağıyordu.

Çarıklar eskiyip atıldığı, yenileri de gelmediği için askerlerin çoğu çıplak ayaktı. Yorgunluktan, uykusuzluktan, sıcaktan hepsi zayıflamış, avurtları çökmüştü. Islana ıslana, su dolu çukurlara, çamurlara bata çıka ama neşeyle yürüyorlardı. Çünkü taarruz edeceklerini duymuşlardı. Yarı çıplak birliklere bir heybet, hepsinin yürüyüşüne bir çalım gelmişti.

Son iki hafta anlatılamayacak kadar yaman geçmişti. Ne kadar yaman geçtiğini Sakarya gazilerinden başka hiç kimse kestiremezdi.

Şimdi taarruz sırası onlardaydı.

Bunun ne harika bir duygu olduğunu da yalnız Sakarya gazileri bilebilirdi.

İSMET PAŞA yemekten sonra geldi. Durumu gülerek özetledi: "Papulas geri çekilmek istiyor ama bunu uygulayabilecek kadar cesur değil. Kendisine yardımcı olmamız gerekiyor.."
Gülüştüler.
"..Bu amaçla sağ kanada gizlice yeteri kadar kuvvet ve top toplamaktayım. Öbür gün taarruz edebiliriz."
Başkomutan, "Yarın öğleden sonra Mürettep Kolordu karargâhına gidelim.." dedi, "..Fevzi Paşa da orada. Ayrıntıları konuşuruz."
"Başüstüne."
Onca kaygı, korku, karabasan dolu günlerden sonra bu inanılmaz aşamaya gelinmiş olması Halide Edip Hanım'ın içini kamaştırmıştı. Komutanları gözden geçirdi. Hepsi çok sakindi. Coşkusunu paylaşacak birini aradı. Genç yaver Muzaffer Kılıç ile göz göze gelince, aradığı yoldaşı bulduğunu anladı.
İkisi tuttukları gözyaşlarını bıraktılar.

İSTANBUL Basın Derneği'nin Ayasofya Camisi'nde Sakarya şehitleri için düzenlediği mevlit sona ermiş, duaya geçilmişti. Cami her soydan binlerce İstanbullu ile doluydu.
Günlerce gazetelerde ilan edilerek herkesin çağrıldığı mevlide hanedandan yalnız Veliaht Abdülmecit Efendi ile şehzade Ömer Hilmi Efendi katılmıştı. Saraydan, hükümetten, Hürriyet ve İtilaf Partisi'nden, dinci derneklerden ve işbirlikçi gazetelerden kimse yoktu.
Cemaat duahanın Allah'a her yakarışına aminlerle katılıyordu. Duahan, "Sakarya boylarında Türklere karşı harp eden düşman askerlerini Kahhar ismimle kahreyle ya Rabbi!" diye yakarınca, içi acıyla dolu binlerce kişi birdenbire çığlık çığlığa, ağlayarak infilak etti: "Amiiiiiiiin!!!"
Camiyi aydınlatan yüzlerce yağ kandilinin alevi, binlerce çığlığın rüzgârından etkilenerek cezbeye gelmiş gibi titrediler.
İngiliz ve Yunan ajanları mevlidi izliyorlardı. Halkın biriktirdiği kin ve öfkenin büyüklüğünü görünce renkleri uçtu.[77]

İKİNCİ KOLORDU'ya bağlı 5. Tümen komutanı Albay Trilivas, 13. Tümen Komutanı Albay Digenis, Süvari Tugayı Komutanı Albay Nikolaidis gece yarısından sonra gelebildiler. Generalin çadırında toplandılar. Toplantıya kolordu bağlı birliklerinin komutanları da katılıyordu. Kolordu Kurmay Başkanı durumu ve ordu emrini anlattı. Albay Digenis itiraz etti:

"İmkânsız. Kendimizi savunabiliriz ama taarruz edebilecek halde değiliz. Bazı askerlerim sırf karınlarını doyurmak için esir düşmeye çalışıyorlar. Şunu da söylemeliyim. Alay komutanlarımdan Albay Plastiras açıkça Kral Hazretleri'nin aleyhinde konuşmaya başladı."

General Andreas Albay Plastiras'ı tanıyordu. İyi bir komutan olduğu söylenen bu sert, kaba albay Venizeloscu gizli 'milli savunma' örgütünün önemli yöneticilerindendi. Demek ki ordudaki Venizeloscular seslerini yükseltmeye başlamışlardı. Çözülme genişlemeden bu savaşı bitirmek gerekiyordu.

Albay Trilivas da taarruz etmekten çekindiğini söyledi. Tümeni çok zayıflamıştı. Süvari Tugayı'nın durumunu konuşmadılar bile. Feci olduğunu hepsi biliyordu.

Andreas, "Biz de bu sebeplerle şöyle bir çözüm düşündük.." dedi, "..Kolordumuz hızla batıya hareket ederek öteki iki kolordumuzun arasında yer almalı. Üç kolordu biraraya gelince savunma gücümüz artar. Yoksa ya nehire döküleceğiz ya da ikmal yollarımızdan kopup bozkırda mahvolacağız. Eğer açıkladığım çözümü uygun görüyorsanız, orduya önermeyi düşünüyorum. Ne dersiniz?"[78]

Komutanlar çözümü duraksamadan kabul ettiler.

"Teşekkür ederim."

General Andreas öneriyi sabah orduya yolladı. Ordunun bu makul öneriyi kabul edeceğini düşünerek, zamandan kazanmak için kolordunun ağırlıklarını da batıya doğru yola çıkardı.[79]

Savaşın on sekizinci günü başlamıştı: 9 Eylül.

TEĞMEN ŞEVKET EFENDİ'nin günlüğünden:

"14 saat süren sıkı ve zahmetli bir yürüyüşten sonra sabahleyin Karapınar'a geldik ve Müretep Kolordu'nun emrine girdik. Yağmur dindi, hava açtı. 23. Tümen de geldi. İkimiz ve 1. Tümen Dua Tepe'ye taarruz edeceğiz.

Araziyi inceliyor ve yarınki savaşa hazırlanıyoruz. Asker sevinç içinde." [80]

MALTA KAÇAKLARI saat 10.00'da dağınık olarak Roma garına indiler. Basri Bey iyi bir hazırlık yapmıştı. Heyecanlı kaçakları, göze çarpmamaları için önceden belirlediği üçüncü sınıf otellere ve sönük pansiyonlara dağıttı. İngiliz Gizli Servis ajanlarının kaçakları, özellikle İtalya'da aradıkları muhakkaktı.

Ankara Temsilciliği Anadolu'ya geçeceğini belirten Ali İhsan Paşa'yı paraca destekledi. Kaçaklara uydurma isimlerle pasaport alabilmek için çalışmaya başladı.

Kaçaklar Almanya'ya geçecek ve izlerini kaybettireceklerdi. Ali İhsan Paşa ise kılık ve kimlik değiştirip bir süre uygun gemi bekleyecek, 19 Eylül günü Bari'den bir İtalyan gemisine binerek Kuşadası'na çıkacak ve Ankara'ya gelecekti. [81]

FARUK'un yolladığı kısacık mektup Nesrin'i çok mutlu etmişti. Her boş kaldığında okuyor, her seferinde mektuba gönlünce yeni anlamlar yüklüyordu. Çok çabalamış, Faruk'un adresini öğrenmeyi başaramamış ama bu durum mektup yazmasına engel olmamıştı. Her gün küçük mektuplar yazıp biriktiriyordu. Yollayamayacağı için içinden geldiği gibi sesleniyor, denetsiz yazıyordu.

Bugün evdeydi. İzin günüydü. Bebek bekleyen Vedia'ya yardım etti biraz. Sonra odasına çekilip günlük mektubunu yazmaya oturdu:

"Faruk,

Bugün cuma. Evdeyim. Aklım ve yüreğim sende..."

BUGÜN Ankara'nın yine hareketli günlerinden biriydi. Yeni bir asker kafilesi cepheye uğurlanacaktı. Halk, orduyu durmadan yeni can ve kanla besliyordu.

Çarşı bayraklarla donatılmıştı. Alay Hacıbayram'da toplandı. Kurbanlar kesildi. Milli ordunun üniformasız, postalsız, palaskasız, kütüksüz, matarasız, yemek torbasız, sırt çantasız askerlerine halk alışmıştı, hiç gocunmuyordu artık. Kendileri de yoksuldu, ordu da. Birbirlerine yakışıyorlardı.

Camiden namazgâha gelindi. Alayı burada binlerce Ankaralı karşıladı. Aralanıp aralarına aldılar. Birlikte cuma namazı kılındı. Namazdan sonra zafer için dua edildi, birleştirici konuşmalar yapıldı, şiirler okundu. Yeni askerler davul zurna eşliğinde şehirde bir yürüyüş yaptıktan sonra istasyona geldiler.

Alkış ve dualarla cepheye yolcu edildiler. [82]

GENERAL ANDREAS'ın önerisi ordu karargâhına ulaştı ve büyük tepki yarattı:

"Hayır! Bu asla olamaz! Andreas delirmiş."

Albay Bernardos General Andreas'ı korumaya çalıştı:

"Sadece bir öneride bulunuyor. Ne var bunda?"

"Öyleyse neden ordunun cevabını beklemeden ağırlıkları yola çıkarmış?"

"Vakit kazanmak için diyor ya."

Sarıyanis bağırmaya başladı:

"Hayıııır! Orduyu bir oldubittiye getirerek geri çekilme önerisini kabul ettirmeye çalışıyor. Çünkü taarruz etmekten korkuyor. Önce Kral Eskişehir'den Bursa'ya kaçtı. Şimdi de kardeşi cepheden kaçmak istiyor."

Bernardos öfkeyle çadırı terk etti. Pallis ve Sariyanis yalnız kalmışlardı. Sariyanis, "Şu generale aşağılayıcı bir cevap verelim" dedi.

Pallis başını salladı:

"Komutan imzalamaz."

"Ben başka kâğıtların arasına koyup imzalatırım." [83]

Az sonra bunu başaracaktı.

TÜMENLER kendilerine ayrılan kesimlere yerleşiyor, birlikler ile Kâzım Özalp'ın komuta yeri arasına telefon hatları döşeniyordu. Tepenin üzerinde, komutanlar ve görevliler için küçük siperler hazırlanmıştı. Bu tepeye savaştan sonra Zafer Tepe adı verilecekti.

Başkomutanın karargâh treni öğleden sonra Polatlı yakınındaki yarmada durdu. Başkomutan, İsmet Paşa ve Albay Asım Bey otomobille Zafer Tepe'ye geldiler. Fevzi Paşa ve Albay Kâzım Bey'le toplanıp konuştular. Başkomutan taarruzun ertesi sabah başlamasını onayladı.

Büyük satrancın son aşamasına gelinmişti.

Kâzım Bey, 1. Tümen Komutanı Abdurrahman Nafiz Bey'i, 17. Tümen Komutanı Nurettin Bey'i, bu taarruz için Mürettep Kolordu emrine girmiş olan 15. Tümen Komutanı Şükrü Naili Bey ile 23. Tümen Komutanı Ömer Halis Bey'i Zafer Tepe'ye davet etmişti.[84]

Büyük komutanların burada olduğunu görmek hepsini heyecanlandırdı. Büyük komutanlar da Sakarya Savaşı'nın bu gazi komutanlarını görmekten mutlu oldular. Bu komutanlar savaş başladığından beri kimbilir kaç kez ölüp ölüp dirilmişlerdi. Kucaklayarak başarı dilediler. Komutanlar zafer sözü verdiler, Albay Kâzım Bey'den gerekli emirleri alıp hızla birliklerinin başına döndüler. Yapacak o kadar çok işleri vardı ki. Bütün gece uyumayacaklardı.

Başkomutan ve arkadaşları Fevzi Paşa'yı da birlikte alarak, Kâzım Bey'i bin türlü uğraşla baş başa bırakıp karargâh trenine döndüler. Başkomutan, Fethi Okyar'ı davet etmişti. Akşam yemeğinde o da bulundu. Pek çok konu vardı ama pek az konuşuldu.

Hepsinin aklı yarınki büyük günde idi.

GENERAL PAPULAS'ın mesajı İkinci Kolordu'ya gece geldi:

"Mevzilerinizi terk etme planınız beni şaşırttı. Kolordu, her ne olursa olsun mevzilerinde kalacak ve Türkler taarruz ettiği takdirde, karşı taarruza geçecektir. Karar vermeye yetkili kişi, ordu komutanı olarak yalnız benim. Geri çekilme hakkındaki bütün emirlerinizi iptal ediniz." [85]

Albay Gavallias, "Komutan ceza olarak beni de görevden almış.." dedi, "..yerime Albay Nikolaidis'i atamış."

Acele karar, kaba üslup, Gavallias'ın değiştirilmesi General Andreas'ın onurunu kırmıştı. Ayağa kalktı, Gavallias'a, "Ağırlık kollarını geri çağırın.." dedi, "..sonra da görevinizi Albay Nikolaidis'e devredin!" [86]

Çadırdan çıktı.

Serin bir yayla gecesiydi. Çevreye baktı. Kaç uygarlığı emzirmiş olan bu uçsuz bucaksız Anadolu yaylasında ne kadar anlamsız olduklarını, ne kadar küçük kaldıklarını düşündü:

Ne arıyorlardı bin yıllık Türk yurdunun ortasında?

SAVAŞ son birkaç gün yavaşlamıştı ama hiç durmamıştı. Bugün de hava kararır kararmaz bütün tümenlerin keşif kolları düşmanın son durumunu öğrenmek için yine baskınlara başladılar.

Düşman yerindeydi.

Beylik Köprü kesiminin savunmasını, 7. Tümen'i de emrine alan Üçüncü Kolordu Komutanı General Polimenakos üstlenmişti. Yunan ordusunun bir felakete uğramadan çekilebilmesi Beylik Köprü'nün son âna kadar elde tutulmasına bağlıydı. General Polimenakos Dua Tepe, Kartal Tepe ve Karadağ'daki birlikleri kesin savunma yapmaları için uyardı. Cephe gerisine yeterli cephane yığıldı. Mevziler berkitildi. Nöbetçiler artırıldı.

Türk komutanlar bu önlemleri fark etmişlerdi. Taarruz hazırlıklarını gece ve gizlice yapmışlardı. Durumun fısıldandığını bilmedikleri için düşmanın, bu hazırlığı nasıl olup da sezdiğine ve korunma önlemleri aldığına şaşıyorlardı.

İleri mevzilerdeki Yunan askerleri silahları kucaklarında beklerlerken, ilk taarruz dalgasını oluşturan Türk birlikleri de, sessizlik içinde taarruz çıkış mevzilerine yanaşıp yerleştiler, namaz kılıp subayları ve arkadaşlarıyla helalleştiler, silahları kucaklarında sabahı beklemeye başladılar. Üç tümende de, taarruza katılmayacak olan postalar, aşçılar, iaşe erleri, borazanlar, sakalar, nazlarının geçtiği arkadaşlarına, çarşıya çıkacaklarmış gibi ganimet ısmarlıyorlardı:

"Ben iyi bir palaska istiyorum."

"Bana gümüş tütün tabakası."

"Bana sağlam bir pantolon!"

"Güzel bir saat isterim, tamam mı?"

Kel Zeynel de takımının çavuşuna sokuldu:

"Çavuşum, bunlar unutur, sen bana sağlam bir çarık getir, he mi?"

Millet güldü.

"Ülen Yunanda çarık ne arar? Çizme istesene."

Zeynel'in hevesi kaçtı, "Öyleyse kalsın" dedi.

"Neden ki?"

"Ben çarıktan başka şey giyemem, giysem yürüyemem, susuzluktan yanarsınız valla."

İKİNCİ KOLORDU'nun cevabı Albay Pallis ve Albay Sariyanis'i, gece harekât çadırında, konyak içerlerken buldu. General Andreas İkinci Kolordu Komutanlığı'ndan alınmasını istemekteydi. Sariyanis sevindi. Telgrafın devamını okuyan Pallis'in yüzü karışmıştı:

"Sevinmekte acele ettin."

"Neden?"

"Andreas'la birlikte yeni Kurmay Başkanı Nikolaidis, Kolordu Topçu Komutanı, Kolordu İstihkâm Komutanı da istifa etmişler." [87]

Sariyanis kadehini yere vurdu:

"Hayvanlar!"

Komutanın Andreas'ın istifasını kabul etmesi belki sağlanabilirdi. Ama bu toplu tepki işi bozmuştu.

Papulas istifaları reddedecekti.

10 EYLÜL Cumartesi sabahı paşalar, Fethi Okyar ve karargâh kadroları, erkenden Zafer Tepe'ye geldiler. Halide Onbaşı da gelmişti. Albay Asım Bey Halide Edip Hanım'ı akşam onbaşılığa yükseltmiş, koluna kırmızı şeridi takmıştı. Artık Halide Onbaşı diye anılacaktı.

Savaşın on dokuzuncu günüydü.

Çoğunun gece gözünü kırpmadığı belli oluyordu. Dua Tepe sis altındaydı. Sis giderek gevşedi ve açıldı. Tepe göründü. İki hörgüçlü, yumuşak çizgili, Sakarya nehrine paralel uzanan, uçuk bakır renkli bir dağdı. Düşmanın Dua Tepe'nin çevresindeki mevzilerini çok iyi berkitmiş olduğu görülüyordu. 1., 15. ve 23. Tümenler Dua Tepe'ye, 17. Tümen Kartal Tepe'ye taarruz edecekti. Bu iki tepeyi bugüne kadar çok iyi savaşmış olan 7. Yunan Tümeni savunacaktı.

Kâzım Bey'in emriyle, saat 07.30'da Türk topları önce tanzim, sonra da tahrip ateşine başladılar. Dua Tepe mevzilerinin üzerini ateş ve duman kapladı. Askerler çok keyiflendiler:

"Yaşaaa topçubaşı!"

Albay Platis'in 7. Tümeni'nin subay ve askerleri, ordunun güvenliği için kesin olarak direnmeleri gerektiğini iyi biliyorlardı ve çok sıkı hazırlık yapmışlardı.

Türklere geçit vermemeye kararlıydılar.

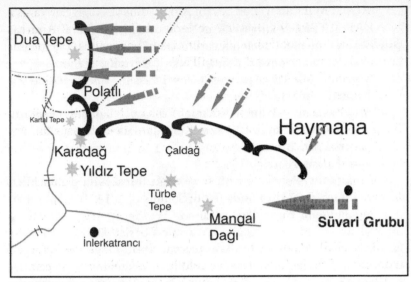

Sakarya'da Türk Taarruzu

BAŞKOMUTAN'ın üstü açık bir otomobille aralarından geçip Dua Tepe'ye doğru gitmesi, cephe gerisindeki birlikleri heyecanlandırdı:

"M. Kemal Paşa mıydı geçen?"

Evet, geçen oydu, cepheye gidiyordu. Asıl heyecanı, Başkomutan'ı yanıbaşlarında gören ağır bataryaların komutan ve erleri yaşadılar.[88] Başkomutan Zafer Tepe'den gördüğü kilit yerleri ateş altına aldırdı.

Türk ordusunun mermi hovardalığı uzun sürmedi. Saat 08.30'da top ateşi kesildi ve üç Türk tümeni büyük bir uğultu içinde taarruza kalktı. 1. Tümen solda, 15. Tümen ortada, 23. Tümen sağdaydı.

Tam bu saatte merkezdeki ve sol kanattaki öteki Türk Grupları da taarruza geçmişlerdi. Yunanlılar hazırlıklı oldukları için bu taarruzlar baskın etkisi yaratmadı.

Ama Birinci ve İkinci Kolorduların arasına bir Türk birliği kama gibi girince telaşa kapılacaklar, bu telaş içinde Türk süvarilerinin, gerilerinden batıya doğru aktığını fark edemeyeceklerdi.

ZAFER TEPE'de kimse yüksek sesle konuşmuyordu. Sadece Kâ-zım Bey'in tümenlere telefonla verdiği emirler duyulmaktaydı. Başkomutan tepeye dönmüştü. Gri pelerinine sarınmış açıkta oturuyor, dürbünle savaşı izliyordu. Fevzi Paşa bir siperin içinde ses-sizce Kuran okumaktaydı.

Türk birlikleri çok hırslı ve kararlı, Yunan 7. Tümeni de çok ha-zırlıklı ve inatçıydı. Savaş bu yüzden çok şiddetli ve kanlı oldu. Bir-likler ardarda süngü hücumuna kalkarak, Yunan savunmasını yer yer kırdılar ve ilk mevzilere girdiler.

Ama bazı yerlerde Yunanlılar çok sıkı direniyorlardı. Bu inatçı mevzilerden birinin karşısında takılıp kalmış olan 15. Tümen'den 56. Alay'ın Komutanı Yarbay Fehmi Tınaz alay sancağını açtırdı. Hücu-ma kalkacak birlikler şevk çığlıkları atmaya başladılar. Hücum boru-larının havayı yırtmasıyla birlikte iki serdengeçti tabur hücuma kalk-tı. Düşman siperlerine kadarki mesafe hızla koşularak geçilecek, sağ kalanlar süngüleriyle siperlere dalacaklardı. Alay sancağını taşıyan sancaktar, hücum eden taburlarla birlikte ileri atıldı.

Düşman makineli tüfekleri delice çalışmaktaydı.

Vurulanlar düşüyordu. Sancaktar başından yaralanıp sendele-yince yanındaki sancak muhafızı ânında atılıp sancağı yere düşme-den yakaladı ve koşmayı sürdürdü. Arkasından öteki sancak muha-fızları geliyordu. Yeni sancaktar da vurulursa bu kez sıradaki muha-fız atılıp sancağı yere düşmeden yakalayacak ve o da ölümün gözüne koşacaktı.

Türk taburlarının kararlılığını gören Yunan birliği süngü hücu-munu kabul etmekten kaçındı, mevzilerini boşaltıp geriye çekildi.

Taarruz dalgaları hiç durmadan birbirini izledi. 7. Tümen birlik-leri bu fırtınanın önünde tutunamadılar, çözülüp dağıldılar, Dua Te-pe'yi terk ederek Beylik Köprü'ye doğru kaçtılar.

Saat 14.00'te dağın güney doruğunda bir Türk sancağı parladı.

Dua Tepe bütünüyle ele geçmiş, çevresindeki köyler de kurta-rılmıştı. Kaçan Yunanlılar Beylik Köprü'nün önündeki sırtlarda du-rup mevzilendiler. Türklerle Beylik Köprü arasında sadece 12 km., bir hamlelik bir uzaklık kalmıştı.

Mustafa Kemal Paşa Zafer Tepe'den savaşı izliyor

TEĞMEN ŞEVKET EFENDİ'nin güncesinden:
"Dua Tepe savaşında 5. Bölük Komutanımız Uşaklı Yüzbaşı Basri Bey şehit düştü. Her zaman büyük bir özlemle söz ettiği anasından başka kimsesi yoktu. Allah rahmet eylesin.
Düşman geride 5 top, 18 otomatik tüfek, 200'den fazla piyade tüfeği bıraktı, birkaç subay ve hayli er esir aldık." [88a]

ÖNCEDEN bilgili ve hazırlıklı olunmasına ve o kadar iyi berkitilmiş olmasına rağmen Dua Tepe'nin elden çıkması Papulas ve kurmaylarını çok korkuttu. Türk ordusunun Beylik Köprü kesimini ele geçirmesi Üçüncü Kolordu'nun, belki de ordunun sonu olurdu.

Durum çok kritikti.

Bir kötü haber daha geldi: Türk süvarileri de güneyde Mangal Dağı'nı geri almışlardı. [89]

Türkler orduyu iki uçtan birden kavramak üzereydiler. Yüklenerek Yunan ordusunu Sakarya'ya dökebilirlerdi. Papulas, birliklerin mevzilerini kesin olarak savunmalarını, cepheyi daraltmak ve savunmayı yoğunlaştırmak için de İkinci Kolordu'nun hemen bugün batıya hareket etmesini emretti.[90]

General Andreas emri okuyunca hüzünle gülecekti:

"Batıya hareket etmemizi dün hakaretle reddetmişlerdi, bugün emrediyorlar. Bu ne şaşırtıcı bir yönetim!"

Savaşın yırtıcı dişleri arasından sıyrılabilmek için geceyi bekleyeceklerdi.

Bu sırada Üçüncü Kolordu Komutanı General Polimenakos, Beylik Köprü önüne çekilen birliği bir alayla, Kartal Tepe'yi de iki alayla takviye edecek, Beylik Köprü önünde güçlü bir duvar oluşturacaktı.

Polatlı-Beylik Köprü arasındaki 8 kilometrelik demiryolu da tahrip edilecekti.

KESİN SONUÇ için Türklerin Beylik Köprü'yü ele geçirmeleri şarttı. Bu sayede Yunan ordusu imha edilebilirdi ama Dua Tepe'yi geri alan birlikler çok kayıp vermişti. Yeni bir taarruza girişmeden önce kuvvet kaybının giderilmesi ve azalan cephanenin ikmali gerekiyordu.

Büyük komutanların onayı ile kuzeyde taarruz ertelendi.

Buna karşılık 57. Tümen'in demiryolu güneyindeki Karadağ'a taarruz etmesi uygun bulundu.[91] 57. Tümen bu büyük, sert çizgili, doruğu kartal başına benzeyen dağa taarruz etmek üzere yaklaşıp açıldı ve taarruz etti.

ZONGULDAK maden kömürü işçileriyle ilgili olarak hazırlanan yasa tasarısı 5.5.1921 günü görüşülmüştü. Bugün ikinci kez görüşülecekti.

Meclis salonu dolu, ordunun genel taarruza kalktığını öğrenen milletvekilleri neşeliydiler. Hafız Mehmet Bey ile Ardahan Milletvekili Hilmi Bey en arka sırada oturuyorlardı. Hafız Mehmet Bey fısıltıyla, "Enver Paşa'nın memlekete dönmesi zorlaştı" dedi.

"Belki de imkânsızlaştı."

Üzüntü içinde sustular.

Zonguldak bölgesindeki madenlere ilişkin eski mevzuat, 13-50 yaş arasında olup da bu çevrede yaşayanları maden ocaklarında çalışmakla yükümlü tutmaktaydı. Mevzuat, ocaklardaki dar yerlere ancak küçük çocukların girebileceği gerekçesiyle çalıştırılmalarına izin veriyordu. Bu ilkel mevzuatta hiçbir işçi hakkı yer almamaktaydı.

Yeni tasarı ile yükümlülük kaldırılıyor, çocukların madenlerde çalışması yasaklanıyor, sağlık, kaza, tazminat, ücretsiz tedavi, temizlik, en az ücret, sekiz saat çalışma süresi gibi genel haklar ilk kez düzenleniyordu.

Adalet Bakanı Refik Şevket İnce, İktisat Bakanı Celal Bayar ve bazı milletvekillerinin yaptıkları konuşmalardan sonra tasarı oylanıp kabul edildi, yasalaştı.

Ciddi bir devrimdi bu.

Celal Bayar 17.9.1921 günü kürsüye gelerek, bu yasa dolayısıyla işçilerin yasanın kabul edildiği 10 Eylül gününü 'en büyük gün' olarak kabul ettiklerini, bu günü her yıl kutlayacaklarını bildirdiklerini açıklayacaktı.[91a]

ÖTEKİ GRUPLARIN gösteriş ve oyalama taarruzları akşam üzeri yavaşladı ve durdu. Yeni askerlerin çoğunlukta olduğu birlikler yorulmuş, cephane de azalmıştı.

Hava kararır kararmaz General Andreas'ın kolordusu hızla toplandı. İki tümen ve Süvari Tugayı, ayrıldıklarının anlaşılmaması için güçlü artçılar bırakarak saat 23.00'te yürüyüşe geçtiler.

Çakal ulumaları askerleri ürpertiyordu. Gün doğana kadar hiç durmadan yürümeye kararlıydılar. Ama az sonra, zifir gibi karanlık içinde, geri çağrılmış olan ağırlık kollarıyla burun buruna geldiler. Büyük bir kargaşalık yaşandı.[92] Ağırlık kollarının kolordu birliklerine yol vermesi saatler aldı.

Türkler İkinci Kolordu'nun ayrıldığını ancak sabah fark edebileceklerdi. Bu gafillik komutanları çok kızdırdı ama yapılacak bir şey yoktu. Kuş kaçmıştı. Yetişmek mümkün değildi.

Çekilirken köyleri yağmalayıp yakıyorlardı.[93]
Tüten köyleri görmek, köylülerin halini düşünmek subay ve askerleri çıldırtıyordu. Ama ordu bu pislikleri ânında cezalandıracak güçte değildi. Ömer Çavuş gözleri dolarak dedi ki:
"Elbet bütün bu rezilliklerin öcünü alacağımız bir gün gelecektir!"
Eski takımından pek az kişi sağ kalmıştı. Eskilerden Hamza Onbaşı, "Elbette gelecek" dedi.
Orduda herkes o büyük günün geleceğine iman ediyordu. Etmeseler bu acılar yüreklerini çatlatırdı.

11 EYLÜL savaşın yirminci günü, bir gece savaşıyla başladı.
57. Tümen, gece yarısı bütün gücüyle Karadağ'a bir daha taarruz etti. Öyle hızlıydı ki Yunan 3. Tümeni dağın gerisindeki sırtlara çekilerek yok olmaktan zorlukla kurtuldu. Ama ordunun esenliği için toparlanmak zorundaydı, toparlandı, mahvolma korkusunun verdiği enerji ile karşı taarruza geçerek sabaha karşı Karadağ'ı geri aldı.
7. Tümen de sabahleyin Dua Tepe'yi çok yoğun ateşe tuttu. Demiryolu Sazılar istasyonuna kadar onarılıp bugün işletmeye açılmış, Eskişehir'den bol cephane gelmişti. Dua Tepe'deki mevzileri iyice dövdükten sonra öğleyin geri alma azmiyle taarruza kalktı. Ama burayı dün yeniden vatana katmış birlikler çok sert karşılık verince, eriyerek geri çekildi.
Yunan 10. Tümeni ise Polatlı-Çal Dağı arasında bulunan Kemalettin Sami Bey'in 4. Grubuna hücum etti. Amaç bu grubu Beylik Köprü kesiminden uzak tutmaktı. Üst üste saldırdı. Çok kayıp verdi ama 4. Grubun ilerlemesine de engel oldu.
Bugün Yunanlılar çok hareketli ve başarılıydı.
57. Tümen Karadağ'ı geri alamamıştı. 57. Tümen yeniden Karadağ'a, 17. Tümen de Kartal Tepe'ye taarruza geçtiler. Hırs ve korku içinde toprağa yapışan Yunan birliklerini söküp atamadılar. Bu duvarı yıkmak için yeni kuvvet gerektiğini gören İsmet Paşa, Albay İzzettin Çalışlar'ın 1. Grubunun kuzeye hareket etmesini emretti.

GENERAL PAPULAS gece verdiği emirle, ordunun 12/13 Eylül gecesi Sakarya batısına çekileceğini açıkladı. Çekilişin felakete dönüşmemesi için birlikler tüm güvenlik önlemlerini alacak, arkada kuvvetli artçılar bırakarak, kademe kademe geri çekileceklerdi. Geçici köprüler hazırlanıyordu. Eski ve yeni 7 köprüden geçilecek, çekilince köprüler kullanılmaz hale getirilecekti.[94] Ordu karargâhı yarın Sakarya batısına geçecekti.

Herkes çok dikkatli olmalıydı.

M. Kemal Paşa da aynı saatte 'bütün birliklerin düşmanın çekilmeye başladığını anlar anlamaz, çekilişi bozguna çevirmek için taarruza geçilmesini' emretti.

Herkes tetikte duracaktı.

SAKARYA SAVAŞI'nın yirmi birinci günü başladı. Tarih 12 Eylülü gösteriyordu.

15. Tümen bütün gece Dua Tepe'nin güney eteğinden Beylik Köprü yönüne taarruz etmiş, sonuç alamamıştı. Süngü hücumlarını gündüz de sürdürdü. İlerleyip Beylik Köprü'yü ele geçirebilse Üçüncü Yunan Kolordusu'nun çekiliş yolunu kesecekti. Ama ilerleyemiyordu.

Bu kez mevzilerini can havliyle savunanlar Yunanlılardı.

Başkomutan, paşalar, Fethi Okyar ve kurmaylar sabah Zafer Tepe'ye yine geldiler. Kâzım Özalp bozulan, mermisi biten topları geriye yollamış, birlik komutanlarına 'gerekmedikçe ateş açılmamasını, süngü kullanılarak cephane harcanmasından kaçınılmasını' bildirmişti.[95]

Başkomutanın izniyle, Karadağ-Kartal Tepe duvarını yıkmak için 1., 17. ve 23. Tümenleri taarruza kaldırdı.

İNGİLİZ İRTİBAT SUBAYI Binbaşı Johnson'un, Yunan ordusunun geri çekileceği hakkındaki mesajı Rattigan'ı çok sarsmıştı. "İnanılmaz bir sonuç.." dedi, sinirlenince burnu akıyordu, burnunu sildi, "..bu şu demek: Üç yıllık çabamız boşa gitti."

General Marden ayağa kalktı:

"Bu gelişme en çok bizi yoracak. Bari Eskişehir'e çekilmeyip nehrin batısında kalsalar."

"Sakarya batısında tutunabilirler mi?"

"Evet. Kolaylıkla. Kışı rahatlıkla orada geçirebilir. Birçok köy var. Demiryoluyla ikmal edilirler. Türklerin ateş altında nehri geçmesi mümkün değil. Orada kalmaları çok lehimize olur."

Boğazlar ile Türkler arasında Yunan ordusunun bulunmasını istiyorlardı. Yunanları bu sebeple Anadolu'da kalmaya zorlamaktaydılar. Hep zorlayacaklardı.

GENERAL KONDULİS'in Birinci Kolordusuna ait birlikler, geri çekilme telaşı içindeydiler. Ölülerini gömmeden yola çıktılar, birçok ağırlıklarını almadılar.[96] Geride kuvvetli artçılar bırakmışlardı.

Sol kanattaki Türk tümenleri bu yüzden Birinci Kolordu'nun ayrıldığını zamanında anlayamadılar.

Ancak artçılar geri çekilmeye başlayınca harekete geçtiler. Başlangıçta bunları izleyebiliyor, silah ve esir alabiliyorlardı. Ama can telaşı içindeki artçılar Sakarya köprülerine ulaşabilmek için çok hızlandılar.

Artçılarla da ara açıldı.

Korku kinden daha hızlıydı.

SÜVARİ TÜMENLERİ parça parça geri çekilen Yunan birlikleri ile çarpışıyorlardı. Albay Fahrettin Altay ve karargâhı, Ilıca vadisinde yoğun bir sis içinde kaldı. Ancak sis dağılırken harekete geçebildiler. Fahrettin Bey çevreyi görebilmek için atını sürerek gruptan biraz ayrıldı. Bir dere yatağının içinden birdenbire silahlı bir Yunan askeri çıktı önüne.

Aradaki mesafe yüz metreden az, albay yalnız ve silahsız, adamları uzaktı. Birliğini ve yolunu kaybettiği anlaşılan Yunanlının tehlikeli bir hareket yapmaması için babacanca, "Yaklaş" diye seslendi. Korkudan zangırdayan Yunanlı yaklaşırken, emir subayı Fevzi ile seyisi Köse dörtnala çıkageldiler. Fevzi silahı yere atmasını işaret edince hemen attı. Köse attan atlayıp tüfeği aldı, bu sırada gözü esirin sağlam görünen kunduralarına takıldı. Kendi ayağında altı yarı yarıya erimiş, zavallı bir çarık vardı. Fahrettin Bey Köse'ye, "Bu delikanlı esir olduğuna göre artık misafirimiz sayılır.." dedi, "önce delikanlının karnını doyur. Anladın mı?"

Mutsuz bir ses duyuldu:

"Anladım komutanım."

"Sonra ayakkabılarınızı değiştirirsiniz."

Köse'nin gözleri iki namlu gibi parladı, çıplak bileklerine taktığı mahmuzları şakırdatarak anlayışlı komutanına yürekten selam verdi:

"Emrin olur!"

Karargâh mensupları Yunanlı askeri, 'komutanın esiri' diye hayli şımartacaklardı.[97]

YUNAN ORDUSUNUN baş belası Mürettep Tümen bir gün önce, Fettahoğlu Köprüsü'nün batısındaki bir geçitten sessizce Sakarya nehrinin kuzeyine geçmişti. Bu sabah erkenden yola çıkarak gizlice Fettahoğlu'na sokuldu. Burada birçok malzeme, küçük bir uçak alanı ve bir tabur vardı.

Saat 11.00'de baskın verdi. Tabur karşı koyamadı, köprüyü tahrip edemeden, apar topar güneye geçip Uzunbey'e kaçtı.

Tümen 3 uçak, 2 kamyon, 15 araba, bir röntgen makinesi, çok sayıda ilaç ve malzeme ile 1.500 kasaplık hayvan ele geçirmişti. Ganimetleri güven altına aldı, ertesi gün Sivrihisar'a baskın vermek için akşam çökerken yola çıktı.

Sivrihisar'da Yunan subayları

GÜNEŞ BATIYORDU. Ufuk baştan başa kan kırmızı kesilmişti. Kartal Tepe'nin yamaçlarında birdenbire kızıl ışık içinde binlerce süngü parlayıverdi. Bunlar bütün gün ölesiye mücadele etmiş olan 1. ve 23. Tümen askerlerinin zafer süngüleriydi. Kartal Tepe geri alınmıştı.

Zafer Tepe'dekiler rahatladılar.

12. Grup Çaldağı'nı, süvariler de Mangal Dağı'ndan sonra, uğrunda pek çok subay ve askerin şehit olduğu Türbe Tepe'yi ele geçirmişlerdi.

Gazi tepeler tek tek geri dönüyorlardı.

Geride iki tepe kalmıştı: Beştepeler ile Karadağ.

SÜVARİ TÜMENLERİ hava kararınca, bütün gün yürüyüp koşmuş olan atları doyurmak, sulamak ve dinlendirebilmek için çatışmayı kestiler. Sabah çok erkenden, düşmanı bastırmak üzere Kavuncu Köprüsü ile Beşköprü'ye gitmeyi planlamışlardı.

Oysa Yunanlılar nehri geçmeye başlamışlardı bile.[97a]

İLK OLARAK Yunan Süvari Tugayı, sandallar birleştirilerek yapılmış portatif bir köprüden batıya geçti.

Sonra İkinci Kolordu'nun Kavuncu Köprüsü ile yanında yapılmış geçici köprüden geçişi başladı. Telaş, kaygı ve ağırlık kollarının düzensizliği köprülerin önünde yığılmaya sebep oldu. Ama asıl karışıklık geçişten sonra başladı. Kimsenin batı kesimi hakkında ciddi bilgisi yoktu. İnsanlar, hayvanlar, taşıtlar gittikçe koyulaşan karanlık içinde birbirlerine girdiler. Durum tam bir kargaşalık ve karabasana dönüşmüş, kilitlenip kalmışlardı.

İkinci Kolordu batıya geçer geçmez, Kavuncu Köprüsü'nden Porsuk'a kadar Sakarya'nın batısındaki tepeleri işgal etmekle görevliydi. Ama bu bilgisizlik ve korkunç düzensizlik içinde bu görevi bu gece yerine getirmesi mümkün değildi.

General Andreas, bir Türk birliğinin nehrin kıyısında belirip bu karmakarışık çekilişi görmesinden korkuyordu. Yeni Kurmay Başkanına, "Şükür ki düşman Sakarya'yı böyle geçtiğimizi bilmiyor.." dedi, "eğer nehrin kıyısına birkaç makineli tüfek getirmiş olsa, yenilgimiz kesin ve tam olurdu." [98]

Yunan Ordusu korku içinde kaçmaya çalışıyor

SAKARYA'ya ulaşan Birinci Kolordu da Beşköprü kesimindeki iki köprüden nehri geçmeye başladı. Köprülerin ağzında hayli birlik ve ağırlık kolu vardı. General Kondulis, makineli tüfek birlikleriyle bir güvenlik çemberi oluşturmuş, batıya geçirilen topların gerektiğinde doğuya karşı kullanılacak biçimde yerleştirilmesini emretmişti. Türklerin yetişerek geçişi engellemelerinden korkuyordu.

Korktuğu başına geldi.

Kaçırdıkları kolorduyu yakalamak için durmadan yürümüş olan tümenlerin öncüleri yetişmişlerdi. Tepelerin ufuk çizgilerinde göründüler. Üzerlerine batan günün kızıl ışığı vuruyordu ve gittikçe çoğalıyorlardı. Açılıp savaş düzeni aldılar ve taarruza geçtiler.

Yunanlılar bu taarruza batıya geçirmiş oldukları toplar ve artçıların makineli tüfekleri ile karşılık verdiler. Çatışma sürerken, birlikler büyük bir korku içinde köprülerden geçip canlarını karşı kıyıya attılar. Karanlıktan yararlanan artçılar da parça parça karşıya kaçtılar. Köprüler yakıldı.

Birinci Kolordu, Sakarya'nın doğu kıyısında biraz ölü, hayli malzeme ve taşıt bırakarak geceye karıştı.

Sakarya doğusunda yalnız Üçüncü Kolordu kalmıştı.

ÜÇÜNCÜ KOLORDU'nun bir tümeni batıya geçmişti. İki tümeni Beylik Köprü önünde, Beştepeler'de ve Karadağ'da direnmeyi sürdürüyordu.

Mürettep Kolordu'nun subay ve askerleri iki gündür uyumamış, kayıplar giderilememişti. Cephane sıkıntısı sürüyordu. Ama durmak zamanı değildi. Albay Kâzım Özalp tümenlerine, Beylik Köprü'yü, Beştepeler'i ve Karadağ'ı geri almalarını emretti.

Sakarya Savaşı'nın son gece savaşı başladı.

SÜVARİ TÜMENLERİ, 13 Eylül Salı sabahı, savaşın yirmi ikinci günü, gün ışımadan yola düştüler ama Yunan ordusu karşıya geçmişti. Kavuncu Köprüsü ile Beşköprü önünde sadece gecikmiş birkaç perakende birlik vardı.

Yunan topçularının koruyucu ateşi altında, itişe kakışa batıya kaçtılar.

Güney kesiminde Yunan ordusundan kimse kalmamıştı.

KUZEYDE ise savaş hâlâ sürüyordu.

Gün doğumuna yakın Yunan mevzilerinde sarsılma başladı. Sabahleyin Beştepeler ve Karadağ'daki birlikler çözüldüler. Süngüden kurtulabilenler Karailyas Köprüsü ile Beylik Köprü'ye doğru kaçmaya başladılar. Beylik Köprü'yü savunan birlik de mevzilerini boşaltıp bu kaçışa katıldı.

Yunanlıları kovalayan birliklerin içinde Gazi Çavuş'un takımı da vardı. Rüzgâr gibi geçtikleri savaş alanı yaralılar, cesetler, oraya buraya saçılmış silahlar, su bidonları, kaputlar, konserveler, cephane sandıkları, fişek şeritleri, mektuplar, teneke tabaklar, postallarla doluydu.

En önde koşan Gazi Çavuş yamacı dönüp de aşağıda Sakarya'yı görünce durdu. Takım da durdu. Son kır çiçeklerinin süslediği sonbahar toprağı dalgalana dalgalana Sakarya'ya iniyordu. Mübarek Sakarya kıyısına kadar bir tek Yunanlı yoktu. Köprüleri yıkıp kaçmışlardı.

Gözlerinden yaş inerek gücü yettiğince bağırdı:

"Oğluuuum! Boşuna ölmediiiin! Düşmanı yendiiiik!.."

Sesi tepeden tepeye yankılandı.

Bulunduğu yerde diz çöktü, başını şükür secdesi için toprağa koydu.

Takımı da öyle yaptı.

Kuzey kesimi de Yunan ordusundan temizlenmişti. Kimi Yunanlılar Sakarya'nın batısına geçebilmiş, kimi de ölü, yaralı, hasta ya da esir olarak doğuda kalmıştı.

Savaş tarihinin çok uzun sürmüş birkaç meydan savaşından biri olan Sakarya Savaşı Türk ordusunun zaferiyle sona ermişti.

Sakarya Savaşı ile ilgili anı kartlarından bir örnek:
Düşmana geçit yok!

İSMET PAŞA sonucu Başkomutan'a arz etti:

"23 Ağustostan beri devam eden Sakarya Meydan Muharebesi, Türkiye Büyük Millet Meclisi Ordusu'nun kesin zaferi ile neticelenmiştir. Üç günden beri devam eden genel karşı taarruzumuz tesiri ile bugün öğleden evvel bütün düşman ordusu mağlup olarak ve bütünüyle nehir batısına atılmış bulunuyor. Düşmanı aralıksız takip ediyoruz."

Sonuç 11.33'te resmen ilan edildi. [98a]

Başkomutan, İsmet Paşa'nın kısa raporunu TBMM'ye gönderdi, zaferi valilere ve Müdafaa-yı Hukuk derneklerine bildirdi. Ardarda emirler yayımladı: Başkomutanlık sekreteryasını kaldırdı. Grup düzenine son verilerek kolordu düzenine geçilmesini emretti ve genel seferberlik ilan etti.

Yunan büyük taarruzu yenilgi ile sona ermişti.

ANKARA'nın aklı ve kulağı üç gündür Sakarya'daydı.

Haber geldi ve şehir kabardı. Bayraklar asılıp dükkânlar kapandı, herkes sokağa döküldü. Meclis'in ve Hâkimiyet-i Milliye gazetesinin önünde toplanarak milletvekillerini ve gazetecileri alkışladılar. Sonra marşlar söyleyerek Milli Savunma Bakanlığı'nın önüne gelip ordu için büyük gösteri yaptılar. Oradan da hastanelere giderek yaralıları ziyaret ettiler. Kafileye katılmış olanlar birbirlerinden ayrılamıyor, durup durup kucaklaşıyorlardı. Davulunu, zurnasını, sazını, kemençesini, darbukasını, zilini kapan geliyor, kafileye katılıyordu.

Binler Meclis ile Taşhan'ın önünde toplandı. Seğmenler, Karadenizliler, Doğulular, Güneydoğulular, Akdenizliler, Orta Anadolulular, Egeliler, Trakyalılar, Marmaralılar, göçmenler coştular, zafer şerefine oynamaya başladılar.

Ulus meydanı bir Anadolu mahşeri oldu.

Bu sırada yaşlı, genç bazı kadınlar Millet Bahçesi'nde toplanıyor, durmadan kalabalıklaşıyorlardı. Zafer için çok dua etmişlerdi. Şimdi zaferin mutluluğunu paylaşmaya gelmişlerdi. Kadınların evden dışarı çıkıp da bir olayı, hele bir eğlenceyi böyle erkeklerle birlikte izledikleri şimdiye kadar pek görülmemişti. Homurdananlar oldu ama homurtuları zafer coşkusu içinde kaynayıp gitti.[99]

Ankaralılar

ANADOLU Yunan yürüyüşünün başladığı günden beri yüreği ağzında yaşıyordu. Yirmi iki gün yüzyıl gibi uzun sürmüş, bitmek bilmemişti. Zafer haberini alır almaz ferahlayıp coştu. Bütün şehirlerde gösteriler başladı. Zafer top atışlarıyla selamlanacak, dualar edilecek, gece fener alayları düzenlenecekti.

Mutlu haberi alan Yeni Adana gazetesinin başdizgicisi Hamdi Gönen günün manşetini ağlaya ağlaya eliyle dizdi: *"Ordumuz Kati Zaferi Kazandı!"*

Fransız işgali altındaki Adana'da iki işbirlikçi gazete vardı: Adana Postası ve Ferda. Bu iki gazetede Fanizade Mesut'un, Müftü Zihni Efendi'nin ve Hafız Mehmet'in Milli Mücadele aleyhinde, Fransız mandası lehindeki yazıları ve açıklamaları yayımlanmaktaydı.[100]

Milli Mücadele'yi destekleyen Yeni Adana gazetesi, Adana'dan iki saat uzakta, Pozantı'da, kör hatta bulunan bir vagonda yazılıyor, diziliyor, elle çevrilen makineyle basılıp işgalcilerden gizli Adana'ya yollanıyor, el altından dağıtılıyordu.

Yeni Adanacı'lar, zaferi bildiren gazeteyi bugün kırmızı mürekkeple ve binlerce bastılar. Gazete işgalci Fransızlara ve Ermeni kopuklara rağmen Adana'da açıkta satıldı ve kapışıldı.[101]

Hainleri bir ürperti aldı.

Meclis önü ve Millet Bahçesi'nde Ankaralılar

İSTANBUL'da işgal kuvvetleri alarma geçmiş, Türkler gösteri yapmaya kalkışırlarsa ânında bastırmak için birçok önlem almışlardı. Meydanlarda birlikler bekliyor, kalabalık caddelerde devriyeler geziyor, duyarlı semtlerde asker dolu kamyonlar dolaşıyordu. İşgal sansürüne, gazetelerde tahrik edici yazılara izin vermemesi emredilmişti.

Akşam gazetesi, haberi alır almaz ikinci baskı yaptı. Birinci sayfasında Ankara'nın resmi bildirisine ve M. Kemal Paşa'nın resmine yer vermekle yetindi. M. Kemal Paşa'nın resmi, bu günlerde sancak gibi bir şeydi.[101a] Gazetede sansürün ve işgal yönetiminin takılacağı hiçbir sakıncalı yazı yoktu. Gazeteleri dağıtıcı çocuklara veren görevli, bu gazeteyi nasıl satacakları konusunda iki-üç kelime ile yol gösterdi. Çocuklar gazetelerle İstanbul'a dağıldılar:

"Türk zaferini yazıyor..."

"Yunanlıların kaçtığını yazıyor..."

"Yunan bozgununu yazıyor..."

Yüreğe işleyen bu incecik çocuk haykırışları on binlerce kişinin biraraya gelip de yapacağı bir gösteriden çok daha etkili oldu.

Eğer Rumlar, gazeteci çocukları korkutup susturmak isterlerse, birtakım kararlı gençler bu alıngan Rumları anlayacakları dille engelliyorlardı. Birileri herhalde son bir ay içinde bu gençlere bir şeyler öğretmişti.

HAZIRLIĞINI BİTİREN Mürettep Tümen saat 14.00'te Sivrihisar'ı bastı. Sivrihisarlıların çoğu Ankara'ya çekilmiş, geride daha çok yaşlılar ve hastalar kalmıştı. Dişsiz bir nine kalpaklı subayları görünce heyecandan dövünerek çığlığı bastı:

"Bizimkileeer!!!"

Burada, bir Türk tümeninin gelip de Sivrihisar'ı basabileceğini akıllarının ucundan bile geçirmeyen bir piyade taburu ile bir süvari bölüğü bulunuyordu. Direnmeye yeltendiler ama süvariler çok hızlıydı.

Kısa zamanda dağılıp 25 esir vererek kaçtılar.

Sivrihisarlılar ağlaşarak koştular, süvarilerin üzengilerini, atların boyunlarını öptüler.

Tümen Sivrihisar'da Türk esirlerin bulunduğunu duymuştu. Önce onlar arandı. Sayıları 400'e yakındı. Aralarında 1 Eylül günü esir düşen 176. Alay'dan iki bölüğün, 131. Alay'dan iki taburun subay ve erleri de vardı. Yarı çıplak, kir içinde ve açtılar. Sevinçten dilleri tutuldu.

İkisi ilaç dolu üç otomobil, malzeme ve yiyecek depoları ile karargâh subaylarının geriye yolladıkları özel eşyalar ele geçmişti. Papulas'ın bavulundan beş madalya çıktı.

Tümen Komutanı Yarbay Zeki Soydemir, hastanede yatan 30 kadar Yunanlı yaralıyı ziyaret edip hatırlarını sordu. Yaralılar ihtiyaçları sağlanarak yerlerinde bırakıldı. Yunanlı doktorlar esir alındıkları için yerli iki Türk doktora emanet edildiler.

Depolardaki çamaşır ve ayakkabıların bir kısmı tümene ve esirlere dağıtıldı. Yiyecek depolarında her şey vardı. Birazı ailelere verildi. Tümen aşçıları tümene ziyafet çekmek için iş başı ettiler.

Yemekten sonra, kurtarılan Türkler, esirler, yiyecekler, malzemeler ve Papulas'ın özel eşyası bir müfrezenin korumasında Fettahoğlu'na yollanacak, tümen gerekli güvenlik önlemlerini alarak geceyi Sivrihisar'da geçirecekti.[102]

KÂZIM ÖZALP ile Grupları yakında bulunan İzzettin Bey ve Kemalettin Sami Bey, paşaları kutlamak için Polatlı yakınındaki karargâh trenine geldiler.

Dokunaklı bir buluşma oldu. Göz yaşartıcı anıların yanı sıra aksaklıklara da değinildi. Düşman yenilmişti ama imha edilememişti. Bu yüzden Grup Komutanlarının mahcup bir halleri vardı.[103]

Başkomutan gönüllerini aldı:

"Taarruz planının amacı, düşmanı Sakarya'ya döküp imha etmekti. Ama şimdiki gücümüz ve ordunun eğitim düzeyi, düşmanı ancak yenmemize yetti. Üzülmeyin, vakti gelince de imha edeceğiz."

BAŞKOMUTAN'ın emri üzerine, eldeki birliklerden üçer tümenli beş kolordu kuruldu, grup düzeni tarihe karıştı. Her kolordunun geniş bir karargâhı ve gerekli bağlı birlikleri olacaktı.

Birinci Kolordu Komutanlığı'na Albay İzzettin Çalışlar, İkinci Kolordu Komutanlığı'na Albay Selahattin Adil Bey,[103a] Üçüncü Kolordu Komutanlığı'na Albay Kâzım Özalp, Dördüncü Kolordu Komutanlığı'na Albay Kemalettin Sami Gökçen, Beşinci Kolordu (süvari) Komutanlığı'na Albay Fahrettin Altay atandı.

Mürettep Kolordu'nun yerine İzmit kesimi için Kocaeli Grubu kuruldu. Grup, bir tümen, bir süvari alayı ve İzmit cephesinde bulunan birlikler ile milli müfrezelerden oluşuyordu. Komutanlığına Albay Deli Halit Bey getirildi.[103b]

Bir aşama daha kalmıştı: Bu kolorduları Batı Cephesi Komutanlığı'na bağlı iki orduda toplamak.

İSMET PAŞA, "Düşmanı hemen geri çekilmeye zorlayacağız" dedi.

Albay Asım Bey üzüntüyle başını salladı:

"Biliyorsunuz Paşam, ciddi bir savaşa girecek kadar cephanemiz yok." [103c]

"Biliyorum. Taşıtlarımız da yetersiz. Sıkı bir takip yapabilecek halde değiliz. Kabul. Ama düşmanı yerinden oynatmak zorundayız. Şimdi en duyarlı, ürkek zamanı. Bir kez oynadı mı, arkası gelir. Sağdan soldan birliklerimiz ilerlemeye başlarsa, benim bildiğim General Papulas çadırını toplar ve gider."

Kurmaylar gülüştüler.

Sakarya'nın güneyinden Süvari Kolordusu'nun, Porsuk'un kuzeyinden de yeni Kocaeli Grubu ile Üçüncü Kolordu'nun batıya doğru yürümeleri kararlaştırıldı.

Öteki birlikler de Porsuk-Kavuncu Köprüsü arasında Sakarya'yı geçmeye çalışacaklardı.

15. TÜMEN Beylik Köprü kesiminde karşıya geçmek için 38. Alay'ı görevlendirmişti. 38. Alay çaresiz kaldı. Köprü yapmak için gerekli hiçbir malzeme yoktu. Yakındaki yıkık bir köyden tahta parçaları getirtildi. Zorlukla çivi, halka ve ip bulundu. Dört kişi taşıyabilecek bir sal yapılabildi.

Karşı kıyıya daha yirmi kişi geçmeden, düşman geçit yerini keşfedip top ateşi altına aldı. Bir tepeciğin üzerinden geçişi yönetmeye çalışan Alay Komutanı Demir Ali Bey yaralandı.[104]

Bugün nehrin başka yerlerindeki geçme girişimleri de başarısız olacak, geçebilenler düşmanın saldırısı üzerine geri döneceklerdi.

YUNAN KARARGÂHINDA herkes çok sinirliydi. Kurmaylar, geçiş sırasında, düşman eline geçmesin diye gece ordu telsizini yakacak kadar korkuya kapılmışlardı. Orduda Üçüncü Kolordu'nun durumu hakkında bilgi yoktu. Geçip kurtulmuş muydu, esir mi düşmüştü, hâlâ bilinmiyordu.[105]

Papulas burnundan soluyarak, "Cepheden bu kadar uzaklaşmakla yanlış ettik.." dedi kurmaylara, "..hiçbir şeye hâkim değiliz."

Kimse itiraz edemedi.

Birden Yüzbaşı Stefanopulos izin istemeden odaya daldı:

"Özür dilerim. Şimdi bildirdiler. Bir düşman tümeni Sivrihisar'ı basmış!"

Papulas öfkeyle haritaya öyle vurdu ki haritanın üzerindeki bütün işaretler dört bir yana dağıldı:

"Şeytan alsın! Yine gerimize sızdı bunlar. Bir birlik bulup Sivrihisar'a yollayın! Hemen, şimdi! Haydi!"

El altında yalnız zavallı Süvari Tugayı vardı. Hemen yola çıkarıldı.

ALBAY KÂZIM BEY akşam yemeğini Zafer Tepe'de Kurmay Başkanı Hayrullah Fişek'le birlikte yedi. Günlerdir birkaç saatten fazla uyumaya fırsat bulamamıştı. Hava kararıyordu. Uzaklardan bir davul zurna sesi yansımaktaydı. Bir birlik zaferi kutluyor olacaktı. Kaputuna sarılarak toprağa uzandı. Gözlerini kapadı.

Az sonra uyandırdılar.

Cephe Komutanlığı'ndan gelen bir subay, rütbesinin mirlivalığa (tuğgeneralliğe) yükseltildiğini bildiren yazıyı getirmişti.[106] Bu güzel haber üzerine karargâh subayları sevinç içinde birbirlerini uyandırarak komutanlarını kutladılar.

Asker ahlakınca, kendileri ödüllendirilmiş gibi mutlu olmuşlardı.

Kâzım Özalp Paşa bu gösterişsiz, içten törenden sonra yine toprağa uzandı. Görevini yapmış ve bunun ödülünü almış olmanın huzuru ve mutluluğu içinde uyudu.

MİRLİVALIĞA YÜKSELEN ikinci komutan da Albay Fahrettin Altay'dı. Karargâh subayları hemen kırmızı bir kumaş parçasını kesip yakasına taktılar. Komutanlarının paşalığını coşkuyla kutladılar.

Fahrettin Paşa da 1912'den beri savaşıyordu: Balkan Savaşı, Dünya Savaşı, şimdi de Milli Mücadele. Rahat yüzü görmemiş, her zorluğu vatan hizmetidir diye yakınmadan üstlenmiş bir kuşaktandı.

Paşa olduğunu annesine haber vermenin bir yolunu bulmalıydı.

M. KEMAL PAŞA, Fevzi Paşa, İsmet Paşa, Kâzım İnanç Paşa, Fethi Okyar, Halide Onbaşı, Albay Asım Gündüz ve Albay Arif Bey yemeğe oturmuşlardı.

Cephe karargâhının aşçısı bu akşam Başkomutan'a iltimas geçmiş, onun sevdiği yemeklerle güzel bir sofra hazırlamıştı: Kuru fasulye, pilav ve kuru üzüm hoşafı.

Herkes memnun oldu.

Bir Türk için bundan güzel zafer yemeği olamazdı.

Çok neşeliydiler. Daldan dala atlıyorlar ama söz dönüp dolaşıp Sakarya Savaşı'na geliyordu. Başkomutan, "Bu savaşta subay, astsubay ve erlerin katlandıkları fedakârlık ve gösterdikleri çaba, insan gücünün üstündedir" dedi, gazileri övdü.[107]

Millet de ordudan geri kalmamıştı.

Binlerce sahne aktı hayalinden: Milli yükümlülüklerini gecikmeden yerine getirenler, ikmalciler, kağnı, araba, eşek ve deve kolları, işçi taburları, gizli örgütler, silah ve cephane kaçakçıları, hamallar, gümrükçüler, sandalcılar, motorcular, denizciler, havacılar, doktorlar, gönüllü hemşireler, dikimevi terzileri, sargı bezi hazırlayanlar, takılarını orduya armağan eden kadınlar, ustalar, işçiler, demiryolcular, şoförler, gazeteciler, öğretmenler, yurtsever din adamları, Kuva-yı Milliyeciler, Kızılaycılar, Müdafaa-yı Hukukçular, yöneticiler...

Hiçbir dönemde bütün milletin katıldığı böyle bir mücadele yaşanmamıştı.

Gözleri minnetle parlayarak, "Bu zafer yüz binlerce yurtsever insanımızın ortak eseridir" dedi.[108]

İkinci Kitap
Türk Büyük Taarruzu

Birinci Bölüm

Büyük Taarruza Hazırlık

14 Eylül 1921 - 13 Ağustos 1922

YÜZBAŞI FARUK sabah trenine bindi. Yaralılar arasında bir yer bulup oturdu. Birinci Kolordu Karargâhı ile ilgili bazı atama işlemleri için birinin Ankara'ya yollanacağını duymuş, kendisini göndermeleri için açıkça yalvarmıştı.

Nesrin'i çok özlemişti çünkü.

Bakanlıktaki iş biter bitmez hastaneye koşacaktı. Ama duygusunu Nesrin'e nasıl açacaktı? Bunun için yürekli olmak gerekiyordu. Kendi kendine "Açacağım" diye söz verdi, "bu da benim Sakarya zaferim olur."

MÜRETTEP TÜMEN, Yunan Süvari Tugayı'nın Sivrihisar'a yaklaştığını öğrenince, şehre bir zarar gelmemesi için araziye çıktı.

Sivrihisar'ın doğusunda karşılaştılar.

Çarpışma akşama kadar sürecek, Süvari Tugayı yakınlardaki dağlara kaçacak, bir kısım erlerini esir verecekti. Yeni Yunan kuvvetlerinin yollanması üzerine Mürettep Tümen de Fettahoğlu Köprüsü'nden güneye geçerek, Süvari Kolordusu'na katılacak, Zeki Soyde-mir 2. Süvari Tümeni Komutanlığı'na atanacaktı.[1]

BAŞKÂTİP RIFAT BEY, eğilerek, "..Haberi İngiliz Yüksek Komi-serliği de doğruladı.." dedi büyük bir saygıyla, "..Ordu Yunanlıları ger-çekten yenmiş efendim."

Vahidettin gözlerini kapayıp içine çekildi. Küçük mabeyn daire-sindeki odadaydılar. Vahidettin her zamanki koltuğunda oturuyordu.

"Bu milli zaferi kutlamak istersiniz diye düşündüm.."

Vahidettin'in yüzü duygu ve düşüncelerini ele vermeyen bir do-nukluk içindeydi. Tek çizgisi bile kıpırdamadı. Yaşanan müthiş olay-ların dışında, soyut bir hükümdardı sanki.

"..Emrinizi almak için rahatsız etmiştim."

Vahidettin gözlerini hafif aralayarak baktı. Bıçak ağzı gibi par-ladılar. Padişah'ın bu milli zaferden hiç memnun olmadığı anlaşılı-yordu.

"Peki efendim."

Arka arka giderek huzurdan çıktı.

BU HABERDEN hiç memnun olmayacak biri daha vardı: İngil-tere Başbakanı Mr. Lloyd George. Haberi alınca yerinden zıplamıştı:

"Bu doğru olamaz!"

Miss Frances Stevenson, "Şimdi Dışişleri Bakanlığı yazdırdı" dedi.

"Lanet olsun."

Notu bir daha okudu. Uzun bir sessizlikten sonra, "Askerler beni uyarmışlardı.." diye mırıldandı, "..ama ben Yunanlıların galip gelece-ğine kesinlikle inanmıştım. Adamları teşvik ettim. Bu sonuca göre yalnız Yunan ordusu yenilmedi Frances, benim barış politikam ve saygınlığım da ağır yara aldı. Bir çıkış yolu bulmalıyım."

Dünyanın lideri Lloyd George üşüyor gibi büzülmüştü. Miss Stevenson'ın içi eridi, şefkatle, "Kahve ister misin?" diye sordu.

"Evet Frances, lütfen, iyice sert olsun."

BAŞBAKAN GUNARİS bu sırada parlamentoda konuşuyor, milletvekillerini, vereceği gerçeğe aykırı habere hazırlıyordu:

"..İngiliz gazetelerinin yazdığına göre Venizelos, 'Ankara'ya yürümek yanlıştı' demiş. Yunan askeri Ankara önünde kutsal kanını dökerken, Venizelos Londra'da balayı hazırlığı yapıyordu.."

Alkışlar, kahkahalar ve aşağılayıcı ünlemler yükseldi. Venizeloscu milletvekilleri sıra kapaklarına vurmaya başladılar. İçlerinden biri haykırdı:

"Ankara'yı aldınız mı, onu söyle!"

Kralcılar ayağa fırladılar. Kavga zorlukla önlendi. Başbakan daha enerjik bir sesle konuşmaya devam etti:

"..Venizelos Sevr Antlaşması'yla Yunanistan'a Anadolu'da sadece on altı bin kilometrekare toprak sağlayabilmişti. Ama biz bunu, haşmetli Kralımızın desteğiyle yüz bin kilometre kareye çıkardık.." [2]

Alkışlar salonu doldurdu.

"..Ankara'ya bu durumu güven altına almak için ilerledik. Ordumuz Türk ordusunu arka arkaya yenerek Sakarya'dan 50 kilometre ileri gitti. Savaşın bu dönemini zaferle kapatmış bulunuyoruz. Yağmur mevsimine girildiği için fedakâr ordumuzu, kışı rahat geçirebilsin diye nehrin batısına aldık. Türk taarruzu yüzünden geri çekilmiş değildir.[3] Ordu Sakarya'yı, düşmanı iyice yendiği için hiçbir tacize uğramadan, büyük bir düzen içinde geçti. Haklarımızı elde edinceye kadar da, Sakarya'nın kıyısında kalacağız!"

Venizeloscular salonu terk etmeye başlamışlardı. Gunaris yoğun alkışlar ve bağırışlar arasında kürsüden indi. Protopapadakis, "Yalan içinde yüzüyoruz" diye fısıldadı.[4] Baltacis ter dököyordu:

"Gerçeği halktan daha ne kadar saklayabiliriz ki?"

"Binlerce yaralı İzmir'e ve Yunanistan'a akmaya başlayıncaya kadar."

Kralcılar ile Venizeloscular arasındaki geçici ateşkes sona ermişti.[5]

FARUK işini bitirip hava kararmadan Cebeci Hastanesi'ne yetişti. Nesrin için geldiği anlaşılmasın diye önce Dr. Hasan'ı sordu. Çıktığını söylediler.

"Peki, Nesrin Hanım?"

"O daha burada. Binada."

"Teşekkür ederim."

Büyükçe binaya girip koğuşların bulunduğu koridorda yürüdü. Açık kapılardan yaralılar görünüyordu. Bir yaralının önündeki beyaz gölgeyi görünce durdu. Oydu. Kapının açığında sessizce bekledi. Gölge hareket etti, döndü, yaklaşmaya başladı. Kapının boşluğunda duran Faruk'u fark edince dondu. İnanmadan bakıyordu. Faruk yavaşça seslendi:

"Merhaba Nesrin Hanım!"

"Ah, gerçekmişsiniz."

Hızla yürüyüp elini uzattı. Faruk bu küçük eli tuttu, eğildi, alafranga öptü. Nesrin başhekimin odasından dayısına telefon etti. Faruk'a, itiraz kabul etmez bir sesle, "Bana, daha doğrusu, bize gidiyoruz.." dedi, "..dayımla da tanışmış olursunuz. O da gecikmiş, işinden şimdi çıkıyor. Haydi."

Pelerinine sarındı. Serin, durgun bir sonbahar akşamıydı. Yürüdüler.

Bir zaman konuşacak bir şey bulamadılar. Sonra ikisi birden konuşmaya başladı. Eve kadar hiç susmadılar. Faruk birkaç kez söylemeye yeltendiyse de cesaret edemedi: "Bir de M. Kemal Paşa 'Türk subayı kahramandır, cesurdur' diyor. İlgisi bile yok. İçim korkudan köpek yavrusu gibi titriyor."

Yüzbaşı Vedat eve onlardan erken yetişip Vedia'ya Nesrin'in bir misafirle geleceğini haber vermişti. Vedia ortalığı yıldırım gibi topladı. Özenle giyindi. Sofrayı kurdular.

Yemek çok güzel geçti. Bir İstanbul akşamı yaşadılar. Faruk gece yarısı istemeye istemeye kalktı. Bir daha kimbilir ne zaman karşılaşabileceklerdi. Kolordu batıya kaydırılacaktı.

"Duygularımı mektupla belirtirim" diye teselli etti kendini.

BAKIRKÖY'de Balıkçı Aleko, deniz kıyısındaki salaş meyhaneden çıktı. Uykusu gelmişti. Sallana sallana evinin yolunu tuttu. İri yarı, güçlü kuvvetli, pos bıyıklı, yakışıklı bir Rum kabadayısıydı. Yunan ordusu Ankara'ya doğru yürümeye başladığı zaman, sevinç gösterilerinin en önünde yer almış, bu gösterilere engel olmak isteyen bazı Türk gençlerinin canını yakmıştı.

Sakızağacı'na gitmek için istasyon caddesinden sağdaki ilk sokağa sapınca, bir genç çıktı önüne:

"Selam Aleko!"

Bir olağanüstülük sezen kabadayı, kuşağındaki bıçağa el atıyordu ki arkadan sessizce gelmiş olan iki genç, geniş, uzun bir çuvalı başından aşağıya, dizlerine kadar geçiriverdi. Üçü birden atılıp kabadayıyı yere yıktılar, sucuk gibi bağladılar. Dışardan bir bezi ağzına dolayarak sesini kestiler. Gençlerden biri Aleko'nun kulağına eğildi: "Şimdi biz de senin canını yakacağız. Suçunu biliyorsun. Tekrar edersen cezan daha ağır olacak."

Bakırköy'ün ünlü kabadayısı Aleko sabah sokakta, kırık bir oyuncak gibi bulundu. Hastaneye kaldırıldı.

Benzer olaylar, sanki önceden kararlaştırılmış gibi, bugünlerde İstanbul'un bazı semtlerinde yaşanacak, incitici Rum gösterilerinin bazı öncüleri kimlikleri saptanamayan birilerince cezalandırılacaktı.

ZAFER HABERİ Malta sürgünlerini havalara uçurmuştu. 'Zindan baskılarını filozofça bir gülümsemeyle karşılamaya' başladılar. İngilizlerin yukardan bakışları gülünç geliyordu artık.

Lloyd George'un Yunanistan'ı ve rezil politikası yenilmişti!

Bu neşe içinde, klasik tiplerin yerini gerçek kişilerin aldığı 'yeni tarz Karagöz' oyunu başlattılar. Suretleri Albay Cevdet Bey çizdi, metinleri Aka Gündüz yazdı. Birkaç kişilik bir saz heyeti ve taklitçiler grubu oluştu. Hayal perdesinde dönemin ve günün olayları yer alacaktı. İlk akşamın kahramanları Kral Konstantin ve General Papulas oldu.

Müthiş eğlendiler.[6]

Sakarya zaferinin kendilerini de ilgilendirecek büyük sonuçlar vereceğini kestiriyor ve bekliyorlardı.

DÖRT BİR YANI düşmanla çevrili Demirci'de hayat olağanmış gibi yürüyor ama herkes tetikte duruyordu. Kaymakam İbrahim Ethem Bey giyimli yatıyor, bütün akıncılar silahlı geziyor, atları eyerli bekliyordu.

Sabah İşgal Genel Komutanı General Vlahopulos'un bir bildiri yayımladığı öğrenildi. General 'Ankara ordusu ile işbirliği yapanların idam edileceğini, ailelerinin sürgüne yollanacağını, servet ve mallarının mahvedileceğini' açıklamıştı.

Akıncılar güldüler.

Bunları göze almayan akıncı olmazdı ki zaten.

Öğleden sonra Salihlili Uzun Abdullah adlı bir Çerkez iki mektup getirdi. Biri, Çerkez Ethem'dendi. Öteki, yardımcısı Sami'den. Mektubu Pehlivan Ağa'ya, Ağa da Kaymakam Bey'e verdi. Ethem 13 Eylül günü yazılmış mektubunda, Pehlivan Ağa'ya ve Halil Efe'ye, 'artık hiç ümidin kalmadığını, Yunanın Ankara'ya girmek üzere olduğunu' söylüyor, 'teslim olmalarını, teslim olurlarsa fevkalade yaşayacaklarını, kendilerinin Yunanlılardan fevkalade saygı gördüklerini' yazıyordu.

Ethem'in Yunanlıların Sakarya'da muzaffer olacaklarına güvendiği anlaşılıyordu. Yenildiklerini duyunca çok üzülmüş olmalıydı. Eski reislerinin Yunanlılar adına çalışması, teslim olmalarını önermesi Pehlivan Ağa ile Halil Efe'ye çok dokundu.

"Tüü..."

Aynı öneriyi almış olan kaymakamla birlikte bu rezil mektuplara cevap vermemeyi kararlaştırdılar.[7]

FRANSA'nın Franklin Bouillon'u yeniden Ankara'yla görüşmek için yola çıkardığını duyan İngiliz Yüksek Komiseri Sir Harold Rumbold çok rahatsız olmuştu. Rattigan kestirip attı:

"Fransa onayımızı almadan Ankara ile anlaşamaz."

Yüksek Komiser tecrübeli bir diplomattı. "Dengeler değişiyor Mr. Rattigan.." dedi, "..şaşırtıcı değişimlere hazırlıklı olmalıyız. Olaylar daha fazla aleyhimize dönmeden, Malta'daki Türkleri serbest bırakarak, Ankara'nın elindeki İngilizleri geri almalıyız.[8] Türklerin Ermeni kıyımı yaptığı hakkındaki iddia iflas etti. Artık bu gerekçeyi ileri sürerek Malta'da kimseyi tutamayız."

General Harington, "On altısı da kaçtığına göre.." dedi, "..Malta'da zaten elli dokuz Türk kaldı."

Andrew Ryan itiraz etti:

"Bunlardan sekiz subayı, savaş sırasında İngiliz esirlerine kötü davrandıkları için tutuklamıştık. Bu sekiz Türkü mutlaka yargılamak ve cezalarını vermek zorundayız. Gerisi serbest bırakılabilir." [9]

Sir Harold Rumbold, "M. Kemal adalet istiklaline aykırı olduğunu ileri sürerek yargılama hakkımızı kabul etmemişti.." dedi, "..yine etmeyeceğini sanıyorum."

Rattigan sinirlendi:

"Bu sekiz Türkün ötekilerle birlikte serbest bırakılmasını biz önersek, Londra reddeder. İngiltere'ye saygısızlık yapan herkes bunun bedelini ödemeli. Londra'nın Ankara'nın küstahça gururuna boyun eğeceğini hiç sanmam." [10]

AKŞAM HAVA KEŞFİ Yunan komuta kurulunu çok tedirgin etti: Sakarya güneyinden dört-beş bin kişilik bir Türk süvari birliği (Süvari Kolordusu) batıya doğru ilerliyordu. Öncüsü Fettahoğlu'na ulaşmıştı. Bu süvariler Sakarya'nın kuzeyine geçip ordunun gerisini sarabilirlerdi.

Sakarya'nın batısında kalabilmek için yeni bir savaşı göze almak gerekiyordu ama ordu yeni bir savaşı kaldıracak durumda değildi.

Lanet olsun!

DİKRAN da çıldırmış gibi "Lanet olsun!" diye bağırıyordu. Öfke içinde Ali Kemal Bey'in odasına çıktı. Soluk soluğaydı.

"Ne bağırıyorsun Dikran? Ne oldu?"

"Dizgiciler bütün harf kasalarını devirip gitmişler."

On binlerce harfi toplayıp yerlerine yerleştirmek günler alırdı. Öfkeyle sordu:

"Deli mi bunlar? Niye böyle bir şey yapmışlar?"

Dikran koltuğa çöktü:

"Sizin yazınızı dizmemek için."

Ali Kemal Bey buz kesti. Ankara'nın etkisi gazetenin dizgi bölümüne kadar sızmıştı ha! Yazısını az önce dizilsin diye aşağıya yollamıştı. Gazete gece basılacak, sabah İstanbul'a dağıtılacaktı. Amacı zafer coşkusu içindeki şaşkın millicileri ayıltmaktı. Ne zaferi? Zafer filan yoktu yahu. Yunan ordusu kendi isteğiyle geri çekilmişti. Kükredi:

"Alçaklar! Namussuzlar! İttihatçı keratalar! Şimdi İngiliz polisine gidiyorum. Hepsinin anasını ağlatacağım. İngiliz zırhlıları Boğaz'da durduğu sürece beni kimse susturamaz. Hiç kimse." [11]

İSTANBUL Yüksek Komiserliği'nin Malta sürgünleri ve İngiliz esirleri hakkındaki önerisi üzerine Lloyd George iç kabineyi topladı. Toplantıya Mareşal Wilson'u da çağırmıştı.

Lord Curzon her zamanki gibi uzun, süslü bir giriş konuşması yaptı. "Her iki taraf da zafer törenleri yaptığına göre, son Türk-Yunan savaşının berabere bittiği ileri sürülebilir" deyince,[12] Mareşal Wilson itiraz etti:

"Bu doğru değil."

Lord Curzon Mareşal Wilson'a hayretle baktı. Sözünün kesilmesine alışık değildi. Wilson aldırmadı, Lloyd George'a, "Sayın Başbakan.." dedi, "..buraya askeri gerçekleri açıklamak için çağrıldığımı sanıyorum. Savaş berabere bitmedi. Yunan kaynaklı bütün haberler gerçeğe aykırıdır. Türkler askeri bakımdan parlak bir zafer kazandılar. Türk ordusu bugüne kadar stratejik savunmada kalmış, savunma seçeneklerinin hepsini ustaca kullanmıştı. Şimdi inisiyatif Türk ordusuna geçti. Türk ordusu dilerse Musul'a ya da İstanbul'a yürüyebilir. Durum bu." [13]

Curzon çok içerlemişti. Fakat Wilson'la tartışmaya girmek istemedi. Sözün süsüne değil özüne değer veren askerlerle ne zaman tartışsa yeniliyordu. Savaş Bakanı Sir L.W. Evans söz istedi:

Lord
Curzon

"Sayın Başbakan, iki olasılık da bizim için felaket olur. Bakanlığım bu gibi tehlikeli olasılıkları önlemek için, Ankara ile aramızdaki gerginliği gidermenin gerekli olduğunu düşünüyor." [14]

Montagu bu görüşü hemen onayladı. Lloyd George Sömürgeler Bakanı Churchill'e baktı. Churchill beklemediği bir cevap verdi:

"Ben de Savaş Bakanı gibi düşünüyorum." [15]

Sir L.W. Evans devam etti:

"Bunun ilk adımı olarak Malta'daki bütün Türklerin serbest bırakılmasını öneriyorum."

"Hepsini mi?"

"Evet, ayrımsız hepsini."

Lloyd George'un yüzü gittikçe buruşup ufalıyordu. Lord Curzon söz aldı:

"Malta sürgünleri konusunu politik alana kaydırma çabamız bir sonuç vermedi. Zararlı çıkan biz olduk. Esirlerimiz hâlâ Türklerin elinde. Bu sebeple Savaş Bakanının önerisine, hiç istemeden ben de katılıyorum."

Churchill başını sallayarak Curzon'a destek verdi. Ölü gülüşü gibi soğuk bir sessizlik oldu. Lloyd George, "Görüyorum ki.." dedi, "..üç ay direndikten sonra şu Türk paşasısın, neydi adı, evet, Mustafa Kemal Paşa'nın dediğine geldik. Buna katlanmam çok güç. Esirlerimizi kurtarabilmek için ilk kez ama son olarak bu Türkün şartlarını kabul ediyorum."

Kimseyi selamlamadan kalkıp salondan çıktı.

TÜRK BİRLİKLERİ Yunan ordusunun sağ ve sol kanat açıklarından ilerliyorlardı. Sakarya torbası içinde bekleyen Yunan ordusu iki yandan sarılmaktaydı.

Yağmur yeniden başlamış, Orta Anadolu çamur denizine dönmüştü.

General Papulas, Albay Pallis'e, "Burada kalırsak çok zor duruma düşeceğiz.." dedi, "..bir an önce Eskişehir-Afyon hattına çekilmeliyiz."

"Ama hükümet..."

"Hükümet burda kalmamızı istiyor diye ordunun mahvolmasına göz yumamayız."

Yer değiştiren bir Yunan birliği evin önünden geçiyordu. Pallis baktı. Başları önlerindeydi. Sakalları uzamıştı. Islak ve yorgundular. Üniformaları eskimişti, postalları çamur içindeydi. Omuzlarındaki silahlar ağır geliyordu. Ayaklarını sürüyerek yürüyorlardı. Bunların on altı saat dövüşebilen, o istekli, kararlı, hırslı, cesur Yunan askerleriyle hiç ilgileri yoktu.

Pallis komutana hak verdi.

BAŞKOMUTAN M. Kemal Paşa, 16 Eylül 1921 Cuma günü saat 15.30'da, Fevzi Paşa, Kâzım Paşa, Albay Arif, Fethi Okyar ve Polatlı'ya gelen Refet Paşa ile birlikte Ankara'ya döndü.

İstasyon bayraklarla süslenmiş, yere halılar serilmişti.

Başkomutan bütün Meclis, hükümet, şehir yönetimi, Ankara'daki subaylar ve halk tarafından büyük bir coşkuyla karşılandı.[16] İnsaflı ve değerbilir muhalifler de gelmişti.

Hep birlikte istasyondan TBMM'ye kadar yürüdüler. Yol bozuk ve yokuştu. Ama kimse yorulmadı.

Hiçbirinin ayağı yere değmiyordu.

Çünkü bu bir zafer yürüyüşüydü.

Her millete ve her kuşağa nasip olmayan olağanüstü bir olaydı.

Millet Bahçesi yine kadınlarla dolmuştu. Önlerinden geçerek Meclis'e giren Başkomutanı saygıyla alkışladılar.

M. Kemal Paşa Meclis'te biraz kaldıktan sonra ayrıldı. Çankaya'ya dönerken Kavaklıdere dönemecinde Ruşen Eşref, Yakup Kadri ve Hamdullah Suphi Bey'e rastladı. Karşılama törenine yetişememişlerdi. Arabasını durdurdu, indi, ellerini sıktı. Y. Kadri bu sahneyi şöyle anlatacaktı:

"Üzerinde 22 günlük cehennemin tozundan dumanından en hafif bir iz bile yok. Yüzü rahat, sakin ve tatlı tatlı gülümsemekte. Sanki yıkanıp tıraşını olduktan ve kahvaltısını ettikten sonra çıktığı bir kır gezintisinden dönüyordu. Harp tarihinin en uzun, en çetin meydan muharebesinden henüz muzaffer çıkmış bir Başkomutana, bir milli kahramana söylemek için hazırladığımız minnet ve hayranlık sözleri içimizde kaldı. Hamdullah Suphi gibi bir büyük hatip bile, önümüzdeki adamın hiçbir iş görmemiş, hiçbir medih ve senaya layık değilmiş, bizden biriymiş gibi duruşu karşısında ne diyeceğini şaşırdı."[17]

FİKRİYE VE ABDURRAHİM, Paşa'nın zaferini ellerini öperek kutladılar. Fikriye akşam için güzel bir içki sofrası hazırladı, kendi de güzelce giyindi, belli belirsiz boyandı.

Abdurrahim yemeğini erken yemişti, çekilip yattı.

Sofrada Fikriye de bir kadeh içti. Sonra piyanonun başına geçti. Parmaklarını tuşlarda dolaştırdı, rast makamında karar kıldı ve Paşasının gözlerine bakarak Dede Efendi'nin yürüksemai şarkısını söylemeye başladı. Sevginin güzelleştirdiği kısık bir sesi vardı:

Yüzündür cihanı münevver eden
Fedadır yoluna bu can ve ten
Seninçin yandığım nedendir neden

Senden midir, benden midir
Dilden midir, bilmem ah.

Şarkıdan şarkıya, İstanbul türkülerinden Rumeli türkülerine atladı, sürpriz olarak da M. Kemal Paşa'ya uyarlanmış bir Azeri marşı okudu:

Hoş gelişler ola Mustafa Kemal Paşa...
Kutlama uzayıp gitti.

İSMET PAŞA Halide Edip Hanım'ı, Yusuf Akçura'yı ve Y. Kadri'yi Yunan zulümlerini incelemekle görevlendirdi. Başkan seçtiği Halide Hanım'ın emrine bir teğmen ile bir de fotoğrafçı verdi.

Büyük bir acı içinde, "Birliklerden gelen bilgiler çok üzücü." dedi, "..zulme uğramış köyleri dolaşın, sağ kalanları dinleyin, ayrıntılı bir rapor hazırlayın. Batı dünyası, 'Anadolu'yu uygarlığa açmak için geldiğini' iddia eden şu haydut sürüsünün neler yaptığını öğrensin."

Y. Kadri bu çalışmanın, 'batı dünyasının kalbinde, en ufak bir insani duygu uyandırmayacağı' kanısındaydı. Çünkü 'bu facianın asıl sanığı, batı dünyasıydı.' Ama verilen göreve dört elle sarıldı.

Başkan Halide Hanım, "Suçlu millet yoktur, suçlular vardır." demiş, "..bu faciayı çok tarafsız ve sakin incelemek istediğini" söylemişti.[17a] Y. Kadri de, Yusuf Akçura da uygar insanlar olarak Halide Hanım'ın bu yaklaşımını doğru bulmuşlardı.

Günlerce Sakarya'nın doğusunu gezdiler, köylüleri dinlediler. Gördükleri vahşet eserleri, dinledikleri olaylar hepsini dehşete düşürdü. İlk patlayan Halide Hanım olacak ve şöyle yazacaktı: *"Yunanlıların hareketleri, aklını kaçırmış insanların hareketleri gibiydi... Tutumları bütün vahşet ölçülerini aşmıştı."* [17b]

Yunan ordusu, Sakarya'nın doğusunda bulunduğu her yeri çöle çevirmiş, kana boğmuştu.

ORDUNUN çıkış hattına çekilmek istemesi Gunaris'i zor durumda bıraktı. Parlamentoda ordunun Sakarya batısında kalacağını söylemişti. Barış görüşmelerinde pazarlık payı sağlayacağını düşünenler, mesela General Dusmanis, ordunun geri gelmemesi için direniyorlardı.

General Stratigos Gunaris'e, "Orduya bulunduğu yerde kalmasını emredebiliriz.." dedi, "..ama bu bir kumar olur ve bu kumarda orduyu kaybedebiliriz."

Gunaris çekilmenin zorunlu olduğunu anladı:

"Öyleyse ordu yalnız demiryolunu tahriple yetinmesin. Çekiliş yolu üzerinde düşmanın işine yarayabilecek ne varsa hepsini, her şeyi yok etsin!" [18]

Ordu Sakarya'nın batısındaki bölgeyi de mahvetmek için hazırlandı.

TÜRKİYE BÜYÜK MİLLET MECLİSİ yine olağanüstü bir gün yaşamaktaydı. Savaş içinde kendilerini bırakanlar bile tıraş olmuş, tertemiz giyinmişlerdi. Dinleyici balkonları dopdoluydu. Dinleyiciler arasında Rusya Büyükelçisi Natzeranus ve Afganistan Büyükelçisi Ahmet Han ve birçok gazeteci bulunuyordu.

Başkan Vekili Hasan Fehmi Ataç oturumu açtı, kısa süren bazı yasal işlemlerden sonra M. Kemal Paşa'yı kürsüye çağırdı:

"Söz, Türkiye Büyük Millet Meclisi Reisi Başkomutan Mustafa Kemal Paşa Hazretleri'nindir."

M. Kemal Paşa, her zamanki yerinde, ortadaki birinci sıranın sağ başında oturuyordu. Ayağa kalkar kalkmaz bir alkış tufanı koptu, konuşmaya başlayıncaya kadar artarak sürdü. Kürsüye çıkan bu çelimsizce insan, emperyalizmin bütün isteklerini içeren Sevr projesini Sakarya toprağına gömmüştü.

M. Kemal Paşa Milli Mücadele'yi kısaca özetledi, Sakarya Savaşı'nı anlattı. Sık sık alkışlarla karşılanan heyecan verici konuşmasını şöyle bitirdi:

"Efendiler!

Biz haklarımızı barış yoluyla sağlamak için her yola başvurduk. Bu hususta hiç kusur etmedik. Fakat bizim iyi niyetimizi ve ciddiliğimizi medeniyet âleminden gizlediler. Ancak ilkel kavimlere tatbik edilebilir muamele ile, birtakım çocukça, manasız tehditlerle karşıladılar.

Efendiler!

Bütün cihanın bilmesi lazımdır ki Türk halkı, Türkiye Büyük Millet Meclisi ve onun hükümeti, uşak muamelesine tahammül edemez. Her medeni millet ve hükümet gibi varlığının, hürriyet ve istiklalinin tanınması talebinde kesin olarak ısrar etmektedir. Ve bütün davası da bundan ibarettir... Yüksek heyetinizin başkanı olarak beyan ederim ki biz savaş değil, barış istiyoruz. Eğer Yunan ordusunun bizi, bu meşru, bu haklı davamızdan vazgeçirebileceği düşünülüyorsa, bu mümkün değildir.

Efendiler!

Ordumuz, vatanımızda bir tek düşman eri bırakmayıncaya kadar takip ve taarruzuna devam edecektir." [19]

Kürsüden indi. Bütün milletvekilleri ve dinleyiciler ayağa kalkmışlardı. Alkışlar arasında salondan ayrılıp odasına gitti.

Başkan, 'Kozan Milletvekili Fevzi Paşa ile Edirne Milletvekili İsmet Paşa'nın, M. Kemal Paşa'ya, milletin şükranını belirtmek üzere, gazi unvanı ve müşirlik (mareşallik) rütbesi verilmesi hakkında bir yasa önerileri olduğunu' bildirerek yasa önerisini görüşmeye açtı.

Oylamaya muhalifler de katıldılar. Öneri oybirliği ile yasalaştı. [20]

GAZİ M. KEMAL PAŞA, Milli Mücadele'nin amacını çok açık olarak özetlemişti: Türk halkının bütün davası, 'varlığının, hürriyet ve istiklalinin tanınmasını istemekten' ibaretti.

Dava bu kadar basit, bu kadar insancaydı.

Ama çağın lideri İngiltere bu haklı ve basit isteği kabul etmiyor, Sevr'i kabul ettirmek için, Yunanistan'ın arkasına saklanarak Türkiye ile dolaylı savaşı sürdürüyordu.

Le Temps gazetesi gerçek durumun adını koyacaktı:
"Gerçekte savaş İngiltere ile Türkiye arasındadır." [21]

YUNAN ORDUSU Savaş Bakanlığının "Batıya doğru her hareketi durdurunuz" emrine rağmen, telaş içinde çekiliyordu.[22] Çekilirken bütün köyleri, ağılları, koruları, kağnıları ve arabaları yakıyor, çeşmeleri yıkıyor, kuyuları taş toprak ya da cesetlerle doldurarak körletiyor, hayvan sürülerini götürüyor, götüremediklerini kurşunluyordu. 'Her şeyi sistematik bir tarzda yok ediyor, taş üstünde taş bırakmıyordu.' Karşı çıkanlar öldürülüyordu.

Kudurmuş gibiydiler.

Beylik Köprü-Alpu arasındaki 26.040 demiryolu parçasından, 25.500'ünü ve bütün istasyonları, köprüleri, demiryolu tesislerini, telgraf hatlarını, ayrıca Afyon-Çay arasındaki 50 kilometrelik demiryolunu da tahrip edeceklerdi.

Türklerin bu iki demiryolunu da onaramayacaklarını, demiryolundan yoksun Türk ordusunun bir daha ciddi bir taarruza kalkamayacağını düşünüyorlardı. Bu güven içinde, eski mevzilerine yerleşip barış görüşmelerinin başlamasını bekleyeceklerdi.[23]

KRİSTAL AVİZEDEN dökülen yumuşak ışık altındaki sade sofrada yemek yiyorlardı. Enver Paşa pek az konuştu. Zafer Türkiye'ye girme ve idareyi ele alma hülyasını bitirmişti. Halil Paşa da, Safiye Hanım da Enver Paşa'nın hayal kırıklığına saygı göstererek sustular.

Enver Paşa yemek bitince kalktı. Yengesi Safiye Hanım'a veda etti. Halil Paşa ile birlikte zemin kata indiler. Halil Paşa, "Üzülme Paşam.." dedi, "..biz kaybettik ama Türkiye kazandı."

"Haklısın."

"Keşke burda kalsaydın bu gece."

"Kalamam, sabah belki yola çıkacağız."

"Nereye? Kimle?"

"Hacı Sami ile belki Baku'ya gideceğiz."

Hacı Sami karanlık bir adamdı. Halil Paşa'nın canı sıkıldı:

"Ne gereği vardı?"

"Burada beklemenin bir anlamı kalmadı. Hafız Mehmet'e güvenerek vakit kaybettik."

"Gönüllü toplamasına izin vermemişler. Kuşkulandılar anlaşılan."

"Aldırma, o hikâye kapandı."

Girişte Yüzbaşı Muhittin bekliyordu. Saygı ile ev kapısını açıp bekledi. Bahçeye çıktılar. Dış kapıya doğru yürüdüler.

"Baku'da ne yapacaksınız?"

"Bilmiyorum. Belki Türkistan'a geçeriz."

"Niye?"

"Orada bir şeyler yapabileceğimi sanıyorum."

"Ne gibi?"

"Bakalım. Belki Müslüman Türkleri Rusya'ya karşı ayaklandırırım."

Muhittin bahçenin büyük demir kapısını açıp yol vermişti. Köşkün önünden geçen iki yanı ağaçlıklı, sessiz yola çıktılar.

Halil Paşa, "Paşam.." dedi, "..yapma ne olursun. Bunlar hayal. Hep hayal peşinde koştun. Artık gerçekçi ol."

Enver Paşa Halil Paşa'ya sarıldı:

"Allahaısmarladık."

Ayrılıp yürüdü. Halil Paşa ve Yüzbaşı Muhittin, Enver Paşa kaybolana kadar arkasından baktılar. Halil Paşa inledi:

"Ölümü aramaya gidiyor bu Muhittin." [24]

LONDRA İstanbul'a, tüm sürgünlerle tüm tutsakların değişimi için harekete geçilmesi emrini verdi. İngiliz Yüksek Komiseri Rumbold ile Ankara temsilcisi Hamit Bey arasında görüşme başladı. Hiçbir dostça sözcüğün kullanılmadığı soğuk görüşme birkaç gün sürdü, sonunda sürgün ve tutsak değişiminin, 30 Ekim günü İnebolu'da yapılması kararlaştırıldı.

Bütün sürgünler 25 Ekim Çarşamba günü Chrysanthemum ve Montenol adlı, biri iyice, biri kötü, iki küçük gemiyle Malta'dan ayrılacaklardı.

Dileyen sürgün İnebolu'da inip Ankara'ya katılacak, ötekiler, gemilerin dönüşünde İstanbul'da ineceklerdi.

GENERAL PAPULAS ve karargâhı 20 Eylülde Eskişehir'e geldi. Şehir yaralı doluydu. Yaralılar İzmir'e ve Pire'ye yollanıyordu. Yunanlılar ve Rumlar, İzmir'e gelen ve Yunanistan'a yollanan yaralıların çokluğundan, acı gerçeği anlamaya başlamışlardı.

İngiltere'nin Atina Elçisi Lord Grinville yenilgiye çok üzülmüştü. Belki de gözleri yaşararak Londra'ya şu raporu yolladı:

"Burası baştan başa hayal kırıklığına uğramış ve kötümserliğe kapılmış durumda." [25]

Kral Atina'ya dönmeden önce, orduya ve halka moral vermek için resmi yalanı sürdüren bir bildiri yayımladı. Orduya seslendiği bildiri şöyle sona eriyordu:

"Bu seferi başarı ile tamamladınız. 'Ankara'ya' diye bağırdığınızı duydum, ancak sizin yeni zahmet ve fedakârlıklara maruz kalmanızı istemedim. Sonuç amacımız için yeterlidir. Düşman elinizdeki toprakları geri almak için yılacağınızı ümit ederek bekliyor. Yurdu için savaşan Yunanlıların yorulmadığını gösteriniz ve süngünüz ilerde ona bağırınız:

Gel de al!" [26]

Küçük bir Anadolu gazetesi bu bildirinin son cümlesine şu cevabı verecekti:

"Bekle, geleceğiz."

KRAL Atina'ya dönmek için Mudanya'da gemiye binerken, Kars'ta Türkiye ile Azerbaycan, Gürcistan, Ermenistan ve Rusya temsilcilerinin katıldığı Kars Konferansı açılıyordu. Türkiye'yi Kâzım Karabekir Paşa'nın başkanlığındaki bir kurul temsil ediyordu.

Büyükçe salon özenle düzenlenmişti. Çakı gibi genç subaylar temsilcileri karşıladılar, yerlerini alana kadar kendilerine eşlik ettiler. Ev sahibi olarak Kâzım Karabekir Paşa konferansı kısa bir konuşmayla açtı. Bu konuşmayı Rus temsilcisi Y.S. Ganetsky ile Ermeni temsilcisi Mravyan'ın Türk dostluğunu ve mücadelesini öven konuşmaları izledi.

Görüşmelere geçildi.

Anlaşma 13 Ekimde imzalanacak, doğu sınırı kesinleşerek, iyi komşuluk dönemi başlayacaktı.[27]

İSMET PAŞA iki yandan ilerleyen Türk birliklerini, geniş bir savaşa tutuşmamaları için dizginliyordu. Durumu elverişli olarak değerlendiren Süvari Kolordusu, hiç olmazsa Afyon'u kurtarmak için Cephe Komutanlığından izin istedi. Cephe Komutanlığı da ümide kapılmış olmalı ki bu izni verdi.

Afyon'da General Trikupis'in 4. Tümeni vardı. General Kondulis'in kolordusu trenle yardıma yetişti. Türk İkinci Kolordusu da Süvari Kolordusu'nun yanında yer aldı.

Trikupis ve Kondulis ile Fahrettin Altay ve Selahattin Adil Bey kuvvetleri arasında başlayan savaş 8 Ekime kadar sürdü.

Afyon ve Afyon'un güneyindeki tepeler zinciri Yunanlıların elinde kaldı; Afyon'un hemen doğusundaki Kocatepe'yi ise Türkler aldı. Bu tek başarı büyük önem kazanacak, Büyük Taarruza yüzbaşı olarak katılan askeri tarihçi Fahri Belen şöyle yazacaktı:

"Kocatepe 1.900 metre yüksekliğiyle bütün sahaya hâkimdi. Doğuya ve batıya uzanan kollarıyla, büyük kuvvetlerin gizlice toplanmalarına elverişliydi. İnsan o günkü duruma göre Kocatepe'yi, düşmanı gözaltında bulundurmak ve bir orduyu gizlemek için tabiatın bir lütfu sayabilir." [28]

İki ordu da yorulmuştu. Bu yıl içinde, dile kolay, dört kez savaşmışlardı. Savaşa ara verdiler.

Yunan ordusu bıraktığı mevzilere yerleşmeye koyuldu.

Türk ordusunun yerleşmesi çok zor oldu. Yeni mevziler hazırlanacaktı. Derinliğine üç hat halinde mevzilenmek, yol açmak, topları ve makineli tüfekleri yerleştirmek, gözetleme yerlerini, cephanelikleri hazırlamak, haberleşme, ulaşım ve ikmal sistemini kurmak, gerekli barınakları yaparak askeri kıştan korumak gerekiyordu. Bir çarık ancak bir ay dayanmaktaydı. Allahtan askerlik şubeleri ile depolarda, milli vergi emirleri gereği toplanmış hayli çamaşır, çorap ve çarık vardı. Birliklere dağıtılmaya başlandı. [28a]

Cephe Komutanlığı Polatlı'dan Sivrihisar'a taşındı.

YÜZBAŞI FARUK belki yüzüncü kez mektuba başladı. Ama yazdığını yine beğenmedi.

Ya giriş güzel olmuyor, ya sözü 'seni seviyorum'a getirmeyi beceremiyor, ya bitirişi sönük buluyordu. Oysa yazmaya oturmadan önce her defasında kendine cesaret ve emir vermekteydi:

"Ne olacak, 'seni seviyorum' diye yazacaksın, iki sözcük, o kadar, uzatmana gerek yok, bu kadar bile yeter, haydi, aptal adam! Küçücük bir kızdan korkulur mu? Haydi, yaz!"

Kâğıdı buruşturup attı. Bir yeni kâğıt çekti önüne.

İZMİR'e ve Yunanistan'a hâlâ yaralı yağıyordu.

Rumlar ve Yunanlılar Yunan ordusunun gerçek kayıp sayısını uzun yıllar öğrenemediler. Yetkililer ya saklıyor ya da küçülterek açıklıyorlardı.[29]

Ama saklanamayacak olan bir gerçek vardı: Kaybın ağırlığı Yunan ordusunun 'taarruz ruhunu ve cesaretini' yok etmişti. Bu yüzdendir ki Yunan ordusu artık Türklere taarruz etmeyi aklına bile getirmeyecek ve savunmada kalacaktı.[29a]

Savunmada da kalsa, Yunan ekonomisinin bu ordunun yükünü uzun zaman taşıması çok zordu. Aksi gibi Papulas da ordunun insanca ve silahça takviyesini isteyip duruyordu. Kalmak zor, Anadolu'dan çekilmek daha zordu. Başbakan Gunaris politik ve ekonomik yardım sağlamak, bu çıkmazdan kurtulmak ümidiyle, Baltacis ve General Stratigos'la birlikte Roma, Paris ve Londra'da temaslarda bulunmak için Atina'dan ayrıldı.

İZMİR VE ATİNA sessizleşirken gidenler geri dönüyor, Ankara canlanıyordu. İstanbul tarzı iki lokanta açılacaktı. Millet Bahçesi'nin kapalı bölümüne bir sinema makinesi konmuştu. Yakında film gösterileri başlayacaktı.

Malta'dan kaçan Ali İhsan Paşa, neşe içindeki Ankara'ya ulaştı ve törenle karşılandı.

Batı Cephesine bağlı iki ordu kurulacağı, Ali İhsan Paşa'nın bu ordulardan birinin komutanlığına atanacağı duyulmuştu. Paşanın kendini beğenmişliğini, hoyratlığını ve geçimsizliğini bilenler, komutanlar arasındaki uyumun bozulacağından kaygıya düştüler.

Kaygılanmakta haklı oldukları çok çabuk anlaşıldı.

1. Ordu Komutanlığı'na atandığını öğrenen Ali İhsan Paşa çok sarsıldı. 'Tepesinden vurulmuş gibi' oldu. 'İki yıl kıdemli olduğu İsmet Paşa'nın emri altına nasıl girerdi?' Olacak şey miydi bu? Askerliğin ruhu kıdemdi. Gece başını yumrukladı, ağladı, öfke krizi geçince

uzun uzun düşündü, kenarda bırakılmak tehlikesi vardı, sabah Fevzi Paşa'ya 'ancak geçici olmak şartıyla bu görevi kabul edeceğini' bildirdi.[30]

Yol hazırlığına girişti.

Hazırlık sırasında bazı sivri muhaliflerin Ali İhsan Paşa'yla görüşmeleri, Ali İhsan Paşa'nın bu tür ilişkilerden kaçınmaması dikkati çekmişti. Milli ordunun milli bir tavrı vardı. Hiçbir subay bu tavrın dışına çıkmamıştı, görev namusları buna izin de vermezdi. Hepsi Balkan Savaşı'nda subayların farklı siyasetlere bulaşmış olmasının acı sonuçlarını yaşamışlardı.

Milli orduda böyle oyunlara yer yoktu.

TERZİ heyecandan titreyen ellerle Gazi'nin ölçülerini alıyor ve not etmesi için Salih Bozok'a söylüyordu. Gazi'ye yeni üniforma dikecekti. Çankaya Köşkü'nün birinci katındaki misafir kabul odasındaydılar. Odada R. Eşref de vardı.

Gazi R. Eşref'e, "O müthiş Sakarya günlerinde şunu anladım.." dedi, "..zafer başlıbaşına bir amaç değildir. Zafer, kendisinden daha büyük bir amacı elde etmeye yaramalı, yeni bir âlem doğmalı. Yoksa boşa gitmiş bir gayret olur." [31]

Sustu.

R. Eşref bu cümlenin anlamını idrak edecek kadar uyanık ve ufku geniş biriydi. Batının önünde uşakça duran, işbirlikçi, dalkavuk, kişiliksiz yöneticiler, askerler, diplomatlar, siyasetçiler, din adamları, istiklal düşüncesinden yoksun aydınlar, para için düşmana hizmet edenler, bozguncular, son iki yüz yıllık yorgun, yenik Osmanlı âleminin ürünüydüler. Bu insanları üreten, yetiştiren düzen sürüp gidecekse, zafer gerçekten boşa gitmiş bir gayret olur, Türkiye bu kafalarla yine bir gün batı önünde uşak ya da dilenci durumuna düşebilirdi.

Salih, "Efendim, apolet olacak mı, nasıl olacak?" dedi.

"Yakada bir yıldız olsun, yeter."

Süslü bir mareşal üniforması dikeceğini sanan terzi hayal kırıklığına uğradı. Gazi Ruşen Eşref'e döndü:

"..Yarın Mösyö Franklin Bouillon Ankara'da olacak. Dışişleri bir akşam yemeği verecek. Yusuf Kemal Bey sizi de çağırmak istiyordu."

"Çağırdı efendim."

AKŞAM YEMEĞİ için tek elverişli yer hâlâ istasyondaki direksiyon binasının büyük odasıydı.

Franklin Bouillon, birlikte geldiği Albay Mougin, Yusuf Kemal Bey, Fethi Okyar, Suat Davaz, Hikmet Bayur ve Ruşen Eşref, sofraya oturmadan önce ayakta, aperatif alıyorlardı.

Yusuf Kemal Tengirşenk

Franklin Bouillon

Fethi Okyar

Sofra kurallarını bilenlerin yetiştirdiği iki dikkatli garson hizmet etmekteydi.

F. Bouillon, "İngiliz hükümetinin kalın ve ince, açık ve kapalı bütün hesaplarını alt üst ettiniz.." dedi, "..itiraf edeyim bizim hesaplarımızı da."

Yusuf Kemal Bey'e bakarak neşeyle devam etti:

"Çünkü inanılmaz bir şey oldu, kağnı kamyonu yendi." [32]

Kahkahalar yükseldi. Kadehini uzattı, Y. Kemal Bey'in kadehine vurdu. Şakacı bir eda ile sesini alçalttı:

"Size bir sır vereyim. Hükümetim, Türkiye konusunda İngiliz hükümetinin politikasından bağımsız hareket etmeyi kararlaştırdı."

Türkler bakıştılar.

Eğer Mösyö Bouillon doğru söylüyorsa, emperyalist cephe bölünmüştü.

TÜRK ZAFERİ Afrika ve Asya'daki bütün mazlum ülkelerde sevince yol açmıştı. Taşbaskısı bir Lahur gazetesinin ilk sayfasında, Türk ve Acem masallarındaki âşık ve kahraman tasvirleri gibi, ölçüsüz, oransız, karışık bir resim yer almıştı.

Genç bir kahraman, yere devirdiği kalkanlı ve zırhlı bir pehlivanın göğsüne basıyordu. Herkül'ün aslan postunu giyen bu kahramanın genç başı üstünde, bir miğfer gibi, yeleli bir aslan kafası vardı. Ve kahramanın dört kolundan biri kılıç, biri hançer, biri gürz, biri kement tutuyordu. Resmin altındaki dörtlüğün Türkçesi şöyleydi:

Savaş gününde büyük serdar
Kılıçla pehlivanın başını kesti
Hançerle göğsünü yırttı
Gürz ile ayağını kırdı ve kementle elini bağladı.

Bu büyük serdar, Lahurlu ressamın gözüyle M. Kemal Paşa'ydı. Bu muzaffer kahraman, köle, mihnetkeş, sefil ya da aç, bütün Doğulular için bir kurtuluş ümidi ve teselli kaynağıydı. Özledikleri kahramanı onda görüyorlardı. [33]

İTALYAN VE FRANSIZ BAŞBAKANLARI, Gunaris ve Baltacis'e, hiç ümit vermemişlerdi.

Yunan kurulu ümidini Lloyd George'a bağlayarak Londra'ya geldi.

İngiliz yönetimi Yunanistan'ın kendini İngiltere'nin ellerine bırakmasını, arabuluculuğunu kabul etmesini istedi.

Kabul ettiler.

İngiliz yönetimi, Yunan ordusunun barış görüşmeleri sona erene kadar, Afyon-Eskişehir hattında kalmasını, bu hattı ne pahasına olursa olsun, kesinlikle korumasını talep etti. Boğazları bir Türk hareketinden koruyabilmek için arada Yunan ordusunun bulunmasını yine istemekteydiler.

Yunanlılar Eskişehir-Afyon hattında kalmayı da kabul ettiler.

Ne var ki bunun için ekonomik yardıma ya da krediye muhtaçtılar. Ama bu isteklerine karşılık bir sürü karışık açıklamalar dinlediler, olumlu bir sonuç alamadılar.

Son toplantıdan otele döndükleri gün Gunaris, "Bizi Anadolu'ya ittiler." diye sızlandı, "..Türkün başını getir, ödülünü al diyorlar. Bu amaçla iki yıldır savaşıp duruyoruz. Türkü yenemiyoruz, Anadolu'daki soydaşlarımızı Türkün merhametine bırakıp geri de dönemiyoruz. Bu iki durum arasında ezildik, yardım edin diyoruz, etmiyorlar." Emperyalizmin milletleri kendi çıkarı için nasıl kullandığını daha yeni anlamaya başlamıştı.

Başı göğsüne düştü ve ağlamaya başladı.[34]

LONDRA'da Yunan-İngiliz görüşmeleri sürerken, Türk-Fransız görüşmeleri sonuçlanmış, Ankara Anlaşması imzalanmış, böylece güney cephesi kapanarak Hatay dışında Türkiye-Suriye sınırı kesinleşmişti.

Fransa yaklaşık yüz bin asker bulundurduğu Antep, Çukurova ve Mersin bölgesinden Suriye bölgesine çekilecekti. Çekilirken fazla silah ve cephanenin bir kısmını parasız bırakacak, bir kısmını satacaktı.[35]

Anlaşmayı öğrenen İngilizler kriz geçirdiler.

Galipler cephesi yarılmıştı.

LORD CURZON'a göre Fransa, bu 'meşum' anlaşmayı imzalamakla, müttefikler arası işbirliği ilkesine, verdiği şeref sözüne ve İngiliz çıkarlarına aykırı davranmıştı.

Uzun bir nota ile anlaşmanın Türkiye lehindeki bütün maddelerine şiddetle ve kesin bir dille itiraz etti. Lord Curzon ve İngiliz diplomasisi, Türkiye lehindeki bir gelişimi kabul etmeye hazır değildi.[36]

TÜRK-FRANSIZ ANLAŞMASI Rusları da kuşkulandırmıştı. Dışişleri Komiseri Çiçerin Rusya'nın Litvanya'daki Elçisi Aralov'u Moskova'ya çağırdı:

"Yoldaş Aralov, sizi Ankara'ya büyükelçi olarak göndermeyi düşünüyoruz."

Aralov huzursuzca kımıldandı:

"Üstesinden gelebilir miyim? Türkiye çok önemli bir ülke."

"Tabii gelirsiniz. Biz sanki anadan doğma diplomat mıydık? Siz de çarlık ordusunda sıradan bir subaydınız ama iç savaş sırasında ordulara komuta ettiniz. Bu işi de başaracağınıza eminim. Ankara'da Azerbaycan Büyükelçisi de olacak. Yalnızlık çekmezsiniz.."

Gözlüğünü çıkararak yorgun gözlerini ovuşturdu:

"..Türkler iki yıl Çukurova ve çevresini işgal eden Fransız ordusuyla savaştılar. Başa çıkamayan Fransa, Ankara ile bir ön barış anlaşması yapmaya ve Suriye'ye çekilmeye razı oldu. Yoldaş Aralov! Şunu anlamamız gerekiyor: Dostumuz Ankara bu anlaşma ile gerçekten emperyalist cepheyi ikiye bölmeyi mi başardı, yoksa adım adım batılılara mı yanaşıyor? Herkesten kuşkulanmayı gerektirecek çalkantılı bir durumdayız. Volga bölgesindeki kıtlık ve açlık rejimi sarsıyor. Gerçeği öğrenebilmek için kısa zamanda Ankara'da bulunmanızı istiyorum."

Bu kesin üslup Lenin'in onayının alındığını gösteriyordu. Semiyon İvanoviç Aralov "Anladım Yoldaş Komiser" dedi.[37]

BAŞKOMUTAN, Demiryolları Genel Müdürü Albay Behiç Erkin'e, "Fransızlar çekilir çekilmez, ikmal sistemini Adana-Konya-Akşehir hattına alacağız.." dedi, "..ama Polatlı-Eskişehir hattına da ihtiyacımız olacak. Bu hattı en kısa zamanda onarmanı istiyorum."

"Başüstüne."

"Nerden işçi bulacaksın? O çevredeki erkeklerin hepsi silah altında."

"Kadınlarımız sağ olsun Paşam." [38]

Y. KADRİ hazırlanan raporu bastırmak için İstanbul'a gidecekti. İsmet Paşa'ya veda etmek için Sivrihisar'a geldi. Paşa Y. Kadri'yi yemeğe alıkoydu. Halide Onbaşı görevi gereği Sivrihisar'daydı, onu da çağırdı.

Sohbet sırasında, İsmet Paşa, "Ben İstanbul'dan ayrıldığım zaman oğlum daha kundaktaydı.." dedi, "..aradan iki yıl geçti. Şimdi aslan gibi olmuştur. Yakında Konya'ya gelecekler. O günü düşündükçe heyecanlanıyorum."

Bakışları ve yüzü, harika bir baba olacağını gösteriyordu. Halide Hanım da cephe izlenimlerini aktardı:

"Sakarya Savaşı'na katılmış olan subay ve askerler, uzaktan bile kolayca ayırdediliyorlar. Çok hoşa giden bir çalımları, havalı bir duruşları var. Zaferin güzelliği hepsinin yüzlerine vurmuş. Bu hal, birliklerin bulunduğu köylerdeki kadınları çok etkiliyor. Ama böyle karma köylerde disiplin çok sert. Kadınlar uzaktan bakıştıkları askerlerle evlenebilmek için komutanlardan izin almamı istiyorlar, ben de yardım edip duruyorum."

Gülüştüler.

İsmet Paşa askerlik anıları anlatırken, birden, "Geçmişi bırakalım, biraz gelecekten bahsedelim, ister misiniz.." dedi, "..bir gün Milli Mücadele'nin askeri dönemi kapanacak. O dönem kapanınca neler yapmalıyız?"

Her ciddi aydının sorunuydu bu.

Her şeyi, cumhuriyet rejimine geçmenin mümkün olup olmadığını bile tartıştılar. Halide Edip Hanım liberal, Y. Kadri devrimciydi. İsmet Paşa yemeğin sonunda "Cepheye yakın olmak için yakında Akşehir'e gideceğiz.." dedi, "..taarruz hazırlığını hızlandırmak gerekiyor."

"Hazırlık uzun sürer mi Paşam?"

Paşa güldü:

"Hemen taarruz etmemizi istiyorsunuz değil mi? Bunu hepimiz istiyoruz. Düşman kendini toparlamadan bir kış taarruzuna girişebilirsek, sonuç alma olasılığımız yüksek. Ama iş uzarsa, düşman kendine gelecektir. O zaman çok iyi hazırlanmak şart. Mesela Kars kalesindeki büyük çaplı topları getirtmeliyim. O ağır toplar oradan buraya öküzlerle taşınacak. Büyük sorun. Aylar alır. Üstelik bütün bu hazırlıkları Yunanlıları ve asıl İngilizleri uyandırmadan, çok gizli yürütmeliyiz. Fark ederlerse bizi taarruzdan alıkoymak için kimbilir neler yaparlar. İngilizin oyunu bitmez. Eğer gecikirsek sakın ümitsizliğe kapılmayın. Sizinle İzmir'de görüşeceğiz." [39]

Cumhuriyet... Taarruz... İzmir...

Y. Kadri bir rüyada olduğu duygusuna kapıldı.

SÜRGÜNLERİ taşıyan iki gemi 30 Ekim sabahı İnebolu'ya ulaştı. İki başka gemi de Trabzon ve Zonguldak'taki tutsakları alıp getirmişti.

Dört gemideki sürgün ve tutsaklar değişimin başlamasını bekliyorlardı. Ama çeşitli pürüzler çıktı, işlem uzadı, sinirler kopacak gibi gerildi. Değiş tokuş ancak iki gün sonra, 1 Kasım Salı sabahı başlayabildi. 11 kişi İstanbul'a dönecekti.

İnebolu kayıkçıları Ankara'ya gidecek 48 sürgünü kıyıya taşıdılar. Gelen sürgünler M. Kemal Paşa'ya topluca şu telgrafı çektiler: "Bizi kurtaran Meclis'e ve onun Başkanına şükranlarımızı arz ederiz. Vatanın her türlü hizmet ve külfetine hazırız." [40]

HÜKÜMET durmadan homurdanan Genelkurmay Başkanı General Dusmanis'i görevden almıştı. Papulas'ın durumu tartışılıyordu. İkinci Kolordu Komutanı Prens Andreas üç ay izin alarak ortalıktan kaybolmuştu. Terfi süreleri gelmiş olan Albay Valettas, Albay Frangos, Albay Digenis, Albay Sumilas ve 11. Tümen Komutanı Albay Kladas generalliğe terfi ettirildiler. Türk taarruzu sırasında bu yeni generallerin önemli görevleri olacaktı.

İşgal altındaki topraklarda −sanki Yunanistan'a katılmış gibi− Yunan idaresini kurmaya başladılar. Amaç Yunan ordusunu ayakta tutabilmek için Batı Anadolu'yu ekonomik olarak sömürmekti.

Çünkü Anadolu Ordusu günde 8 milyon drahmiye mal oluyordu. Bütçe bu yüzden geçen yıl 250 milyon drahmi açık vermişti. Yeni yılda daha da artacaktı bu açık. Bunu önlemek gerekiyordu. [41]

MALTA SÜRGÜNLERİNDEN, son İstanbul Meclisi'nde milletvekili olanlar Türkiye Büyük Millet Meclisi'ne katıldılar, askerler yeni görevlere atandılar.

Beklenilmeyen olumsuzluklar da başladı. Kara Vasıf Bey Meclis'teki Enverci İttihatçıları canlandırdı. Kulisler hareketlendi. Muhalifler M. Kemal Paşa'nın Müdafaa-yı Hukuk Grubuna karşı bir muhalefet grubu oluşturmayı düşünmeye, akşam yemeklerinde buluşup bu konuyu olgunlaştırmaya başladılar.

Gazi de Fethi Bey ile birlikte Rauf Bey ve Yakup Şevki Paşa'yı yemeğe çağırdı.

Fikriye ile Ali Metin Çavuş, havuzlu holde, kar gibi beyaz örtülü masanın üzerini, mezelerle çiçek bahçesi gibi süslemişlerdi. Gazi, bir ara Yakup Şevki Paşa'ya, "Fevzi Paşa'yla görüştünüz mü?" diye sordu.

"Evet. Benim için İkinci Ordu Komutanlığını düşündüğünüzü söyledi."

"Kabul eder misiniz?"

Y. Şevki Paşa'nın gözleri büyüdü:

"Ne demek? Elbette, şerefle. Niye sordunuz?"

"Çünkü Ali İhsan Paşa, daha kıdemli olduğunu ileri sürerek İsmet Paşa'nın emrine girmek istememişti."

"Aman Paşam, ölüm kalım kavgası verilirken, kıdem, unvan, mevki hesabı yapılır mı? Bu ne zırva iş? Biz Malta'da yatarken, İsmet Paşa Anadolu ordusunu sizinle birlikte kurmuş bir arkadaşımız. Şimdi omuzumuz biraz daha kalabalık diye, önceki olayların hiçbirini bilmeden, hazıra konup onun yerine mi geçeceğiz? Böyle saçma şey olmaz."

Gazi, "Teşekkür ederim" dedi, Rauf Bey'e baktı:

"Sen bir görev düşünmez misin Rauf?"

"Bir süre dinlenmek istiyorum."

"Tecrübeli insanları ihmal ya da israf etmeye hakkımız yok. Şu anda Bayındırlık Bakanlığı boş. Seni aday göstermek istiyorum."

Rauf Bey karşı çıktı:

"Hayır, lütfen. Beni affet."

Fethi Bey yeni İçişleri Bakanı seçilmişti, kızdı:

"Ne yani, biz çırpınırken sen seyir mi edeceksin? Elbette sorunlarımızı paylaşacaksın. Haydi, buluşmamızın şerefine!"

Kadehini kaldırdı.

Hepsi Fethi Bey'e katıldılar.

Gazi, Malta'dan gelen Kara Vasıf Bey'in de Müdafaa-yı Hukuk Grubu Yönetim Kuruluna girmesini isteyecekti.

| Kara Vasıf Bey | Rauf Orbay | M. Akif Ersoy |

BİRİNCİ ORDU KARARGÂHI Çay'a, İkinci Ordu Karargâhı Bolvadin'e yerleşti.

Yakılan, yıkılan köyler, köylünün çabası ve ordunun da yardımıyla yeniden barınılabilir duruma getirildi. Köylerin bir bölümüne küçük birlikler yerleşti.

Askerden kaçma hastalığının kökü kurutulamamıştı. Ama kaçak sayısı iyice azalmıştı. Kaçanların bir kısmı da geri dönüyordu. Ordular taarruz eğitimine ağırlık verdiler. Gündüz eğitimlerine ve atışlara gece eğitimleri ile gece dersleri de eklendi. Askerin yalnız iyi bir asker değil, iyi bir yurttaş olması, ne için dövüştüğünü bilmesi de isteniyordu. Subaylar, hatta komutanlar için meslek kursları düzenlendi. Tatbikatlar, manevralar başladı. Nerede işe yarar bir şey varsa, Batı Cephesi'ne yollanıyordu. Kars kalesindeki ağır toplar yola çıkarıldı. Konya'da araba, silah tamirhanesi, şoför talimgâhı, nalbant okulu, saraciye atölyeleri açıldı. İnebolu-Ankara arasında kağnı ve arabaların yanı sıra, kiralık kamyonlar da yer aldı. Ankara yurtdışından cephane, silah, kaput, elbise, hatta uçak almak için harekete geçti.

Tümenlerin mevcudu 7.000-8.000'e çıkarılacaktı. Yeni bir kolordu kurularak (6. *Kolordu*) 2. Ordu emrine verildi.

Bütün bu hazırlıklar, sessizlik ve gizlilik içinde yürütülüyordu.

CEPHE KOMUTANLIĞI hazırladığı taarruz planına 'Sad' kapalı adını vermişti. Birçok seçenekten en riskli ama en çabuk sonuç verecek olanı seçmişlerdi: Afyon çıkıntısının güneyinden kuzeye doğru yapılacak bir taarruzla Yunan cephesinin yarılması, düşmanın çevrilip imha edilmesi tasarlanıyordu. Planın esasları Başkomutan'a ve Genelkurmay Başkanı'na arz edilmiş, onay görmüştü.

Planın beğenilmesi Cephe kurmaylarını memnun etmişti. Ama şevklerini kıran bir sorun vardı: Ali İhsan Paşa sürekli Cephe kararlarına itiraz ediyor, Cephe kurmaylarını küçümsüyor, hiçbir şeyi beğenmiyordu.

Gizli örgütten Yüzbaşı Seyfi Akkoç Anadolu'ya geçince, Batı Cephesi karargâhında görevlendirilmişti. 1. Ordu'dan gelen son yazı hakkında bilgi verdi:

"..Ali İhsan Paşa bir tümeni denetlemiş. Diyor ki: 'Bunlar adeta ellerine çıplak ve kirli tüfek verilmiş bir fukara kalabalığı. Asker esvaplı yüzde beş insana tesadüf edemedim. Pek çoğunda matara, çanta, ekmek torbası, battaniye, kürek yok. Hepsi eldivensiz'..." [42]

Albay Asım Bey homurdandı:

"Eldiven ha? Çocukların ayağına çarığı, kıçına donu zor buluyoruz. Ali İhsan'la işimiz var."

Ali İhsan Paşa'nın sınıf arkadaşıydı. Huyunu iyi bilirdi. Aleyhinde konuşacaktı ama İsmet Paşa sözünü kesti:

"Milli Mücadele başlamadan Malta'ya götürüldü. Birçok şeyi yaşamadı. Yaşamadan, Milli Mücadele'nin şartlarını kavramak kolay değil. Ordu kurulalı henüz bir yıl oldu, bir yıl içinde dört kez savaştı. Bunun ne demek olduğunu o da kavrayacak ve sorun olmaktan çıkacaktır."

SAVUNMAYA geçmiş olan Yunan ordusu, Kuzeyden güneye kadar bütün cepheyi, özellikle de Afyon ve çevresini çok sıkı şekilde berkitmekteydi.

Afyon'un güneyinde, doğudan batıya doğru, aşılması zor, uçurum ve yarlarla dolu tepeler zinciri vardı. Esirler ve halk çalıştırılarak bu tepelerde ve gerilerinde savunma mevzileri hazırlanmasına başlanmıştı. Birinci hattın önüne kat kat tel örgü çekiliyor, duyarlı yerlere ayrıca mayın döşeniyordu. Kritik yerlerde tel örgülerin derinliği 20 metreyi bulmaktaydı. Sığınakların üstü, Afyon-Çay arasındaki demiryolundan sökülen raylarla örtülüyor, gereken her noktada çok güçlü direnek merkezleri kuruluyor, ilk hattın arkasında ikinci bir hat daha hazırlanıyordu.[43]

Buranın berkitilmesinde İngiliz istihkâmcılarının danışmanlık yaptıkları, 'Türklerin burayı bir yılda yıkamayacaklarını iddia ettikleri' söyleniyordu. Bu hattın sarsılmazlığına o kadar güveniliyordu ki Afyon, Yunan ordusunun ikmal merkezi yapılmış, hastaneler, kolordunun bütün ulaşım araçları, subay ailelerinin çoğu, bazı askeri okullar Afyon'da toplanmıştı.[43a]

Bu gereksiz güvenin cezasını çok ağır ödeyeceklerdi.

RAUF BEY'in Bayındırlık Bakanı olmasından sonra, Balıkesir Milletvekili Vehbi Bolak Milli Eğitim, Dr. Rıza Nur da Sağlık Bakanı seçilmişlerdi.

Albay Kara Vasıf Bey, Rize Milletvekili Ziya Hurşit Bey'in koluna girdi, "Hükümette üç bakanımız oldu.." dedi, "..adım adım ilerliyoruz."

"İyi ki geldiniz. Zafer bizi uyuşturmuştu."

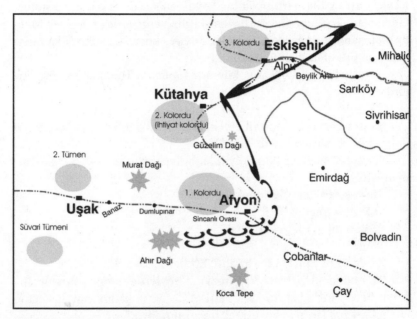

Yunan ordusunun yerleşim planı ve cephe hattı

En arka sıraya geçip oturdular.

Başkan Hasan Fehmi Bey, "Nahiye (*bucak*) ve Köyler İdaresi yasa tasarısının görüşülmesine devam edeceğiz.." dedi, "..Nahiye Kurulunun seçimiyle ilgili 25. maddede kalmıştık."

Erzurum Milletvekili Hüseyin Avni Bey el kaldırdı.

"Buyrun."

H. Avni Bey kürsüye geldi. Salonda ilgisizlik uğultusu sürüyordu.

"Efendim, bendeniz bir hususu dikkatinize arz etmek istiyorum. Köylerimize gidin, yirmi evli bir köyde ancak üç erkek bulursunuz. Geri kalanı kadındır. Bunlar hayata katılır, vergi verirler. Yüksek Meclis bu insanlara da hakkını vermeli, Nahiye kurullarına artık kadınlarımız da üye olarak girebilmelidir.."

Uğultu kesildi. Dikkatler kürsüde toplandı. Tunalı Hilmi Bey bağırdı:

"Yaşa!"

Sonra da yanındaki milletvekiline, "Adam nihayet şu kürsüden doğru bir şey söyledi" dedi. Güldüler.

"..Çünkü bilenler bilir, köylü kadınlarımızın erkekten farkı kalmamıştır."

Birçok sarıklı ve fesli tepki gösterdi:

"Otur yerine!"

"Bilmediğin işlere karışma!"

"Sus!"

H. Avni Bey pişkin bir hatipti. Etkilenmeden devam etti:

"Efendiler! Hissiyata kapılmayın. Köylerde erkek kalmadı. Bir kadın üç-dört eve bakıyor, aile reisi oldu. Artık kadınların da seçme ve seçilme haklarını kabul etmek durumundayız."

Biri haykırdı:

"Feministliğinizi tebrik ederim."

"İnsanlığımı tebrik ediniz."

Birkaç alkışa karşılık, olumsuz tepkiler arasında kürsüden indi. Tunalı Hilmi Bey söz aldı:

"Şu kürsüden bütün Türklük ve Müslümanlık âlemine akseden sesin sahibini tebrik ediyorum. Yeni doğmuş Azerbaycan'ın bile kadınların seçime katılmasını kabul etmesi bize en büyük bir ders olmalıdır."

Konya Milletvekili Vehbi Çelik Hoca seslendi:

"Bizim memleketimize Bolşeviklik girmedi!"

"Seçim hakkı Bolşeviklik değildir Hoca Efendi. Erkeksiz köylerde kadınlar muhtarlık yapmıyor mu? Kadınların kadılık yapması, camilerde vaaz etmesi, cephelerde savaşması caiz değil mi? Caiz."

Muhittin Baha Bey, "Kadınlar evlere çekilse, aç kalırız aç" diye bağırdı ama uğultu içinde sesini duyuramadı.

Çankırı Milletvekili Hacı Tevfik Efendi ayağa fırlamıştı:

"Seçim yalnız erkeklerin hakkıdır!"

Birkaç etkisiz itiraz yükseldi. Konya Milletvekili Musa Kâzım Efendi (Onar) kürsüye çıkmıştı:

"Erkeklerin seçim hakkını bile sağlayamadığımız bir zamanda, kadınların seçim hakkından bahsetmek deliliktir. Boşuna tartışıyoruz. Türk kadını seçim hakkı istemiyor. İstemez. Çünkü kadınla erkeğin birarada bulunması asla caiz değildir. Olamaz. Yapılan öneriyi şiddetle reddediyorum."

Alkışlar yükseldi.

Dr. Fuat Umay yanındakilere, "Böyle düşünenlerin kafası salt cinsellikle dolu.." dedi, "..insanları kızma mevsimindeki hayvan gibi görüyorlar. Allah'ın övdüğü insanın hayvandan hiç farkı yok mu yani? İnsan yalnız cinsellikten mi ibaret?"

Kürsüye Malatya Milletvekili Lütfü Bey çıkmıştı. "Şeriatta kadınların seçim hakkını reddeden bir hüküm yok.." dedi, "..ama kabul eden bir hüküm de yok. Hakkında kesin hüküm bulunmayan bir şey kabul edilemez. Çünkü efendiler, bizim dinimiz aklî değildir, naklîdir." 44

Burdur Milletvekili Mehmet Akif Ersoy yanında oturan Zamir Bey'e, üzüntü içinde, "Hale bak, adam aklı reddediyor!" dedi. İlk cuma günkü vaazında bu konuya değinmeye karar verdi.

Zamir Bey söylendi:

"Bunların kafa saatleri ortaçağda durmuş. Bizi gerileten, sonunda çökerten işte bu gibi küçük kafalar. Böyle küçük kafalardan kurtulamazsak daha çok çekeriz."

ANKARA'nın Hacettepe semtindeki küçük, güzel Tacettin Camisi cuma günü dolup taştı.

Mehmet Akif Bey acele etmeden yerini aldı. Öksürerek sesini açtı:

"Ey cemaat!

Bugün dünyada milyonlarca Müslüman var. Ne acıdır ki hiçbirinin istiklali yok. Yalnız biz istiklal sahibiydik. Ama biz de yüzyıllardır, elde ne varsa, yabancılara verip geri çekile çekile yaşıyorduk.

Bunun sebebi dinimiz midir? Haşa. İslamiyet hayatı, aklı, mantığı, zamanın icaplarını reddetmez. İslamiyet dini, ölüler dini değildir. Ama batı dünyası ilim ve fende ilerlerken biz Müslümanlar ne yaptık? Her şeyi Allah'a havale ve emanet edip tembellik, cehalet ve bağnazlık içinde donup kaldık. Sonuç ortada: Dilenerek yaşayan hükümetler, harabeler, ekilmemiş tarlalar, yakılmış ormanlar, hastalıklar, hurafeler, üfürükler, yolsuz, okulsuz köyler, pis şehirler. Milletin hayrı için ne düşünsen 'Olmaz!' diye dikilen ilimsiz hocalar. Her yeniliğe, 'Biz dedemizden böyle görmedik' diye karşı çıkan yobazlar.

Milletlerin hayatında duraklamak bile ölmek demek iken, biz tamamen durmuşuz. Geriden de geri bir hale düşmüşüz. Görünen köy kılavuz istemez. Yaşadığımız, ilkel bir hayattır.

Peki, batı ne halde? Gemileri denizleri aşıyor, şimendiferleri dünyayı geziyor, uçakları havalarda dolaşıyor, ilim adamları hayatlarını araştırmaya vakfetmiş, halk ise mütemadiyen çalışıyor ve okuyor.

Durum bu.

Fakat kudretleri arttıkça hırsları da çoğalıyor. Asya'yı, Afrika'yı bitirdiler, şimdi sıra bize geldi. Sevr Antlaşması'nı okudunuzsa anlamışınızdır ki bunların bizden istedikleri artık toprak moprak değil, bu defa canımızı, varlığımızı istiyorlar.

Müslümanlar!

Bizi yenmek için düşmanın elinde iki vasıta var: Birincisi kaba kuvvet. Önce kaba kuvvete başvurdular. Doğudan Ermeniler, güneyden İngilizler ve Fransızlar üstümüze yürüdü. İtalyanlar Konya'ya kadar yayıldı. Karadeniz boyunca silahlandırılmış Rumlar ayaklandırıldı. Yetmedi. Batıdan da Yunan ordusunu sürdüler. Ne oldu? Öldü sanılan Müslüman Türk doğruldu ve yurdunu savunmaya başladı. Sonuç? Artık ne doğuda düşman var, ne güneyde. Allah'ın yardımıyla ikisini de yendik. Pontus çetelerini de susturmak üzereyiz. Karşımızda bir Yunan ordusu kaldı. Onu da Sakarya'da bozduk. Batıya attık. Bir de Boğazlar'daki Müttefikler var. Biz evelallah ikisini de yeneriz.

Ama düşmanın ikinci bir vasıtası var ki birincisinden de güçlü: Nifak! Osmanlı Devleti'ni bu silahla parçaladılar, sonra da parçaları teker teker yuttular. Öyleyse bugün de, yarın da herkes gözünü dört açmalı, kimin ve neyin hesabına birbirimizin gırtlağına sarılmamız isteniyor, bunu çok iyi düşünmeli.

Aklımızı kullanmazsak böyle mazlum ve garip olmaya devam ederiz."

Ellerini kaldırarak duaya geçti:

"Ya İlahi, bize tevfikini gönder..." [45]

FİTNE her yanda pusuda bekliyordu. Özellikle İstanbul'da.

Bazı Osmanlı nazırları, din adamları ve siyasetçilerinin üç-dört ay önce kuruluş çalışmalarına başlamış oldukları Anadolu Cemiyeti adlı gizli örgüt faaliyete geçmişti. Cemiyet kurtuluş savaşı veren Ankara'ya karşı Yunanlılarla işbirliği yapmayı amaçlıyordu. Başkanı eski Şeyhülislamlardan Mustafa Sabri Efendi'ydi. Sarıklarına kadar siyasete batmış olan bu tür din adamları için istiklal, hürriyet gibi kavramların hiçbir önemi yoktu. Onlar için hayati konu, din adamlarının işlevsel olduğu saltanat rejiminin ve din devletinin sürmesiydi.

Cemiyet, hazırladığı yazılı öneriyi bugün Yunan Yüksek Komiserliği'ne verdi. Önerinin başlıca maddeleri şöyleydi:

"Anadolu'yu M. Kemal'in pençesinden ve kuvvetlerinden kurtarmak amacıyla, Yunan işgali altındaki Batı Anadolu'da Padişah adına Batı Anadolu Özerk Hükümeti kurulacak ve Milli Meclis seçimleri yapılacaktı,

Bu özerk hükümetin başkenti Bursa olacaktı,

Bu yönetimin başında Hıristiyan bir vali bulunacaktı,

Kurulacak olan gönüllü Anadolu ordusunun talim ve silahlandırılması işinden Yunan Başkomutanı sorumlu olacak, Yunan Başkomutanı gerekli hallerde iyi Türkçe bilen bir miktar Yunan subayını Anadolu ordusuna katacaktı,

Özerk hükümet adliye, polis ve öteki idare kollarıyla ilgili kurumlar kuracaktı,

Bu hükümet Yunanistan'la barış yapacaktı,

Cemiyet Trakya'yı da Yunanistan'a veriyordu.

Anadolu Cemiyeti'nin bütün üyelerinin Bursa'da toplanması için gerekli giderleri karşılamak üzere Yunan hükümeti, Cemiyet İdare Heyetine 100.000 Türk lirası verecek, bu paranın sarf edilen bölümü, Anadolu Milli Meclisi açılır açılmaz, yeni belediye vergilerinden toplanacak parayla hemen geri verilecekti."

Bu yazılı başvuru, Yunanistan Yüksek Komiseri tarafından bir torpidoyla hemen Atina'ya, Dışişleri Bakanlığına gönderildi.[46]

ÇUKUROVA, Fransız yönetimi ve askeri çekildikçe, Türk yönetimi ve askeri tarafından parça parça teslim alınıyor, evler bayraklarla donanıyor, kurbanlar kesiliyor, anavatana kavuşan halk bayram ediyordu. Fransızlarla birlikte, Türklerle yalnız kalmaktan çekinen Ermeniler de gitmekteydiler.

Yeni Adana gazetesi Adana'ya döndü:

"Buzlu, karlı dağlar arasında tam iki yıldır vatan kaygusu, fazilet aşkı ile haykırdık. Hiçbir ıstırap, hiçbir mahrumiyet bizi yolumuzdan çevirmedi... Çok önemli günlerden sonra öz vatanımıza kavuştuk. Başımızın üzerinde dalgalanan şanlı bayrağımız, hürriyet ve istiklalimizin ebediyen dönüşünü müjdeliyor." [47]

Milli Mücadele'ye karşı yayın yapan Adana Postası ve Ferda gazeteleri susmuş, sahip ve yazarları, öteki işbirlikçilerle birlikte Fransızlara karışıp İskenderun'a, Halep'e, Şam'a kaçmışlardı.

Kimbilir, belki de ilerde, bu ve benzeri işbirlikçilerin çocukları, Türkiye'ye dönüp siyaset ve basın dünyasına katılacaklardı.

GUNARİS birkaç bakanla durumu değerlendiriyordu. Baltazis Anadolu Cemiyeti'nin önerisini özetledi.

Güldüler.

O kadar çalışmış, para dökmüş ama bu çapta bir hainliği örgütlemeyi başaramamışlardı. Bu ara İstanbul'daki 'Milli Savunma' örgütü de, Ege'de özerk bir yönetim kurulması için çalışıyordu. Gunaris, "Bu hain Türklere ihtiyacımız yok.." dedi, "..gerekirse böyle özerk bir yönetimi biz kendimiz kurarız."

ALİ İHSAN PAŞA, eskiden birlikte çalıştığı 3. Kafkas Tümeni'nin başarılı Komutanı Yarbay Halit Akmansü'nün 1. Ordu Kurmay Başkanlığına, Cephe karargâhından Binbaşı Cemil Taner'in de Harekât Şubesi Müdürlüğüne atanmalarını istemiş, istekleri uygun görünmüştü.

Atla yakın bir birliği denetlemeye gidiyorlardı. Sağında Halit Bey, solunda Cemil Bey vardı.

"..Ben sırf vatana hizmet için gururumdan fedakârlık ettim. Yoksa benim gibi bir komutan İsmet'in emrine girer mi? Ben Mustafa Kemal'in sınıf arkadaşıyım, üstelik o sınıfın da birincisiyim. İsmet kim, ben kim? Daha orduyu giydirmeyi bile becerememiş. Hazırladıkları plan da komik. Bu sefiller ordusu, o planla, sonuç almak bir yana, taarruza kalkmayı bile beceremez..." [48]

Sakarya Savaşı gibi bir olağanüstülüğü yaşamış olan Halit Bey "Paşam.." dedi, sesi isyanla titriyordu, "..Sakarya mucizesini bu beğenmediğiniz sefil ordu yaratmıştı. Bunu unutmayın."

Böyle bir itirazı hiç beklemeyen Ali İhsan Paşa gazapla baktı:

"Düşüncenizi sormadım. Sorduğum zaman söylersiniz."

Atını kanatırcasına mahmuzlayıp ileri çıktı. Halit ve Cemil Beyler geride kalmışlardı. Halit Bey bir şey söyleyecekti, Cemil Taner susturdu:

"Sus, sonra konuşuruz. Geride kalmayalım. Şimdi ona da kızar."

Atlarını mahmuzladılar.

ARALIK AYI çok hareketli geçti.

Azerbaycan Büyükelçisi İbrahim Abilov, Ukrayna Olağanüstü Büyükelçisi General Frunze ve Buhara Temsilcileri Ankara'ya geldiler. Sevgiyle karşılandılar.

Ukrayna ile dostluk anlaşması imzalandı.

İbrahim Abilov

Yurtdışından satın alınan ve içerde yaptırılan üniforma ve kaputlar askere dağıtılmaktaydı. Birliklerde koyun postlarından da gece nöbetçileri için gocuk yapılıyordu. Silah, cephane ve araç noksanı sürdüğü için Sad taarruzu ilkbahara ertelendi.

MAHMUT ESAT BEY, M. Kemal Paşa'ya, Kara Vasıf Bey'in Müdafaa-yı Hukuk Grubu İdare Kurulunda, 'takip olunan askeri siyaset hakkında görüşme açılmasını' istediğini bildirdi. "Bilmiyor muymuş?"

"Konuyu yarına erteledik. Ne yapmamız uygun olur?"

Rauf Bey'in de Bakanlar Kurulunda aynı konuda görüşme açılmasını önerdiği bildirildi.[49]

Şaşırdılar.

Mahmut Esat Bey, "Daha dün geldiler, bugün tertip içindeler" dedi. M. Kemal Paşa sinirlendi:

"Bizim siyasetimiz açık ve basit: Haklarımızı alıncaya kadar mücadele etmek. Bunu Yunanlı bile biliyor. Bu siyaset sayesindedir ki doğu sınırımızı kesinleştirdik. Bugünlerde güney illerimizi de Fransızlardan geri alıyoruz.."

Ayağa kalktı:

"..Bu siyasetin tersi, istiklalden, vatan toprağından, milletin haklarından ödün vermeye razı olmaktır, iradesizliktir, sahte bir barışla milleti avutup aldatmaktır. Bu ikisi Sivas Kongresi'nde de Amerikan mandasını savunmuşlardı. Hatta Vasıf Bey, 'Mali durumumuz, istiklal sahibi olmaya elverişli değildir' demişti.[50] Ben bu tür olayları olmamış sayarak herkesi istiklal ve milli egemenlik düşüncesi çevresinde toplamaya çabalıyorum. Siyasetimizi sulandırmalarına izin vermeyin! Bakalım ne yapacaklar?"

Rauf Bey sağlığını ileri sürerek Bakanlıktan, Kara Vasıf Bey sebep göstermeden Grup İdare Kurulundan istifa edecekti.

Avrupa'dan dönen eski Dışişleri Bakanı Bekir Sami Bey de çevresinde bir hayli muhalif topladı. Bunların görüşü şöyle özetlenebilirdi: Savaş halini uzatmamak, mümkün olanla yetinip büyük devletlerle anlaşarak barışa geçmek.

ÇUKUROVA'yı geri almanın son aşamasına gelinmişti.

Orduyu temsilen bir Türk birliğinin şehre girdiği 5 Ocak 1922 günü, Adana'da yer yerinden oynadı. Yüzlerce kurban kesildi. İki yüz kişinin taşıdığı 105 metre boyundaki dev Türk bayrağı bando eşliğinde bütün şehirde dolaştırıldı. Sevinç kaç-göç âdetini ezip geçmişti; kadın erkek bütün Adanalılar sokaklarda oynuyorlardı.

Her günü acılarla dolu işgal dönemi sona ermişti.

Yeni Adana gazetesi bugün yine kıpkırmızı mürekkeple basıldı:

"Bugün Adana'nın milli bayramıdır. Bu uğurda şehit olan kahramanlarımızın ruhuna binlerce fatiha, sağ kalanlara binlerce minnet ve şükran." [51]

5 Ocak 1922 Adana

BİRİNCİ ORDU Kurmay Başkanı Yarbay Halit Bey, önceden haber vermeksizin Akşehir'e gelerek, Cephe Kurmay Başkanı Albay Asım Bey'le görüşmek istedi. Birkaç nezaket sözünden sonra, görevinden istifa etmek istediğini bildirdi.

"Ne oldu?"

"Ben daha önce Musul'da, Ali İhsan Paşa'nın emrinde bulunmuştum. Bu yüzden bana güveniyor. Üstü kapalı belirttiğine göre, Ankara'da bazı muhaliflerle teması olmuş. Eğer kendini gösterirse, Başkomutan yapacaklarını vaat etmişler."

Asım Bey donakaldı:

"Sen neler söylüyorsun?"

"Bu vaad anlaşılıyor ki paşanın hırsını ateşlemiş. O da, önce İsmet Paşa'yı harcamaya çalışarak zemini ve ordu muhitini başkomutanlığına hazırlamak istiyor. Bunun için de kendinden önce ne olmuşsa küçümsüyor, kendinden başka kim varsa aşağılıyor. Tahammül etmek mümkün değil." [52]

Sustu.

Bu tutum, istiklal ordusunu parçalamak demekti. Askerliğin bütün kural ve ilkelerine de aykırıydı.

"Şimdi bunu İsmet Paşa'ya nasıl anlatmalı? Kanıt ister."

"Arz ettiklerimi ayrıntılı olarak yazıp vermeye hazırım."

"Bir kişinin ifadesiyle yetinmez ki."

"Zarar yok. Nasıl olsa Ali İhsan Paşa rahat durmayacaktır. Arkası gelir." [53]

YENİLGİ Yunan cephesi gerisinde karışıklığa yol açmış, asayiş bozulmuştu. Yunan İşgal Komutanlığı cephe gerisini sıkı bir disiplin altına almak için birçok yerle birlikte Demirci'nin de yeniden ve hemen işgal edilmesini emretti. Haber kulaktan kulağa Demirci Kaymakamına ulaştırıldı.

Akıncılar gece yarısı Demirci'yi terk ettiler. Yamçılarına sarılarak atlarını yine dağa sürdüler.

Soğuk can yakıyor, gözleri yaşartıyordu.

RAUF BEY ve Vasıf Bey'den sonra Refet Paşa da istifa etti. Bunun öteki istifalar ile ilgisi yoktu. Refet Paşa tasarruf amacıyla Genelkurmay Başkanlığı ile Milli Savunma Bakanlığı'nın birleştirilmesini, Fevzi Paşa'nın sadece Bakanlar Kurulu Başkanı olarak kalmasını savunmaktaydı. Bu yolla çok istediği Genelkurmay Başkanlığı'nı sessiz sedasız üstlenmeyi hesap ediyor olmalıydı. Meclis önerisini kabul etmemişti. İstifa buna tepkiydi.[54]

İstifaları birbiriyle bağlantılı ve M. Kemal Paşa'ya karşı bir tavır olarak yorumlayan İstanbul yönetimi ümide kapıldı. Bu yorum İngilizlere de mantıklı geldi.

LLOYD GEORGE ve bazı bakanlar, Lord Curzon'u dinlemek üzere toplanmışlardı. Türkiye'yi kollayan Mr. Montagu toplantıya çağrılmamıştı. Curzon, "Olaylar hem bizim, hem Yunanlıların daha fazla aleyhine gelişmeden, duruma yön vermemiz gerektiğini düşünen Bakanlığım hakça bir barış planı taslağı hazırladı" dedi.

"Güzel."

"Plan, Sevr'i Türkler için oldukça yumuşatıyor. Yunan isteklerine de yeterince cevap veriyor. Yani adil ve dengeli."

"Ankara Sevr'e dayalı bir barış planını kabul eder mi?"

"M. Kemal'e karşı güçlü bir muhalefet oluştuğunu haber alıyoruz. İstanbul hükümeti, M. Kemal'in otoritesinin çökmek üzere olduğu kanısında."[55]

"İlginç."

"Bu olasılık gerçekleşirse iktidar ılımlılara geçecektir. Onların bu planı kabul edeceğini sanıyorum. Ama bu olasılık gerçekleşmezse, planı kabule zorlamak için Ankara'ya karşı uygulanabilecek bazı baskı önlemlerini de saptadık. Mesela Akdeniz ve Karadeniz'deki limanlarını ablukaya almak. İstanbul'daki işgali iyice sertleştirmek. Yunanistan'a her türlü aktif yardımda bulunmak. Yunan ordusunda müttefik subayların görev almasına izin vermek..."[56]

Lloyd George'un yüzüne pembe bir gülüş yayıldı. Ellerinde, Türklere karşı kullanılabilecek daha birçok imkânlar olduğunu bilmenin huzurunu duydu. Bunları ve yenilerini gerektikçe devreye sokabilirlerdi.

Lord Curzon, adil ve dengeli olduğunu iddia ettiği barış planı taslağını açıklamaya girişti.[56a]

GAZİ Milli Savunma Bakanlığı'nı Kâzım Karabekir Paşa'ya teklif etmişti. Aldığı cevabı Fevzi Paşa'ya telefonla bildirdi:
"Karabekir Paşa, Bakanlık teklifimizi uygun görmedi."
"Neden?"
"Türk-Fransız Anlaşmasının Moskova'da hassasiyet yarattığını, bu yüzden Doğu Cephesi'nden ayrılmasının doğru olmadığını ileri sürüyor." [57]
"Öyleyse cephedeki asker milletvekillerinden birini düşüneceğiz."
"Benim aklıma Kâzım ve Fahrettin Paşalar geliyor."
"Hangisi seçilse olur. İkisi de görev adamıdır."

ALİ İHSAN PAŞA Kurmay Başkanı Yarbay Halit Bey'in istifasına ve ânında 5. Kafkas Tümeni Komutanlığına atanmasına çok içerlemişti. Yıldızının barışmadığı Albay Selahattin Adil Bey'in rütbesi de mirlivalığa yükseltilmişti. Daha bu olayı içine sindiremeden Milli Savunma Bakanlığına Kâzım Özalp Paşa'nın seçildiğini öğrenince sinir kesildi:
"Yahu, bu Kâzım ne zaman paşa olmuştu?"
"Sakarya'dan sonra."
"Çaylak yani. İsmet Paşa beceriksiz. Karargâhı tecrübesiz. Ne talihsizlik! Bu kadro orduyu zafere götüremez." [58]

YÜZBAŞI FARUK'tan Nesrin'e:
"Sevgili Nesrin Hanım,
Size yüzlerce mektup yazdım ama hiçbirini beğenmedim, göndermedim. Sıradan bir mektup yazmayı da istemedim. Bu yüzden aylar geçti.
Son bir hayat hamlesiyle bunu yazıyorum.
Nasılsınız? Erkeklerin sağlıklısı bile sorunken bir de yüzlerce erkek hastayla uğraşmak ne kadar güç olmalı.
Kolay gelsin.

Ben bir tabura komutan olmak istiyordum. Bu isteğimi yerine getirsin diye Kolordu Komutanına kendimi sevdirmeye çalıştımdı. Ölçüyü kaçırmış olmalıyım, beni çok sevdi ve yanında alıkoydu. Kolordunun haberalma şubesi müdürü yaptı.

Ordu Komutanı Ali İhsan Paşa, laf aramızda, çok tuhaf bir adam çıktı. Sevilmeyi değil, kendisinden korkulmasını istiyor. Korkutucu şeyler yapıyor. Tabii gülünç oluyor.

İşte böyle.

Vedia Hanım'a ve Vedat Bey'e selamlar.

Saygılarımla."

UZUN bir yolculuktan sonra Ankara'ya gelen Sovyet Rusya Büyükelçisi Aralov, güven mektubunu Meclis Başkanı Gazi M. Kemal Paşa'ya sunmuş, törende Dışişleri Bakanı Yusuf Kemal Bey de bulunmuştu.

Tören sonunda M. Kemal Paşa, Aralov'a, "Kalın da bir kahve içelim" dedi.

"Memnuniyetle."

Yusuf Kemal Bey de kaldı. Oturdular. M. Kemal Paşa, "Protokolü bir yana bırakarak dostça konuşmak istiyorum.." dedi, "..Moskova Büyükelçimiz Ali Fuat Paşa, Fransa ile yaptığımız anlaşmanın Moskova'da kuşku yarattığını bildiriyor."

Aralov açık kalplilikle, "Evet" dedi.

"Fransa ile yaptığımız anlaşmayı saklamadık, bir suretini, sizden önceki sayın Büyükelçiye verdik.[59] Mösyö Franklin Bouillon'a da, batı dünyasının gizli sandığı Moskova Antlaşması'nın bir suretini verdik.[60] Bu kadar açığız. Gizli diplomasiden kesinlikle uzağız. Bugünlerde Dışişleri Bakanımızı barış aramak için Avrupa'ya göndereceğiz.."

Aralov huzursuz baktı.

"..Çünkü bir an önce silahı bırakıp işimize sarılmak, doğuyla da, batıyla da, barış içinde yaşamak istiyoruz. Uygarlığın nimetlerinden yararlanmak, artık mutlu olmak benim milletimin de hakkı. Siz de askersiniz, savaşın ne olduğunu bilirsiniz.."

"İyi bilirim."

"..Yakında Azerbaycan Büyükelçisi İbrahim Abilov Bey'e ve size, sessiz sedasız savaşa hazırlanan ordumuzu göstereceğim. Milletinin insanca yaşaması için ölmeye hazır iki yüz bin asker göreceksiniz. Savaşmak istemiyoruz. Ama büyük devletler, yalnız kuvvetin dilinden anlamakta ısrar ederlerse, bu orduyu harekete geçireceğim.."

Bir an durdu:

"..İnanın, o kıyamet gününü düşündükçe Yunanlılara acıyorum. Yazık ki efendisi İngiltere acımıyor. Ümit ederim ki sorun, silahsız çözülür."

Bu kısa, açık konuşma Aralov'da büyük saygı uyandırdı.

MİLLİ SAVUNMA BAKANI Kâzım Özalp Paşa ilk iş olarak hastaneleri ve yaralı barınaklarını ziyaret etti. En son Cebeci Hastanesi'ne geldi. Başhekim Şemsettin Bey, Dr. Hasan ve Nesrin tarafından karşılandı. Birinci koğuşa girdiler. Bakan kapının yanındaki ilk yatakta yatan Teğmen Refik'in hatırını sordu. Teğmen, "Teşekkür ederim, iyiyim Paşam" dedi. Bakan öbür yatağa geçmek üzereydi, başhekim sessizce battaniyeyi aralayarak, bu iyimser yaralının durumunu gösterdi: İki bacağı da dizlerinin üzerinden kesilmişti. Kâzım Paşa'nın gözleri doldu, eğilip yaralının başını öptü, "Benden bir isteğin var mı çocuğum." dedi şefkatle, "..ailen nerde? Onların bir ihtiyacı var mı? Söyle lütfen."

Teğmen bir şey istiyor olmaktan utanarak, "İstiklal Madalyası'nı hak ettiğimi sanıyorum.." dedi, "..ondan başka bir şey istemem efendim." [60a]

ŞUBAT AYINDA bütün subaylar gibi 61. Tümen'in 174. Alayı'nın subayları da birikmiş aylıklarını aldılar.

Orduya bir uçak armağan etmeye söz vermişlerdi. Hızla para topladılar. Toplanan parayı uçak alınması için Milli Savunma Bakanlığı emrine verdiler.

Alınacak uçak '174. Alay' adıyla hava kuvvetlerine katılacaktı. [60b]

PADİŞAH VAHİDETTİN genç ve güzel eşi Neriman Hanım'ın dairesinden pek çıkmıyor, çıktığı zaman da karanlık, kuşkulu işler çeviriyordu. Herkesten gizli birtakım adamları kabul edip görüşmekte, Damat Ferit artıklarıyla ilişkisini sürdürmekteydi.[60c]

Yaver Albay Naci Bey (İldeniz) bu hale katlanamayınca Anadolu'ya geçmiş, Padişah yaverinin Milli Mücadele'ye katıldığının duyulması büyük yankı yapmıştı.

Felah örgütü daha etkili bir olay yaratmak için iki subaya Anadolu'ya geçmeleri çağrısında bulundu: İlki Sadrazam Tevfik Paşa'nın oğlu, Vahidettin'in damadı Binbaşı İsmail Hakkı Okday'dı. İkinci subay ise Sadrazamlık Başyaveri Yarbay Hüseyin Hüsnü Bey'di. Duraksamadan evet dediler. Arkadaşları Anadolu'da dövüşürken, İstanbul'da konfor içinde yaşamak kaç zamandır ikisini de utandırmaktaydı.

İsmail Hakkı Bey eşi Ulviye Sultan'ın Nişantaşı'ndaki konağında yaşıyordu. Kaçtığının anlaşılmaması için kaçış tarihinden bir hafta önce bir tartışma çıkarıp odasını ayırdı.

Felah örgütü İsmail Hakkı Bey'e 'Adapazarlı koyun tüccarı Mustafa Ağa' diye sahte bir kimlik hazırlamıştı. İ. Hakkı Bey 28 Ocak sabaha karşı kalktı. Mustafa Ağa kıyafetine girdi. Çantası hazırdı. Köpeği Berbat'a veda edip kimseye sezdirmeden sessizce sokağa çıktı.

Ulviye Sultan

Saat yedi buçukta Haydarpaşa'daydı. Hüseyin Hüsnü Bey de gelmişti. Durumu bilen millici görevliler kolaylık gösterdiler. Tren 08.00'de kalktı. Hereke'deki İngiliz denetimine takılmadan Geyve'ye geldiler. Geyve'den sonra tren çalışmıyordu. Kaçakları karşılayan subaylar bir araba bulup ikisi de Ankara'ya yolcu ettiler.

Örgüt, kaçakların Geyve'ye ulaştıklarını öğrenince, durumu el altından gazetelere bildirdi. Ertesi gün bütün gazetelerde Vahidettin'in damadı ve Tevfik Paşa'nın oğlu ile Sadrazamlık Başyaverinin Anadolu'ya kaçtığı haberi birinci sayfalarda yer aldı.

Haberin doğru olduğu anlaşılınca sarayda ve sultan konağında kıyamet koptu.[60d]

BALIKESİR MİLLETVEKİLİ Hasan Basri Bey ve arkadaşları bir önerge vererek Yunan zulümlerinin protesto edilmesini istemişlerdi. Hasan Basri Bey acı örneklerle dolu bir konuşma yaptı. Önerge, gereğinin yapılması için Dışişleri Bakanlığına havale edildi.[60e]

Bakanlık, her zaman yaptığı gibi durumu birer nota ile galip devletlere bildirerek ilgilerini dileyecek, galip devletler de bu notaları dosyalarına kaldıracaklardı.

Türkler düşüncelerini ve gerçekleri batı basını yoluyla kamuoyuna ulaştıramıyordu. Tarih boyunca ulaştıramamışlardı. Çünkü devletin bunun için kurulmuş bir örgütü, bu konuda bir tecrübesi ve yetişmiş bir tek adamı yoktu. Anadolu Ajansı'nın yurtdışına etkisi olmuyordu.

Buna karşılık kamuoyu yaratmanın, tanıtmanın ve propagandanın önemini çoktan anlamış olan Yunanistan, 1912'de Atina'da bir basın bürosu kurmuş, giderek Londra, Paris, Roma'da gibi önemli merkezlerde, elçilikler dışında, basın temsilcilikleri açmıştı.[60f]

Türk protestosunun basın çevrelerine sızması üzerine alarmda bekleyen bu temsilcilikler, 'barbar Türklerin Anadolu'da Pontus Rumlarına kıyım yaptığını' iddia eden bültenler yayımlayarak, Türk protestosunu boğup etkisiz hale getireceklerdi.

İSMAİL HAKKI OKDAY ve Yarbay Hüseyin Hüsnü Bey, Ankara'ya doğru yol alırken, Dışişleri Bakanı Y. Kemal Tengirşenk ile Hikmet Bayur, Hukuk Müşaviri Münir Ertegün, Özel Kalem Müdürü Ferit ve Kâtip Kemal Beyler de Ankara'dan ayrıldılar. Ankara-Geyve arası sekiz gün sürdü. Dokuzuncu gün trenle İstanbul'a vardılar. Y. Kemal Bey milli hükümetin İstanbul'a gelen ilk Bakanı olarak Haydarpaşa'da üniversite gençleri tarafından büyük gösteriyle karşılandı.

Bakan ve kurul üyelerinin hepsi İstanbulluydu. Ertesi gün buluşmak üzere yakınlarının evlerine dağıldılar.

Y. Kemal Bey sabah, Sadrazam Tevfik Paşa'yı ziyaret etti. Ahmet İzzet Paşa da gelmişti. Y. Kemal Bey Avrupa'daki temasları sırasında Ankara ile İstanbul arasında 'fikir birliği' olduğunu vurgulamak istiyordu. Türkiye'deki ikilikten yararlanan Batıya karşı bu iyi bir tavır olur diye düşünmekteydi.

Bu isteği uygun gören Tevfik Paşa, "Zat-ı Şahane ile görüşecek misiniz?" diye sordu. İsteği benimsendiğine göre Padişah'la görüşmemek olmazdı, Y. Kemal Bey, "Eğer isterlerse, görüşürüm" dedi.[61] Ertesi gün Ahmet İzzet Paşa Y. Kemal Bey'i alıp saraya götürdü. Bu gelişmeye bakarak Y. Kemal Bey, Padişah'ın kendisiyle görüşmek istediğini sandı. Tevfik Paşa sarayda bekliyordu. Başmabeynci üçünü Vahidettin'in huzuruna çıkardı.

Vahidettin her zamanki koltuğunda oturuyordu. Rengi soluktu, gözleri çukura kaçmıştı. Damadının Ankara'ya katılması onu çok sarsmış olmalıydı. Kendisini saygıyla selamlayan Y. Kemal Bey'e selam vermeksizin, basit bir el hareketiyle karşısındaki koltuğu gösterdi. Ankara Dışişleri Bakanı, bozulduğunu belli etmemeye çalışarak Padişah'ın karşısına oturdu. Paşalar ellerini göbeklerinin üzerinde kavuşturarak ayakta kaldılar.

Vahidettin hiçbir şey söylemeden gözlerini kapadı. Uzayan sessizliği kırmak için Y. Kemal Bey, "Hükümetim, Türkiye Büyük Millet Meclisi'ni tanımanızı diliyor" dedi. Vahidettin gözlerini açmadı, cevap vermedi. Uzun ve katı sessizlik sürdü. Padişah, Ankara'nın Dışişleri Bakanını hiçe sayma anlamı taşıyan bu suskunluğuyla, kendisini çağırmadığını, Ankara'nın önerisini de konuşmaya değer bulmadığını açıklamış oluyordu.

Sessizlik iyice uzayınca Y. Kemal Bey, sinirden titreyerek izin isteyip kalktı. Paşalar da birlikte çıktılar. Padişah görüşmek istemediği halde saraya götürülmesine çok içerlemişti. İki Osmanlı paşasına terbiyesinin elverdiği ölçüde hakaret etti.[62]

TAM DA BU SIRADA İstanbul'un bir başka yerinde, çok şaşırtıcı bir olay gelişmekteydi.

Ankara kurulunun gizli belgelerinin Kâtip Kemal'in elindeki özel çantada olduğu anlaşılıyordu. Kâtip kayınpederinin evinde kalıyordu. Vahidettin'in emriyle ev gözetlemeye alınmıştı. Becerikli sivil polis, herkesin çıkıp evde kimsenin kalmadığını anlayınca içeri girmiş, kâtibin evde bıraktığı kilitli görev çantasını açmıştı.

İçindeki 6 gizli belgenin fotoğraflarını çekiyordu.

İşi bitince belgeleri özenle yeniden çantaya yerleştirdi. Kilidi kapadı. Belgeler, Y. Kemal Bey'in özellikle Londra'daki görüşmeler sırasında dikkate alması gereken gizli hükümet talimatı ve yine bazı çok gizli bilgilerdi.

Vahidettin, belgelerin fotoğraflarını güvendiği bir saray görevlisiyle o akşam İngilizlerin Yüksek Komiseri Sir Harold Rumbold'a yolladı.

Bilgiler Londra'ya geçildi.

Lord Curzon, Londra'da Y. Kemal Bey'le görüşme masasına, Ankara hükümetinin gizli düşüncelerini öğrenmiş olarak oturacaktı.[63]

MECLİS TOPLANTI SALONU da, iki balkonu da tıklım tıklım doluydu. İçeri giremeyenlerin M. Kemal Paşa'nın konuşmasını duymaları için pencerelerin camları çıkarıldı. Üçüncü toplantı yılına giriliyordu. Toplantı yeni yılını Meclis Başkanının bir konuşmayla açması âdetti.

Saat 13.30'da Meclis Başkanı Gazi M. Kemal Paşa, başkanlık kürsüsüne çıktı. Uzun yıllar anımsanacak olan konuşmasını yaptı. İç ve dış önemli sorunlara değindiği söylevinin ekonomi bölümüne geçince, sordu:

"Türkiye'nin sahibi ve efendisi kimdir?"

Sesler yükseldi:

"Köylüler!"

"..Evet, Türkiye'nin hakiki sahibi ve efendisi, hakiki üretici olan köylüdür.."

Alkışlar patladı.

"..O halde herkesten daha çok refah, saadet ve servete müstahak ve layık olan köylüdür. Bundan dolayı TBMM hükümetinin ekonomik siyaseti, bu temel amacı elde etmeye yöneliktir. Yedi yüzyıldan beri cihanın çeşitli yanlarına yollayarak kanlarını akıttığımız, kemiklerini yabancı topraklarda bıraktığımız ve yedi yüzyıldan beri emeklerini ellerinden alıp israf ettiğimiz, buna karşılık daima aşağıladığımız ve küçümsediğimiz, bunca fedakârlık ve ihsanlarına karşı, nankörlük, küstahlık, cabbarlıkla uşak katına indirmek istediğimiz bu asıl sahibimizin huzurunda, bugün, tam bir saygıyla ve utanarak gerçek duruşumuzu alalım.."

Alkışlar uzun süre devam etti.

Söylevin bitiminden sonra yapılan seçim sonunda Rauf Bey Meclis İkinci Başkanlığına seçildi. Bu sonuçla Başkanlık Divanında bir çeşit koalisyon oluşmuştu.[63a] M. Kemal Paşa'nın bu sonuçtan memnun kaldığı söylenemezdi. Ama bunu belli etmedi.

Siyasi dağınıklığa yol açmamak için birçok şeyi sabırla karşılıyordu. Bugünkü söylevinde, eğitim alanında temel amacın 'genel cahilliğe son vermek' olduğunu belirtmişti. Yeni Milli Eğitim Bakanı, bu açıklamaya dayanarak, 'Mektepler Teşkilatı' adıyla bir yasa tasarısı hazırlayacaktı. Bu tasarıya göre liselerin adı 'yeni medrese', resim dersinin adını 'çizgi dersi', müzik dersinin adı 'ilahi dersi' oluyordu. Gazi buna da açıkça ses çıkarmadı.[63b]

Zafere kadar sabredecekti.

YÜZBAŞI FARUK Nesrin'den zarfa konmuş bir kartpostal aldı:
"Faruk Bey,
Sizi karargâhta tuttuğu için komutana minnetlerimi söyleyiniz. Bir daha savaşmanızı istemiyorum. Sizi savaşırken düşünmeye dayanamam. Çünkü sizi seviyorum."

Çarpıldı.

Bu kız, yürekli kağnıcılar ve gözü kara çeteciler hamurundandı.

Mektup yazmaya oturdu. Sayfalar dolusu, upuzun, karmakarışık, sırasız, düzensiz, günlerce yazdı. Mektup "Ben de sizi seviyorum" diye başlıyor, "Sizi çok seviyorum" diye sona eriyordu.

Artık her gün mektup yazacak, biriktirip biriktirip birbirlerine yollayacaklardı.

İNGİLİZ DIŞİŞLERİ BAKANLIĞI Türk-Fransız Anlaşmasının feshedilmesi için çok çalışmıştı. Fransızlar alttan almış, bundan sonra birlikte hareket edeceklerine söz vermiş ama anlaşmayı da korumuşlardı.

Y. Kemal Bey Paris'te, Türk-Fransız dostluğunun güçlendiğini görerek memnun oldu. Fakat A. İzzet Paşa'nın da Paris'e geldiğini duyunca midesi bulandı.[63c]

İstanbul yönetimi, Ankara ile birlik olmadığını, ikiliğin sürdüğünü belirtmenin gerekliliğine karar vermiş, A. İzzet Paşa'yı Avrupa'ya yollamıştı.

Ankara kurulunun ardından A. İzzet Paşa da Paris'ten Londra'ya hareket edecek, Lord Curzon ikisiyle ayrı ayrı konuşacak, bu ikilikten tatlı tatlı, ustaca yararlanacaktı.[64]

VAHİDETTİN'İN DAMADI Binbaşı İsmail Hakkı Bey Batı Cephesi karargâhına atandı. Padişah damatlığını tepip Anadolu'ya gelmiş olması karargâh subaylarının hoşuna gitmişti. Sevgi ve saygıyla karşılandı.

Ama yüzü pudralıydı, hareketleri fazla alafrangaydı, üslubu yapmacıktı. Hepsi halk çocuğu olan subaylar İsmail Hakkı Bey'i yadırgadılar. Osmanlıca bilen bir yabancı subay gibiydi.

Giderek arkadaşsız kaldı.

16. Tümen'in Kurmay Başkanlığına atanınca çok sevinecek ve koşarak gidecekti.

M. KEMAL PAŞA orduyu denetlemek ve son durumu görmek için 6 Mart gecesi Ankara'dan trenle ayrıldı. Beylik Köprü yeni yapılmıştı, daha derme çatma haldeydi. Tren bu geçici köprüden kaplumbağa hızıyla geçti. Sabah Biçer'e geldiler. Demiryolu Biçer'e kadar onarılmıştı.

Çoğu kadın olan işçiler, bozkır ayazında, demiryolunu Biçer'den ileriye götürmek için işbaşı etmişlerdi. Gazi, mühendise, ustalara ve işçilere teker teker ellerini sıkarak teşekkür etti.

Otomobili istasyona indirilmişti. Sivrihisar'a hareket etti.

LORD CURZON Y. Kemal Bey'le iki kez görüştü. Ankara Misak-ı Milli kabul edilirse barış yapmaya hazırdı. Ama İngiltere Misak-ı Milli'yi, yani Türkiye'nin tam bağımsızlığını kabul etmiyordu.

Lord Curzon, Türklerin bir taarruza kalkışıp Yunanlıları yenmesinden çekinmekteydi. Ama A. İzzet Paşa'dan edindiği bilgi ve Ankara hükümetinin Y. Kemal'e verdiği gizli talimatın zayıf ifadesi, Ankara'nın mücadeleyi sonuna kadar götüremeyeceğini göstermekteydi.

Rahatladı.

Bu rahatlık içinde Ankara ve İstanbul ile oyun oynarken bir olay patlak verdi.[64a] Yerel liderlerin ağır baskısı altında bunalan Hindistan Genel Valisi Lord Reading Hindistan İşleri Bakanı Montagu'ya bir telgraf göndererek, 'Hindistan'daki Müslümanların yatışmaları için İstanbul'un boşaltılmasını, İzmir ve Edirne'nin Türklere verilmesini zorunlu gördüğünü' bildirdi.

Başbakanın katı siyasetinden şikâyetçi olan Mr. Montagu, bu gizli telgrafı basına sızdırdı. Ortalık karıştı. Lloyd George ve Lord Curzon Montagu'ya ateş püskürdüler. İngiliz kamuoyu bazı şeyleri yeni yeni öğreniyordu. Koalisyon çatırdamaya başladı.

Başbakan Lloyd George, Türkiye'yi destekleyen Montagu'yu azletti.[65]

Bu işlem, İngiliz resmi siyasetinde Türk düşmanlığı tavrının süreceği anlamına geliyordu. Lloyd George 'ebediyen Yunan taraftarıydı' ve ebediyen Türk düşmanı kalacaktı.

14 MART günlü İkdam gazetesinde Y. Kadri'nin önemli bir yazısı yer aldı. Ankara'da Kızılay Merkezi'ndeki dertleşme ve tartışmaların ürünü olan bir yazıydı:

"...Bu kanlı cenkler, bu korkunç mücadele yalnız Türklerle Yunanlıların savaşı değil, geçmişle geleceğin çarpışmasıdır.

Eğer genç Anadolu ordusunun kurtaracağı vatan üzerinde yeni hayatın ve yeni fikrin ışığı parlamayacaksa, eğer orada gene geçmişin o gerici, yeniliğe düşman, boğucu ve öldürücü karanlığı hüküm sürecekse, kurtuluş kelimesinin ifade ettiği mana, pek eksik kalmaz mı?

Zaman yürüyor, daima öne doğru, ileriye doğru yürüyor. Bunun aksine gitmek imkânsızdır." [65a]

M. KEMAL PAŞA birlikleri denetliyor, komutanlarla görüşüyor, bir bahar taarruzunun mümkün olup olmadığını anlamaya çalışıyordu.

Akşehir'e gelirken Çay istasyonunda 1. Ordu Komutanı Ali İhsan Paşa'yla görüştü. "On gündür cephedeyim.." dedi, "..sürekli eleştirdiğiniz gibi, askerin çoğu gerçekten üniformasız.."

Ali İhsan Paşa görüşünün onaylandığını sanarak gülümsedi.

"..Ne yapalım? Yoksuluz, üniformamız, mataramız, palaskamız yok diye mücadeleden vaz mı geçelim? Düşmana teslim mi olalım?"

Ali İhsan Paşa irkildi:

"Oo, hayır."

"Öyleyse şartlarımızı hiç dikkate almadan neden her şeyden şikâyet ediyorsunuz? Pırıl pırıl bir ordunun başına geçeceğinizi mi hayal ediyordunuz? Bu ordu, milletinin kaderini paylaşan gazi bir ordudur. Tek dayanağımız ve son talihimizdir. Bu ordunun yarısını, namusunuza emanet ettik. Bunu unutmayın!"

Ayağa kalktı, elini uzattı:

"İyi günler dilerim."

Bu çok ciddi bir uyarıydı. Ali İhsan Paşa mevkiinin tehlikeye girdiğini anlamıştı. Ankara'daki arkadaşlarına durumu bildirmeliydi.

KIŞ dağlarda çok acımasızdı.

Demirci Akıncıları çok güçlük çekmişlerdi. Zaman zaman aç, uykusuz kalmış, donma tehlikesi atlatmış, hastalanmış, yaralanmış, şehit de vermişlerdi. Ama Yunanlıları, Ermeni, Rum ve Çerkez çeteleri, 'gâvur Müslümanları', her fırsat düştükçe tepelemişler, işgal idaresini çılgına çevirmişlerdi.

İşgal Komutanlığına bağlı büyük bir kuvvet Demirci Akıncılarının peşine düştü. Akıncılar Ulus Dağı'nın karlı ormanlarına daldılar.

Bu güzel dağın yollarını iyi bildikleri için iki kez kuşatmayı yarıp çıkmayı başardılar. Dağılan müfrezeler ikinci kuşatmadan kurtulunca, 17 Mart Cuma günü buluştular. Bütün akıncıların yüzü taş gibiydi. Kuşatmayı yararken bazı akıncılar gibi Müfreze Komutanlarından Halil Efe'nin eşi Gördesli Makbule de şehit olmuştu.

Halil Efe'yi delice seven Makbule, kocasından ve akıncılardan hiç ayrılmamış, sürekli birlikte gelmişti. Halil Efe de eşini öyle severdi. Sevgileri ve yiğitlikleri efsane gibi yayılmıştı dört yana.

Makbule'yi Ulus Dağı'ndaki Kocayayla'da, kimsenin bulamayacağı bir köşede toprağa verdiler.[65b]

Akıncı ahlakınca şehit olanlara ağlamak ayıptı. Makbule'nin toprağa verildiği gün, akıncılar Halil Efe'yi de, İbrahim Ethem Bey'i de, birbirlerini de ayıplamadılar.

Hepsi kana kana ağladı.

İNGİLİZ, FRANSIZ VE İTALYAN Dışişleri Bakanları Türklere ve Yunanlara üç ay süreli mütareke önerisinde bulunmuşlar, ara vermeden barış şartlarını da görüşmeye başlamışlardı. M. Poincaré Curzon'un hazırladığı ve İngiliz hükümetinin benimsediği barış planını beğenmemişti. Curzon'u adım adım geriletiyordu.

Görüşmelerin az da olsa Türkler lehine geliştiği bu sırada Sadrazam Tevfik Paşa İngiliz Yüksek Komiseri Sir Harold Rumbold ile çok gizli olarak konuşmak istedi.

Yüksek Komiser'in ikametgâhında buluşmaya karar verdiler. En güvenli yer orasıydı. Sebebi ve konusu açıklanmayan bu ziyaret Rumbold gibi soğukkanlı ve tecrübeli bir diplomatı bile heyecanlandırmıştı. Çok önemli bir şey olmalıydı.

Tevfik Paşa konyağından büyükçe bir yudum aldı, güzel bir İngilizceyle, "Padişah Hazretleri dün gece beni saraya çağırdılar." dedi, "..bir proje geliştirmişler. Lord Curzon Hazretlerine bu projeyi ulaştırmanızı rica ediyorlar."

"Emrederler."

"Efendimiz, bizimle hemen bir anlaşma yapmanız şartıyla, İstanbul ve Çanakkale Boğazlarının muhafazasını ebediyen İngiltere'ye vermeyi taahhüt ediyor. Muhafaza için gerekli toprakların idaresi de İngiltere'ye bırakılacak. İngiltere bu amaçla kendi askerini kullanabileceği gibi Türk jandarmasını da emrine alabilir. Efendimiz, böylece bütün İslam âleminde, İngiltere'nin Halifeliğin koruyucusu, hatta ortağı olduğunun anlaşılacağını ümit ediyor. Bu yolla, Hindistan'da ve sair yerlerdeki Müslümanların İngiltere aleyhtarlığının tamamen yıkılacağını düşünüyor.."

Hırıltılı bir nefes aldı:

"..Padişah Hazretlerinin projesi bu."

Sir H. Rumbold inanamadı. Lord Curzon'un barış planını biliyordu. O plan bile bu kadar Türkiye'nin aleyhinde değildi. Müslümanların Halifesi İngiliz himayesini kazanabilmek için istiklal hevesi içindeki bütün Müslümanları satıyor, Halifelik etkisini İngilizlerin çıkarı için kullanacağına söz veriyor, Boğazları gözden çıkarıyor, 80 yaşındaki Sadrazam da bu pazarlığa aracılık ediyordu.

Sir H. Rumbold, "Sizin görüşünüzü öğrenebilir miyim?" diye sordu.

Tevfik Paşa, "Ben de bu öneriye katılıyorum." dedi, "..yalnız, bu proje hükümetimden bile gizlidir. Bu gizliliğe, anlaşma imzalanıncaya kadar, majestelerinin hükümetinin de uyacağına güveniyoruz."

"Bize güvenebilirsiniz." [66]

FRANSIZ BAŞBAKANI ve Dışişleri Bakanı Mösyö Poincaré, Lord Curzon ve İtalyan Dışişleri Bakanı Sinyor Schanzer, üç gün içinde Türkiye ve Yunanistan'a barış şartlarını da bildirdiler. Barış şartlarının kabul edilmesi halinde, Yunan ordusu Anadolu'yu boşaltmaya başlayacaktı.

Barış önerisine göre Edirne, Kırklareli ve Gelibolu Yunanistan'a veriliyordu,

Azınlıklar güven altına alınacaktı,

Doğuda bir Ermeni yurdunun kurulması konusu Milletler Cemiyeti'ne havale edilecekti,

Boğazların Anadolu kıyıları silahsızlandırılacaktı,

Türk ordusu ve jandarması, 85.000 kişiyle sınırlı olacak, gönüllü ve ücretli askerlerden oluşacaktı.[67]

Yunanlıların Anadolu'yu boşaltması, bu şartların kabul edilmesine bağlanmıştı. Görüşmeler sürdüğü sürece Yunan ordusu Anadolu'da kalacaktı. Mütarekenin ucu açıktı. Üç ayda bir uzatılarak yıllarca sürdürülebilirdi. Her iki ordu galiplerin subaylarınca denetlenecek, bu yolla Türk ordusu hakkında her türlü bilgiyi de elde etmiş olacaklardı.

DIŞİŞLERİ BAKANLIĞI barış şartlarını Akşehir'e bildirdi.

Şartları inceleyen Gazi ve İsmet Paşa çok öfkelendiler. İsmet Paşa, "Bu şartları kabul etmek mümkün değil.." dedi, "..ama reddedersek dünyaya savaş arayan bir millet olarak görüneceğiz."

"Reddetmezsek bu kez de barış ümidiyle gevşeyeceğiz. Tavizciler mümkün olanla yetinerek barış yapalım diye tutturacaklar."

"İki olasılık da kötü. Ne yapacağız?"

"Bir çıkış yolu bulacağız." [68]

BUGÜN İSTANBUL'da Darülfünun (*Üniversite*) konferans salonunda iki konferans vardı. İlk olarak Akil Muhtar Bey Einstein'ın izafiyet (*görecelik*) teorisi hakkında konuştu.

İkinci konferansa geçmeden önce kısa bir ara verildi.

Üniversite yöneticileri, hocalar, Süleyman Nazif Bey en öndeki protokol koltuklarında oturuyorlardı. Salon muhabirler, fesli, sarıklı öğrenciler, sivil ve üniformalı tıbbiyeliler, öğrenci olmayan meraklı dinleyicilerle ağzına kadar doluydu.

Bir süre önce Ertuğrul Gazi için 'Tatar yavrusu' diyen İran edebiyatı hocası Hüseyin Daniş Bey, yakın zamanda da "Fuzuli Türk değildir" diye bir yazı yazmış, Süleyman Nazif Bey de "Hayır, Türktür!" diye cevap vermişti. Filozof bugünkü konferansında doğruyu açıklayacaktı.

Mütareke başlangıcından beri Türke o kadar haksızlık edilmişti ki öğrenciler filozofun kimi destekleyeceğine çok önem veriyorlardı. Rıza Tevfik Bey, koltuğunun altında, her zamanki gibi birkaç kalın kitapla kürsüye çıktı.

Öğrenciler gerildi.

Filozof omuzlarına inen uzun saçlarını dalgalandırarak salonu gözden geçirdi, bir adım öne geldi, "Beyler.." dedi, "..sizleri merakta bırakmamak için kanaatimi hemen söyleyeceğim, sonra da iddiamı kanıtlayacağım. Fuzuli Türk değil, Acemdir."

Süleyman Nazif Bey ayağa kalktı:

"Yanılıyorsunuz, Fuzuli özbeöz Türktür, Azeri Türküdür."

Rıza Tevfik Bey direndi:

"Hayır efendim, siz yanılıyorsunuz, Türk değildir."

Gerginlik bir anda yoğunlaştı. Birçok öğrenci sinir içinde ayağa kalkmıştı:

"Türktür!"

Rıza Tevfik   Süleyman Nazif

Sinirlilik filozofa da geçti:

"Beyler, Fuzuli Türk olsa ne çıkar? Siz Türkler aranıza bir tek Fuzuli'yi almakla ne kazanırsınız?"

Bir öğrenci haykırdı:

"Sen Türk değil misin?"

"Değilim. Türklükten çoktan istifa ettim. Türkün kılıcından başka övünecek nesi vardı? O da bitti. Hâlâ İstanbul'da oturabiliyorsanız, bunu büyük devletlerin size değil, İslam âlemine duyduğu saygıya borçlusunuz."

Salon bir anda karıştı, bütün öğrenciler ayağa fırladı:

"Sus namussuz!"

"Milliyetsiz herif!"

"İn aşağı oradan!"

Tepkinin şiddeti Rıza Tevfik Bey'i sersemletti:

"Bu ne biçim konuşma? Ben sizin hocanızım."

"Artık değilsin! Sus!"

Filozof son bir kez kabadayıca dikildi:

"Bana bakın, İngilizler burada oldukça, kimse beni susturamaz, istediğimi söylerim. Bana bir halt edemezsiniz."

Bir öğrenci kürsüye doğru fesini fırlattı:

"Defol soytarı!"

Yüzlerce öğrenci onu izleyerek feslerini Rıza Tevfik'e savurmaya başladı:

"Defooool!!"

Rıza Tevfik dolu gibi yağan, başına, yüzüne, sırtına çarpan feslerden kendini korumaya çalışarak zorlukla kürsüden indi, sarıklı öğrenciler ile Hürriyet ve İtilaf Partili oldukları sakal ve kıyafetlerinden anlaşılan bazı Arapsı adamların koruması altında salondan çıkıp gitti. Öğrenciler ve bazı dinleyiciler arkasından bağırıyorlardı:

"Hain!"

"Satılmış!"

"Uşak!"

Edebiyat Fakültesi öğrencileri konferans salonundan ayrıldılar, fakülte binasındaki büyük bir sınıfta kendi aralarında toplantılar.

Bir öğrenci lideri, Hüseyin Daniş, Rıza Tevfik, Ali Kemal ve Barsamyan adlı üniversite hocalarını, yazı ve konuşmalarından örnekler vererek suçladı ve "Bu hocaların beşincisi de yazık ki şair Cenap Şahabettin Bey'dir." dedi, "..Yunan ordusunun Bursa'ya girdiği gün, hepimiz kan ağlıyorduk. Cenap Şahabettin Bey derste dedi ki: 'Üzülmeyin efendiler, tersine memnun olun. Çünkü Yunanlılar bizim lehimize çalışıyor. Memleketi milliyetçi denilen haydutlardan, serserilerden temizliyorlar."

Tepki bir yanardağ gibi patladı:

"Lanet olsuuuuun!"

"Bu imparatorluk ve sömürge aydınları üç yıldan beri kurtuluş ümidimizi kırmaya, tarihimizi ve milletimizi aşağılamaya, istiklal fikrini öldürmeye çalışıyorlar. Artık yeter!"

"Yeteeeeeer!"

Edebiyat Fakültesi öğrencileri bu heyecanlı toplantının sonunda, 'istiklal ve milliyet duygularına yabancı ve saldırgan' beş hoca üniversiteden ayrılıncaya kadar dersleri boykot etmeye karar verdiler. Kısa zamanda Hukuk, Fen, Tıp, Eczacılık, Diş Fakülteleri ile Mülkiye ve öteki bütün yüksekokulların katılacakları büyük 'Darülfünün grevi' başladı.

İstanbul Mütarekenin başından beri bu genişlikte ve bu düzeyde milli bir hareketi yaşamamıştı. Konu gazetelerin birinci sayfalarını kaplayacak, Hüseyin Daniş ve Rıza Tevfik Beyler tepkinin ciddiyetini anlayarak görevlerinden istifa edeceklerdi. Başta Ali Kemal Bey, öteki üç hoca direniyordu.

Rektörlük üniversiteyi geçici olarak kapattı.[69]

GAZİ, mütareke ve barış şartlarını görüşmek üzere Bakanlar Kurulunu Sivrihisar'a çağırdı. Ödün vermeyen ama savaşçı da görünmeyen incelikli bir cevap hazırlamıştı. Bakanlar Kurulu cevabı uygun buldu. Cevap Meclis'te görüşülüp onaylandıktan sonra Londra, Paris ve Roma'ya tellenecekti.

Bakanlar kuruluyla birlikte, Başkomutan'ın davet ettiği Sovyet Rusya Büyükelçisi Aralov, Ataşemiliter Zvonaryev ve Azerbaycan Büyükelçisi İbrahim Abilov da Sivrihisar'a gelmişlerdi.

Ertesi gün Bakanlar Kurulu Ankara'ya dönerken, Gazi ve misafirleri de Sivrihisar'dan Akşehir'e hareket ettiler. Yolda cepheye mü-

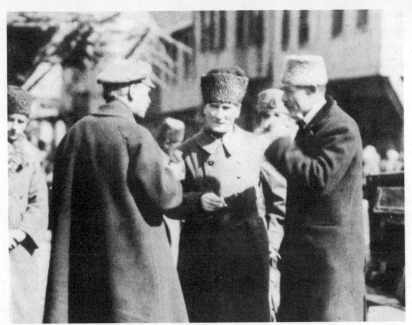

Aralov, Gazi Mustafa Kemal Paşa, Abilov

himmat ve yiyecek taşıyan uzun deve katarlarına rastladılar. Yunanlıların çekilirken yaktıkları köyleri gördüler.

Yol üzerindeki karargâh ve tümenlere uğradılar. Ordu Sakarya ordusundan çok farklıydı. Kıyafetler birörnek değildi ama çıplak ayaklı asker kalmamıştı. Bazı askerlerin palaskası, kütüklüğü, matarası, hatta ekmek torbası bile vardı. Başkomutan birliklere taarruz manevrası yaptırdı. Askerlerin çok iyi eğitildiği, ordunun kıvrak, hızlı ve çok istekli olduğu görülüyordu.

Birliklerde bandoların ve Türk musikisi topluluklarının konserlerini dinlediler, oyunlar, yarışmalar, temsiller seyrettiler. İki yobazın cahilliği ve aç gözlülüğüyle ilgili temsile erler çok gülmüşlerdi.

1 Nisan günü, Süvari Kolordusu'nun geçit töreninde ve bazı gösterilerinde bulundular. Dokuz bin atlının geçişi çok heybetli oldu.

Trenle Konya'ya geldiler. İstasyon Paşa'yı karşılamaya gelen Konyalılarla doluydu. Yüzlerce meşale parıldıyordu. Sakarya kahramanı Gazi M. Kemal Paşa'yı büyük coşkuyla karşıladılar.

İnceleme ve gezi programları içinde bir medrese de vardı. Kanlı canlı, genç mollalar ile hocalar avluda dizilmiş, bekliyorlardı. En yaşlı hoca, Paşa'dan medrese sayısının artırılmasını ve medrese öğrencilerinin askere alınmamasını rica edince, M. Kemal Paşa sinirlendi:

"Sizin için medrese, Yunanlıları mağlup etmekten, halkı zulümden kurtarmaktan daha mı değerli? Millet kan içinde yüzerken, halkın en iyi çocukları cephelerde dövüşür, yurt için canlarını feda ederken, siz burada genç, sapasağlam delikanlıları besiye çekmişsiniz. Bu asalakların askere alınmaları için yarın emir vereceğim."

Hocalar sindiler. Ama akıllarından hiç de iyi şeyler geçmediği belli oluyordu. Belki de, 'senin de yıldızını söndürürüz, yine bizim günümüz gelir' diye düşünüyorlardı.

İki gün boyunca okullar, atölyeler, tamirhaneler, kurslar, hastaneler gezildi. Konya büyük bir eğitim ve üretim merkezi olmuştu.

Nalbantlık Okulunda ilk nalbantların mezuniyet töreni vardı. Son olarak ona katıldılar. Mezun olan öğrenci gösteri olarak önce bir at nallıyor, sonra diplomasını alıyordu. Aralov ve Abilov de genç nalbantlara diplomalarını verdiler. Aralov ilk nalbanda şöyle dedi:

"Senin nalladığın at, soylu Türk ordusuyla birlikte İstanbul'a ilk giren at olsun!"

Bu dilek herkesin çok hoşuna gitti ve şiddetli alkışlarla karşılandı. Aralov, Zvonaryev ve Abilov 6 Nisanda Ankara'ya döndüler.[69a] Yeni Türk ordusunu öven demeçleri gazetelerde yer aldı. Ama Yunan kurmayları, Türk cephesinde ciddi bir canlılık fark etmedikleri için bu açıklamaları dostluk belirtisi olarak değerlendirdiler, önemsemediler.

İSMET PAŞA rahatsızdı. Erkenden yatmak için bir çorba içip sofradan kalktı. M. Kemal Paşa, Halide Hanım ve Asım Bey yemeğe devam ettiler. Halide Hanım, İsmet Paşa'nın oğlundan heyecanla bahsetmesini anlattı, "Doğrusu o kadar özlediği oğluyla karşılaşmasını çok görmek isterdim" dedi.

M. Kemal Paşa'nın birden buruklaşması Halide Hanım'ı telaşlandırdı:

"Bir hata yaptım. Nedir? Lütfen söyleyin."

"Ailesi bildirmeye cesaret edemedi. Ben de söyleyemedim. Oğlu yazık ki bir yıl önce..."

"Ah!"

M. Kemal Paşa gözlerinin dolduğu görülmesin diye başını çevirdi.[69b]

BUGÜN Sir Harold Rumbold Vahidettin ile gizli bir görüşme yaptı, hükümetinin, müttefiklerinden ayrı bir anlaşma yapmak istemediğini, bu sebeple Tevfik Paşa ile bildirdiği tasarının kabul edilmesinin mümkün görülmediğini çok nazik bir dille açıkladı.

Görüşmede hiç Türk yoktu, çevirmenliği A. Ryan yapıyordu.

Sir H. Rumbold akşam, bugünkü görüşmeyi Londra'ya şöyle bildirecekti:

"Sultan arzuhal veren bir doğuluya benziyordu. Bizimle anlaşabilmek için sürekli dil döktü. 'İstanbul hükümetinin, Ankara'nın kabul etmeyeceği barış şartlarını kabul etmeye razı olduğunu' söyledi, özellikle 'İngiltere ile herhangi bir özel uyuşmaya hazır olduklarını' belirti. Yunanlıların boşaltacakları toprakların İstanbul hükümetine verilmesini istiyor. Hayatının tehlikede olduğunu ileri sürdü." [69c]

BAŞBAKAN GUNARİS Mart ayında bir kez daha talihini denemek için Londra'ya gelmiş ama olumlu bir sonuç alamamıştı.

Ordunun giderlerini karşılamak çok zorlaşmıştı. İngiltere ise 'barış görüşmelerine kadar Anadolu'da kalın' diye diretiyordu.[69d] Maliye Bakanı akıllı Protopapadakis bir çıkış yolu buldu:

Halk elindeki kâğıt parayı ikiye bölecek, yarısını alıkoyacak, öteki yarısını hükümete verecekti. Elindeki yarım banknot tam banknotun yarı değerinde olacak, hükümete verilen parça bono sayılacak, vadesi gelince karşılığı ödenecekti.

Bu yolla sağlanacak bir buçuk milyar drahmi ve Anadolu'dan alınacak vergiler ile ordu yeterli süre Anadolu'da kalabilirdi.[69e]

İSTANBUL'daki gizli örgütler de Anadolu ordusunu ayakta tutmak için çırpınıyorlardı. Ordunun yana yakıla mühimmat beklediğini bildikleri için kış boyunca bütün imkân ve fırsatları zorlamış ama sonuç alamamışlardı. İngilizler özellikle Haliç'teki depoları çok sıkı denetliyorlardı. Örgütler küçük kaçakçılıklarla avunmaktaydılar.

Türk-Fransız ilişkilerindeki sıcaklaşma ümide yol açtı. Fransız denetimi altındaki Zeytinburnu Fabrikası depolarında yeteri kadar fişek ve mermi vardı. Bunlar Anadolu'ya geçirilebilse ordu bir değil, iki meydan savaşı verebilirdi.

İngilizlerden gizli görüşmeler aylar sürdü. İşi Felah örgütünden Yarbay Eyüp Durukan yürütmekteydi. Mösyö Savoie da işin içindeydi. Sonunda Paris izin verdi, anlaşma sağlandı. Görünüşü kurtarmak için fabrikadaki fişek ve mermiler hurda diye satın alınacak, gemiye yükleneceği gün depodaki Fransız askerler talim bahanesiyle uzaklaştırılacak, fabrikada Müdür Nuri Bey, Türk görevliler ve yalnız birkaç Fransız subayı kalacaktı. Kaçakçılar eğer İngilizler tarafından yakalanırlarsa, Fransız yönetici ve komutanlarının bu işle ilgileri olduğu kesin olarak saklanacaktı.

Bu büyük nakliye işini Hüsnü Himmetoğlu üstlendi. Mösyö Pandikyan ve Mösyö Kalçi ile ilişki kurarak ulaşım, yükleme ve gümrükten çıkışı güven altına aldı. Movano adlı gemi bir gün önceden Zeytinburnu önüne gelerek demirledi.

İlk yükleme 11 Nisan 1922 Salı günü yapılacaktı.

Hüsnü Bey gerekli hazırlıkları yaptı. Cephane sandıkları depodan kamyonlara, kamyonlardan mavnalara, mavnalardan vapura yüklenecek, iki sandal gözcü olarak denizde bekleyecekti. Kara kısmında da İngiliz baskınına karşı nöbetçiler bulunacaktı.

Akşama kadar 917 sandık piyade fişeği, 11.516 top mermisi yüklendi. Movano, Fransız temsilcinin yardımıyla denetimden geçti, altın değerindeki yükünü, fırtına yüzünden İnebolu'ya gidemedi, 12 Nisan günü Ereğli'ye indirdi. Altı sefer daha yapılacak, Anadolu'ya 333.247 atım topçu mühimmatı geçirilecekti.

Çeşitli gizli örgütlerin yardımı ve desteği, Fransızların görmezden gelmesi, Hüsnü Himmetoğlu'nun kaçakçılık örgütünün isimsiz kahramanlarının çabası ile mermi sorunu çözülmüştü.[69f]

LORD CURZON, yüzünde ekşi bir gülümsemeyle, "Ankara mütareke ve barış şartlarını kabul ettiğini bildirdi" dedi.

Yalnız Chamberlain yanıldı ve erken sevindi:

"Güzel haber."

Başbakan ve iç kabinenin öteki bakanları Curzon'un açıklamasının arkasını beklediler. Ankara'nın şartları bu kadar kolay kabul etmeyeceğini biliyorlardı. Nitekim mütareke ve barış şartlarını kabul ettiğini bildiren Ankara da bir şart ileri sürmüştü: Yunan ordusunun, mütarekeyle birlikte, barış görüşmelerini beklemeden, Anadolu'yu boşaltması.[69g]

L.W. Ewans, "Çok ustaca bir geri vuruş bu" dedi.

Churchill gözlüklerinin üzerinden bakarak söylendi:

"Bu şartı kabul ettiğimiz takdirde, Türkler barış masasına bütün sorunlarını çözmüş olarak otururlar."

Lord Curzon cümleyi tamamladı:

"Elimizde hiçbir koz kalmamış olduğu için de masadan istediklerini alarak kalkarlar. Böylece Mondros'tan bu yana sürdürdüğümüz bütün çabalar havaya gider."

Lloyd George elinin içi ile sümene vurdu. Sinirlenmişti:

"Bu konuyu uzatmaya gerek yok. Türk karşı önerisini reddedeceğiz, mütareke ve barış şartlarında ısrar edeceğiz. Ankara yine kabul etmezse bir daha barış konusunu asla ele almayacağız ve bu hareketsizliği Ankara çökene kadar sürdüreceğiz."

Ordusunu uzun zaman ayakta tutacak gücü olmayan Ankara, süre uzarsa ordusunu küçültmek, belki de dağıtmak zorunda kalır, sonunda gücü tükenip soluğu kesilir ve İngiliz şartlarına boyun eğerdi.

Başbakan Lloyd George'un hesabı buydu.[70]

H. Fehmi Ataç

ANKARA'nın mali durumu Lloyd George'un tahmininden daha kötüydü. Ordunun haftalık beslenmesi için 184.000 liraya gerek vardı. Bu giderek artacaktı. Maliye Bakanı Hasan Saka devleti işletmek ve orduyu doyurmak için mali kaynakları zorlayıp duruyordu.

Son olarak 9 yeni vergi yasasını Meclis'ten geçirebilmişti. Sinekten yağ çıkarmaya çalışıyordu. Önerdiği son yasayı Meclis reddedince, sinirleri boşaldı ve istifa etti.

Yerine Gümüşhane Milletvekili ve Meclis Başkan Vekili Hasan Fehmi Ataç seçildi.

GAZİ, İsmet Paşa, Albay Asım Bey ve cephe kurmayları durumu gözden geçiriyorlardı.

Fransa ve İtalya ile çeşitli silah ve araç anlaşmaları yapılmıştı ama kamyonlar, makineli tüfekler ve uçakların gelmesine daha zaman vardı. Ereğli ve İnebolu'ya yığılan mühimmatın cephe depolarına ulaşması da hayli vakit alacaktı.

Bahar taarruzundan da vazgeçildi.

Batı Cephesinin mevcudu 180.000 kişiyi geçmişti. Ağır topların bir kısmı gelmişti. Her iki ordu Adana-Konya-Akşehir demiryoluyla ikmal edilmeye başlanmıştı. Taarruzun ilke olarak yazın yapılması ve ordunun yeni gücüne göre, Sad planından yola çıkılarak, daha enerjik ve kapsamlı bir taarruz planı hazırlanması kararlaştırıldı. Bütün hazırlıklar olası bir düşman taarruzuna karşı önlem almak diye gösterilerek gizlilik korunacaktı.

Başkomutan'ın hesabı da Yunan ordusunu 'memleketin harim-i ismetinde' yok etmekti.

Ankara'ya neşe ile dönecekti. Sakarya komutanlarından Yusuf İzzet Paşa'nın öldüğünü öğrendi. Ankara'ya gelince de Moskova olayını öğrenecekti.

Neşesi söndü.

1 MAYIS işçi bayramı İmalat-ı Harbiye ve Demiryolu işçilerinin düzenlediği bir törenle, bütün dünyada olduğu gibi Ankara'da da kutlandı.

Silah Tamirhanesi'nin kapısı zafer takı gibi süslenmişti. Törene işçilerin yanı sıra bazı milletvekilleri ile Rus elçiliğinden gelen görevliler de katıldı. Cephelerde emperyalizme karşı dövüşen savaşçılar saygıyla anıldı. İstanbul'daki sosyalist derneklere, basına, İşçi Birliği'ne telgraf çekilerek Ankara işçilerinin selamları gönderildi.

İstanbul'da ise 1 Mayıs Kâğıthane'de, bahar eğlencesi olarak kutlandı. Ne emperyalizm lanetlendi, ne Milli Mücadele anıldı. İstanbul'daki sol gruplar işgalcilerle ve düşmanlarla değil, birbirleriyle çatışıyor, işçiler ücret mücadelesiyle yetiniyorlardı.

1 Mayıs 1922, Ankara

İstanbul solunun gündeminde, emperyalizme karşı ölüm kalım savaşı veren Milli Mücadele yoktu.[70a]

MOSKOVA yine bir kuşku krizine kapılmıştı. Sovyet Rusya gizli örgütü Çeka'dan gelen silahlı kişiler, akşam Türk Büyükelçiliğine bağlı ataşemiliterlik dairesini, diplomatik kurallara aykırı olarak kabaca basmış, kol ve silah gücüyle her yanı aramış, casusluk kanıtı diye resmi yazıları ve mektupları alıp gitmişlerdi.

Ali Fuat Paşa olayı öğrenir öğrenmez o gece yarısı protesto etti, belge ve mektupların geri verilmesini ve özür dilenmesini istedi. Dışişleri Komiserliği cevap vermedi.

Ertesi gün Ali Fuat Paşa sert bir nota ile olayı bir daha protesto etti, alınan belgeler geri verilmediği ve özür dilenmediği takdirde Moskova'yı terk ederek Ankara'ya döneceğini bildirdi. Bu, dost bir ülkeye karşı gösterilebilecek en ağır tepkiydi.[71]

MOSKOVA'da bu olumsuz olay yaşanırken, Ankara'da da bir başka olumsuzluk gelişmekteydi. Başkomutanlık Yasası'nın süresi iki kez görüşülmeksizin üçer ay uzatılmıştı. Üçüncü uzatmanın konuşulacağı bugün (4 Mayıs) öyle olmayacağı anlaşılıyordu. Bütün muhalifler gelmişlerdi. Mahmut Esat Bey Fethi Okyar'a sordu:

"Gazi Paşa nerde? Niye gelmedi?"

"Grip olmuş, yatıyormuş."

"Eyvah! Bugün kuliste acayip bir hava esiyor."

Kara Vasıf Bey kuliste, bazı tarafsız milletvekilleriyle kulis yapıyordu:

"Başkomutanlığı sürdürebilmek için 'taarruz edeceğim' diye hepimizi oyalıyor."

"Oyalıyor mu?"

"Evet, ben askerim, bilmez miyim, üç yüzyıldır taarruz savaşı yapmamışız. Hep savunmada kalmışız. Taarruz çocuk oyuncağı değil. Bambaşka bir ordu ister."

Meclis Reis Vekili Musa Kâzım Efendi kürsüdeki çana vurdu. Dışarıda kalmış milletvekilleri de içeri girdiler. Kapılar kapatılınca, gizli oturumu açtı, hükümetin Başkomutanlık Yasası'nın üç ay daha uzatılmasını önerdiğini bildirdi. Afyon Milletvekili Mehmet Şükrü Koç söz istedi.

"Buyrun."

Mehmet Şükrü Bey koşar gibi kürsüye geldi:

"Arkadaşlar! Başkomutanlık Yasası'nın süresi bu akşam sona eriyor. Üç-beş saatlik ömrü kaldı. Bu yasa bitti. Konuşulacak bir yanı yok artık.."

Hüseyin Avni Ulaş

Bu açıklama kuvvetle alkışlandı. Alkışlayanların sayısının yüksekliği, Bakanları ve Müdafaa-yı Hukuk Grubu yöneticilerini ürküttü.

"..Yeniden Başkomutanlığa gerek var mı, yok mu, Meclis birini Başkomutan yapacaksa, bu Mustafa Kemal Paşa mı olur, başka biri mi olur, bunları ilerde konuşuruz. Ama böyle gizli oturumlarda değil, milletin önünde, açıkça konuşuruz. Hakikatleri milletten saklamadan. Gizli görüşme komedisinden vazgeçelim. Paşa Meclis'le meşgul olsun."

Mersin Milletvekili Albay Selahattin Bey oturduğu yerden seslendi:

"Birçok dirayetli komutanımız var. Savaşı onlar idare etsin."

Hüseyin Avni Bey söz aldı:

"Geçen yıl düşman Sakarya önüne kadar gelmişti. Biz de Reisimizi olağanüstü yetkilerle donatarak cepheye yolladık. Bunun büyük yararını gördüğümüzü tarih yazmıştır. Ama bugün cihan teslim ediyor ki durum lehimizedir.."

Y. Kemal Bey itiraz etti:

"Yanılıyorsunuz, eskisinden daha tehlikeli bir dönemdeyiz."

H. Avni Bey Dışişleri Bakanının uyarısına önem vermedi:

"..Olağanüstü önlemlere gerek kalmamıştır. Barış dönemine girmiş bulunuyoruz. Düşmanlarımız haklarımızı tanıyarak bizi görüşmeye çağırdılar."

Bakanlar ve bazı milletvekilleri itiraz ettiler. Biri, "Öyleyse Anadolu'yu niye boşaltmıyorlar?" diye sordu.

H. Avni Bey çok rahattı:

"Boşaltmazlarsa, boşalttırırız efendim."

"Nasıl, onu söyle. Lafla mı?"

"Ne derseniz deyin, ben bu yasaya karşıyım. Çünkü yetkilerimi devretmeye razı değilim. Ben akıl, dirayet itibariyle Meclis'in üstünde bir kudret görmem. Bu dimağlardan daha yüksek düşünecek bir kimse tasavvur etmem. Siz, miskin gibi, yetkilerinizi bir kişiye devrederek, zorla kafese, pençe altına girmek istiyorsunuz. Bu hareket tarzınızla milleti rezil edeceksiniz."

Alkışlar ve tepkiler şiddetlenmişti. Havada, "Geri al, Meclis'i tahkir ediyorsun, sus artık geveze!" gibi sözler uçuşuyor, Başkan sükûneti sağlayabilmek için sürekli çana vuruyordu. Kürsüye Erzurum Milletvekili ufak tefek, sarıklı Salih Efendi geldi:

"Ben de, her ne olursa olsun, bu yasanın açık görüşülmesinden yanayım. Eğer Mustafa Kemal Paşa bu sefer de hakkımızı gasbetmek istiyorsa, bu, kendini küçültür. Biz de hakkımızı verirsek aptalız. İşte bu kadar."

Kara Vasıf Bey iri, emin adımlarla kürsüye çıktı:

"Efendiler! Bu yasayı korumak hakkımız değildir. Askerlik bakımından hiçbir yararı olmamıştır.."

Bu bilgisizlik ya da nankörlük birçok milletvekilini isyan ettirdi. Ama Kara Vasıf Bey susmak niyetinde değildi. Daha da hırsla devam etti:

"..Nitekim yedi aydan beri yerimizden kıpırdayamadık ve kıpırdayamayacağız."

Şaşılacak bir şey oldu. Ordunun kıpırdayamayacağını iddia eden Kara Vasıf Bey bazı muhaliflerce candan alkışlandı.

Fevzi Paşa Kâzım Özalp'a, "Başkomutanlık süresi uzatılmazsa ben istifa ederim" diye fısıldadı.

"Ben de."

Oylamaya geçildi. Muhalifler ve bu konuda muhalifleri destekleyenler salondan çıkarak oylamaya katılmadılar. Çoğunluk sağlanamadığı için başkomutanlık süresi uzatılamadı, oylama ertesi güne kaldı.[72]

FEVZİ PAŞA, Kâzım Paşa ve Rauf Bey Çankaya'ya çıktılar. Çok ateşi olduğu M. Kemal Paşa'nın yüzünden ve gözlerinden anlaşılıyordu. Yine de misafirlerini tıraşlı ve giyimli olarak karşılamıştı. Kısa konuştu:

"Londra ve İstanbul kaç zamandır Meclisimizi etkilemek için çalışıyordu. Arkadaşlarımızın önemli bir kısmını etkilemeyi başardıkları anlaşılıyor. Kahramanı kadar gafili de, haini de çok bir milletiz.."

Fevzi ve Kâzım Paşalara baktı:

"..Sizler de istifa ederseniz kriz büsbütün derinleşir. Yirmi dört saat sabretmenizi rica ediyorum. Hükümetin önerisi bir daha oylanacak. Bu oylamadan önce Meclis'i uyarmak istiyorum."

Kâzım Paşa, "Çoğunluk tutumundan cayacak gibi görünmüyor.." dedi, "..size saygısızlık etmelerinden korkarım."

Salih Bozok bir tomar kâğıdı masanın üzerine bıraktı:

"Meclis tutanakları geldi efendim."

"Teşekkür ederim."

M. Kemal Paşa çalışabilsin diye izin alıp ayrıldılar.

BU SAATTE İsmet Paşa ve kurmaylar, yeni taarruz planı üzerinde çalışıyorlardı.

Uçaklar Afyon güneyinin sık sık havadan fotoğrafını çekiyor, köylü kıyafetine girmiş subaylar araziyi ayrıntılarıyla inceliyorlardı. Savaş bu kesimde düğümlenecek ya da çözülecekti.

Direnek merkezlerinin çokluğu, her birinin büyük ateş gücü ve arazinin sarplığı, bazı kurmayları duraksatmıştı. Başka taarruz seçenekleri üzerinde de durulmasını önerdiler. Ama İsmet Paşa başka çözümü kabul etmedi:

"Cebimizde para, arkamızda silah ve mühimmat fabrikaları yok. Çabuk sonuç almak ve işi bir seferde bitirmek zorundayız. Bunun yolu da bir baskın taarruzuyla Yunan cephesini bizim açımızdan en uygun yerden yarmaktır. Çok çetin ama en uygun yer Afyon'un güneyi."

Asım Bey de, "Burayı iyi berkitmişler ama derinliği sadece 5 kilometre.." dedi, "..bu mesafeyi aştığımız anda, Afyon'da ve Sinanlı ovasındayız. Bu 5 kilometreyi bizim ordu, Yunan İhtiyat Kolordusu yetişmeden yarıp geçer."

Yüzbaşı Şükrü İsmet Paşa'nın önüne bir not bıraktı. Paşa göz gezdirdi:

"M. Kemal Paşa'dan. Başkomutanlık süresi uzatılmamış ama ordunun başsız kalmaması için Başkomutanlığı bırakmadığını bildiriyor."

Siyası manevralar çevirmeye meraklı olan muhalefete, bir ihtilal süreci yaşandığını anımsatacak sert bir karardı bu. İsmet Paşa konuştukça öfkesi arttı:

"Başkomutan olmayı kendi mi istemişti? Hayır. Kurulmasına öncülük ettiği Meclis talep etti. Ne oldu? Yenildi mi? Hayır. İstiklal bayrağı altına topladığı milletini, canı ve malıyla harekete geçirdi, son haçlı ordusunu yendi. Kutsal kabul ettiğimiz ne varsa hepsini kurtardı. Şimdi de içli dışlı bin türlü entrikaya, iftiraya, demagojiye, ilkelliğe göğüs gererek, eğer kazanamazsa şerefini, hatta hayatını kaybedeceğini bile bile, kesin sonuç için imkânsızı zorluyor. Bu adamların takdirini kazanabilmek için acaba daha fazla ne yapabilirdi?"

Tükürür gibi ekledi:

"İnsan tarihten utanır be. Vatan pahasına siyaset olur mu?"

BAŞKOMUTANLIK YASASI'nın düştüğü, M. Kemal Paşa'nın artık başkomutan olmadığı, muhaliflerce her yana duyurulmuştu. Ertesi günkü oylamada da aynı sonucun alınacağına güveniyorlardı. Çoğunluğun oyunu değiştirmesi için hiçbir sebep yoktu. Olay Saray ve çevresinde, İngiliz Yüksek Komiserliği'nde, Yunan karargâhında sevinçle karşılandı.

Muhalif bir grup Kara Vasıf Bey şerefine, yeni açılan Anadolu lokantasında ziyafet veriyordu. Lokantada zafer rüzgârı esmekteydi.

Haberi alan Ali İhsan Paşa da büyük ümide kapıldı. Yazdığı mektuplara bağlı olarak bazı şeyler olacağını beklemişti ama önünün bu kadar çabuk açılacağını tahmin etmemişti.

Bu sırada M. Kemal Paşa ateş içinde tutanakları inceliyor, notlar alıyordu. Sabaha kadar çalışacaktı. Hizmet etmek için birlikte sabahlayacak olan Fikriye kahvesini tazeledi.

MECLİS SALONU dolmaya başlamış, oturum gizli olacağı için tutanak kâtipleri ve dinleyiciler içeri alınmamışlardı. M. Kemal Paşa da ilk sıranın sağ başındaki yerine geçti. Gece hiç uyumamış, çalışmıştı. Yüzü kireç gibiydi.

Musa Kâzım Efendi 13.30'da toplantıyı açtı. Hüseyin Avni Bey bağırdı:

"Oturum gizli mi, neden gizli? Önce bunu anlayalım."

M. Kemal Paşa ayağa kalktı, muhaliflerin bulunduğu yana dönerek, "Ben önerdim.." dedi, "..özel bir konuşma yapmak istiyorum."

Hafız Mehmet, "İtiraz etme.." diye uyardı arkadaşını, "..bırakalım konuşsun. Bakalım ne diyecek?"

Oturumun gizli olmasının kabul edilmesi üzerine Başkan, M. Kemal Paşa'ya söz verdi. M. Kemal Paşa kürsüye gelirken, Süreyya Yiğit, "Ne kadar sakin" dedi. Muhittin Baha şefkatle baktı:

"Böyle görünmek için ne kadar çaba harcadığını bir de ona sormalı."

M. Kemal Paşa kürsüde durdu, bakındı. Bütün sıralar doluydu. Geç gelenler ayakta kalmışlardı.

"Dünkü görüşmede rahatsızlığım sebebiyle bulunamadım. Fakat tutanakları gözden geçirdim, verilen oyları inceledim. Bulunmuş kadar bilgi sahibi oldum.

Efendiler!

Başkomutanlık Yasası'nın kabul edildiği günü hatırlayalım. Yunan ordusu Ankara'ya yürümek üzereydi. Yüksek kurulunuz, düşmanı durdurmak ve durumu kurtarmak için bir önlem düşünmek zorunluğunu duydu. Sonuç olarak Başkomutanlık kuruldu ve ona yeteri kadar yetki verildi. Bu yasanın üç ay süreli olmasını öneren benim. Bugüne kadar iki kez uzatıldı. Ancak işin başında da Başkomutanlığın varlığından şikâyetçi kimseler vardı. Bugün de aynı şikâyetçiler yüzünden yasanın süresi uzatılmamıştır. Bu konudaki görüşlerimi açıklamadan önce, sorunun özünü ele almak, bunun için de dün burada, bu yasanın gereksizliğini ileri sürmüş arkadaşların iddialarından yararlanmak istiyorum. Mesela Salih Efendi şöyle demiş: 'M. Kemal hakkımızı gasbetmek istiyorsa, verirsek aptalız.'

Efendiler!

Lütfen hatırlayınız. Ben kimseye beni Başkomutan yapınız demedim. Tersine bütün Meclis bana, 'Başkomutan olacaksın' dedi. Bugün bu yasadan şikâyetçi olan arkadaşlar, bu kürsüden, 'Ordunun başına geç, zafere yürüyelim' diye feryat ediyorlardı.."

Sesler duyuldu:

"Evet, doğru!"

"..Açık konuşacağım için beni mazur görünüz. Her birinizin seçilmesi ve burada toplanması için en çok ben çalışmışımdır. Bunun için, pek çoğunuz bilirsiniz ki en yakın arkadaşlarımla fikir mücadelesi yaptım, hayatımı tehlikeye attım. Sözün kısası, bu Meclis benim eserimdir. Ben de herkes gibi eserimi alçaltmak değil, yüceltmek isterim.."

Alkışlar yükseldi.

"..Onun için Salih Efendi'nin, benim de hiç olmazsa kendisi kadar Meclis'in hakları ile ilgilendiğimi farz etmesini rica ederim. Fazla bir şey istemem.."

Gülüşler, kahkahalar duyuldu.

"..Meclis'in hakkını gasbetmek sözünü Salih Efendi'ye red ve iade ediyorum! Bu konunun gizli oturumda görüşülmesi de tartışma konusu olmuş. Mehmet Şükrü Bey, 'Gizli toplantılarda konuşarak gerçekleri milletten saklamayalım' demiş. Efendiler! Yüce Meclisimiz alelade bir yasama meclisi değildir. İcra yetkisini de haiz olduğu için bir büyük hükümet gibidir. Öyle değil mi?.."

Bu soruyu, Meclis'in icra yetkileri konusunda çok titiz olan muhaliflere dönerek sormuştu. Onlar da, "Evet, doğru!" diye onayladılar.

"..Devleti idare eden bir hükümetin, bütün kararlarını açıkta konuşarak verdiği nerede görülmüştür? Dünyada örneği var mı? Hele konu Başkomutan ve ordunun durumu ise, bunlar düşmanın önünde tartışılabilir mi? Ama Şükrü Efendi bu zorunluğu komedi olarak vasıflandırmış. Efendiler! Aramızda komedi oynayan biri varsa bu, Şükrü Efendi'nin kendisidir. Daha bir yıl önce, hükümeti devirmeye teşebbüs suçundan tutuklandığını ve adaletin pençesinden ne kadar büyük bir zilletle kurtulduğunu unutmadık.."

M. Şükrü Bey kıpkırmızı kesildi.

"..Hüseyin Avni Bey de yasanın aleyhinde bulunurken demiş ki, 'Miskinler, bu tarz hareketle milleti rezil edeceksiniz'.."

H. Avni Bey itiraz etti:

"Ben öyle bir şey demedim."

"Ama yazık ki bu sözler tutanakta yer alıyor beyefendi!"

"Hayır, olamaz, yanlış!"

"Şimdi efendiler..."

H. Avni Bey itiraza devam edince, M. Kemal Paşa sinirlendi:

"Ee, gevezelik yeter! Burası mahalle kahvesi mi?"

"Hayır, milletin kâbesi."

"Öyleyse saygı göstermeyi öğren!"

H. Avni yerine çöktü. Yenilmekteydiler.

"..Efendiler! Bir adam Başkomutanlığı ele geçirir ve yasaya dayanmayan yetkiler kullanırsa, o adama diktatör denir. Ben, yüce kurulunuzun kabul buyurduğu yasayla bu göreve geldim. O yasaya dayanarak çalıştım. Yasa yapma hakkınızı da bütünüyle bana devretmiş değilsiniz. Bana verdiğiniz yetki sadece ordu ile ilgili ve sınırlıdır. Yüce Meclis dilediği anda onu da geri alabilir. Şu halde bu taşkınlığa ne gerek vardı? Bu dayanaksız, manasız iddialarla ne elde etmeye çalışıyoruz? Niyetimiz orduyu kıpırdayamaz halde tutmak mıdır?.."

"Haşa! Asla!! Ne münasebet!!!"

Ali Şükrü Bey

"Ama Vasıf Bey demiş ki, 'Yerimizden kıpırdayamadık ve kıpırdayamayacağız.' Bazı arkadaşlarımız ordunun kıpırdayamayacağını ileri süren gafilin bu sözlerini alkışlamışlar.."

Trabzon Milletvekili Ali Şükrü Bey, Hafız Mehmet'e, "Kaybediyoruz" diye fısıldadı.

"Evet, adam tek başına hepimizi yeniyor."

"..Efendiler! Buna yalnız üzülmekle kalmadım, çok da utandım. Rica ederim, bu olayı buraya gömelim, kimse işitmesin."

Son olarak, "İddiaları ve cevaplarımı dinlediniz. Karar Meclis'indir. Ama bir gerçeği belirtmeliyim. Dünkü duruma göre bu dakikada ordu komutasızdır. Eğer ben orduya komuta etmekte devam ediyorsam, yasaya aykırı olarak komuta ediyorum. Meclis'te beliren duruma göre derhal komutanlıktan el çekmek isterdim ve Başkomutanlığımın sona erdiğini hükümete bildirirdim. Fakat giderilemez bir kötülüğe meydan vermemek zorunluğunu duydum. Düşman karşısında bulunan ordumuz başsız bırakılamazdı. Binaenaleyh bırakmadım, bırakamam ve bırakmayacağım!"

Oylama yapıldı.

Başkomutanlık Yasası'nın uzatılması hakkındaki hükümet önerisi, 11 ret, 15 çekimser oya karşı 177 oyla kabul edildi.[73] Sonuç Ziya Hurşit Bey'in sinirini bozdu, elindeki kalemi olanca hıncıyla sıranın kapağına saplayıp kırdı.

Fevzi Paşa'nın yüzü gülüyordu, Refik Şevket Bey'e eğildi:
"Uçurumun kenarından döndük."

ALİ FUAT PAŞA ve birlikte geri dönecek olan elçilik kadrosu 10 Mayıs günü topluca Moskova garına geldiler, Büyükelçiliğe ayrılan vagona yerleştiler.

Sovyet yönetimi olayın yakışıksızlığını anlamıştı. Ali Fuat Paşa'yı gitmekten caydıracak tek çözüm vardı: Özür dilemek. Lenin hastaydı, Çiçerin yurtdışındaydı, Çiçerin'in yardımcısı Ermeni Karahan'sa özür dilemeye yanaşmıyordu.

Ali Fuat Paşa'nın gidişini engellemek için Çeka tarzı bir çözüm bulundu. Vagonu katardan ayıracaklardı. Ama karşılarında çıtkırıldım bir diplomat değil, serdengeçti bir asker vardı. Ali Fuat Paşa, eli cebindeki tabancada, çok kararlı bir tavırla, vagonu katardan ayırmaya kalkışan görevlileri kovdu. Diretmeleri halinde büyük bir olayın patlak vereceğini anlayan görevliler çekildiler.

Lenin

Tren hareket etti.

2 Haziranda Ankara'da olacaklardı.[74]

ALİ FUAT PAŞA ve arkadaşları yoldayken, 15 MAYIS 1922 günü, 76 din adamı ve siyasetçinin imzaladığı bir muhtıra, İngiliz Yüksek Komiserliği'ne teslim edildi.

Muhtırayı imzalayanlar arasında Fizolof Rıza Tevfik, eski Adliye Nazırı Vasfi Efendi ve 8 siyasetçi daha vardı. Muhtıraya Süleymaniye, Fatih ve Beyazıt medreseleri adına 9 kişi, Kadiri ve Rufai tarikatları adına 10 şeyh, ayrıca bazı Anadolu şehirleri adına 44 kişi imza koymuştu.[75]

Ankara yönetimini 'cinayet çetesi', Ankara yöneticilerini ve milletvekillerini 'caniler' diye niteleyerek, barış anlaşmasının yalnız Sultan'la yapılmasını talep etmekteydiler.[76]

Vahidettin ve çevresindeki dincileri en çok korkutan, yenilikti (teceddüt). Osmanlı tarihi çok kısaca eski ile yeni arasındaki mücadele diye özetlenebilirdi. Yenilik değişim demekti, yeni rejim, yeni hayat demekti.

Gelecekten ödleri patlıyordu hepsinin.

ÜNİVERSİTE YÖNETİMİ öğrenciler istedi diye üç öğretmenin görevine son vermeyi doğru bulmuyor, Sarayın bir çeşit sözcüsü durumundaki Ali Kemal'i atmayı da göze alamıyordu. Üniversiteyi daha fazla kapalı tutmayı doğru bulmadı. Sorunu çözmeden 20 Mayıs günü üniversitenin açılacağını ilan etti.

Boykotçu öğrenciler de boykotu sürdürmeye karar verdiler. Halkın çoğunluğu ve millici basın gençlerin yanındaydı.

20 Mayıs günü bütün fakülte ve yüksekokullar açıldılar ama büyük olaylar patlak verdi. Rum, Ermeni ve Hürriyet ve İtilafçı gençler derslere girmek istediler. Bunlarla milliciler arasında kavgalar çıktı, camlar kırıldı, birçok yaralanan oldu. Kavgalar, dövüşler, tepkiler, heyecanlı toplantılar akşama kadar sürdü.

Üniversite yönetimi bütün fakülte ve yüksekokulları yeniden kapattı.[76a]

YUNAN PARLAMENTOSU mütareke şartlarına ve hükümetin mütarekeyi kabul etmesine büyük tepki göstermiş, Gunaris bu yüzden barış şartlarını açıklamaktan kaçınmıştı. İzmir'in elden kaçtığını öğrenseler, milletvekilleri de, millet de ayaklanırdı. Yunan ve Rum kamuoyu İzmir'in Türklere geri verilmesine katlanamazdı.

Hilalden alınan toprak hiçbir zaman hilale geri verilmemişti.

İzmir'i vermemek için cesurca bir şey yapmak gerekiyordu. Parlamentodan güvenoyu istedi. Aldığı güvenoyunu yeterli görmeyince istifa etti. Kral, bazı sonuçsuz denemelerden sonra, hükümeti kurmakla Petros Protopapadakis'i görevlendirecekti.

Protopapadakis hükümet kurmayı başardı ve 21 Mayısta güvenoyu aldı. Gunaris, Baltacis, Teotokis yeniden hükümete girdiler. General Stratigos da bu kez Ulaştırma Bakanı olarak hükümete girmişti.

Protopapadakis toplanan parayla barış görüşmeleri başlayana ve İzmir Yunanlılara kalana kadar orduyu Anadolu'da tutabileceğini hesaplamıştı. Altı ay sonra kurşuna dizileceğini herhalde aklının kıyısından bile geçirmiyordu.

İSMET PAŞA'nın eşi ve annesi Malatya'dan Konya'ya gelmişlerdi.

Paşa iş hafifler hafiflemez bir gün için Akşehir'den ayrılıp heyecanla Konya'ya gitti.

Suskun döndü.

Bir daha oğlundan söz etmedi. Kendini yeniden bütün gücüyle işine verdi.[76b]

VENİZELOS balayından dönmüştü. Lloyd George'u Avam Kamarası'ndaki odasında ziyaret etti. Barış şartlarını duymuştu. Yunan ordusunun İzmir'e çıkmasını sağlamıştı. Eserini korumak zorundaydı. İzmir'in kesinlikle Yunanistan'a verilmesi konusunda Lloyd George'dan ağırlığını koymasını istedi. Bütün şirinliğiyle, "Yunanlılığın tek ümidi sizsiniz" dedi.

Bu söz Lloyd George'u çok duygulandırdı:

"Ben her zaman için Yunan dostuyum. Bunu en iyi siz bilirsiniz. Ama iç ve dış dengeleri korumak gerekiyor. Barış şartları Fransa ve İtalya ile çok çetin görüşmelerden sonra belirlenebildi. Fakat ilgililere özel olarak şunu duyurabilirsiniz: Eğer Yunanistan, barış görüşmeleri başlayana kadar Anadolu'da kalırsa, vaadedilmiş topraklar onun olacaktır."

Elini Venizelos'un eli üzerine koydu:

"..Söz veriyorum." 77

Venizelos Lloyd George'nun bu sözünü dostlarının aracılığıyla Protopapadakis'e duyurdu.

YUNAN HÜKÜMETİNDE bir silkinme oldu.

Hükümet General Dusmanis'i yeniden Genelkurmay Başkanlığına getirdi. General Papulas yine istifa etmişti; bu kez kabul etti. Yerine General Hacianesti'yi atadı. Doğu Trakya'daki kolordu da kendisine bağlandı.

General Hacianesti

Hacianesti orduda disiplini ve bilgisi ile tanınmış bir komutandı. Dindar, kararlı ve kibirli bir subaydı.

Görev başına gelir gelmez, belki de Dusmanis'in tavsiyesine uyarak, Albay Pallis ve Albay Sariyanis'i ordu karargâhından uzaklaştırdı. Ordu Kurmay Başkanlığına 2. Tümen'in parlak komutanı General Valettas'ı getirdi.

Sakarya'daki kolordu komutanları Albay Kondulis ile Polimenakos'u görevden aldı. Birinci Kolordu Komutanlığı'nı

General Trikupis'e, İkinci Kolordu Komutanlığı'nı General Digenis'e, Üçüncü Kolordu Komutanlığı'nı General Sumilas'a verdi.

Yemeği düzeltti. Cephe gerisindeki aylak subay ve askerlerin cepheye dönmelerini sağladı. Uyuşmuş orduya canlılık verdi.[77a]

Hacianesti komutanlığa iki görüşle gelmişti: İlki Anadolu'daki cepheyi geri çekip daraltmaktı. Böylece savunma kolaylaşır, bazı askerler de terhis edilebilirdi. 8 yıldır askerlik yapanlar vardı. İkinci görüşü Trakya'daki birliklerle İstanbul'u işgal etmekti. Bu işgalin tüm Türklerin direnişini kıracağına güveniyordu.

Önce cepheyi incelemeye, birlikleri denetlemeye başladı. Hızla cepheyi dolaştı ve İzmir'e döndü. Orduyu, yerleşimi, savunma mevzilerini çok beğenmişti. Orduyu denetleyen İngiliz subayları da ordunun son durumunu çok beğenmişlerdi. Orduyu geri çekme ve cepheyi kısaltma düşüncesinden vazgeçti. Döndüğü gün gazetecilere bir demeç verdi:

"Bütün cepheyi dolaştım. M. Kemal adında bir komutana rastlamadım." [77b]

Bu demeç bütün Yunan gazetelerinin manşetlerinde yer aldı, yaralı Yunan ruhunu okşadı.

BATI CEPHESİ taarruz planı taslağını, incelenmek üzere Genelkurmay'a gönderdi. Cephe, her olasılığı dikkate alan kapsamlı bir plan hazırlamıştı.

Fevzi Paşa planı çok beğendi, 'kurt kapanı' adını taktı.

Genelkurmay'da da plan üzerinde çalışılmaya başlandı. Bu çalışmalara zaman zaman Başkomutan da katılmaktaydı.

Plan olgunlaşıyordu.

Mali durumu konuşmak için bir toplantıya Hasan Fehmi Bey'i de çağırdılar. Yeni Maliye Bakanının pratikliği, iyimserliği paşaları sevindirdi, anlattıkları güldürdü:

"Akın akın ziyaretçileri görünce, ne çok dostum varmış diye sevindimdi. Tebrik eden filan yok. Hepsi para istiyor. Tecrübesizim diye beni ilk günden faka bastıracaklar. 'Bundan böyle para yalnız yağlı kurşun ile keskin süngüye' dedim, hepsini savdım. Taarruza kadar böyle yapacağım. Aylıktan başka şeye para vermediğim için şimdi bütün Bakanlıklar can düşmanım. Selahattin Adil Paşa da, müsteşar olur olmaz, ayağının tozu ile geldi, orduya bir jest yapmak istiyor, komutanlar için on tane otomobil istemez mi? Dedim ki: 'Hay hay Paşam, başüstüne. İzmir'de düşmanın elinde istediğinizden fazla otomobil var. Buyrun, gidin, alın, hepsi sizin olsun.'" 78

Falih Rıfkı Atay

Yahya Kemal Beyatlı

İSTANBUL YÖNETİMİNİN pek çok sorunu vardı. Maliyesi iflas halinde, ekonomisi ölü, halkı hayat pahalılığı altında ezikti. Yoksulluk ahlakı ve sağlığı kemirip durmaktaydı. Göçmenler cami avlularında, yangın kalıntılarında, yarı aç yaşıyorlardı. Yoksulluk yüzünden bilinen Müslüman fahişe sayısı 774'e çıkmıştı. Hükümet işgalcilerin şamar oğlanı gibiydi.

Saray, hükümet, memurlar, aydınlar, bilim adamları çalışsalar, tartışsalar, araştırsalar, belki bu sorunların bir bölümüne çare bulunabilirdi.

Ama anlaşılan şu idi ki Osmanlı erkekleri için Müslüman kadınların nasıl giyinmesi gerektiği konusu her konudan daha önemliydi. Sırf bu konuyla ilgilenmek üzere bir cemiyet kuruldu. Amacı Müslüman kadınlar için hem din kurallarına, hem de zamanın zevkine uygun bir giyim modeli belirlemekti.

Padişahın emriyle Şeriye ve Maarif Nezaretleri de konuyla ilgilendirildi.

Yetkililer, görevliler, ilgililer, uzmanlar, danışmanlar, devletin tarihten silineceği güne kadar sık sık toplanacak, bu konuyu tartışacak, görüşmeler gazetelere yansıyacaktı. [78a]

Y. Kadri, F. Rıfkı ve Yahya Kemal akşam yemeği için buluşmuşlardı. Sohbet ederlerken hükümetin kadın giyimi konusundaki bu rüküş girişiminden söz açıldı. İslamlık gibi evrensel bir dini, giyim-kuşama indirgeyen bu çapsız yaklaşımı üçü de yadırgamıştı. Y. Kadri, "Bizanslılar da son günlerini buna benzer konuları tartışarak geçirmişlerdi" dedi. Yahya Kemal iç geçirdi:

"Bir imparatorluğun batması trajik bir olaydır. Ama bu tartışmalar, Osmanlının batışını Mınakyan Efendi'nin melodramlarına çeviriyor."

GAZİ PAŞA, Kocaeli kesimindeki birlikleri incelemek, İsmet Paşa'yla taarruz tarihini konuşmak, annesiyle birlikte Ankara'ya dönmek istiyordu. Kâzım Paşa'yı yanına alarak trenle yola çıktı. Demiryolu onarımı devam ediyordu.

Sarıköy istasyonunda İsmet Paşa ile buluştular.

Ali İhsan Paşa'nın bu kez de Birinci Kolordu Komutanı İzzettin Bey'le çekiştiğini öğrendiler. Taarruz ordusunun komutanı, bağlı olduğu Cephe Komutanlığı ile de, emrindeki birlik komutanlarıyla da uyumsuzluk içindeydi. Taarruz gibi duyarlı ve riskli hareketler ast-üst ilişkilerinde tam bir uyum ve güven isterdi. İsmet Paşa'nın Ali İhsan Paşa'nın görevden alınmasını istemesini bekledi. İsmet Paşa, "Biraz daha sabredelim" deyince, uzatmadı, asıl konuya geçti:

"Bize taarruz için bir tarih verebilecek misin?"

"Evet."

Gazi'nin ve Kâzım Paşa'nın yüzleri güldü. Meclis'te büyük baskı altındaydılar.

"Henüz istediğim gibi hazırlanabilmiş değiliz ama o güne kadar eksiklerimizi tamamlayabileceğimizi sanıyorum. Ağustos sonunda harekete geçebiliriz."

Gazi, "O vakte kadar Meclis'i oyalamak çok zor ama katlanırız" dedi.

Ayrıldılar.

Kâzım Özalp eksiklere çözüm aramak için İsmet Paşa ile birlikte Akşehir'e, Başkomutan Geyve'ye hareket etti.

Kadınlarımız demiryolu onarımında

GENERAL HARINGTON yaz dönemi hakkında Genelkurmay'a bir rapor hazırladı. Tahmin ve düşüncelerini şöyle belirtiyordu:

"..Yunan ordusu takviye aldı ve onun daha bir yıl Anadolu'da tutunabileceği kadar parası var. Kemalist ordu tarafından yerinden atılamayacağını biliyor.

Kemalist ordu bir harekete kalkışamaz ve kalkmak da istemiyor. Kemalist ordu iyileşmedi. Bu ordudaki çoğunluğun, savaştan bıkmış olması olasıdır.

Kanaatimce Anadolu'da silah zoruyla bir çözüm sağlanamaz." [78b] General Harington'un Türk ordusu hakkındaki tahminleri tümüyle yanlıştı. Çünkü doğru bilgi alamıyordu. Sakarya Savaşı sırasında en gizli bilgileri elde edebilen Kara Jumbo, harıl harıl taarruza hazırlanan ordudan hiçbir haber sızdıramamaktaydı.

Genelkurmay Başkanı Mareşal Wilson emekliye ayrılmamış olsaydı, Kara Jumbo'nun Türk ordusu hakkındaki suskunluğunun sebebini belki Harington'dan daha doğru yorumlayabilirdi.

GAZİ, Kocaeli Grubu karargâhının bulunduğu Geyve'de askeri törenle karşılandı. Yemeğe geçmeden önce, Grup Komutanı Albay Halit Bey'le yalnız kaldılar.

Halit Bey, "Grubumun gücü az.." diye yakındı, "..beni takviye edin Paşam. Çünkü karşımda katil, zalim ve ırz düşmanı 11. Tümen var.." Gözlerinden hınç fışkırıyordu. Belli ki birçok kirli olayı duyup öğrenmişti. Yunan hükümetinin ödül olarak 11. Tümen Komutanı Albay Kladas'ı generalliğe yükseltmiş olmasını da affetmiyordu. "..Elimdeki kuvvetle bu tümeni yenemem. Bu namussuz tümen ve komutanı elimden kaçarsa çok yanarım."

Gazi Halit Bey'in omuzunu okşayarak, "Bu tümeni tepelemenizi ben de çok isterim.." dedi, "..lekeli ününü iyi biliyorum. Ama sizi takviye edebileceğimizi hiç sanmıyorum. İmkânlarınızla yetinerek bir şeyler yapmaya çalışın."

Halit Bey başını itaatla önüne eğdi. Bir çocuk gibi mahzunlaşmıştı.

Kocaeli Grubu karargâhının ve yakın birliklerin bütün subaylarının katıldığı alçakgönüllü yemek çok güzel geçti. Gazi yemekte, hepsini iliklerine kadar titreten bir konuşma yaptı. İstiklal-i tam sahibi, ilkellikten uzak, güçlü ve onurlu bir devlet, çağdaş bir Türkiye'nin güvencesi olacak milli bir ordu vaadetti.

Sabah civardaki birlikleri denetledikten sonra Adapazarı'na gitmek üzere yola çıktı. Annesini Adapazarı'na aldırmıştı.

Zübeyde Hanım üç yıldır görmediği oğlunu bekliyordu.

GEYVE'den Adapazarı'na gelen toprak yolun iki yanı, işgalin ve kurtuluşun ne demek olduğunu yaşamış Adapazarlılarla dolmuştu. Gazi'nin otomobili görünür görünmez, heyecana gelen halk yola inip arabanın dört bir yanını çevirdi.

Zübeyde Hanım Askerlik Şubesi Başkanının evinde misafirdi. Sevinç haykırışları yaklaşınca, başındaki beyaz başörtüyü sıkıladı, evin önündeki sundurmaya çıktı. Araba göründü ama binlerce insanın içinde kaldığı için çok zor ilerleyebiliyordu. Gazi arabadan inip halk denizini yararak annesine doğru yürümeye başladı. Halkın sevgisini aşmak kolay değildi.

Zübeyde Hanım ağlamaya başladı.

Sonunda kavuştular. Başkomutan Gazi M. Kemal Paşa büyük bir saygı ve sevgiyle eğilip annesinin elini öptü. Sonra sarmaşdolaş oldular. Halk "Allah ayırmasın" diye bağırmaya başladı.

Zübeyde Hanım

Başkomutan akşam yemeğini annesiyle yedi.

Ertesi gün Milli Mücadele'yi destekleyen Fransız yazar Claude Farrére'le buluşacaktı.[79]

ERTESİ GÜN Türk dostu bir İngiliz, General Townshend de, Avam Kamarası'nda söz alarak Türkleri destekleyecekti.

'Mondros'tan beri Türklere acımasız davranıldığını' belirterek, 'Hükümetin Türkiye ile ilgili politikasını değiştirmesini, yanlıştan dönerek Türklerle dost olmaya çalışmasını' istedi.

Hükümetinin politikasını savunan Lloyd George, barışın sağlanamamasının tek sorumlusu olarak M. Kemal'i gösterdi:

"M. Kemal anlaşmaya yanaşmıyor." [79a]

Büyük Britanya İmparatorluğu'nun Başbakanı su içer gibi kolaylıkla yalan söylemekteydi. Lloyd George'un 'haçlı anlayışını' aşmadan adil bir barışa ulaşmak imkânsız görünüyordu.

HALİDE EDİP HANIM, bir süre Ankara'ya gidebilmek için İsmet Paşa'dan izin istemeye gelmişti. İsmet Paşa, "Eğer *Ateşten Gömlek* gibi bir roman yazacaksanız, peki" dedi. *Ateşten Gömlek* 6 Hazirandan beri İkdam gazetesinde yayımlanmaya başlamıştı.

"Okuyor musunuz?"

"Tabii."

İsmet Paşa'nın ne kadar yoğun olduğunu bilen Halide Edip Hanım şaşırdı:

"Bu kadar iş arasında?"

"Benimki bir şey mi? Siz bu kadar iş arasında o güzel romanı yazmayı nasıl başardınız?"

Kapı saygıyla aralandı, Asım Bey, "Girebilir miyim?" diye sordu. Konu acil olmasa gelmezdi. Yüzü sapsarıydı.

"Tabii, buyrun."

Asım Bey İsmet Paşa'nın önüne şifresi açılmış bir yazı bıraktı ve oturdu. Alnındaki damarlar kabarmıştı. Okudukça İsmet Paşa'nın da yüzü değişiyordu. Çok özel bir şey olduğunu anlayan Halide Hanım vedalaşıp ayrıldı.

Ali İhsan Paşa'nın seçtiği bazı genç subayların er kılığına girerek tümenlere gittikleri, askerlerin arasına karışarak, "Memleketi ancak Ali İhsan Paşa kurtarabilir" diye propaganda yaptıkları bildiriliyordu.

Uzun bir sessizlik oldu.

İsmet Paşa, "Benimle uğraşmasına katlanırım.." dedi, "..nitekim bunca ay katlandım. Ama orduya siyaset sokmasına, orduyu bölmesine, hele bu maskaralığa asla izin vermem. Kimse orduyu kendi emeli için kullanamaz. Milli Savunma Bakanlığına Ali İhsan Paşa'nın Ordu Komutanlığından alınmasını yazalım. Hemen!" [80]

GÖREVİNDEN ALINDIĞI Ali İhsan Paşa'ya 19 Haziran gecesi tebliğ edildi.

Böyle bir karar beklemeyen Paşa çok sarsıldı. Ankara'daki arkadaşların böyle bir karara izin vermeyeceklerine inandırmıştı kendini.

Zulme uğramış bir surat takındı. Ordusuna bağlı kolordu ve tümenlere içli bir yazıyla veda etti. Eşyasını topladı. Ordu Komutanlığına 5. Kolordu Komutanı Fahrettin Altay Paşa'nın vekâlet etmesi uygun görülmüştü. Sabah ordunun komutasını, yakışıksız sözlerle Fahrettin Paşa'ya devretti.

Bundan böyle oturmayı düşündüğü Konya'ya gitti. Ankara'nın o kadar güvenini kaybetmişti ki uzun zaman göz altında tutulacaktı.[81]

ALİ İHSAN PAŞA'nın azledilmesi Ankara'da dalgalanmalara yol açtı. Muhalifler Kâzım Özalp Paşa'yı sıkıştırdılar. Kâzım Paşa hazırlıklıydı. Ali İhsan Paşa Milli Savunma Bakanlığına bir yazı yollayarak, milletvekillerinin görevlerini iyi yapmadıklarını, çok para aldıklarını ileri sürmüştü. Yazıyı önlerine koydu.

Herkesi eleştiren ama eleştirilmeye katlanamayan muhalifler Ali İhsan Paşa konusunu bir daha açmadılar.[82]

Şimdi sorun 1. Ordu Komutanlığı'na kimin getirileceği idi. Asıl taarruzu bu ordu yapacaktı. Fevzi Paşa haklı olarak, "Acele edelim.." diyordu, "..taarruza az kaldı. Yeni komutanın ordusuna ve taarruz görevine intibak etmesi hayli zaman alır."

ERTESİ GÜN Aralov Türk Elçiliğindeki olay sebebiyle Moskova'nın özür dilediğini bildirdi. Bu haber herkesi, özellikle de Ali Fuat Paşa'yı sevindirdi. Gazi bu vesileyle, Harbiye'den beri arkadaşı ve Milli Mücadele yoldaşı Ali Fuat Paşa'yı yemeğe çağırdı, yemeğin sonuna doğru, Ali İhsan Paşa'nın neden görevden alındığını anlattıktan sonra, 1. Ordu Komutanlığı'nı önerdi. Ali Fuat Paşa, "Şey.." diye kekeledi, "..yani teşekkür ederim. Fakat ben biliyorsunuz, İsmet Paşa'dan önce Cephe Komutanıydım. Şimdi onun emrine girmem, doğru olur mu?"

Ali Fuat Paşa'nın da protokola bu kadar önem vermesi Gazi'nin canını sıktı. Kırıldığını ve ayıpladığını belli etmemeye çalışarak, "Haklısınız" dedi.[83]

Ertesi gün Kâzım Paşa'yı Refet Bele Paşa'ya yolladı.

REFET BELE Keçiören'de, küçük ve güzel bir köşkte oturmaktaydı.

Kâzım Paşa'yı köşkün bahçesindeki kameriyede kabul etti. Yine çok şık giyinmişti. Kâzım Paşa sözü uzatmadan 1. Ordu Komutanlığı'nı önerdi.

"Ordu taarruz edebilecek mi sence?"

"Evet Paşam, kesin kararlıyız."

"Ben sana söyleyeyim, taarruz edemeyiz. Yunan ordusu kendini toparlamıştır. Etsek bile Müttefikler daha işin başında müdahale ederler, sonuç alamayız. İngilizlerle bir an önce uzlaşmaya ve barış yapmaya bakalım. Memleketin bana ihtiyacı olduğu zaman erlik bile yaparım ama bu şartlarda önerini kabul etmem mümkün değil. Beni mazur gör."[84]

Kâzım Paşa, Refet Paşa'nın yanından hayal kırıklığı ile ayrıldı. Milli Mücadale'nin büyük hizmetler görmüş bu öncü kahramanlarına ne olmuştu? Zafere bir adım kala, biri kıdemi sorun ediyor, öteki İngilizlerce belirlenecek bir barışa razı oluyordu.

Türkiye yol ağzına yaklaştıkça, saflar beliriyordu.

SICAKTAN BUNALMIŞ milletvekilleri Millet Bahçesi'ni doldurmuştu. Ziya Hurşit ile bazı muhalifler en dipteki masada oturuyorlardı.

Ziya Hurşit, alçak sesle, "Ben de Ali İhsan Paşa'yı akıllı biri sanırdım.." dedi, "..azledilmeyi bekleyeceğine, eline koca bir ordu geçmiş, ne duruyorsun, yürü Ankara'ya, işi bitir."

"Yavaş konuş."

"Lanet olsun! Bu son fırsattı. Bir daha orduya hâkim olamayız."

NURETTİN PAŞA, Merkez Ordusu Komutanı olduğu sıradaki bazı sert uygulamaları dolayısıyla TBMM'de ağır eleştirilere uğramış, Ordu Komutanlığı'ndan alınmıştı.

Ankara çaresiz kalınca 1. Ordu Komutanlığı'nı ona önerdi. En kıdemli paşa oydu. Hırslı, tutucu, şiddetli bir askerdi. 17. Kolordu Komutanı ve Vali olarak İzmir'de bulunmuştu. Öneriyi yapan Kâzım Özalp Paşa'ya şöyle dedi:

Nurettin Paşa

"Şimdi düşmanla işbirliği yapan hain Hacı Hasan Paşa'yı Belediye Başkanlığına ben atamıştım. Bu leke üzerimde kaldı. Metropolit Hrisostomos Efendi'nin etkisiyle de İzmir'den uzaklaştırıldım. Eğer Valilikte ve 17. Kolordu Komutanlığı'nda kalabilseydim Yunanlılar İzmir'e öyle kolayca çıkamazdı, silahla karşı koyardım. Bu talihsizliği hiç unu-

unutamıyorum. Velhasıl bu ikisiyle görülecek şahsi davam var. Şimdi siz bana yalnız hesaplaşma fırsatı değil, şeref de bağışlıyorsunuz. İsmet Paşa'nın emrinde iftihar ve itaatla çalışırım." [85]
Sorun bitti.
Nurettin Paşa 29 Haziran günü iş başı etti.
Siyasetten, dedikodu ve entrikadan temizlenen 1. Ordu çok çabuk kendine geldi. Komutanlar arası uyum sağlandı. İzzettin Çalışlar istifasını geri aldı.
Planın uygulanmasıyla ilgili çalışmalara başlandı.

YÜKSEK KOMİSER Stergiadis, Belediye Başkanı Hacı Hasan Paşa, Efes Metropoliti Hrisostomos ile Rum cemaati adına üç Rum, İyonya tasarısıyla ilgili bazı ayrıntıları görüşmüşler, toplantı bitmişti.
Yunan hükümeti, İzmir'i elde tutabilmek için Ege'de özerk bir yönetim kurmayı düşünüyordu.
Hrisostomos eteklerini hışırdatarak çıkarken, birden kapı eşiğinde durdu, "Atina'dakilere söylemeyi lütfen unutmayın.." dedi, "..biz Anadolu Rumları, son üç yıl içinde Yunan ordusuna asker olarak otuz beş bin çocuğumuzu verdik. Şimdi bir o kadar insanımızı da İyonya Yönetiminin emrine veriyoruz. Yalnız İzmir çevresinde kurulacak küçük bir devlete razı değiliz. İyonya devleti, Antalya'dan İzmit'e kadar bütün Batı Anadolu'yu içine almalı. Kendi kendine ancak böyle yeterli olur ve ayakta durabilir."
Rumlar İyonya için gerçekten bir ordu kuruyorlardı. Bursa-Bandırma-Soma-Manisa-Simav bölgesinde 20.000 kişilik 48 tabur kurulmuştu bile. Yunan subayları 16-55 yaş arasındaki bu insanları eğitiyor, Rum kadınlar bu ordu için üniforma dikiyorlardı. Bunlara Yunanca 'Politophylakion' (*Silahlı Sivil Muhafız Teşkilatı*) deniyordu. Yunan ordusu çekilse bile, bu yeni ordu Ege Rumlarını koruyacaktı. [86]
Taşkın Yunan hayali sağduyuya sığmıyordu.

ÜNİVERSİTE YÖNETİMİ öğrencilerin gevşemeyeceklerini anlayınca, sorunu bitirmek için söz konusu hocaların süresiz izinli sayılmalarına karar verdi.
Ali Kemal'in ve Barsamyan'ın dersleri kaldırıldı, Cenap Şahabettin'in yerine Yahya Kemal, Rıza Tevfik'in yerine Ahmet Naim ve İs-

mail Hakkı (Baltacıoğlu), Hüseyin Daniş'in yerine Velet Çelebi atandı, atamalar Vahidettin'in onayına sunuldu.

Üniversite temizlenmişti.

Atamalar onaylandıktan sonra, dersler başlayacaktı.

M. KEMAL PAŞA Fethi Okyar'ı direksiyon binasına davet etmişti. Hiç giriş yapmadan, "Fethi Bey, biz ağustosta taarruz etmeye karar verdik" dedi.

Fethi Bey'in gözleri büyüdü:

"Ne diyorsunuz?"

"Bunu bilen beşinci kişisiniz."

"Anladım."

"Eski hiçbir ordumuza benzemeyen, çok güçlü ve bilinçli bir ordumuz oldu. En geç iki gün içinde Yunan cephesini yararız. Sonrası Yunanlılar için felaket olacaktır. Sizi şunu sormak için rica etmiştim. Hemen Avrupa'ya hareket edebilir misiniz?"

"Evet."

"Buna sevindim. Fransız, İngiliz ve İtalyan yetkililerle son kez konuşmanızı istiyorum. Misak-ı Milli'ye uygun bir barış yapmaları olasılığı varsa, kan dökmeyelim."

Fethi Bey, "Bir ümit var mı?" diye sordu.

"Hayır, yok. Ama biz uyarı görevimizi bir daha yapalım. Kamuoyu ve tarih önünde, akacak kanın sorumluları belli olsun."

İSTANBUL'da hava başkaydı. Teslimiyetçilerin sesi olan Ali Kemal, bugünkü Peyam-ı Sabah gazetesindeki yazısında diyordu ki: *"Müttefiklerin kararlarına itaat etmek lazımdır."* [86a]

Aşağılık duygusu, Batı'nın her isteğini emir sayan Osmanlı yöneticileri ile siyasetçilerinin iliklerine işlemişti. O kadar işlemişti ki tamamen geçtiği sanıldığı bir dönemde yeniden nüksedebilirdi.

Bu hastalık Padişah'ta da vardı. O da kısa bir süre önce, kız kardeşi Mediha Sultan'ın oğlu Sami ile İngiliz Haberalma Servisi'nde çalışan Yüzbaşı Armstrong'a şöyle bir mesaj göndermişti: "M. Kemal ve adamları İngilizlerin düşmanıdır. Bense İngilizlerin dostuyum. Ne isterseniz vermeye hazırım. Halife olmak haysiyetiyle daima sizin tarafınızı tutarım." [86b]

Osmanlı Devleti'nin ve hanedanının son padişahı, bir İngiliz yüzbaşısından bile medet umuyordu.

Bu kadar küçülen bir devlet ve rejim yaşayabilir miydi?

ATİNA'da bambaşka bir hava esiyordu.

Başbakan Protopapadakis, Gunaris, Teotokis, Baltacis, Stratigos, Stratos gibi bakanlar, Yüksek Komiser Stergiadis, Genelkurmay Başkanı General Dusmanis, Başkomutan General Hacianesti, Kral'ın başkanlığında, İyonya Devleti ve İstanbul'a yürüyüş konularını görüşüyorlardı.

Toplantı üç saat sürmüş, görüşme sonuçlanmıştı.

Kral alınan iki kararı güzel özetledi:

"Batı Anadolu'da işgalimiz altındaki tüm bölgede, gerekli bütün hazırlıklar tamamlanacak ve İyonya Özerk Yönetiminin kurulduğu ilan edilecek; İstanbul şehri, Müttefiklere bir bilgi notası verilerek Trakya Ordumuz tarafından işgal edilecek." [87]

Hepsi derin bir ümit ve imanla haç çıkardı. Büyük ülkü gerçekleşiyor, Bizans İmparatorluğu diriliyordu.

Atina Katedrali'nin büyük çanı, kararları kutsar gibi çalmaya başladı.

BAKANLAR, Meclis Başkanının önerdiği birkaç aday arasından seçilir, Bakanlar Kurulu da kendi arasından birini Başkan seçerdi. Seçimler hep böyle olagelmiş, Kurul Başkanı da bugüne kadar hep Fevzi Paşa olmuştu.

Yunanistan Anadolu'da ve İstanbul'da tehlikeli oyunlar oynamaya hazırlanırken, TBMM'deki muhalefet de bir başka tehlikeli oyuna soyunuyordu: Bakanların Meclis Başkanı M. Kemal Paşa'nın önerdiği adaylar arasından değil, kendi belirledikleri adaylar arasından seçilmesini istiyorlardı. Daha önemli bir istekleri de Bakanlar Kurulu Başkanının, Başbakan adıyla doğrudan Meclis'çe seçilmesiydi.

M. Kemal Paşa çok tedirgin oldu.

Tam da taarruz öncesinde, muhalefetin etkisiyle, bugüne kadarki 'tam istiklalci' hükümet siyasetine aykırı bir Başbakan ve Bakanlar Kurulu seçilebileceği kuşkusuna kapıldı. Bu kuşkuyu haklı çıkaracak birçok işaret vardı.

Yeni usulü düzenleyen yasa kabul edilince, bütün bakanlar teker teker kürsüye çıkarak istifalarını açıkladılar ve topluca M. Kemal Paşa'nın odasına geldiler. M. Kemal Paşa'nın yüzüne ilk kez karamsarlığın gölgesi düşmüştü:"Siz de fark etmişinizdir, amaca yaklaştıkça Meclis'te muhalefet artıyor."

Uzunca bir süre sustuktan sonra devam etti:

"..Hedefe ancak tam istiklale inanan, cesur, kararlı bir Bakanlar Kurulu ile varabiliriz. Meclis'e gerçek düşüncesini belli etmesi için fırsat tanımaya karar verdim. Ben de Meclis Başkanlığından ve Başkomutanlıktan istifa edeceğim." [88]

BAKANLAR yıldırım çarpmış gibi oldular.

Milli Mücadele'nin yerellikten genele, kongrelerden Büyük Millet Meclisi'ne, Heyet-i Temsiliye'den hükümete, çetecilikten orduya gelişip büyümesini sağlayan M. Kemal Paşa'ydı.

Bu liderliği hak eden başka hiç kimse yoktu.

Durum kuliste duyuldu. Ortalık karıştı. Bazı milletvekilleri Paşa'nın odasına doldular ama etkili olamadılar. Paşa kararını değiştirmedi. Muhalefet şehvetiyle hareket eden birkaç muhalif dışında bu sonuca sevinen çıkmadı. Hiçbiri böyle bir sonuç beklemiyordu. M. Kemal Paşa'ya muhalefet etmekteydiler ama onu değiştirip Meclis Başkanlığına bir başkasını getirmeyi bugüne kadar hiç düşünmemişlerdi. Bu yaman mücadelenin onsuz yürütülemeyeceğini kestirebilecek kadar akılları vardı.

M. Kemal Paşa Meclis'ten çıkıp Çankaya'ya gitti. Sonuç belli olana kadar da şehre inmeyecekti.

Milli Mücadele tarihinin bu çok kritik dönemi iki gün sürdü, tehlikeyi gören çoğunluğun uzlaşmasıyla sona erdi. Muhalefet, iki sert bakan dışında eski bütün bakanları yeniden seçmeye razı oldu. M. Kemal Paşa da, iki yana da yakın duran Rauf Orbay'ın başbakanlığını kabul etti. Kâzım Paşa, "Dert bitmiyor ki.." dedi, "..bundan sonra da Başkomutanlık yasasının uzatılması konusu var."

M. Kemal Paşa güldü:

"O kolay. Bu kez sorun çıkacağını hiç sanmıyorum."

Kâzım Paşa hayretle baktı.

12 TEMMUZ GÜNÜ TBMM'de seçimler yapıldı. İki yan da sözlerini tuttu. Bakanlar Kurulunun büyük çoğunluğu Müdafaa-yı Hukukçu bakanlardan oluştu. Rauf Orbay da Başbakanlığa seçildi.[89]

Böylece Meclis, gerçek düşüncesini belli etmiş, M. Kemal'in liderliğinden vazgeçmeyeceğini göstermişti.

Milli Savunma Bakanlığına az farkla seçilen Kâzım Özalp Paşa, istifa etmek istiyordu. M. Kemal Paşa, "Sakın ha.." dedi, "..deli misin? Seçimi yarım oy farkla bile kazansan, istifa etmeyeceksin." [90]

Taarruza çok az zaman kalmıştı.

DR. ADNAN ADIVAR oturumu açtı:

"Başkomutanlık Yasası'nın üç ay daha uzatılması hakkındaki önerinin öncelik ve ivedilikle görüşülmesi isteniyor. Oylarınıza sunuyorum. Kabul edenler?"

Eller kalktı. Çoğunluk öneriyi kabul etmişti. Kara Vasıf Bey konuşmaya hazırlanıyordu. Herhalde, 'işte' diyecekti, 'ordu kıpırdamadı, kıpırdayamıyor.' M. Şükrü Bey şaşırdı:

"Ama niye gizli oturum istemiyor bunlar?"

M. Kemal Paşa kalemiyle sıraya vurarak söz istedi.

"Buyrun."

Uğultu kesildi. Paşa kürsüye geldi. Muhalefetin hiç beklemediği bir konuşma yaptı:

"..Ordumuzun maddi ve manevi kuvveti, hiçbir olağanüstü önleme başvurmayı gerektirmeyecek seviyeye ulaşmıştır. Bu sebeple Meclis'in bazı yetkilerini kullanmama gerek kalmamıştır."

Açıklama alkışlarla karşılandı. M. Kemal Paşa'nın Başkomutanlığı, birçok muhalifin de katılmasıyla, süresiz uzatıldı.

Ertesi gün Akşehir'e hareket etti. Memnundu. Her şey düzeninde görünmekteydi.

OYSA AKŞEHİR'de çok ciddi bir sorun bekliyordu kendisini. İsmet Paşa, "Bu kez de Yakup Şevki Paşa'yla bir zorluk çıktı" dedi.

"Ne gibi?"

"Planı çok tehlikeli buluyor. Taarruzdan vazgeçilmesini öneriyor." [91]

"Ooof!"

"Of ya."

"Sen düşmanın kuşkusunu çekmeyecek bir bahane ile ordu ve kolordu komutanlarını Akşehir'e çağır. Bir de ben konuşayım. Belki ikna etmeyi başarırım."

YUNANLILARIN İstanbul'u işgal etmeye hazırlandıkları Müttefiklerce öğrenilmişti. Üç Yüksek Komiser, İşgal Başkomutanı ile İngiliz, Fransız ve İtalyan kuvvetlerinin komutanları bir 'savaş konseyi' halinde toplanmışlardı.

General Pelle, "Beyler." dedi, "..Hükümetim, İstanbul'a zorla girmeye kalkıştığı takdirde Yunan ordusunu ateşle karşılamamız için emir verdi."

General Mombelli 'İtalya'nın da bu kararı paylaştığını' belirtti.[92]

Rumbold içini çekti:

"Ümit ederim ki çatışmaya gerek kalmaz."

İstanbul resmen Müttefiklerin işgali altında, sivil ve asker binlerce İngiliz, Fransız ve İtalyan İstanbul'dayken, Yunan askerleri İstanbul'u nasıl işgal edecek ve İstanbul'da ne yapacaklardı? Var olduğu tahmin edilen silahlı Türk örgütleri karşı dururlarsa, sokak savaşlarının başlayacağı İstanbul ne hale gelirdi?

Harington, İstanbul'un işgalinin General Hacianesti'nin düşüncesi olduğunu açıklayınca, Fransız Kuvvetleri Komutanı General Charpy öfke kustu:

"Bu adam ya deli ya da budala!"

Alınacak önlemleri görüşmeye başladılar.

RUSYA'dan, Doğu ve Güney cephelerinden yollanan, İstanbul depolarından kaçırılan silahlar, mühimmat ve askeri gereçler, yavaş ama kesintisiz olarak Batı Cephesine akıyordu.

Bu arada büyük bir Fransız şilebi de, Mersin limanına geldi. Sipariş edilen 1.500 hafif makineli tüfek ile 100 Berlier marka kamyon getirmişti.

Çok yakında 40 kamyon daha gelecekti. Eskilerle birlikte ordunun 300 kadar kamyonu olacaktı.

Yoksul ordu için bu çok büyük bir olaydı! [93]

Motorlu ilk ulaştırma kolu

BATI CEPHESİ, komutanları Akşehir'de toplamak için ilginç bir bahane buldu. Futbol orduda yaygın bir spor olmuştu. Tatil günleri alaylar, tümenler birbirleriyle kıran kırana maçlar yapıyorlardı. Cephe karargâhı futbol takımı ile Kolordular Karmasının 28 Temmuz Cuma günü Akşehir'de maç yapmaları kararlaştırıldı.

Olay basına bildirildi. Ordu ve kolordu komutanları, yakın birlikler bu güzel maçı izlemeye çağrıldılar. Cephe istihkâm birliği bir düzlüğü futbol sahası olarak hazırlamaya koyuldu. İki sıradan oluşan bir ahşap tribün de yapacaktı.

DIŞİŞLERİ BAKANI BALTACİS, hükümetinin, Türkleri barışa zorlamak için İstanbul'u işgal etmeye karar verdiğini belirten notayı, Müttefiklerin Atina elçilerine verirken, komutanlar da Akşehir'de toplanıyorlardı.

M. Kemal Paşa, Fevzi Paşa ve İsmet Paşa, komutanlar toplantısından önce biraraya gelip planı bir daha gözden geçirdiler. Görüşler birleştirildi.

Öğleden sonra maçın yapılacağı sahaya gelindi.

Tribünün birinci sırası M. Kemal Paşa, Fevzi Paşa, İsmet Paşa, Y. Şevki Paşa, Nurettin Paşa ve Fahrettin Paşa'ya ayrılmıştı. Paşaların çoğu ilk kez bir futbol maçı izleyecekti.

İkinci sıraya Cephe Kurmay Başkanı Albay Asım Gündüz, Birinci Kolordu Komutanı Albay İzzettin Bey, Dördüncü Kolordu Komutanı Albay Kemalettin Sami Bey ile cephe, ordu ve kolordu üst subayları oturdular.

Saha toprak, kaleler filesizdi. Sahanın üç yanını genç subaylar, havacılar, doktorlar, astsubaylar, askerler, işçiler, şoförler ve bazı meraklı Akşehirliler çevirmişlerdi.

Hakem ve oyuncular uzun şortluydu. Ayaklarında bot, yarım çizme ya da postal vardı. Biri kırmızı formalıydı, öteki beyaz. Kaleciler dizlerine sargı bezi sarmışlardı.

Şeref tribününü ve seyircileri selamladılar.

Maç başladı. Futbolu bilenler de bilmeyenler de çok neşelendiler. Yalnız Yakup Şevki Paşa durgunluğunu korudu.

Maç 2-2 bitti.

Büyük komutanlar akşam yemeğinden sonra Cephe karargâhında, Başkomutan'a ayrılmış olan büyük odada biraraya geleceklerdi. Kolordu Komutanları taarruz planını henüz bilmiyorlardı. İlk kez öğreneceklerdi.

Büyük Taarruz'a hazırlanan ordunun Kolordu Komutanları

AKŞAM Aya Fotini Kilisesi, Metropolit Hrisostomos'un çok önemli bir konuşma yapacağını duyan Rumlarla dolmuştu. Ortodoks kiliselerine özgü ağır, loş, heybetli hava içinde Metropolit Hrisostomos, acele etmeden konuşma yerine geldi. Boyu olduğundan da uzun görünüyordu:

"Kardeşlerim, sizlere bundan dört yıl önce, 'mükâfat zamanı gelmiştir' demiştim ve Yunan askerlerinin Anadolu'ya akını başlamıştı. Kardeşlerim!

Tanrı bizi yeni bir mükâfata daha layık gördü. Ordumuz yarın sabah, kutsal Bizans İmparatorluğu'nu diriltmek üzere İstanbul'da olacak..."

Rumlar delirdiler, sevinç çığlıkları yükseldi:

"Hristo anesti!!!" (*İsa dirildi*)

AKŞEHİR TOPLANTISI saat 21.00'de başladı.

M. Kemal Paşa'nın başkanlığındaki toplantıda Fevzi Paşa, İsmet Paşa, Cephe Kurmay Başkanı Asım Bey, 1. ve 2. Ordu Komutanları ile 1., 4. Kolordu Komutanları ve Süvari Kolordusu Komutanı vardı. [93a] Çok uzun yıllar sonra Türk ordusu ilk kez taarruz edecekti. Taarruz eden ordunun savunmadaki ordudan daha güçlü olması askerliğin demir kuralıyken, düşman sayıca ve ateş gücü bakımından Türk ordusundan daha üstündü. İyi eğitim gördüğü biliniyordu. Afyon tahkimatının gücü hakkında ürkütücü söylentiler vardı. Haklı olarak gergin ve heyecanlıydılar.

M. Kemal Paşa, "Önce Fevzi Paşa planı özetlesin, sonra ayrıntıları görüşelim" dedi.

Fevzi Paşa haritanın başına geçti:

"Aylardır üzerinde çalışılan planın esası, silahça ve sayıca bizden üstün olduğunu bildiğimiz düşmanı, bir darbede çökertmektir. Bunu ancak bir baskınla sağlayabiliriz. Bunun için kuvvetimizin büyük kısmını, tam bir gizlilik içinde, Afyon'un güneyinde toplayacağız.

Afyon ile 40 km. batısındaki Çiğiltepe arası, asıl taarruz cephesidir. Asıl taarruzu Birinci ve Dördüncü Kolordumuz yapacak. Asıl taarruz cephesinde düşmandan üç kat daha fazla kuvvet toplayacağız. Kalecik Sivrisi ile Tınaztepe arasındaki 12 kilometrelik kesim, yarma yeridir. Bu kesimde düşmandan 6 kat daha fazla kuvvetimiz olacak.[93b] 2. Ordumuz, karşısındaki düşman kuvvetlerini oyalarken, bu kolordularımız düşman cephesini yaracak, Süvari Kolordusu ile birlikte Sincanlı ovasına inecekler. Böylece düşmanın İzmir'le her türlü bağlantısını kesmiş olacağız. Bu düşmanı çevirip imha ettikten sonra kalan parçaları kolayca yakalar ve yeneriz. Çünkü her yerde düşmandan daha üstün bir durumda olacağız."

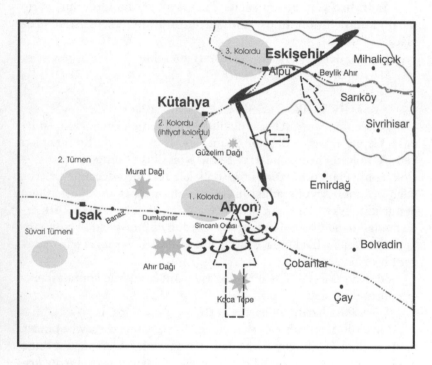

Türk Taarruz Planı:
Kuzeyde oyalama, Afyon güneyinde Yunan cephesini yarma

Plan sade, çok etkili ve riskliydi.

Yakup Şevki Paşa ümitsizce gözlerini kapadı. Süvari Kolordusu'nun harekete geçebilmesinin cephenin yarılmasına bağlı olması Fahrettin Paşa'yı düşündürdü. Nurettin Paşa planı öğrenmiş ve içine sindirmişti.

Yakup Şevki Paşa, "Ben düşüncelerimi İsmet Paşa'ya daha önce hem yazmış, hem de söylemiştim.." dedi, "..şimdi, izin verirseniz, kısaca tekrarlamak istiyorum."

"Buyrun."

"Yüz bine yakın insanı, Afyon'un kuzeyinden güneyine kaydıracaksınız ve düşman bunu sezmeyecek. Buna imkân yok! Baskın niteliği kaybolduğu zaman da, bu planın anlamı ve değeri kalmaz. Ben bir taburun yerini oynatıyorum, düşman uçağı ertesi sabah bu değişikliği saptıyor."

İsmet Paşa, "Düşmanın anlamaması için her önlemi alacağız, merak etmeyin" dedi.

Yakup Şevki Paşa içerledi:

"Görürüz.."

Surat içinde devam etti:

"..Nakliye kollarımız da yetersiz, yürüyen orduya cephane yetiştirebilmeleri mümkün değil.."

M. Kemal Paşa gülerek, "Biz de cephane ikmalini düşmandan yaparız Paşam" dedi. Yakup Şevki Paşa'nın yumuşamaya hiç niyeti yoktu:

"..Afyon tahkimatını da incelettim. Biz burayı öyle bir günde, iki günde yaramayız. Hayal görmeyelim. Ayağı çarıklı askerle, o sarp, vahşi arazide, düşman mevzilerinin ve direnek merkezlerinin karşısında çakılıp kalırız. O zaman ne olacak? Düşmanın ihtiyat kolordusu yetişip savaşa katılacak. Böyle olunca cepheyi yarmaya gücümüz yetmez. Ayrıca düşman savaş sanatı gereği, Afyon'un kuzeyinden Akşehir yönüne doğru taarruza geçerse bizi iyice güneye atar. Konya yönü açık kalır. Ordu, dava, belki de memleket elden çıkar."

M. Kemal Paşa, yüzünün çizgileri kıpırdamadan, "Peki, ne yapmamızı tavsiye edersiniz?" diye sordu.

"Uygun bir yerde cepheden taarruz ederiz. Düşmanla eşit şekilde savaşırız. Geri çekilirse takip ederiz. Çekilmeye zorlayamadığımız yerde durur, tekrar hazırlanır, yeniden taarruz ederiz. Böylece tek dayanağımız olan orduyu tehlikeye atmamış oluruz."

"Bu tarz bir savaşla kesin sonuç alınabilir mi?"

"Alınamaz ama yenilsek bile ordu elde kalır."

Yakup Şevki Paşa Harbiye'de bir süre strateji öğretmenliği yapmıştı. Bu yüzden hoca diye anılır, düşüncelerine saygı gösterilirdi. Ama konuştukça cesaretini kaybetmiş olduğu, düşüncelerinin eskidiği anlaşılıyordu.

İsmet Paşa söz aldı:

"Uğraşa uğraşa, ancak bir yılda, düşmanla az çok denk bir hale gelebildik. Bunu memleketin imkânlarını sonuna kadar zorlayarak elde edebildik. Bir daha bu gücü yaratamayız. Bu yüzden bu sefer kesin sonuç almak, savaşı bitirmek zorundayız. Bunun için de, tehlikesine rağmen, bu planın uygulanmasından başka çare göremiyorum."

Başkomutan, "Ben de" dedi.

Genelkurmay Başkanı Fevzi Paşa da kesin konuştu:

"Ben de başka çare göremiyorum."

Yakup Şevki Paşa geri çekilmedi, bir kez daha itiraz etti:

"Yapmayın. Türk milletinin bütün varı bundan ibaret. Askeri, topu, tüfeği, cephanesi işte bu kadar. Şimdi siz onu bir noktaya yığarak tehlikeye atıyorsunuz. Buna razı gelemem."

M. Kemal'in sesi keskinleşti:

"Varımız bundan ibaretse, kesin sonucu bununla almak zorundayız."

"Buna karar verenler tarihe karşı, büyük vebal altında kalırlar. Adama vatan haini derler. Hepimizi Meclis'in önünde asarlar."

"Korkmayın Paşam. Tarihe ve millete karşı bütün sorumluluk bana aittir."

Hava çok gerilmişti. İsmet Paşa ayağa kalktı, M. Kemal Paşa'ya döndü:

"Paşam! Arkadaşımız, izniniz üzerine düşüncelerini serbestçe arz etti. Yoksa, Başkomutanımız olarak vereceğiniz her emri, tıpkı kendi düşünce ve inancımız gibi canla başla yerine getireceğimizden emin olabilirsiniz."

Gözler Yakup Şevki Paşa'ya döndü. Paşa, önüne bakarak, ağır ağır, "Dünya savaşındaki talihsizlikler benim neslimi galiba biraz fazla ihtiyatlı yaptı.." diye mırıldandı, "..kaygılarımı korumakla birlikte Başkomutan'ın vereceği emirlere tereddütsüz uyacağım tabiidir." Gerginlik azalmıştı. İsmet Paşa yerine oturdu. M. Kemal Paşa, "Teşekkür ederim.." dedi, "..öyleyse şimdi planın ayrıntılarına geçiyoruz." [94] Toplantı sabaha kadar sürecekti.

KOMUTANLAR sabah çaylarını içerlerken, Trakya'daki Yunan birlikleri İstanbul'a doğru yürüyüşe geçti.

Öncüler, tarafsız bölge sınırlarında, ateş etmeye hazır Fransız birlikleri ve Türk jandarmaları ile karşı karşıya geldiler.

Öncü birliklerin komutanları bir adım daha atarlarsa, bu birliklerin ateş edeceklerini anladılar. Çok kararlı görünüyorlardı. Müttefiklerle savaşa tutuşmak Yunanistan'ın sonu olurdu.

Durdular, büyük komutanlara durumu bildirdiler. Gerginlik içinde geçen saatlerden sonra, emir geldi:

"Geri çekilin!"

Delilik yenilmişti.

VAHİDETTİN atama kararlarını onaylamıştı.

Öğrenciler Öğrenci Derneğinde, fakülte önlerinde toplanıp feslerini havaya atarak zaferlerini kutladılar. Bu yalnız beş hocaya karşı değil, üniversitenin kararsız, medrese anlayışlı, korkak yönetimine karşı da kazanılmış bir zaferdi.

Fakülte yönetimleri fakültelerin açılış ve sınav günlerini belirledi. Boykotu başlatan Edebiyat Fakültesinde sınavlar 9 Eylül günü başlayacaktı.

Türk süvarileri İzmir'e girerken.

İSTANBUL FİYASKOSUNUN ertesi günü Yüksek Komiser Stergiadis, İzmir'de, tepki çekmemek için İyonya adını anmadan, Ege'de özerk bir yönetimin kurulduğunu ilan etti.

Bu girişim, İzmir'i Türklere geri veren barış şartlarına karşı Yunanlıların bulabildiği tek çareydi. Ordu Anadolu'yu boşaltsa bile, geride bir Yunan yönetimi kalacaktı.

İyonya Özerk Yönetimini Müslümanlar adına Belediye Başkanı Hacı Hasan Paşa bir demeçle destekledi.

Lloyd George da Avam Kamarası'nda bu hareketi haklı bulduğunu bildiren bir konuşma yaptı. Böylece İzmir'in Türklere geri verilmesinden caydıklarını dolaylı bir şekilde açıklamış oldu.[95]

GAZİ, Fevzi Paşa, İsmet Paşa ve Asım Bey, öğleden sonra toplandılar.

Geceki görüşmeler sonunda plan kesin şeklini almıştı. Uygulanması için Bakanlar Kurulunun kararı gerekiyordu.

Afyon karşısına üç piyade, bir süvari kolordusu yığılacaktı, yani yüz bin kadar insan ve on binlerce hayvan... Yürüyüş çizelgelerini ve uygulama esaslarını inceleyen Fevzi Paşa neşe içinde, "Düşmanı uyandırmamak ve yanıltmak için mükemmel çareler bulmuşlar" dedi. Birlikler düşmanın anlamaması için son yığınak yerine taarruzdan bir gün önce geleceklerdi.

Gizliliği sağlamak için kolorduların çevresindeki ve yürüyüş yolları üzerindeki köyleri, Yunan taarruzu bekleniyor bahanesiyle, geriye göndermek, hareket alanını haber sızmasına karşı güven altına almak gerekiyordu.[96]Yürüyüş 14 Ağustos günü başlayacaktı.

Asım Bey, "Yunanlılar da geçen yıl Sakarya'ya doğru yürüyüşe 14 Ağustos günü başlamışlardı" dedi.

Hepsi bir an için o ateşten günlere gittiler ve geri döndüler.

Fevzi Paşa koca sesiyle güldü:

"O uzun yürüyüşle bizi aldatıp güya baskın vereceklerdi. Baskın nasıl olurmuş şimdi görürler."

BUGÜN Fethi Okyar Paris'ten Londra'ya geçti.

Ayağının tozuyla Dışişleri'ne başvurdu, Bakan ile görüşmek için randevu talep etti.

Günlerce bekleyecek, sürekli oyalanacak, atlatılacak, Bakan ile de, Başbakan ile de konuşamayacaktı.

Buna karşılık Lloyd George, Avam Kamarası'nda dış politika hakkında açılan genel görüşme sırasında, 4 Ağustos günü, yeni ve sert bir konuşma yaparak, barış ümitlerini ve olasılıklarını bütünüyle yok etti:

Lloyd George'un zorladığı çözüm: Savaş!

"..Ankara, martta bildirdiğimiz barış şartlarının hâlâ geçerli olduğunu sanıyorsa, çok aldanıyor. Bu şartlar artık hükümsüzdür. İzmir'de hâkimiyet Türklere bırakılamaz..." [97]

GENERAL HACİANESTİ Trakya'dan sessizce İzmir'e döndü. Lloyd George'un konuşmasına rağmen çok mutsuz görünüyordu. General Valettas'a dert yandı:

"İngiliz Genelkurmayının İstanbul'u işgal etmemize olumlu baktığını biliyordum.[97a] Çok iyi bir plan yaptık. İstanbul'a kolayca girecektik. Fakat namussuz Fransızlar karşı çıkmış. Hırsız İtalyanlar da onlara katılmış. İngiltere müttefiklerinin yanında yer almak zorunda kaldı. Yoksa şimdi İstanbul'da olacaktık. Birliklerin ne kadar sevinç ve heyecan içinde yola çıktığını tahmin edebilirsin. Askeri geriye zorlukla çektik, güç yatıştırdık. Bu işin peşini bırakacak değilim. Düşmanda kıpırdama var mı?"

"Hayır. Her şey bıraktığınız gibi. Hiçbir hareket yok."

"Güzel."

Oysa büyük fırtınanın patlamasına çok az kalmıştı.

KURBAN BAYRAMININ üçüncü günü, 6 Ağustos 1922'de, Bakanlar Kurulu vilayet konağında toplandı. Yusuf Kemal Bey Lloyd George'un yaptığı son konuşmanın çevirisini getirmişti.

Konuşma öfke, üzüntü ve nefretle dinlendi. Mahmut Esat Bozkurt, "Savaşmaktan başka çare kalmadı" dedi. Vehbi Bey kararsızdı:

"İyi ama taarruz edebilecek halde miyiz? Meclis'teki bazı asker arkadaşlar, taarruzu düşünmeyi cinnet sayıyorlar." [98]

Ata Bey M. Kemal Paşa'ya, "Siz ne düşünüyorsunuz Paşam?" diye sordu. Paşa da böyle bir soru bekliyordu, "Ben de bu konuda açıklama yapmak için gelmiştim.." dedi, "..Hükümet kabul ederse, ordu taarruza geçmeye hazırdır."

Odaya hayret, heyecan, sevinç ve kaygıyla karışık bir sessizlik çöktü. İlk önce Din İşleri Bakanı ayıldı:

"Oooh, elhamdülillah!"

"Önce Fevzi ve Kâzım Paşalar, gizli kalması kaydıyla, bilgi sunsunlar. Sonra durumu tartışalım. Yalnız taarruz tarihini sormamanızı rica ediyoruz."

Rauf Bey saygıyla, "Sormayız Paşam" dedi.

Fevzi Paşa bilgi vermeye başladı.[99]

BAKANLAR KURULU kısa bir görüşmeden sonra, taarruza geçilmesini onaylamıştı. Alınan karar kesin olarak gizli tutulacak, Meclis'e ancak taarruz başlayınca bilgi verilecekti.

Karar hemen Akşehir'e bildirildi. İsmet Paşa, Asım ve Tevfik Beyleri odasına çağırdı:

"Ordu komutanlarına taarruza hazırlık emrini hazırlayın. Bugün yollayalım."

"Başüstüne."

"Her şey gizli yürütülecek. Taarruz kararını, sadece tümen komutan ve kurmay başkanları bilecek. Taarruz edileceği alt kademelere cepheye iyice yaklaşılınca açıklanacak. Bütün faaliyetler olası bir düşman taarruzuna karşı hazırlık olarak gösterilecek. Birliklerin çevresindeki ve yürüyüş yolları üzerindeki köyler hemen boşaltılsın. Bu bölgeye giriş-çıkış sıkı denetim altına alınacak. Kuş uçurtmayacak. Hata yapanın fena halde canını yakarım." [100]

FARİS AĞA İbrahim Ethem Bey'in yanına çöktü:

"Beyim, izninle söyleyeceklerim vardır."

"Buyur Faris Ağa."

"Neredeyse bir yıldan beri dağdayız. Sonunda Halil Efe'yi de şehit verdik. Parti Pehlivan Ağa yaralı. Biz bitiğiz. Bu kışı da dağda geçirecek halimiz kalmamıştır. Artık cephe gerisini terk edip orduya katılmamız iyi olur diye düşünüyorum."

İ. Ethem Bey azarladı:

"Boş konuşma. Ordu mutlaka taarruza geçecek."

"Ne zaman? Kışın bekledik, olmadı. Baharda bekledik, olmadı. Yaz da geldi, geçiyor. Ne bir ses, ne bir nefes."

Milyonlarca mazlum, kaç zamandır ordu yürüyecek diye beklemekteydi. Gemlikli Hafize Nine sızlanıyordu:

"Hani Kemal'in askerleri gelecekti?"

Mekece'deki Deli Baba ağlayıp duruyordu:

"Hani ordu kızlarımızın öcünü alacaktı?"

Alaşehirli Fatma Yunan askerlerinin incittiği kadınlardan biriydi. Gelmeyen orduya sövüyordu:

"Korkaklar! Yalancılar! Hainler!"

KRAMER PALAS'ın bahçesi yine kalabalıktı. Rumlar Lloyd George'un son ve kesin açıklamasının sevinci içindeydiler. L. George 'Helenizmin koruyucusu' ilan edilmişti.

Yarbay Spridonos ile ordunun yeni Hareket Şubesi Müdürü Albay Passaris yemek yiyorlardı. Genel neşeye aykırı olarak ikisi de durgundu.

Albay Passaris, Albay Sariyanis'in tam tersi, ölçülü, hesaplı, gerçekçi bir kurmaydı. Ordunun İzmir önüne çekilerek cephesini daraltmasından yanaydı. İstanbul'un işgal girişimine de karşı çıkmıştı ama sözünü dinletememişti.

Passaris sigara yaktı:

"Lloyd George'un son konuşması beni korkuttu."

"Neden?"

"Türklere savaşmaktan başka yol bırakmadı."

"Evet ama Türklerin savaşabileceğini gösteren bir işaret yok."

"Bence çok uyanık durmalıyız. Ama başta komutan olmak üzere herkesin içi rahat."

ORDUNUN taarruza kadar iki milyon yüz bin liraya ihtiyacı olduğu hesaplanmıştı. Milli Savunma Bakanı bastırıyor, Maliye Bakanı "Hazinede beş kuruş kalmadı" diye feryat ediyordu.

Başkomutan Bakanları direksiyon binasına çağırdı. İki Bakan da pek acıklı bakıyordu. Başkomutan'ın sakin, hatta güleç bir hali vardı. Bu hal etekleri tutuşmuş iki Bakanın da gücüne gitti.

M. Kemal Paşa, "Beyler.." dedi, "..tamamen çaresiz değiliz. Hindistan Müslümanlarının yolladığı 600.000 lira bankada duruyor. Hiç dokunmadım. Kimseye de dokundurtmadım. Bu parayı Maliye Bakanlığı emrine vereceğim. İlk ihtiyaçları karşılar." [100a]

Kâzım Paşa'nın yüzü güldü. M. Kemal Paşa Hasan Fehmi Bey'e döndü:

"Geriye bir buçuk milyon lira kalıyor. Onu da Maliye Bakanı olarak siz bulacaksınız."

Babacan Hasan Fehmi Bey kurşun yemiş gibi oldu. Sesi kısıldı:

"Nerden? Bulabileceğim hiçbir yer yok."

Başkomutan mazeret kabul etmez bir tavırla, "Bunu ben bilemem.." dedi, "..siz bu göreve işte bu zor gün için seçilmiştiniz." [101]

Hasan Fehmi Ataç, direksiyon binasından içi yanarak, dizleri titreyerek çıktı. Taarruzun parasızlık yüzünden yapılamaması halinde başına gelebilecekleri düşünmemeye çalışıyordu.

Gece uyuyamadı.

Sabah işe bir çare bulmuş olarak geldi. Ankara Osmanlı Bankası Müdürü Mösyö Bojeti'yi makamına davet etti.

Mösyö Bojeti, Fransız şivesiyle tatlı bir Türkçe konuşurdu. "Beni emretmişsiniz" dedi.

"Estağfurullah. Rica etmiştim. M. Kemal Paşa adına bankada bulunan 600.000 lira Bakanlığımın emrine verildi."

"Evet, Gazi Paşa'nın yazılı talimatını aldım."

"Bir konu daha var. Bankan şu anda tarihi bir an yaşıyor Mösyö Bojeti."

Mösyö Bojeti

Müdür şaşırdı, bu ânın tarihi olmasını gerektirecek hiçbir olağanüstü durum yoktu:

"Nasıl tarihi an? Anlamadım."

"Maliye'ye bir buçuk milyon lira lazım ve bu parayı bana sen bulup borç olarak vereceksin."

Müdür çok telaşlandı:

"Ben, hayır, buna imkân yok!"

"Boşuna çırpınma. Milli hükümetin sınırları içinde 16 şubeniz var. İstediğim bu parayı vermezsen, şubelerinin tamamına el koyar, kasalardaki bütün parayı alır, yerine makbuz bırakırım. Düşünmek için sana bir saat mühlet. Git, düşün, gel!"

Mösyö Bojeti durumun ciddiliğini anlamıştı. İşi uzatırsa miktarın artacağından korktu, "Mühlet istemem." dedi, "..bir buçuk milyon liraydı değil mi?"

"Evet."

"Peki. Yarın emrinizde olur."

Hasan Fehmi Bey, büyük bir cömertlikle, "Şimdi bir bardak çayı hakkettin" dedi.[102]

7 AĞUSTOS GÜNÜ Vahidettin ile Sir Harold Rumbold son kez görüştüler. Bir daha görüşmeleri kısmet olmayacaktı.

Rumbold bu görüşmeyi Lord Curzon'a şöyle bildirdi:

"..Barış ümidimi sordu. İngiltere'nin her barış çabasına öncülük ettiğini, bu çabaların başarısızlığının sebebini Ankara'da aramak gerektiğini anlattım. Milliyetçi liderlere karşı ağır hakaretlere başladı. Onların bir hükümet değil, bir asiler ve ihtilalciler topluluğu, İttihatçı ve Bolşevik olduklarını söyledi.

Kendisinin barış yapmaya, bunun için fedakârlıkta bulunmaya hazır olduğunu belirtti.

Milliyetçilerin bastırılması için meşru hükümetin desteklenmesini, İstanbul kuvvetlerine silah ve para yardımı yapılmasını istedi."[103]

Sir Harold Rumbold tecrübeli bir diplomattı; birçok şaşırtıcı, çarpıcı olaya tanık olmuştu ama böylesini ne görmüş, ne de duymuştu. Yazmayı bırakıp bir an durdu. "İnanılmaz bir durum.." diye düşündü, "..Türk Sultanı, düzenini korumak amacıyla Sakarya Savaşı'nı kazanmış Türk ordusunu silahla yok etmek istiyor, daha da şaşırtıcı olanı, yok edebileceğini sanıyor. Böyle birine ne denir?"

ALİ KEMAL'in bugünkü yazısı şöyle başlıyordu:

"Tehlike üzerimize doğru yürüyor. İzmir'i, Edirne'yi kılıçla, kuvvetle kurtarmak, Yunanlıları denize dökmek tasavvuru, bir rüya idi, bir hülya oldu.

Ankara'nın iç ve dış siyaseti iflas etmiştir."[104]

AFYON GÜNEYİNE kaydırılacak birliklerin geçeceği yollar, konaklayacakları yerler belirlenmişti. İstihkâm birlikleri ve işçi taburları ağır topların geçeceği yolları düzeltiyor, köprüleri güçlendiriyor, dar geçitleri genişletiyordu. Toprakta iz kalırsa, çalışıldığı anlaşılmasın diye, ağaç dalları ya da samanla örtülüyordu.

Yürüyüş sırasına bağlı olarak köyler boşaltılmaktaydı.

Yürüyüş emrini alan birlik hava kararınca yola çıkacak, yol boyunca ışık kullanmayacak, gün doğmadan önce konaklayacağı yere varacaktı. Herkes ağaç altlarına, evlere, ahırlara, ambarlara sığınıp akşama kadar gözden saklanacak, gündüz kimse görünmeyecek, ateş yakılmayacak, açıkta kalan her şey maskelenecekti.

Amaç çok sık uçan Yunan keşif uçaklarına açık vermemekti.

Bazı birliklerin, ayrıldıklarının anlaşılmaması için çadırları sökmeden bırakması uygun görüldü. Geride kalacak az sayıda er, birlik ayrılmamış gibi günlük etkinlikleri sürdürecekti. Düşmanı kandırmak için kimi küçük birlikler gündüz ters yönde yürütülüp gece geri alınacaktı.

İsmet Paşa yürüyüşü günlük, kısa emirlerle kendi yönetecekti.

13 Ağustos günü ilk emrini verdi: 14/15 Ağustos gecesi, Birinci Kolordu'dan 15. Tümen Çay batısına kayacak, onun boşalttığı yere de Dördüncü Kolordu'dan 11. Tümen gelecekti.

Büyük yürüyüş bir gün sonra başlayacaktı.

İkinci Bölüm

Afyon Güneyine Yürüyüş

14 Ağustos 1922 - 25 Ağustos 1922

AFYON'UN GÜNEYİNE dört kolordu kaydırılacaktı: 100.000 kadar insan, binlerce at, hayvan ve araba.

Birinci Kolordu Çay yakınında, İkinci Kolordu Emirdağ'da, Dördüncü Kolordu Bolvadin civarında, Süvari Kolordusu Ilgın ve Akşehir çevresindeydi.

Bu gece (14 Ağustos) yola çıkacak olan 15. Tümen'in Komutanı, Batı Cephesi eski Kurmay Başkanı Yarbay Naci Tınaz'dı. 15. Tümen'in eski Komutanı Şükrü Naili Bey, 2. Ordu'ya bağlı Üçüncü Kolordunun Komutanı olmuştu.

Subaylar ve askerler erkenden yemeklerini yediler.

Komutanlar alayları, bataryaları ve ağırlık kollarını denetlediler. Bir Yunan taarruzu olasılığına karşı önlem olarak yer değiştirdiklerini sanan subaylar ve askerler, neşesiz ve öfkeliydiler.

Hava iyice kararınca 15. Tümen yürüyüşe geçti.

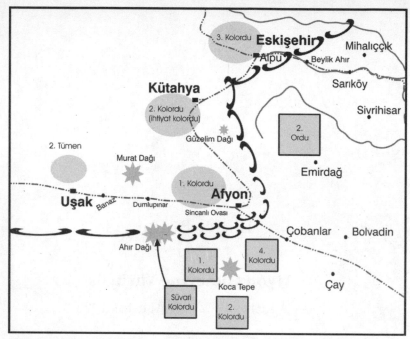

Yürüyüşten sonra Türk ordusunun yerleşimi

ANKARA'da Azerbaycan Büyükelçiliğinde yemek vardı. Zengin bir büfe hazırlanmıştı. Azerbaycan elçiliği görevlileri ile Türk ve Rus misafirler, öbek öbek oturmuş sohbet ediyor, yiyip içiyorlardı. Piyanoda bir hanım alçak sesle Azeri şarkıları söylüyordu.

M. Kemal Paşa, İbrahim Abilov ve Aralov, bir köşede oturuyorlardı. İbrahim Abilov her zamanki gibi Sovyet rejimini överek M. Kemal Paşa'yı etkilemeye çalışmaktaydı. M. Kemal Paşa, "İbrahim Bey.." dedi gülerek, "..Türkiye çok farklı bir memleket. Kaldı ki rejiminizin ne gibi safhalar geçireceği de daha belli değil. Henüz deneme safhasındasınız."

İbrahim Bey itiraz etti:

"Yo, bizim rejim tamamdır."

20th
SUNDAY
DECEMBER
2009

The Challenge

Use the letters given to complete the square
so that three other words can be read
downwards and across. What are the words?

D E E L L M S S T

P	I	E	R
I	D	L	E
E	L	M	S
R	E	S	T

Difficulty Rating: 3

Scribble Zone

The Mensa Calendar Challenger - your daily workout for the brain.

"Şimdi bu tartışmayı bırakalım. Size söyleyeceklerim var. Uygun bir yere geçelim."

İbrahim Abilov'in çalışma odasına geçtiler.

"Bir hafta sonra, taarruza geçmek üzere cepheye hareket edeceğim.."

Abilov ve Aralov heyecanlandılar.

"..Ama bunu dünyadan gizlemek, özellikle İngilizlerin Yunanlıların yardımına gelmesini önlemek istiyorum. Sizden bir ricam var. Ben Ankara'dan ayrıldıktan sonra, Çankaya'da bir çay partisi vereceğim ilan edilecek. Bu parti ertelenecek. Siz de birkaç gün sonra, bir kabul resmi düzenlediğinizi açıklarsınız. Kabul resmi başladığı saatte, görevlendireceğim biri gelip rahatsızlandığım için katılamayacağımı bildirir. Bu bana birkaç gün daha kazandırır. Ne dersiniz?"

"Tamam."

Aralov da, "Kabul" dedi.

"Teşekkür ederim."

Abilov, "Paşam.." dedi heyecan içinde, "..sen muzaffer olacaksın. Çünkü Allah vatanını savunanla beraberdir." [1]

Sarıldılar.

Dışarda piyanoya bir Türk geçmiş olmalıydı. Bir İzmir türküsü duyuldu:

"İzmir'in kavakları
 Dökülür yaprakları..."

TAARRUZ ZAMANI yaklaştıkça Yakup Şevki Paşa'nın huysuzluğu artmaktaydı. Erkenden yatmıştı ama uyuyamıyordu.

Emrinde sadece iki kolordu kalmıştı, yani beş piyade ile bir süvari tümeni. 1. Ordu cepheyi yarana kadar, bu kadarcık kuvvetle iki buçuk düşman kolordusunu, sürekli hücum ederek yerinde tutması gerekiyordu.

Yerinde tutulması gereken düşman, 2. Ordu'dan üç kat kalabalık, silah bakımından beş kat güçlüydü ve 1. Ordu, cepheyi kaç günde yarabilirdi?

Yarabilir miydi?

Taarruzdan önce elbette bir toplantı yapılacaktı. Bu toplantıda sözünü geçirinceye kadar plana yine itiraz etmeye karar verince biraz rahatladı, az sonra uyudu.

KÂZIM PAŞA öğleye doğru M. Kemal Paşa'yı Meclis'teki odasında buldu.

"Bütçe Komisyonu, Milli Savunma bütçesi için bir alt kurul kurmuş. Ordu hakkında bilgi vermem için beni çağırıyorlar. Ne emrediyorsunuz?"

"Seni hırpalayacaklardır. Ne derlerse desinler, sineye çek. Taarruzdan bahsetme. Fevzi Paşa'nın cepheye gittiğini de söyleme."

"Peki efendim."

YUNANLILAR sonsuza kadar Anadolu'da kalacakları ümidi ile çeşitli hazırlıklara girişmişlerdi.

Hükümet Anadolu'da Yunan Milli Bankasının şubeler açmasını uygun görmüştü. İlk şube eylülde Ayvalık'ta açılacaktı. İzmir'de de bir üniversite kurulması kararlaştırıldı.

Türk ordusunun bu rüyalara son verecek olan sessiz yürüyüşü kesintisiz sürüyordu. Dördüncü Kolordu'dan 5. Tümen de 17 Ağustos akşamı güneye doğru yola çıktı.

M. KEMAL PAŞA da 17 Ağustos gecesi Konya'ya hareket edecekti.

Gündüz Rauf Bey'e, Kâzım Paşa'ya ve evinde hasta yatan Yusuf Kemal Bey'e veda etmişti. Hükümet M. Kemal Paşa'nın Ankara'da olduğu izlenimini verecekti.

Akşam yemeğini annesi, Fikriye ve Abdurrahim'le üst kattaki sofada yedi. Annesinin elini öperek veda etti, duasını aldı.

Aşağıya indi. Merkez Komutanı Yarbay Fuat Bulca ve yardımcısı Yüzbaşı Vedat gelmiş, bekliyorlardı. "Ankara'dan ayrıldığımı belli etmeyeceksiniz.." dedi, "..hazırladığımız sahte programı uygulayın. Bana zaman kazandırın."

"Başüstüne."

İki araba kapıdaydı. Bavullar yerleştirilmişti. Bu kez Mahmut Soydan Bey de refakat subayı olarak beraber geliyordu. Gazi Fikriye ve Abdurrahim'le de vedalaştı. Fikriye her zamanki gibi sırtını sıvaz-layarak yolcu etti.

Arabalar hareket ettiler.

Yarbay Fuat Bulca, Yüzbaşı Vedat, muhafızlarla birlikte küçük Abdurrahim de selam durdu. Bir muhafız arkalarından su döktü.

Konya'ya ulaşır ulaşmaz telgrafhaneyi denetim altında aldıra-rak, bilgi sızmasına fırsat vermeyeceklerdi.

ALT KURULUN Başkanı Hüseyin Avni Bey'di. Üyeler ve dinle-meye gelmiş olan milletvekilleri büyük masanın çevresinde yer almış-lardı. Muhalif üyeler arasında Kara Vasıf Bey ile Selahattin Bey vardı. Ali Şükrü Bey ve Hafız Mehmet Bey de takviye için katılmışlardı.

Muhalif üyeler Kâzım Paşa'ya yüklenmeye başladılar. Kâzım Pa-şa'nın kaçamak cevapları, Müdafaa-yı Hukukçu milletvekillerini de sinirlendirdi. Kara Vasıf Bey, "Meclis'te ordu kıpırdamayacak dedi-ğim zaman, M. Kemal Paşa beni ağır şekilde tenkit etmişti." dedi, "..haklı olduğum anlaşıldı. Başkomutanlık uzatılalı bir ay oldu, ordu hâlâ bulunduğu yerde çürütülüyor. Taarruz ümidi vererek bizi oyalı-yorsunuz.."

"Bravo!"

"..Taarruz edileceğine dair en ufak bir işaret bile yok."

Selahattin Bey söz aldı:

"Milli Savunma Bakanının ordunun gerçek durumunu ve kara-rını, bugün, burada, kaçamak yapmadan açıklamasını talep ediyo-rum!"

Bu talebi birçok milletvekili destekledi. Kâzım Paşa, "Efendim.." dedi, "..bildiğiniz gibi ordumuz taarruz için hazırlık yapmaya devam ediyor."

Muhalifler güldüler:

"Bu masalı bir yıldır dinliyoruz."

"Ne zaman hazır olacak, onu söyleyin!"

"Kışa mı?"

"Yoksa gelecek yaza mı?"

Kâzım Paşa, "O kadar uzun süreceğini sanmıyorum" diye cevap verdi. Kahkahalar patladı.

Kâzım Paşa'nın içinden, yerinden fırlamak, "Bir hafta sonra taarruz edeceğiz!" diye bağırmak, hepsini şaşırtmak, zıplatmak, susturmak geliyordu ama dişini sıkıp sustu, sataşmalara, küçümsemelere katlandı.

Durumu bilmeyen Zamir Bey, Süreyya Yiğit'e, "Bu ne zavallı Bakan yahu!" diye yakındı. Bir de okkalı küfür savurdu.[2]

20 AĞUSTOS AKŞAMI, İkinci Kolordu ile Süvari Kolordusu da harekete geçtiler. İki kolordu güneye inerken, büyük komutanlar da Akşehir'de, Başkomutan'ın geniş odasında biraraya geldiler.

Saat 23.00'tü.

Başkomutan kısa bir açıklama yaptı, kararının kesin olduğunu söyledikten sonra, taarruzun nasıl yapılacağını harita üzerinde ayrıntılı olarak anlattı.[3]

O âna kadar güneye elli bin kişi kaydırılmış, düşmanın ruhu bile duymamıştı. Düşman ordusu eski durumunu koruyordu.[4] Ne var ki bu başarı Y. Şevki Paşa'yı yatıştırmadı, Başkomutan susar susmaz lafı kaptı, 'durumu tehlikeli bulduğunu, başarılı olunmazsa, şimdiye kadarki kazançların da elden gideceğini' uzun uzun yineledi.

Başkomutan, cevap vermedi, Asım Gündüz'e döndü:

"25 Ağustos akşamı her türlü haberleşmeye son verilecek. Limanlara giriş-çıkış durdurulacak. İstanbul ile İzmit arasındaki kara ve demiryolu ulaşımı kesilecek. Yani biz işi bitirene kadar dünyanın Anadolu'dan haberi olmayacak. Yeteri kadar uçağımız var. Çocuklar düşmanın hava keşfi yapmasını da önlesinler."

"Başüstüne."

İsmet Paşa'ya baktı:

"Siz de ordulara yazılı emrinizi veriniz. 26 Ağustos Cumartesi sabahı düşmana taarruz edeceğiz."[5]

Üç yüz yıldır verilmemiş bir karar ve emirdi bu.

Ayağa kalktı. Başta Y. Şevki Paşa olmak üzere hepsi ayağa fırlayıp esas duruşa geçti. Nurettin ve Fahrettin Paşaların gözleri dolmuştu.

"Paşalar! Gazanız mübarek olsun!"

ÜÇ GÜN SONRA Afyon orduevinde bir balo verilecekti. Birinci Kolordu Komutanı General Trikupis baloya ilişkin sorunlarla ilgile-

niyordu. İyi bir moral gecesi olacaktı. Kurmay Başkanı Albay Meren-
tidis odaya girdi:

"Generalim, bir Türk askeri cephemize sığınmış. Türklerin Af-
yon güneyine gizlice üç tümen yığdıklarını söylüyormuş." [6]

Trikupis durakladı:

"Güney cephemizde zaten üç tümenleri var. Üç daha altı eder.
Altı tümen taarruz için az, savunma için çok."

Acele hava keşfi istedi. İki saat sonra gözlemci subay telefon etti:

"Bir hareket yok. Fotoğrafları gönderiyorum."

Eski ve yeni fotoğraflar karşılaştırıldı. Türk mevzilerinde hiçbir
yenilik, değişiklik görünmüyordu. Yine de Trikupis birliklere dikkatli
olmalarını ve gözlerini açmalarını emretti.

İngiliz Haberalma Örgütü de ciddi bir sürpriz beklenmediğini
bildirince, Atina Elçisi Lord Granville, huzur içinde yaz tatiline çıktı.
Sir H. Rumbold da çıkmak için hazırlık yapıyordu.

UÇAK BÖLÜĞÜ Akşehir'den Çay'daki alana taşınmış, cepheye
yakınlaşmıştı.

Uçak bölüğünde çalışır durumda 10 uçak vardı: 6 Brege-XIV ke-
şif, 3 Spat-XIII av ve bir de De Hawilland-9 (İsmet). Havacıların ve
ustaların ağzı kulaklarındaydı.

Yeni uçaklar Türk havacılarını çok mutlu etmişti

Yunan keşif uçaklarına engel olunması emri öğleye doğru geldi. Yunan uçakları ile çarpışma demekti bu. Hızlı ve kıvrak Spat av uçakları bu iş için biçilmiş kaftandı. Fazıl devriye uçuşu yapması için hemen birini görevlendirdi. Spat az sonra ok gibi uçtu.

Eşref Usta, "Bunlar sülün gibi uçuyorlar" dedi.

Abdullah Usta uyardı:

"Maşallah de."

"Maşallah."

25 Ağustos akşamına kadar sürekli devriye uçuşları yapılacak, 4 Yunan uçağı inmeye zorlanacak ya da düşürülecekti.[7]

BAŞKOMUTAN, Akşehir'de eski bir Rum evinde kalıyordu.

Gazi öğleyin uyandı. Tıraş olup aşağıya indi. Mahmut Bey, Salih ve Muzaffer bekliyorlardı. Ali Metin Çavuş kahvesini getirdi. Önce düşmanda bir hassasiyet olup olmadığını sordu. Az önce İsmet Paşa telefon edip bilgi vermişti:

"Yokmuş efendim."

En önemli sorun buydu. Memnun oldu:

"Biliyor musunuz, gece Reşat Nuri Bey'in Çalıkuşu romanını okumaya başladım. Çok beğendim. İhmal edilmiş Anadolu'yu ve genç bir hanım öğretmenin yaşadığı zorlukları, ne güzel anlatmış. Bitirince İsmet'e vereceğim. Sonra da sizler okuyun."

Mahmut Bey, "Savaşa beş kala roman okuyabiliyor.." diye düşündü, "..M. Kemal Paşa'yı, M. Kemal Paşa yapan da herhalde bu özelliği olsa gerek." [8]

1. ORDU KOMUTANI Nurettin Paşa taarruz edecek iki kolordu komutanını çağırdı. Birlikte Kocatepe'ye çıkarak taarruz edilecek hedefleri ve araziyi incelediler.

Arazinin hırçınlığı, direnek merkezlerinin ve dayanak noktalarının kat kat tel örgüler içinde olması ikisini de etkilemedi. Bir yıldır taarruz eğitimi görmüş olan subay ve askerlerine güveniyorlardı.

BUGÜN bir Yunan keşif uçağı bir Türk avcı uçağının saldırısına uğramış, Afyon Garipçe meydanına zorunlu iniş yaparak kurtulmuştu. Türk cephesinden geceleri yol çalışması yapıldığını düşündüren boğuk sesler yansıyordu.

Trikupis Türklerin taarruz edeceğinden kuşkulandığını orduya bildirdi. Hacianesti güldü:

"Cephedeki komutanlar abartıcı ve duyarlı olurlar. General Trikupis de böyle. Bugüne kadarki bilgilerimiz gösteriyor ki düşmanın genel bir taarruza geçmesi olası değil. İngilizler de bu kanıda."

Passaris itiraz etmeye yeltendi:

"Fakat generalim.."

Hacianesti bu kuruntulu kurmayını küçük bir el hareketiyle susturdu:

"Olsa olsa kendi kamuoyunu oyalamak için sınırlı bir hareket yapacaktır."

Valettas, "Buna rağmen.." dedi, "..bazı önlemler almamız doğru olmaz mı?"

Komutan General Valettas'ı dinlemek inceliğini gösterdi:

"Pekâlâ. Orduyu uyarın. Ama telaşa vermeden." [9]

HABERCİ HÜSEYİN iki hafta önce, emir almak için gizlice cepheye gitmişti. Beklenmedik bir anda Alaçam dağındaki saklanma yerlerine neşe içinde, bağıra bağıra çıkageldi:

"Akıncılar! Müjdemi isterim! Ordudan haber vaaaaar!"

Akıncılar ayaklandılar. Hüseyin, İbrahim Ethem Bey'e askerce selam verdi, heybesinde sakladığı kâğıdı çıkarıp uzattı:

"Ordu emridir beyim. Taarruz başlayınca ne yapacağınız burada yazılıymış."

Müfreze komutanlarından Veli Ağa, "Taarruzun zamanı belli mi Hüseyin?" diye sordu.

"Bir şey demediler ama eli kulağında olmalı."

Bir akıncı avaz avaz haykırdı: "Ey namert düşman! Saatin geldi! Yaptıklarının hesabını vermeye hazır ooool!"

İntikam tutkusu yorgun, sefil akıncılara ürkütücü bir canlılık verdi.

İ. Ethem Bey emri okudu. Ordu bütün akıncı gruplarıyla birlikte Demirci Akıncılarının da taarruz başlayınca harekete geçmesini, cephe gerisini de Yunanlılar için hep birden cehenneme çevirmelerini istiyordu. Gülümsedi. Bugünü düşünerek çevredeki birçok köyü örgütlemişti. Köylüler de düşmanı kırmaya katılacaklardı.

Faris Ağa sakladığı son tutam kahveyi pişirmişti. Teneke bir kupa içinde İ. Ethem Bey'e getirip verdi:

"Haklı çıktın beyim. Afiyet ve helal olsun." [10]

BİRİNCİ VE DÖRDÜNCÜ KOLORDU Komutanları da, kendilerine bağlı tümenlerin komutanlarını, gözetleme yerlerinde topladılar. Araziyi ve taarruz edecekleri hedefleri göstererek, görevlerini anlattılar.

Tümen komutanlarına, taarruz edileceğini birliklerine açıklama izni verildi.

Ordu üç yıldır bugünü beklemişti!

Her acıya bu gün hayal ve ümit edilerek katlanılmıştı. Şamatasız bir kıyamet koptu. Tümenler akşam yola düğüne gider gibi çıktılar. Dıştan yine sessizdiler ama içlerinden sevinç çığlıkları attıkları gözlerinden belli oluyordu.

23. Tümen'in 68. Alayı'ndan saka eri Kel Zeynel de taarruzla ilgili bir şeyler duymuştu. Yanından geçen takım çavuşuna, alçak sesle seslendi:

"Çavuşum, İzmir'e gidiyormuşuz, kaç saatte varırız?"

Gülmek değil, hapşırmak bile yasaktı. Ama bu konuşmayı işitenler kahkahalarını tutamadılar.

Zapartayı yediler.

SÜVARİ KOLORDUSU karargâhı ve 1. Süvari Tümeni 24 Ağustos sabaha karşı Sandıklı'ya geldi.

Bu kolordu, düşman cephesi yarılınca, açılan gedikten geçerek Sincanlı ovasına, düşman gerisine akacaktı. Bunun için cephe yarılıncaya kadar beklemesi gerekiyordu. Bu durum Fahrettin Paşa'yı sıkıyordu. Başka bir çözüm bulmalıydı.

Çiğiltepe ile Toklu Sivrisi arasında, 15 km. genişliğinde, sarp, sık ormanla kaplı ve yolsuz Ahır Dağı vardı. Buradan geçmenin imkânsızlığı yüzünden Yunanlıların geceleri bu kesimde nöbetçi bırakmaya gerek duymadıklarını öğrendi. Sol yanda mevzilenmiş olan 6. Tümen'in akıncıları buraları iyi bilirdi. Bu tümenin komutanı ile ilişki kurdu. 1. Süvari Tümeni'ne de Ahır Dağı'na 3 keşif kolu çıkarmasını emretti.

Ballıkaya denilen yerden Yunan cephesinin gerisine, Sincanlı ovasına inen dar, uçurumlu, gerçekten geçilmez gibi görünen bir dağ yolu olduğu öğrenildi.

Fahrettin Paşa orduya, Süvari Kolordusu'nun, cephenin yarılmasını beklemeden, 25 Ağustos akşamı, bu keçi yolundan dağı aşmasını, 26 Ağustos sabahı Yunan cephesinin gerisine inmesini önerdi.

Ordu komutanının da gözü karaydı. Bu tehlikeli öneriyi kabul etti.[11]

Fahrettin Altay ve Karargâhı

24 AĞUSTOS günü, akşama doğru, Başkomutan, Genelkurmay Başkanı ve Batı Cephesi Komutanı ile karargâhları bir dizi otomobil ve kamyonla Akşehir'den ayrıldılar.

Bu gece cephe gerisindeki Şuhut kasabasında kalacak, 25 Ağustos günü Kocatepe'nin eteğindeki çadırlı ordugâha geçeceklerdi.

Öndeki arabada M. Kemal, Fevzi ve İsmet Paşalar vardı. M. Kemal Paşa gülümseyerek, "Fransız Başbakanı Mösyö Poincaré gizli bir mesaj yollamış.." dedi, "..diyor ki: 'Eğer taarruz edip Afyon'u alabilir ve on beş gün elinizde tutabilirseniz, yakında Venedik'te toplamayı düşündüğümüz barış konferansında bu başarı, sizin için oldukça önemli bir koz olur." [11a]

Fevzi ve İsmet Paşalar yüksek sesle güldüler. Fevzi Paşa, "Bunlar hâlâ gücümüzün farkında değil" dedi.

"İyi ki."

M. Kemal Paşa Çalıkuşu'nu bitirmişti. Kitabı İsmet Paşa'ya verdi.

M. KEMAL PAŞA ve arkadaşları Şuhut'a girerken, Afyon'daki orduevinde balo başlamıştı. Görevleri baloya katılmalarına elveren subaylar ve eşleri, sevgilileri salonu doldurmuşlardı. Neşe içinde yiyip içiyorlardı. [12] Bazı subaylar İzmir'deki eşlerini bu balo için Afyon'a çağırmışlardı.

Hanımların hepsi tuvaletliydi.

General Trikupis ile kolordusuna bağlı 1. Tümen Komutanı General Frangos, 4. Tümen Komutanı General Dimaras, 5. Tümen Komutanı Albay Rokka, 12. Tümen Komutanı Albay Kalidopulos, birlikte oturmaktaydılar. Baloya katılabilen subaylarının mutluluğunu izliyorlardı.

Sakarya yenilgisinin acı etkisi hayli azalmıştı.

İzmir'den getirtilen orkestra dans müziğine geçince, pisti şık subaylar ve güzel kadınlar kapladı. Rugan çizmeler ve ayakkabılar, ince ve yüksek topuklu iskarpinler, yeni cilalanmış pist üzerinde daireler, helezonlar, zikzaklar çizmeye başladılar.

BU SAATLERDE Birinci ve Dördüncü Kolordu'ya bağlı tümenler ve ağır top taburları da, derin bir heyecan ve sessizlik içinde, son konaklarına yürüyorlardı.

Cepheye yaklaşıldığı için birçok ek önlem alınmıştı. Atların, katırların, kadanaların ayaklarına, top ve araba tekerlerine çuval sarılmış, huysuz hayvanların ağzı bağlanmıştı.

Sabah ulaşacakları konaktan bir sonraki durak, taarruza hazırlık hattıydı.

Tümenler, bataryalar, ağır top taburları ve süvari bölükleri, gün doğmadan son konaklarına ulaşıp yerleştiler. Balo da bu sırada dağılıyordu. Akşama kadar sessizlik içinde saklanacaklardı. Saklanacak yeterli yer olmayan konaklarda kalacak birlikler bol yapraklı dal parçalarıyla gelmişlerdi. Açıkta kalanlar bunların altına girdiler.

Tarih 25 Ağustos 1922, günlerden cuma idi.

İsmet Paşa saat 12.00'de ordulara ve Kocaeli Grubu'na genel taarruz emrini yolladı.

CEPHEDEKİ bazı kıpırtılar, tecrübeli Trikupis'i iyice huylandırdı. Her olasılığa karşı tümenleri alarma geçirdi. Hastanelerdeki ağır hastaların İzmir'e yollanmasını emretti. İkinci (İhtiyat) Kolordu'dan takviye olarak 7. Tümen'i istedi. Kolordu kurmayları Türklerin Afyon önünde en fazla 6 tümen toplayabileceğini hesap etmişti.[13] Bu kadar bir kuvvet Afyon müstahkem mevkii için bir tehlike değildi.

Trikupis, Türklerin Afyon güneyinde bunun iki katı kuvvet topladıklarını bilmediği için akşam orduevinde iştahla yemek yedi, keyifle şarap içti.

Erkenden yatacak, cehenneme uyanacaktı.

GÜN BATIYORDU.

Sesi güzel askerler, topların, cephane sandıklarının ya da taşların üzerine çıkarak ezan okudular. Cephe boyunca tabur tabur akşam namazı kılındı ve zafer için dua edildi.

Sessizce sıcak yemek yenildi.

Uzun asker kaputlu, beyaz başörtülü Gül Hanım Dördüncü Kolordu birliklerini dolaşıyordu:

"...Hiç yakınmadan silahınıza cephane, size ekmek taşıdık. Yüksünmeden siperlerinizi kazdık. Severek yaranızı yıkadık, kırığınızı sardık. Ateş altında suyunuzu yetiştirdik. Yolunuza saçımızı serdik. Şimdi bunca kadının hakkını, erkek olmanın bedelini ödeme vaktidir. Eğer bu sefer kardeşlerinizi kurtarmadan dönerseniz, bilin ki ananız da, bacınız da, yavuklunuz da hakkını helal etmeyecektir..."

23. Tümen'de bir er onbaşısına fısıldadı:

"Alay sabah sancak açacak mı?"

"Öyle duydum."

"Açarsa, askere rüzgâr yetişemez."

15. Tümen'de bir teğmen takımını çevresine toplamıştı:

"Eğer gözümü bir an için olsun geriye çevirirsem, ölümden yılıp da geriye tek bir adım bile atarsam, beni hain bilin. Kanım size helal olsun!"

Askerler köyden gelmiş mektup, sigara tabakası, yavuklu yadigârı çevre, işlemeli çorap gibi değerli eşyalarını bölük eminine teslim ettiler. Sonra birbirleriyle helalleştiler. Dargınlar barıştı.

Toplan boruları vurmaya başlamıştı. Silahları kuşanıp düzene girdiler. Sallanıp da ses çıkaracak ne varsa hepsini sıkılayıp bağladılar.

Takımlar, bölükler, taburlar, alaylar, bataryalar, cephane ve yiyecek kolları, sıhhiyeciler, muhabereciler, istihkâmcılar, gündüzden yolları öğrenmiş kılavuzların öncülüğünde, taarruza hazırlık mevkilerine doğru, büyük bir sessizlik içinde yürümeye başladılar.

Kısa bir yürüyüş yapacaklardı.

Üç günlük bir hilal vardı gökyüzünde. İnce kollarıyla bir yıldızı kucaklamıştı. Yaşlılar bunu zafere yordular.[14]

DAĞ YOLUNUN bir yanı dik yamaç, bir yanı uçurumdu. Çok dikkatli olmak gerekiyordu. Albay Mürsel Baku'nun komutasındaki 1. Süvari Tümeni, kılavuzla birlikte, öncü olarak tek sıra olup Ballıkaya'dan yola çıktı.

1. Süvari Tümeni'ni, Kolordu Komutanı ve karargâhı izledi. Arkadan 14. Tümen, en sondan 2. Tümen gelecekti. Topları, telsiz ve ağırlık kollarını 2. Tümen getirmeye çalışacaktı.

Sabah Sincanlı Ovası'nda olabilmek için Süvari Kolordusu'nun, hiç durmadan yürüyüp zifiri karanlıkta bu ip gibi dağ yolunu geçmesi gerekiyordu.

PAŞALAR ve karargâhlarının savaş kademeleri, halkın "Kılıcınız keskin olsun! Allah'a emanet olun!" sesleri arasında Şuhut'tan ayrılıp Kocatepe'nin eteğindeki çadırlı ordugâha taşınmışlardı. Ordugâh Çakırözü deresinin yanına kurulmuştu.

Yalnız telgraf takırtıları, telsiz bipleri ve su değirmeninin gıcırtısı duyuluyordu.

İsmet Paşa ile Asım Bey gelen raporları inceliyorlardı. Fevzi Paşa çadırına çekilmiş, Kuran okuyordu. Başkomutan çadırının önünde asılı büyük gaz lambasının ışığında, portatif masaya serili haritanın başına geçmişti.

Saklamaya çalışıyordu ama heyecanlı olduğu belliydi. Oyalanmak için Mahmut Bey'e bilgi vermeye başladı:

"Şurası Afyon'un güneyindeki tepeler. Bunların hemen arkası Sincanlı ovası. Bu ovadan Afyon-İzmir demiryolu geçiyor. Yani Yunan ordusunun can damarı.

Asıl taarruz bölgesinde Birinci ve Dördüncü Kolordularımız, düşmanınsa takviyeli iki tümeni var. Yarma bölgesinde düşmandan altı kat daha güçlüyüz.[15] İşte gizlice yürüyerek yaptığımız yığınakla bunu sağladık. Yüz bin kişi yürüdü Mahmut Bey. Planlama, uygulama ve disiplin bakımından müthiş bir olay bu. Düşman duymadı. Akşamki hava keşfine göre düzeninde hiçbir değişiklik yok. Kısacası baskın başarılı olmuştur.

İkinci Kolordumuz, öndeki kolordularınızın gerisinde, yedekte bekleyecek.

Yunan ordusunun düzeni ise şöyle: Kuzeyde, Kocaeli Grubumuz karşısında 11. Tümeni, Eskişehir ve çevresinde Üçüncü Kolordusu, Afyon ve çevresinde Birinci Kolordusu var. İkisinin arasında ise General Digenis'in İkinci Kolordusu bulunuyor. Bu kolordu kuzeye, güneye yetişmeye hazır yedek kuvvet.

Genel savaşçı sayısı bakımından denk sayılırız. Ama silahça bizden hayli üstün oldukları kesin. Daha fazla silahlanmamız mümkün olmadı.[16]

Bunca emeğin ve çabanın boşa gitmemesi için General Digenis yetişip de Trikupis'in kolordusunu takviye etmeden önce, cepheyi en geç iki gün içinde yarmamız gerekiyor. Üçüncü güne kalırsak durumumuz zorlaşır.

Ama inanıyorum ki en geç ikinci gün kesinlikle yararız.

Cepheyi yarıp Sincanlı ovasına inerek, General Trikupis'in ve General Digenis'in kolordularının İzmir'le bağlantılarını kesmiş olacağız. Bu iki kolorduyu birkaç gün içinde çevirip imha edeceğimizi sanıyorum. Sonra..."

Sustu.

Dalıp gitti.

Üçüncü Bölüm

Büyük Taarruz

26 Ağustos 1922 - 18 Eylül 1922

TÜMENLER önceden belirlenmiş hazırlık hatlarına ulaşmışlardı. Ağır ve hafif toplar önceden seçilmiş yerlere yerleştirildiler. Cephane kolları topların yanına mermi taşıyor, muhabereciler telefon ağını kuruyorlardı. Sıhhiyeciler sargı yerlerini açmışlardı. İstihkâm birliği, hücum edecek birliklere tel örgülerde gedik açacak tahrip müfrezeleri yollamıştı.

Bütün bunlar sessizlik içinde yapılıyordu.

Taarruz edecek birlikler, topların tanzim ve tahrip ateşleri sırasında düşman mevzilerine hücum mesafesine kadar yanaşacaklar, topçu ateşi ileri kaydırınca, süngü hücumuna kalkacaklardı. Bölük ve takım subayları ile çavuşlar, askerlerin arasında yerlerini almışlardı. Birlikte hücum edeceklerdi. Sis yüzünden taarruz edecekleri tepeleri daha göremiyorlardı.

Askerler subayların tavsiyelerine uyarak, bir-iki saat uyumak için başlarını tüfeklerine ya da birbirlerinin omuzlarına yasladılar.

Mehmetçik hücum emrini bekliyor

BAŞKOMUTAN, Fevzi Paşa, İsmet Paşa ve karargâhlarının savaş kademeleri, saat 03.30'da atlara bindiler.[1]

Sisli, serin, karanlık bir geceydi.

Fenerli iki süvari yol göstermek için öne geçti. Yola çıktılar. M. Kemal Paşa önde gidiyordu, yalnızdı. Arkasından Fevzi ve İsmet Paşalar geliyordu. Daha arkada kurmaylar, yaverler, görevliler, hizmet erleri, seyisler vardı.

Çevre yedekler ve geri hizmet birlikleriyle doluydu.

Ağır ağır Kocatepe'ye çıktılar.

1. Ordu Komutanı Nurettin Paşa ve ordu karargâhı savaş kademesi Kocatepe'de gecelemişti. Telefon ve telgraf bağlantıları yapılmış, gözetleme çukurları açılmış, güçlü topçu dürbünleri yerleştirilmişti.

Nurettin Paşa paşaları karşıladı. Sis dolayısıyla topların ateşe biraz geç başlayacaklarını bildirdi. M. Kemal Paşa Kocatepe doruğunun kıyısına geldi. Aşağıya baktı.

Ufka kadar her yan sis içindeydi. Nurettin Paşa'nın yaveri paşalara çay verdi. Biraz soğuktan, daha çok da heyecandan hepsinin içi titriyordu.

Saat 05.00'e doğru gün ışımaya, sis dağılmaya ve dev tepeler yavaş yavaş belirmeye başladılar.

Herkesin Ankara'da sandığı Başkomutan Kocatepe'de, ordusunun başındaydı. Başıyla İsmet Paşa'ya işaret etti, İsmet Paşa Nurettin Paşa'yı uyardı. 1. Ordu Komutanı Nurettin Paşa telefonla kolordulara gerekli emri verdi.

Önce bir tek top sesi duyuldu, mermisi koca Tınaz Tepe'ye düştü. Sonra bütün toplar düzenleme (*tanzim*) ateşi için gürlediler.

05.30'da batarya komutanları zevk narası atar gibi emir verdiler:

"Ateş!.."

"Ateş!.."

"Ateş!.."

Tahrip ateşi başladı. Bu kesimde 200 kadar top vardı. Hazırlanmış ateş planına göre, Yunan mevzilerini, direnek merkezlerini, makineli tüfek yuvalarını, tel örgüleri, yeri bilinen Yunan toplarını ateş altına aldılar.[1a]

Ne Yunanlılar böyle yoğun, dehşet verici ateş görmüştü, ne de Türkler. Tepeler yanıyordu sanki. Cephanelikler ateş alıyor, kamyonlar uçuyor, toplar parçalanıyordu. Kocatepe bile zangırdıyordu.

Piyadeler hücum mevzilerine, tel örgülere doğru ilerlemeye başladılar.

Bu cehennemlik ateş 20 dakika sürdü. Bataryalar bu kez 10 dakika sürecek imha ateşine geçtiler. Siperleri ve gözetleme yerlerini dövmeye başladılar.

Başkomutan ateş planını, topların ustaca kullanımını çok beğenmişti. İsmet Paşa'ya birçok kez teşekkür edecekti.

Bazı tel örgüler topçu ateşiyle yıkılmıştı. Bazılarını da istihkâmcılar ya da sabırsız askerler yıktılar. İmha ateşi sona erer ermez subaylar ve askerler, açılan gediklerden mevzilere, direnek merkezlerine daldılar.

Fırtına gibi esiyorlardı:

"Allah Allah... Allah Allah..."

Topçular ateşi ilerilere kaydırdılar. Top, makineli tüfek, el bombası, boru sesleri ve savaş naraları içinde, 06.45'te 5. Tümen Kalecik Sivrisi'ni ele geçirdi. On dakika sonra 15. Tümen'in 38. Alayı'nın da Tınaz Tepe'yi aldığı haberi geldi.

TEĞMEN ŞEVKET EFENDİ'nin güncesinden:

"Tınaz Tepe'yi zaptettik. Çok yazık ki alay komutanımız İlyas Bey taarruzun başladığı ilk dakikalarda yaralandı. Yaralı olmasına rağmen geri gitmedi, kaldı, tepe zaptedilince atını sürüp Tınaz Tepe'nin doruğuna çıktı. Düşman geride iki top bırakmış. Bir erimiz toplardan birinin üzerine çıkarak ezan okudu:

Allah-ü ekber!" [1b]

Yarbay İlyas Aydemir

FARİS AĞA ve bazı akıncılar kaç gündür sabah namazından sonra, nöbetleşe kulaklarını yere dayayıp toprağın kalbini dinlemekteydiler.

Bu sabah da öyle yapmışlardı.

Toprağa kulağını dayamış olan Faris Ağa titremeye başladı. Kendinden geçmiş gibiydi. Birden, ayağa zıplayarak ondan beklenmeyen bir coşku ile bağırdı:

"Top sesi bu toooop! Toplarımız gürlemeye başladı. Heeeey!!!"

İ. Ethem Bey talimat almak için yakın köylerden gelip nöbet bekleyen köylülere döndü:

"Duydunuz, üç yıldır beklediğimiz gün geldi. Şimdi köyünüze koşun. Herkes çarığını çeksin, silahını kuşansın. Verdiğim talimata göre hareket edeceksiniz. Haydi bakalım, gazamız mübarek ola!"

Köylüler el öpüp koşarak ayrıldılar. İ. Ethem Bey Müfreze Komutanlarına seslendi:

"Ağalar! Müfrezelerinizi toplayın! Gidiyoruz." [1c]

BELEN TEPE'nin ön yamacındaki yüksek ve sık çalılar, top ateşi yüzünden tutuşmuştu. Subaylar ve askerler hiç duraksamadan bu alevlere daldılar. Kimi yanarak şehit oldu, kimi alevlerin içinden ok gibi geçip siperlere, direnek merkezlerine girdi.[2]

Saat 09.00'da 23. Tümen de Belen Tepe'yi ele geçirmişti.

Alınmaz, geçilmez, yarılmaz sanılan Afyon mevzilerinin en kritik yerleri tek tek ele geçiriliyordu. Şimdi bu başarıyı derinleştirip genişletmek gerekti.

Hava Bölüğü Yunan İhtiyat Kolordusu'nun düzeninde bir değişiklik olmadığını rapor etti. Bu iyi haberdi.

SABAH aynı saatte 2. Ordu'nun ve Kocaeli Grubu'nun yaklaşık 100 topu da ateşe başlamıştı.

Top ateşleri geri kaydırılınca, ilk hat birlikleri, karşılarındaki birlikleri yerlerinde tutmak için taarruza kalktılar. Gösteriş taarruzu olduğu için çatışma sert değildi. Ama Yarbay Salih Omurtak'ın komutasındaki 61. Tümen, ciddi bir atılımla cephesindeki güçlü Kazuçuran direnek merkezini ele geçiriverdi.

Bu sonuç Yunanlıları duraksattı: Asıl taarruz yeri kuzey miydi, yoksa güney miydi?

HAVA HÂKİMİYETİ Türklere geçmişti. Asıl taarruz bölgesinin neresi olduğunu keşfetmek için çırpınan Yunan uçakları Türk cephesine geçmeyi başaramıyorlardı.

Yeltendikleri anda Türk av uçakları saldırıyordu.

Bugün Yüzbaşı Fazıl bir Yunan uçağını düşürecek, dört Yunan uçağı da zorunlu iniş yaparken kırılacaktı.[3]

AHIR DAĞI'nın kuzey eteğine yakın Yörükmezarı adlı köyde bir kadın küçük bahçesine yayılmış tavuklara yem veriyordu. Dağ yolundan gelen bir uğultu duydu. Uğultu büyüyerek yaklaşıyor, yer titriyordu. Köpekler havlamaktan vazgeçip sindiler. Tavuklar ürküp kümeslerine kaçtılar.

Neydi ki bu?

Birden dağın içinden kalpaklı süvariler çıkıverdiler.

Kadın çığlığı bastı:

"Bizimkiler! Kemal'in askerleri!"

Baştaki subay seslendi:

"Bacım, buralarda düşman askeri var mıdır?"

"Yok! Tokuşlar Köyü'ne kadar rahat. Gâvurlar ondan sonra."

Köylüler dışarı uğramışlardı. El sallıyor, sesleniyor, ağlıyor, dua ediyorlardı. Binlerce süvari, arkası kesilmeksizin sel gibi ovaya akıyordu.

Köyün muhtarı şükür secdesine kapandı.

Rezil işgal sona ermişti.

ORDUNUN taarruza geçmesi Afyon Türklerini havalara uçurdu. Sevinçlerini saklamayı beceremediler.

Rum ve Yunanlılar, sevindiğini belli eden altı yüz kadar Türkü tekme tokat toplayıp İmaret camisine tıktılar.

Bir testi su bile vermediler yanlarına.

TÜRK FIRTINASI sürmekteydi.

Asıl taarruz yerinin Afyon güneyi olduğu belli olmuştu. Trikupis yetişen 7. Tümen'i 1. Tümen Komutanı General Frangos'un emrine verdi. Yedekte bekleyen Albay Plastiras'ın alayını da 4. Tümen'i takviyeye yolladı. Yetmeyecekti bu. Çünkü cephedekiler, 'dalga dalga ölüme yürüyen Türkler karşısında askerlerin zorlukla tutunduklarını' bildiriyordu.

Trikupis İhtiyat Kolordusu'nun 9. Tümeni de yollamasını istedi. Hacianesti bunu gerekli görmedi:

"Düşman, bizim kuruntulu Passaris gibi şaşkın. En güçlü olduğumuz yere saldırıyor. İhtiyat Kolordumuz taarruza geçince, bunları ikiye böler ve ezer. Trikupis'e bugün kaybedilen yerleri geri almasını, İhtiyat Kolordusu'na da Çay'a doğru hemen taarruza geçmesini yazalım." [4]

Albay Passaris komutanı yine kızdırmayı göze aldı:

"İhtiyat Kolordusu'nun taarruz hazırlığı için zamana ihtiyacı var, ancak 48 saat sonra karşı taarruza geçebilir."

"Sen bir şey demek istiyorsun."

"Evet efendim, bence General Trikupis'in kolordusunun 48 saat dayanması çok zor. Dayanamazsa her şey mahvolur. Hiç beklemeden Dumlupınar mevzilerine geri çekilmesi daha doğru olur diye düşünüyorum..."

Hacianesti bütün damarları kabararak bağırdı:

"Ne diyorsun sen? O mevziler, bir yıldır, böyle bir gün için hazırlanmadı mı? Ben gördüm. Çok rahat dayanır. Aksini düşünen haindir."

İngiliz casusu Sait Molla

ANADOLU'nun dış dünya ile her türlü bağlantıyı kesmesi çeşitli yorumlara yol açtı.

İngilizler ve onların haberalma başarılarına güvenenler, Ankara'da M. Kemal Paşa'ya bir darbe yapıldığını düşünüyorlardı.

Sait Molla öğrendiği bu haberi hemen Ali Kemal Bey'e telefonla bildirdi. Ali Kemal Bey yeni kalkmıştı, uyku sersemiydi, bir avuç baldırı çıplak yüzünden üniversiteden kovulduğu için sinirliydi ama bu haber yüzünü güldürdü.

O da telefonu olan dostlarına yaydı bu güzel haberi.

ÜÇ SÜVARİ TÜMENİ de Tokuşlar çevresinde toplanınca Fahrettin Paşa, her birine bir görev verdi. Kuzeye de kuvvetli keşif kolları yolladı. Keşif kollarının bir görevi de demiryolunu ve telgraf hatlarını tahrip etmekti.

Cephe gerisinde cirit atan binlerce Türk süvarisini gören Yunanlılar paniklıyorlardı. Süvariler savaş havasına girmişlerdi. Direnmeye yeltenen birlikleri, atlı hücuma kalkarak kılıçtan geçiriyorlardı.

Demiryolu ve telgraf hatları, köylülerin de yardımıyla, birkaç yerden tahrip edildi. Birinci ve İkinci Yunan Kolordularının İzmir'le ulaşım ve haberleşmesi kesildi.

Saat 14.00'tü.

BAŞKAN VEHBİ HOCA, Başbakanı, 'askeri durum hakkında açıklama yapmak üzere kürsüye davet edince' Meclis'te bir kıpırdama oldu.

Ardahan Milletvekili Hilmi Bey şaştı:

"Allah Allah, ne var ki?"

Kara Vasıf Bey, "Belki bir köy almışızdır" diye güldü.

Rauf Bey kürsüye geldi. Heyecanını belli etmemek için kendini tuttuğu anlaşılıyordu:

"Efendim, uzun zamandır noksanlarını tamamlamakla uğraşan ordumuz, bu sabah genel taarruza geçmiştir.."

Alkışlar yükseldi:

"Allah başarı versin!"

"..En yakın zamanda kesin zafere nail olmasını Cenab-ı Hak'tan niyaz eylerim."

Alkışlar daha da şiddetlendi. Kara Vasıf Bey, "Göz boyama taarruzu bu" dedi. Hilmi Bey doğruladı: "Tabii canım. Ali İhsan Paşa ordunun durumunu bildirmişti. Sefaletmiş."
Durak Bey bağırdı:
"Biri dua etsin!"
Erzurumlu Nusret Efendi kürsüye yürüdü.

YIKILMAYAN sığınaklardan çıkan, geriden yetişen Yunanlılar direnişe geçmişlerdi. Arazinin yapısı savunmacılara büyük kolaylık sağlıyordu. Takviyeler de gelince savaş öğle üzeri dengelendi.
Trikupis Kurmay Başkanına, "Galiba krizi atlattık.." dedi, "..birlikler kaptırdıkları yerleri geri alırlarsa, iyice rahatlarız."
"Haklısınız."
Kapı büyük bir gürültüyle açıldı, çıldırmış gibi bir teğmenle emir subayı yuvarlanırcasına içeri daldılar. Emir subayının teğmene engel olamadığı anlaşılıyordu. Teğmen "Generalim.." diye inledi, "..süvariler... Binlerce süvari..."
"Ne diyor bu?"
Emir subayı açıkladı:
"Türk Süvari Kolordusu, cephe gerimize sızmış efendim."
Trikupis ve Kurmay Başkanı dehşet içinde ayağa fırladılar.[5]

KOCATEPE'de hava öğleden sonra gerginleşti. Hız azalmış, cephe daha yarılamamıştı. Yunanlılar bazı yerleri geri almaya başlamışlardı.
Nurettin Paşa çok sinirliydi. Gecikme, Kurmay Başkanı Asım Bey'i ve bazı kurmayları da telaşlandırmıştı.
Başkomutan gözünü kırpmadan savaşı izliyordu. Genellikle ayaktaydı. Kimi zaman bir taşa ilişip haritasını işaretliyordu. Yemek yememişti. Ardarda kahve ve zincirleme sigara içiyordu.
İsmet ve Fevzi Paşalar sakin görünüyorlardı.
Savaş aşağıda, tepeler, yarlar, çukurlar, taşlı bayırlar, kayalar, siperler, tel örgüler, hendekler, kum torbaları, makineli tüfek yuvaları, kamyon ve top enkazları, yanmaya devam eden çalılar, ölüler ve toplanmamış yaralılarla dolu ürkünç arazide, savaş dumanı altında, bir an bile durmadan devam ediyordu.
Bu sınırlı alanda altmış bin insan boğuşmaktaydı.

GENERAL VALETTAS ve Albay Passaris General Hacianesti'nin odasına girdiler. Bu izinsiz giriş Hacianesti'nin canını sıktı, sertlikle, "Ne var?" diye sordu.

"Düşman Afyon'la demiryolu ve telgraf bağlantımızı kesti."

Hacianesti'nin yüzü soldu:

"Nasıl olur?"

"Süvari Kolordusu, cephemizi bilinmeyen bir yerden delmiş."

General Valettas, "Durum kritikleşiyor.." dedi, "..hemen Uşak'a hareket edelim generalim. Savaşı burada üç saat geriden izliyoruz."

"Oturun. Önce durumu bir daha değerlendirelim." 6

ALBAY İZZETTİN BEY, 15. Tümen Komutanı Yarbay Naci Bey'den, Tınaz Tepe'de kaybettikleri yerleri bu gece geri almasını istedi:

"Başüstüne."

Naci Bey'in yanında 56. Alay Komutanı Yarbay Fehmi Bey (Tınaztepe) vardı. Ona, "Asker çok yorgun.." dedi, "..ne yapmalı?"

Fehmi Bey sordu:

"Tümenin bütün borazanlarını toplamama izin verir misiniz?"

Naci Bey anlamıştı, güldü:

"Gerekeni yapın."

Bazı yerlerde karanlığa rağmen savaş çılgınca sürmekteydi. Bazı yerlerde ise savaşa ara verilmişti. Tınaz Tepe ara verilen yerlerdendi. Nöbetçiler ve ileri güvenlik müfrezeleri dışında askerler yemek yer yemez toprağa kıvrılıp uyumuşlardı.

Tümenin borazanları uyandırılıp 56. Alay Komutanı'nın emrine gönderildiler. Fehmi Bey alayının tabur komutanlarına düşüncesini anlattı, askerlerini uyandırıp gece taarruzuna hazırlamaları için taburlarının başına yolladı.

Doksan borazan biraraya gelmişti. Fehmi Bey sordu:

"Hazır mısınız?"

Uykulu uykulu "Evet" dediler. Fehmi Bey içinden güldü. Birazdan doksan borazan birden hücum havası vurunca, kendilerinde de, başkalarında da ne uyku kalırdı, ne de yorgunluk. Başlarına Teğmen Rıfkı'yı bıraktı:

"Teğmen yeter diyene kadar durmadan hücum havası vuracaksınız. Anlaşıldı mı?"

Taburların hazır olduğu bildirilince 'başlayın' işaretini verip alayının başına koştu. Doksan borazan geceyi yırtıp parçaladı.

Borazanların uğultusu Yunan mevzilerine gök gürültüsü gibi yansımıştı. Alarm düdükleri ötmeye, nöbetçilerin kurt köpekleri havlamaya, aydınlatma fişekleri atılmaya başladı.

Türkler gecenin içinden boran gibi geldiler. Süngüleri aydınlatma fişeklerinin keskin ışığında parıl parıl yanıyordu.[7]

Yarbay Fehmi Tınaztepe

PAŞALAR çadırlı ordugâha dönmüşlerdi. Fevzi Paşa yemeğini yiyip yatmıştı. İsmet Paşa ordular ve kolordular ile telefonla konuşuyor, ertesi gün için emir veriyordu.

M. Kemal Paşa, Mahmut Bey'e ve kaygılı olduklarını gördüğü yaverlerine, "Yunanlılar iyi dövüşüyorlar." dedi, "..iyi dövüştükleri için de mahvolacaklar. Çünkü savaşmakla hata ettiler. Bugün Dumlupınar'a çekilseler belki kurtulurlardı. Yarmak için gerekli bütün kritik yerler elimizde. Yarın bu iş biter."

Binbaşı Tevfik yaklaştı:

"15. Tümen Tınaz Tepe'de elinden çıkan yerleri geri almış efendim."

"Bu haberi bekliyordum. Güzel. Haydi yatalım. Yarın yorucu bir gün olacak. Allah rahatlık versin."

ALBAY PLASTİRAS askerleri üzerindeki büyük etkisi, kabalığı ve Venizelos'a bağlılığıyla ünlü bir Evzon Alayı komutanıydı. Anadolu'daki gizli Milli Savunma (Etniki Amyna) örgütünün başkanıydı. Milli Savunmacı olduğu belirgindi ama başkan olduğu bilinmiyordu.

Trikupis, emrine ek birlikler de vererek Plastiras'ın, bir gece taarruzuyla Küçük Kalecik'i geri almasını istemişti.

Karargâh görevlilerinden Yüzbaşı Kanellopulos, Albay Plastiras'ın gece yarısı yolladığı mesajı General Trikupis'e bildirdi:

"Albay taarruz etmeyi reddediyor efendim."

"Neden?"

"Gece taarruzunu tehlikeli bulduğunu söyledi. Sabah harekete geçecekmiş."

Trikupis'in içine ilk kez korku düştü:

"Ümit ederim ki geç kalmış olmayız." [8]

BÜTÜN TÜMENLER geceleyin sabah taarruzu için hazırlık yaptılar. Bataryalar ileri yanaştırıldı.

Bir gün önceki savaş sırasında taşlık arazide askerlerin çarıkları parçalanmıştı. Çıplak ayak taarruz edeceklerdi.

Albay Kemalettin Sami Bey, tümen komutanlarına dedi ki:

"Birlikleriniz imha derecesinde sarsılsa bile bugün hedeflerinizi zaptedeceksiniz."

"Başüstüne!"

Albay İzzettin Bey de Tınaz Tepe'ye geldi. Yarma bölgesindeki iki tümen komutanıyla buluştu.

"Bugün ne pahasına olursa olsun, cepheyi yaracağız."

"Emredersiniz!" [9]

HEPSİNDEN ÖNCE en sağdaki Efe Kâzım'ın 8. Tümeni sabahı beklemeden harekete geçti, saat 04.00'te, ateş etmeden sessizce ilerledi, süngü hücumu ile ilk Yunan mevzilerine girdi. Bu kesimdeki savunma sisteminin kilit noktası olan Kurtkaya direnek merkezini 04.30'da ele geçirdi.

36. Alay'dan Üsteğmen Agâh bölüğünün önünde ilerlemiş, yaralandığı halde geri gitmemiş, Kurtkaya'nın doruğunda alnından vurularak şehit düşmüştü.

Dördüncü Kolordu'nun yarma kesimindeki iki tümeni daha gece yarısı hücum mevzilerine girmiş bekliyordu.

Tan atarken topçular düşman mevzilerini dövmeye başladılar. Patlayışlar dev kayaları sallıyor, Yunan mevzileri canlı bir yanardağın ağzı gibi kaynıyordu. Tel örgüler yıkılıyor, toprağa gömülmüş mayınlar patlıyordu. Top ateşi kayarken birlikler hücuma geçtiler, siperlere, sığınaklara daldılar, dayanak noktalarını yerle bir ettiler. Ağır kayıp veren Yunanlılar kuzeye doğru kaçtılar.

Plastiras harekete geçene kadar Türkler ezip geçmişlerdi.

Bu kesimin en önemli mevkii olan Erkmen Tepesi saat 06.00'da düşürüldü. Düşmanın bu kesimde tutunması artık mümkün değildi.

Soldaki Birinci Kolordu tümenleri de, birbirleriyle yarışmaktaydılar. Son tepeleri de alırlarsa, cephe yarılmış olacak, Sincanlı ovasına ineceklerdi.

Engellenemez bir tutkuyla ilerliyorlardı.

Mustafa Kemal Paşa Albay Reşat Çiğiltepe'ye telefon etmeye giderken

PAŞALAR VE KARARGÂHLARI sabah erkenden Kocatepe'ye gelmişlerdi. Yunan savunma sisteminin adım adım çöküşünü seyrediyorlardı.

Yalnız Çiğiltepe karşısındaki 57. Tümen bir türlü ilerleyememişti. Kuşatma kolu, ateş yememek için, hayli açıktan dolaşınca, etkisiz kalmıştı. M. Kemal Paşa bu tümenin komutanı Albay Reşat Bey'i severdi. Emrinde çok başarılı hizmetler görmüştü. Teşvik etmek için telefon etti:

"Reşat Bey hâlâ hedefinize ulaşamadınız. Bir sorun mu var?"

"Yarım saat sonra ulaşacağız efendim. Söz veriyorum."

"Peki, size güveniyorum."

MÜSTEŞAR RATTIGAN General Harington'u telefonla aradı:
"Rahatsız ettiğim için çok özür dilerim. Türklerin taarruz ettiği hakkında bir söylenti var."

Harington gülümsedi:

"Aslı yok Mr. Rattigan. Keyfinize bakın."

"Teşekkür ederim."

Türkler taarruz ederek pazar gününü mahvetmiş olsalardı Rattigan çok kızacaktı. Büyük Ada'ya gitmeye hazırlanıyordu. Zengin bir Rumun verdiği yemeğe katılacaktı.

TRİKUPİS ayağını yere vurdu:

"Lanet olsun!"

Türkler mevzileri, direnek merkezlerini arka arkaya düşürüyorlardı. Bugün dünden de hızlıydılar. Bu yüzden 9. Tümen'i tekrar istemişti ama Hacianesti yine izin vermemişti. İkinci Kolordu'nun ertesi gün Çay doğrultusunda taarruz etmesinde ısrar ediyordu. Bu doğru bir karardı ama Afyon'un ayakta kalması şartıyla.

Oysa Afyon çok zor durumdaydı.

Büyük çaplı mermiler Afyon'un içine de düşüyordu artık. Her mermi patlayışında şehir sarsılıyordu. Kurmay Başkanı Merentidis Afyon'u boşaltmak gerektiğini düşünüyordu.

Beklenmeyen bir şey oldu. Birliğinin başında olması gereken 4. Tümen Komutanı General Dimaras çıkageldi. Perişan bir hali vardı. Kendini ilk koltuğa bırakarak inledi:

"Bu iş bitti. Artık tutunamayız. Karargâhım bile düşmanın elinde."

Bir Türk avcı uçağı binanın çatısını yalayarak geçti. Trikupis Frangos'u aradı:

"General, ne durumdasınız?"

"Ateş hattındaki birliklerim dağılmak üzere. Ancak silah zoruyla tutabiliyorum. Cephe yarılmak üzere..."

Bir gürültü oldu. Bağlantı kesildi. Hat kopmuş olmalıydı. Telefonu fırlattı. Kurmay Başkanıyla bakıştılar ve anlaştılar.

Karargâh mensuplarını topladı:

"Direnmenin bir anlamı kalmadı. Afyon'u boşaltıyoruz. Kuzeybatıya çekilip ordunun emrini bekleyeceğiz. Merentidis, birini Frangos'a yolla. Dumlupınar'a çekilsin ve bizi mutlaka orada beklesin." [10]

General Dimaras ağlamaya başladı.

ŞEHRİN BOŞALTILACAĞI haberi yıldırım gibi yayıldı. Afyon Rum ve Ermenilerini korku sardı. Bir yıl önce Yunan ordusu Afyon'u işgal edince, Türklerle aralarındaki sekiz yüz yıllık toprak kardeşliğini bozmuşlardı. Birçok acı, kirli olay yaşanmıştı o günden bu yana. Türklerin tepkisinden kurtulmanın tek yolu kaçmaktı.

Çabuk hazırlananlar istasyona hücum ettiler. Ama yetkililer sivilleri bindirmediler. Durmadan yaralı geliyordu cepheden. Eskişehir'e onlar yollanacaktı. Şaşkın bir karargâh görevlisi, Birinci Kolordu'nun telsizini de ilk katara yükletti.

Binlerce Rum ve Ermeni, tıpkı bir zamanların Türk göçmenleri gibi, taşıyabilecekleri eşyaları yüklenip göç yoluna düştü.

Bu da her göç kafilesi gibi kalbi olanlara acı veren bir kafileydi. Yaşlılar, kadınlar, erkekler, gençler, çocuklar, bebekler, köpekler, kuşlar, bavullar, sepetler, bohçalar... Aralarında yaldız çerçeveli aynasını ya da hunili gramofonunu bırakmaya kıyamayanlar da vardı.

Kimi askerlere karışıp gidecek, kimi Kütahya'ya doğru yürüyecekti.

YARIM SAAT dolalı hayli olmuştu. Çiğiltepe düşmemişti hâlâ. M. Kemal Paşa Reşat Bey'le konuşmak istedi.

Telefona Emir Subayı Üsteğmen Bozkurt Kaplangı çıktı.

"Reşat Bey'i istemiştim."

Bozkurt zorlukla, "Reşat Bey az önce intihar etti efendim.." dedi, "..size bir açıklama bırakmış. Peki, okuyorum: 'Yarım saat içinde size o mevzii almak için söz verdiğim halde sözümü yapamamış olduğumdan dolayı yaşayamam.'"

Üsteğmen Başkomutan'ın teselli edici sözlerini ağlayarak dinledi.[11]

Şehit Albay Reşat Çiğiltepe

HACİANESTİ'nin yaveri Yüzbaşı Kazanidis, Türklerin taarruza geçtiğini öğrenen kulağı delik gazetecilerle başa çıkamayacağını anlayınca, yazmayacakları sözünü aldıktan sonra, "Evet.." dedi, "..dün taarruza geçtiler. Daha doğrusu M. Kemal, itibarını kurtarmak için ordusunu ateşe attı."

"Sizce ne olur?"

Kazanidis gülümsedi:

"Birkaç gün sonra burada sizi esir M. Kemal ile tanıştırabilirim." [11a]

Gazeteciler ordu bir bildiri yayımlayana kadar hiçbir şey yazmayacakları sözünü vererek, ordu karargâhından neşe ile ayrıldılar. Saat 13.00'tü.

BU SAATTE İzzettin Bey kolordusuna bağlı tümenlerin ileri müfrezeleri, savaş dumanı içinde, siperlerden atlayarak, savaş kalıntılarını aşarak koşuyorlardı. Yunanlıları yakalamak istiyorlardı. Önlerinden çekilip yok olmuşlardı birden.

15. Tümen'den Teğmen Rıfkı ile takım çavuşu zıngadak durdular. Bir yamacın başına gelmişlerdi. Aşağıda ağustos güneşi altında parlayan geniş bir ova vardı. Dağınık düşman birlikleri kuzeye doğru kaçıyorlardı. Teğmen büyülenmiş gibi baktı:

"Çavuş, burası Sincanlı Ovası!"

"Öyleyse?"

"Evet!"

Çavuş geriye döndü, koşarak yaklaşan çıplak ayakları kan içindeki askerlere bütün ciğeriyle haykırdı:

"Cepheyi yardııııııkkk!"

"Heeeeey!!!"

O kadar övülen Afyon müstahkem mevkii ancak 32 saat dayanabilmişti. Ağır makinelileri kurup, kaçanları biçmeye başladılar. Makineli tüfeklerden kurtulabilenler daha kuzeyde de Türk süvarilerinin kılıçlarıyla karşılaşacaklardı.

KOLORDU BAĞLI BİRLİKLERİ, Afyon'daki askeri okulun öğrencileri, Yunanlı memurlar, cephane kamyonları, ambulanslar, demiryolu görevlileri, subay aileleri, kargaşalık içinde Afyon'u terk ediyorlardı.

Kargaşalığın sebebi, Afyon'un düşeceği hiç düşünülmediği için bir boşaltma planı yapılmamış olmasıydı.

Son olarak General Trikupis ve karargâh kadrosu, koşar adım komutanlık binasından çıktılar. Koyu bir yangın dumanı şehri kaplamaktaydı. Yunan ruhu, Türklere ait bir yerleri yakmadan sükûnet bulmuyordu. Telaşla otomobillere bindiler. Son subay da binince kafile hareket etti. Yunan işgali ve zulmü sona ermişti.

Bütün minarelerden sala verilmeye başlandı.

İmaret camisine koşup aç ve susuz bırakılmış olan Türkleri kurtardılar. Ama gittikçe genişleyen yangınlarla baş edemediler.

TRİKUPİS'in Afyon'u boşalttığını öğrenen General Digenis kararsız kaldı. Ordu ertesi günü taarruza geçmesini istiyordu. Fakat bu emrin yerine getirilebilmesi için gerekli düzen, cephenin yarılması ve Afyon'un boşaltılmasıyla bozulmuştu.

Kurmay Başkanıyla görüştükten sonra kararını verdi:

"Biz de Eğret'e (*Anıtkaya*) doğru geriye çekilelim. Tümenlere bildirin."

Trikupis'in tümenleri ile birleşerek, geride sağlam bir savunma hattı kurabilirlerdi.

Bu sırada Süvari Kolordusu'nun 2. Tümeni de Digenis'in Kolordusuna doğru yürüyordu. Eğret'te karşılaşacaklardı.

23. TÜMEN, Yunan cephesinin gerisindeki Türk köyü Sinirköy'den (*şimdiki adı Tınaztepe*) geçerek kuzeybatıya doğru ilerleyecekti. Yamaçtan aşağıya inerken, tümen bandosu İzmir Marşı'nı çalmaya başladı.

Köylüler sevinç gözyaşları dökerek komutanların ellerini öpmeye koştular. Atlara, üzengilere sarılıyor, kızlar askerlerin üzerine çeyiz bohçalarından çıkardıkları mendilleri, çevreleri atıyor, kolonya serpiyorlardı.

Kel Zeynel "İzmir ne güzelmiş" dedi.

"İzmir daha ilerde."

"Orası da böyle güzel midir?"

"Daha da güzelmiş."

"Allah Allah. Burdan güzel yer olur mu?"

Bu candan köyü bırakıp gitmek zordu ama düşmanı kovalamak gerekiyordu. Tümen köyü hiç durmadan geçti, ovaya inip ilerledi. Saat 14.00'tü.

Tümen Komutanı Kolorduya şu raporu gönderdi:

"Sinirköy'deyim. Gazi Başkomutanımızı cephede görmediğinden bahseden Hacianesti'nin Sincanlı Ovası'nı dolduran perişan birliklerinin kaçışını seyrediyorum." [11b]

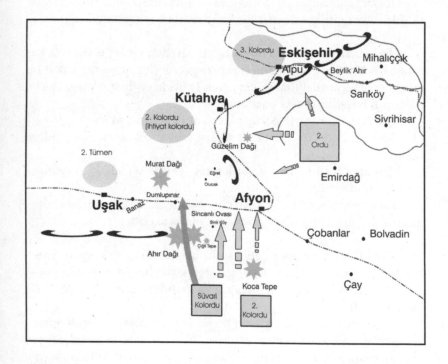

Yunan cephesi yarıldıktan sonraki durum:
Süvari Kolordusu ile 1. ve 4. Kolordular Sincanlı ovasındalar

PORTATİF bir tahta masaya serilmiş harita başında, M. Kemal, Fevzi ve İsmet Paşalar ile Asım Bey, bundan sonraki durumu görüşüyorlardı.

1. ve 7. Tümenlerden sağ kalanlar, General Frangos'un komutası altında kuzeybatıya doğru çekiliyor, bunları İzzettin Bey'in kolordusu takip ediyordu.

Dördüncü Kolordu da Sincanlı ovasına inmiş, demiryoluna yanaşıyordu.

2. Ordu karşısındaki Yunan cephesinin sağ yanı (Afyon kesimi) boş kalmıştı. Bu cephedeki tümenlerin geri çekilmesi için 2. Ordu'nun sol yanını biraz ilerletmesi yetecekti.

Durumun Yakup Şevki Paşa'ya telefonla bildirilmesi kararlaştırıldı. Asım Bey 2. Ordu Komutanı'nı arayıp durumu anlattı. Yakup Şevki Paşa itiraz etti:

"Benim cephemden çekilen yok. Düşman yerinde duruyor. Harekete geçemem."

Afyon müstahkem mevkiinin bu kadar çabuk yıkılabileceğine inanmadığı için durumu kabullenemiyordu. Ordusunun Kurmay Başkanına döndü:

"Güya düşman Afyon'dan çekiliyormuş. Yalan!" [12]

Yakup Şevki Paşa'nın cevabı İsmet Paşa'yı kızdırdı. M. Kemal Paşa, "Kolayı var.." dedi, "..hareket emrini doğrudan birlik komutanlarına ver, Y. Şevki Paşa ordusunun peşine takılsın." [13]

Fevzi Paşa gevrek bir kahkaha attı:

"İşte bu kadar."

2. Ordu'nun solundaki birlikler emri alıp da Yunanlıları biraz zorlayınca karşısındaki birlikler kuzeybatıya çekilecek, 2. Ordu'nun da önü açılacak ve durum kuşatmaya doğru gelişecekti.

İZMİRLİ Süvari Teğmeni Yıldırım Kemal, hastalandığı için Konya hastanesine yatırılmıştı. Neşeli, sevimli, herkesin çok sevdiği bir delikanlıydı. Sıkıldığı için üç gün önce hastaneden kaçmış, savaşın başladığını, kolordunun cephe gerisine geçtiğini öğrenince, bir at ele geçirip Ballıkaya'dan Ahır Dağı'na dalıp, keçi yolunu bir başına aşmıştı.

Kolordu karargâhını ve Fahrettin Paşa'yı Küçükköy istasyonuna yakın bir yerde buldu. Selam verdi:

"İyileşip geldim. Emrinizdeyim Paşam."

Son zamanlarda İstanbul'dan Anadolu'ya kaçan askeri lise öğrencileri, kısa bir süvari eğitiminden sonra teğmen olarak kolorduya verilmişlerdi. Yıldırım Kemal de bu çocuk yaştaki teğmenlerden biriydi. Hemen dövüşe katılma isteğiyle yanıyordu. Paşa teğmeni öptü, eski alayına verdi. Alayı bu sırada Küçükköy istasyonunu ele geçirmek için demiryolu muhafızları ile çarpışıyordu. Teğmen atını dörtnala sürüp gitti.

İki saat sonra bu genç İzmirlinin şehit olduğu haberi geldi.

Öteki şehit yoldaşlarıyla birlikte istasyonun yanındaki bahçeye gömüldü. Bu küçük istasyona Yıldırım Kemal adı verildi.[14]

HACİANESTİ ve Stergiadis, Sporting Clup'un terasında akşam yemeği yiyorlardı. İzmir'de hava nefis, deniz ipek gibiydi. İki yan da bildiri yayımlamadığı için savaşın başladığını bilenler pek azdı.

Herkes neşeliydi.

Hacianesti, alçak sesle, "...Hiç merak etmeyin.." dedi, "..tek sorunum, Trikupis'le çabuk haberleşememek. Başka bir sorun yok. Yarın İkinci Kolordum taarruza kalkarak Türkleri taarruza yeltendikleri için pişman edecektir. O zaman bir bildiri yayımlar, kamuoyunu bilgilendiririm. Haydi şerefe!"

"Şerefe!"

Hacianesti'nin yaveri Yüzbaşı Kazanidis sessizce yaklaştı. Yüzü kıpkırmızıydı. Eğilip fısıldadı:

"Generalim!"

"Ne var?"

"Karargâha gelmeniz gerekiyor."

"Neden?"

Yüzbaşı sesini daha da düşürdü:

"Cephe yarılmış efendim."

Hacianesti donup kaldı. Sonra sarhoş gibi sallanarak ayağa kalktı:

"Özür dilerim. Gitmem gerekiyor."

Komuta kurulu toplantı halindeydi. Hepsinin yüzüne felaketin gölgesi vurmuştu. Başkomutan, "Ne yapacağız?" diye sordu. Passaris el kaldırdı.

"Söyle."

"İki kolorduyu da General Trikupis'in emrine verelim. Trikupis, hiç vakit kaybetmeden iki kolorduyu Dumlupınar müstahkem mevkiine çeksin."

Bernardos, "Böylece İzmir yolu da sağlamca örtülmüş olur" dedi.

"Bunun için Trikupis kuvvetlerinin Dumlupınar'a düşmandan önce ulaşması gerek."

General Valettas durumu toparladı:

"General Frangos da Dumlupınar'a çekiliyor. İkisi Dumlupınar'da birleşirse, Türkleri durdurabiliriz."

Hacianesti başını kaldırdı:

"Ama Trikupis'in bu ölüm yarışını kazanması şart. Yoksa..."

Ötesini söylemek istemedi. Bu yarışı kazanamamanın sonucunu düşünerek hepsi ürperdi.

Çoğu haç çıkardı.

"Trikupis'e ve Frangos'a yollanacak emri hazırlayın." [15]

8. TÜMEN'den bir alay saat 17.30'da Afyon'a girdi.

Halk yol boyunca iki yana ayran kazanlarını, su küplerini, börek ve ekmek kadayıfı tepsilerini, dilim dilim kesilmiş karpuzları, kavunları dizmişti.

Alay Komutanı iki bölüğü yangınları söndürmeye yolladı. Kalanlar durmadılar, yürüyüşlerini biraz ağırlaştırıp yiyerek, içerek, alkışlar, dualar arasında yürüdüler.

Dördüncü Kolordu'nun öteki üç tümeni de hızla tepelerden aşağıya, Afyon'un batısına iniyordu. Görevi Yunan tümenlerinin Dumlupınar'a çekilmesini önlemek ve rastladığı birlikleri imha etmekti. Pek az uyumuş, durmadan dövüşmüşlerdi. Ayakları yara içindeydi. Öğle yemeği yememişlerdi. Ama hiç savaşmamış gibi dinç ve neşeliydiler.

Zaferin sihriydi bu.

MİLLETVEKİLLERİ salona, koridora, komisyon odalarına dağılmış cepheden haber bekliyorlardı. Taarruz başlamıştı. Sonra ne olmuştu?

Bir milletvekili bağırdı:

"Kâzım Paşa geliyor."

Kapıya koştular. Kâzım Özalp Paşa'nın yüzü gülüyordu, durdu, gözleriyle bir muhalif aradı, buldu, ona bakarak, "İki saat önce Afyon'a girdik" dedi.

Kıyamet koptu.

Birçok muhalif de bu sevince katıldı.

BAŞKOMUTAN, Genelkurmay Başkanı, Cephe Komutanı, 1. Ordu Komutanı ve karargâhları, akşam Afyon'a geldiler.

Belediye binasına yerleştiler. Binanın geniş sofasında Afyonlular büyük bir ziyafet sofrası hazırlamışlardı.

Birinci, İkinci ve Dördüncü Kolordu Komutanları ve bazı tümen komutanları, paşaları karşılamaya gelmişlerdi. Bu güzel sofrayı görünce kaldılar. Ama Türk ordusu da, Yunan ordusu da dağınık bir haldeydi. Düşmanın ne yana yöneleceği, ne yapacağı belli olmamıştı. Yapılacak çok iş vardı. Zafer ziyafeti başlayınca bitmez, saatlerce uzardı.

İsmet Paşa bütün komutanları görevleri başına yolladı. Zavallılar birer parça börek alıp kös kös gittiler.[16]

TRİKUPİS, telsizi Eskişehir'e yollandığı için ordu ile bağlantı kuramıyordu. Durumu bildiremiyor, emir alamıyordu.

Digenis'in telsizi vardı. Onunla buluşmak için binlerce adamıyla kuzeybatıya doğru ilerledi.

Karanlık basınca durdular. Gecelemek için çok sıkı güvenlik önlemleri aldılar. Her yerde görüldüğü söylenen süvarilerden ve silahlandıkları öğrenilen köylülerden çekiniyorlardı. Üç yılın bedelini ödeme vaktinin gelip çattığının farkındaydılar.

Yaptıklarını biliyorlardı.

27 AĞUSTOS GECESİ pek az çatışma oldu. İki yan da birliklerini dinlendirdi.

Türkler 28 Ağustos sabahı erkenden düşman peşine düştüler. Afyon yakınlarındaki istasyonlarında bulunan vagonlarda, cephane, araç gereç ve pek çok konserve vardı. Buralardan geçen askerler sırt çantalarını, heybelerini çeşitli konservelerle doldurdular. 23. Tümen yeni yola çıkmıştı ki 4. Yunan Tümeni'yle karşılaştı. Bu tümenin güneyini Albay Plastiras alayının koruması gerekirken, Plastiras emri dinlememiş, gece haber vermeden alayını alıp daha kuzeye gitmiş, 4. Tümen'in güneyini açık bırakmıştı. 23. Tümen hızla savaş düzenine girerek taarruza geçti. Baskına uğrayan 4. Tümen büyük kayıp vererek dağıldı. General Dimaras ertesi gün, yanında kalmış olan 500 askerle Trikupis'e sığınacaktı.[16a]

ESKİ MÜRETTEP TÜMEN Komutanı Yarbay Zeki Soydemir 2. Süvari Tümeni'nin Komutanıydı. Tümeniyle bu saatte Eğret Köyü'ne yaklaşıyordu. Köyün yakınında büyük bir Yunan ordugâhı bulunuyordu. İkinci Kolordu karargâhı ile 9. Tümen burada gecelemişti. Harekete geçmek için toplanıyorlardı.

Süvari Tümeni ikiye ayrıldı, yarısı ateş baskını yaptı, yarısı atlı hücuma kalktı.

General Digenis'in çadırı bile kurşun yarası aldı.

2. Tümen, kendinden dört kat kalabalık ve güçlü 9. Tümen ile savaşarak, bu büyük tümenin ve çevredeki birliklerin yürüyüşünü 6 saat geciktirdi. Çok kayıp verdi.

Ama Trikupis-Digenis kuvvetlerinin hızını keserek, Dumlupınar'a yetişmelerini engellemişti.[17]

SÜVARİLER toparlanmak için daha kuzeye çekilince, İkinci Kolordu karargâhı ve 9. Tümen batıya doğru yürümeye başladı. Bir Yunan öncü birliği Olucak Köyü'ne girdi. Düşmanın geldiğini gören köylüler dağa kaçtılar. Öncü, kaçamayanları ve çocukları bir eve toplayıp yaktı.[17a]

Birinci ve İkinci Kolordu Komutanları, karargâhları, bağlı birlikleri, ağır topçu alayları, dört dolgun tümen (5., 9., 12., 13. Tümenler) ve komutanları, ağırlıklar, askeri öğrenciler, yüzlerce otomobil, kamyon, ambulans ve at, akşam Olucak Köyü'nde ve çevresinde toplandı.

Ortalık mahşere döndü. Geç saatte 4. Tümen Komutanı da kalan 400 adamıyla geldi.

Orduyla bağlantı sağlanamıyordu.

Böyle durumlarda Trikupis'in, kıdemli komutan olarak İkinci Kolordu'ya da emir verme yetkisi vardı. İki kolordunun komutanı olarak kararını verdi: Gerekirse savaşarak Dumlupınar'a çekileceklerdi.

Türklerden önce oraya ulaşmak için hemen yola çıkmaları gerekirdi. Ama kılavuz bulamamışlardı. Bir tek Türk yoktu ortalıkta. Hepsi dağlara çekilmişti. Karanlıkta Türk süvarilerinin hücumuna uğrama olasılığı da vardı. Yola sabah çıkılmasına karar verdi.

Geceyi büyük bir huzursuzluk içinde Olucak ve çevresinde geçirdiler.

Yiyecek çok azalmıştı. Yarı aç yattılar.

İNGİLTERE'nin İzmir Başkonsolosu Harold Lamb, gece Londra'ya şu telgrafı yolladı:

"26 Ağustos günü Türklerin Uşak doğusunda demiryolunu keserek, Afyon'u kuşattıklarını, hatta Afyon'un Türkler tarafından ele geçirildiğini duydum."

Olayları iki gün arkadan yansıtan bu telgraf Londra'ya 29 sabahı ulaştı. Ciddi bir ilgi görmedi. Zaten Lamb sabah ikinci bir telgraf göndererek, 'Afyon'un düştüğü haberinin doğrulanmadığını' bildirecekti.[17b]

29 AĞUSTOS sabahı İzzettin Bey kolordusunun bütün tümenleri Frangos kuvvetlerini yakalamak için harekete hazırlanıyorlardı.

Hava rüzgârlıydı.

15. Tümen'in 56. Alayı da yürüyüşe geçmek üzereydi. Ama dişsiz, buruşuk yüzlü, şirin bir yaşlı kadın Alay Komutanı Fehmi Bey'in eline yapışmış bırakmıyordu. Çevrede alayı uğurlamaya gelmiş kadın, erkek yüzlerce köylü vardı. Sıraya girmiş askere hâlâ börek, meyve, pestil ikram etmeye, haşlanmış yumurta vermeye çabalıyorlardı. Bazı çocuklar askerlerin kucağına tırmanmışlardı. Ortalık bayram yerine benziyordu.

"Anam, izin ver de yola çıkalım."

"Yoo, valla bırakmam."

"Geç kalıyoruz. Yolumuz uzun."

"Biz sizi üç yıl bekledik. Şimdi biraz da siz bekleyin. Daha diyeceğim var. Ben Üsküplüyüm. Ay yıldız Üsküp'ten ayrılınca, onun peşine düştüm. Göçmenin derdi, bayrağının altında ölmektir, oğul. Beş kere göç ettim. O nereye, ben oraya. Sonunda Anadolu'ya geldik. Ama düşman buraya da yetişti. Al sancak orduyla birlikte Ankara'ya gitti. Mecalim yok ki yine peşine düşeyim. O dönene kadar ölmemeye ahdettim. Ahdimi de tuttum. Ordu da, o da döndü. Ama bir açıp da sancağın yüzünü göstermediniz."

Fehmi Bey'in yüreği köpürdü:

"Biraz bizimle birlikte yürüyebilir misin?"

"Yürürüm!"

Komutanın işareti üzerine komutlar verildi. Alay yürüyüş düzenine girdi. Sancaktar ve sancak muhafızları en öndeydi. Fehmi Bey yaşlı kadını sancaktarın arkasına götürüp bıraktı.

"Burda dur anacığım."

Kadıncağız ne olacağını anlamamıştı. Huzursuz bakıyordu. Sancaktar ve muhafızlar usulünce sancağı açınca, kadının yüzüne sanki nur yağdı, öyle parladı birden. Sancaktar sancağı kaldırdı. Al sancak kadının başının üzerinde dalgalanmaya başladı.

Kadın dirildi, dikildi, başını gururla kaldırdı.

Alayla birlikte, gözleri sancakta, dimdik, ayrılık çeşmesine kadar yürüdü.[18]

DUMLUPINAR önceden hazırlanmış, savunan için çok avantajlı bir savunma mevzii idi. Kuzeyinde Murat Dağı, güneyinde Toklu Sivrisi vardı. Refet Bele Paşa geri alamadığı için Yunanlılarda kalmış, yedek hat olarak iyice berkitilmişti.

Frangos kuvvetleri esir ve kayıp vere vere çekildi, Dumlupınar'a yerleşti. Uşak'tan Albay Gonatas'ın komutanı olduğu 2. Tümen de yardıma yetişti. Bu hiç savaşmamış, dolgun bir tümendi. İzmir'den cephane ve yiyecek de geldi.

Ciddi bir savunma cephesi kurulmuştu.

Ama İzzettin Bey'in kolordusu çok şiddetle yüklendi. Frangos komutasındaki kuvvetler çok sarsıldılar. Daha fazla kayıp vermemek için Dumlupınar'ı bırakıp bir gerideki hatta çekildiler.

Sadece müstahkem mevziin en kuzeyinde Albay Plastiras'ın alayı kaldı. O da savaşın iplerine dolandığı için geri çekilemiyordu. 23. Türk Tümeni'yle boğuşmaktaydı.

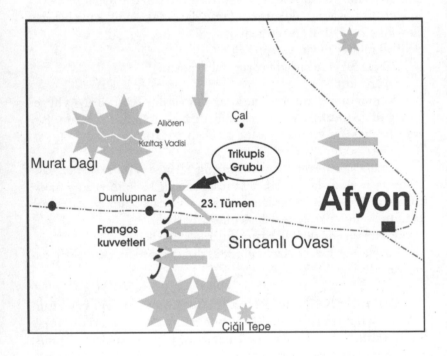

29 Ağustos 1922:
23. Tümen Frangos kuvvetleri ile Trikopis birliklerinin arasına girerek birleşmelerini engeller

TRİKUPİS-DİGENİS kuvvetleri Dumlupınar'a ulaşmak ve Frangos kuvvetleri ile buluşmak amacıyla, sabah çok erken Hamur Köyü'ne gitmek üzere Olucak'tan ayrılmışlardı.

Ayrılırken köyü ve ormanı yaktılar.

Yunanlılar için çok zor bir gün başlıyordu. Bugün büyük kayıp vereceklerdi.

Kemalettin Sami Bey'in Kolordusu Trikupis-Digenis kuvvetlerini Olucak'tan Hamur Köyü'ne yürürken yakaladı ve taarruza geçti. Bütün gücü ve hırsıyla yüklendi. Kadanalarla çekilen ağır toplardan kurulu Ağır Topçu Alayı yolun kötülüğüne, havanın sıcaklığına rağmen 50 km. yol yaparak savaşa yetişecekti. Tecrübeli topçular böyle bir hızın örneği olmadığını söylüyorlardı.

Kuzeyden gelen 14. Süvari Tümeni de, Hamur'a yürüyen Yunan kuvvetlerini görünce, mermisi bitene kadar top ateşi altına aldı. Mermiler kalabalık, sıkışık kolların içine düşüyor, düştüğü yerde büyük boşluklar oluşuyordu. Hava kararırken iki alayıyla da atlı hücuma geçti.

Yunan birliklerinin içine ilk dalan 3. Alay'dan Yüzbaşı Şekip'in bölüğü oldu. Bu kesimdeki Yunanlılar dehşete kapıldılar. İki bine yakın Yunanlı direnmeden esir oldu. Çatışma sürdüğü için Yüzbaşı Şekip esirlerin geri götürülmesi için ancak on muhafız ayırabilmişti. Muhafızlar o kargaşanın içinden iki bin esiri çıkarmaya çabalarken, Yüzbaşı Şekip ve erleri Yunan birliklerinin içinde yalın kılıç dört dönüyorlardı. Bir kurşun yüzbaşıyı buldu. Atından düşen Yüzbaşı Şekip ve yanındaki 23 er binlerce Yunanlının içinde kaldı.[19]

Şehit yüzbaşının ve şehit oldukları anlaşılan erlerin düşman içinde kaldığını öğrenen 3. Süvari Alayı Komutanı Yarbay Ferit kahroldu.

YAKUP ŞEVKİ PAŞA zafere inançsızlığı yüzünden iki gündür Batı Cephesi Komutanlığı'nın canını çok sıkmıştı. Yunan kuvvetlerinin çekildiğini sonunda kabul etti ve o da ordusunu bugün batıya doğru hızla ilerletti.

Güneyde Dördüncü Kolordu, kuzeyde Süvari Kolordusu vardı. 2. Ordu birlikleri de doğudan yanaşacaklardı.

Trikupis-Digenis kuvvetleri kuşatılıyordu.

9. Tümen'den güçlü bir birlik, hava kararırken, ateş hattının gerisinden Çal-Dumlupınar yoluna çıkarak Dumlupınar'a doğru ilerledi. Birliğin başında 9. Tümen Komutanı Albay Gardikas vardı.

Kurtulmak için Dumlupınar'a ulaşmak, orada beklediğine güvenilen Frangos kuvvetiyle birleşmek gerekti.

Dumlupınar yönünden savaş uğultusu yansıyor, aydınlatma fişekleri çakıyor ama bir haber gelmiyordu. Gece yarısına doğru bir otomobilin Hamur'a yaklaştığı görüldü. Subaylar heyecanla koşuştular. Komutanların çevresini sardılar. Gelen Gardikas'ın yolladığı bir subaydı.

Bayılacak kadar yorgundu:

"Generalim! Dumlupınar'a 3 km. kadar yaklaşmıştık. Fakat bir düşman birliği önümüzü kesti. Çok çabaladık. Yolu açmayı başaramadık. Savaşmayı sürdürüyoruz ama Albay Gardikas sonuç alacağımızı hiç sanmıyor. Düşman çok sert." [19a]

Ümitsizlik iniltileri duyuldu. Bir subay, "İki gündür açız.." diye çığlık attı, "..cephane de bitiyor."

Bir başka subay öne çıktı:

"Biz savaştıkça düşman sertleşiyor. Yarın daha da sert olacaktır. Teslim olma vakti geldi komutanım."

Yakarışlar yükseldi:

"Teslim olalım!"

"Lütfen!"

"Durdurun artık bu savaşı, İsa aşkına!"

12. Tümen Kurmay Başkanı Yarbay Saketas öne gelmişti:

"Susun korkaklar! Susun ve beni dinleyin!"

Subaylarla askerlerin üzerine yürüdü. Yarbay Saketas yürüdükçe subay ve askerler açılıp yol veriyorlardı.

"Benimle birlikte Dumlupınar yolunu açmak ve orduyu kurtarmak için ölmeyi göze alacak gönüllü var mı aranızda?"

Bir teğmen öne çıkıp selam verdi:

"Ben varım komutanım!"

Bir papaz ilahi söylemeye başlamıştı. Duygulanan kalabalıktan sesler geldi:

"Ben de varım... Ben de... Ben de..."

Saketas kalabalığın açtığı yoldan ilerliyordu. Gönüllü subaylar ve askerler yarbayın arkasından yürüdüler. Karanlığın içinde kayboldular. İlahi gittikçe uzaklaştı.

Trikupis, Dumlupınar yolunun açılması için savaşan Gardikas birliğinin hemen takviye edilmesini emretti. Frangos'un Dumlupınar'dan ayrıldığını bilmiyordu. Bu inançla şöyle dedi:

"Teslim olmak sözünü bir daha duymak istemiyorum. General Frangos Dumlupınar'da bizi bekliyor. Gece olduğu için olup biteni göremediğini, anlamadığını sanıyorum. Yarın sabah şansımızı bir daha deneyeceğiz. Araya girmiş olan Türk birliğini aramızda ezer ve Dumlupınar'a varırız. Şimdi Dumlupınar'a yakın olmak için Çalköy'e yürüyeceğiz. Kısa bir yol bu. Komutanlar hazırlık yapsın.."

Kamçısını kaldırdı:

"..Çocuklarım! Bu geceki parolamız 'mesalongi' (özgürlük) olsun!"

O kısacık yolu aşmak saatler aldı. Ya Türk hücumlarına uğruyor, ya birbirlerini Türk birliği sanarak çatışmaya giriyorlardı.

Verdikleri kayıp sayısı çok artmıştı.

Kurtuluş ümidini yitiren hayli subay ve asker, gece hızla yürüyerek Kızıltaş vadisine ulaştılar ve o yoldan ilerleyerek çember kapanmadan batıya kaçarak, Frangos kuvvetlerine katıldılar.

Bu kuvvetlerin acı yazgısına ortak olacaklardı.[20]

ALBAY GARDİKAS'ın başında olduğu birliği Yarbay Ömer Halis Bıyıktay'ın 23. Tümeni durdurmuştu.

Tümen Albay Plastiras'ın alayı ile savaşırken, yaklaşan bu birliği görmüş, Trikupis kuvvetlerinin öncüsü olduğunu anlamış, hiç duraksamadan taarruz ederek yolunu kesmişti.

Bütün gece savaşacaklardı.

İZMİR BAŞKONSOLOSU Yunan kaynaklarından aldığı haberi Londra'ya geçti:

Yunanlılar Afyon'u boşaltmak zorunda kaldıklarını şimdi kabul ettiler.

Atina ve İzmir'de halk savaşın başladığını öğrenmişti.

Cepheden iyi haberler gelmiyordu.[21]

TATİLE ÇIKAN Lord Granville'in yerine Atina'da işgüder olarak Mr. Bentick kalmıştı. Bentick Albay Nairne'e gece telefon etti, uykusunu kaçırmış olan soruyu sordu:

"Afyon düştü diye Yunanlılar Anadolu'yu boşaltmak zorunda kalmaz değil mi?"

"Hayır. Yeni bir hatta çekilir ve savunmayı sürdürürler. Yunan Genelkurmayı Türkleri durduracaklarını söylüyor."

Bentick sevindi:

"Çok iyi. Yoksa Londra'ya karşı çok komik duruma düşecektim."

"Neden?"

"Çünkü dün, onu bizden daha iyi koruyabileceklerini ileri sürerek, İstanbul'un Yunanlılara devredilmesini önermiştim." [22]

23. TÜMEN'in Trikupis-Digenis kuvvetlerinin yolunu kestiği hakkındaki bilgi Batı Cephesi karargâhına gece yarısından sonra geldi.

Bilgi, durum haritasına işlenince kurmayların soluğunu kesen bir görüntü belirdi: Bu büyük kuvvet çember içine alınmıştı. Sadece görkemli Murat Dağı'nın kuzey eteğindeki Kızıltaş vadisi yolu açıktı.

Beklenen sonuca varmak için dört gün yetmişti.

Paşalar uyandırılıp bilgi sunuldu.

M. Kemal Paşa hızı ve kararlılığı sağlamak için 1. Ordu karargâhına gitmeye karar verdi. Fevzi Paşa'dan da, Süvari Kolordusu ve 2. Ordu'ya gitmesini, bu birliklere gerekli emri vermesini rica etti.

İsmet Paşa Afyon'da kalarak genel durumu yönetecekti.

Hava ışırken yola çıktılar.

SABAH Çalköy'e geldikleri zaman, Trikupis, Frangos'un dün Dumlupınar'ı terk ettiğini, Uşak'a yürüdüğünü öğrendi. Çok sarsıldı ama belli etmemeyi başardı. Uzun uzun haritayı inceledi:

"Şu halde Kızıltaş vadisi yoluyla Murat Dağı'nı aşarak Uşak'a ulaşacağız. Başka yol yok."

Bir kurmay subay, "O korkunç dağda kayboluruz efendim" dedi.

Trikupis duymazlıktan geldi:

"Yürüyüşe geçelim."

Çalköy'den Kızıltaş vadisi yolu üzerinde bulunan Allıören'e doğru yürümeye başladılar.

Yağmur başlamıştı.

YİNE sıtma krizi geçiren Fahrettin Paşa bir yamçıya sarılmış titremekteydi. Fevzi Paşa, "Düşmanın batıya kaçabileceği bir tek yer var, Kızıltaş vadisi. Bu yolu hemen kapamanız gerekiyor."

"Ben gelişime bakarak daha geceden bu emri vermiştim. Üç tümenim de o vadiyi kapamaya gidiyorlar."

"Öyleyse ben 2. Ordu'ya geçeyim. Sen de bir an önce iyileşmeye bak. Kolordunun başına geç."

Gülmeye çalıştı:

"İyileşirim. Çünkü doktorun bu sefer vurduğu sıtma iğnesi galiba katır dozuydu."

3. ALAY KOMUTANI Yarbay Ferit gözlerine inanamadı.

Binlerce Yunanlının içinde kalan 23 erden 17'si, şehit yüzbaşılarının ve arkadaşlarının cesetleriyle birlikte geri gelmişti.

O korkunç kalabalığın içinden nasıl kurtulup geldiklerini anlatamıyorlardı. Anımsamıyorlardı. Gelmişlerdi işte. Yarbay hepsini öptü. Ödül olarak her birine bir çay şekeri parçası verdi. Verecek başka bir şey yoktu.

Yüzbaşı Şekip'i ve erlerini törenle vatan toprağına kattılar. [22a]

FEVZİ PAŞA, Yakup Şevki Paşa'nın savaş idare yerine gelmişti. İki paşa kucaklaştılar. Kurmaylar paşaların çevresini sardı. Hepsinin yüzü parlıyordu.

Fevzi Paşa'nın açıklamasını dinleyen Yakup Şevki Paşa, "...Yani Afyon cephesini yardık, düşman ordusunu üçe böldük ve dört günde düşmanın iki kolordusunu kuşatacak duruma geldik ha?" dedi. Hayret içindeydi.

Fevzi Paşa güldü:

"Evet paşam."

Yakup Şevki Paşa, "Ben tecrübesiz, kararsız, korkak bir asker değilim.." dedi kendine dargın bir sesle, "..ama ne iddia ettimse tersi çıktı. Neye karşı durdumsa mahcup oldum. Yahu, bu mucizenin sırrı ne?"

Fevzi Paşa, Yakup Şevki Paşa'nın elini okşadı ve sorusunu cevapladı:

"M. Kemal Paşa."

CEPHEYE ÇAĞRILAN Halide Hanım ile Ruşen Eşref zorlukla Afyon'a yetişmişlerdi. İsmet Paşa, "Tam gününde geldiniz.." diye karşıladı, "..Başkomutan yaşanan olayları sizlerin yazmanızı istiyordu."

Halide Hanım güldü:

"Bu arada bunları da mı düşünüyor?"

"O neden M. Kemal?"

R. Eşref, "Gazi Paşa'ya görünmemiz gerekmez mi?" diye sordu.

"Paşa cephede. 11. Tümen savaş idare yerine gidiyormuş.."

"Ateş hattı değil mi orası?"

"Evet, ateş hattı."

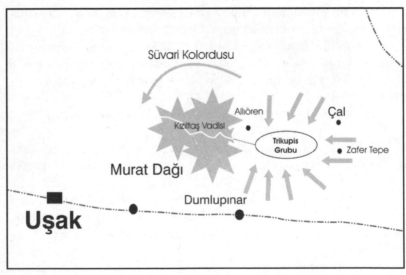

30 Ağustos 1922 Başkumandan Meydan Savaşı

11. Tümen'in savaş idare yeri, Çalköy ile Selkisaray arasında, sonra Zafer Tepe adı verilecek olan Kara Tepe'deydi.

1. Ordu ve Dördüncü Kolordu Komutanları Başkomutan'a katıldılar. Üç otomobille Dumlupınar-Çalköy yoluyla Kara Tepe'ye hareket ettiler.

Her yandan yanaşan Türk tümenleri Trikupis-Digenis kuvvetlerini Adatepe'ler civarında daracık bir alana sıkıştırıyorlardı. Yolun sol yanına zaman zaman top mermileri düşüyor, sağdan bir Türk birliği kuşatmaya katılmak için yaklaşıyordu.

Yağmur artmaktaydı.

23. TÜMEN'i takviye etmesi ve Kızıltaş vadisinin ağzını kapatması için bir tümen yollanmıştı. Hava oldukça kararmış, yağmur şiddetlenmişti. Bu tümenin ileri sürdüğü alay, araziyi tanımadığı ve yağmur yüzünden iyi gözetleme yapamadığı için vadinin 3-4 kilometre güneyinde durdu. Süvariler daha yetişmemişti.

Kızıltaş vadisi açık kaldı.

Albay Gardikas, 5. Tümen Komutanı Albay Rokkas'la anlaştı. İki-üç bin kadar askerle birlikte Kızıltaş vadisine çekilerek batıya doğru yürümeye başladılar.[22b]

İki tümen komutanı, silah arkadaşları dövüşürken savaş alanından kaçmışlardı.

Bu grup, Türklere yakalanmamak için hiç mola vermeden yürüyecek, yaralananları taşımak için durmayacak, yorulanları beklemeyecek, hastalananları bırakacak, bu vahşi yürüyüşle süvariler gelmeden önce vadinin bitimindeki geçitten geçecekti.

M. KEMAL PAŞA 11. Tümen Komutanı Yarbay Derviş Bey'den taarruzu şiddetlendirmesini, topçuların açığa çıkarak ateş etmelerini istedi.

"Başüstüne."

Derviş Bey topçulara gerekli emirleri verdi, taarruzun başında bulunmak için ileri hatta koştu.

Başkomutanın savaşı ateş hattından izlemesi ve yönetmesi, çevredeki bütün subayları ve askerleri daha da coşturmuştu. Birlikler

Zafer Tepe bugünkü düzeniyle

Yunan savunma mevzilerine iyice yaklaştılar. Topçular açığa çıkarak ateşe başladılar.

2. Ordu'dan 61. ve az sonra da 16. Tümenler de geldi, Adatepe'lerin kuzeyindeki ormana ve tepelere yayıldılar. 61. Tümen'in 190. Alayı'ndan Haydar Çavuş Allıören Köyü'nün kuzeyindeki yamaçta şehit oldu.

Otuz bin insan, iki Adatepe ile bu tepelerin kuzeyindeki vadiye yığılmıştı. Yunan askerleri ilerde buraya 'ölüm çukuru' adını vereceklerdi.

Cephane kamyonları vuruldukça, göğe ateş fıskıyeleri yükseliyor, kulakları sakatlayan tarakalar duyuluyordu. Trikupis'in kurmaylarından Yüzbaşı Kanellopulos ilerde bugünü özetle şöyle anlatacaktı:

"Topçular ile bazı birlikler henüz disiplini koruyorlardı. Kızıltaş vadisi yoluyla kaçmak isteyenler Allıören'e doğru sızmaktaydılar. General Trikupis'in emrine göre, karanlık basana kadar direnilecek, karanlık basınca Kızıltaş vadisinden batıya doğru hep birlikte çekilinilecekti.

Türkler çevremizi kuşatmayı tamamladılar. Acı savaş başladı. Saat 13.30'du.

General Trikupis ve Digenis, bir taş ocağında, heykel gibi duy-
gusuz ve sakin, başlayan faciayı izlediler. Karargâh subayları çevre-
lerinde oturmuşlar, komutanlarını şarapnel parçalarına karşı koru-
yorlardı.

Trikupis teslim olma önerilerini sürekli reddediyordu.

Saat 16.00'da Türk topçusunun faaliyeti doruğa çıktı. Eriyorduk.
Bataryalarımız mahvoluyor, cephane ve yaralı dolu kamyonlar ha-
vaya uçuyor, insanlar büyük bir korku içinde ormanlara, yarıklara,
kuytulara kaçışıyorlardı. Sinirler boşanmıştı. Bazı komutanlar kor-
kudan çılgına dönmüş askerlerini yatıştırmak için alay sancaklarını
açtırdılar. Bir yararı olmadı. Kuzeyden, doğudan yeni yeni Türk bir-
liklerinin yaklaştıkları görülüyordu.

Saat 18.30'da bütün toplarımız susturulmuştu.
Titreyerek güneşin batmasını bekliyorduk." [23]

KIZILTAŞ VADİSİ, tabanından ince bir derenin aktığı, iki yanı
sık ormanlık bir vadiydi. Silahlanmış köylüler bu vadiden geçen kü-
çük kafilelere saldırıp yok ediyorlardı. Yine küçük bir grup geliyordu.
Nefeslerini kesip beklediler.

On beş kadar Yunanlı kaçak soluya soluya yaklaşıyordu. Öndeki
subay bir hışırtı duydu, başını çevirdi, köylüleri gördü —ellerinde bal-
talar, kazmalar, satırlar, tırpanlar, bir de tüfek vardı— "Türkler" diye
bağıracaktı, bağıramadı, alnına kurşunu yedi.

Köylüler askerlerin üzerine atıldılar.

GÜNEŞ Murat Dağı'nın ardında kaybolup akşam alacası çöker-
ken, top ve piyade ateşi kesildi, askerler süngü hücumuna kalktılar.
Çelik süngüler akşam ışığında çakıp sönüyorlardı.

M. Kemal Paşa siperin içinde ayağa kalktı. Savaş heyecanı ile do-
luydu. Kabarıp taşarak haykırdı:

"Hacianestiii! Nerdesin? Gel de ordularını kurtar!" [24]

HACİANESTİ odasının penceresinden karanlık denize bakıyor-
du. General Valettas son bilgileri verdi:

"General Frangos'un emrindeki birlikler Uşak'a çekiliyor. Bazı askerlerin birliklerden ayrılıp küçük gruplar halinde birleşerek batıya doğru kaçtıkları bildiriliyor."

"Trikupis?"

"Bugün ondan hiç haber yok."

Hacianesti'nin omuzları daha da çöktü. Bütün enerjisi akıp gitmiş gibiydi. İki gündür İzmir'den Uşak'a gitmeye karar veremiyordu.

Bir geminin neşeli düdüğü ikisine de can yakan bir çığlık gibi geldi.

ALBAY GARDİKAS-Albay Rokkas grubu, süvariler yetişmeden geçitten geçmeyi başarmıştı.

Bunun sevinci içinde ilerlerken, 1. Süvari Tümeni yakalayıp çevirdi. Çok kayıp ve esir verdiler. Kurtulabilenler Frangos kuvvetlerine katıldılar.

Kurtulan (!) Yunan askerlerinin durumu

Korku hepsinin sinirlerini sakatlamıştı.

Savaşan askerleri paniğe uğratmasınlar diye hemen cephe gerisine postalandılar. Yunan ordusuna bir yararları dokunmadı.

KÜÇÜK ADATEPE'de son dakikaya kadar disiplinlerini koruyan az sayıda Yunan askeri vardı. Bunlar arkadaşlarının kaçabilmeleri için kendilerini feda ediyorlardı.

Türk birlikleri bu son çırpınışı da kırdılar ve karanlıkta birbirlerine zarar vermemek için durdular.

Facianın üzerine katran karası bir gece indi. Yağmur daha da şiddetlenmişti.

Sağ kalmış on bine yakın subay ve asker, eşya ve cephane yüklü katırlar, 12 dağ topu ve silahlarıyla, sessizlik içinde, Kızıltaş vadisine doğru çekildiler. Bu selin içinde kolordu ve tümen komutanları da vardı.

Türk Alayı'nın 3-4 km. kuzeyinden geçerek vadiye girdiler.[24a] Gelenlerin çok kalabalık olduğunu gören köylüler saklandılar.

Süvariler Kızıltaş vadisinin bittiği yerdeki geçitte bekliyorlardı.

EMPERYALİSTLERİN donattığı, emperyalizmin yönlendirdiği Yunan ordusu ezilmişti. Türkiye için yepyeni bir dönem başlıyordu. Falih Rıfkı Atay 30 Ağustos zaferi için şöyle yazacaktı:

"Nemiz varsa, eğer bağımsız bir devlet kurmuşsak, hür vatandaşlar olmuşsak, şerefli insanlar gibi dolaşıyorsak, yurdumuzu Batının pençesinden, vicdanımızı ve düşüncemizi Doğunun pençesinden kurtarmışsak, şu denizlere bizim diye bakıyor, bu topraklarda ana bağrının sıcaklığını duyuyorsak, belki nefes alıyorsak, hepsini, her şeyi 30 Ağustos zaferine borçluyuz."[24b]

BUGÜN 2. Ordu'ya bağlı Geçici Süvari Tümeni de Kütahya'ya girmiş, çılgınca karşılanmıştı.

Sağ yanı açık kalınca, Eskişehir'deki Üçüncü Kolordu'nun durumu tehlikeye düştü. General Sumilas, "Bir vuruşta koca orduyu üçe ayırdılar." dedi, "..artık tutunamayız. Ordudan izin isteyerek, biz de geri çekilelim."

Kurmay Başkanı ayağa kalktı:

"Galiba Anadolu maceramız sona eriyor."
"Bence sona erdi bile."

31 AĞUSTOS SABAHI Başkomutan, Fevzi Paşa, Afyon'dan gelmiş olan İsmet Paşa savaş alanını gezdiler. Ruşen Eşref de birlikteydi.
Hava açılmıştı.

Her yan alan iki kolordu ve beş tümenin topları, kimi yanmış, kimi sağlam kamyon ve otomobiller, arabalar, binlerce silah, gereç, sandık ve eşya, pek çok yaralı, ceset ve ceset parçasıyla doluydu. Sıhhiyeciler yaralıları ve cesetleri topluyor, veterinerler ağır yaralı hayvanları acı çekmesinler diye vuruyorlardı.[25]

Savaş alanı

İki yandan kalabalık esir kafileleri geçiyordu. Bir gün öncenin korkusu gözbebeklerine işlemişti. Çevre dağlar, tepeler, vadiler, böyle kaçaklarla doluydu. Birlikler buraları tarayıp kaçakları topluyorlardı.

Başkomutan İsmet Paşa'ya, "Bundan sonra ne yapmayı düşünüyorsun?" diye sordu.

Yunan esirleri

"Düşmanın alabileceği her türlü önlemi felce uğratacak şekilde ve hızla, orduyu hiç durmadan İzmir'e yürütmeyi düşünüyorum."

İsmet Paşa Yunanlıların Trakya'daki tümenlerini Anadolu'ya getirterek İzmir önünde bir savunma mevzii kurmalarından, bu arada İngilizlerin işe karışmalarından çekiniyordu. 2. Ordu Yunan Üçüncü Kolordusu'nun yolunu kesecek şekilde kuzeye yürütülebilir, o kolordu da esir alınabilirdi ama amaç bu değildi: Amaç zaferi tehlikeye düşürmeden, vatanı bir an önce geri almaktı.[26]

M. Kemal Paşa bu düşünceyi onayladı.

Kalıntıların içinde, yerde bir Yunan sancağını görünce, "Yerden kaldırın!" dedi. Yaver Muzaffer, sancağı yerden alıp bir topun üzerine bıraktı.[27]

30 AĞUSTOS akşamı Kızıltaş vadisine çekilmiş olan Trikupis-Digenis grubu, bütün gece, yağmur altında karmakarışık yürümüş, sabaha karşı süvarilerin ve köylülerin ateşini yiyerek epeyce kayıp vermiş, dağılıp iki kola bölünmüştü:

General Dimaras ile 12. Tümen Komutanı Albay Kalidopulos kolu, yaklaşık bin kişiydi.

Trikupis-Digenis kolu ise altı-yedi bin subay ve erden oluşuyordu.

İki grubun da yiyeceği yoktu. Çevreyi tanımıyorlardı. Kılavuz bulamıyorlardı. Bütün köylüler köyleri boşaltıp uzağa çekilmişlerdi. Ağaç yaprağı, ot yiyerek Murat Dağı'nın vadileri arasında dolaşıp duracaklardı.

İlk çemberden kurtulmuşlardı ama büyük çemberden kurtulmak mümkün değildi.

BAŞKOMUTAN'dan "İleri!" emrini alan Birinci Kolordu karşısında General Frangos kuvvetlerinin direnmesi mümkün değildi. 1 Eylül günü Uşak'ı da bırakarak daha batıya çekildiler.

Buralı Rumlar da uzun bir katarla İzmir'e göçmek üzere Uşak'tan ayrılmışlardı. Katar, vagonların çatılarına kadar insan ve eşya ile doluydu. Askerler çekilirken Uşak'ı yaktılar. İzmir'e kadar yollarının geçtiği her yeri, tüm binaları, camileri, mescitleri yakıp yıkacaklardı. Bağları bile yakmaya çalışıyorlardı. Amaçları geride kullanılamaz, yaşanamaz bir yangın yeri bırakmaktı.[27a]

İlk Türk birliği saat 18.00'de Uşak'a girdi. Ordu ve halk sevinmeyi sonraya bırakarak şehri kasıp kavuran yangınları söndürmeye koştular.[28] Birinci Kolordu Komutanı Albay İzzettin Çalışlar, iki yıl önce Uşak'ı Yunanlılara terk etmek zorunda kalan birliğin komutanıydı.

Talih ona kaybettiği şehri geri alma mutluluğunu yaşatmıştı.

YUNANLILAR Eskişehir'i boşaltarak geriye çekiliyorlardı.

Panayot'un birliği sona kalmıştı. Şehirden çıkmadan önce evleri yağmalayıp yakıyorlardı. Savaşmayı iyice öğrenmiş olan Panayot sonunda birkaç Türk öldürebilmişti. Arka çantasına sığacak küçük ama değerli birkaç şey bulabilmek ümidiyle büyükçe bir eve daldı. Ev sahiplerinin çoğu şehir dışına kaçmıştı. Burası da boştu. Dışından sade, içinden süslü, güzel bir Eskişehir eviydi.

Üst kata çıktı.

Odalardan birinde ceviz bir sandık buldu. Evin kızının çeyiz sandığıydı herhalde. Arka çantasını oyalar, kumaş parçaları, dantellerle doldurdu. Hızla aşağı inip sokağa çıktı. Geç kaldığını anladı. Türk askerleri şehre girmişlerdi.

Teslim oldu.

Bir yıl sonra köyüne dönünce, sevgilisinin nefret ettiği bir adamla evlenmiş olduğunu görecek, ölmediğine yanacaktı.

BUGÜN General Dimaras-Albay Kallidopulos grubunun takati tükendi. Açlık, yorgunluk ve korku hepsini çok sinirli yapmış, bazıları hayaller görmeye başlamıştı. 2. Ordu'dan küçük bir birliğe rastladılar, onlar da hiç çatışmadan teslim oldular.

Sırada Trikupis grubu vardı.

HÜKÜMET Kral'ın başkanlığında, Tatoi Sarayı'nda toplanmıştı. Panik halindeydiler. Ordunun durumu hakkındaki söylentiler çok korkutucuydu. Şehirler bir bir elden çıkıyordu.

Teodokis, "Dikkafalı aptal Hacianesti ile bu iş yürümez.." dedi, "..düşman çok hızlı ve güçlü. Onu ancak yeni ve iyi bir komutan durdurabilir."

"Kim?"

Stratigos atıldı:

"Bence General Trikupis."

Baltacis çok huzursuzdu:

"Ya o da durduramazsa? Düşman İzmir'e akıyor."

"Bir öneriniz mi var?"

"Evet efendim. İngiltere aracılığıyla derhal mütareke isteyelim. Hiç olmazsa İzmir elimizde kalır. Yoksa bu gidişle İzmir'i de kaybedeceğiz."

Başbakan Protopapadakis, "Öneriye katılıyorum" dedi. Elleri titriyordu. Bakanlar da kabul ettiler. Mütareke isteği Kral'a da uygun gelmişti. Bu yolla Anadolu'dan süpürülmeyi önleyebilirlerdi. Onayladığını belirtti. Savaş Bakanı Teotokis'e, "General Trikupis'in atama kararnamesini hazırlayın.." dedi, "..Telsizle arayarak Başkomutanlığa atandığını bildirin."

"Peki efendim." [29]

YUNAN SAVAŞ BAKANLIĞI General Trikupis'i telsizle sürekli aramaya başladı.

Bu mesajı Türk telsizcileri saptadılar ve Cephe Komutanlığına bildirdiler.

General Trikupis ve yanındakiler, bu sırada, Kızıltaş vadisinin çıkışına yaklaşmışlardı. Çıkışta süvarilere çattılar. Bine yakın kayıp vererek geri kaçtılar.

YUNAN HÜKÜMETİNİN yenilgiyi kabul ederek mütareke için arabulucuk istemesi Atina işgüderi Bentick'ten başlayarak, aşama aşama bütün İngiliz yöneticilerini şaşkınlığa uğrattı. Haberi her öğrenen çığlık atıyordu:

"Hayır!"

"Hayır!!"

"Hayır!!!"

En çok şaşıran, üzülen, kızan ve bağıran da Lloyd George olacaktı:

"Bu benim iflas etmem demektir."

Türk ordusunun bu kadar kısa zamanda, İngiliz subaylarının 'mükemmel bir savaş makinesi' diye övdükleri Yunan ordusunu ezmiş olmasına inanamıyorlardı.

Yunan dileği, Türklere ulaştırılmak üzere İstanbul Yüksek Komiserliği'ne bildirildi. Yüksek Komiserlik de Ankara'ya bildirecekti ama Ankara cevap vermeyecekti.

Sir Harold Rumbold General Harington'a sitem etti:

"Bana bir sürpriz beklemediğinizi söylemiştiniz."

"Türkler hepimizi gafil avladılar."

Rattigan çok sinirliydi:

"Bu adamları durdurmak için bir şeyler yapmalıyız. Yoksa Yunanlılarla birlikte biz de yenilmiş olacağız."

Harington "Yunanlılara cesaret vermesi için İzmir'deki bağlantı subayımıza telgraf gönderdim.." dedi, "..Hacianesti Trakya'dan bir tümen çekti. Bu tümenin de yardımıyla Türkleri Alaşehir hattında durdurabileceklerini sanıyorum."

Sir Harold Rumbold homurdandı:

"Umarım." [30]

Bu zafer yalnız İngilizleri değil, Padişah'ı ve İstanbul hükümetini de çok sarsmıştı. Bu zaferin Türkiye'de yepyeni bir dönem açacağı belliydi.

GENERAL HACİANESTİ Trakya'da bulunan bir tümeni, Frangos kuvvetlerini takviye etmesi için gerçekten İzmir'e getirtmişti. Ama tümen savaşmak istemiyordu. İzmir'de karaya çıkmayı reddetti. Tümen Komutanı General Skarlatos, ordu karargâhına gelerek durumu bildirince General Hacianesti çıldırdı:

"Ne demek? Derhal gemiye dön, çek silahını ve çıkmayı reddedenleri vur! General, bu tümen karaya çıkacak ve cepheye gidecek!"

General Skarlatos, "Bunlar karaya çıksalar bile.." dedi, "..cepheye gitmez, İzmir'i yağmalamaya koyulurlar. Yenilgiyle ilgili haberler tümenimi bir sürü haline getirdi. Zora baş vurarak bu haydutları karaya çıkarmam için ısrar ediyor musunuz?"

"Hepinize lanet olsun!" [31]

İZMİR'e yürüyen küçük kaçak grupları yiyecek istemek için yolları üzerindeki köylere uğruyor, ayak üstü bir şeyler yiyip yola düşüyorlardı. Kimi yerlerde köylüler silahla karşı duruyor ya da çeteler bu kaçakları çevirip temizliyorlardı.

Savunmasız Kuzuluk Köyü'ne yirmi kaçak geldi. Köylüler çeşme önünde toplanmış dertleşiyorlardı. Yunanlıların geldiklerini gören bir kız korku içinde evine kaçtı. İçeri girip kapıyı ve tek pencerenin kepengini kapadı. Yunan askerlerinden biri güzel kızı fark etmişti. Kapıyı, kepengi zorladı ama açmayı, kırmayı başaramadı. Bir arkadaşı yanaştı:

"O güzel kızı istiyor musun?"

"İstemez miyim? Taze incir gibi."

"Öyleyse evi ateşe ver. Dışarı çıkar."

"Akıllısın."

Kapının önüne saman yığıp ateşledi. Alevler az sonra evi sardı. Annesi kıza dışarı çıkması için, Yunanlıya kıza dokunmaması için yalvarıyordu. Köylüler uzakta toplanmış ağlaşmaktaydılar.

Durum kaçakları eğlendiriyordu. Kız az sonra, yanmamak için ya kapıdan, ya pencereden dışarı atacaktı kendini ve asıl eğlence o zaman başlayacaktı. Keyif içinde beklediler.

Kız dışarı çıkmadı, evle birlikte yandı.

TRİKUPİS-DİGENİS grubunun dağ şartlarına ve açlığa dayanabilme gücü kalmamıştı. Subayların çoğu, askerlerin tümü teslim olmak istediler.

General Trikupis bu isteğe bir süre karşı koyduysa da askerin kesin tavrı karşısında teslim olmayı kabul etmek zorunda kaldı.

Kılıcını kırdı.

General Digenis ve 13. Tümen Komutanı Albay Kaimbalis, iki kolordunun ve beş tümenin kurmay başkanları, kurmayları, topçu komutanları, 580 subay, 4.985 er, 100 makineli tüfek ve 12 dağ topuyla, Minkarip adlı küçük bir köyde, 1. Ordu'dan bir birliğe teslim oldular.[32]

Esir Yunan Başkomutanı General Trikupis

BAŞKOMUTANLIK, Genelkurmay, Batı Cephesi, 1. Ordu ve Dördüncü Kolordu Komutanlıkları karargâhları Uşak'a yerleşmişlerdi. Uşak hâlâ tütüyor ve şehrin üzerine kül yağıyordu.

Uşak'a getirilen esirler kafilesi yanık kokusu ve yangın kalıntılarıyla dolu yollardan geçmekteydi. Kafilenin önünde iki kolordu komutanı, üç tümen komutanı, arkalarında kolordu ve tümenlerin kurmay başkanları, üst rütbeli subaylar, bunların da arkasında yüzlerce karargâh ve birlik subayı vardı.

Yolların iki yanına, esirleri Uşaklıların tepkilerinden korumak için askerler dizilmişti. Acı ve öfke dolu kadın ve erkekler, askerlerin arasından bağırıyor, küfrediyor, yumruk sallıyor, yüzlerine tükürürmedikleri için yere tükürüyorlardı.

Birçok subayın yüzüne, yüz yıl geçse bile silinmeyecek bir korku sinmişti.

Askeri protokol gereği, galip ordunun komutanları, sadece iki kolordu komutanını, Cephe Kurmay Başkanı da kolordu ve tümen kurmay başkanlarını kabul edecekti.

Görevliler önce kurmay başkanlarını kafileden ayırıp Batı Cephesi Kurmay Başkanı Albay Asım Gündüz'ün odasına getirdiler. Yangınlar, yağmalar, cinayetler yüzünden Asım Bey çok kızgındı. Elini vermedi. "Oturun" demedi.

Nefretle bakarak, "Sizleri.." dedi, "..askerlik ve insanlık kaideleri içinde savaşan düzenli bir ordunun kurmayları diye mi, yoksa ahlak ve kanun dışı, kanlı bir çetenin mensupları olarak mı karşılamak lazım? Tereddüt içindeyim." [33]

General Trikupis ve Digenis'i önce Dördüncü Kolordu Komutanı Kemalettin Sami Bey, sonra 1. Ordu Komutanı Nurettin Paşa, daha sonra Cephe Komutanı İsmet Paşa kabul etti. İsmet Paşa, kısa bir konuşmadan sonra, iki kolordu komutanını, M. Kemal Paşa'nın huzuruna götürerek Paşa'ya takdim etti.

ESİRLER Başkomutan'ın masasının karşısındaki iki iskemleye oturdular. Trikupis biraz daha dinç görünüyordu. Digenis bitkindi.

Başkomutan sağına Fevzi Paşa'yı, soluna İsmet Paşa'yı almıştı. Savaştan konuştular. Salonun sonundaki aralıkta Halide Edip Hanım, Ruşen Eşref, Mahmut Bey, yaverler ve bazı kurmaylar, derin bir dikkatle bu tarihi sahneyi izlemekteydiler. Üç yılda nereden nereye gelinmişti? O şamatacı, acımasız, kibirli Yunan ordusunun yerinde yeller esiyordu. Özerk İyonya yönetimi de, Bizans İmparatorluğu'nu diriltme hülyası da tarihe karışmıştı.

M. Kemal Paşa konuşmanın sonunda, "Hacianesti yerine Başkomutanlığa atandığınızı biliyor musunuz?" diye sordu.

"Hayır."

"Bildirmek için telsizle sizi arıyorlardı."

"Durumumuz bu işte Mareşalim. Yönetim her zaman olayların gerisinde kaldı. Sonuç da tabii böyle oldu."

Utanç içinde önüne baktı.

"Üzülmeyin General. Siz vazifenizi yaptınız. Artık misafirimizsiniz.."

Ayağa kalktı. Ötekiler de kalktılar. İki general, Mareşal Gazi M. Kemal Paşa'nın karşısında esas duruşta durdular.

"..Sizin için bir şey yapabilir miyim?"

"Eşime sağ olduğumun bildirilmesini rica ederim. Kendisi İstanbul'da."

Başkomutan İsmet Paşa'ya, "Gerekeni yapın" dedi.

Esir Generaller, M. Kemal Paşa'yı derin bir saygıyla selamlayıp ayrıldılar.[34]

TEĞMEN ŞEVKET EFENDİ'nin güncesinden:

"Uşak'tan geçiyoruz. Şehrin girişinde, Sakarya Savaşı'nda şehit olan Yüzbaşı Basri Bey'in annesi oğlunu arıyordu. Bana da 'Basrim nerde?' diye sordu. Sendeledim. Sarardım. Doğruyu söyleyemedim, 'Arkadaki alayda' dedim. Kadıncağız sevinç içinde geriye yürüdü. Hepimiz ağladık. Bir anneyi böyle bir yalanla oyaladığım için kendimi hiç bağışlamadım." [34a]

1. ORDU KOMUTANI, İkinci Kolordu'yu bugüne kadar ihtiyat kuvveti olarak savaş dışında tutmuştu. Bugün İkinci Kolordu'yu da cepheye sürerek savaşa soktu.

4. Tümen'den Ömer Çavuş'un beklediği an gelmişti sonunda. Takımını çok iyi hazırlamıştı. Askerini topladı:

"Bana bakın! Sekiz ay durmadan eğitim yaptık. Bütün o çalışmalar işte bugün içindi."

Öğleden sonra savaşa girdiler. Gördükleri eğitimin hakkını verdiler. Karşılarındaki birliği ezip dağıttılar. Düşman döküntülerini toplayarak ilerlediler. İyi yer tutan bir Yunan artçı birliği ilerlemelerini durdurdu.

Bir tepeye yerleşip ateş savaşına başladılar. İki yan da cephaneye kıyıyordu. Savaş alanında duyulması imkânsız sesler işiten Ömer Çavuş geriye baktı, inanamadı: Genç, yaşlı köylüler, ellerinde güğümler, testiler, içi tepeleme üzüm dolu sinilerle, savaşan askeri serinletmek için kızgın savaşa aldırmadan, tepeye çıkıyorlardı. Her yandan uyarılar yağdı:

"Geri gidin!"

"Çekilin burdan!"

"Kaçılın!"

Duymadılar ya da dinlemediler. Getirdikleri çoban armağanlarıyla savaşan askerlerin arasına dağıldılar. Ömer Çavuş'un yanına sekiz-dokuz yaşında, yeşil gözlü bir kız sokulmuştu. Su dolu bir maşrapa uzattı:

"Buyur ağam iç, susamışsındır."

Halkın can ve sevgi cömertliği, Ömer Çavuş'a dokundu, ağlayası geldi. Bu halk için ölmeye değer diye düşündü. Serseri mermilerden korumak için elini küçük kıza siper etti.[35]

YUNANLILAR kaçıyor, Türkler kovalıyordu. Bir Türk telsizi Yunan telsizlerine sürekli şu mesajı yollamaya başlamıştı:

"Yunanlılar, tarihinizden utanın. Kaçmayın da savaşalım!" [36]

2. Tümen Komutanı Albay Gonatas orduya şu raporu verdi:

"İskelet halini almış birliklerin kalanı da saatten saate dağılmaktadır. Karmakarışık bir kaçak sürüsü, İzmir'e ulaşmaktan başka bir şey düşünmeksizin batıya doğru akıp gidiyor. Açlık bu felaketi tamamlıyor." [37]

İzmir'i kaçak askerler ve göçmenler kaplamıştı. Sokaklar onlarla doluydu. Metropolit Hrisostomos Türklere karşı İzmir'i korumaları için serseri kaçaklara silah dağıtıyordu. Stergiadis Metropolit Hrisostomos'a çıkıştı:

"Serserilere silah dağıtacağınıza, göçmenlere yiyecek ekmek, kalacak yer bulun! İnsanca bir iş yapın!" [38]

Üçüncü Kolordu kayıp ve esir vererek, zorlukla Bursa'ya doğru çekilmekteydi.

Yunan esirleri

İSMET PAŞA Frangos kuvvetlerinin arkasını keserek bu kuvvetleri esir etmek ve işi bitirmek istiyordu. Telsizle Süvari Kolordusu'na, Kula-Alaşehir hattını savunmaya hazırlanan Frangos kuvvetlerinin arkasına, Salihli'ye hareket etmesini emretti. İzmir'e çekiliş yolu kesilecek olan Frangos kuvvetlerinin yapacağı tek şey teslim olmaktı.

Süvari Kolordusu'nun tümenleri Kula üzerinden Salihli'ye hareket ettiler.

Telsizle verilen emir, İngilizlerin büyük savaş gemilerinden birinin telsizi tarafından saptandı. İngilizler bu bilgiyi hemen Yunan Ordu Karargâhına geçtiler.

Ordu Frangos'a bildirdi.

General Frangos gerekli önlemleri alacak, kuvvetleri esir olmaktan kurtulacaktı.[39]

AKINCILAR, çeteler, köylüler, Yunanlılar için cephe gerisini de cehenneme çevirmişlerdi.

Ordu kurallara uyuyordu. Ama çeteler ve köylüler için kural, halka kötü davranmış Yunan subaylarını ve askerlerini yakaladıkça temizlemekti.

Yunanlılarla işbirliği yapanların büyük bölümü, göçen Rumlarla birlikte gidiyorlardı.

Balıkesir şehrini Demirci Akıncıları geri aldılar.

YUNAN HÜKÜMETİ General Trikupis'in esir düştüğünü ancak 6 Eylülde öğrenebildi. Başkomutanlığa General Polimenakos'u atadı.

General Valettas ve Albay Passaris görevlerinden alınarak yerlerine Albay Pallis ve Albay Sariyanis getirildi. Kader bu iki iddialı kurmaya Yunan ordusunun kaçışını düzenlemek görevini uygun görmüştü.

Gemi bulabilen İzmir Rumları Yunanistan'a geçmeye başladılar.

ÇEKİLİRKEN Alaşehir'i de bütünüyle yakmışlar, halkın çoğunu, kadın-çocuk ayırmadan öldürmüşlerdi. Savaşı yine kıyıma çevirmişlerdi.

Bir birlik için için yanan ateşleri söndürmeye çalışıyordu. Bir köşede nasılsa sağ kalmış üç-beş kadın, birbirlerine sokulmuş, ışığı tükenmiş gözlerle, bir zamanlar mutluluk ve ferah içinde yaşadıkları harabeye bakıyorlardı.

Beş-on kişilik bir esir kafilesi geçti. Giysileri parça parça, dudakları şiş, yüzleri kir içindeydi. Çeşmeden su içmek istediler. Muhafız asker izin verdi. Esirler su içerken kadınlarda bir hareketlenme oldu. Birbirlerine esirlerden birkaçını göstererek fısıldaştılar. Herhalde bu insan kalıntılarından bazılarını tanımışlardı. Birdenbire, öfke çığlıkları atarak esirlerin üzerine atıldılar, seçtikleri esirleri, anlatılamaz bir kin ve inanılmaz bir hızla paralayıp öldürdüler.

Kimse araya giremedi.

BÜYÜK KOMUTANLAR Adala'daki 2. Ordu Karargâhında, törenle karşılandılar. Yakup Şevki Paşa M. Kemal Paşa'nın önüne geçti. Elini uzattı:

"Paşam! Sen haklı çıktın. Ver elini öpeyim."

M. Kemal Paşa sarıldı:

"Estağfurullah. Ben sizin ellerinizden öperim."

"Bu zafer senin azmin sayesinde kazanıldı."

"Hayır Paşam, milletin gayreti, sizin emeklerinizle kazanıldı. Bu zafer hepimizin."

Yakup Şevki Paşa, "Sana son bir kez daha itiraz edeceğim.." dedi, "..Hayır! Benim gibilere kalsa daha yerimizde sayıyorduk. Sen bu millete Allah'ın bir lütfusun." [40]

İSTANBUL'da işgal kuvvetleri komutanları toplantı halindeydi. Türk ilerleyişini gösteren durum haritasına bakan General Charpy, "Süvariler yarın İzmir'e girer" dedi.

"Bu hızla piyadeler de."

"On dört gün içinde iki yüz elli bin kişilik bir orduyu hemen hemen yok edip 400 km. yol almak, olağanüstü bir olay."

Harington içini çekti:

"Tarihin en büyük çöküntülerinden biri bu. Bunu gerçekleştiren ordu birkaç gün sonra Çanakkale'de tarafsız bölge sınırına dayanacak." [40a]

"O zaman ne yapacağız?"

"Hamlet'in dediği gibi: İşte sorun bu."

İSMET PAŞA, 'alınan top sayısının 300'ü, esir sayısının 15.000'i geçtiğini, bu sayının sürekli arttığını' açıklamıştı. Fevzi Paşa da 'Yunan ordusunun can kaybının 100.000 olarak hesaplandığını' söyledi.

Bir sessizlik oldu.

M. Kemal Paşa, "Savaşmak istemedik.." dedi, "..davamızı görüşme yoluyla çözmek için her yola başvurduk. Yusuf Kemal Bey'i, Fethi Bey'i Avrupa'ya yolladık. Barış istememizi zaafımıza yordular. Sonuç alamadık. Vatanımızı kurtarmak için silaha sarıldık. Bu dehşeti atlattıktan sonra, bir gün Yunanlıların da gerçekleri anlayacaklarını ve dost olacağımızı düşünüyorum. Çünkü bizim insanımız kinci değildir, barışın değerini bilir. Barıştan güzel ne var?" [41]

HALİDE EDİP HANIM, Ruşen Eşref Ünaydın ve Binbaşı Kemal Bey otomobille Adala'ya yetişmeye çalışıyorlardı. Binbaşı birden, şoföre, "Dur!" diye bağırdı.

Araba yavaşlayıp durdu. Binbaşının dikkatini esir bir Yunan subayını geriye götüren bir asker çekmişti. Yunan subayı eşeğe binmişti. Asker yayaydı. Asker binbaşıyı görünce selam verdi. Yunan subayı eşekten indi. Hasta suratlı biriydi.

"Kim bu?"

"Bir esir."

"Nereye götürüyorsun?"

"Geriye. Alay karargâhına."

Binbaşı kızdı:

"Ulan sen bunun seyisi misin, hizmet eri misin? Hayvana sen bin, o yürüsün."

Asker, üçünün de yüreğini titreten bir iç temizliğiyle, "Hiç olur mu komutanım.." dedi, "..o şimdi ocağından kopmuş bir gurbet adamı. Misafir. Bana emanet."

Binbaşı gözlerinin dolduğunu belli etmemek için başını çevirip şoföre, "Yürü!" diye bağırdı.

Araba hareket etti. Asker selam durdu. Sonra Yunan subayına eşeğe binmesini işaret etti:

"Haydi bin çorbacı. Akşam karavanasına yetişelim. Aç kalma."

Yola düştüler.[42]

TÜRKİYE bir büyük bayram yerine, Türkler bayram çocuklarına dönmüştü. Bütün İslam ülkelerinde ve sömürgelerde de Türk zaferi kutlanıyordu.

Gandhi çarpıcı bir demeç verdi:

"Haydi beni bir daha tutuklayın İngilizler! Ama tutuklamak ve öldürmekle iş bitmiyor. İşte, öldü sanılan Türkler, cenaze törenleri için hazırlanan tabutlarını kaatillerinin başlarına geçirdiler."

Mehmet Ali Cinnah da Londra'da bir basın toplantısı yaparak şunları söyledi:

"İngiliz hükümeti barış için Mustafa Kemal Paşa'ya yardımcı olabilirdi. Ama olmadı. Tersine savaşı körükledi. Biz Hint Müslümanları, o kazansın diye durmadan dua ettik. Şimdi de kazandığı için Allah'a hamdediyoruz. Kazanan yalnız Mustafa Kemal Paşa değildir, bütün esirler dünyasının zaferidir bu.

Zindabat Mustafa Kemal!" [43]

TATOİ SARAYI'nın loş salonunda Kral ve Başbabakan Protopapadakis oturuyorlardı.

Protopapadakis, "Ordu kaçıyor.." dedi, "..Hükümetim dağıldı, toplayamıyorum. Atina kaçak göçmenlerle doluyor. Panik her yana yayılıyor. Belki Kalogeropulos gibi tecrübeli birinin kuracağı yeni bir hükümet duruma hâkim olabilir efendim."

Sustu.

İzmir'de durum korkunçtu. Askerler, askeri yönetim, Stergiadis, Naipzade Ali, Belediye Başkanı Hacı Hasan Paşa, işbirlikçi Türkler, Rum cemaati önderleri, hepsi, İzmir'i terk etmişlerdi.

8 Eylül gecesi İzmir hükümetsizdi.

Silah seslerinden ve bağırışlardan arka ve ara sokaklarda çatışmaların olduğu anlaşılıyordu.

MANİSA MİLLETVEKİLİ Süreyya Yiğit ile Mediha Hanım'ın düğünleri de, 8 Eylül akşamı, Dikmen'de yapıldı. Ankara'da 200 davetliyi alacak bir yer yoktu. Süreyya Bey'in evinin büyükçe bahçesine çadırlar, çardaklar kuruldu. Bir saz takımı tutuldu.

Gündüz nikâh kıyıldı.

Akşam Başbakan Rauf Bey, bakanlar, birçok milletvekili ile yakın komşular gelmeye başladılar. Ailesi Ankara'da olanlar aileleriyle geliyorlardı.

Çok güzel bir yaz gecesiydi.

Zübeyde Hanım da Fikriye ile geldi. Hanımlar ve erkekler karşılıklı oturdular. Haremlik selamlık, kaç göç gibi âdetler bitiyordu. Düğün başladı. Sofralar kuruldu. Zafer haberleri dolayısıyla herkes neşeliydi. Düğün neşe içinde sürerken bir süvari geldi. Başbakana bir telgraf getirmişti. Başbakan telgrafı okudu, M. Müfit Bey'e uzattı, o da gülerek okuyup Yunus Nadi Bey'e uzattı. Kalabalık çok meraklanmıştı:

"Ne oluyor?"

Telgraf Türk süvarilerinin İzmir yakınında olduklarını, sabah İzmir'e gireceklerini bildiriyordu. Topluluk sevinçten çılgına döndü. Erkekler bellerindeki tabancaları çekip havaya ateş etmeye başladılar. Dikmen'den ve şehirden de cevaplar geldi. Saz takımı İzmir marşını çalmaya başladı. Haber şaşırtıcı bir hızla yayıldı. Çevredeki halk düğün evine koştu. Bunları, 'Dikmen'de millet düğünü olduğunu duyan' şehirliler izleyecekti. Kimse uyumadı, silah sesleri, sevinç naraları, davul zurna sesleri susmadı. Davetli sayısı sabah binleri aşmış, bahçeye sığmamış, Dikmen'e yayılmıştı. Kimi getirdiği koyunu kesiyor, kimi ateş yakıyor, kimi evinde ikram edilecek ne varsa alıp getiriyor, ortaya saçıyordu. Süreyya Bey'in 'acaba güzel bir düğün olur mu' diye kaygılandığı düğün, unutulmaz bir millet düğünü olmuştu.

Kimse dağılmadı.

İzmir'den haber beklediler. [43a]

SÜVARİ KOLORDUSU 9 Eylül Cumartesi sabahı iki kol halinde marşlar söyleyerek İzmir'e yürümeye başladı.

1. ve 2. Süvari Tümenleri Bornova-İzmir yolunda ilerliyorlardı.

Hava mis gibi İzmir kokuyordu.

Direnen küçük birlikleri kılıçtan geçirerek İzmir'e girdiler. Önde 2. Tümen'den 4. Alay'ın Komutan Yardımcısı Yüzbaşı Şeref İzmirli ve birliği vardı. Kader bu yüzbaşıya da, o kadar istediği 'İzmir'e ilk giren süvari' olmak mutluluğunu nasip etmişti.

Öncüyü, tümenin öbür alayları izledi. Binlerce süvari, kılıç çekmiş olarak, kordonboyunu doldurmuş kaçak Yunanlı askerler, göçmenler, Rumlar, Ermeniler, vatandaşlarını korumak için karaya çıkmış olan İngiliz, Fransız ve İtalyan subay ve askerleri ile bağıran, dua eden, ağlayan Türklerin arasından, minarelerden yağan sala sesleri altında, dörtnala, nallarından kıvılcımlar saçarak, heybet ve haşmetle geçtiler.

Hükümet konağına Türk bayrağını Yüzbaşı Şeref, Kışla'ya Yüzbaşı Zeki Doğan, Kadifekale'ye Asteğmen Besim çekti. [44]

Kendinden geçmiş İzmirliler Konak Meydanı'nı doldurmaya başladı.

Süvari Kolordusu Komutanı Fahrettin Paşa, karargâhı ve 14. Süvari Tümeni ise, Menemen yolundan geldiler. Karşıyaka'nın yalıboyuna çıkmak için denize inen sokaklardan birine girdiler.

İzmirliler bugün için sakladıkları bayrakları çıkarmışlardı. Her yer bayraktı. Genç kızlar pencerelerden süvarilerin başına çiçek, konfeti, gülsuyu serpiyor, gelin telleri atıyorlardı. Kaldırımları dolduran halk, ağlıyor, alkışlıyor, çılgınca bağırıyor, bazıları komutanların, süvarilerin çizmelerini, özengilerini öpmeye çalışıyordu.

Sokağın yalıboyuna açılan ağzında uzun boylu bir gölge belirdi. Fahrettin Paşa'nın gözleri doldu. Annesiydi bu. Atından atlayıp koştu. Kucaklaştılar:

"Fahrim!"

"Anam!"

Karşıyaka iskelesinin yanına bir dağ topunu yerleştirdiler. 21 pare atışla güzel İzmir'i selamdılar.[45]

BÜYÜK KOMUTANLAR Belkahve'den dürbünle Güzel İzmir'e bakıyorlardı bu sırada.

M. Kemal Paşa nice sonra dürbünü indirdi. Yüzüne akşam güneşinin altın ışığı vuruyordu, İsmet Paşa'ya, "Biliyor musun, bir rüya görmüş gibiyim" dedi.[46]

"Haklısın. Bu kadar mucize, olağanüstülük, harikalık ancak bir rüyada yaşanabilir."

Hava kararana kadar Belkahve'de kaldılar. Nif'e (yeni adı Kemal Paşa) döndüler. Tek katlı bir ev M. Kemal Paşa için hazırlanmıştı. Paşa'yı girişteki sofada beyaz başörtülü kadınlar karşıladılar. Hayal gibiydiler. Diz çöktüler, sarılıp dizlerinden öptüler, başörtülerinin ucuyla çizmelerinin tozunu alıp sürme gibi gözlerine sürdüler. Gözlerinden minnet yaşları akarak kalktılar, el bağladılar.

Büyük gaz lambalarının aydınlattığı bir odanın kapısı açık duruyordu. Gazi Paşa, Fevzi Paşa, İsmet Paşa, Mahmut Soydan, Halide Edip Hanım, Ruşen Eşref ve Salih Beyler odaya girdiler. Halı kaplı alçak sedirlere oturdular.

Hayal kadınlar tepsilerle yemek taşıdılar. M. Kemal Paşa'ya, bir küçük tepsi içinde içki de getirdiler. Teşekkür edip geri gönderdi. Daha içilecek zaman değildi.

Bir sevinç yorgunluğu çökmüştü üzerlerine. Paşa, "Yahu.." dedi, "İzmir'e girdiğimiz akşamdır bu. Bu kadar sessiz oturulur mu? Bari şarkı söyleyelim."

Kendi bir şarkıya başladı:

"Yine bir gülnihal..."

Bilenler neşeyle katıldılar.[47]

AKŞAM gazetesinin önü, itişen, çekişen, kaynaşan, bağıran İstanbullularla doluydu. Ordunun İzmir'e girdiğini yazan gazete kapışılıyordu. Manşet şöyleydi:

"Elhamdülillah İzmir'e kavuştuk"

Falih Rıfkı Atay ikinci kattaki odasında, Yakup Kadri'ye telefonla bilgi veriyordu:

"Hiç durmadan basıyoruz, yetiştiremiyoruz. Halk çılgın gibi kapışıyor. Gerekirse sabaha kadar basacağız." [48]

Gazete dağıtıcısı çocuklar "İzmir'e girdik!" diye çığlık atarak şehre yayılmışlardı. İstanbul en mutlu akşamlarından birini yaşamaktaydı.

Akşam gazetesinin manşeti: "Elhamdülillah İzmir'e kavuştuk"

AYA FOTİNİ kilisesi tamamen doluydu. Ağlayanlar çoktu. Cenneti kendi elleriyle cehenneme çevirmişlerdi. Metropolit Hrisostomos'un sesi titriyordu:

"Kardeşlerim!

Tanrı, bu dar kapıdan geçmemizi istiyor. Bizi acıyla tecrübe, ateşle terbiye ediyor.."

İçeriye bayram eden Türklerin söylediği bir marş sızdı:
"İzmir'in dağlarında çiçekler açar
Altın güneş orda sırmalar saçar..."
"..Ümidinizi kesmeyin. Dua edin..."
Yakıcı bir haykırış kiliseyi çınlattı:
"Kako hronis nahis Georgis!" (*Kahrolsun [Lloyd] George!*)

NİF'te şarkılar sürüyordu. Fevzi Paşa söylenen şarkıları bilmediği için katılamıyordu ama tempo tutarak neşeye ortak oluyordu.

Binbaşı Seyfi Akkoç kapı aralığından işaret ederek Salih Bozok'u dışarı çağırdı. Salih Bozok on saniye sonra geri döndü. Yüzü öğle güneşi gibi parlıyordu:

"Bir öncü birliğimiz de Bursa'ya girmiş." [49]
Mahmut Soydan bütün sesiyle bir şarkıya başladı:
"Bursa'nın ufak tefek taşları..."
Hepsi yeni bir coşkuyla katıldılar.

SAİT MOLLA bu gece evinde kalmaktan korktu, Rıza Tevfik'e geldi. Üniversite öğrencilerinin, Bakırköy'de Cenap Şahabettin'in, Beyoğlu'nda Ali Kemal'in evinin önünde toplanıp eğlendiklerini duymuş, sinirleri bozulmuştu. Konyak içiyor ve dertleşiyorlardı. Çökmüş haldeydiler. Dışardan sokaklara dökülmüş Türklerin neşeli bağırtıları, gülüşleri geliyordu.

Sait Molla, "Birkaç gün daha bekleyip İngilizlere sığınmaktan başka çare yok" dedi.

"Evet, burası bizim için bitti."

Sait Molla inledi:

"Yoksul Türk bunu nasıl başardı?"

9 EYLÜL günü İzmir'de ne sıkıyönetim ilan edildi, ne sokağa çıkma yasağı. Süvariler şehri denetim altına álmışlardı. Türkler geç saatlere kadar zaferi kutladılar.

Şehir gece yarısından sonra sessizliğe gömüldü.

Süvari Kolordusu'nun ağırlıkları geride kalmıştı. Gece saat 03.00'te İzmir'e girdi. Kolordunun bandosu da ağırlıklarla birlikte gelmişti. Denizi görür görmez bando aşka gelip İzmir Marşı'nı çalmaya başladı.

Şehir yeniden uyandı.

Kutlamaya doymamış olan millet yeniden giyinip sokaklara döküldü. Sabaha kadar eğlendiler. [49a]

PAŞALAR 10 Eylül 1922 Pazar sabahı İzmir'e geldiler. Hükümet konağına indiler. Konak Meydanı silme doluydu. Kurbanlar kesiliyor, halk bir an bile susmadan sevinç çığlıkları atıyordu. Kalabalığın arasından geçirilip kışlaya götürülen esirler "Zito Mustafa Kemal!" diye bağırıyorlardı.

Metropolit Hrisostomos kaçmamıştı. M. Kemal Paşa'yı görmek için konağa geldi ama Nurettin Paşa ile görüşebildi. Nurettin Paşa Hrisostomos'u azarladı, yerine bir vekil bırakarak görevinden çekilmesini istedi.

Hrisostomos konaktan çıktı, meydandaki insan denizinin içine karıştı. Halk Hrisostomos'u linç etti. [50]

BUGÜN Peyam-ı Sabah gazetesinde de Ali Kemal'in son yazısı yayımlandı:

"Gayeler birdi ve birdir."

Mihran Ali Kemal'in ortaklığına da, yazılarına da son verdi.

Damat Ferit de gizlice İstanbul'a gelmişti. Eşinin mücevherlerini, konakta bulunan yükte hafif pahada ağır küçük eşyaları alıp yeniden ve sessizce Avrupa'ya kaçacaktı.

İKİNCİ KOLORDU KOMUTANI İzzettin Çalışlar Paşa, kısa bir süre için İzmir'e askeri vali olarak atandı.

Karargâhıyla hükümet konağına yerleşti. Yüzbaşı Faruk'u bekleyen binlerce çapraşık iş vardı. Onca işin arasında Yüzbaşı Vedat'a 'iyi olduğunu belirten' bir telgraf göndermeyi becerebildi. Yüzbaşı Vedat bu bilgiyi Nesrin'e ulaştırırdı.

Halk sevinç içinde ama görevliler ateş üzerindeydi. Çekilirken her yeri yakan Yunan/Rum karakteri, İzmir'i Türklere sağlam bırakır mıydı?

Bu hainliğe fırsat vermemek için herkes tetikteydi.

M. KEMAL PAŞA, İzmirlilerin armağanı olan çiçeklerle süslü otomobille Karşıyaka'ya hareket etti. Bir gecelik olsun dinlenmeyi hak etmişti. Otomobilin önünde ve arkasında mızraklı süvariler vardı.

Kordonboyu, eşyalarının başında bekleyen Rum göçmenlerle doluydu. Önlerinden bir zafer meşalesi gibi geçen M. Kemal Paşa'ya öfke ve hayranlıkla bakıyorlardı. O efsane insan şu sarışın, yakışıklı, genç adam mıydı?

Ah Hriste ke Panaya!

KARŞIYAKALILARIN M. Kemal Paşa için hazırladıkları evin önü, bahçesi, beyaz başörtülü, maşlahlı her yaştan kadınlar ve fesi atıp kalpak giymiş erkeklerle doluydu.

Paşa'yı görenler ağlamaya başladılar.

Birkaç basamakla çıkılan mermer girişin üzerine bir Yunan bayrağı serilmişti. Paşa sordu:

"Bu niçin?"

Heyecan içinde açıkladılar:

"Kral kalacağı eve, bizim bayrağımızı çiğneyerek girmişti."

"Ne olur Paşam, siz de onun gibi yapın!"

"Öcümüzü alın!"

Bir kadın gözlerinden yaş inerek, "Lütfen" diye yalvardı. Kral'ın kaba davranışı kadınları çok kırmış olmalıydı. M. Kemal Paşa, "Sizi anlıyorum.." dedi, "..ama o bir milletin timsalini çiğnemekle hata etmiş. Ben o hatayı tekrar edemem."

Muzaffer'e döndü:

"Kaldır çocuk."

Muzaffer bayrağı topladı. [51]

Bu görgü farkı zarif Karşıyaka hanımlarını büsbütün ağlattı.

FRANGOS kuvvetleri donanmanın desteği ile Çeşme'ye çekiliyordu. Sumilas, Fransız subayların engellemesi üzerine Bursa'yı yakamadan bırakmış, Mudanya'ya ulaşmaya çalışıyordu.

Askerler parça parça Yunan adalarına ve Tekirdağ'a kaçırılıyorlardı.

Yarbay Yani Papadimas Midilli Adası'nda görevliydi. Adaya gelen askerleri görünce siniri bozuldu. Orman yangınından kaçıp kurtulmuş hayvan sürüsüne benziyorlardı. Yenilginin şiddeti onurunu kırdı.

Tabancasını şakağına dayadı ve tetiği çekti. [51a]

ORDU eridikçe Atina'daki yılgınlık da artıyordu. Kalogeropulos hükümeti kurmayı başaramamıştı:

"Kimse görev kabul etmiyor efendim. Aldığım bilgiler bazı subayların bir darbe yapacağını gösteriyor."

Kral'ın yüzü daha da sarardı:

"Kim bunlar?"

"Albay Plastiras ve arkadaşları."

"Bu hareketi durduramaz mıyız?"

Kalogeropulos boynunu büktü:

"Hangi kuvvetle?"

Y. KADRİ, F. Rıfkı bir gemide yer bulup İzmir'e geldiler. M. Kemal Paşa'nın karargâhının nerede olduğunu Binbaşı Şeref İzmir'den öğrenip oraya koştular. Süresi dolan herkes gibi o da bir üst rütbeye yükseltilmişti. Tecrübeli, başarılı çavuşlar da teğmen yapılmıştı. Gazi Çavuş, Ömer Çavuş da, Teğmen Gazi Efendi, Teğmen Ömer Efendi olmuşlardı. Mareşal Fevzi Çakmak Halide Hanım'ı da 'çavuş' yaptı.

Başkomutanın karargâhı kordonda, üç katlı, beyaz bir evdi.

İçerisi çok hareketliydi.

Önce İsmet Paşa'yı görebildiler. Y. Kadri'nin elini sıkarken, "İzmir'de görüşeceğimizi söylemiştim" dedi.

Büyük bir mutlulukla gülüştüler.

M. Kemal Paşa'nın kapısının önünde müttefik subayları, konsoloslar, yabancı gazeteciler içeri girmek için bekliyorlardı. İki yazarı herkesten önce kabul etti. Millici basına büyük önem veriyordu. Çok neşeliydi. "Biliyor musunuz.." dedi, "..bizimkiler, Yunanlıların 11. Tümenini, komutanıyla birlikte Mudanya önünde sıkıştırıp esir ettiler."

UĞURSUZ 11. Tümen'in Komutanı General Kladas, Kurmay Başkanı, iki alay komutanı ve öteki esir subaylar, Mudanya'da, Deli Halit Paşa, Şükrü Naili Paşa ve bazı tümen komutanlarının önünde, esas duruşta duruyor, korkuyla bakıyorlardı.

Geri çekilirken yalnız orduyla değil, silahlanmış halkla da çarpışmak zorunda kalmışlardı. Halkın sertliği subayları da erleri de çok yıldırmıştı.

Dışardan halkın öfkeyle bağırdığı duyuluyordu. Ne istediklerini anlamak için Türkçe bilmeye gerek yoktu. Deli Halit Paşa, tercümana, "Söyle şunlara.." dedi, "..korkmasınlar. Kendilerini halka teslim edecek değiliz."

General Kladas "Zito Mustafa Kemal!" diye fısıldadı. Korku ve yorgunluktan sesi çıkmıyordu. Esir alınan dördüncü tümen komutanıydı. Subayları ile birlikte Ankara'ya gönderilecekti.[52]

BU SIRADA üç tümen komutanı ile 220 Yunan subayı, düzenli bir biçimde sıralanmış, başta muhafızların komutanı Teğmen Rıfat Erdal, iki yanda birkaç muhafız er, istasyondan TBMM'ye doğru yürüyorlardı. Bu ilk esir kafilesiydi. Afyon'dan Sarıköy'e kadar yürümüş, Sarıköy'den trenle gelmişlerdi. General Trikupis ve Digenis bir tepkiyle karşılaşmamaları için Sincan'da trenden alınıp arka yoldan Sarıkışla'ya getirilmişlerdi.

Yolun iki yanı, Ulus Meydanı, Millet Bahçesi Ankaralılarla doluydu. Meclis balkonunda da milletvekilleri vardı.

Taş atan, saldıran, tüküren yoktu ama halkın arasından lanetlenerek geçiyorlardı. Rıfat Erdal'ın işareti üzerine, TBMM'nin küçük, gösterişsiz binasını selamlayarak ilerlediler.

Sarıkışla yoluna döndüler.[53]

Esir Yunan komutanlar

İZMİR'de korkulan oldu.

Frenk mahallesinde birkaç yerde birden yangın çıktı. Hızla Kordon'a kadar yayıldı. İtfaiye ve ordu, yangınları söndürmeye yetişemedi. İzmir'in yarısı kül olacaktı.

M. Kemal Paşa'nın karargâhı, Uşaklıgiller ailesinin kızı Latife Hanım'ın ısrarlı ricası üzerine Göztepe'deki büyük köşke taşındı. Bu olay Latife Hanım'ı çok mutlu etti.

Paşa'ya hayrandı, boynundaki madalyonda resmini taşıyordu.

Çetelerin ve akıncıların görevleri sona ermişti.

Demirci Akıncıları Balıkesir hükümet konağı önünde toplandılar. Silahlarını, fişeklerini ve el bombalarını ordu ambarına bırakmışlardı. O korkunç görünüşlü akıncılar yeniden sıradan köylüler olmuşlardı. Yakup Şevki Paşa ve karargâhı bu veda töreninde bulunmak için konağın merdivenlerinde yerlerini aldılar.

İbrahim Ethem Bey kısa bir veda konuşması yaptı:

"Akıncı kardeşlerim! İşimiz bitti. Veda vakti geldi. Şimdi, verdiğimiz söz gereği, bir teşekkür bile beklemeden köyünüzün yolunu tutun ve sabana yapışın. Siz savaşırken köyünüz yakılmış, eviniz yağmalanmış, aileniz kayba uğramış olabilir. Tevekkülle karşılayın. Daha acısı belki bazı hainleri zengin hatta mevki sahibi olmuş görebilirsiniz. Bir gün, hizmetinizi küçümseyenler bile çıkabilir. Bütün bunları ölüme meydan okumuşların vakarı ile seyredin. Ancak vatanın kurtuluşunda payı olanların duyabileceği o engin hazzı, hiçbir şeye değişmeyin. Çünkü bu hazzı vatanın kurtuluşunda payı olanlardan başka hiç kimse duyamaz."

Helalleşmek için akıncıların arasına karıştı.[54]

FRANGOS kuvvetlerinden son asker 16 Eylül gece yarısı Çeşme'de gemiye binmişti. Üçüncü Kolordu'nun birlikleri de kayıp vere vere zahmetle Erdek'e kadar çekildi. Buradaki son Yunan askeri de 18 Eylül günü gemiye bindi.[55]

Anadolu'da esirler dışında tek Yunan ve Rum askeri kalmamıştı.

Şimdi üç yıldan fazla sürmüş yaman mücadelenin son ve en önemli evresine gelinmişti. Asıl düşmanla hesaplaşılacaktı. Milli Mücadele içinde İngilizlerle 15 kez çarpışılmıştı. Bunlar küçük çarpışmalardı. Şimdi son ve kesin bir çarpışma yaşanacak, belki de savaşılacaktı.[55a]

NURETTİN PAŞA, "Bence derhal Çanakkale ve İstanbul üzerine yürüyerek İngilizleri de defedelim" dedi.

İsmet Paşa Nurettin Paşa'nın kolunu tuttu:

"Ben size bir şey söyleyeyim mi? Osmanlı İmparatorluğu'nu da Enver Paşa'nın buna benzer hesapsız ve aceleci niyetleri yıktı. Zafer sırça kadehe benzer. Ancak dikkatle kullanılırsa işe yarar. Yoksa kırılır. Bir daha da eski hale getirilemez."

M. Kemal Paşa, "Çanakkale'ye yürüyeceğiz.." dedi, "..ama savaş aramak için değil. Müttefikleri, özellikle de İngilizleri, istediğimiz gibi bir mütarekeye zorlamak için. Eğer İngilizler savaşmayı göze almışlarsa, ilk ateşi onlar açsınlar. O zaman savaşırız."

Fevzi Paşa doğruldu:

"Çanakkale üzerine yürüyüşü Yakup Şevki Paşa idare etsin."

M. Kemal ve İsmet Paşalar güldüler. Başkomutan, "Çok iyi olur.." dedi, "..tam onun titizliğine uygun bir iş." [55b]

İki savaşçı: Churchill ve Lloyd George

TÜRK BİRLİKLERİNİN Çanakkale'ye yaklaştıkları haberi üzerine İngiliz küçük kabinesi toplandı ve bazı kararlar aldı. En önemlisi, 'bir Türk birliği tarafsız bölge sınırını aştığı takdirde, silahla karşılanacaktı.'

Churchill, "Türkleri, adımını Avrupa yakasına atmadan, barış masasına oturtmak zorundayız.." dedi, "..Çanakkale az bir birlikle savunulamaz. Tasarruf edebileceğimiz bütün birlikleri oraya sevk edelim. Britanya Birliği'ne dahil bütün devletlerden de asker yollamalarını isteyelim. Türkler blöf yapmadığımızı, savaşmaya kararlı olduğumuzu anlasınlar."

Lloyd George bu yaklaşımı büyük bir hevesle benimsedi.

Kararlar General Harington'a bildirildi.[56]

GENERAL HARINGTON General Marden'e, "Hükümet.." dedi, "M. Kemal'in altı yıl önce bize karşı savunduğu Çanakkale'yi, şimdi bizim ona karşı savunmamızı istiyor. Pekâlâ. Çanakkale'ye hareket edin ve komutayı üstlenin. Yazılı emrim olmadıkça Türklere ateş açılmayacak. Yeni bir savaşa sebep olmak istemiyorum. Anladınız mı?"

"Evet Generalim." [57]

DAILY MAIL gazetesinde Sir Charles Tawsend'in bir demeci yayımlandı. Lloyd George'u birkaç kez uyarmış olan Tawsend şöyle diyordu:

"Başbakan Lloyd George ve arkadaşları, Türk gururunun ne anlama geldiğini anlamadılar. Anlasalardı İngiltere bu gurur kırıcı duruma düşmezdi." [57a]

BİR TÜRK BİRLİĞİ tarafsız bölge sınırındaki bir köprüye yaklaştı. Köprünün karşı yanındaki direğe İngiliz bayrağı çekilmiş, iki makineli tüfek yerleştirilmişti. Eller tetikteydi.

İngiliz subayı bir şeyi fark etti. Türk askerleri tüfeklerini omuzlarına, namluları aşağıya gelecek biçimde, ters asmışlardı. Birlik köprüden geçmek için bir zorlamada bulunmadı. Köprünün karşısında küçük bir ordugâh kurdu. Askerler derede çamaşır yıkadılar. Çamaşırlarını kurusun diye İngiliz tel örgülerine serdiler.

General Marden birliklerini daha gerilere çekip savunma alanını daralttı. Tel örgüleri çoğalttı. Türklerle dostluk yapılmasını yasakladı.

BAŞBAKAN RAUF BEY ile Dışişleri Bakanı Yusuf Kemal Bey İzmir'e geldiler. Rauf Bey İngilizlerle bir sorun çıkmasından çekiniyordu.

M. Kemal Paşa, "Bu bir sinir savaşı.." dedi, "..bizim sinirlerimiz daha sağlam. Bu savaşı biz kazanırız."

Çanakkale'de Türk birlikleri sessizce çoğalarak tarafsız bölgeyi üç yandan sarmışlardı. General Marden bu durumu şöyle tanımlıyordu: Bizi barışçı bir hava içinde kuşatıp boğacaklar.

KANADA ve Avustralya asker yollamayı kabul etmemiş, Güney Afrika cevap bile vermemişti. Kimse savaş istemiyordu.

Ama Lloyd George direniyordu:

"Yunanlılardan yararlanalım. Ellerinde işe yarar birkaç tümen kalmıştır herhalde."

Türk-Yunan savaşını yeniden başlatacak olan bu öneri Chamberlain'i titretti. İtiraz edecek oldu:

"Sayın Başbakan, basın bizi savaş tamtamları çalmakla suçlarken..."

Lloyd George öyle bir öfkeyle baktı ki başını önündeki kâğıtlara eğdi ve sustu.[58]

YUNANİSTAN'da beklenen oldu, ordu ve donanma ayaklandı. Bir uçak Atina üzerinde uçarak darbecilerin isteklerini açıklayan bildiriler attı. Darbeciler öncelikle parlamentonun dağıtılmasını, Kral'ın tahttan çekilmesini istiyorlardı.

Venizelos'la temasa geçmişlerdi.

İngiliz Ataşemiliterine, ilk hedeflerinin kalan kuvvetlerle Edirne ve Trakya'yı savunmak olduğunu açıklamışlardı.[59]

ÇANAKKALE'de iki tugay, 50 top, 36 uçak ve 16 savaş gemisi toplanmıştı. Lord Plumer de Malta'dan gelmişti.

Savaş Bakanı L.W. Ewans, "Takviye yollamaya devam ediyoruz.." dedi, "..ama Türkler tel örgülere kadar sokulup adeta dillerini çıkarıyorlar. Ateş açmadıkça bu gidişi durdurmak mümkün değil."

Lloyd George kızdı:

"Ne duruyorlar? En fazla 24 saat süre versinler, geri çekilmezlerse ateş açsınlar!"

Churchill'in gözleri parladı:

"Bunu hemen İstanbul'a bildirelim." [60]

İngiltere ve Türkiye arasındaki gerginlik dünya gazetelerine sıçramış, yeni bir savaş olasılığı gittikçe ateşlenen İngiliz kabinesinden başka herkesi germişti. Fransa ve İtalya Çanakkale'den askerlerini çektiler.

İngiltere yalnız kaldı.

İzmir'de bulunan Türk yöneticiler sakindiler ya da sakin görünmeye çalışıyorlardı.

TÜRK 1. Ordusu komutanlığı İzmit'e yerleşti, birlikleri buradaki tarafsız bölge sınırına da dayandılar. Daha barut kokan askerlerin ve subayların kararlı görünüşleri İngiliz subaylarını ürküttü.

Türklerin Karadeniz yoluyla Trakya'ya gizlice asker ve top geçirdikleri söylenmekteydi.

General Harington, her akıllı asker gibi, savaştan çekiniyordu.[61]

İngiliz Büyükelçiliğinde Türk coşkunluğuna karşı güvenlik önlemleri artırıldı

GENERAL PAPULAS saraya geldi. Albay Plastiras ile konuşmuştu. Sonucu bildirdi:

"Plastiras istifa edip tahtı bırakmanız için bu akşam saat 22.00'ye kadar süre tanıdı."

General Metaksas, "Hemen istifa edin efendim.." diye yalvardı, "..Lütfen. Yoksa hayatınızdan endişe ederim."

Papulas bu düşünceyi başını sallayarak doğruladı. Darbecileri çok haşin bulmuştu. Kral uzun, upuzun bir sessizlikten sonra, "Peki.." dedi, "..tahttan feragat ettiğimi bildiren yazıyı hazırlayın." [62]

GENERAL HARINGTON, 'her an barış için bir anlaşmaya varılabileceğini' ileri sürerek, geri çekilmeyen Türk askerlerine ateş edilmesi kararını uygulatmamış, bu tutumunu da Londra'ya bildirmişti.

Lloyd George kükredi:

"General politikadan elini çekip kendi işine baksın!"

Churchill de bu düşüncedeydi. Hiçbir Bakan 'biz de parmaklarımızı tetikten çekelim' diyemedi. Yalnız Charberlain, "Başbakanım.."

dedi, "..hiçbir müttefikimiz ve birliğimize dahil hiçbir devlet yanımızda değil. Bütün basın aleyhimizde. Savaşçı olmakla suçlanıyoruz. Lütfen, Lord Curzon'u bekleyelim, yarın Paris'ten dönecek." [63]

POINCARE ile görüşen Lord Curzon, ertesi gün Paris'ten döndü ve doğru Başbakanlığa geldi. Yüzü yeşile çalıyordu. Sesi bozulmuştu:

"...M. Poincaré Çanakkale konusunda politikamızı desteklemesinin mümkün olmadığını, Türklerle dost olmak istediklerini açıkladı. Bunu akşam telgrafla bildirmiştim. Ama bildirmediğim bir husus var. Yunanistan'dan asker istememizin Fransa'ya hakaret olduğunu söyledi, köpürdü. Çeyrek saat beni azarladı, aşağıladı. Hayatımda böyle bir olay yaşamamıştım. Sonunda odadan kaçtım ve hıçkıra hıçkıra ağladım." [64]

Gözlerini bir yere dikti ve sustu.

Lord Curzon   M. Poincaré

Lord Curzon'un uğradığı muamele ve Fransa'nın Çanakkale olayında İngiltere'yi desteklememesi, Türklerin kararlılığı Lloyd George'un bütün ümidini kırdı. Yine yeniliyordu.

Ayağa kalktı. "Ne yapalım.." dedi, "..yüzyıllar nadir olarak dâhi yetiştirir. Şu talihsizliğimize bakınız ki o büyük dâhiyi yüzyılımızda

Türk milleti yetiştirdi. Hiçbir çabamız sonuç vermedi, M. Kemal Paşa'ya yenildik." [65]

LLOYD GEORGE'un durumu kabul etmesi mütareke görüşmelerine başlama yolunu açmıştı. Franklin Bouillon İzmir'e geldi. Çok dostça karşılandı. Güzel haberler getirmişti:

"Müttefikler, mütareke imza edilir edilmez Yunanlıların, isteğiniz uyarınca, Edirne'yi ve Trakya'yı boşaltmaya başlamalarını kabul ettiler."

Yüzyıllardır Türkiye ilk kez savaşmadan, hakkı olan bir toprağı geri alacaktı. M. Kemal Paşa'ya sordu:

"Mütareke görüşmeleri için nereyi uygun buluyorsunuz?"

"Mudanya'yı."

Akşam yemeğine kalmadı, bir Fransız savaş gemisi ile İstanbul'a gitti: "İngilizleri boş bırakmaya gelmez."

AKŞAM YEMEĞİNDE Göztepe'deki köşkte Başkomutan, Başbakan, Y. Kemal Bey, paşalar ve İstanbul'dan gelen gazeteciler birlikte olmuşlardı. Sabah M. Kemal Paşa ile Y. Kadri köşkün bahçesinde karşılaştılar.

Bir hizmetli kahvelerini getirdi.

M. Kemal Paşa, "İki muzaffer ordumuza karşı kimse yeni bir savaşı göze alamaz.." dedi, "..birkaç gün içinde mütareke isteyeceklerdir. Böylece Milli Mücadelemizin dört yıl süren ilk safhası kapanmış olacak. Şimdi bir yol ayrımındayız. Ya ülkeyi ve milleti, İstanbul'un o teslimiyetçi, çağ dışı zihniyetine ve rejimine terk edeceğiz; ya da akılcı, bilime öncelik veren, bağımsız, özgür, başı dik, yeni bir toplum olacağız. Sizce hangi yolu seçmeli?"

Y. Kadri tarihin nereye aktığını Ankara'dayken görmüştü. Şimdi bu akış hızlanmış ve gürleşmişti. "Tabii akıl yolunu" dedi.

"Evet, asıl kurtuluşa akıl yoluyla varabiliriz. Bunun için de Milli Mücadele'nin ikinci safhasını açmalıyız. Zor, çetin bir yol. Bağnazlıkla, dar görüşlülükle, önyargılarla, hurafelerle, iliklere işlemiş cahillikle, din tüccarlarıyla, belki uyanmamızı istemeyen dış güçlerle de mücadele edeceğiz. Ama bunu göze almak, hepsiyle mücadele etmek, bu güzel toplumu bir daha hiçbir gücün sömüremeyeceği şekilde bilgi ve bilinçle donatmak zorundayız. Dünya hızla gelişirken, biz yerimizde sayamayız. Yoksa geleceğin akıllı nesilleri bizi affetmez." [65a]

KRAL KONSTANTİN Yunanistan'dan ayrılarak Palermo'ya yerleşti. Büyük oğlu Yorgi Kral oldu.

Cunta, yenilginin sorumluları olarak Başkomutan General Hacianesti, Başbakan Protopapadakis, eski Başbakan Gunaris, Savaş Bakanı Teotokis, Dışişleri Bakanı Baltaciz, İşleri Bakanı Stratos'u tutukladı. Olağanüstü bir mahkeme kuruldu.

Yenilgi Yunanistan'ı o kadar sarsmıştı ki 14 yıl istikrarsızlık içinde yaşadı. 19 kez hükümet, 3 kez rejim değişecek, 7 hükümet darbesi olacaktır.[66]

MUDANYA GÖRÜŞMELERİNİ İsmet Paşa yürüttü. Kargaşalıkları süren Yunanlılar katılmadı. Görüşmeler çetin geçti. Lord Curzon yine bir sorun çıkarmıştı. Doğu Trakya'nın Türklere verilmesine karşı çıkıyordu. Ama Türkler o kadar haklıydı ki sonunda inatlaşmadan caydı.

Anlaşma 11 Ekimde imzalandı.

Büyük salonun sokağa bakan yanında duvara asılı güzel bir halı vardı. Mütareke anlaşmasını imzalayan generaller halının önüne geçerek bir anı fotoğrafı çektirdiler.

General Charpy keyifliydi:

"Dünya Savaşı nihayet bitti."

Gülüştüler.

General Harington İsmet Paşa'ya, "İstediğiniz gibi bir mütareke yaparak, sanıyorum ki dostluğunuzu hak ettik General" dedi.

"Barış görüşmelerinde de bu anlayışın devam etmesini dilerim."

General Mombelli, "Biz de bunu diliyoruz" dedi.

Bir subay yaklaşarak İsmet Paşa'ya tören birliğinin hazır olduğunu bildirdi. Generaller, binbir zorlukla birörnek ve temizce giydirilmiş tören birliğini denetledikten sonra İstanbul'a döneceklerdi.

SADRAZAM TEVFİK PAŞA bilgi sunmak için saraya koşmuştu. Küçük odada ikisi de ayaktaydılar.

Tevfik Paşa, "Mütareke anlaşması imzalanmış efendim.." dedi, "..savaş sona erdi."

Vahidettin pencereden dışarı baktı. Sona eren yalnız savaş mıydı? Bir şey demedi. Ağır ağır yürüdü. Odadan çıktı.

Uzaktan martıların çığlıkları geliyordu.

BURSA ŞARK TİYATROSU salonu İstanbul'dan gelen kadın ve erkek öğretmenlerle doluydu. Karışık oturuyorlardı. Kadınların çoğunluğu sıkma başlıydı, erkekler kalpaklı. Ön sırada Fevzi Paşa, İsmet Paşa, Yakup Şevki Paşa ve Kâzım Karabekir Paşa ile yaşlıca öğretmenler oturuyorlardı.

M. Kemal Paşa şiddetli alkışlar, "yaşa" sesleri arasında sahnedeki kürsüye çıktı, alkışların bitmesini bekledi. Sivil giyinmişti:

"Öğretmen hanımlar, öğretmen beyler!

Bugün çok güzel bir gün. İstanbul'dan kalkıp buraya geldiğiniz için güzel.

Hepinizi kendim ve silah arkadaşlarım adına sevgi ve saygıyla selamlıyorum.

Bugün barış görüşmeleri için Lozan'a davet edildik.."

Alkışlar yükseldi.

"..Refet Paşa ve küçük bir birliğimiz, Türkiye Büyük Millet Meclisi'ni ve onun gazi ordusunu temsilen İstanbul'dalar.."

Alkışlar şiddetlendi.

"..Ve Lloyd George, Başbakanlıktan istifa etti.."

Salonu titreten alkışlara, "güle güle" sesleri de karıştı.

"..Hanımlar, beyler!

Bu noktaya kolay gelmedik. Öğretmenlerimiz, şairlerimiz, yazarlarımız, uğradığımız felaketin bir daha yaşanmaması için o kara günlerin sebeplerini, nasıl kan ve gözyaşı dökerek kurtulduğumuzu, en doğru, en güzel şekilde anlatacaklardır. Bu vesile ile şehitleri tazimle yadedelim. Kurtuluşa emek vermiş asker sivil, kadın erkek, şehirli köylü, genç yaşlı herkesi minnetle selamlıyorum. Ama şunu belirtmeden geçemeyeceğim. Dünyanın hiçbir kadını, 'Ben vatanımı kurtarmak için Türk kadınından daha fazla çalıştım' diyemez.."

Öğretmenler yürekten alkışlıyordu. Komutanlar ürperdiler. Anadolu kadınları olmasaydı bu zafer acaba kazanılabilir miydi?

"..Ama bilelim ki bugün ulaştığımız nokta gerçek kurtuluş noktası değildir. Kurtuluşa ancak uygar, çağdaş, bilime, fenne ve insanlığa saygılı, istiklalin değerini ve şerefini bilen, hurafelerden arınmış, aklı ve vicdanı hür bir toplum olduğumuz zaman ulaşabiliriz.

Öğretmenler!

Ordularımızın kazandığı zafer, sadece eğitim ordusunun zaferi için zemin hazırlamıştır. Gerçek zaferi, cahilliği yenerek siz kazanacak, siz koruyacaksınız. Çocuklarımızı ve geleceğimizi ellerinize teslim ediyoruz. Çünkü aklınıza ve vicdanınıza güveniyoruz!" [67]

Öğretmenler Gazi M. Kemal Paşa'nın ellerini öpmek için kürsünün önüne aktılar.

NESRİN'in kapalı bir zarf içinde yolladığı kartpostal Faruk'a ulaştı. M. Kemal Paşa ile muzaffer komutanları gösteren çok güzel bir anı kartı yollamıştı.

"Seni zafer ve barış kadar seviyorum."

Sonuç
19 Eylül 1922 - 27 Ekim 1922

Neler oldu?

Yunan ordusu Edirne, Tekirdağ, Kırklareli ve Gelibolu'dan da çekildi, Doğu Trakya yeniden vatana katıldı. Devir işlemleri 30 Kasım 1922'de bitti

1 Kasım 1922'de, TBMM saltanatı kaldırdı. Halk İstanbul'da üç gün sürecek olan 'milli saltanat' bayramını başlattı.

18 Kasım 1922'de, Abdülmecit Halife seçildi.

20 Kasım 1922'de, Lozan Konferansı açıldı.

24 Temmuz 1923'te, Lozan Antlaşması imzalandı.

2 Ekim 1923'te, İngiliz, Fransız ve İtalyan işgal kuvvetleri İstanbul'dan ayrıldılar.

13 Ekim 1923'te, TBMM'nce Ankara başkent ilan edildi.

29 Ekim 1923'te, TBMM, cumhuriyeti kabul ve ilan etti (saat 20.30).

Gazi M. Kemal Paşa oybirliği ile Cumhurbaşkanı seçildi. Cumhuriyetin ilk Başbakanı İsmet İnönü oldu. Fevzi Çakmak Paşa uzun yıllar Türk ordusunun başında kaldı. Celal Bayar 1937-38'de Başbakan, 1950'de üçüncü Cumhurbaşkanı oldu.

[Cumhuriyetin devraldığı miras: 13 milyon nüfus, ilkel bir tarım, sıfıra yakın sanayi, madenlerin büyük çoğunluğu, limanlar ve var olan demiryolları yabancı şirketlerin yönetiminde. 153 ortaokul ve lise, sadece bir üniversite var. Halkın yalnız % 7'si okur-yazar, bu oran kadınlarda % 1 bile değil. Ortaokullarda 543, liselerde sadece 230 kız öğrenci okuyor. Ekonomik bakımdan yarı-sömürge. Kişi başına gelir 4 lira, kişi başına ortalama kamu harcaması 50 krş. Alt yapı her alanda yetersiz. Bilim hayatı ve düşüncesi yok sayılacak düzeyde. Anadolu araştırmayan, nakilci ve yetersiz medreselerin elinde. Her yanda tarikatler, tekkeler, dergâhlar. Yasalar çağın gereklerinin gerisinde. Kadınların ilke olarak toplumsal hayatları ve hiçbir hakları yok. Kadınların da bir gün erkekler gibi doktor, mühendis, avukat, belediye başkanı, milletvekili, bakan olabileceklerini hayal etmek bile zor. Ne seçme hakları bulunuyor, ne seçilme. Kısacası vatandaş sayılmıyorlar. Ülke neredeyse bütünüyle ve pek çok alanda ortaçağı yaşıyor.]

3 Mart 1924, Halifelik ve Din İşleri Bakanlığı kaldırıldı, Tevhid-i Tedrisat (eğitimin birleştirilmesi) yasası kabul edildi, Diyanet İşleri Başkanlığı kuruldu.

[Bu çok önemli iki devrimi, çağın gereklerine uygun 'yeni insan' yetiştirmeyi, akıla ve bilime öncelik vermeyi, Anadolu aydınlanmasını gerçekleştirmeyi amaçlayan devrimler izleyecektir. Maddi kalkınma ile sosyal, kültürel kalkınma da birlikte yürütülür.

Atatürk rahmetli olduğu zaman Türkiye demir-çelik ve milli savunma sanayiini kurmuştu, uçak ve denizaltı yapabiliyordu. Limanlar ve demiryolları millileştirilmiş, 3.000 km. yeni demiryolu yapılmıştı. Son 15 yılın ortalama kalkınma hızı % 10'dur. Halkevleri ve Millet Mektepleri açılmış, üniversite reformu yapılmış, çağdaş yasalar yürürlüğe girmiştir. Yeni devlet kadınlara olan borcunu ödemiş, kadınlar, erkeklerle eşit haklara kavuşmuştur.

Batı düşünürleri bu hızlı, görkemli gelişimi Türk Mucizesi diye nitelemişlerdir.[1]

Kurtuluş Savaşı'na emeği geçenler, barış zamanında da cumhuriyete kanat gererler, çok önemli işler başarırlar.]

Ne oldular?

Kâzım Özalp TBMM Başkanı; **Hasan Saka**, Dr. **Refik Saydam** ve **Recep Peker** Başbakan; **M. Necati, Vasıf Çınar**, Alb (Org.) **Cemil Cahit Toydemir**, Bnb. **Saffet Arıkan**, Yzb. C. **Kerim İncedayı**, Yzb. **Şükrü Sökmensüer**, Milletvekili ve Bakan; **Abdurrahman Nafiz Gürman, Kâzım Orbay, Salih Omurtak, Nurettin Baransel**, Orgeneral ve Genelkurmay Başkanı; **Ali Cemal Bardakçı, İ. Ethem Akıncı, Kâzım İnanç, Kâzım Dirik** Vali; Korg. **Yakup Şevki Sübaşı**, Tümg. **Kâzım Karabekir**, Tuğg. **Asım Gündüz**, Tuğg. **Fahrettin Altay**, Tuğg. **İzzettin Çalışlar**, Tuğg. **Kemalettin Sami Gökçen**, Yb. **Sabit Noyon**, Bnb. **Cemil Taner**, Yzb. **Hasan Atakan**, Yzb. **Asım Tınaztepe**, Yzb. **Şahap Gürler** Orgeneral; Tuğg. **Selahattin Adil**, Alb. **Şükrü Naili Gökberk**, Alb. **Nazmi Solok**, Alb. **Ali Hikmet Ayerdem**, Alb. **Naci Eldeniz**, Yb. **Baki Vandemir**, Yb. **Ahmet Derviş**, Yb. **Halis Bıyıktay**, Yb. **Kenan Dalbaşar**, Bnb. **Ekrem Baydar**, Ütğm. **Fevzi Uçaner** Orgeneral; **R. Eşref Ünaydın, Y. Kadri Karaosmanoğlu** Elçi ve Milletvekili; **F. Rıfkı Atay**, Tümg. **Nurettin Paşa**, Tümg. **Halit Karsıalan**, Alb. **Halit Akmansú**, Yzb. **Mahmut Soydan** Milletvekili; Bnb. **Tevfik Bıyıklıoğlu, Hikmet Bayur** Cumhurbaşkanlığı Genel Sekreteri; **Fethi Okyar** Milletvekili, Bakan, Başbakan; **Hüsrev Gerede** Elçi; Yb. **Eyüp Durukan** Tümgeneral ve Askeri Fabrikalar Genel Müdürü oldular.

Tümg. **Halit Karsıalan**, 1925'te kaza kurşunu ile Meclis'te vurularak öldü.

Bnb. **Fazıl**, 1923'te bir gösteri sırasında düşerek şehit oldu.

Parti Pehlivan Ağa (asıl adı **Mehmet Başkak**), köyüne çekildi, 1941'de öldü.

Padişah Vahidettin (1861-1926), saltanatın kaldırılması üzerine bir mektupla General Harington'a başvurarak, İstanbul'dan ayrılmak istediğini bildirdi, 17 Kasım 1922'de İngilizlere sığındı, Malta'ya götürüldü. İtalya'nın San Remo kentinde öldü.

Veliaht Abdülmecit (1868-1943), Vahidettin'in kaçışı üzerine Halife seçildi, 1924'te halifeliğin ilgası üzerine yurt dışına çıkarıldı,

Halifeliğinin sürdüğünü iddia etti ama kimse ciddiye almadı, Paris'te öldü.

Damat Ferit 6 Ekim 1923'te Fransa'da Nice kentinde öldü.

Tevfik Paşa, Ahmet (1845-1936), son Osmanlı sadrazamı, istifasını verip İstanbul'da evine çekildi, saygı gördü, askeri törenle gömüldü.

Ahmet İzzet Paşa, Furgaç (1864-1937), o da Tevfik Paşa gibi evine çekildi. *Son Sadrazamlar* adlı eserin 4.cildinde anıları var.

Ali Kemal milliciler tarafından yakalanıp yargılanmak üzere İzmit'e kaçırıldı. İzmit'te Nurettin Paşa'nın etkisiyle linç edildi (Kasım 1922).

Vahidettin ve Damat Ferit'in çevresinde toplanarak Milli Mücadele'yi söndürmek için çalışanlar, casusluk yapanlar, zafer üzerine Türkiye'den kaçtılar. Türkiye bu hain ve gafillerden 150'sini vatandaşlıktan attı. Bunların arasında eski Şeyhülislam **M. Sabri,** Eski Adalet Nazırı **Ali Rüştü, Rıza Tevfik,** Hürriyet ve İtilaf Partisi Başkanı **Albay Sadık, Çerkes Ethem, Sait Molla, Refik Halit Karay** gibi kişiler vardır. 150'likler 1938'de affedildiler.

Topal Osman Trabzon Milletvekili **Ali Şükrü** Bey'i 27.3.1922 günü Ankara'da öldürdü, kendi de öldü.

Eski Rize Millletvekili **Ziya Hurşit,** Atatürk'ün arkadaşı **Albay Ayıcı Arif,** eski Trabzon Milletvekili **Hafız Mehmet,** 1926'da İzmir suikastıyla ilgili görülerek idam edilirler. **Dr. Nâzım** ve Ardahan Milletvekili **Hilmi** Bey de 'İttihatçılar sorunu' ile ilgili görülerek Ankara'da idam edileceklerdir.[2]

Başlıca muhalifler aday gösterilmedikleri için ikinci dönemde TBMM'de yer almadılar.

Lloyd George, David (1863-1945): Türkiye'ye karşı izlediği savaşçı politika saygınlığını örselediği gibi koalisyon ortağı ile olan anlaşmazlığını da derinleştirdi, 1922 Ekiminde Başbakanlıktan istifa etti, bir daha iktidara gelemedi. 1943'te Miss Frances Stevenson'la evlendi.

Lord Curzon, George Nathaniel (1859-1925): Lozan görüşmelerinin birinci döneminde İngiltere'yi temsil etti, sonra yerini Sir Harold Rumbold'a bıraktı. 1924'te yeni Başbakan Baldwin Lord Curzon'un yerine Dışişleri Bakanlığına Chamberlain'ı getirdi, bakanlık ve başbakanlık umutları sona erdi.

General Harington, orgeneralliğe yükseldi ama mareşal yapılmadı. Buna Çanakkale olayı sırasındaki emre itaatsizliğinin sebep olduğu söylendi. Son olarak Cebelitarık'ta vali ve komutandı. 1940 yılında öldü.

Kral Kostantin tahtını bırakmasından dört ay sonra ocak 1923'te Palermo'da öldü.

Protopapadakis, Gunaris, Teotokis, Baltaciz, Stratos ve General **Hacianesti,** Yunanlıların 'büyük felaket' adını taktığı yenilgiden sorumlu görülerek 28 Kasım 1922'de birarada kurşuna dizildiler.

General **Papulas** da 1935'te bir hükümet darbesi girişimine katıldığı için kurşuna dizildi.

General **Andreas,** İngiliz yardımıyla Yunanistan'dan İngiltere'ye kaçırıldı.

Venizelos, Elefterios (1864-1936), Lozan'da Yunanistan'ı temsil etti, 1924'Te yeniden Başbakan oldu, ayrıldı, 1928'de büyük çoğunlukla seçimi kazandı, bu kez barışçı politika izledi, 1930'da Ankara'ya geldi, 1932 seçimini kaybetti, 1935'te yine Yunanistan'dan ayrılıp Paris'e gitti, orada öldü.

---

1) Bu dönemde iki kez çok partili sistem denenmişse de irticanın harekete geçmesi üzerine, ilkinde, Kâzım Karabekir, Rauf Orbay ve arkadaşlarının kurduğu Terakkiperver Cumhuriyet Partisi hükümetçe kapatılmış; ikincisinde Serbest Cumhuriyet Partisi kurucularınca feshedilmiştir.

2) *Gazi Paşa'ya Suikast*, Uğur Mumcu, Tekin y., İstanbul, 12. basım, 1994.

Sonsöz

Milli Mücadele'ye hainlikleri ya da gafletleri nedeniyle karşı çıkanların büyük bölümü **Cumhuriyet**'i benimsemiş, **Osmanlı Devleti**'nin külünden tam bağımsız, yepyeni bir devlet çıkaran **Atatürk**'e saygı ve minnet duymuşlardır.

Yurtdışına kaçanların bir bölümü kinlerini, hainliklerini sürdürdüler, **Cumhuriyet**'e karşı çeteler, cepheler kurdular, gazeteler çıkardılar, yalan ve iftira dolu kitaplar yayımladılar. Memlekette kalanlar susup yeraltına çekildiler. Fırsat kolladılar.

Cumhuriyet'i yıkabilmenin ön şartının **Atatürk** saygısını, sevgisini yok etmek, **Milli Mücadele**'yi küçültmek, önemsememek, benimsememek olduğunu düşündüler.

Bu amaçla, **Atatürk** ve **Milli Mücadele** karşıtı, baştan sona yalanlarla, iftiralarla, saptırma ve çarpıtmalarla dolu, cahilce, insafsızca yazılar, kitaplar yayımladılar. Genç insanların kulaklarına bu yalanları, iftiraları fısıldadılar, saptırma ve çarpıtmaları gerçekmiş gibi benimsetmeye çabaladılar.

Bugün Türk gençliği biri ötekine benzemeyen iki tarihe inanıyor:

Biri bu romanın esas aldığı, sağlıklı ve dürüst belgelere dayalı, hepimize gurur veren gerçek tarih... Öteki **Cumhuriyet**'i yıkmak için çabalayanların uydurdukları, yalanlarla dolanlarla dolu, sahte tarih.

Bir süre önce söyleyip yazdıkları kimi gülünç, kimi insanı utandıran yalanları toplayıp gerçekleri belgelerle açıklayan bir kitap yazmıştım: *Vahidettin, M. Kemal ve Milli Mücadele.*

Cevap veremediler. Gazete ve dergilerde bu tür yalanların da arkası kesildi. Çünkü belgelere, kanıtlara, ciddi tanıklara karşı yalanı savunmak mümkün değildir. Ama kulaklarınıza yalan fısıldamaya devam edenler varsa, var olduklarını sanıyorum, adını verdiğim kitaba bir göz atmanızı ve doğruyu öğrenmenizi dilerim. Yalanın yoldaşı ve savunucusu olmayın.

Sevgili gençler!

İstiklal Savaşı, dünyadaki en meşru, en ahlaklı, en haklı, en kutsal savaşlardan biridir. Emperyalizmi ve yamaklarını dize getiren, bir enkazdan yepyeni, çağdaş bir devlet kurmayı başaran atalarınızla gurur duyun, şehit ve gazi atalarınızın onurunu yalancılara çiğnetmeyin.

Sevgilerle.

NOTLAR

Başlangıç
Notları

1) Padişah-Halife, 14 Kasım 1914'te cihad-ı ekber ilan ederek, dünyadaki bütün Müslümanları İngilizlere ve yandaşlarına karşı savaşa çağırdı. Şaşırtıcı bir gerçek açığa çıktı: Türkiye dışındaki Müslümanlar üzerinde Halife'nin bir etkisi olmadığı anlaşıldı. Tersine, İngiliz ve Fransızlar adına silahlandırılan Müslüman askerler Osmanlılara karşı şevkle savaşacak, Mekke Şerifi Hüseyin bile, İngilizlere karşı silaha sarılmak yerine, onlarla anlaşarak Osmanlı kuvvetlerini arkadan vurmayı tercih edecek, hatta Türklere, 'İngiliz ve Fransızların bile reva görmediği' şekilde zalimce davranacaktır. Osmanlıların ümmet döneminin sona erdiğini anlamaları için Birinci Dünya Savaşı'nın bu acı ve ibret verici sahnelerini yaşamaları gerekmişti. Bilgili ve akıllı olanlar bunu bir daha unutmayacaklardı.

2) *Yüzbaşı Selahattin'in Romanı*, 2.c., s.10.

3) Sevr Antlaşması, Üçlü Anlaşma, işgaller, Yunanlıları ve Ermenileri destekleme, Yunan savaşları, Yunan kıyımlarına te pki göstermeme, 1921-1922 yılı uygulamaları, Lozan'daki tutumları...

4) Boğaz'da demirleyen 50'den fazla savaş gemisinden kurulu dev donanmanın içinde, Mondros'u imzalayan Amiral Galtorphe'in verdiği söze rağmen, dört Yunan savaş gemisi de yer alır. Bugün Türkler için çok acı bir gündür. İstanbullu Rumlar ve Ermeniler ise, sevinçten de-

liye dönerler. Şehir Yunan bayrakları ile donatılır. Yüzlerce yıldan beri yurttaşlık, hemşerilik, komşuluk, arkadaşlık yaptıkları, birlikte büyüdükleri insanların, bu en acı gündeki sevinç gösterileri Türkleri, bir daha unutamayacakları kadar incitecektir. Görgüsüzlüğü iyice artırırlar. Beyoğlu caddesindeki Yunan elçiliğine bayrak çekilirken ve indirilirken yapılan tören sırasında, Rumlar oradan geçen bir Türk selam durmaz ve fesini çıkarmazsa döverler. Rum ve Ermeni patrikhaneleri Türkiye aleyhindeki her türlü entrikanın odağı olurlar.

5) Bu kadro milli duygudan yoksun ümmetçilerden, istiklal fikri olmayan çeyrek aydınlardan, işbirlikçilerden, din sömürücüleri ve yobazlardan oluşuyordu. Vahidettin, Damat Ferit ve bunların çevresi, genel olarak bu karanlık, karışık partiye dayanırlar. Bu parti yöneticileri, İngilizlere yaranabilmek için, hiçbir araştırmaya dayanmadan, İttihatçıların Ermeni kıyımı yaptığını kabul ederler. Bu parti yüzyıllardır, her yeni, ileri, aydınlık, çağdaş harekete karşı duran tutucu, gerici anlayışın 20. yüzyıldaki uzantısıdır. Daha sonraki tutucu, gerici, karşı devrimci anlayışlara ve partilere de analık edecektir.

6) F. Rıfkı Atay diyor ki: "Mütareke edebiyatında cinayet yerine geçen şeylerden biri de Türklerde milliyet duygusu uyandırmaktı."
Maarif Nazırı Fahrettin Rumbeyoğlu, okul kitaplarından "Türk" kelimesinin çıkarılmasını emreder. Bazı aydınlar Türk olmadıklarını açıklarlar. Hürriyet ve İtilafçı filozof Rıza Tevfik Bölükbaşı, bir Fransız gazetesine şu demeci verir: "İngilizlerden çok şey öğrendim. Fransız medeniyetine hayranım. Bende duygu ve düşünce bakımından beğenilecek ne varsa, sizindir. Bende fena olan her şeyin kaynağı benim!"
Türklerin kurduğu Osmanlı Devleti'ni yönetenler yüzyıllarca Türklüğü hakir görmüşlerdi. Mütareke ile birlikte bu tavır yeniden belirir. Şair Cenap Şahabettin bir Fransız dergisine verdiği yazıda şöyle diyebilecektir: "Türkler ilim ve medeniyet sahasında hiçbir şey yapmamışlar, hiçbir eser vücuda getirmemişlerdir. Ne bir mezhep, ne bir felsefe, ne bir sanat yaratmışlardır." (Y.K. Karaosmanoğlu, *Ergenekon*, s.125)

7) Jeschke, *İngiliz Belgeleri*, s.4, 16.12.1918.
8) S.R. Sonyel, *Dış Politika*, 1.c., s.44.
9) Jeschke, *İngiliz Belgeleri*, s.9, 30.7.1919.
10) Sina Akşin, *İstanbul Hükümetleri*, s.234 ve birçok kaynakta.
11) Veliaht Abdülmecit, İngiliz Elçiliği Baştercümanı Ryan'a şu açıklamayı yapmıştır: "Anadolu'daki hareket haince, aptalca ve gaddarcadır." (Jeschke, *TSK Kronolojisi*, s.56, 8.8.1919)
Şehzade Abdülhalim Efendi, bu gelişmelere bakarak, daha 1919 sonunda, şöyle diyecektir: "Bu hanedan bitmiştir. Bizden millete hiçbir

Waitrose

```
MCARD                        £37.79
542011******9763
CHANGE                        0.00

                              1423


*********************************************
*   Multivalue Offers Have Saved You       *
*             £2.26                         *
*********************************************
149      008 26 9327 15:12 15JAN07
```

PARTNERSHIP CARD

Earn vouchers to spend in John Lewis
and Waitrose, wherever you shop
with the partnership card
Typical 15.5%APR variable
Apply today www.partnershipcard.co.uk

THANK YOU FOR SHOPPING
AT WAITROSE

hayır beklenemez artık. Bizi bir tarafa atarak, millet kendini kurtarmalıdır!" *(Yakın Tarihimiz,* 3.c., s.316)

12) Ama Çukurova'yı işgal eden Fransız birlikleri ve bu birliklerde görevli Ermeniler çevreyi talana başlayınca iş değişir. Dörtyol'un Karaköse Köyü halkı, yollara barikatlar kurar ve 19 Aralık 1918'de gelen talancıları silahla karşılar. İşgal, yağma ve kıyım yayıldıkça direniş genişleyecek, Güney Anadolu Fransızlara karşı bütünüyle silaha sarılacaktır. (H. Saral, *Vatan Nasıl Kurtuldu,* s.28)
Orta ve Doğu Karadeniz bölgesinde Pontusçu çetelere karşı da Karadeniz halkı silahlanır. Haksızlığa uğrayan, tehlikeyi gören halk ayağa kalkmaya başlar.

13) *(Sakarya'dan İzmir'e,* s.182) Lloyd George Yunanlıları şöyle değerlendirmektedir: "Türk barbarlığı karşısında Hıristiyan medeniyetini müdafaa ediyorlar. Büyük Yunanistan, İngiliz İmparatorluğu için paha biçilmez bir kazanç olacaktır. Doğu Akdeniz'in en önemli adaları onlarındır. Bunlar Süveyş Kanalı ile bizim Hindistan ve Uzakdoğu'ya giden su yollarımız üzerinde bulunan doğal denizaltı üsleridir. Eğer Yunanlılara, ulusal yayılışları döneminde sağlam bir dostluk gösterirsek, İmparatorluğumuzun birliğini sağlayan büyük deniz yolunun başlıca koruyucularından biri olurlar." (H. Bayur, *Atatürk'ün Hayatı ve Eseri,* s.314)

14) İlk kurşunu o gün, Konak meydanında, gazeteci Hasan Tahsin atar. Bunu Urla ve Ayvalık'taki 173. ve 172. Alayların silahlı direnişi izleyecektir. İlk alayda sadece 18, ikincisinde ise 150 kadar er vardır. (TİH, *Mondros'tan Mudanya'ya,* 1.c., s.267 vd.)
İzmir'in Yunanlılarca işgal edildiğini duyan halk, birçok şehirde olayı protesto eder. Aydın'da 57. Tümen Komutanı Albay Şefik Aker 'kuvayı milliye' kurulmasını önerir, silah depolarını açarak halkın silahlanmasını kolaylaştırır. 56. Tümen'in yeni komutanı Albay Bekir Sami Günsav Bandırma'ya gelir gelmez, Yunan bayraklarını toplatır, halkı silahlanmaya çağırır.
Yurtsever Denizli Müftüsü Ahmet Hulusi Efendi, hükümet önünde toplanan halka şöyle diyecektir: "Her ne pahasına olursa olsun, Yunanlılara karşı koymak gerekir... Ben fetva veriyorum. Hiçbir müdafaa vasıtası olmayan bir Müslüman dahi yerden üç taş alarak düşmana atmaya mecburdur." (S. Selek, *Anadolu İhtilali,* s.77)
Ege halkı da açık-gizli örgütlenmeye başlar.

15) Patrik Vekili Dorotheos Mamalis, Türkiye Rumları için trajik gelişmelere yol açacak bir karar alır, 'artık Osmanlı uyruğu olmadıklarını, hepsini vatandaşlık yükümlülüklerinden muaf tuttuğunu' ilan eder. (B.

Criss, s.163 vd.) Bu, hiçbir hukuki dayanağı olmayan, Patrik'in boyunu çok aşan tehlikeli bir karardır. Patrikhanenin, arkasında Avrupa'yı gördüğü zaman neler yapabileceğini gösteren uyarıcı bir örnek olarak tarihe geçer. Bunun sonucu şu olur: Yunan ordusuna katılan Rumlar, Türklerce yakalandıkları zaman, esir değil, evrensel hukuk kurallarına uygun olarak, hain işlemi görecek ve idam edileceklerdir.

16) 22 Haziran 1919 günlü Amasya Genelgesi, ilk milli mücadele belgesi, işbirlikçi saraya ve hükümete karşı bir ihtilalin de ilk işaretidir. Birinci cümlesi, Türkiye'nin durumunu, Milli Mücadele'nin amacını ve yöntemini belirtmektedir: *"Vatanın bütünlüğü, milletin bağımsızlığı tehlikededir; milletin bağımsızlığını yine milletin azmi ve kararı kurtaracaktır."*

17) Temsil Heyeti Ankara'ya gelirken Hacıbektaş'ta bir akşam kalır ve M. Kemal Paşa Alevilerin lideri Cemalettin Çelebi ile görüşür. Aralarında sarsılmaz bir anlayış oluşur. Yurtsever Sünniler gibi Aleviler de Milli Mücadele'yi yürekten destekleyeceklerdir.

18) İngilizci Refi Cevat Ulunay da şöyle bağırır: "İstiklal diye bağıranlar kötü niyetlidir!" Refi Cevat ve benzerlerinin ısrarla yazıp yaydıkları görüşe göre 'Türkiye'nin istiklale değil, İngilizlerin himayesinde yaşamaya, bu yolla gelişmeye ihtiyacı vardır; İngiltere elinden tutmazsa Türkler yürümeyi bile beceremezler'. Böyle düşünen aydınlar şimdi de var mı, yok mu?

19) İşgal günü Vahidettin, Sivas Milletvekili Rauf Orbay, Balıkesir Milletvekili Abdülaziz Mecdi Tolon Hoca ve Konya Milletvekili Vehbi Çelik Hoca'dan oluşan Meclis kurulunu da kabul eder.

Nice kahraman, dâhi ve sanatçı yetiştirmiş Osmanlı hanedanının son padişahı Vahidettin'in zavallılığını, korkaklığını, teslimiyetçiliğini açıklayan bu ilginç görüşme şöyle özetlenebilir:

"Vahidettin: – Bu adamlar daha çok şey yaparlar, her istediklerini yaparlar! Her şeye cüret edebilirler! Meclis'teki sözlerinize ve hareketlerinize dikkat ediniz!

Vehbi Hoca: – Efendimiz, onların kudreti milleti yıldıramayacaktır. Millet azimlidir, kararlıdır, Hakkın yardımıyla haklarından gelecektir. Milletiniz, memleketi de, sizi de kurtaracaktır. Müsterih olunuz padişahım.

Vahidettin – Hoca! Hoca! Dikkatli olun! Bu adamlar, her istediklerini yaparlar!

Mecdi Hoca – Padişahım, bu kâfirlerin kudreti zahiridir, şu gemilerin top menzili dışına çıkamaz. Senin milletinin yüreği, onların demirinden metindir. Millet, istiklali uğruna giriştiği mücadeleden muhakkak muzaffer çıkacaktır. Endişe buyurmayınız.

Vahidettin – Hoca, vaziyet meydanda! Hadiseler ortada! Bu adamlar isterlerse yarın Ankara'ya giderler!

Rauf – Efendimiz, biz huzurunuzda milleti temsilen bulunuyoruz. Millet, haysiyet ve istiklale aykırı bir kaydı kabul etmemeye kesin kararlıdır. Eğer milletin hislerine tercüman olduğumuza kani iseniz, arz ediyoruz ki, milletin sizden istirhamı, haysiyet ve istiklale aykırı bir antlaşmaya ve sözleşmeye imza koymamanızdır. Aksi takdirde istikbali çok karanlık görüyoruz.

Vahidettin – Rauf Bey, millet koyun sürüsü! Bu sürüye bir çoban lazım! İşte o da benim!"

Yolda, Vehbi Hoca, derin bir acı içinde olan Mecdi Hoca'nın omzuna elini koyar, "Gam çekme efendi..." der, "..Allah büyüktür! Bu millet kurtarıcısını bulacaktır. Milleti koyun sürüsü saymak, rıza-yı ilahiye de aykırıdır. Yaşarsak, çok şey göreceğiz." (R. Orbay'ın Hatıraları, *Yakın Tarihimiz*, 2.c., s.240)

20)   T.M. Göztepe, *Vahidettin Mütareke Gayyasında*, s.267.

21)   S. Selek, *Anadolu İhtilali*, s.80-83; Ankara Müftüsü Rıfat Börekçi ve yurtsever Anadolu din adamları bir karşı fetva ile bu hain fetvanın karşısına dikilirler, İstanbul fetvasının etkisini önlerler.

22)   Halkın milliyetçilere destek vermesini önlemek için çeşitli dinsel örgütlerden de yararlanır. Yunanlılara karşı direnen milliyetçileri ezmek için serserilerden oluşan Kuva-yı İnzibatiye adlı silahlı bir birlik kurar. Ayrıca, emekli ve alaylı jandarma subayı Ahmet Anzavur'a, Padişah fermanıyla paşalık rütbesi, çapulcularına da 'Kuva-yı Muhammediye' unvanı verir ve milli kuvvetlerin üzerine yollar. İngilizlere, 'Ankara'ya karşı Kürtleri birlikte ayaklandırmayı' önerir. İstanbul yönetimini destekleyen İslamı Yüceltme Derneği, Yunan ordusu Ege'de en kirli işleri yaparken, bildiriler yayımlayarak, *"Yunan ordusunun Halifenin ordusu sayılması gerektiğini, hiç de zararlı bir topluluk olmadığını, asıl kafaları koparılacak mahlukatın Ankara'da bulunduğunu"* ileri sürer. (Y. Nadi, *Ankara'nın İlk Günleri*, s.117; T. Tunaya, *Türkiye'de Siyasi Partiler*, s.462) Konya halkını kışkırtmaya çalışanlar da, *"Kim milliyetçilerle birlikte Yunana karşı giderse şer'an kâfirdir"* diyeceklerdir. (S. Tansel, *Mondros'tan Mudanya'ya*, 3.c., s.127) Din aktörlerinin çok faal olduğu bir dönemdir bu dönem. İstanbul hükümeti ve özellikle İngilizler el ele verip Anadolu'nun Ankara'ya karşı ayaklanmasına çalışırlar ve bazı kesimlerde başarır, kanlı kardeş kavgalarını başlatırlar. Bolu ayaklanmasından birkaç ayrıntı:

"2 Mayıs 1920 günü, Ankara'ya karşı ayaklanan Düzce asileri Bolu'ya yürüdüler. Bu saldırıya Bolu ve Düzce'ye yakın bazı köyler de katılmıştı... 3 Mayıs sabahı her taraftan şehre saldırdılar... Binbaşı İhsan şehit oldu... Birkaç çapulcu koşuşarak onu soydular, şehidi çıplak halde sokak ortasında bıraktılar... Ellerine geçirdikleri askerleri, eski lise binasının kırık camları ile kestiler ve korkunç işkencelerle öldürdüler... Bolu'da kalan (Devrekli) Abdülkadir adında çok genç bir subayı da soyarak ve işkence yaparak Bolu sokaklarında dolaştırdılar. Bıçakla vücudunu delik deşik ettiler ve belediye önüne attılar. Zavallı genç subayın çok yarası vardı ama ölmemişti. Ertesi gün subayın kıpırdadığını pencereden gören bir doktorun hanımı kocasına haber verdi. Doktor, sabahın tenhalığından faydalanarak subayı memleket hastanesine kaldırttı. Fakat kudurmuş asiler durumu öğrendiler ve birkaç melun derhal hastaneye gelerek subayın boynuna bir ip geçirdiler ve sokaklarda sürükleyerek öldürdüler ve 'İşte Şeyhülislamın fetvasının hükmü yerine geldi!' diye bağırdılar." (TİH, *İstiklal Harbinde Ayaklanmalar*, s.10-3,113; R. Özkök, *Düzce-Bolu İsyanları*, s.288 vd.)
Anadolu'daki 153 yurtsever din bilgini ve müftü de bir karşı fetva yayımlayarak bu ihanetin karşısına dikilirler. Gerçek dindarlar, vatanı için dövüşen milliyetçilerin yanında yer alır. Kör cahiller, çapulcular, hainler, sahte dindarlar ve dini çıkarları için kullanmaya yeltenenler ise, sinecek, yeraltına gireceklerdir.
Dinin iç ve dış siyasete alet edilmesinin acı sonuçlarını gören, bağnazlığın ve din sömürüsünün, yarım yamalak din eğitiminin nelere mal olduğunu yaşayan yurtseverler, bu çok düşündürücü, pis, vahşi olayları unutmayacaklar, yeni devletin bu tür olayların yinelenmesini önleyecek biçimde örgütlenmesine büyük özen göstereceklerdir.
Bu ayaklanmalar güçlükle de olsa kısa sürede bastırılır. Çünkü hiçbirine halkın büyük çoğunluğu destek vermemiştir.

23) TBMM'nin açıldığı tarihte Türkiye'deki güçler: 38 bin İngiliz, 59 bin Fransız, 17 bin İtalyan, 90 bin Yunan askeri, güneyde 10 bin silahlı Ermeni, kuzeyde 25 bin Pontusçu Rum (İ. Artuç, *Kurtuluş Savaşı'nın Zorlu Yılları*, s.35). Bu sayılara doğudaki Ermeni ordusu, Batı Anadolu'daki Rum, Ermeni ve Müslüman çeteleri, Kuva-yı İnzibatiye, Anzavur kuvveti ve isyancılar dahil değildir.

24) *KS Günlüğü*, 2.c., s.200, 7.9.1920.

25) (*Devrin Yazarları*, 1.c., Y. Kemal'in yazısı, s.499) Kuva-yı Milliye'nin ve ordu birliklerinin Yunan istilasına karşı koymaları üzerine, Ali Kemal de Ankara'yı Yunanlılara baş eğmeye davet eder: "*Ankara yöneticilerinin Yunanlılara hâlâ meydan okumalarına çılgınlıktan başka*

bir sıfat verilemez. Yunanlılarla aramızda akılca da, ilimce de, kuvvet bakımından ve her açıdan bu derece fark varken, onlarla muharebelere girişilemez." (T. Özakman, *Vahidettin, M. Kemal ve Milli Mücadele,* s.371)

26) Dünyada ve Rusya'da başlayan sol hareketler ve sol yönetim Türkleri de etkiler ama Türkiye'de birçok nedenle ciddi bir gelişim göstermez. Milli Mücadele döneminde Anadolu'da dört hareket görülür: Yeşil ordu derneği, Ankara Halk İştirakiyun Partisi (Tokat Milletvekili Nâzım, Bursa Milletvekili Şeyh Servet Efendi vb.), M. Kemal'in izni ile Ankara'da kurulmuş olan 'Resmi' Komünist Partisi (Hakkı Behiç, Yunus Nadi vb.; bu parti danışıklı bir partidir), Türkiye Komünist Partisi (Mustafa Suphi, Ethem Nejat vb.). Hiç biri gelişmez. Bunların içinde en ciddisi M. Suphi'nin başında olduğu harekettir. M. Suphi ve 15 arkadaşı 1921 yılı Ocak ayı içinde, Ankara'ya gelmek üzere Kars'a, Kars'tan Erzurum'a geçerler. Halk bunlara kendiliğinden ya da telkin sonucu tepki gösterir. K. Karabekir Paşa bu grubu Rusya'ya dönmeleri tavsiyesi ile Trabzon'a yollar. Trabzon'dan bir motorla ayrılırlar, genel kanıya göre İskele Kâhyası İttihatçı Yahya Kâhya'nın adamlarınca 28/29 Ocak gecesi denizde öldürülürler. (A. Sayılgan, *Solun 94 Yılı,* s.91-153; F. Tevetoğlu, *Türkiye'de Sosyalist ve Komünist Faaliyetler,* s.118-335; Mete Tunçay, *Türkiye'de Sol Akımlar,* s.70-142)

27) Bu madde Saltanatçılarla birlikte Kâzım Karabekir Paşa'yı da rahatsız etmiştir. Cumhuriyetten sakınılmasını tavsiye edecektir. (*Nutuk,* 2.c., s.117 vd.)

28) Yoksul Anadolu'da bu ordunun kurulması, sonra da can, para, erzak, silah, cephane, askeri araç ve gereç bakımından sürekli ikmal edilebilmesi, büyük bir zafere eşit değerde bir olaydır. Bu mucizenin sırrı, davanın haklılığı, halkın anlayış ve cömertliği, yönetenlerin inandırıcılığı ve önderlik yetenekleridir. Bu tarihte ordunun elinde 12 cins piyade tüfeği, 4 cins hafif makineli tüfek, 8 cins ağır makineli tüfek, 24 cins top vardır. (İ. Artuç, *Büyük Taarruz,* s. 53)

29) Bir soruşturma komisyonunun, İzmir ve Doğu Trakya'da nüfus incelemesi yapması teklifini, Ankara temsilcileri hemen kabul ederler, Yunanlılar hemen reddederler. Oysa o güne kadar Ege'ye 126.000 Yunan göçmeni getirip yerleştirmişlerdir. Yunan heyetinde bulunan Savaş Bakanı Gunaris, kısa bir zaman sonra şu itirafta bulunacaktır: *"Bizzat İngilizler, bu komisyonu reddetmemizi istediler. Hatta konferansa vereceğimiz cevabın metnini hazırlayıp bize verdiler."*
Konferans sürerken yapılan İngiliz-Yunan gizli görüşmelerinden birinde, konferansta alınacak kararları Ankara'nın kabul etmemesi ha-

linde, ne yapmayı düşündüklerinin sorulması üzerine Yunan heyeti adına Ordu İkinci Kurmaybaşkanı Albay Sariyanis şöyle der: *"Ordu, hedefi Ankara olan bir taarruza geçerek, Anadolu'yu 3 ay içinde Mustafa Kemal kuvvetlerinden temizlemeye hazır ve muktedirdir. Hatta Karadeniz kıyılarına asker çıkarılarak Samsun'dan Sivas'a, Trabzon'dan Erzurum'a ilerleyerek bu iki önemli merkezin ele geçirilmesi bile planlanmıştır."*

Bu iddiaları duyan Fransız Generali Gourod, Güney Anadolu'daki Türk-Fransız çatışmalarında yaşanan olayları düşünerek Yunanlıları gerçekçi ve ölçülü olmaya davet edince, Albay Sariyanis şu alaylı karşılığı verecektir: *"Yunan askeri, Fransız askeri değildir generalim!"*

Kral Konstantin de boş durmaz, *The New York Times*'a bir demeç verir: *"Mustafa Kemal bir haydut parçasıdır... Masadan sinek kovar gibi haritadan silebileceğimiz blöfçü bir sahtekârdır!"*

Vahidettin de Konstantin ile aynı fikirdedir. 21 Mart 1921 günü, İngiliz Komiseri Sir Harold Rumbold'a, 'Mustafa Kemal'in ve arkadaşlarının eşkıya olduklarını' söyleyecektir.

30) Türkiye de buna karşılık Volga Boyu'nda açlık çekenlere verilmek üzere 800 ton tahıl armağan edecektir. (Bir Karagün Dostluğu, A. Şemsutdinov, s.241 vd.)

Kütahya-Eskişehir Savaşına Hazırlık
Notları

1)   *İ. İnönü*, 1.c., s.250.
2)   S. Tanman, *Türk Havacılık Tarihi*, s.26.
3)   *TİH*, Deniz Cephesi ve Hava Harekâtı, s.128.
4)   Ali Kemal'in konuşmaları, çeşitli yazılarına dayanmaktadır. (A. Kemal ve yazıları hakkında bazı kaynaklar: *Kurtuluş Savaşı Günlüğü*; Hayat Tarih Mecmuası,1970, sayı 9 vd.; F. Kandemir, *İstiklal Savaşı'nda Bozguncular ve Casuslar*; Y. Kemal, *Siyasi ve Edebi Portreler*, s.70-99)
5)   *Büyük Zaferin Ellinci Yıldönümüne Armağan*, s.129.
6)   T.M. Göztepe, *Vahidettin Mütareke Gayyasında*, s.258.
7)   H. Bayur, *Türk Devletinin Dış Siyasası*, s.84; S. Selek, *Anadolu İhtilali*, s.536; D. Walder, *Çanakkale Olayı*, s.117.
8)   Çekilirken 1.194 sivili öldürdüler (*ZC*, 15.c., s.238).
9)   Askerlerin durumunu yansıtan bazı kaynaklar: D. Arıkoğlu, s.248; Özleyiş, s.65; İ. Çalışlar, *2. İnönü Muharebesinde 61. Fırka*, s.3; A.İ. Sabis, *Harp Hatıralarım*, 5.c., s.73; *TİH*, Kütahya-Eskişehir, s.559.
10)   İ. İdikut, *İdeal Komutanlarımızdan 4.Tümen Komutanı Nâzım Bey*, s.104.
10a)   F.R. Atay, *Çankaya*, s.289 vd.
11)   *ZC*, 9.c., s.307-320.
12)   *ZC*, 9.c., s.321; General Trikupis 2. İnönü Savaşını, 'en kanlı savaşlardan biri' diye tanımlıyor.(*General Trikupis'in Anıları*, s.67); M.L. Smith, s.220.
13)   *KS Günlüğü*, 3.c., s.465.
14)   D. Walder, *Çanakkale Olayı*, s.140,193; R.H. Sinha, s.109; *Sakarya'dan İzmir'e*, s.20.
15)   *ZC*, 9.c., s.384.
16)   4. Tümen, 5. Kafkas Tümeni, 11. Tümen.
17)   *KS Günlüğü*, 3.c., s.466; Sakarya'dan İzmir'e, s.14.
18)   *KS Günlüğü*, 3.c., s.473'ten yararlanarak.
19)   *Türk Kültürü* dergisi, sayı 102, General Metaksas'ın Anıları, Çev.: Selahi R. Sonyel; M.L. Smith, s.222 vd.
19a)   *TİH*, İdari Faaliyetler, s. 129; *TİH*, Deniz Cephesi ve Hava Harekâtı, s.126; S. Tanman, Türk Havacılık Tarihi, s.38.
20)   *Türkün Ateşle İmtihanı*, s.167'den yararlanarak; N.H. Uluğ, *Hemşerimiz Atatürk*, s.186 vd.
21)   Jeschke, *TKS Kronolojisi I*, s.148; *Sakarya'dan İzmir'e*, s.17, 22.
21a)   İ. Bardakçı, Ankara'nın Sancılı Günleri, Milliyet, 19.5.1974.

22) *Malta Sürgünleri*, s.317.
23) *Malta Sürgünleri*, s.229-252.
24) A.E. Yalman, 2. c., s.194.
25) C. Erikan, *Komutan Atatürk*, s.664.
26) General Dusmanis, s.308; *Belgelerle Türk Tarihi* dergisi, sayı 49, Yunan Meclisi tutanakları.
26a) M.L. Smith, s.227.
27) *Türk Kültürü* dergisi, sayı 102; M.L. Smith, s.222 vd.
28) Fransız Yüksek Komiseri General Pelle, Kızılay İkinci Başkanı Hamit Beyi uyarır: *"İngilizler Boğazlara ve İstanbul'a el koymaya çalışıyorlar."* (H. Himmetoğlu, 1. c., s.360 vd.)
29) Milli Mücadele'yi el altından destekleyen namuslu bir Osmanlı paşasıdır. (H. Himmetoğlu, 1. c., s.270, 415; Bilge Criss, s.184 vd.)
30) *KS Günlüğü*, 3. c., s.473.
31) Türk subaylarından, rütbe farkı gözetmeksizin, işgal subaylarını selamlamaları isteniyordu: Şevki Yazman, *İstiklal Savaşı Nasıl Oldu*, s.11; *Cumhuriyete Kan Verenler*, s.56; *Yüzbaşı Selahattin'in Romanı*, 2. c., s.12.
32) Benzer bir olay için: N. Peker, s.57.
33) İlk kez İkinci İnönü başarısından sonra Milli Mücadele önderlerinin resimleri İstanbul gazetelerinde ve fotoğraçı vitrinlerinde yer alır.
34) Jeschke, *İngiliz Belgeleri*, s.5-9.
35) *KS Günlüğü*, 3. c., s.457.
36) Şefik Okday, *Büyükbabam Son Sadrazam Tevfik Paşa*, s.41.
37) *Nutuk*, 2. c., s.111.
38) Jeschke, *TKS Kronolojisi I*, 14.4.1921.
39) İngiliz Belgelerinde, III. c., LXXX.
40) İngilizlerin sıkı kontrolü zafere kadar sürmüştür. İ. Aksoley'in anılarında ayrıntılı bilgi var.
41) Yunanlılar, İngilizlerin isteği üzerine 28 Nisan 1921'de İzmit'i işgal edeceklerdir. (*KS Günlüğü*, 3. c., s.498)
42) İngiliz Belgelerinde, III. c., s.LXVII, görüşme tutanağı.
43) İngiliz Belgelerinde, III. c., s.304, belge no. 110.
44) İngiliz Belgelerinde, s.92, belge no. 34.
45) İngiliz Belgelerinde, s.LIX.
46) *Nutuk*, II. c., s.110 vd., özellikle Bekir Sami Bey'in mektupları.
47) Kurul üyeleri: Zekai Apaydın, Hüsrev Gerede, Yunus Nadi, Cami Baykurt, İzmit Milletvekili Sırrı, Mahmut Esat Bozkurt; görevliler: Yzb. Yümnü Üresin, Muvaffak Menemencioğlu.
48) F.A. Tansel, *İstiklal Harbinde Mücahit Kadınlarımız*, s.39.

49) Kişiler hakkında bilgi: N.N. Tepedelenlioğlu, s.56.
50) H. Bayur, *Türkiye Devletinin Dış Siyasası*, s.88, son iki cümleyi, konuyu yürütmek için ben ekledim; A. İzzet Paşa kurulu hakkındaki izlenimler için: Y.K. Karaosmanoğlu, *Vatan Yolunda*, s.62-67.
51) K. Koçer, s.112; B. Çukurova, s.33 vd.
52) General İ. Aksoley'in anıları, *HTM*, 1969/8 vd.; H. Himmetoğlu, 1. c., s.156 vd., s.167 vd.
53) *TİH*, İdari Faaliyetler, s. 98 vd.; Karakol/Zabitan/Yavuz Grubu, Hamza/Mücahit/Muharip/Felah Grubu, Muavenet-i Bahriye Grubu, Namık Grubu, Güneş Grubu, M.M. Teşkilatı, M.M Grubu vb.

M.M Teşkilatı, gerektiğinde İstanbul'da silahlı mücadele için kurulmuş çok gizli bir kuruluştur. Her semtte şubeleri, yöneticileri, silahlı üyeleri vardı. Gizli Başkanı İstanbul Em.Md. Albay/Paşa Esat Furgaç idi.

M.M Grubu ise kaçakçılık yapmak ve haber toplamakla görevliydi. Başkanı Ankara'da anıları birçok yanlışla dolu olan Albay Hüsamettin Ertürk, İstanbul'da ise Albay Kemal Koçer ya da Topkapılı Mehmet Bey idi.

Bu iki örgüt, bazı hırslı üyeler sebebiyle sürekli çekişme halindeydiler. Bu durum Ankara Genelkurmayını çok uğraştırmıştır. (H. Himmetoğlu, 1. c., s.100 vd.)

Ankara'nın esas örgütü son iki adı Muharip/Felah olan gruptur. Yalnız bu örgüte, haber alma işinde kadın kullanma yetkisi verilmiştir. Bu grubun gerektiğinde devreye girecek iki de yedek örgütü vardı: Ferhat Grubu, Kerimi Grubu. (Himmetoğlu, 1. c., s.187, 190)
54) H. Himmetoğlu, 1. c., s.293 vd.
55) *Gizli Celse Zabıtları*, 2. c., s.74; *Nutuk*, II. c., s.112; Y.K. Karaosmanoğlu, *Vatan Yolunda*, s.77; *Çankaya*, 1. c., s.172.
56) *Atatürk'ün Söylev ve Demeçleri*, 1. c., s.22.
57) Y.K. Karaosmanoğlu, *Atatürk*, s.111; Y.N. Nayır, *Atatürk Diyor ki*, s.91.
58) Jeschke, *TKS Kronolojisi*, s.143.
59) S. Yerasimos, *Türk-Sovyet İlişkileri*, s.201.
60) G. Ellison, *Ankara'da Bir İngiliz Kadını*, s.27; *Türkün Ateşle İmtihanı*, s.172; D. Arıkoğlu, s.215.
61) Mihal L. Roda, s.151.
62) Y.K. Karaosmanoğlu, *Vatan Yolunda*, s.86.
63) *KS Günlüğü*, 3. c., s.498 vd.
63a) Kızılay, Donanma Cemiyeti, mavnacılar, kayıkçılar, hamallar, arabacılar, bazı kadın dernekleri.

63b) Bilge Criss, s.193 vd.
63c) Bilge Criss, s.41-47, 173-193, K. Koçer, s.44 vd.; aralarında sultanza-
      deler, yabancı diplomatlar, ev hanımları, din adamları, hayat kadınları,
      hırsızlar, polisler, Yahudiler, Milli Mücadele yandaşı Ermeniler, levan-
      tenler, batılılar da vardır.
64)   İ. Aksoley'in anıları, *HTM*, 1969/9.
65)   İ. Aksoley'in anıları, *HTM*, 1969/9.
66)   A.E. Yalman, 2. c., s.192.
66a) Korsan Murat Bey hk. bilgi: H. Himmetoğlu, 1. c., s.387.
67)   İ. Aksoley, *HTM*, 1969/10; Hakkı Petek'in anıları, *HTM*, 1970/9.
68)   General Stratigos, 1.c., s.211.
69)   Spridonos, s.135; General Dusmanis, 2. c., s.135; General Stratigos, 1.
      c., s.210.
70)   Orgeneral Asım Gündüz, bu olayı anılarında şöyle anlatıyor.
      *"Bir gün Şehzade Ömer Faruk Efendi, beni görmek üzere evime çıka-
      geldi. Anadolu'ya geçmek hususunda ısrar ediyordu. M.M Grubundan
      arkadaşlarla görüştüm, 'M. Kemal Abdülmecit'i istiyordu, o gideme-
      di, bari oğlunu götürelim. Bu herhalde yanlış bir hareket olmaz' de-
      dim. Şehzade de hazırlandı. Ben kıyafet değiştirmiş ve vapura biletle
      binmiştim. Böylece vapurumuz İnebolu'ya hareket etti."* (*Hatıralarım*,
      s.42)
71)   Ömer Faruk anılarında diyor ki: *"Derin bir sukût-u hayale uğramıştım.
      O zaman 23 yaşında idim. Tecrübesizdim, teessürüm pek derin oldu.
      İstanbul'a döndüğüm zaman İngilizler tarafından yakalanacak, Kro-
      ker Oteline hapsedilecek veya Malta'ya sürülecek, belki de öldürülecek-
      tim. Sarayın bana karşı takınacağı tavır, Vahidettin'in intikam almaya
      kalkması.. Birer birer gözümün önüne geliyordu. İstanbul'a yaklaştıkça
      korku ve heyecandan titriyordum. Vapur Sirkeci'de rıhtıma yanaştı. Eş-
      yalarımı bir hamala verdim. Doğruca eşim Sabiha Sultan'ın evine git-
      tim."* (*Resimli Tarih Mecmuası*, 1950/29 ve 1950/30)
72)   N. Peker, s.333.
73)   D. Kitsikis, s.231.
74)   *TİH*, Ayaklanmalar, s.281-294.
75)   *KS Günlüğü*, 3. c., s.488; U. Kocatürk, *Atatürk ve TC. Tarihi Kronolo-
      jisi*, s.251.
76)   Y.K. Karaosmanoğlu, *Vatan Yolunda*, s.86.
77)   *Malta Sürgünleri*, s.373.
78)   İla-yı Vatan, Tarikat-ı Salahiye, İngiliz Muhipleri, Cemiyet-i Ahme-
      diye, Teali-yi İslam, Muhafaza-yı Mukaddesat, Muhafaza-yı Saltanat,
      Necat ve İtila Cemiyeti vb. (Bülent Çukurova, *Kurtuluş Savaşında*

Haberalma ve Yeraltı Çalışmaları, s.114-141; *Vahidettin, M. Kemal ve Milli Mücadele*, s.368)

79) N. Peker, s.328.

80) *Malta Sürgünleri*, s.230 vd.

81) *Malta Sürgünleri*, s.224.

82) *Malta Sürgünleri*, s.376.

82a) *Malta Sürgünleri*, s.385.

82b) *ZC*, 15. c., s.238 vd. (İçişleri Bakanı Fethi Okyar'ın açıklaması; bu açıklamaya göre Rum çetelerinin sayısı 180-200, İngilizlerin dağıttığı silah sayısı 10.000)

82c) Spridonos, s.172.

83) Bir zamanlarAnkara, Anadolu'nun tiftik tekelini elinde tutan, büyük, zengin bir şehriydi. Ama ardarda gelen kıtlık, sel, çekirge saldırısı, savaşlar ve İngilizlerin Güney Afrika'da tiftik keçisi yetiştirmeyi başararak tiftik tekelini kırmaları yüzünden, nüfusu yüz binden on sekizbine düşerek kasabalaşır, ticaret merkezi olmaktan çıkar. Bir süre önce de büyük bir yangın geçirmiş, dörtte biri yanmıştır. Ankara, kale içindeki birkaç küçük mahalle ile İstasyondan başlayıp Meclis ve Taşhan'ın önünden, Karaoğlan, Samanpazarı, Hamamönü ve Cebeci'den geçip Abidinpaşa tepesine ulaşan, yarı taş, yarı toprak bir tek ana yolun iki yanında yer alan daracık sokaklı ufak mahallelerden ibaretti. Şehrin çevresinde meyve bahçeleri ve bağlar bulunuyordu. Yaz aylarını, Keçiören, Etlik, Kavaklıdere ve Çankaya'daki bağ evleri ve bağ köşklerinde geçiren Ankaralıların bir kısmı, Meclis açıldıktan ve hükümet kurulduktan sonra, bunları bazı milletvekillerine ve memurlara kiralarlar.

83a) Süleyman Külçe, s.20.

83b) Yücel Özkaya, *Milli Mücadele'de Ege Çevresi*, Kültür Bakanlığı Y., Ankara, 1994; M.L. Smith, s.230.

84) *Nutuk*, 2. c., s.109 vd.

85) Ayıcı Arif diye ünlü. Atatürk'ün sınıf arkadaşı. İzmir suikastı dolayısıyla 1927'de asılacaktır; bazı konulardaki tutumu hk. bilgi: R. Apak, *Yetmişlik Bir Subayın Anıları*, s.204 vd.

86) *Nutuk*, 2. c., s.125.

87) *AFC*, Moskova Hatıraları, s.163-172, 229; Ş.S. Aydemir, *Enver Paşa*, 3. c., s.592, 601 vd.; *RTM*, 1950/2; K. Karabekir, *Enver Paşa*, s.126,137; *Tek Adam*, 2. c., s.392 vd.; Sonyel, 2. c., s.40 vd.

87a) Müdafaa-yı Hukuk Grubu (Birinci Grup) 10 Mayıs 1921'de kurulmuştur.

87b) F.R. Atay, *Çankaya*, s.255 vd.

88) *TİH*, İdari Faliyetler, s.96.

89) *TİH*, İdari Faaliyetler, s.69.
90) *AFC*, Moskova Hatıraları, s.199.
91) *TİH*, İdari Faaliyetler, s.263-266.
92) *AFC*, Moskova Hatıraları, s.196, 197.
93) *AFC*, Moskova Hatıraları, s.198, 240 vd.
94) *AFC*, Moskova Hatıraları, s.197.
95) *AFC*, Moskova Hatıraları, s.197.
96) H. Himmetoğlu, 1. c., s.219.
97) H. Himmetoğlu, 1. c., s.406 vd.
98) Ekrem Baydar, Hatıralar, 12 Ekim 1970, *Cumhuriyet* gazetesi; H. Himmetoğlu, 1. c., s.406-412; Mesut Aydın, *Milli Mücadele Döneminde*, s.211 vd.
99) Ekrem Baydar, Hatıralar, 12 ve 13 Ekim 1970, *Cumhuriyet* gazetesi.
100) H. Himmetoğlu, 1. c., s.409 vd.
100a) K. Özalp, s.176.
101) H. Himmetoğlu, 1. c., s.274 vd.
101a) *Hepimize Bir Bayrak*, s.40.
102) *KS Günlüğü*, 28 Nisan 1921.
103) *İngiliz Belgelerinde*, 3. c., s.XCVIII; Çanakkale ve İstanbul boğazları ve çevresi işgalcilerce 18 Mayıs 1921 günü tarafsız bölge ilan edilmiştir.
103a) Türk dostu M. Kalçi hakkında geniş bilgi için: K. Koçer, s.28 vd.
104) Bu olay ve devamı, H. Himmetoğlu, 2. c., s.77-87'den yararlanılarak ve bazı benzer kaçakçılık olayları birleştirilerek yazılmıştır.
104a) *KS Günlüğü*, 3.c., s.518.
104b) K. Koçer, s.20, 161.
104c) Y.K. Karaosmanoğlu, *Vatan Yolunda*, s.167.
104d) Y.K. Karaosmanoğlu, *Vatan Yolunda*, s.109 vd.
105) Kabine tutanağı: *İngiliz Belgelerinde*, 3. c., s.XCVIII.
105a) *TİH*, Kütahya-Eskişehir, s.45, 130.
105b) *TİH*, Kütahya-Eskişehir, s.45.
105c) F.A. Tansel, *İstiklal Harbinde Mücahit Kadınlarımız*, s.25-29; A.E. Yalman, 2. c., s.315.
106) Silah kaçakçılığı ile ilgili bütün anılarda Pandikyan, saygı ile anılmaktadır. H. Himmetoğlu, TBMM'nin zaferden sonra Pandikyan'a 1.500 lira ikramiye verdiğini yazıyor. (1. c., s.412)
106a) H. Himmetoğlu, 1. c., s.272, 2. cilt, s.77 vd.
107) *TİH*, Deniz Cephesi ve Hava Harekâtı, s.32, 83.
107a) Jaeschke, *TKS Kronoloji I*, s.154, 17.6 tarihli bilgi.
108) Bu olayla ilgili esas kaynaklar: N. Peker, s.335 vd.; Y.K. Karaosmanoğlu, *Vatan Yolunda*, s.87 vd.; Hüsnü Açıksözcü, *İstiklal Harbinde Kas-*

tamonu, s.119 vd.; *TİH*, İdari Faaliyetler, s.112. Konu özetlenerek aktarılmıştır.

109) *Sakarya'dan İzmir'e*, s.35.

110) *Sakarya'dan İzmir'e*, s.195.

111) N. Peker, s.343.

112) *Belgelerle Türk Tarihi* dergisi, S. Sonyel'in araştırması, sayı 49.

113) K. Karabekir, *Enver Paşa*, s.132 vd.

114) Bilge Umar, s.298.

114a) K. Karabekir, İstiklal Harbimiz, s.644.

114b) 3. Kafkas Tümeni.

115) General Dusmanis, s.260; M.L. Smith, s.246.

116) *Özleyiş*, s.166.

117) Y.K. Tengirşenk, s.247.

118) *Nutuk*, 2. c., s.134-137.

119) Y.K. Tengirşenk, s.251, bu konuşma aslında ekim görüşmelerinde yapılmıştır.

120) *Özleyiş*, s.82. F. Bouillon'un 1922'de İzmir'de söylediği sözden esinlenerek.

121) Bilge Umar, s.216-218.

121a) İ. Artuç, *Kurtuluş Savaşı'nın Zorlu Yılları*, s.299.

121b) *TİH*, Kütahya-Eskişehir, s.161.

121c) M.L. Smith, s.234-236.

122) D. Walder, s.235 vd.

122a) *Sakarya'dan İzmir'e*, s.148-153.

123) Hikmet Bayur, *Atatürk ve Eseri*, s.314.

124) *Sakarya'dan İzmir'e*, s.28-41; B. Umar, s.218 vd.

125) *TİH*, Kütahya-Eskişehir, s.130-138; 17. Tümen'in adı o zaman Mürettep Tümen idi. 17. Tümen adını sonra alacaktır. İzlemeyi zorlaştırmamak için şimdiden 17. Tümen diye anılmıştır.

125a) *Sakarya'dan İzmir'e*, s.43.

125b) *Sakarya'dan İzmir'e*, s.33.

126) *Sakarya'dan İzmir'e*, s.53 vd.; Bilge Umar, s.219.

126a) *TİH*, Kütahya-Eskişehir, s.137.

127) *Sakarya'dan İzmir'e*, s.57; Bilge Umar, s.220.

127a) Spridonos, s.135; Yunan ordusundaki Anadolu Rumlarının sayısı 35.000'i bulacaktır.

128) *TİH*, Kütahya-Eskişehir, s.62, 67, 100; General Stratigos, 1. c., s.210; *KASÖT*, s.303, 327; Spridonos, s.135; *Sakarya'dan İzmir'e*, s.160; Albay Nairne'in ve General Marden'in raporları için: *Sakarya'dan İzmir'e*, s.144-161.

128a) *TİH*, Kütahya-Eskişehir, s.100.

129) General Dusmanis, 1. c., s.63-69 (birkaç güne yayılmış olan tartışmalar ve olaylar biraraya getirilip özetlenmiştir).

130) M.L. Smith, s.194 vd.; Andreas, s.11; Spiridonos, s.27.

131) K. Özalp, 1. c., s.177.

132) *KS Günlüğü*, 28.6.1921; *TİH*, Kütahya-Eskişehir, s.138; bu çatışmalarda Türk kaybı: 1 subay, 74 er şehit, 9 subay, 180 er yaralı; Yunan kaybı: 3 subay, 34 er ölü, 2 subay, 85 er yaralı.

133) N. Peker, s.369; İstiklal Madalyası verilen tek kurum İnebolu Kayıkçılar Derneği'dir.

133a) K. Özalp, 1. c., s.179.

134) *Sakarya'dan İzmir'e*, s.68-141.

135) *Sakarya'dan İzmir'e*, s.113.

135a) R. Orbay'ın Hatıraları, *Yakın Tarihimiz*, 2. c., s.404; Nebizade Hamdi, *Devrin Yazarları*, 1. c., s.509.

136) *Sakarya'dan İzmir'e*, s.117.

137) *İngiliz Belgelerinde*, 3. c., 187. belge.

138) *Sakarya'dan İzmir'e*, s.123.

139) *Sakarya'dan İzmir'e*, s.195, 126, 17.

139a) Bir jest olarak 12 rütbesiz İngiliz serbest bırakılacaktır.

139b) A.İ. Sabis, 5. c., s.31 vd.; *Malta Sürgünleri*, s.383 vd.; A.E. Yalman, 2. c., s.199 vd.

140) K. Özalp, s.180.

141) *TİH*, Kütahya-Eskişehir, s.160,164.

142) General Dusmanis, 2. c., s.68, 69.

143) Mihal L. Roda, s.152.

Kütahya-Eskişehir Savaşı
Notları

1) *TİH*, Kütahya-Eskişehir, s.98-101.
   Türkler: 15 piyade tümeni, 4 süvari tümeni, bir süvari tugayı; 55.000 savaşçı asker, 711 ağır ve hafif makineli tüfek, 160 top (*TİH*, Kütahya-Eskişehir, s.168)
   Yunanlılar: 11 tümen, bir süvari tugayı; 106.000 savaşçı asker, 908 ağır ve hafif makineli tüfek, 318 top. (*KASÖT*, s.327)

1a) Prens Vasiopedos Andreas, bugünkü İngiliz Kraliçesinin eşinin babasıdır. Anıları yayımlanmıştır.

1b) Demiryolları için şu kaynaklardan yararlanılmıştır: *TİH*, Kütahya-Eskişehir, s.33; *TİH*, Sakarya Öncesi, s.33, 95; Şevki Yazman, *İstiklal Savaşı Nasıl Oldu*, s.44; *Kurtuluş Savaşında Demiryolu Savaşı* (Behiç Esemenli), *HTM* 1968/3; Murat Ergun, *Bir Demiryolcunun Kurtuluş Savaşı Hatıraları*, s.1; İstiklal Harbinde Milli Demiryollarımız, Behiç Erkin, basılmamış anılar, ATASE Kitaplığı.

2) *TİH*, Kütahya-Eskişehir, s.92, 94, 203.

2a) İşçi taburları için: A. Müderrisoğlu, *Kurtuluş Savaşı'nın Mali Kaynakları*, s.401.

2b) *TİH*, Kütahya-Eskişehir, s.171.

3) *ZC*, I. Dönem, 11. cilt, s.236 vd.

3a) İ. Artuç, *Kurtuluş Savaşı Başlarken*, s.215 vd; *KS Günlüğü*, 3. c., s.513-525; 527-530.

4) İ. Habip Sevük, *O Zamanlar*, s.39-42.

5) Son Bizans İmparatoru 11. Konstantin'di. Bizans İmparatorluğu'nu diriltme hayalini kuran Yunanlılar, Kral Konstantin'i 12. Konstantin olarak anıyorlar.

6) Celal Erikan, *Kurtuluş Savaşımızın Tarihi*, s.138; F. Belen, s.329; F. Altay, s.288; *TİH*, Kütahya-Eskişehir, s.225.

7) *TİH*, Kütahya-Eskişehir, s.543; F. Belen, s.330.

8) *TİH*, Kütahya-Eskişehir, s.273.

9) İ. İdikut, *İdeal Komutanlarımızdan 4. Tümen Komutanı Nâzım Bey*, s.120.

10) *TİH*, Kütahya-Eskişehir, s.272-277.

10a) Sessiz Bir Tarih, Abdürrahim Tuncak, Başkent Üniv. ATAM müzesi tanıtma broşürü; S. Gökçen, *Hep Atatürk'ün Yanında*, s.98, 104, 113.

11) İ. Habip Sevük, *Atatürk İçin*, s.17.

11a) *Türkün Ateşle İmtihanı*, s.181 vd.

12) İ. Habip Sevük, *Atatürk İçin*, s.18.

12a) *TİH*, Kütahya-Eskişehir, s.582-583.

12b) C. Erikan, *Komutan Atatürk*, s.690.

13) F. Altay, s.289.

14) *TİH*, Kütahya-Eskişehir, s.349.

15) *TİH*, Kütahya-Eskişehir, s.343; General Dusmanis, s.89.

16) *Nutuk*, 2. c., s.19,126; *İ. İnönü*, 1. c., s.257; *TİH*, Kütahya-Eskişehir, s.552.

17) *TİH*, Kütahya-Eskişehir, s.351, 595.

18) *TİH*, Kütahya-Eskişehir, s.349.

19) *TİH*, Kütahya-Eskişehir, s.373; Yunan Süvarisi, s.100.

20) *TİH*, Kütahya-Eskişehir, s.586-587.

21) *Türkün Ateşle İmtihanı*, s.182.

21a) Topçu Albay Latif Bey'in raporu: *TİH*, İdari Faaliyetler, s.124 vd.

22) Bu katarla 800 hasta ve yaralı subay ve er taşınmıştır. (*TİH*, Kütahya-Eskişehir, s.572); *Türkün Ateşle İmtihanı*, s.183; *Özleyiş*, s.41; *İstiklal Yolunda*, s.121.

23) Enver Paşa olayı için yararlanılan kaynaklar: Ş.S. Aydemir, *Enver Paşa*; Halil Kut, *Bitmeyen Savaş*; K. Karabekir, *İstiklal Savaşımızda Enver Paşa*; *AFC*, Moskova Hatıraları; *Sakarya'dan İzmir'e*, s.188 vd.

24) *KS Günlüğü*, 3. c., s.501, 504, 522, 525, 527 (idamı, 24.5.1921).

25) *Sakarya'dan İzmir'e*, s.184-190.

25a) *Sakarya'dan İzmir'e*, s.181.

26) *TİH*, Kütahya-Eskişehir, s.482-483.

26a) Spridonos, s.156; Dusmanis, 1. c., s.90.

27) *TİH*, Kütahya-Eskişehir, s.170; 1889 doğumlulara kadar olanlar çağrılmıştır.

28) *TİH*, Kütahya-Eskişehir, s.472-477'deki emirler özetlenerek birleştirilmiştir

29) Rahmi Apak, *70'lik Bir Subayın Hatıraları*, s.254.

30) *Türkün Ateşle İmtihanı*, s.188; Y. Nadi, *Ankara'nın İlk Günleri*, s.98; F.R. Atay, *Çankaya*, s.523; *Özleyiş*, s.59.

30a) Kütahya-Eskişehir Savaşı için yararlanılan kaynaklar: *TİH*, Kütahya-Eskişehir Muharebeleri; F. Belen, *Türk Kurtuluş Savaşı*, s.327-334; C. Erikan, *Kurtuluş Savaşımızın Tarihi*, s.134-144; *Komutan Atatürk*, s.678-701; *KASÖT*, s.302-421.

31) *Sakarya'dan İzmir'e*, s.174-175 (Papulas'ın ve Albay Pallis'in açıklamaları birleştirilmiştir); Bilge Umar, s.223; General Dusmanis, 1. c., s.1-02; Nikolopulos, s.56; *"Ordu Harekât Şubesi şu kanıya varmıştı: Düşman kuvvetinin ¾'ünü kaybetmiştir."* (Mihal L. Roda, s.168)

31a) Dusmanis, 1. c., s.90-91; General Metaksas da *"M. Kemal ordusu ye-nilgiye uğratılmamış, hemen hemen hiçbir kayba uğramadan geri-ye çekilip kurtulmuştur"* diye yazacaktır. (Sonyel, 2. c., s.179, dipnot 176)

32) D. Walder, *Çanakkale Olayı*, s.182; *TİH*, Kütahya-Eskişehir, s.549.

32a) *Türkiye'nin Paylaşılması*, s.355.

33) F.R. Atay, *Çankaya*, s.297.

33a) A.E. Yalman, 2. c., s.149; F.R. Atay, *Çankaya*, s.145; *Yakın Tarihimiz*, 1. c., s.232 (Süleyman Nazif'in açıklaması: "M. Kemal'e inanmazdım").

33b) *Sakarya'dan İzmir'e*, s.167-174; *TİH*, Kütahya-Eskişehir, s.531; Mihal L. Roda, 1. c., s.170; Nikolopulos, s.34; *KASÖT*, s.421.

33c) Andreas, s.46, 56-57, 60-61; *KASÖT*, s.428; General Dusmanis, 90-122.

33d) Andreas, s.61.

34) *KS Günlüğü*, 3. c., s.605; *KASÖT*, s.419.

35) *TİH*, Sakarya Öncesi, s.124.

36) *Sakarya'dan İzmir'e*, s.348 vd.; Himmetoğlu, 1. c., s.346-347.

37) *Sakarya'dan İzmir'e*, s.202.

Sakarya Savaşı'na Hazırlık
Notları

1) Gizli Celse Zabıtları, 2. c., s.103 vd. (özetlenmiştir); H.T.Us, *1930-1950 Hatıraları*, s.327; D. Arıkoğlu, *Hatıralarım*, s. 236.

2) *AFC*, Siyasi Hatıralar, s.14-15; Moskova Hatıraları, 229-230; Y. Nadi, *Ankara'nın İlk Günleri*, s.94; K. Koçer, s.51.

2a) *KASÖT*, s.427; Andreas, s.77.

2b) *KASÖT*, s.441; Spridonos, s.159, 164.

3) Spridonos, s.161.

4) Spridonos, s.161.

5) *TİH*, Kütahya-Eskişehir, s.537, 563, 583; esir sayısı tartışmalı; Yunan kayıpları: 1.491 ölü, 6.432 yaralı, 110 kayıp (*KASÖT*, s.419).

5a) *TİH*, Sakarya Öncesi, s.155.

6) *TİH*, Kütahya-Eskişehir, s.583.

7) Fevzi Paşa'nın açıklaması: Gizli Celse Zabıtları, 2. c., s.116.

7a) *TİH*, Sakarya Savaşı, s.478; Asım Gündüz, s.87; Rıza Nur, *Hayat ve Hatıratım*, 3. c., s.835.

7b) General Stratigos, 2. c., s.17.

8) General Stratigos, 2. c., s.17; *TİH*, Sakarya Öncesi, s.124.

9) Andreas, s.55, 63.

10) *TİH*, Kütahya-Eskişehir, s.534; kaynakta Ankara'dan kaçan yedi milletvekilinin adları var.

11) Andreas, s.61.

12) General Stratigos, 2. c., s.34.

13) *KASÖT*, s.443.

13a) General Stratigos, Yunan ordusunun Ankara'ya yürümesini ve onu yakıp yıkmak istemesini 'yüksek ve şerefli bir gaye' olarak niteliyor (Stratigos, 2. c., s.27).

14) Papulas, s.4; Andreas, s. 64; M.L. Smith, s.252.

15) K. Koçer, s.16.

16) Bu konuda bir örnek: H. Himmetoğlu, 2. c., s.140-154.

17) *KASÖT*, s.449.

18) General Stratigos, 2. c., s.8 vd.; *KASÖT*, s.449; *TİH*, Sakarya Öncesi, s.22; İ. İnönü, s.265 vd.

18a) H. Himmetoğlu, 2. c., s.177.

18b) D. Arıkoğlu, s.238; Rıza Nur, 3. c., s.837.

18c) Yunan ikmal organizasyonu: *KASÖT*, s.441 vd.

19) *TİH*, İdari Faaliyetler, s.138'de binanın fotoğrafı var.

İmalat-i Harbiye hk. yararlandığım genel kaynaklar: *Tek Adam*, 2. c., s.471; *TİH*, İdari Faaliyetler, s.114-130; Ahmet Akar'ın Anıları, *Makine ve Kimya* dergisi, 1954/2; Ahmet Akyol'un anıları, *MKE* dergisi, 1984/9; Yıllar Boyu Tarih, 1982 /10.

20) Uçaklarla ilgili bilgiler için esas olarak şu dört kaynaktan yararlandım: S. Tanman, *Türk Havacılık Tarihi*; V. Hürkuş, *Havalarda 1914-1945*; *TİH*, Deniz Cephesi ve Hava Harekâtı; *HTM*, Milli Mücadele'de Hava Kuvvetlerimiz, 1973/12.

20a) *Özleyiş*, s.160.

21) *ZC*, 11. c., s.400 vd.; Gizli Celse Zabıtları, 2. c., s.132 vd.; *Nutuk*, 2. c., s.126; F.R. Atay, *Çankaya*, s.297-298; *İnönü*, 1. c., s.259.

22) *Nutuk*, 2. c., s.117 vd.; F.R. Atay, *Çankaya*, s.261 (muhafazakârlar hk.); K. Karabekir, *İstiklal Harbimiz*, s.915-924.

23) Y.K. Karaosmanoğlu, *Vatan Yolunda*, s.116.

24) İ. Artuç, *Kurtuluş Savaşı'nın Zorlu Yılları*, s.74-75.

25) *AFC*, Moskova Hatıraları, s.227.

26) Gizli Celse Zabıtları, 2. c., s.161 (Tunalı Hilmi Bey'in açıklamasından yararlanarak).

26a) K. Özalp, s.206; *ZC*, 12. c., s.224.

27) *Nutuk*, 2. c., s.127 vd.; D. Arıkoğlu, *Hatıralarım*, s.241 vd.

28) F.R. Atay, *Çankaya*, s.289.

29) Tasarıyı hazırlayanlar: Dr. Rıza Nur (Sinop), Şemsettin Bayramoğlu (Ankara), Hilmi Çayırlıoğlu (Ankara), Ahmet Baydar (Yozgat), Hüsrev Sami Kızıldoğan (Eskişehir), Hacı Şükrü Aydınlı (Diyarbakır), Hafız Hamdi Dumrul (Biga), Muhittin Baha Pars (Bursa), Hamdi Ülkümen (Trabzon).

30) TBMM Zabıt Ceridesi, 12. c., s.18, 19.

31) Asım Gündüz, s.55.

31a) *İngiliz Belgelerinde*, III. c., s.593-594.

32) Damar Arıkoğlu, s.239; *TİH*, Sakarya Öncesi, s.12; gidilen yerler: Bolu, Kastamonu, Çankırı, Yozgat, Çorum, Kayseri, Kırşehir, Niğde, Aksaray, Konya, İsparta, Silifke, Burdur, Antalya.

32a) *Ağabeyim M. Kemal*, s.50.

32b) B.N. Şimşir, Lozan Telgrafları, 1. c., s.417. Bu zavallıların sayısı on bini aşacaktır.

33) *Demirci Akıncıları*, s.61 vd.

33a) Alptekin Müderrisoğlu, Kurtuluş Savaşı'nın Mali Kaynakları, s.367 vd.; *TİH*, İdari Faaliyetler, s.357 vd.

34) Kaynak: E.Muh.Alb. Emin Orkut.

35) İ. Bardakçı, *Taşhan'dan Kadifekale'ye*, s.111 (Ali Cemal Bardakçı'nın anısı).
36) N.H. Uluğ, *Hemşerimiz Atatürk*, s.185-186.
37) *KS Günlüğü*, 3. c., s.626 (Anadolu Ajansı'nın haberi).
38) Afet İnan, *Atatürk Hakkında Hatıralar ve Belgeler*, s.107.
38a) Makbuz karşılığı alınan her şeyin parası, İkinci Meclis döneminde ödenmiştir (*Özleyiş*, s.61).
39) TBMM işgal ve isyanlar arasında açılmıştır. Meclis, isyanları önlemek, varlığını ve amacını korumak için Hiyanet-i Vataniye (Vatana İhanet) Kanunu'nu kabul etti. Kanunu var olan mahkemeler uygulayacaktı; uygulama başarılı olmadı. Kanun ayrıca casusluk, bozgunculuk, askerden kaçma gibi yoğun yaşanan konuları da kapsamıyordu. Çözüm arayışları ve tartışmalar uzun zaman sürdü. 11 Eylül 1920'de, Refik Şevket İnce'nin gayretleriyle 'asker kaçakları' hakkındaki kanun kabul edildi. Bu kanunla, askerden kaçmayla ilgili suçlara, Meclis'in kendi üyeleri arasından seçeceği 3 milletvekilinden oluşan İstiklal Mahkemeleri adı verilen özel mahkemeler bakacaktı. Bu mahkemelerin kurulmasındaki amaç, hızlı çalışmasını ve mahkemenin yerel etkilerden bağımsız karar vermesini sağlamak, Milli Mücadele ülkülerini korumaktı. Yetkileri zamanla vatana ihanet, casusluk, bozgunculuk, isyan, yolsuzluk konularına bakacak şekilde genişletildi. Mahkeme, polis, jandarma ve savcıların hazırladığı ilk soruşturma dosyalarına dayanarak yargılıyor, tanık dinliyor, gerekirse yüzleştirmeye başvuruyordu. Sanığa mutlaka savunma hakkı tanınıyordu (Ergün Aybars, *İstiklal Mahkemeleri*, s.25-43 vd.).
39a) M. Baydar, *Atatürk ve Devrimlerimiz*, s.312 (Saime Ayoğlu'nun anıları); N. Peker, s.368.
39b) *Mondros'tan Mudanya'ya*, 4. c., s.99.
39c) *TİH*, Sakarya Öncesi, s.189.
40) *Sakarya'dan İzmir'e*, s.160; Jeschke, *TKS Kronoloji I*, s.159.
41) *Sakarya'dan İzmir'e*, s.160.
41a) *TİH*, Sakarya Öncesi, s.150.
42) *Sakarya'dan İzmir'e*, s.197-198.
42a) D. Kitsikis, s.191-209.
42b) H. Baykoç, s.22; *TİH*, Sakarya Öncesi, s.67.
43) *TİH*, Sakarya Öncesi, s.54; Talimgâh 1923'te Harp Okulu adını alacaktır.
44) Kütahya-Eskişehir Savaşı ile Sakarya Savaşı arasında eğitim süreleri kısaltılmış ve Subay Talimgâhından cepheye 600'e yakın genç subay gönderilmiştir (İ. Artuç, *Büyük Dönemeç*, s.309).

45) *TİH*, Sakarya Öncesi, s.187.
46) *TİH*, Sakarya Öncesi, s.185-188.
46a) D. Arıkoğlu, *Hatıralarım*, s.239.
47) *Demirci Akıncıları*, s.71-73'ten yararlanarak.
48) *TİH*, İdari Faaliyetler, s.101; H. Himmetoğlu, 1. c., s.224.
49) İ. İnönü, 1. c., s.252-253.
50) *TİH*, Sakarya Öncesi, s.193; Spridonos, s.170.
51) *TİH*, Sakarya Öncesi, s.200.
51a) Baj Makario, s.66.
51b) *TİH*, Sakarya, s.474.
51c) 9 piyade tümeni, bir süvari tugayı, orduya bağlı üç topçu birliği ve takviyeli bir alay katılıyor. 296 top, 2.052 hafif makineli, 672 ağır makineli tüfek. Ordunun sağ gerisini 4. Tümen (Afyon), sol gerisini 11. Tümen (Gemlik-Bilecik) koruyor. Cephe gerisinde ayrıca piyade ve demiryolu alayları var. Trakya'dan getirtilen tümen (15. Tümen veya Bağımsız Tümen diye anılıyor) savaşın sonunda Eskişehir'e gelir.
Türkler: 167 top, 205 hafif makineli tüfek, 515 ağır makineli tüfek (*KASÖT*, s.435; Vandemir, s.12; *TİH*, Sakarya, s.4).
52) Sath-ı müdafaa (alan savunması) diye anılan bu yöntem şöyle özetlenebilir:
"Küçük, büyük her birlik bulunduğu yeri büyük özveriyle ve inatla savunacak. Savunma hattı kırılırsa, tutunabildiği en yakın bir mesafede, ilk durabildiği noktada mevzilenecek ve savaşa devam edecek. Yanındaki birlikler, eski yöntemde olduğu gibi onunla birlikte geri çekilmeyecekler. Bulundukları yerde kalacak ve direnecekler. Yani savaş alanının her noktasında savaşa devam edilecek. Hat değil nokta savaşı yapacaklar." (Geri çekilme ancak gerektiğinde ve üst komutanların izni veya emri ile olacak.) Oysa o güne kadarki genel kurala göre, savunma hattı kırılırsa, birlikler birlikte ve büyüklükleriyle orantılı bir mesafeye çekilir, geride yeniden bir cephe hattı oluştururlardı. M. Kemal Paşa yeni yöntemiyle, bu savunma savaşı tekniğini bütünüyle değiştiriyor ve geleceğin savaş tekniklerini etkileyecek bir çığır açıyor.
52a) 16.8.1921 günlü emir, *HTV* dergisi, sayı 69, belge no. 1512; *KS Günlüğü*, 3.c, s.632.
52b) Mihal L. Roda, s.82 vd.
53) D. Kitsikis, s.215; M.L. Smith, s.254, 404.
54) Bugünkü Yassıhöyük. Polatlı'nın 15 km. kuzeyindeki antik yer. Söylenceye göre çözenin Asya'ya egemen olacağı kördüğüm burada bulunuyordu.
55) Mihal L. Roda, s.97.

56) İlerde Askeri Fabrikalar Genel Müdürlüğü adını alacaktır. (MKE'nin atası)

57) Ahmet Gürsoy (Usta Bey), Ahmet Akar, Ahmet Akyol, Tosbidik Ahmet, Tavşan Ahmet, Kavak Ahmet (*Tek Adam*, 2. c., s.471-47).

58) Bu sayıya Afyon güneyindeki 6. Tümen, Afyon doğusundaki Mürettep Tümen, Kocaeli bölgesindeki Süvari Tugayı ve milli müfrezeler dahil değildir.

59) *TİH*, Sakarya Öncesi, s.210.

59a) M. Goloğlu, *Cumhuriyete Doğru*, s.196.

59b) *Nutuk*, 2. c., s.133 ile *TİH*, Sakarya, s.341, Orduya Beyanname'sinden yararlanarak.

59c) Salih Bozok, s.165.

59d) V. Hürkuş, s.104 vd. (105.sayfada bu güzel uçağın resmi var)

60) Ergün Aybars, *İstiklal Mahkemeleri*, s.120.

60a) A. Müderrisoğlu, *Kurtuluş Savaşı'nın Mali Kaynakları*, s.486.

61) Yıllar Boyu Tarih, 1982 Ekim, sayı 10 (Ahmet Akyol Usta'nın anıları); *MKE* dergisi, 1954/2 (Ahmet Akar Usta'nın anıları).

62) İlki eczacı Yüzbaşı Ahmet, ikincisi Albay İsmail Hakkı; ilki F. Altay'ın eniştesi, ikincisi babasıdır (F. Altay, s. 355).

63) *HTM*, İ. Aksoley'in anıları, 1970/10.

Ankara'ya Yürüyüş
Notları

1) Süvari tümeninin bütün kuvveti 882 subay ve erdir.
1a) Bu tarihte İstanbul'da evsiz, sadakaya muhtaç 65.000 göçmen vardır. Vakit gazetesi İzmir ve Trakya'nın işgalinden sonra göç eden Türklerin sayısını 367.000 olarak veriyor (*KS Günlüğü*, 4. c., s.94).
1b) Şerif Güralp, s.175.
2) *TİH*, Deniz Cephesi ve Hava Harekâtı, s.155.
3) *KASÖT*, s.457.
4) Mihal L. Roda, s.173; İlia Vutieridu, s.4; genel olarak: Andreas, s.92 vd.; Nicolopulos, s.61.
5) Rüsumat IV hk. yararlandığım kaynaklar:*Yakın Tarihimiz*, 3. c., s.346 (Emrullah Nutku); *RTM*, 1956/78; Nahit Çapaner, *Kurtuluş Savaşında Deniz Kahramanları*, s.18 vd.
6) İlia Vutieridu, s.7; Spridonos, s. 171; Nicolopulos, s.66.
7) Nikolopulas, s.58.
8) *TİH*, Deniz Cephesi ve Hava Harekâtı, s.155; S. Tanman, Türk Havacılık Tarihi, s. 107; Kurtuluş Savaşı'nın ilk havacı şehidi Teğmen Fehmi'dir, 24.3.191???, (Vecihi, *Havalarda*, s.98).
9) *TİH*, Sakarya Öncesi, s. 230; S. Adil, s.380-381.
10) *TİH*, Sakarya Öncesi, s.231.
10a) Sakarya Savaşı boyunca cepheye 50.100 yeni er katılır. Bu sayı, kayıp sayısından daha yüksek olduğu için Batı Cephesi savaştan, sayı bakımından daha da güçlü çıkacaktır (*TİH*, Sakarya Öncesi, s.55).
10b) Klasik savunma anlayışına uygun olarak, genel savunma hattını koruyup, topluca ve kısa geri çekilişlere adım adım savunma denirdi. Bu eski savunma anlayışına ilişkin bir deyimdir. M. Kemal Paşa'nın yöntemi bundan çok farklıdır.
11) Asım Gündüz, s.59; F. Özdilek, *AAM* dergisi, sayı 11; İ. Hakkı Tekçe, Anılar, *Günaydın*, 13.12.1977; Sakarya Meydan Muharebesi, T. ve F. Okulu Komutanlığı, s.11; söz konusu tepe Gazi Tepe olarak anılmaktır. 'Kemalpaşa Tepesi' adı ile de haritalara işlenmiştir.
12) D. Kitsikis, s.191, 202; Sakarya'dan İzmir'e, s.209.
12a) *Nutuk*, 2. c., s.134.
13) Yakınlarından Hatıralar, s.107, 117; Dr. İ. Özkaya, *Milliyet* (10.11.19-76); R.E. Ünaydın, *İstiklal Yolunda*, s.12.
13a) Spridonos, s.171; Nicolopulos, s.65.
14) R. Şevket İnce'nin Güncesi, *Milliyet* (29.10.1982); İ. Hakkı Tekçe'nin Hatıraları, *Milliyet* (13 Kasım 1968).

15) *Özleyiş*, s.66.
16) *TİH*, Sakarya Öncesi, s.124.
17) *KS Günlüğü*, 4. c., s.430, 544; Sakarya'dan İzmir'e, s.396; *Milli Mücadele'de Bursa*, s.200; K. Misailidis, s.230, 248; *TİH*, Ayaklanmalar, s.25, 33, 37, 54-60, 60-65, 85, 88, 98-105, 142, 166, 185, 188-200; Yüzbaşı Selahattin, 2. c., s.66, 94; R. Özkök, *Düzce-Bolu İsyanları*, s.288, 290; C. Kutay, *İstiklal Savaşı'nın Maneviyat Ordusu*, s.99 vd.
18) 150'likler listesi, No. 34, No. 42 (Özakman, *Kronoloji*, s.331-335); Y.K. Karaosmanoğlu, Ergenekon, s.116 vd.
18a) Özakman, *Vahidettin, M. Kemal ve Milli Mücadele*, s.371.
19) Y. Nadi, *Birinci Büyük Millet Meclisi*, s.7, 117; T. Bıyıklıoğlu, *Atatürk Anadolu'da*, s.17; Y. Kemal, *Devrin Yazarları*, 1. c., s.499; R. Özkök, *Düzce-Bolu İsyanları*, ş. 253; S. Tansel, *Mondros'tan Mudanya'ya*, 3. c., s.127.
20) *Türkün Ateşle İmtihanı*, s.190.
21) M. Kemal Paşa 16 Ağustosta yaralanmış, Ankara'ya gelmiş, muayene olmuş, 17 Ağustosta tekrar cepheye, Alagöz'e dönmüştür; farklı tarihler yanlıştır. (Fethi Okyar'ın Güncesi, *Türk Kültürü*, 82. sayı, s.748-749; R.E. Ünaydın, *İstiklal Yolunda*, s.121; İ.H. Tekçe, Hatıralar, 13.11.1968, *Milliyet*; Kâzım İnanç Paşa'nın Ankara'dan Polatlı'ya yolladığı telgraf (*Harp Tarihi Belgeleri* dergisi, sayı 75/1976, belge no. 1621); F. Belen, s.343.
22) Fevzi Paşa'ya da, İsmet Paşa'ya da, köyde bulunan iki katlı, altı taş, üstü kerpiç birer küçük ev ayrılmıştı. Fevzi Paşa ile İsmet Paşa'nın karargâh ve ev olarak kullandıkları bu evler zamanla yıkılmıştır. Yalnız Başkomutanlık Karargâhı müze olarak korunuyor.
23) *TİH*, Sakarya Öncesi, s.150.
24) S. Külçe, s.221; N. Hakkı Uluğ'dan aktaran: İ. Artuç, Büyük Dönemeç, s.151.
24a) Akıncılar Yasası metni: T. Ergül, *Kurtuluş Savaşında Manisa*, s.393.
24b) Y.K. Karaosmanoğlu, *Vatan Yolunda*, s.159.
25) Andreas, s.93; Spridonos, s.164.
25a) Mihal L. Roda, s.173; İlia Vutieridu, s.7.
26) *TİH*, Sakarya Öncesi, s.266; Baykoç, s.16.
27) R.H. Sinha, s.118, 119.
27a) Başağa: Yaren geleneğinde en büyük yaren, başkan.
28) N. Peker, s.267.
28a) Sevr Antlaşması, tam metni: Seha Meray-Osman Olcay, Osmanlı İmparatorluğu'nun Çöküş Belgeleri; özeti: Özakman, *Vahidettin, M. Kemal ve Milli Mücadele*, s.435 vd.

28b) R.H. Karay, Ago Paşa'nın Hatıratı, s.88 vd.

28c) *TİH*, İdari Faaliyetler, s.479.

28d) A. Galip Tokça, *İki Mütareke Arasında Mudanya*, s.14.

29) Üç süvari, bir piyade alayından kurulu, geçici bir tümen (İ. Artuç, *Büyük Dönemeç*, s.243).

30) Rüsumat onuncu seferini yaparken 1921 Eylül sonunda yakalanmamak için yine kaptanın emriyle batırılacak ama gemicik bu kez yüzemeyecektir. Bu, Kurtuluş Savaşı boyunca, Yunan donanmasının onca didinmesine karşı, milli deniz kuvvetlerinin verdiği tek kayıptır (*Yakın Tarihimiz*, 3. c., s.380, Emrullah Nutku).

30a) Askeri tarihlerimizde Edipidu Müfrezesi diye anılan birlik (Evlidis Müfrezesi, KASÖT, s.455).

31) *KASÖT*, s.463.

32) Sakarya'dan İzmir'e, s.196, 212 vd.

33) Bu bağlantının sırrı şimdi de teknik olarak açıklanamıyor.

34) General Harington'un anıları, s.108.

34a) *Türkün Ateşle İmtihanı*, s.191-193; bu tarihte M. Kemal Paşa 40, Halide Hanım 37 yaşındadır.

34b) Gazetenin 262. sayısında.

35) Bu önlem, en kötü olasılık düşünülerek alınmıştır (*TİH*, Sakarya Öncesi, s.136, Kroki No. 15).

36) *Cumhuriyet'e Doğru*, s.261-302; K. Karabekir, *Enver Paşa*, s.85-90, 164; *RTM*, 2. sayı, 1950; *AFC*, Moskova Hatıraları, s. 236, 271; Ş.S. Aydemir, *Enver Paşa*, 3. c., s.603; F.R. Atay, *Çankaya*, s.255; *Halil Paşa'nın Hatıraları*, s.354-358; *Anadolu İhtilali*, s.575; E.J. Zürcher, s.2-30; Fethi Okyar'ın günlüğü, *Türk Kültürü* dergisi, sayı 82; *Yakın Tarihimiz*, 1. c., s.307 (S.S. Karaman'ın yazısı).

37) Yunan Süvarisi, s.137, 148; Andreas, s.113.

38) V. Hürkuş, s.106; S. Tanman, *Türk Havacılık Tarihi*, s.108.

38a) N. Peker, s.367.

39) *Türkün Ateşle İmtihanı*, s.194.

Sakarya Savaşı
Notları

1) Sakarya Savaşı için yararlandığım genel kaynaklar: *TİH*, Sakarya Meydan Muharebesi; Baki Vandemir, *Sakarya'dan Mudanya'ya*; Hulusi Baykoç, *Sakarya Meydan Muharebesi*; İ. Artuç, *Büyük Dönemeç*; F. Belen, *Türk Kurtuluş Savaşı*, s.335-374; *KASÖT*, s.421-612; Andreas, *Felakete Doğru*; Spridonos, s.167-210.

1a) *Yunan Süvarisi*, s.144; Spridonos, s.174; Andreas, s.103-105.

1b) *Sakarya'dan İzmir'e*, s.217; K. Özalp, s.204 (Bakanın bu açıklaması, iki yandan birinin gevezeliği yüzünden basına yansıyacaktır).

2) Nicolopulos, s.79.

3) D. Arıkoğlu, *Hatıralarım*, s.250.

4) H. Baykoç, s.53.

5) *İ. İnönü*, s.252.

5a) *KASÖT*, s.470.

6) *KASÖT*, s.471; Vandemir, s.35: 'Mangal Dağı karşısında 17.000 kişi toplanmıştı.'

7) Ş. Soğucalı, *İstiklal Harbinde Olaylar*, s.95; Nicolopulos, s.17.

8) *TİH*, Sakarya, s.11; S. Adil, s.382.

9) İ. Hakkı Tekçe, *Milliyet*, 13.11.1968.

10) *Yunan Süvarisi*, s.144; Spridonos, s.174.

10a) Nikolopulos, s.73.

10b) *TİH*, Sakarya, s.39.

10c) *KASÖT*, s.484; Asım Gündüz, s.88.

11) İlia Vutieridu, s.14; *KASÖT*, s.477,485, 487; Andreas, s.113.

11a) Yunan Süvarisi, s.148.

12) *TİH*, Sakarya, s.49.

12a) Atatürk'ün Düşünce ve Uygulamalarının Evrensel Boyutları Sempozyomu (Ank. Üniv.), s.163 (Prof. Abdülvahap Bouhdiba'nın anısı).

12b) Bilal N. Şimşir, *Doğunun Kahramanı Atatürk*, s.41 vd., 480 vd.; Uluslararası Atatürk Sempozyumu, İşbankası, özellikle s.359-418; Atatürk'ün Düşünce ve Uygulamalarının Evrensel Boyutları Sempozyomu, Ank. Üniv., özellikle s.161-186.

12c) E.B. Şapolyo, *Milli Mücadele'nin İç Alemi*, s.101.

12d) M.L. Smith, s.248.

13) *TİH*, Sakarya, s.57.

14) Ş. Soğucalı, *İstiklal Harbinde Olaylar*, s.88.

14a) *TİH*, Sakarya Öncesi, s.113; C. Erikan, Komutan Atatürk, s.721.

15) *TİH*, Sakarya, s.62 vd.
15a) Andreas, s.112.
15b) Andreas, ikinci çeviri, s.113.
15c) I. Kolordu, s.25, 27.
16) C.K. İncedayı, s.111; C. Erikan, *Komutan Atatürk*, s.719 vd.
16a) C.K. İncedayı, s.113.
16b) Ş. Soğucalı, *İstiklal Harbinde Olaylar*, s.9; *38. Alayla*, s.16.
16c) Bu savaş sırasında 57. Tümen Kurmay Başkanı Yarbay Salih Zeki Bey şehit oldu.
17) Spridonos, s.178; *Yunan Süvarisi*, s.150; Ambelas, s.22; *Sakarya'dan İzmir'e*, s.219; *TİH*, Sakarya, s.76.
18) Ambelas, s.22; Baykoç, s.92.
18a) Andreas, s.113.
19) Nikolopulos, s.77, 79; Ambelas, s.22
19a) *KASÖT*, s.491.
20) F. Altay, s.303.
21) Spridonos, s.179; *Sakarya'dan İzmir'e*, s.219 vd.
22) F.R. Atay, *Eski Saat*, s.123.
22a) *KS Günlüğü*, 4. c., s.23 (1.9.1921).
23) *TİH*, Sakarya, s.484, 1.058 subay+ 17.422 er = 18.580.
24) *TİH*, Sakarya, s.61, 123.
25) Ambelas, s.22; F. Altay, s.303.
25a) İ. Çalışlar, s.32.
25b) İ. Çalışlar, s.25.
26) *TİH*, Sakarya, s.74, 79 (Başkomutan'ın saat 23.00'te verdiği yazılı emirden).
26a) F. Altay, s.304.
27) Nicolopulos, s.80.
28) Andreas, s.110.
29) *KASÖT*, s.501; İlia Vutieridu, s.17; Andreas, s.110.
29a) *Yetmişlik Bir Subayın Hatıraları*, s.245.
29b) Ambelas, s.21.
30) Baykoç, s.98 (1. Grubun bugünkü zayiatı 970 subay ve er); *On Yıllık Harbin Kadrosu*, s.279-280; *İstiklal Savaşında 7. Tümen*, A.R. Özkul, s.93; *TİH*, Sakarya, s.94.
31) *TİH*, Sakarya, s.95; Baykoç, s.102.
32) R. Apak, *Yetmişlik Bir Subayın Hatıraları*, s.250; Binbaşı Ziya Ekinci Moskova'ya ataşemiliter olarak yollanacaktır (*AFC*, Moskova Hatıraları, s.329).

33) *HTM*, 1971/2 (Efe Mehmet Sultanahmet cezaevinde yatar, 1923'te serbest bırakılır).
34) *KASÖT*, s.499; *TİH*, Sakarya, s.96.
35) Jaeschke, *TKS Kronolojisi I*, s.160.
36) M. Önder, *Yeni Konya* gazetesi, 6.9.1953; *TİH*, İstiklal Harbinde Ayaklanmalar, s.187.
36a) Andreas, s.122; İ. Çalışlar, s.45.
36b) İlia Vutieridu, s.21.
37) İ. Çalışlar, s.39; *TİH*, Sakarya, s.92.
38) Bugün 5. Kafkas Tümeni'nin 13. Alayının 1. Taburunda sadece 4 subay canlı kalabilmişti (A. Müderrisoğlu'ndan aktaran: İ. Artuç, Büyük Dönemeç, s.110).
38a) Baykoç, s.108.
39) Spridonos, s.185.
40) *KASÖT*, s.503.
41) R. Apak, *Yetmişlik Bir Subayın Hatıraları*, s.255.
41a) *38. Alayla*, s.18.
41b) M. Kemal Paşa'nın Meclis'teki açıklaması, 19.9.1921, *ZC*, 12. c., s.2-58.
41c) F. Altay, *İstiklal Harbimizde Süvari Kolordusu*, s.28, dipnot.
42) Andreas, s.113.
43) Nicolopulas, s.81.
44) F.R. Atay, *Eski Saat*, s.125.
44a) Spridonos, s.185; *KASÖT*, s.503.
45) Spridonos, s.185.
46) Spridonos, s.184, 203.
47) Dr. Rıza Nur, *Hayat ve Hatıratım*, 3. c., s.860.
48) R.Ş. İnce'nin Günlüğü, 29.10.1982, *Milliyet*.
48a) İstanbul eczanesinin sahibi Hüseyin Bey birçok ilacı parasız verecektir.
48b) Baykoç, s.119; Dördüncü Kolordu, s.109.
48c) *TİH*, Sakarya, s.117; Baykoç, 119; Vandemir, 30.8 bölümü.
49) Baykoç, s.124,135: Mürettep Kolordu ile 4. Grubun Ayaş-Kalecik üzerinden, öteki grupların Ankara güneyinden Kızılırmak'a çekilmeleri öngörülüyor.
49a) *TİH*, Sakarya, s.125, 137.
50) *KASÖT*, s.535-537; Baykoç, s.119, 129; *Sakarya'dan İzmir'e*, s.222.
50a) *38. Alayla*, s.20; *TİH*, Sakarya, s.118: *"15.Tümen bir buçuk tabur mevcudunda kalmıştı."*
50b) Şerif Güralp, s.187'den yararlanarak.

50c) *ZC,* 12. c., s.258; İ. Artuç, *Büyük Dönemeç,* s.131.

51) 57. Tümen'in 37. Alayında sadece iki subay sağ kaldı, 8. Tümen'in 135. Alayı mevcudunun üçte ikisini yitirdi (*TİH,* Sakarya, s.133).

52) Çal'daki Yunan kaybı: 49 subay ölü, 145 subay yaralı, 613 er ölü, 3.4-34 er yaralı ve 72 kayıp = 4.313 (*KASÖT,* s.549); *TİH,* Sakarya, s.133, 137.

53) *TİH,* Sakarya, s.130, 141; Baykoç, s.129; *İ. İnönü,* 1. c., s.263; *İstiklal Savaşında IV. Kolordu,* s.110.

53a) Ş. Soğucalı, *İstiklal Harbinde Olaylar,* s.86-87'den esinlenerek.

54) *TİH,* Sakarya, s.147; Baykoç, s.142; *TİH,* Sakarya, s.142; Vandemir, 1 Eylül paragrafı (esir düşme).

54a) *"Birinci Kolordunun durumu korkunçtu. Mevcudu üçte bire inmiş."* (Andreas, ikinci çeviri, s.141)

54b) *TİH,* İdari Faaliyetler, s.354 (M.S. Bakanlığı'nın 31.8.1921 günlü yazısı).

55) Andreas, ikinci çeviri, s.127.

55a) Spridonos, s.90; Andreas, s.114, 132; İlia Vitieridu, s.21.

55b) Vecihi Hürkuş, s.115.

56) Baykoç, s.158; *38. Alayla,* s.21.

56a) Cumhuriyete Kan Verenler, s.187; M.L. Smith, s.254-255 (Kral sevgilisi Paola'ya yazdığı mektupta, bu savaş ahlakına aykırı hareketi savunuyor).

56b) *KASÖT,* s.543 vd.; General Stratigos: *"Türklerin çekileceklerini sanıyorduk." (Sakarya'dan İzmir'e,* s.226)

56c) *38. Alayla,* s.22; bu cepheye 'Şehit Mehmet hattı' adı verilir.

56d) *Sakarya'dan İzmir'e,* s.226.

57) Papulas'ın raporundan: *"Kamyonların şayan-ı hayret bir ölçüde azalması, ikmal işini imkânsız kıldı."* (*TİH,* Sakarya, s.490)

58) Papulas'ın raporu, *TİH,* Sakarya, s.489 vd.; *KASÖT,* s.553.

59) Andreas, s.133; Papulas'ın bu tarihteki hesabına göre kayıp 29.000'dir (Dusmanis, 1. c., s.129); savaş sürdükçe bu sayı artar.

60) Andreas, s.144; *KASÖT,* s.555.

61) D. Arıkoğlu, Hatıralarım, s.253.

61a) Alaydan sadece 285 kişi sağ kalmıştır. (Ahmet Gürsoy, *Atatürk'ün Muhafızı Osman Ağa,* Müdafaa-yı Hukuk Derneği Giresun Şubesi Yayını 1, s.27.)

62) K. Özalp, s.203; *İstiklal Savaşında Mürettep Kolordu,* s.155.

62a) Alayın 1. Taburunda 61, 2. Taburunda 42, 3. Taburunda 26 piyade eri kalmıştır (Ş. Soğucalı, *İstiklal Harbinde Olaylar,* s.101).

62b) *38. Alayla,* s.23-24.

62c) D. Arıkoğlu, *Hatıralarım*, s.252.

62d) *KS Günlüğü'*nün 3. cildi, 14.8'den Sakarya Savaşı'nın sonuna kadar her gün bu tür haberlerle dolu.

63) General Stratigos, 2. c., s.31.

64) *TİH*, Sakarya, s.173.

65) *KASÖT*, s.559; *TİH*, Sakarya, s.190; Papulas'ın aldatıcı emri: *"...Bundan, ordunun taarruzdan ve ileri hareketten vazgeçtiği anlamı çıkarılmamalıdır. Aksine, bu savunma tedbirleri sayesinde taarruz sırasında, kuşatma hareketi için kuvvet tasarruf etmemiz mümkün olacaktır."*

65a) *Demirci Akıncıları*, s.82 vd.

65b) Mihal L. Roda, s.179.

66) *Sakarya'dan İzmir'e*, s.217.

66a) Andreas, s.175.

66b) A.E. Yalman, 2. c., s.201; A.İ. Sabis, 5. c., s.33.

67) A.E. Yalman, 2. c., s.199; A. İhsan Sabis, 5. c., s.31 vd.; *Malta Sürgünleri*, s.383 vd.

68) *Malta Sürgünleri*, s.386 vd.; A.E. Yalman, 2. c., s.206.

69) *Sakarya'dan İzmir'e*, s.219 (General Stratigos'un raporu); Stratigos, 2. c., s.31.

70) *Anadolu İhtilali*, s.633; A. Gündüz, s.100.

71) Dusmanis, 1. c., s.132.

71a) Dusmanis, 1. c., s.134.

72) K. Özalp, 1. c., s.203, 213 vd.

73) *TİH*, Sakarya, 198 (İsmet Paşa'nın raporu).

73a) *KASÖT*, s.557.

74) *Sakarya'dan İzmir'e*, s.228.

75) *Sakarya'dan İzmir'e*, s.206.

75a) İlia Vutieridu, s.87.

76) *TİH*, Sakarya, s.207.

76a) Andreas, s.142.

77) *KS Günlüğü*, 4. cilt, s.39, 9.9.1921.

78) Andreas, s. 145-150; *KASÖT*, s.563.

79) Andreas, s.148.

80) *38. Alayla*, s.25.

81) A.İ. Sabis, 5. cilt, s.36-37.

82) *KS Günlüğü*, 4. cilt., s.39.

83) Andreas, s.148, 149, 185, 148, 176.

84) K. Özalp, 1. c., s.205 vd.; *Türkün Ateşle İmtihanı*, s.202.

85) *TİH*, Sakarya, s.209; Andreas, s.151.

86) Andreas, s.152.
87) Andreas, s.155 vd.; istifasının metni, *TİH*, Sakarya, s.223.
88) Özalp, s.207.
88a) *38. Alayla*, s.26 vd.
89) *TİH*, Sakarya, s.230.
90) *KASÖT*, s.569; Andreas, s.156.
91) Ankara'dan Polatlı'ya giderken, Polatlı'nın solunda, ovanın ortasındaki kara renkli ilginç dağ.
91a) *ZC*, 10. c., s.197-223; *ZC*, 12. c., s.172-179.
92) Andreas, s.157.
93) *TİH*, Sakarya, s.268, 279, 282 vb.
94) *TİH*, Sakarya, s.259.
95) K. Özalp, s.210.
96) *TİH*, Sakarya, s.250 vd.; s.257 (raporun 3. maddesi).
97) F. Altay, s.308.
97a) İsmet Paşa 13.45'teki emriyle bu olasılığı bildirerek birlikleri uyarmıştır (*TİH*, Sakarya, s.246).
98) Andreas, s.164-166.
98a) *Sakarya'dan İzmir'e*, s.230.
99) *KS Günlüğü*, 4. c., s.49 vd. Şenlikler günlerce sürecektir.
100) Damar Arıkoğlu, *Hatıralarım*, s.172.
101) Ö. Sami Coşar, *Milli Mücadele Basını*, s.84.
101a) *Çankaya*, s.294.
102) *TİH*, Sakarya, s.266; *ZC*, 12. c., s.237 (Başkomutan'ın TBMM'ye verdiği rapor); General Stratigos, raporunda, 'yaralılara çok iyi muamele edildiğini' belirtir (İ. Artuç, *Büyük Dönemeç*, s.267).
103) İ. Çalışlar, s.73.
103a) S. Adil Bey de bir süre sonra mirlivalığa yükseltilecektir.
103b) 5., 9. ve 24. Tümenler lağvedilir, subay ve erleri öbür tümenlere verilir.
103c) Ordunun elinde 5.000 atımlık mermi vardır, bütün Türkiye'de ise 20.000. Oysa Sakarya Savaşı sırasında yalnız orta çaplı toplar tutumlu olarak 60.000 mermi harcamıştır. Yeni bir savaş için genel olarak, 100.000 mermi gerektiği hesaplanıyordu (*TİH*, Sakarya, s.322).
104) Ş. Soğucalı, *İstiklal Harbinde Olaylar*, s.109-113.
105) Dusmanis, 1. c., s.156, 2. c., s.99.
106) Mirlivanın karşılığı tuğ+tümgeneralliktir.
107) 21 Eylül günlü Orduya Beyanname'sinde komutanları, subayları ve erleri coşkun bir dille övecektir. Erler için şöyle diyor:

"..Dünyanın hiçbir ordusunda yüreği sizinkinden daha temiz ve sağlam bir askere rastgelinmemiştir. Her zaferin mayası sendedir. Her zaferin en büyük payı senindir." (TİH, Sakarya, s.342)

108) Clair Price, Sakarya Savaşı için şöyle yazıyor:
"İki yüzyıldan beri Batı, ihtiyar Osmanlı İmparatorluğu'nu parçalamaya çalışıyordu. Fakat Sakarya'da Türkün kendisi ile karşılaştı ve ona dokunduğu anda da tarihin yönü değişti. Tarih bir gün Sakarya kıyılarında cereyan eden ve çok kimsenin bilmediği bu savaşı, devrimizin en büyük olaylarından biri olarak kaydedecektir." (A.J. Toynbee, Türkiye, s.123)

A.J. Toynbee de şöyle diyor: "Denilebilir ki bu savaş içinde yaşadığımız yüzyıl tarihinin en büyük savaşlarından biridir." (aynı yer)

Büyük Taarruza Hazırlık
Notları

1) *TİH*, Sakarya, s.283, 295; süvarileri Süvari Kolordusunun tümenlerine verilerek Mürettep Tümen dağıtılır.
2) *Sakarya'dan İzmir'e*, s.269.
3) *TİH*, Sakarya, s.289 (Gunaris'in Savaş Bakanına cevabı).
4) Mihail Roda, s.170.
5) M.L. Smith, s.258-259.
6) A. Emin Yalman, 2. c., s.211.
7) *Demirci Akıncıları*, s.88-89.
8) *Malta Sürgünleri*, s.389.
9) *Malta Sürgünleri*, s.392.
10) *Sakarya'dan İzmir'e*, s.132.
11) T.M. Göztepe, *Vahidettin Mütareke Gayyasında*, s.411'den yararlanarak.
12) *Sakarya'dan İzmir'e*, s.264.
13) *Sakarya'dan İzmir'e*, s.231-234, 252-253.
14) *Sakarya'dan İzmir'e*, s.251.
15) *Sakarya'dan İzmir'e*, s.243.
16) Jeschke, *TKS Kronolojisi I*, s.162; *KS Günlüğü*, 4. c., s.56.
17) Y.K. Karaosmanoğlu, *Vatan Yolunda*, s.149 vd.
17a) *Türkün Ateşle İmtihanı*, s.205.
17b) *Türkün Ateşle İmtihanı*, s.205.
18) Stratigos, 2. c., s.35.
19) *ZC*, 12. c., s.254 vd., özetlenerek.
20) *ZC*, 12. c., s.264, 153 sayılı yasa; aynı doğrultuda Manisa Milletvekili Süreyya Yiğit ve 62 arkadaşının, Erzurum Milletvekili Durak Bey'in, Aydın Milletvekili Tahsin (San) Bey'in, Siirt Milletvekili Halil Hulki (Aydın) Efendi'nin de önerileri de vardı.
21) Özakman, *Kronoloji*, s.163.
22) *TİH*, Sakarya, s.326 (Bakan'ın emri), 327 (Papulas'ın cevabı).
23) Y. Kadri Karaosmanoğlu, *Vatan Yolunda*, s.155, 158; *Türkün Ateşle İmtihanı*, s.205 vd.; K. Özalp, s.213, 218; *Sakarya'dan İzmir'e*, s.230 (İngiliz raporu); *TİH*, Sakarya, s.240, 255, 268, 279, 282, 284, 290, 293, 299, 308, 312, 314, 318, 319, 336 (Papulas'ın bu konudaki raporu), 346, 347 (Cenevre toplantısı), 404; Ambelas, s.24; Spridonos, s.267; Dusmanis, s.377; M.L. Smith, s.256; *KS Günlüğü*, 4. c., s.68, 82.

24) Ş.S. Aydemir, *Enver Paşa*, 3. c., s.615 vd.; 4 Ağustos günü Sovyetler'le çarpışırken, Pamir eteklerinde şehit olacaktır.
25) *Sakarya'dan İzmir'e*, s.268.
26) Nicolopulos, s.96.
27) K. Karabekir, *İstiklal Harbimiz*, s.936 vd.; A.M. Şemseddinov, s.220 vd.; İsmail Soysal, s.39 vd.; *Kurtuluş Savaşımız*, s.137 vd.
28) Fahri Belen, *Türk Kurtuluş Savaşı*, s.422.
28a) *TİH*, İdari Faaliyetler, s.461.
29) Gerçeği, Anadolu savaşlarında bulunmuş olan K.D. Kanellopulos, 19-37'de yayımlanan *Küçük Asya Mağlubiyeti* adlı kitabında açıklamıştır: *"Muazzam ölü kitlesi ve 25.000 kişilik yaralı kafilesi."* (1. c, s.8)
Yunan Askeri Harp Tarihi Dairesi'nin hazırladığı 'Küçük Asya Seferinin Özetlenmiş Tarihi' adlı resmi tarihte (1967) gerçeğe daha açık olarak yer verilir: *"Yunan ordusu, muharip kuvvetinin % 50'sini Sakarya savaş alanında bıraktı."* (s.701)
Daha küçük sayılar ağır yenilgiyi ört bas etme amacını gütmektedir. Türk kaybı: 5.713 subay ve asker şehit, 18.480 subay ve asker yaralı. Ne oldukları bilinmeyenler ve esirler bu sayıya dahil değildir. Bunlar dahil toplam genel kayıp 33.654'tür (A. Müderrisoğlu, *Sakarya Meydan Muharebesi Günlüğü*, s.623). Yunan üniformalı Batı saldırganlığı, ordu ve halka Sakarya'da yaklaşık 50.000 kayba malolmuştur.
29a) Trikupis'in Anıları, s.86.
30) A. İhsan Sabis, 5. c., s.54 vd.
Anıları, Paşa'nın dedikoduculuğunu, geçimsizliğini, hastalık derecesindeki kibrini, vehimliliğini, sorumsuzluğunu apaçık belirtmektedir. Sonradan yazdığı için anılarını istediği gibi kurgulamış. Birçok iddiasını anıların yayımlandığı tarihte yaşamayanlara yüklüyor. Yalnız Milli Mücadele kahramanlarına değil, tarihe karşı da ayıp ediyor.
31) *Özleyiş*, s.44.
32) *Özleyiş*, s.82.
33) F. Rıfkı Atay, *Eski Saat*, s.265'den yararlanarak.
34) M.L. Smith, s.266, 281; Dusmanis, s.13; N. Psyrukis, Anadolu Seferinin Nedenleri, *Sosyal Adalet* dergisi, Ekim ve Aralık 1964 sayıları; Gunaris'in ağlaması: Stratigos, s.72.
35) *Kurtuluş Savaşımız*, s.146 vd.; *Sakarya'dan İzmir'e*, s.280 vd.; K. Özalp, s.221; Fransız kuvvetleri çekilirken, Adana'da birikmiş fazla silah ve malzemenin yarısını parasız bırakır, yarısını para karşılığı verir. Bunlar arasında, 10 uçak ile 3 telsiz istasyonu da vardır; 'yüz bin asker' konusu: *Sakarya'dan İzmir'e*, s.288; Bige Yavuz, s.151 vd.
36) *Sakarya'dan İzmir'e*, s.273, 281 vd., 338; Sonyel, 2. c., s.215 vd.

37) Aralov, s.1 vd.; *AFC,* Moskova Hatıraları, s.260, 263-270; Sonyel, 2. c., s.187.

38) *Belleten,* sayı 200, s.849 vd. (Ziya Gürel); Behiç Erkin, *İstiklal Harbinde Milli Demiryollarımız,* 2. c., s.1; *HTM,* 1968/3 (Demiryolu Savaşı).

39) Y.K. Karaosmanoğlu, *Vatan Yolunda,* s.160-162.

40) *KS Günlüğü,* 4. c., s.125.

41) *Sakarya'dan İzmir'e,* s.279-280; bu konudaki İngiliz belgelerini incelemiş olan B.N. Şimşir diyor ki: *"Sivil Yunan idaresi, vergi toplamaktan, sistematik el koymalar ve doğrudan doğruya Türk mallarını gasbetmeye kadar çok yönlü ve çok geniş bir sömürü politikası biçiminde uygulanmıştır... Anadolu'da kan dökmekle kalmamışlar, Anadolu'nun kanını da emmişlerdir."* M.L. Smitht, s.286; *Sakarya'dan İzmir'e,* s.422; S. Selek, *Anadolu İhtilali,* s.411 vd.

42) A.İ. Sabis, 5. c., s.81, 168.

43) Dört bir yanı kat kat tel örgü, siper ve ağır makineli tüfek yuvaları ile çevrili, uzun zaman direnebilecek kadar cephane, su ve yiyecek yığılmış yüksek yerler. Bir çeşit kale.

43a) Passaris, s.41.

44) *ZC,* 14. c., s.221 vd. (özetlenerek).

45) Emin Erişirgil, *İslamcı Bir Şairin Romanı,* s.255, 191, 153; *Safahat,* s.129-159, 289, 140-141, 193, 191, 321, 192, 346, 344, 320, 305, 347; ayrıca *Küfe,* s.17, *Seyfi Baba,* s.55, *Berlin Hatıraları,* s.264; Ö.R. Doğrul, *Nesirler,* s.268-373'ten yararlanılmış, birkaç sözcük sadeleştirilmiştir.

46) *Sakarya'dan İzmir'e,* s.348-355; Sonyel, 2. c., s.256.

47) *KS Günlüğü,* 4. c., s.166, 182.

48) A.İ. Sabis, 5. c., s.55, 56, 102, 127, 141, 249.

49) *Nutuk,* 2. c., s.143.

50) Sivas Kongresi Tutanakları, s.52, 69, 73 vd.

51) *KS Günlüğü,* 4. c., s.219-220.

52) A.İ. Sabis, 5. c., s.60, 127, 173; Ziya Göğem, 1. c., s.123, 2. c., s.193.

53) Genel bilgi: *Nutuk,* 2. c., s.168-171; A.İ. Sabis, 5. c., s.184 vd.; Asım Gündüz, s.120-122; F. Altay, s.316, 319-326; K. Özalp, s.228-230; *İ. İnönü,* 1. c. s.269, 272; İ. Çalışlar, *Sakarya'dan İzmir'e 1. Kolordu,* s.17-19; Selahattin Adil, s.396; *TİH,* Büyük Taarruza Hazırlık, s.191 vd.; Aralov, s.87-88.

54) *Nutuk,* 2. c., s.144.

55) *Sakarya'dan İzmir'e,* s.341.

56) *Sakarya'dan İzmir'e,* s.328, 330, 342; Sonyel, 2. c., s.218.

56a) Aslında Sevr kadar tehlikeli bir tasarıdır. Bilgi için: *Sakarya'dan İzmir'e*, s.331 vd.

57) K. Karabekir, *İstiklal Harbimiz*, s.994.

58) A.İ. Sabis, 5. c., s.169, 179, 203, 218, 224, 300 vs.; F. Belen, s.404, dipnot; F. Altay, s.326.

59) *AFC*, Moskova Hatıraları, s.264.

60) Y. Kemal Tengirşenk, *Vatan Hizmetinde*, s.250.

60a) *KS Günlüğü*, 4. c., s.253.

60b) *TİH*, İdari Faaliyetler, s.479.

60c) Sina Akşin, *İstanbul Hükümetleri ve Milli Mücadele*, s.143-147 vb.

60d) İ.H. Okday, *Yanya'dan Ankara'ya*, s.410 vd.

60e) ZC, 16. c., s.218 vd.

60f) D. Kitsikis, *Yunan Propagandası*, s.63 vd.; çalışma yöntemleri: Kişisel ilişkiler, dostluklar, salon toplantıları, sohbet yemekleri, mektuplar, kitaplar, dergiler, bültenler, konferanslar, baskı grupları oluşturmak, dernekler, geziler, ödüller, hizmet satın almak vb.; s.72 vd.

61) Y. Kemal Tengirşenk, s.256.

62) Y. Kemal Tengirşenk, s.258; bu, Vahidettin'in TBMM'yi tanımayı ikinci kez reddetmesidir. İlki 28.1.1921'dir (Jeschke, *Kurtuluş Savaşı ile İlgili İngiliz Belgeleri*, s.161).

63) Rumbold'un 7 Mart 1922 gün ve 232 sayılı yazısı (Sonyel, 2. c., s.220 vd., dipnot 388; Sonyel, ayrıca: Son Osmanlı Padişahı Vahidettin ve İngilizler (*Belleten*, 154/1975'te, çalınan belgelerin fotoğraflarını, bununla ilgili İngilizlerin birimleri arası yazışmalarını açıklıyor).

63a) ZC, 18. c., s.2 vd.; o dönemde Meclis toplantı yılının başlangıcı 1 Mart idi.

63b) Y. Kadri Karaosmanoğlu, *Ergenekon*, s.109 vd.; Meclis bu yasa taslağını düzeltilmesi için geri yollayacaktır.

63c) *KS Günlüğü*, 4. c., s.312.

64) H. Bayur, *Türkiye Devletinin Dış Siyasası*, s.107; Y.K. Tengirşenk, *Vatan Hizmetinde*, s.262 vd.; *GZC*, 3. c., s.172 vd.; *Sakarya'dan İzmir'e*, s.348.

64a) Sonyel, 2. c., s.224; *Sakarya'dan İzmir'e*, s.347 vd.; Kürkçüoğlu, s.225 vd.

65) H. Bayur, *Türkiye Devletinin Dış Siyasası*, s.108 vd.; D. Walder, *Çanakkale Olayı*, s.191-196.

65a) Y.K. Karaosmanoğlu, *Ergenekon*, s.108 vd. (yazının tarihi: 14 Mart 1922)

65b) *Demirci Akıncıları*, s.212 vd.

66) *Sakarya'dan İzmir'e*, s.389 (görüşme tarihi: 15 Mart 1922).

67) H. Bayur, *Türkiye Devletinin Dış Siyasası*, s.110; *Sakarya'dan İzmir'e*, s.366 vd.

68) *Nutuk*, 2. c., s.155 vd.; F.R. Atay, *Çankaya*, s.305; *Sakarya'dan İzmir'e*, s.368; *TİH*, Büyük Taarruza Hazırlık, s.351.

69) Darülfünun Grevi ile ile ilgili kaynaklar: K. İsmail Gürkan, *Darülfünun Grevi*; M. Goloğlu, *Cumhuriyete Doğru*, s.381-384, 413-420; T.M. Göztepe, *Vahidettin Mütareke Gayyasında*, s.414 vd.; *KS Günlüğü*, 4. c., s.351 vd.

69a) Aralov, s.81-119.

69b) G. Bilgehan, *Mevhibe*, 1. c., s.91.

69c) *Sakarya'dan İzmir'e*, s.394 vd.

69d) M.L. Smith, s.286.

69e) M.L. Smith, s.292.

69f) H. Himmetoğlu, 2. c., s.154-187.

69g) Ankara'nın cevabı: *TİH*, Büyük Taarruza Hazırlık, s.363 vd.

70) *Sakarya'dan İzmir'e*, s.369, 373, 375, 389.

70a) *KS Günlüğü*, 4. c., s.408; Y. Koç, İstiklal Harbinde İstanbul Sendikaları Görevini Yaptı mı? (*Türk-İş* dergisi, no. 350, Nisan-Mayıs 2002)

71) *AFC*, Moskova Hatıraları, s.329 vd.

72) *GCZ*, 3. c., s.310-329; konuşmalar özetlenip sadeleştirilmiştir.

73) *GCZ*, 3. c., s.334-354; *Nutuk*, 2. c., 159-165; konuşmalar özetlenmiştir.

74) *AFC*, Moskova Hatıraları, s.344 vd.

75) Bu 44 kişi Yıldız'da misafir edilen ve 'Yıldız Yaranı' diye anılan Anadolu şeyhleri, hocaları olmalı (A.B. Kuran, *İnkılap Tarihimiz ve Jön Türkler*, s.376).

76) *Sakarya'dan İzmir'e*, s.396 vd.

76a) *Darülfünun Grevi*, s.70 vd.

76b) G. Bilgehan, *Mevhibe*, 1. c., s.90 vd.

77) M.L. Smith, s.281, 291, 295 vd.

77a) Kanellopulos, 2. c., s.51.

77b) D. Arıkoğlu, s.280.

78) S. Selek, *Anadolu İhtilali*, s.137-138, H. Fehmi Bey'in anıları.

78a) *KS Günlüğü*, 4. c., s.482, 488, 494 vd.

78b) *Sakarya'dan İzmir'e*, s.444.

79) Muharrem Giray'ın anıları, *Yakın Tarihimiz*, 2. c., s.356 vd.

79a) *KS Günlüğü*, 4. c., s.452.

80) F. Belen, s.404, dipnot; *İ. İnönü*, s.269, 273; C. Erikan, *Komutan Atatürk*, s.761 vd.

81) A. İhsan Sabis, 5. c., s.322 vd.

82) K. Özalp, s.230.
83) K. Özalp, s.229; *Nutuk*, 2. c., s.171.
84) Refet Paşa'nın İngiliz Binbaşı J.D. Henry ile İnebolu'da görüşmesi: *Sakarya'dan İzmir'e*, s.317 vd.; K. Özalp, s.229; *Nutuk*, 2. c., s.171; Aralov, s.128; S. Selek, *Anadolu İhtilali*, s.147 vd.; Asım Gündüz, s.237.
85) N. Taçalan, *Ege'de Kurtuluş Savaşı Başlarken*, s.49, 195; Bilge Umar, s.309; K. Özalp, s.229.
86) *Sakarya'dan İzmir'e*, s.409, 414, 417-421; M.L. Smith, s.294, 295, 297, 298, 329; Spridonos, s.237; *İzmir'den Bursa'ya*, s.127 vd.
86a) *KS Günlüğü*, 4. c., s.504.
86b) S.R. Sonyel, 2. c., s.229.
87) *Sakarya'dan İzmir'e*, s.414-427; M.L. Smith, s.304.
88) *ZC.*, 21. c., s.349 vd.; *Nutuk*, 2. c., s.176; K. Karabekir, *İstiklal Harbimiz*, s.1077 vd.
89) *ZC.*, 21. c., s.358 vd.: Genelkurmay Başkanı Fevzi Paşa; Milli Savunma Bakanı Kâzım Özalp Paşa; Dışişleri Bakanı Yusuf Kemal Tengirşenk; Adalet Bakanı Celalettin Arif Bey (sonra Rıfat Çalıka); Dinişleri Bakanı Abdullah Azmi Efendi; Maliye Bakanı Hasan Fehmi Bey; Milli Eğitim Bakanı Vehbi Bolak; Ekonomi Bakanı Mahmut Esat Bozkurt; Bayındırlık Bakanı Reşat Bey; Sağlık Bakanı Fuat Umay (Rıza Nur'a vekâleten); İçişleri Bakanı Ata Bey (Fethi Okyar'a vekâleten).
90) K. Özalp, s.230.
91) *TİH*, B. Taarruza Hazırlık ve Büyük Tarruz, s.180; İ. İnönü, s.279, 285.
92) M.L. Smith, s.305.
93) *TİH*, İdari Faaliyetler, s.479.
93a) *TİH*, Büyük Taarruza Hazırlık, s.20.
93b) C. Erikan, Kurtuluş Savaşımızın Tarihi, s.201.
94) *İ. İnönü*, 1. c., s.279 vd.; D. Arıkoğlu, 285 vd.; *Çankaya*, s.308 vd.; *TİH*, Büyük Taarruza Hazırlık, s.204; *Özleyiş*, s.115; Asım Gündüz, *HTM*, 1974/8; 30 Ağustos Hatıraları, s.41; Asım Us, 1930-50, s.34; *BTTD*, Kurtuluş Savaşı Özel Sayısı, s.82; H.R. Soyak, *Atatürk'ten Hatıralar*, s.135.
94a)
95) *Sakarya'dan İzmir'e*, s.431; *KS Günlüğü*, 4. c., s.571.
96) Asım Gündüz, s.147.
97) *Sakarya'dan İzmir'e*, s.384, 455; Kürkçüoğlu, s.233; Sonyel, 2. c., s.260; M.L. Smith, s.260; B.N. Şimşir, *İngiliz Belgelerinde*, IV. c., s.LXXIX ve 326 vd.
97a) *Sakarya'dan İzmir'e*, s.430.

98) 30 Ağustos Hatıraları, s.21, 24.
99) *Nutuk*, 2. c., s.173; *Yakın Tarihimiz*, 3. c., s.5 (K. Özalp'ın açıklaması).
100) Asım Gündüz, s.147.
100a) Parça parça toplam 106.400 İngiliz lirası gelmiştir (*TİH*, İdari Faaliyetler, s.175).
101) K. Özalp, s.233; *TİH*, İdari Faaliyetler, s.175; *Özleyiş*, s.91.
102) S. Selek, *Anadolu İhtilali*, s.138 (Hasan Fehmi Ataç'ın anıları).
103) *Sakarya'dan İzmir'e*, s.401 vd.
104) *KS Günlüğü*, 4. c., s.573.

Afyon Güneyine Yürüyüş Notları

1) İ. Bardakçı, s.90, 96, 104 (İ. Abilov'in anıları); Aralov, s.146, 150.
2) K. Özalp, s.233.
3) M.L. Roda, s.83, 124.
3) Nurettin Paşa'nın Anıları, *HTM*, 1976/1.
4) Kanellopulos, s.51.
5) *Nutuk*, 2. c., s.174; Nurettin Paşa'nın anıları, *HTM*, 1976/1; F. Altay, s.329.
6) Kanellopulos, s.52; Passaris, s.64; C. Erikan, *Kurtuluş Savaşımızın Tarihi*, s.203 (1. Tümen'den bu hainin, Afyon güneybatısında otuz bin askerin toplandığını bildirmesi, onca gizlilik çabasını sıfıra indirebilirdi. Yunan komutanlar, başka göstergeler olmadığı için bu ihbarı ciddiye almamışlardır).
7) S. Tanman, *Türk Havacılık Tarihi*, s.147-148.
8) Mahmut Soydan'ın Günlüğü, *HTM*, 1966/7.
9) Kanellopulos, s.54; Passaris, s.55.
10) *Demirci Akıncıları*, s.308 vd.
11) F. Altay, s.331 vd.; S. Selişık, 1. Süvari Tümeni.
12) Büyük Zaferin Ellinci Yıldönümüne Armağan, H. Bayur'un incelemesi, s.79.
13) Passaris, 2. c., s.1.
14) *Yakın Tarihimiz*, 3. c., s.9 (K. Sami Bey'in anıları); Ş. Yazman, *Büyük Taarruz Nasıl Oldu*, s.27; Ş. Soğucalı, *38. Alayla*, s.43; Cumhuriyete Kan Verenler, s.294 (General N. Aytek'in anısı); F. Belen, s.427.
15) C. Erikan, *Kurtuluş Savaşımızın Tarihi*, s.201.
16) İki yanın güçleri:

	Subay	Er	Tüfek	Hf.Mk.Tf.	Ağ.Mk.Tf.	Top	Kılıç
T:	8.658	199.283	100.352	2.025	839	323	5.282
Y:	6.418	218.205	90.000	3.139	1.280	450	1.280

Otomobil	Kamyon	Uçak
33	198	10
1.776	4.036	50

(*TİH*, Büyük Taarruza Hazırlık, s.16)

Büyük Taarruz
Notları

1) B. Taarruz için yararlanılan askeri kaynaklar: *TİH*, Büyük Taarruz; *TİH*, Büyük Taarruzda Takip Harekâtı; İ. Artuç, *Büyük Taarruz*; F. Belen, *Türk Kurtuluş Savaşı*, s.427 vd.; *KASÖT*, s. 685-983; K.D. Kanellopulos, *Küçük Asya Mağlubiyeti*; Passaris, *Küçük Asya Ordusunun Çözülmesi ve Esareti.*

1a) Sayı için: İ. Artuç, *Büyük Taarruz*, s.70.

1b) *38. Alayla*, s.45.

1c) *Demirci Akıncıları*, s.311.

2) F. Belen, s.430 vd.

3) S. Tanman, *Türk Havacılık Tarihi*, s.150; Kanellopulos, s.76.

4) Passaris, s.70.

5) Kanellopulos, s.71; *İ. İnönü*, 1. c., s.293.

6) Kanellopulos, s.72, 79; *KASÖT*, s.743, 757; Passaris, s.84.

7) Ş. Soğucalı, *İstiklal Harbinde Olaylar*, s.123-127; *38. Alayla*, s.48 vd.

8) *KASÖT*, s.731.

9) IV. Kolordu, s.229; *TİH*, B. Taarruz, s.122.

10) Trikupis'in Anıları, s.29.

11) *ZC*, 23. c., s.268 (M. Kemal Paşa'nın açıklaması).

11a) İ. Bardakçı, *Taşhan'dan Kadifekale'ye*, s.117.

11b) *TİH*, Büyük Taarruz, s.134.

12) F. Belen, s.447.

13) C. Erikan, *Komutan Atatürk*, s.805; F. Belen, 443.

14) F. Altay, s.335 vd.

15) *KASÖT*, s.775; Kanellopulos, 2. c., s.11 vd.

16) *İ. İnönü*, 1. c., s.289.

16a) Spridonos, s.252.

17) *TİH*, Büyük Taarruz, s.174 vd.; F. Altay, s.337 vd.
2. Tümen'in şehitleri arasında 13. Alay Komutanı Yüzbaşı Galip ile birlikte üç yüzbaşı ve iki de teğmen vardı. Bu alay 'intihar alayı' adıyla anılır.
F. Altay diyor ki: *"Bugünün saygıdeğer şehitleri için Eğret (Anıtkaya) yakınında bir anıt yaptırdım. Köylüler her yıldönümü günü orada toplanarak dua ederler."* (s.339)

17a) İ. Artuç, *Büyük Taarruz*, s.130; F. Altay, s.339.

17b) *Sakarya'dan İzmir'e*, s.458.

18) *Türkün Ateşle İmtihanı*, s.249'dan esinlenerek.

19) *TİH*, Büyük Taarruz, s.224.

19a) Kanellopulos, s.41 vd.

20) Kanellopulos, 2. c., s.35, 37, 37, 44, 45, 47; Spridonos, s.255; *KASÖT*, s.799, 807; Trikupis, s.31 (Yb. Saketas, teslim olmamak için intihar edecektir); *TİH*, Büyük Taarruz, s.277; İ. Artuç, *Büyük Taarruz*, s.166; Kanellopulos bu büyük kitlenin içinde 'birçok sayıda göçmenin de bulunduğunu' yazıyor.

21) *Sakarya'dan İzmir'e*, s.458.

22) *Sakarya'dan İzmir'e*, s.460, 462.

22a) *TİH*, Büyük Taarruz, s.224.

22b) İ. Artuç, *Büyük Taarruz*, s.186.

23) Kanellopulos, 2. c., s.61-81; F. Belen, s.469; *KASÖT*, s.828 vd.

24) 30 Ağustos Hatıraları, s.47 (M. Kılıç'ın anısı).

24a) İ. Artuç, *Büyük Taarruz*, s.171.

24b) 26 Ağustos sabahı başlayıp 30 Ağustos gecesi biten 5 günlük meydan savaşına Batı Cephesi Komutanlığı 'Başkumandan Meydan Savaşı' adını vermiştir.

25) Bu büyük facia günü Yunanlıların kayıpları tam olarak saptanamamıştır. 20.000 esir, yaralı ve ölü olarak tahmin ediliyor (İ. Artuç, *Büyük Taarruz*, s.173).

26) İ. İnönü, 1. c., s.290; Atatürk diyor ki *"Kendilerine bir milletin talihi emanet edilmiş adamlar, milletin kuvvet ve kudretini yalnız ve ancak yine milletin gerçek ve elde edilmesi mümkün menfaatleri yolunda kullanmakla görevli olduklarını bir an hatırlarından çıkarmamalıdırlar."*

27) 30 Ağustos Hatıraları, s.47; Cumhuriyet yönetimi, yakılan binlerce caminin ve mescidin yerine en kısa zamanda yenilerini yapacaktır.

27a) Spridonos diyor ki: *"Maalesef silah altındaki Yunanlılar arasında, nisbet itibariyle az fakat hepsini lekeleyen, insanlıktan ve insanlık düşüncesinden mahrum birçok kimse mevcuttu. İzmir'e doğru yürümekte olan bu kitle içindeki bu hırsız, kundakçı, haydut ve kaatiller, temizlenmesi mümkün olmayan birer lekedir."* (s.266)

28) 1.785 ev, 12 cami ve mescit, 636 dükkân ve mağaza yanmıştır (*TİH*, B. Taarruzda Takip Harekâtı, s.35).

29) *Sakarya'dan İzmir'e*, s.455, 465,479.

30) *Sakarya'dan İzmir'e*, s.484,485, 491, 496.

31) M.L. Smith, s.328; Ambelas, s.160; bu isyancı tümen Urla'ya çıkarılır, birkaç gün sonra da Yunan adalarından birine yollanır.

32) *TİH*, B. Taarruzda Takip Harekâtı, s.51 vd.; Trikupis, s.38 vd.; F. Belen, s.488-492; Spridonos, s.261.

33) A. Gündüz, s.181.
34) S.S. Berkem, *Unutulmuş Günler*, s.130; *Türkün Ateşle İmtihanı*, s.243 vd.; *Özleyiş*, s.102 vd.; *Trikupis*, s.40; Bugün Fevzi Çakmak mareşalliğe, İsmet İnönü, Nurettin Paşa, Yakup Şevki Subaşı korgeneralliğe, Albay Asım Gündüz, Albay İzzettin Çalışlar, Albay Ali Hikmet Ayerdem, Albay Şükrü Naili Gökberk, Albay Kemallettin Sami Gökçen, Albay Halit Karsıalan, Albay Kâzım Sevüktekin, Albay Naci Eldeniz, Albay Mürsel Baku mirlivalığa (tuğgeneralliğe) terfi ettiler vb.
34a) *38. Alayla*, s.55.
35) *38. Alayla*, s.53'ten yararlanarak.
36) Spridonos, s.230.
37) İ. Artuç, *Büyük Taarruz*, s.210.
38) M.L. Smith, s.327; *Sakarya'dan İzmir'e*, s.516; D. Walder, s.214.
39) İ. Artuç, *Büyük Taarruz*, s.238; *TİH*, Büyük Taarruz ve Takip Harekâtı, s.71, 78, 82-85, 106; Yunan Süvarisi, s.232.
40) A. Gündüz, s.131.
40a) *HTM*, 1967/9.
41) *TİH*, Büyük Taarruz ve Takip Harekâtı, s.245, 244; T. Özakman, *Vahidettin, M. Kemal ve Milli Mücadele*, s.554 (Savaş sonunda kesin esir sayısı: 20.826, en az ölü sayısı 121.500 kişidir); *İ. İnönü*, s.300; Türk kaybı: 146 subay, 2.397 er şehit, 378 subay, 9.477 er yaralı (İ. Artuç, *Büyük Taarruz*, s.288).
42) S.S. Berkem, s.132 vd.
43) İ. Bardakçı, *Taşhan'dan Kadifekale'ye*, s. 151, 152.
43a) Nuyan Yiğit, *Atatürk'le 30 Yıl*, İbrahim Süreyya Yiğit'in Öyküsü, s.210 vd.
44) *TİH*, Büyük Taarruz ve Takip Harekâtı, s.125-127; Bilge Umar, *İzmir'de Yunanlıların Son Günleri*, s.267 vd. (B. Umar Kadifekale'ye bayrak çekenin Teğmen Celal olduğunu yazıyor)
45) F. Altay, s.355.
46) *Tek Adam*, 3. c., s.11.
47) *Özleyiş*, s.129.
48) *Çankaya*, s.314.
49) U. Kocatürk, *Kronoloji*, s.342.
49a) F. Altay, s.357.
50) F. Altay, s.359 vd.; linç olayı ve Nurettin Paşa'nın rolü vb. hk. ayrıntılı bilgi: B. Umar, *İzmir'de Yunanlıların Son Günleri*, s.308 vd.
51) R.E. Ünaydın, *Özleyiş*, s.166.
51a) Ambelas, s.32.

52) Yalın Tolga'nın tanıştırdığı yaşlı bir Bursalı bana, bazı köylülerin Mudanya ile Bursa arasındaki yolda beklediklerini, Bursa'daki esir kampına sevk edilen 11. Tümen askerlerinin içinden tanıdıkları suçlu askerleri muhafızların elinden zorla alarak cezalandırdıklarını anlattı.

53) *HTM*, 1971/9 (Teğmen Rıfat Erdal'ın anıları); *RTM*, 1957/67 (F. Kandemir'in anısı).

54) *Demirci Akıncıları*, s.396 vd.

55) Spridonos, s.272, 278; *TİH*, İstiklal Harbinin Son Safhası, s.26.

55a) T. Özakman, *Vahidettin, M. Kemal ve Milli Mücadele*, s.445-446.

55b) Asım Us, 1930-50, s.45; Büyük Taarruz ve Takip Harekâtı, s.224.

56) *Sakarya'dan İzmir'e*, s.514; D. Walder, *Çanakkale Olayı*, s.295, 239, 240, 255, 244, 253.

57) D. Walder, *Çanakkale Olayı*, s.299.

57a) İ. Bardakçı, *Milliyet*, Eylül 1974.

58) D. Walder, *Çanakkale Olayı*, s.254.

59) M.L. Smith, s.339.

60) D. Walder, *Çanakkale Olayı*, 342; Harington, s.115.

61) D. Walder, *Çanakkale Olayı*, 310.

62) M.L. Smith, s.340, 341.

63) D. Walder, *Çanakkale Olayı*, s.348, 346, 317, 383; M.L. Smith, s.344.

64) D. Walder, *Çanakkale Olayı*, 280.

65) *Atatürk Araştırma Merkezi* dergisi, sayı 14, s.284 (Prof.Dr. İ. Giritli'nin yazısı)

65a) Y.K. Karaosmanoğlu, *Vatan Yolunda*, s.176.

66) D. Walder, *Çanakkale Olayı*, s.409.

67) Atatürk'ün çeşitli konuşmalarından yararlanarak.

KISALTMALAR

A.E. Yalman: Gördüklerim Geçirdiklerim

AFC: Ali Fuat Cebesoy

age: adı geçen eser

A. İhsan Sabis: Harp Hatıralarım

A.M. Şamsutdinov: Mondros'tan Lozan'a Türkiye Ulusal Kurtuluş Savaşı Tarihi, 1918-1923

Ambelas: Yeni Onbinlerin İnişi

Andreas: İki çevirisi var: Genel olarak Felakete Doğru adıyla yapılan çeviriye gönderme yapılıyor. İkinci çeviriye (Cemal Tosun çevirisi) gönderme yapıldığı zaman 'ikinci çeviri' diye not veriliyor.

Aralov: Bir Sovyet Diplomatının Türkiye Anıları

Asım Gündüz: Hatıralarım

Baj Makario: Türk-Yunan Harbine Ait Notlar

Baykoç: Kur.Alb. Hulusi Baykoç, Sakarya Meydan Muharebesi

bç.: Basılmamış çeviri

Bige Yavuz: Kurtuluş Savaşı Döneminde, Türk-Fransız İlişkileri

Bilge Criss: İşgal Altında İstanbul

Bilge Umar: Yunanlıların İzmir'de Son Günleri

B. Çukurova: Bülent Çukurova, Kurtuluş Savaşında Haberalma ve Yeraltı Çalışmaları

C.K. İncedayı: Cevdet Kerim İncedayı, Türk İstiklal Harbi

D. Arıkoğlu: Hatıralarım

D. Avcıoğlu: Doğan Avcıoğlu, Milli Kurtuluş Tarihi

Demirci Akıncıları: İbrahim Ethem Akıncılar, Demirci Akıncıları

Devrin Yazarları: Devrin Yazarlarının Kalemiyle Milli Mücadele ve Gazi M. Kemal

D. Kitsikis: Yunan Propagandası

IV. Kolordu: F.Aykut, İstiklal Savaşında IV. Kolordu

Dusmanis: Küçük Asya Harbinin İçyüzü

Ergün Aybars: İstiklal Mahkemeleri

F. Altay: Fahrettin Altay, On Yıl Savaş ve Sonrası

F. Belen: Fahri Belen, Türk Kurtuluş Savaşı

GCZ: Gizli Celse Zabıtları

H. Himmetoğlu: Kurtuluş Savaşında İstanbul ve Yardımları

HTM: Hayat Tarih Mecmuası

Hepimize Bir Bayrak: Torkom İstepanyan'ın Anıları

H. Baykoç: Hulusi Baykoç, İstiklal Savaşında Sakarya Meydan Muharebesi

İ. İdikut: İhsan İdikut, İdeal Komutanlarımızdan 4. Tümen Komutanı Nâzım Bey

İlia Vutieridu: Sakarya Ötesi Harekâtı

İngiliz Belgelerinde: Bilal N. Şimşir, İngiliz Belgelerinde Atatürk

İ. İnönü: Hatıralar

İsmail Soysal: Türkiye'nin Siyasal Andlaşmaları

İstiklal Yolunda: Ruşen Eşref Ünaydın, İstiklal Yolunda

İ. Çalışlar: İzzettin Çalışlar, Sakarya Meydan Muharebesinde 1. Grup

Jaeschke, İngiliz Belgeleri: Türk Kurtuluş Savaşı ile İlgili İngiliz Belgeleri

Jaeschke, TKS Kronolojisi I, II: Türk Kurtuluş Savaşı Kronolojisi

K. Misailidis: Küçük Asya Seferi

KASÖT: Küçük Asya Seferinin Özetlenmiş Tarihi

Koçer: Kurtuluş Savaşımızda İstanbul

K. Özalp: Milli Mücadele, 1. c.

KS Günlüğü: Kurtuluş Savaşı Günlüğü

736

Kurtuluş Savaşımız: Türk Dış Politikasında 50 Yıl, Kurtuluş Savaşımız (1919-1922)

Malta Sürgünleri: Bilal N. Şimşir, Malta Sürgünleri

Mihal L. Roda: Yunanistan Küçük Asya'da

M.L. Smith: Anadolu'nun Üzerindeki Göz

M.M. Kansu: Mazhar Müfit Kansu, Erzurum'dan Ölümüne Kadar Atatürk'le Beraber

M. Aydın: Mesut Aydın, Milli Mücadele Döneminde TBMM Hükümeti Tarafından İstanbul'da Kurulan Gizli Gruplar ve Faaliyetleri

N. Peker: Nurettin Peker, 1918-1923 İstiklal Savaşı, Resim ve Vesikalarla İnebolu-Kastamonu Havalisi

Nicolopulos: Hristos V. Nikolopulos, 1921'in Onbinleriyle Beraber

N.N. Tepedelenlioğlu: Bilinmeyen Taraflarıyla Atatürk

38. Alayla: Ş. Soğucalı, 38. Alayla Samsun'dan İzmir'e

Özakman, Kronoloji: 1881-1938, Atatürk, Kurtuluş Savaşı ve Cumhuriyet Kronoloji

Özleyiş: Ruşen Eşref Ünaydın, Özleyiş

Papulas: General Papulas'ın Hatıratı

R.H. Sinha: M. Kemal ve Mahatma Gandi

RTM: Resimli Tarih Mecmuası

S. Adil: Selahattin Adil, Hayat Mücadeleleri

Sakarya'dan İzmir'e: Bilal N. Şimşir, İngiliz Belgeleri ile Sakarya'dan İzmir'e

Salih Bozok: S.Bozok-Cemil Bozok, Hep Atatürk'ün Yanında

Sherill: N.H. Sherill, Atatürk Nezdinde Bir Yıl Elçilik

Sonyel: Selahi R. Sonyel, Türk Kurtuluş Savaşı ve Dış Politika

Spridonos: Harp ve Hürriyetler

Stratigos: Yunanistan Küçük Asya'da

Süleyman Külçe: Mareşal Fevzi Çakmak (2 kitap)

S. Yerasimos: Türk-Sovyet İlişkileri

Şerif Güralp: İstiklal Harbinin İçyüzü

Tek Adam: Ş.S. Aydemir, Tek Adam

TİH: Harp Tarihi Dairesinin Türk İstiklal Harbi dizisi

TİH, Kütahya-Eskişehir: TİH, Kütahya, Eskişehir Muharebeleri

TİH, Sakarya Öncesi: TİH, Sakarya Meydan Muharebesinden Önceki Olaylar ve Mevzi İlerisindeki Harekât

TSK: Türk Kurtuluş Savaşı

Türkün Ateşle İmtihanı: Halide Edip Adıvar, Türkün Ateşle İmtihanı

Vandemir: Baki Vandemir, Sakarya'dan Mudanya'ya

V. Hürkuş: Vecihi Hürkuş, Havalarda 1914-1945

Yıldız'dan Sanremo'ya: Vahidettin'in 4. Kadınefendisi Nevzat Vahidettin'in Hatıraları

Y.K. Tengirşenk: Yusuf Kemal Tengirşenk, Vatan Hizmetinde

Yunan Süvarisi: T. Hrisohoos, Küçük Asya Savaşında Yunan Süvarisi

ZC: TBMM Zabıt Ceridesi (Tutanak Dergisi)

BAŞLICA KAYNAKLAR

Ana belgeler

Nutuk, 3 cilt, 1934, İstanbul

Söylev ve Demeçler, 5 cilt, TİTE Y., 1961-1972

Milli Mücadele Dönemine Ait 100 Belge, Kültür Bakanlığı Y., Ankara, 3. baskı, 1994

TBMM Zabıt Cerideleri, 1. Dönem, 23.4.1920-Nisan 1923

Gizli Celse Zabıtları, 4 cilt, İşb.Y., 1984

Kronolojiler

Türk Kurtuluş Savaşı Kronolojisi, G. Jeschke, 2 c., TTK, Ankara, 1970

Kurtuluş Savaşı Günlüğü, Zeki Sarıhan, 4 c., Öğretmen Dünyası-TTK, Ankara, 1982-1996

Atatürk ve Türkiye Cumhuriyeti Tarihi Kronolojisi, Utkan Kocatürk, TTK, Ankara, 1983

Atatürk, Kurtuluş Savaşı ve Cumhuriyet Kronolojisi, T. Özakman, Bilgi Y., Ankara, 1999

Tarihler

Türk Devrim Tarihi, Şerafettin Turan, 1. ve 2. kitap, Bilgi Y., Ankara, 1991-1992

Türk Parlamento Tarihi, 1. Dönem (1919-1923), 3 cilt, Ankara, 1993

Siyasi Tarih, Fahir Armaoğlu, Ankara, 1964

Milli Kurtuluş Tarihi, Doğan Avcıoğlu, 4 cilt, İstanbul, 1974

Mufassal Osmanlı Tarihi, 6. cilt, İstanbul, 1963

20. Yüzyıl Tarihi, 2 c., Arkın K., İstanbul, 1980

Kişiler

Atatürk, Y. Kadri Karaosmanoğlu, Remzi K., İstanbul, 1971

Tek Adam, Ş.S. Aydemir, 3 cilt, Remzi K., İstanbul, 1965

Mustafa Kemal Atatürk, Şerafettin Turan, Bilgi Y., Ankara, 2004

Atatürk, Hayatı ve Eseri, H. Bayur, Ankara, 1970

Hemşerimiz Atatürk, N.H. Uluğ, İşb. Y., Ankara, 1972

Atatürk Hakkında Hatıralar ve Belgeler, Afet İnan, TTK, Ankara, 1968

Komutan Atatürk, C. Erikan, İşb. Y., Ankara, 1972

M. Kemal ve Mahatma Gandi, R.K. Sinha, Milliyet Y., İstanbul, 1972

Atatürk Nezdinde Bir Yıl Elçilik, C.H. Sherill, Çev. A. Ekrem, A. Halit K., İstanbul, 1935

İsmet İnönü, Şerafettin Turan. Bilgi Y., Ankara, 2003

İkinci Adam, Ş.S. Aydemir, Remzi Kitapevi, 1966

Fevzi Çakmak, Askeri-Hususi Hayatı, S. Külçe, İzmir, 1953

Enver Paşa, Ş.S. Aydemir, 3 cilt, Remzi K., İstanbul, 1972

Osmanlı Sadrazamları, İ.M.K. İnal, 4. c., Dergâh Y., İstanbul, 1982

Büyükbabam Son Sadrazam A.Tevfik Okday, Şefik Okday İstanbul, 1968

İdeal Komutanlarımızdan 4. Fırka Komutanı Miralay Şehit Nâzım Bey, İ. İdikut, İstanbul, 1952

Kurmay Albay Halit Bey - Akmansü, Dr. Z. Göğem, İstanbul, 1954

Büyük Taarruzda Batı Cephesi Komutanları ve Şehitleri, Ş.S. Okay-M.V. Okay, Yönetici Y., İstanbul, 2. basım, 1986

Bizim Diplomatlar, Bilal N. Şimşir, Bilgi Y., Ankara, 1996

Anılar, gazete yazıları, günceler, şiirler

Hatıralar, İsmet İnönü, 1. c., Bilgi Y., Ankara, 1985

Mevhibe, Gülsün Bilgehan, 1.c., Bilgi Y., Ankara, 1994

Milli Mücadele, Kâzım Özalp,1. c., TTK, Ankara, 1971

Milli Mücadele Hatıraları, Ali Fuat Cebesoy, Vatan neşriyatı, İstanbul, 1953

Siyasi Hatıralar, Ali Fuat Cebesoy, Vatan neşriyatı, İstanbul, 1957

Atatürk İhtilali, M. Esat Bozkurt, Altın Kitaplar, İstanbul, 1967

Hayat Mücadeleleri, Selahattin Adil, İstanbul, 1982

Vatan Hizmetinde, Y. Kemal Tengirşenk, İstanbul, 1967

Bitmeyen Savaş, Halil Kut, 7 Gün Y., İstanbul, 1972

Atatürk'ten Hatıralar, Celal Bayar, Sel Y., İstanbul, 1955

Türk İstiklal Harbi (Garp Cephesi), Cevdet Kerim (İncedayı) İstanbul, 1927

Erzurum'dan Ölünceye Kadar Atatürk'le Beraber, M. Müfit Kansu, 2 cilt, TTK, Ankara, 1968

Hatıralarım, Damar (Zamir) Arıkoğlu, İstanbul, 1961

Hatıralar, Yasin Haşimoğlu/S. Şehitoğlu, Ankara, 1973

Ankara'nın İlk Günleri, Yunus Nadi, Sel Y., İstanbul, 1955

Hep Atatürk'ün Yanında, Salih Bozok/Cemil S. Bozok, Çağdaş Y., İstanbul, 1985

İstiklal Mahkemesi Hatıraları, Kılıç Ali, Sel Y., İstanbul, 1955

Atatürk'le Otuz Yıl, İbrahim Süreyya Yiğit'in Öyküsü, Nuyan Yiğit, Remzi K., İstanbul, 2004

Vatan Yolunda, Y. Kadri Karaosmanoğlu, Selek Y., İstanbul, 1958

Ergenekon, Y. Kadri Karaosmanoğlu, Remzi K., İstanbul, 1964

Atatürk'ü Özleyiş, R.E. Ünaydın, TTK, Ankara, 1957

İstiklal Yolunda, R.E. Ünaydın, TTK, Ankara, 1960

Hüsrev Gerede'nin Anıları, Haz.: Sami Önal, Literatür Y., İstanbul, 3. basım, 2002

Bilinmeyen Taraflarıyla Atatürk, N.N. Tepedelenlioğlu, Yeni Çığır K., İstanbul, 1959

Çankaya, F.R. Atay, İstanbul, 1969

Eski Saat, F.R. Atay, Akşam Mat. , İstanbul, 1933

Niçin Kurtulmamak, F.R. Atay, Varlık Y., İstanbul, 1953

Türkün Ateşle İmtihanı, H.E. Adıvar, Atlas K., İstanbul, 1971

Dağa Çıkan Kurt, H.E. Adıvar, Remzi K., İstanbul, 1970

Milli Mücadele'nin İç Alemi, E. Behnan Şapolyo, İnkılap ve Aka Y., İstanbul, 1967

Yakın Tarihte Gördüklerim ve Geçirdiklerim, A. Emin Yalman, 2. cilt, Rey Y., İstanbul, 1970

Siyasi ve Edebi Portreler, Y. Kemal Bayatlı, İst. Fetih Cemiyeti Y., İstanbul, 1986

Atatürk'ten Hatıralar, H. Rıza Soyak, 1.c., Yapı ve Kredi B. Y., İstanbul, 1973

Yüzbaşı Selahattin'in Romanı, İlhan Selçuk, 2 c., Remzi K., İstanbul, 2. basım, 1975

Rauf Orbay'ın Hatıraları, Yakın Tarihimiz, 1-4. cilt, İstanbul, 1962-1963

İstiklal Harbinde Kastamonu, Açıksözcü Hüsnü, Kastamonu, 1933

Kurtuluş Savaşı'nda İstanbul ve Yardımları, Hüsnü Himmetoğlu, 2 c., Ülkü Mat., İstanbul, 1975

Kurtuluş Savaşımızda İstanbul, Kemal Koçer, Vakit Mat., İstanbul, 1946

Atatürk'le Bir Ömür, Sabiha Gökçen, Altın Kitaplar, İstanbul, 1994

Türk Mucizesi, B.G. Gaulis, Yeni İstanbul Y., İstanbul, 1969

Ankara'da Bir İngiliz Kadını, Grace Ellison, Çev.: Osman Olcay, Bilgi Y., Ankara, 1999

Atatürk İçin, İ. Habip Sevük, Kültür Bk.lığı, Ankara, 1981

O Zamanlar, İ.H. Sevük, Kültür Bk.lığı, Ankara, 1981

Mütarekede İzmir Olayları, N. Moralı, TTK, Ankara, 1973

Mütarekede İzmir, N. Moralı, İstanbul, 1976

Darülfünun Grevi, Prof.Dr. İsmail Gürkan, Harman Y., İstanbul, 1971

İstiklal Harbimiz, K. Karabekir, Türkiye Y., İstanbul, 1969

Kılıç Ali Hatıralarını Anlatıyor, Kılıç Ali, Sel Y., İstanbul, 1955

Hayat ve Hatıratım, Dr. Rıza Nur, 2. cilt, Altındağ Y., İstanbul, 1968

Devrin Yazarlarının Kalemiyle Milli Mücadele ve Gazi M. Kemal, M. Kaplan ve arkadaşları, 2 c., Kültür Bk., Ankara, 1981

1930-1950, Asım Us, İstanbul, 1966

Milli Mücadele Anıları, H.V. Velidedeoğlu, Varlık Y., İstanbul, 1971

Safahat, M. Akif Ersoy, İnkılap K., İstanbul, 2. baskı, 1944

Emperyalizme Karşı Türkiye, N.H. Uluğ, Belge Y., İstanbul, 1971

Unutulmuş Günler, Süreyya S. Berkem, Hilmi Kitabevi, İstanbul,1960

Bir Demiryolcunun Kurtuluş Savaşı Hatıraları, M. Ergin, İstanbul, 1966

İki Mütareke Arasında Mudanya'nın Tarihi, A.G. Tokça, İstanbul, 1959

Vahdettin Mütareke Gayyasında, T.M. Göztepe, Sebil Y., İstanbul, 1969

Savaş anıları ve kitapları

Hatıralarım, Asım Gündüz/İ. Ilgar, Kervan Y., İstanbul, 1973

On Yıl Savaş ve Sonrası, Fahrettin Altay, İnsel Y., İstanbul, 1970

Türk Kurtuluş Savaşı, Fahri Belen, Kültür Müsteşarlığı Y., Ankara, 1973

Kurtuluş Savaşımızın Tarihi, Celal Erikan, Gençek Y., İstanbul, 1971

Bir Komutandan Anılar (Y. Şevki Sübaşı), M. Sadık Atak, Ankara, 1977

İkinci İnönü Muharebesinde 61. Tümen, İzzettin Çalışlar, 85 No.lu Ask. Mec. eki, 1931

Sakarya Meydan Muharebesi'nde 1. Grup, İzzettin Çalışlar, Ask. Mec. eki, İstanbul, 1932

Sakarya'dan İzmir'e 1. Kolordu, İzzettin Çalışlar, Ask. Mec. eki, İstanbul, 1932

İstiklal Harbinde IV. Kolordu, Kur.Yzb. Fahri Aykut, Ask. Mec. eki, İstanbul, 1935

Demirci Akıncıları, İbrahim Ethem Akıncı, TTK, Ankara, 1978

Sakarya Meydan Muharebesi Günlüğü, Alptekin Müdrerrisoğlu, Kastaş Y., İstanbul, 2004

Komutanlarımızın Hatıraları, S. Güngör, Kanaat K., İstanbul, 1937

30 Ağustos Hatıraları, Sel Y., İstanbul, 1955

Cumhuriyete Kan Verenler, N. Ekici, Derman Bayladı, Mahmut Alptekin, Hürriyet Y., İstanbul, 1973

1919-1922 Türk-Yunan Harbine Ait Notlar, Baj Makario, ATASE Kitaplığı

Sakarya'dan Mudanya'ya, Baki Vandemir, Genelkurmay Y., Ankara, 1946

Sakarya Meydan Muharebesi, Hulusi Baykoç, 134 sayılı Ask. Mec. eki, 1944

Türkiye Nasıl Kurtarıldı, H. Saral-T. Saral, İşb. Y., Ankara, 1970

Kurtuluş Savaşı'nın Zorlu Yılları, İbrahim Artuç, Kastaş Y., İstanbul, 1988

Büyük Dönemeç, İ. Artuç, Kastaş Y., İstanbul,1985

Büyük Taarruz, İ. Artuç, Kastaş Y., İstanbul, 1986

On Yıllık Harbin Kadrosu, Dr. İsmet Görgülü, TTK, Ankara, 1993

Yetmişlik Bir Subayın Hatıraları, Rahmi Apak, Genelkurmay Y., Ankara, 1957

Büyük Taarruzda 1. Süvari Tümeni, Selahattin Selışık, ATASE Kitaplığı, basılmamış çalışma

İstiklal Savaşının İçyüzü, Şerif Güralp, İstanbul, 1958

İstiklal Harbinde Olaylar, Şevket Soğucalı, Ankara, 1947

38. Alayla Samsun'dan İzmir'e, Şevket Soğucalı Genelkurmay Y., 1941

İstiklal Harbinde Milli Demiryollaramız, Behiç Erkin, ATASE Kitaplığı, basılmamış çalışma

Türk Havacılık Tarihi 1918-1923, Sıtkı Tanman, Hv. Kuv., Eskişehir, 1953

Havalarda, Vecihi Hürkuş, Kanaat K., İstanbul, 1942

İstiklal Savaşı Nasıl Oldu, Şevki Yazman, Akşam K., İstanbul, 1934

Büyük Taarruz Nasıl Oldu, Şevki Yazman, Akşam K., İstanbul, 1933

Harp Hatıralarım, A. İhsan Sabis, 5. cilt, Ankara, 1951

Belgelerle Kurtuluş Savaşı, Belgelerle Türk Tarihi dergisi özel sayısı, İstanbul, 1968

Türkiye'de Yunan Vahşet ve Soykırımı Girişimi, Talat Yalazan, 2 c., ATASE Y., Ankara, 1994

TİH, Deniz Cephesi ve Hava Harekâtı, ATASE Y., Ankara, 1964

TİH, Ayaklanmalar, ATASE Y., Ankara, 1974

TİH, Güney Cephesi, ATASE Y., Ankara, 1966

TİH, İdari Faaliyetler, ATASE Y., Ankara, 1975

TİH, Kütahya-Eskişehir Muharebeleri, ATASE Y., Ankara, 1974

TİH, Sakarya Meydan Muharebesi'nden Önceki Olaylar, ATASE Y., Ankara, 1972

TİH, Sakarya Meydan Muharebesi, ATASE Y., Ankara,

TİH, Büyük Taarruza Hazırlık ve Büyük Taarruz (10 Ekim 1921-31 Temmuz 1922), ATASE Y., Ankara, 1994

TİH, Büyük Taarruz (1-31 Ağustos), ATASE Y., Ankara, 1995

TİH, Büyük Taarruzda Takip Harekâtı (31 Ağustos-18 Eylül 1922), ATASE Y., Ankara, 1969

TİH, İstiklal Harbinin Son Safhası (18 Eylül 1922-1 Kasım 1923), ATASE Y., Ankara, 1969

Araştırmalar, incelemeler

Osmanlıların Yarı Sömürge Oluşu, Tevfik Çavdar, Ant Y., İstanbul, 1970

Kurtuluş Savaşı'nın Mali Kaynakları, Alptekin Müderrisoğlu, Maliye Bk.lığı Y., Ankara, 1973

İzmir'den Bursa'ya, Asım Us, H.E. Adıvar, F.R. Atay, Y.K. Karaosmanoğlu, Atlas K., İstanbul, 1974

Atatürk Anadolu'da, Tevfik Bıyıklıoğlu, TTK, Ankara, 1959

Modern Türkiye'nin Doğuşu, Bernard Lewis, Çev.: M. Kıratlı, TTK, Ankara, 5. baskı, 1993

İşgal Altında İstanbul, Bilge Criss, İletişim Y., İstanbul, 2. baskı, 1994

İzmir'de Yunanlıların Son Günleri, Bilge Umar, Bilgi Y., Ankara, 1974

Kurtuluş Savaşında Haberalma ve Yeraltı Çalışmaları, Bülent Çukurova, Ardıç Y., İstanbul, 1994

Anadolu İhtilali, Sabahattin Selek, Cem Y., İstanbul, 5. basım, 1973

Milli Mücadele'nin Sosyal Tarihi, Doğu Ergil, Turhan K., Ankara, 1981

İstiklal Mahkemeleri, Ergün Aybars, İleri K., İzmir, 1995

Milli Mücadele'de İttihatçılık, Eric Jan Zürcher, Çev.: N.Salihoğlu, Bağlam Y., İstanbul, 1987

İlk Meclis'ten Kalanlar, Nalan Seçkin, Ankara, 1970

Kurtuluş Savaşı Gençliği, Zeki Sarıhan, Kaynak Y., İstanbul, 2004

İstiklal Harbinde Mücahit Kadınlarımız, Fevziye A. Tansel, AKM Y., Ankara, 1988

Taşhan'dan Kadifekale'ye, İlhan Bardakçı, Milliyet Y., İstanbul, 1975

İstiklal Harbimiz Enver Paşa ve İttihat -Terakki Erkanı, K. Karabekir, Menteş K., İstanbul, 1967

Türkiye'de Sosyalist ve Komünist Faaliyetler, Dr. Fethi Tevetoğlu, Ankara, 1967

Solun 94 Yılı, Aclan Sayılgan, Ankara, 1968

Türkiye'de Sol Akımlar, Mete Tunçay, Bilgi Y., Ankara, 3. baskı, 1978

Kurtuluş Üzerine 10 Konferans, Bülent Tanör, Der Y., İstanbul, 1995

XX. Yüzyılda Türklüğün Tarih ve Acun Siyasası Üzerindeki Etkileri, Hikmet Bayur, TTK, Ankara, 1989

İstanbul Hükümetleri ve Milli Mücadele, Sina Akşin, Cem Y., İstanbul, 1983

İstanbul Hükümetleri ve Milli Mücadele Karşıtı Faaliyetleri, Hülya Özkan, ATASE Y., Ankara, 1994

Milli Mücadele Basını, Ömer Sami Çoşar, Gazeteciler Cemiyeti Y., İstanbul, 1964

Mütareke'de Yerli ve Yabancı Basın, İhsan Ilgar, Kervan Y., İstanbul, 1973

Amerikan Basınında Türk Kurtuluş Savaşı, Osman Ulagay, Yelken Mat., İstanbul, 1974

İşbirlikçiler, İlhami Soysal, Gün Y., İstanbul, 1985

150'likler, İlhami Soysal, Gün Y., İstanbul, 1985

Türkiye'de Siyasi Partiler, T.Z. Tunaya, İstanbul, 1952

Türkiye'nin Siyasal Andlaşmaları, İsmail Soysal, 1.c., TTK, Ankara, 1989

Cumhuriyete Doğru, M. Goloğlu, Başnur Mat., Ankara, 1971

Güney Asya Müslümanlarının İstiklal Davası ve Türk Milli Mücadelesi, Mim Kemal Öke, Kültür ve Turizm Bk. Y., Ankara, 1988

1918-1923 İstiklal Savaşı, Resim ve Vesikalarla İnebolu-Kastamonu Havalisi, Nurettin Peker, Gün Basımevi, İstanbul, 1955

Mondros'tan Mudanya'ya, Selahattin Tansel, 4 c., Kültür Müsteşarlığı Y., Ankara, 1973

İstiklal Savaşı'nda Bozguncular ve Casuslar, F. Kandemir, Yakın Tarimiz Y., İstanbul, 1964

Denizli Vakası, S. Örgeevren, Sel Y., İstanbul, 1955

Uluslararası Atatürk Sempozyumu, İşb., Ankara, 1983

Atatürk'ün Düşünce ve Uygulamalarının Evrensel Boyutları, Ankara Üniv. Y., Ankara, 1983

Büyük Zaferin Ellinci Yıldönümüne Armağan, Kültür Müsteşarlığı Y., Ankara, 1972

Sivas Kongresi Tutanakları, Haz.: Uluğ İğdemir, TTK, Ankara, 1986

Tetkik Heyeti Amirlikleri, H. Pehlivanlı, Genelkurmay Y., Ankara, 1993

Vahidettin, M. Kemal ve Milli Mücadele/ yalanlar, yanlışlar, yutturmacalar, T. Özakman, Bilgi Y., Ankara, 1997

Yunan kitapları

Harplerimizin Vaka ve Hadiselerine Ait Hatıralar, N. Trikupis, ATASE Kitaplığı, bç.

Hatıralarım, N. Trikupis, Çev.: A. Angın, (yukardaki eserin özetidir), Akşam Kitap Kulübü, İstanbul, 1967

General Papulas'ın Hatıratı, Yeni İstanbul Y., İstanbul, 1969

Yeni Onbinlerin İnişi, D.T. Ambelas, Genelkurmay, Ankara, 1943

Felakete Doğru, V. Andreas, Çev.: R. Apak, Genelkurmay Y., Ankara, 1932

Eskişehir-Sakarya 1921, V. Andreas, Çev.: Cemal Tosun, ATASE Kitaplığı, bç.

Küçük Asya Harbinin İçyüzü, General V.Dusmanis, ATASE Kitaplığı, bç.

Küçük Asya Ordumuzun Dağılması, General Fessopulos, ATASE Kitaplığı, bç.

Küçük Asya Savaşında Yunan Süvarisi, T.İ. Hrisohoos, ATASE Kitaplığı, bç.

Küçük Asya Mağlubiyeti, K.D. Kanellopulos, 2 c., ATASE Kitaplığı, bç.

Küçük Asya Seferi, Kostas Misailidis, ATASE Kitaplığı, bç.

Küçük Asya Felaketine Dair, E. Iahanokardos, ATASE Kitaplığı, bç.

Yunanistan Küçük Asya'da, M.L. Roda, ATASE Kitaplığı, bç.

Küçük Asya Ordusunun Çözülmesi ve Esareti, M.N. Passaris, ATASE Kitaplığı, bç.

1921'in Onbinleriyle Beraber, Hristos V. Nikolopulos, ATASE Kitaplığı, bç.

Harp ve Hürriyetler, Y.L. Spiridonos, ATASE Kitaplığı, bç.

Yunanistan Küçük Asya'da, K.Stratigos, ATASE kitaplığı, bç.

Sakarya Ötesi Harekâtı, İlia Vitieridu, ATASE Kitaplığı, bç.

1919-1922 Küçük Asya Seferinin Özetlenmiş Tarihi, ATASE Kitaplığı, bç.

Dış ilişkiler ve belgeler

Türkiye'nin Paylaşılması, L. Evans, Çev.: T. Alanay, Milliyet Y., İstanbul, 1972

Sovyet Devlet Arşivi Gizli Belgelerinde Anadolu'nun Taksimi Planı, E.E. Adamov, Çev.: R. Apak, Belge Y., İstanbul, 1972, 2. baskı

Osmanlı İmparatorluğunun Çöküş Belgeleri, S.L. Meray ve Osman Olcay, SBF Y., Ankara,1977

Kurtuluş Savaşıyla İlgili İngiliz Belgeleri, G. Jeschke, Çev.: C. Köprülü, TTK, Ankara, 1971

İngiliz Belgelerinde Atatürk, Bilal N. Şimşir, 4 cilt, TTK, Ankara, 1973-1975

İngiliz Belgeleriyle Sakarya'dan İzmir'e, Bilal N. Şimşir, Milliyet Y., İstanbul, 1972

İngiliz Gizli Belgelerinde Türkiye, Erol Ulubelen, Çağdaş Y., İstanbul, 1967

Malta Sürgünleri, Bilal N. Şimşir, Bilgi Y., Ankara, 1985

İngiliz Kaynaklarından Türk Kurtuluş Savaşı, Taner Baytok, Ankara, 1970

Türk-İngiliz İlişkileri, Ö. Kürkçüoğlu, SBF Y., Ankara, 1978

Türk Kurtuluş Savaşı ve Dış Politika, S.R. Sonyel, 2 c., TTK, Ankara, 1973

Kurtuluş Savaşı Döneminde Türk-Fransız İlişkileri, Fransız Arşiv Belgeleri Açısından (1919-1922), Yrd.Dç.Dr. Bige Yavuz, TTK, Ankara, 1994

Moskova Hatıraları, Ali Fuat Cebesoy, Vatan Y., İstanbul, 1955

Türk-Sovyet İlişkileri, Stafanos Yerasimos, Gözlem Y., İstanbul, 1979

Bir Karagün Dostluğu, A. Şemşiddunov-Y.A. Bagirov, Çev.: A. Hasanoğlu, Bilim Y., İstanbul, 1979

Türk-Sovyet İlişkileri (1920-1953), Kamuran Gürün, TTK, Ankara, 1991

Bir Sovyet Diplomatının Türkiye Anıları, S.İ. Aralov, Çev.: Hasan Ali Ediz, Birey ve Toplum Y., İstanbul, 2. baskı, 1985

Mondros'tan Lozan'a Türkiye Ulusal Kurtuluş Savaşı Tarihi 1918-1923,

A.M. Şemşuddinov, Çev.: A. Behramoğlu, (özellikle s.187-299), Doğan K., İstanbul, 1998

Çanakkale Olayı, David Walder, Çev.: M.A. Kayabal, Milliyet Y., İstanbul, 1971

Yunan Propagandası, Dimitri Kitsikis, Çev.: H. Devrim, Kaynak K., İstanbul, 1974

Türkiye'nin Üzerindeki Göz, M.L. Smith, Çev.: H. İnal, Hürriyet Y., İstanbul, 1978

Türkiye, A.J. Toynbee, Çev.: K. Yargıcı, Milliyet Y., İstanbul, 1971

Yunanlıların Anadolu Macerası, A.A. Pallis, Çev.: Orhan Azizoğlu, Yapı Kredi Y., İstanbul, 1995

Amerikan Gizli Belgeleriyle Türkiye'nin Kurtuluş Yılları, Orhan Duru, Milliyet Y., İstanbul, 1987

Türk Devletinin Dış Siyasası, Hikmet Bayur, TTK, Ankara, 1973

Süreli yayınlar

Belleten, Belgelerle Türk Tarihi dergisi, Atatürk Araştırmaları Merkezi dergisi, Harp Tarihi Vesikaları, Türk Kültürü, Makine Kimya Endüstrisi, Resimli Tarih Mecmuası, Hayat Tarih Mecmuası, Silahlı Kuvvetler dergisi (Zafer), Yirmi Asır, Sosyal Adalet, Eski Muharipler dergisi, Yıllar Boyu Tarih, Tarih ve Toplum ve Cumhuriyet, Milliyet, Hürriyet, Ulus, Akşam, Yeni Asır, Demokrat İzmir vb. gazeteler.

Doğrudan yararlanılan anılara metinde gönderme yapılmıştır. Çok yer tutacağından öteki anıların dökümünden kaçınıldı.

Başlıca kaynak kişiler

Em.Muh. Albay Emin Orkut

Em.Topçu Tuğg.Osman Nuri Güler

Em.Kur. Albay Hüsamettin Tugaç

Em. Dr. General Rauf Gürün

Ord.Alb. Bekir Sıtkı Kural

Em.Sv.Bnb. Osman Mesut Berkün

Em.Muh.Astsb., Kd.Başçvş. Niyazi Ergen

Yazar Naşit Hakkı Uluğ

Turgut Özakman'ın
"Milli Mücadele" Kitapları

Dr. Rıza Nur Dosyası

Vahidettin, M.Kemal ve Milli Mücadele
"yalanlar, yanlışlar, yutturmacalar"

1881-1938 Atatürk, Kurtuluş Savaşı ve
Cumhuriyet Kronolojisi

19 Mayıs 1999 Atatürk Yeniden Samsun'da
Birinci Kitap

19 Mayıs 1999 Atatürk Yeniden Samsun'da
İkinci Kitap

Şu Çılgın Türkler